KB084633

해커스

IFRS 정윤돈 객관식 재무회계

공인회계사(CPA)·세무사(CTA) 1차 시험 대비

이 책의 저자

정윤돈

학력
성균관대학교 경영학과 졸업

경력
현 | 해커스 경영아카데미 교수
해커스공무원 교수
해커스금융 교수
미래세무회계 대표 회계사
삼일아카데미 외부교육 강사
전 | 삼정회계법인 감사본부(CM본부)
한영회계법인 금융감사본부(FSO)
한영회계법인 금융세무본부(FSO TAX)
대안회계법인 이사
이그잼 경영아카데미 재무회계 전임(회계사, 세무사)
합격의 법학원 재무회계 전임(관세사, 감평사)
와우패스 강사(CFA-FRA, 신용분석사, 경영지도사)
KEB하나은행, KB국민은행, 신한은행, IBK기업은행,
부산은행 외부교육 강사

자격증
한국공인회계사, 세무사

저서
해커스 IFRS 정윤돈 회계원리
해커스 IFRS 정윤돈 중급회계 1/2
해커스 IFRS 정윤돈 고급회계
해커스 IFRS 정윤돈 재무회계 키 핸드북
해커스 IFRS 정윤돈 객관식 재무회계
해커스 세무사 IFRS 정윤돈 재무회계 1차 FINAL
해커스 IFRS 정윤돈 재무회계연습
해커스공무원 정윤돈 회계학 재무회계 기본서
해커스공무원 정윤돈 회계학 원가관리회계 · 정부회계 기본서
해커스공무원 정윤돈 회계학 단원별 기출문제집
해커스 신용분석사 1부 이론 + 적중문제 + 모의고사
IFRS 중급회계 스터디가이드
IFRS 재무회계 기출 Choice 1/2
IFRS 객관식 재무회계 1/2
신용분석사 완전정복 이론 및 문제 1/2
신용분석사 기출 유형 정리 1부
신용분석사 최종정리문제집 1/2부

머리말

재무회계 학습에서 가장 중요한 것은 '각 거래들이 재무제표에 어떠한 영향을 주어 정보이용자에게 어떠한 의미로 전달되는지'를 파악하는 것입니다. 이를 위해서 우리는 각 거래를 회계처리나 그림, 산식 등 다양한 방법을 통하여 학습하고 있습니다. 하지만 이로 인해 많은 학생들이 재무회계를 학습할 때 단순히 회계처리를 해보거나 그림을 그려 답을 구하려고만 하는 실수를 범하고 있습니다. 모든 회계처리 및 그림의 결론은 각 거래들이 재무제표에서 어떠한 의미로 기재되는지를 의미하는 것임을 항상 염두에 두고 학습하시기를 바랍니다.

본서의 특징은 아래와 같습니다.

첫째, 본서는 공인회계사/세무사 1차 시험 대비를 목적으로 하였습니다. 2024년 공인회계사/세무사 출제경향을 분석하여 시험 대비에 적합한 난이도의 문제를 엄선하여 수록하였고, 최근까지 제/개정된 국제회계기준을 문제와 해설에 충실히 반영하였습니다.

둘째, 하나의 주제에 대한 문제들을 난이도에 따라 단계별로 학습할 수 있도록 구성하였습니다. 기출문제 중심의 '기출 유형 정리'를 통해 핵심 개념을 다시 한번 정리하면서 기본기를 단단히 하고, 기출문제를 변형한 예상문제로 구성된 '관련 유형 연습'으로 주제별 응용문제까지 확실하게 대비할 수 있습니다.

셋째, 출제 빈도가 높은 말 문제의 지문을 모아 별도로 구성하여, 말 문제 대비를 집중적으로 할 수 있습니다.

넷째, 각 기출문제 지문별로 문제를 푸는 데 핵심이 되는 문구를 파란색으로 표시하여 수험생들이 문제를 파악하는 능력을 키울 수 있도록 하였습니다.

끝으로 아내 현주와 딸 소은, 소율에게 많이 사랑한다는 말 전합니다.

정윤돈

목차

CPA · CTA 1차 시험 출제현황 분석

공인회계사 · 세무사 1차 시험의 출제포인트별 10개년 출제빈도를 정리하였습니다. 출제현황을 통해 시험에 자주 출제되는 부분을 확인하며 전략적으로 학습할 수 있습니다.

출제포인트	출제빈도		CPA										CTA									
	CPA	CTA	15	16	17	18	19	20	21	22	23	24	15	16	17	18	19	20	21	22	23	24
재무회계와 회계원칙		2																				2
재무보고 개념체계	9	8	1	1	1	1	1		1		2	1	1		1		1	2	1	1	1	
재무제표	1	13								1			2	2	2	1		1	2	1	1	1
재고자산의 매입과 기말재고자산 조정	5	4		1	2		1			1			1	1	1							1
재고자산의 원가배분																						
재고자산의 감모손실과 평가손실	9	7	1	1	1	1	1	1		1	1	1	1		1		1	1	1	1		1
특수한 원가배분 방법	2	6	1						1							2		2		1	1	
재고자산 서술형	2	4							1		1			1					1		1	1
현금및현금성자산		2												1		1						
수취채권		1														1						
유형자산의 최초 인식과 측정 (일괄구입, 교환)	1.5	5							0.5	1			1			1	1			1		1
복구원가	2	3			1			1					1			1			1			
정부보조금	5	6	1	1	1	1				1			1		1		1	1			1	1
유형자산의 감가상각, 제거	0.5	4							0.5						1		1	1			1	
유형자산의 손상	2	6						1			1			1	1	1		1	1	1		
유형자산의 재평가	7	9	1		1		1	1	1		1	1	1	1	2	1	1		1		1	1
유형자산 서술형	1	4				1							1	1		1			1			
차입원가 자본화 계산형	10	6	1	1	1	1	1	1	1	1	1	1	1			1	1		1	1		1
차입원가 자본화 서술형		2												1								1
투자부동산	8	6	1		1	1	1	1			1	2	1	1			1		1	1	1	
무형자산 취득 및 후속측정	1.5	1	0.5		1								1									
내부적으로 창출한 무형자산	1.5	1	0.5							1				1								
무형자산 서술형	6	3		1		1	1		1		1	1					1			1		1
매각예정비유동자산	3	1		1	1				1													1
상각후원가측정금융부채	8	9	1		1		1		2	1	1	1		1	1	1	1	1	1	1	1	1
금융부채 - 기타사항	4	3		1		1	1			1									1	1	1	
충당부채 서술형	5	4	1	1	1	1		1					1		1					1	1	
충당부채 계산형	2	3					1					1		1				1				1
중간재무보고와 특수관계자 공시	2	6				1				1					2		2	2				
자본의 변동	5	6	2		1	1	1						1		2	1		1		1		
상환우선주	1	1							1				1									
우선주배당금	1	2									1							1				1
이익잉여금의 변동	1							1														
금융자산의 정의 및 분류	2	2				1						1		1							1	
최초 인식 및 측정과 지분상품	2	1		1				1										1				
채무상품	5	3			1			1	1		1	1		2			1					
금융자산의 손상	3	3				1	1				1				1		1				1	

출제포인트	출제빈도		CPA										CTA									
	CPA	CTA	15	16	17	18	19	20	21	22	23	24	15	16	17	18	19	20	21	22	23	24
금융자산의 재분류	5	4	1				1	1	1	1			1			1			1	1		
금융자산의 제거																						
전환사채 일반	5	1.5		1	1	1		1				1				0.5	1					
전환사채의 특수상황	5	1.5	1	1				1		2						0.5					1	
신주인수권부사채 일반	6	3	1	1			1				2	1						1		1		1
전환사채 서술형		1												1								
고객과의 계약에서 생기는 수익 서술형	6	2		1		1	1	1	1	1			1					1				
고객과의 계약에서 생기는 수익 계산형	16	9	2	1	1	2	1	2	2	2	2	1	1				3		2	1	1	1
건설계약	2	4		1								1		1	1			1	1			
리스회계 개념	4	2		1			1		1			1	1									1
리스제공자	5	3				1	0.5	1		1.5	1			1				1	1			
리스이용자	5	6	1				0.5		1	0.5	1	1		1			2		1	1	1	
리스의 기타사항	1							1														
종업원급여 계산형	7	7		1	1	1	1		1	1	1		1		1			1	1	1	1	1
종업원급여 서술형	6	1				3		1			1	1	1									
주식결제형 주식기준보상거래	6	4	1		1	1			1		1	1	1	1			1			1		
현금결제형 주식기준보상거래	1	1					1												1			
주식기준보상거래 서술형	4	1		1				1		1		1									1	
법인세의 기간 간 배분	4	4			1	1					1	1				1	1	1		1		
법인세의 기간 내 배분	2	1	1						1												1	
법인세회계 서술형	4	2		1			1	1		1											1	1
회계추정치의 변경	1				1																	
회계정책의 변경	1	2		1										1								1
오류수정	6	6	2					1	1	1		1	1		1	1	1			1	1	
회계변경과 오류수정 서술형	1					1																
기본주당이익	3	5	1	1						1				1	1				1	1		1
희석주당이익	5	5				1		1	1		1	1	1			1	1	1			1	
주당이익 서술형	3				1		1					1										
영업활동으로 인한 현금흐름(직접법)	4	2				1			1	1		1		1				1				
영업활동으로 인한 현금흐름(간접법)	4	5	1				1	1			1		1			1	1			1	1	
투자활동으로 인한 현금흐름	1.5	2			0.5	1									1							1
재무활동으로 인한 현금흐름	0.5				0.5																	
현금흐름표 서술형		1																	1			
사업결합	18	4	1	2	1	2	2	2	2	2	2	2			1			1	1			1
연결재무제표	36	4	3	4	4	4	5	4	3	4	3	2				2				1	1	
관계기업 투자 및 공동약정	16	2	1	1	1	1	2	2	3	1	2	2		1	1							
환율변동효과	18	1	2	2	2	3	1	1	2	2	1	2			1							
파생상품 및 위험회피회계	14	1	2	2	2		1	2	1	2	1	1								1		

해커스 IFRS 정윤돈 객관식 재무회계

PART 1

중급회계

해커스 IFRS 정윤돈 객관식 재무회계

1차 시험 출제현황

구분	CPA										CTA									
	15	16	17	18	19	20	21	22	23	24	15	16	17	18	19	20	21	22	23	24
재무회계와 회계원칙																				2
재무보고 개념체계	1	1	1	1	1		1		2	1	1		1		1	2	1	1	1	
재무제표								1			2	2	2	1		1	2	1	1	1

제1장

재무제표와 개념체계

기초 유형 확인

01 재무보고를 위한 개념체계 중 재무정보의 질적특성에 관한 설명으로 옳지 않은 것은?

① 유용한 재무정보의 질적특성은 그 밖의 방법으로 제공되는 재무정보뿐만 아니라 재무제표에서 제공되는 재무정보에도 적용된다.

② 중요성은 기업 특유 관점의 목적적합성을 의미하므로 회계기준위원회는 중요성에 대한 획일적인 계량임계치를 정하거나 특정한 상황에서 무엇이 중요한 것인지를 미리 결정하여야 한다.

③ 재무정보의 예측가치와 확인가치는 상호 연관되어 있다. 예측가치를 갖는 정보는 확인가치도 갖는 경우가 많다.

④ 재무보고의 목적을 달성하기 위해 근본적 질적특성 간 절충이 필요할 수도 있다.

⑤ 근본적 질적특성을 충족하면 어느 정도의 비교가능성은 달성된다.

02 재무보고를 위한 개념체계에 관한 설명으로 옳지 않은 것은?

① 이해가능성은 합리적인 판단력이 있고 독립적인 서로 다른 관찰자가 어떤 서술이 충실하게 표현되었다는 데 대체로 의견이 일치할 수 있다는 것을 의미한다.

② 근본적 질적특성은 목적적합성과 표현충실성이다.

③ 비교가능성, 검증가능성, 적시성 및 이해가능성은 목적적합하고 충실하게 표현된 정보의 유용성을 보강시키는 질적특성이다.

④ 목적적합한 재무정보는 정보이용자의 의사결정에 차이가 나도록 할 수 있다.

⑤ 적시성은 의사결정에 영향을 미칠 수 있도록 의사결정자가 정보를 제때에 이용가능하게 하는 것을 의미한다.

03 포괄손익계산서와 재무상태표에 관한 설명으로 옳지 않은 것은?

① 수익과 비용의 어느 항목도 당기손익과 기타포괄손익을 표시하는 보고서 또는 주석에 특별손익 항목으로 표시할 수 없다.

② 비용의 성격별 분류방법은 기능별 분류방법보다 자의적인 배분과 상당한 정도의 판단이 더 개입될 수 있다.

③ 해당 기간에 인식한 모든 수익과 비용의 항목은 단일 포괄손익계산서 또는 두 개의 보고서(당기손익 부분을 표시하는 별개의 손익계산서와 포괄손익을 표시하는 보고서) 중 한 가지 방법으로 표시한다.

④ 영업주기는 영업활동을 위한 자산의 취득시점부터 그 자산이 현금이나 현금성자산으로 실현되는 시점까지 소요되는 기간이다.

⑤ 기업의 정상영업주기가 명확하게 식별되지 않는 경우 그 주기는 12개월인 것으로 가정한다.

04 자본유지개념과 이익의 결정에 관한 설명으로 옳지 않은 것은?

① 재무자본유지개념을 사용하기 위해서는 현행원가기준에 따라 측정해야 한다.

② 자본유지개념은 기업의 자본에 대한 투자수익과 투자회수를 구분하기 위한 필수요건이다.

③ 자본유지개념 중 재무자본유지는 명목화폐단위 또는 불변구매력단위를 이용하여 측정할 수 있다.

④ 재무자본유지개념과 실물자본유지개념의 주된 차이는 기업의 자산과 부채에 대한 가격 변동 영향의 처리방법에 있다.

⑤ 자본유지개념은 이익이 측정되는 준거기준을 제공함으로써 자본개념과 이익개념 사이의 연결고리를 제공한다.

05 다음 중 재무제표의 작성과 표시에 대한 설명으로 옳은 것은?

① 매입채무 그리고 종업원 및 그 밖의 영업원가에 대한 미지급비용과 같은 유동부채는 기업의 정상영업주기 내에 사용되는 운전자본의 일부이지만, 이러한 항목은 보고기간 후 12개월 후에 결제일이 도래하면 비유동부채로 분류한다.

② 기업이 기존의 대출계약조건에 따라 보고기간 후 적어도 12개월 이상 부채를 차환하거나 연장할 것으로 기대하고 있고, 그런 재량권이 있더라도, 보고기간 후 12개월 이내에 만기가 도래하는 경우 유동부채로 분류한다.

③ 보고기간 말 이전에 장기차입약정을 위반했을 때, 대여자가 즉시 상환을 요구할 수 있는 채무라 하더라도 채권자가 보고기간 말 이후에 보고기간 후 적어도 12개월 이상의 유예기간을 주는 데 합의하여, 그 유예기간 내에 기업이 위반사항을 해소할 수 있고, 또 그 유예기간 동안에는 채권자가 즉시 상환을 요구할 수 없더라도, 그 부채는 유동부채로 분류한다.

④ 중요한 오류수정과 회계정책의 변경은 전진법을 적용하므로 이러한 수익과 비용은 당기손익에 반영된다.

⑤ 비용을 성격별로 분류하는 기업은 매출원가를 포함하여 비용의 기능에 대한 추가 정보를 주석 공시한다.

06 재무제표 표시에 관한 설명으로 옳은 것은?

① 기업은 재무제표, 연차보고서, 감독기구 제출서류 또는 다른 문서에 표시되는 그 밖의 정보 등 외부에 공시되는 모든 재무적 및 비재무적 정보에 한국채택국제회계기준을 적용하여야 한다.

② 투자자산 및 영업용자산을 포함한 비유동자산의 처분손익은 처분대가에서 그 자산의 장부금액과 관련 처분비용을 차감하여 상계표시한다.

③ 경영진이 기업을 청산하거나 경영활동을 중단할 의도를 가지고 있거나 청산 또는 경영활동의 중단의도가 있을 경우에도 계속기업을 전제로 재무제표를 작성한다.

④ 한국채택국제회계기준의 요구사항을 모두 충족하지 않더라도 일부만 준수하여 재무제표를 작성한 기업은 그러한 준수 사실을 주석에 명시적이고 제한 없이 기재한다.

⑤ 변경된 표시방법의 지속가능성이 낮아 비교가능성을 저해하더라도 재무제표이용자에게 신뢰성 있고 더욱 목적적합한 정보를 제공한다고 판단할 때에는 재무제표의 표시방법을 변경한다.

07 유용한 재무정보의 질적특성에 관한 설명으로 옳지 않은 것은?

① 목적적합성과 표현충실성이 없는 재무정보가 더 비교가능하거나, 검증가능하거나, 적시성이 있거나, 이해가능하다면 유용한 정보이다.

② 보고기업에 대한 정보는 다른 기업에 대한 유사한 정보 및 해당 기업에 대한 다른 기간이나 다른 일자의 유사한 정보와 비교할 수 있다면 더욱 유용하다.

③ 재무정보가 예측가치를 갖기 위해서 그 자체가 예측치 또는 예상치일 필요는 없으며, 예측가치를 갖는 재무정보는 정보이용자가 예측하는 데 사용된다.

④ 정보가 누락되거나 잘못 기재된 경우 특정 보고기업의 재무정보에 근거한 정보이용자의 의사결정에 영향을 줄 수 있다면 그 정보는 중요한 것이다.

⑤ 목적적합하고 충실하게 표현된 재무정보는 보강적 질적특성이 없더라도 유용할 수 있다.

기출 유형 정리

01 다음 중 회계정보의 기능에 대한 설명으로 타당하지 않은 것은? [공인회계사 2010년]

① 회계정보는 자본시장에서 정보비대칭으로 인해 존재하는 역선택의 문제를 완화하여 자본이 투자자로부터 기업에게로 원활히 공급될 수 있도록 하는 데 도움을 준다.
② 회계정보는 경제적 실체 간의 자원의 이동에 관한 의사결정에는 직접적인 경제적 영향을 미치지는 못하지만 경제적 실체 내에서의 자원의 이동에 관한 의사결정에는 도움을 준다.
③ 회계정보는 자본시장에서 발생할 수 있는 대리인의 기회주의적인 행위인 도덕적 해이라는 문제를 해결하는 데 도움을 준다.
④ 회계정보는 자본주의 시장경제체제에서 희소한 경제적 자원이 자본시장을 통해 효율적으로 배분되도록 하는 데 도움을 준다.
⑤ 회계정보는 정부가 효율적이고 적절한 자원배분을 위한 정책을 수립하는 데 도움을 준다.

02 다음 중 한국채택국제회계기준에 대한 설명으로 타당하지 않은 것은? [공인회계사 2010년]

① 국제적으로 통용되는 회계기준을 채택함으로써 회계정보의 신뢰성을 향상시키고, 다른 나라로부터의 자금조달이 용이해지며 차입원가를 절감할 수도 있다.
② 한국채택국제회계기준은 회계처리에 대하여 구체적인 회계처리방법을 제시하기보다는 전문가적 판단을 중시하는 접근법을 따르고 있다.
③ 한국채택국제회계기준의 연결범위에는 「주식회사 등의 외부감사에 관한 법률」에 의한 외부감사 대상이 아닌 소규모회사는 포함되지 않는다.
④ 한국채택국제회계기준은 2011년부터 모든 주권상장법인이 의무적으로 적용하되 원하는 기업은 2009년부터 조기 적용하고 있다.
⑤ 한국채택국제회계기준은 국제회계기준위원회에서 공표한 국제회계기준을 기초로 한국회계기준위원회에서 제정하고 금융위원회에 보고 후 공표된 것이다.

03 다음은 기업회계기준의 제정과 관련된 내용들이다. 옳지 않은 것은 어느 것인가?

① 금융위원회는 증권선물위원회의 심의를 거쳐 기업회계기준을 제정한다.

② 금융위원회는 회계처리기준에 관한 업무를 전문성을 갖춘 민간법인이나 단체에 위탁할 수 있다.

③ 한국회계기준원은 「주식회사 등의 외부감사에 관한 법률 시행령」에 의거 기업회계기준의 제정을 위탁받은 단체이다.

④ 회계처리기준에 관한 업무에는 회계처리기준에 관한 해석·질의회신 등을 포함한다.

⑤ 금융위원회는 이해관계인의 보호, 국제적 회계처리기준에의 합치 등을 위하여 필요하다고 인정되는 때에는 증권선물위원회의 심의를 거쳐 한국회계기준원에 대하여 회계처리기준의 내용을 수정할 것을 요구할 수 없다.

04 '일반목적재무보고의 목적'에 대한 다음 설명 중 옳지 않은 것은? [공인회계사 2023년]

① 많은 현재 및 잠재적 투자자, 대여자 및 그 밖의 채권자는 정보를 제공하도록 보고기업에 직접 요구할 수 없고, 그들이 필요로 하는 재무정보의 많은 부분을 일반목적재무보고서에 의존해야만 한다.

② 회계기준위원회는 회계기준을 제정할 때 최대 다수의 주요 이용자 수요를 충족하는 정보를 제공하기 위해 노력할 것이다. 그러나 공통된 정보수요에 초점을 맞춘다고 해서 보고기업으로 하여금 주요 이용자의 특정 일부집단에게 가장 유용한 추가 정보를 포함하지 못하게 하는 것은 아니다.

③ 보고기업의 경영진도 해당 기업에 대한 재무정보에 관심이 있다. 그러나 경영진은 필요로 하는 재무정보를 내부에서 구할 수 있기 때문에 일반목적재무보고서에 의존할 필요가 없다.

④ 보고기업의 경제적 자원 및 청구권의 성격 및 금액에 대한 정보는 이용자들이 보고기업의 재무적 강점과 약점을 식별하는 데 도움을 줄 수 있다.

⑤ 보고기업의 경제적 자원 및 청구권은 재무성과 외의 사유로는 변동될 수 없다.

05 다음은 재무보고를 위한 개념체계 중 일반목적재무보고의 목적에 관한 설명이다. 이 중 옳지 않은 것은?
[공인회계사 2016년]

① 현재 및 잠재적 투자자, 대여자 및 기타 채권자는 일반목적재무보고서가 대상으로 하는 주요 이용자이다.
② 일반목적재무보고서는 주요 이용자가 필요로 하는 모든 정보를 제공하지는 않으며 제공할 수도 없다.
③ 일반목적재무보고서는 주요 이용자가 보고기업의 가치를 추정하는 데 도움이 되는 정보를 제공한다.
④ 회계기준위원회는 재무보고기준을 제정할 때 주요 이용자 최대 다수의 수요를 충족하는 정보를 제공하기 위해 노력할 것이다.
⑤ 보고기업의 경영진도 해당 기업에 대한 재무정보에 관심이 있기 때문에 일반목적재무보고서에 의존할 필요가 있다.

06 일반목적재무보고에 관한 설명으로 옳지 않은 것은? [세무사 2024년]

① 일반목적재무보고의 목적은 현재 및 잠재적 투자자, 대여자와 그 밖의 채권자가 기업에 자원을 제공하는 것과 관련된 의사결정을 할 때 유용한 보고기업 재무정보를 제공하는 것이다.
② 일반목적재무보고서는 보고기업의 가치를 보여주기 위해 고안된 것이 아니지만 현재 및 잠재적 투자자, 대여자와 그 밖의 채권자가 보고기업의 가치를 추정하는 데 도움이 되는 정보를 제공한다.
③ 한 기간의 보고기업의 재무성과에 투자자와 채권자에게서 직접 추가 자원을 획득한 것이 아닌 경제적자원 및 청구권의 변동이 반영된 정보는 기업의 과거 및 미래 순현금유입 창출 능력을 평가하는 데 유용하다.
④ 많은 현재 및 잠재적 투자자, 대여자 및 그 밖의 채권자는 정보를 제공하도록 보고기업에 직접 요구하고, 그들이 필요로 하는 재무정보의 많은 부분을 일반목적재무보고서에 의존하는 것은 아니다.
⑤ 재무보고서는 정확한 서술보다는 상당 부분 추정, 판단 및 모형에 근거한다.

07 다음은 '재무보고를 위한 개념체계'에 대한 설명들이다. 이 중 옳지 않은 것은?

① 일반목적재무보고의 목적은 현재 및 잠재적 투자자, 대여자와 그 밖의 채권자가 기업에 자원을 제공하는 것과 관련된 의사결정을 할 때 유용한 보고기업 재무정보를 제공하는 것이다.

② 재무보고서는 정확한 서술보다는 상당 부분 추정, 판단 및 모형에 근거한다. '개념체계'는 그 추정, 판단 및 모형의 기초가 되는 개념을 정한다. 이 개념은 회계기준위원회와 재무보고서의 작성자가 노력을 기울이는 목표이다.

③ 보고기업의 경제적 자원 및 청구권의 변동은 그 기업의 채무상품이나 지분상품의 발행과 같은 그 밖의 사건이나 거래에서 발생한다.

④ 발생기준회계는 거래와 그 밖의 사건 및 상황이 보고기업의 경제적 자원 및 청구권에 미치는 영향을 비록 그 결과로 발생하는 현금의 수취와 지급이 다른 기간에 이루어지더라도, 그 영향이 발생한 기간에 보여준다.

⑤ 보고기업의 경영진이 기업의 경제적 자원을 얼마나 효율적이고 효과적으로 사용하는 책임을 이행하고 있는지에 대한 정보는 이용자들이 해당 자원에 대한 경영자의 수탁책임을 평가할 수 있도록 도움을 준다.

08 재무정보의 질적특성에 관한 설명으로 옳지 않은 것은? [세무사 2014년]

① 중요성은 개별 기업 재무보고서 관점에서 해당 정보와 관련된 항목의 성격이나 규모 또는 이 둘 모두에 근거하여 해당 기업에 특유한 측면의 목적적합성을 의미한다.

② 충실한 표현을 하기 위해서는 서술이 완전하고, 중립적이며, 오류가 없어야 한다.

③ 보강적 질적특성은 만일 어떤 두 가지 방법이 현상을 동일하게 목적적합하고 충실하게 표현하는 것이라면, 이 두 가지 방법 가운데 어느 방법을 현상의 서술에 사용해야 할지를 결정하는 데에도 도움을 줄 수 있다.

④ 단 하나의 경제적 현상을 충실하게 표현하는 데 여러 방법이 있을 수 있으나 동일한 경제적 현상에 대해 대체적인 회계처리방법을 허용하면 비교가능성이 감소한다.

⑤ 일관성은 한 보고기업 내에서 기간 간 또는 같은 기간 동안에 기업 간, 동일한 항목에 대해 동일한 방법을 적용하는 것을 의미하므로 비교가능성과 동일한 의미로 사용된다.

09 다음 중 재무제표의 질적특성에 대한 설명으로 타당하지 않은 것은? [공인회계사 2010년]

① 목적적합한 재무정보는 정보이용자의 의사결정에 차이가 나도록 할 수 있다. 정보는 일부이용자가 이를 이용하지 않기로 선택하거나 다른 원천을 통하여 이미 이를 알고 있다고 할지라도 의사결정에 차이가 나도록 할 수 있다.

② 완벽하게 충실한 표현을 하기 위해서는 서술에 세 가지의 특성이 있어야 할 것이다. 서술은 완전하고, 중립적이며, 오류가 없어야 할 것이다.

③ 관측가능하지 않은 가격이나 가치의 추정치는 정확한지 또는 부정확한지 결정할 수 없다. 그러나 추정치로서 금액을 명확하고 정확하게 기술하고, 추정 절차의 성격과 한계를 설명하며, 그 추정치를 도출하기 위한 적절한 절차를 선택하고 적용하는 데 오류가 없다면 그 추정치의 표현은 충실하다고 할 수 있다.

④ 비교가능성은 정보이용자가 항목 간의 유사점과 차이점을 식별하고 이해할 수 있게 하는 질적특성이다. 다른 질적특성과 달리 비교가능성은 단 하나의 항목에 관련된 것이 아니다. 비교하려면 최소한 두 항목이 필요하다.

⑤ 적시성은 의사결정에 영향을 미칠 수 있도록 의사결정자가 정보를 제때에 이용가능하게 하는 것을 의미한다. 일반적으로 정보는 오래될수록 유용성이 낮아진다. 따라서 정보는 보고기간 말 후에는 일정 기간이 지나면 적시성을 갖지 않는다.

10 재무보고를 위한 개념체계에 대한 다음 설명 중 옳지 않은 것은? [공인회계사 2015년]

① 일반목적재무보고서는 보고기업의 가치를 보여주기 위해 고안된 것이 아니다. 그러나 일반목적재무보고서는 현재 및 잠재적 투자자, 대여자 및 기타 채권자가 보고기업의 가치를 추정하는 데 도움이 되는 정보를 제공한다.

② 보강적 질적특성은 가능한 한 극대화되어야 한다. 그러나 보강적 질적특성은 정보가 목적적합하지 않거나 충실하게 표현되지 않으면, 개별적으로든 집단적으로든 그 정보를 유용하게 할 수 없다.

③ 재무정보의 예측가치와 확인가치는 상호 연관되어 있어, 예측가치를 갖는 정보는 확인가치도 갖는 경우가 많다.

④ 재무보고서는 사업활동과 경제활동에 대해 합리적인 지식이 있고, 부지런히 정보를 검토하고 분석하는 정보이용자를 위해 작성된다.

⑤ 통일성은 한 보고기업 내에서 기간 간 또는 같은 기간 동안에 기업 간, 동일한 항목에 대해 동일한 방법을 적용하는 것을 말한다.

11 재무보고를 위한 개념체계에 관한 설명으로 옳지 않은 것은? [세무사 2015년]

① 중요성은 개별 기업 재무보고서 관점에서 해당 정보와 관련된 항목의 성격이나 규모 또는 이 둘 모두에 근거하여 해당 기업에 특유한 측면의 목적적합성을 의미한다.

② 재무보고를 위한 개념체계는 외부 이용자를 위한 재무보고의 기초가 되는 개념이므로 한국채택국제회계기준이다.

③ 일반목적재무보고서는 기업의 가치를 보여주기 위해 고안된 것은 아니다. 그러나 그것은 현재 및 잠재적 투자자, 대여자 및 기타 채권자가 보고기업의 가치를 추정하는 데 도움이 되는 정보를 제공한다.

④ 목적적합한 재무정보는 정보이용자의 의사결정에 차이가 나도록 할 수 있다.

⑤ 충실한 표현은 모든 면에서 정확한 것을 의미하지는 않는다.

12 재무정보의 질적특성에 관한 설명으로 옳지 않은 것은? [세무사 2017년]

① 유용한 재무정보의 근본적 질적특성은 목적적합성과 표현충실성이다. 유용한 재무정보의 질적특성은 재무제표에서 제공되는 재무정보에도 적용되며, 그 밖의 방법으로 제공되는 재무정보에도 적용된다.

② 비교가능성, 검증가능성, 적시성 및 이해가능성은 목적적합하고 충실하게 표현된 정보의 유용성을 보강시키는 질적특성이다. 보강적 질적특성을 적용하는 것은 어떤 규정된 순서를 따르지 않는 반복적인 과정이다. 때로는 하나의 보강적 질적특성이 다른 질적특성의 극대화를 위해 감소되어야 할 수도 있다.

③ 검증가능성은 합리적인 판단력이 있고 독립적인 서로 다른 관찰자가 어떤 서술이 표현충실성이라는 데, 비록 반드시 완전히 일치하지는 못하더라도, 의견이 일치할 수 있다는 것을 의미한다. 계량화된 정보가 검증가능하기 위해서 단일 점추정치이어야 한다.

④ 표현충실성은 모든 면에서 정확한 것을 의미하지는 않는다. 오류가 없다는 것은 현상의 기술에 오류나 누락이 없고, 보고 정보를 생산하는 데 사용되는 절차의 선택과 적용 시 절차상 오류가 없음을 의미한다. 이 맥락에서 오류가 없다는 것은 모든 면에서 완벽하게 정확하다는 것을 의미하지는 않는다.

⑤ 목적적합한 재무정보는 정보이용자의 의사결정에 차이가 나도록 할 수 있다. 재무정보에 예측가치, 확인가치 또는 이 둘 모두가 있다면 그 재무정보는 의사결정에 차이가 나도록 할 수 있다.

13 재무보고를 위한 개념체계 중 '유용한 재무정보의 질적특성'에 관한 다음 설명으로 옳지 않은 것은?
[공인회계사 2018년]

① 유용한 재무정보의 질적특성은 재무보고서에 포함된 정보(재무정보)에 근거하여 보고기업에 대한 의사결정을 할 때 현재 및 잠재적 투자자, 대여자 및 기타 채권자에게 가장 유용할 정보의 유형을 식별하는 것이다.

② 유용한 재무정보의 질적특성은 재무제표에서 제공되는 재무정보에 적용되며, 그 밖의 방법으로 제공되는 재무정보에는 적용되지 않는다.

③ 목적적합한 재무정보는 정보이용자의 의사결정에 차이가 나도록 할 수 있다. 정보는 일부 정보이용자가 이를 이용하지 않기로 선택하거나 다른 원천을 통하여 이미 이를 알고 있다고 할지라도 의사결정에 차이가 나도록 할 수 있다.

④ 재무정보의 예측가치와 확인가치는 상호 연관되어 있으며, 예측가치를 갖는 정보는 확인가치도 갖는 경우가 많다.

⑤ 근본적 질적특성 중 하나인 표현충실성은 그 자체가 반드시 유용한 정보를 만들어 내는 것은 아니다.

14 재무정보의 질적특성에 관한 설명으로 옳은 것은?

① 중립성은 신중을 기함으로써 뒷받침되고, 신중을 기하는 것이 비대칭의 필요성을 내포한다.

② 재무정보가 유용하기 위해서는 목적적합한 현상을 표현하는 것뿐만 아니라 나타내고자 하는 현상의 실질을 충실하게 표현해야 한다. 많은 경우, 경제적 현상의 실질과 그 법적 형식은 같다. 만약 같지 않다면, 법적 형식에 따른 정보만 제공해서는 경제적 현상을 충실하게 표현할 수 없을 것이다.

③ 중립성은 신중을 기함으로써 뒷받침된다. 신중성은 불확실한 상황에서 판단할 때 주의를 기울이는 것이다. 신중을 기한다는 것은 자산과 수익이 과대평가되지 않고 부채와 비용이 과소평가되지 않는 것을 의미하며, 자산이나 수익의 과소평가나 부채나 비용의 과대평가는 허용한다.

④ 원가 제약요인을 적용함에 있어서, 회계기준위원회는 특정 정보를 보고하는 효익이 그 정보를 제공하고 사용하는 데 발생한 원가를 정당화할 수 있을 것인지 평가한다. 또한 본질적인 주관성을 고려하더라도 재무정보의 특정 항목 보고의 원가 및 효익에 대한 평가는 개인마다 달라질 수 없다.

⑤ 원가는 재무보고로 제공될 수 있는 정보에 대한 포괄적 제약요인이다. 그러나 재무정보의 보고에는 원가가 소요되고, 해당 정보 보고의 효익이 그 원가를 정당화하지는 않는다.

15 유용한 재무정보의 질적특성에 관한 설명으로 옳지 않은 것은? [세무사 2022년]

① 재무보고서는 경제적 현상을 글과 숫자로 나타내는 것이다.

② 재무정보가 과거 평가에 대해 피드백을 제공한다면(과거 평가를 확인하거나 변경시킨다면) 확인가치를 갖는다.

③ 중립적 정보는 목적이 없거나 행동에 대한 영향력이 없는 정보를 의미한다.

④ 회계기준위원회는 중요성에 대한 획일적인 계량임계치를 정하거나 특정한 상황에서 무엇이 중요한 것인지를 미리 결정할 수 없다.

⑤ 합리적인 추정치의 사용은 재무정보의 작성에 필수적인 부분이며, 추정이 명확하고 정확하게 기술되고 설명되는 한 정보의 유용성을 저해하지 않는다.

16 다음 중 '재무보고를 위한 개념체계'의 내용과 다른 것은?

① 재무제표이용자들이 변화와 추세를 식별하고 평가하는 것을 돕기 위해, 재무제표는 최소한 직전 연도에 대한 비교정보를 제공한다.

② 재무제표는 기업의 현재 및 잠재적 투자자, 대여자와 그 밖의 채권자 중 특정 집단의 관점이 아닌 보고기업 전체의 관점에서 거래 및 그 밖의 사건에 대한 정보를 제공한다.

③ 보고기업이 지배-종속관계로 모두 연결되어 있지는 않은 둘 이상의 실체들로 구성된다면 그 보고기업의 재무제표를 '결합재무제표'라고 한다. '비연결재무제표'는 보고기업이 지배기업 단독인 경우 그 보고기업의 재무제표를 말하며, 이는 한국채택국제회계기준에서 '별도재무제표'라고 불린다.

④ 보고기업은 재무제표를 작성해야 하거나 작성하기로 선택한 기업이다. 보고기업은 단일의 실체이거나 어떤 실체의 일부일 수 있으며, 둘 이상의 실체로 구성될 수도 있다. 보고기업이 반드시 법적 실체일 필요는 없다.

⑤ 재무제표는 일반적으로 보고기업이 계속기업이며 예측가능한 미래에 영업을 계속할 것이라는 가정하에 작성된다. 따라서 기업이 청산을 하거나 거래를 중단하려는 의도가 없으며, 그럴 필요도 없다고 가정한다. 또한 그러한 의도나 필요가 있더라도 재무제표는 계속기업 가정하에 작성되어야 한다.

17 '재무보고를 위한 개념체계'에 대한 다음 설명 중 옳지 않은 것은? [공인회계사 2024년]

① 보고기업이 지배-종속관계로 모두 연결되어 있지는 않은 둘 이상 실체들로 구성된다면 그 보고기업의 재무제표를 '비연결재무제표'라고 부른다.
② 일반목적재무보고서의 대상이 되는 주요 이용자는 필요한 재무정보의 많은 부분을 일반목적재무제표에 의존해야 하는 현재 및 잠재적 투자자, 대여자와 그 밖의 채권자를 말한다.
③ 만일 어떤 두 가지 방법이 모두 현상에 대하여 동일하게 목적적합한 정보이고 동일하게 충실한 표현을 제공하는 것이라면, 보강적 질적특성은 이 두 가지 방법 가운데 어느 방법을 그 현상의 서술에 사용해야 할지를 결정하는 데 도움을 줄 수 있다.
④ 일반적으로 재무제표는 계속기업가정하에 작성되나, 기업이 청산을 하거나 거래를 중단하려는 의도가 있다면 계속기업과는 다른 기준에 따라 작성되어야 하고 사용한 기준을 재무제표에 기술한다.
⑤ 일반목적재무보고의 목적을 달성하기 위해 회계기준위원회는 '개념체계'의 관점에서 벗어난 요구사항을 정하는 경우가 있을 수 있다.

18 '재무보고를 위한 개념체계'에 따르면 자산은 과거 사건의 결과로 기업이 통제하는 현재의 경제적 자원이며, 경제적 자원은 경제적 효익을 창출할 잠재력을 지닌 권리이다. 자산과 관련된 다음의 설명 중 올바른 것은?

① 지출의 발생과 자산의 취득은 밀접하게 관련되어 있으므로 지출이 없다면 특정 항목은 자산의 정의를 충족할 수 없다.
② 기업은 기업 스스로부터 경제적 효익을 획득하는 권리를 가질 수도 있다.
③ 잠재력이 있기 위해 권리가 경제적 효익을 창출할 것이라고 확신하거나 그 가능성이 높아야 한다.
④ 경제적 자원의 가치가 미래경제적효익을 창출할 현재의 잠재력에서 도출되지만, 경제적 자원은 그 잠재력을 포함한 현재의 권리이며, 그 권리가 창출할 수 있는 미래경제적효익이 아니다.
⑤ 권리가 기업의 자산이 되기 위해서는, 해당 권리가 그 기업을 위해서 다른 모든 당사자들이 이용가능한 경제적 효익과 동일한 경제적 효익을 창출할 잠재력이 있고, 그 기업에 의해 통제되어야 한다.

19 자본 및 자본유지개념에 관한 설명으로 옳지 않은 것은? [세무사 2018년]

① 자본유지개념은 이익이 측정되는 준거기준을 제공하며, 기업의 자본에 대한 투자수익과 투자회수를 구분하기 위한 필수요건이다.

② 자본을 투자된 화폐액 또는 투자된 구매력으로 보는 재무적 개념하에서 자본은 기업의 순자산이나 지분과 동의어로 사용된다.

③ 자본을 불변구매력 단위로 정의한 재무자본유지개념하에서는 일반물가수준에 따른 가격상승을 초과하는 자산가격의 증가 부분만이 이익으로 간주된다.

④ 재무자본유지개념을 사용하기 위해서는 현행원가기준에 따라 측정해야 하며, 실물자본유지개념은 특정한 측정기준의 적용을 요구하지 아니한다.

⑤ 자본을 실물생산능력으로 정의한 실물자본유지개념하에서 기업의 자산과 부채에 영향을 미치는 모든 가격 변동은 해당 기업의 실물생산능력에 대한 측정치의 변동으로 간주되어 이익이 아니라 자본의 일부로 처리된다.

20 ㈜한국은 20×1년 초 보통주 1,000주(주당 액면금액 ₩1,000)를 주당 ₩1,500에 발행하고 전액 현금으로 납입받아 설립되었다. 설립과 동시에 영업을 개시한 ㈜한국은 20×1년 초 상품 400개를 개당 ₩3,000에 현금으로 구입하고, 당기에 개당 ₩4,500에 모두 현금으로 판매하여, 20×1년 말 ㈜한국의 자산총계는 현금 ₩2,100,000이다. 20×1년 말 동 상품은 개당 ₩4,000에 구입할 수 있다. 실물자본유지개념하에서 ㈜한국의 20×1년도 당기순이익은 얼마인가? [세무사 2015년]

① ₩100,000　② ₩250,000　③ ₩350,000
④ ₩450,000　⑤ ₩600,000

21 ㈜세무는 20×1년 초에 상품매매업을 영위할 목적으로 현금 ₩100,000을 납입받아 설립되었다. 회사는 20×1년 초에 상품 40단위를 단위당 ₩2,000에 현금으로 구입하였으며, 20×1년 말까지 단위당 ₩3,000에 모두 현금판매하였다. 동 상품은 20×1년 말 단위당 ₩2,500에 구입가능하다. 20×1년 초 물가지수를 100이라고 할 때 20×1년 말 물가지수는 120이다. 실물자본유지개념을 적용하여 산출한 20×1년 말에 인식할 이익과 자본유지조정 금액은? [세무사 2024년]

	이익	자본유지조정
①	₩10,000	₩30,000
②	₩15,000	₩25,000
③	₩20,000	₩20,000
④	₩25,000	₩15,000
⑤	₩30,000	₩10,000

22 다음 중 재무보고를 위한 개념체계에서의 자본과 자본유지개념에 대한 설명으로 옳지 않은 것은 어느 것인가? [공인회계사 2011년]

① 기업은 재무제표이용자의 정보요구에 기초하여 적절한 자본개념을 선택하여야 하는데, 만약 재무제표의 이용자가 주로 투하자본의 구매력 유지에 관심이 있다면 재무적 개념의 자본을 채택하여야 한다.

② 실물자본유지개념을 사용하기 위해서는 현행원가기준에 따라 측정해야 하는 반면 재무자본유지개념을 사용하기 위해서는 역사적 원가기준에 따라 측정해야 한다.

③ 실물자본유지개념하에서 기업의 자산과 부채에 영향을 미치는 모든 가격 변동은 자본의 일부인 자본유지조정으로 처리된다.

④ 자본유지개념은 이익이 측정되는 준거기준을 제공함으로써 자본개념과 이익개념 사이의 연결고리를 제공한다. 자본유지개념은 기업의 자본에 대한 투자수익과 투자회수를 구분하기 위한 필수요건이다.

⑤ 재무자본유지개념이 명목화폐단위로 정의된다면 기간 중 보유한 자산가격의 증가된 부분은 개념적으로 이익에 속한다.

23 다음 중 '재무보고를 위한 개념체계'의 내용과 다른 것은?

① 회계단위는 인식기준과 측정개념이 적용되는 권리나 권리의 집합, 의무나 의무의 집합 또는 권리와 의무의 집합이다.

② 일반적으로 자산, 부채, 수익과 비용의 인식 및 측정에 관련된 원가는 회계단위의 크기가 작아짐에 따라 증가한다.

③ 당사자 일방이 계약상 의무를 이행하면 그 계약은 더 이상 미이행계약이 아니다. 보고기업이 계약에 따라 먼저 수행한다면, 그렇게 수행하는 것은 보고기업의 경제적 자원을 교환할 권리와 의무를 경제적 자원을 수취할 권리로 변경하는 사건이 된다. 그 권리는 자산이다.

④ 미이행계약은 경제적 자원을 교환할 권리와 의무가 결합되어 성립된다. 그러한 권리와 의무는 상호 의존적이어서 분리될 수 없다. 따라서 결합된 권리와 의무는 단일 자산 또는 단일 부채를 구성한다. 교환조건이 현재 유리할 경우 기업은 자산을 보유하며, 교환조건이 현재 불리한 경우 부채를 보유한다.

⑤ 계약의 모든 조건(명시적 또는 암묵적)은 고려되어야 한다.

24 다음 중 '재무보고를 위한 개념체계'에 규정된 인식절차와 인식기준 및 제거와 관련된 설명으로 옳지 않은 것은?

① 거래나 그 밖의 사건에서 발생된 자산이나 부채의 최초 인식에 따라 수익과 관련 비용을 동시에 인식할 수 있다. 수익과 관련 비용의 동시 인식은 때때로 수익과 관련 원가의 대응을 나타낸다. '재무보고를 위한 개념체계'의 개념을 적용하면 자산과 부채의 변동을 인식할 때, 이러한 대응이 나타난다. 이러한 원가와 수익의 대응은 개념체계의 목적이다.

② 인식은 자산, 부채, 자본, 수익 또는 비용과 같은 재무제표 요소 중 하나의 정의를 충족하는 항목을 재무상태표나 재무성과표에 포함하기 위하여 포착하는 과정이다. 인식은 그러한 재무제표 중 하나에 어떤 항목(단독으로 또는 다른 항목과 통합하여)을 명칭과 화폐금액으로 나타내고, 그 항목을 해당 재무제표의 하나 이상의 합계에 포함시키는 것과 관련된다.

③ 자산, 부채 또는 자본의 정의를 충족하는 항목만이 재무상태표에 인식된다. 마찬가지로 수익이나 비용의 정의를 충족하는 항목만이 재무성과표에 인식된다. 그러나 그러한 요소 중 하나의 정의를 충족하는 항목이라고 할지라도 항상 인식되는 것은 아니다.

④ 원가는 다른 재무보고 결정을 제약하는 것처럼, 인식에 대한 결정도 제약한다. 재무제표이용자들에게 제공되는 정보의 효익이 그 정보를 제공하고 사용하는 원가를 정당화할 수 있을 경우에 자산이나 부채를 인식한다. 어떤 경우에는 인식하기 위한 원가가 인식으로 인한 효익을 초과할 수 있다.

⑤ 제거는 기업의 재무상태표에서 인식된 자산이나 부채의 전부 또는 일부를 삭제하는 것이다. 제거는 일반적으로 해당 항목이 더 이상 자산 또는 부채의 정의를 충족하지 못할 때 발생한다.

25 다음은 '재무보고를 위한 개념체계' 중 측정과 관련된 내용들이다. 옳지 않은 것은?

① 부채의 이행가치는 기업이 부채를 이행할 때 이전해야 하는 현금이나 그 밖의 경제적 자원의 현재가치이다.

② 자산의 역사적 원가는 자산의 취득 또는 창출에 발생한 원가의 가치로서, 자산을 취득 또는 창출하기 위하여 지급한 대가와 거래원가를 포함한다.

③ 자산의 현행원가는 측정일 현재 동등한 자산의 원가로서 측정일에 지급할 대가와 그날에 발생할 거래원가를 포함한다.

④ 부채의 현행원가는 측정일 현재 동등한 부채에 대해 수취할 수 있는 대가에서 그날에 발생할 거래원가를 가산한다.

⑤ 사용가치와 이행가치는 미래현금흐름에 기초하기 때문에 자산을 취득하거나 부채를 인수할 때 발생하는 거래원가는 포함하지 않는다. 그러나 사용가치와 이행가치에는 기업이 자산을 궁극적으로 처분하거나 부채를 이행할 때 발생할 것으로 기대되는 거래원가의 현재가치가 포함된다.

26 ㈜세무는 20×1년 초 ₩100,000을 지급하고 토지를 취득하였다. 취득 당시 거래원가 ₩20,000이 추가로 발생하였다. 20×1년 말 현재 동 토지와 동등한 토지를 취득하기 위해서는 ₩110,000을 지급하여야 하며, 추가로 취득 관련 거래원가 ₩5,000을 지급하여야 한다. 한편 ㈜세무는 20×1년 말 현재 시장참여자 사이의 정상거래에서 동 토지를 매도할 경우 거래원가 ₩20,000을 차감하고 ₩98,000을 수취할 수 있다. 20×1년 말 현재 토지의 역사적 원가, 공정가치, 현행원가를 금액이 큰 순으로 옳게 나열한 것은? [세무사 2023년]

① 역사적 원가 > 현행원가 > 공정가치
② 역사적 원가 > 공정가치 > 현행원가
③ 현행원가 > 공정가치 > 역사적 원가
④ 현행원가 > 역사적 원가 > 공정가치
⑤ 공정가치 > 역사적 원가 > 현행원가

27 다음은 '재무보고를 위한 개념체계' 중 표시와 공시에 관한 내용들이다. 옳지 않은 것은?

① 분류는 자산 또는 부채에 대해 선택된 회계단위별로 적용하여 분류한다. 그러나 자산이나 부채 중 특성이 다른 구성요소를 구분하여 별도로 분류하는 것이 적절할 수도 있다.
② 상계는 기업이 자산과 부채를 별도의 회계단위로 인식하고 측정하지만 재무상태표에서 단일의 순액으로 합산하는 경우에 발생한다. 상계는 서로 다른 항목을 함께 분류하는 것이므로 일반적으로는 적절하지 않다.
③ 손익계산서는 해당 기간의 기업 재무성과에 관한 정보의 주요 원천이기 때문에 모든 수익과 비용은 원칙적으로 이 재무제표에 포함된다. 그러나 회계기준위원회는 회계기준을 개발할 때 자산이나 부채의 현행가치의 변동으로 인한 수익과 비용을 기타포괄손익에 포함하는 것이 그 기간의 기업 재무성과에 대한 보다 목적적합한 정보를 제공하거나 보다 충실한 표현을 제공하는 예외적인 상황에서는 그러한 수익이나 비용을 기타포괄손익에 포함하도록 결정할 수도 있다.
④ 통합은 많은 양의 세부사항을 요약함으로써 정보를 더욱 유용하게 만든다. 그러나 통합은 그러한 세부사항 중 일부를 숨기기도 한다. 따라서 목적적합한 정보가 많은 양의 중요하지 않은 세부사항과 섞이거나 과도한 통합으로 인해 가려져서 불분명해지지 않도록 균형을 찾아야 한다.
⑤ 원칙적으로, 한 기간에 기타포괄손익에 포함된 수익과 비용은 미래기간에 기타포괄손익에서 당기손익으로 재분류하지 아니한다.

28 자산의 인식과 측정에 관한 설명으로 옳지 않은 것은? [세무사 2020년]

① 자산의 정의를 충족하는 항목만이 재무상태표에 자산으로 인식된다.
② 합리적인 추정의 사용은 재무정보 작성의 필수적인 부분이며 추정치를 명확하고 정확하게 기술하고 설명한다면 정보의 유용성을 훼손하지 않는다.
③ 사용가치는 기업이 자산의 사용과 궁극적인 처분으로 얻을 것으로 기대하는 현금흐름 또는 그 밖의 경제적 효익의 현재가치이다.
④ 공정가치는 자산을 취득할 때 발생한 거래원가로 인해 증가하지 않는다.
⑤ 경제적 효익의 유입가능성이 낮으면 자산으로 인식해서는 안 된다.

29 측정기준에 관한 설명으로 옳지 않은 것은? [세무사 2021년]

① 자산을 취득하거나 창출할 때의 역사적 원가는 자산의 취득 또는 창출에 발생한 원가의 가치로서, 자산을 취득 또는 창출하기 위하여 지급한 대가와 거래원가를 포함한다.
② 부채가 발생하거나 인수할 때의 역사적 원가는 발생시키거나 인수하면서 수취한 대가에서 거래원가를 차감한 가치이다.
③ 공정가치는 측정일에 시장참여자 사이의 정상거래에서 자산을 매도할 때 받거나 부채를 이전할 때 지급하게 될 가격이다.
④ 사용가치와 이행가치는 자산을 취득하거나 부채를 인수할 때 발생하는 거래원가를 포함한다.
⑤ 자산의 현행원가는 측정일 현재 동등한 자산의 원가로서 측정일에 지급할 대가와 그날에 발생할 거래원가를 포함한다.

30 재무보고를 위한 개념체계 중 측정에 관한 다음의 설명 중 옳지 않은 것은? [공인회계사 2021년]

① 역사적 원가 측정기준을 사용할 경우, 다른 시점에 취득한 동일한 자산이나 발생한 동일한 부채가 재무제표에 다른 금액으로 보고될 수 있다.
② 공정가치는 자산을 취득할 때 발생한 거래원가로 인해 증가하지 않으며, 또한 자산의 궁극적인 처분에서 발생할 거래원가를 반영하지 않는다.
③ 자산의 현행원가는 측정일 현재 동등한 자산의 원가로서 측정일에 지급할 대가와 그날에 발생할 거래원가를 포함한다.
④ 현행가치와 달리 역사적 원가는 자산의 손상이나 손실부담에 따른 부채와 관련되는 변동을 제외하고는 가치의 변동을 반영하지 않는다.
⑤ 이행가치는 부채가 이행될 경우보다 이전되거나 협상으로 결제될 때 특히 예측가치를 가진다.

31 '재무보고를 위한 개념체계'에서 인식과 제거에 대한 다음 설명 중 옳지 않은 것은?

[공인회계사 2023년]

① 인식은 자산, 부채, 자본, 수익 또는 비용과 같은 재무제표 요소 중 하나의 정의를 충족하는 항목을 재무상태표나 재무성과표에 포함하기 위하여 포착하는 과정이다.

② 거래나 그 밖의 사건에서 발생된 자산이나 부채의 최초 인식에 따라 수익과 관련 비용을 동시에 인식할 수 있다. 수익과 관련 비용의 동시 인식은 때때로 수익과 관련 원가의 대응을 나타낸다.

③ 재무제표이용자들에게 자산이나 부채 그리고 이에 따른 결과로 발생하는 수익, 비용 또는 자본변동에 대한 목적적합한 정보와 충실한 표현 중 어느 하나를 제공하는 경우 자산이나 부채를 인식한다.

④ 자산은 일반적으로 기업이 인식한 자산의 전부 또는 일부에 대한 통제를 상실하였을 때 제거하고, 부채는 일반적으로 기업이 인식한 부채의 전부 또는 일부에 대한 현재의무를 더 이상 부담하지 않을 때 제거한다.

⑤ 제거에 대한 회계 요구사항은 제거를 초래하는 거래나 그 밖의 사건 후의 잔여 자산과 부채, 그리고 그 거래나 그 밖의 사건으로 인한 기업의 자산과 부채의 변동 두 가지를 모두 충실히 표현하는 것을 목표로 한다.

32 자산 또는 부채의 측정에 관한 설명으로 옳지 않은 것은? [세무사 2016년]

① 거래원가가 존재하는 경우 자산이나 부채의 공정가치를 측정하기 위해서는 주된 시장의 가격에서 동 거래원가를 조정해야 한다. 이때, 거래원가는 운송원가를 포함하지 않는다.

② 부채의 현행원가는 현재시점에서 그 의무를 이행하는 데 필요한 현금이나 현금성자산의 할인하지 아니한 금액을 의미한다.

③ 자산의 역사적 원가는 자산취득의 대가로 취득 당시에 지급한 현금 또는 현금성자산이나 그 외 대가의 공정가치를 의미한다.

④ 자산이나 부채의 교환거래에서 자산을 취득하거나 부채를 인수하는 경우에, 거래가격은 자산을 취득하면서 지급하거나 부채를 인수하면서 받는 가격이다.

⑤ 동일한 자산이나 부채의 가격이 관측가능하지 않을 경우 관련된 관측가능한 투입변수의 사용을 최대화하고 관측가능하지 않은 투입변수의 사용을 최소화하는 다른 가치평가기법을 이용하여 공정가치를 측정한다.

33 기타포괄손익항목 중 후속적으로 당기손익으로 재분류조정될 수 있는 것은? [세무사 2018년]

① 최초 인식시점에 기타포괄손익-공정가치측정금융자산으로 분류한 지분상품의 공정가치평가손익

② 확정급여제도의 재측정요소

③ 현금흐름위험회피 파생상품평가손익 중 위험회피에 효과적인 부분

④ 무형자산 재평가잉여금

⑤ 관계기업 유형자산 재평가로 인한 지분법기타포괄손익

34 재무제표 표시와 관련된 다음의 설명으로 옳지 않은 것은? [공인회계사 2014년]

① 기업이 재무상태표에 유동자산과 비유동자산, 그리고 유동부채와 비유동부채로 구분하여 표시하는 경우, 이연법인세자산(부채)은 유동자산(부채)으로 분류하지 아니한다.

② 보고기간 말 이전에 장기차입약정을 위반했을 때 대여자가 즉시 상환을 요구할 수 있는 채무는 보고기간 후 재무제표 발행승인일 전에 채권자가 약정위반을 이유로 상환을 요구하지 않기로 합의한다면 비유동부채로 분류한다.

③ 기업은 변경된 표시방법이 재무제표이용자에게 신뢰성 있고 더욱 목적적합한 정보를 제공하며, 변경된 구조가 지속적으로 유지될 가능성이 높아 비교가능성을 저해하지 않을 것으로 판단할 때에만 재무제표의 표시방법을 변경한다.

④ 극히 드문 상황으로서 한국채택국제회계기준의 요구사항을 준수하는 것이 오히려 '개념체계'에서 정하고 있는 재무제표의 목적과 상충되어 재무제표이용자의 오해를 유발할 수 있다고 경영진이 결론을 내리는 경우에는 관련 감독체계가 이러한 요구사항으로부터의 일탈을 의무화하거나 금지하지 않는다면, 한국채택국제회계기준의 요구사항을 달리 적용한다.

⑤ 기업이 기존의 대출계약조건에 따라 보고기간 후 적어도 12개월 이상 부채를 차환하거나 연장할 것으로 기대하고 있고, 그런 재량권이 있다면, 보고기간 후 12개월 이내에 만기가 도래한다 하더라도 비유동부채로 분류한다.

35 재무제표 표시에 관한 설명으로 옳지 않은 것은? [세무사 2014년]

① 재고자산에 대한 재고자산평가충당금과 매출채권에 대한 손실충당금과 같은 평가충당금을 차감하여 관련 자산을 순액으로 측정하는 것은 상계표시에 해당한다.

② 중요하지 않은 정보일 경우 한국채택국제회계기준에서 요구하는 특정 공시를 제공할 필요는 없다.

③ 상이한 성격이나 기능을 가진 항목을 구분하여 표시하되, 중요하지 않은 항목은 성격이나 기능이 유사한 항목과 통합하여 표시할 수 있다.

④ 투자자산 및 영업용자산을 포함한 비유동자산의 처분손익은 처분대금에서 그 자산의 장부금액과 관련 처분비용을 차감하여 표시한다.

⑤ 외환손익 또는 단기매매금융상품에서 발생하는 손익과 같이 유사한 거래의 집합에서 발생하는 차익과 차손은 순액으로 표시하되, 그러한 차익과 차손이 중요한 경우에는 구분하여 표시한다.

36 영업이익 공시에 관한 설명으로 옳지 않은 것은? [세무사 2013년]

① 한국채택국제회계기준은 포괄손익계산서의 본문에 영업이익을 구분하여 표시하도록 요구하고 있다.

② 비용을 기능별로 분류하는 기업은 수익에서 매출원가 및 판매비와 관리비(물류원가 등을 포함)를 차감하여 영업이익을 측정한다.

③ 금융회사와 같이 영업의 특수성으로 인해 매출원가를 구분하기 어려운 경우, 영업수익에서 영업비용을 차감하는 방식으로 영업이익을 측정할 수 있다.

④ 영업이익에는 포함되지 않았지만, 기업의 영업성과를 반영하는 그 밖의 수익 또는 비용 항목이 있다면 영업이익에 이러한 항목을 가감한 금액을 조정영업이익 등의 명칭으로 포괄손익계산서 본문에 보고한다.

⑤ 영업이익 산출에 포함된 주요항목과 그 금액을 포괄손익계산서 본문에 표시하거나 주석으로 공시한다.

37 재무제표 표시에 관한 설명으로 옳지 않은 것은? [세무사 2016년]

① 한국채택국제회계기준서는 재무제표에 표시되어야 할 항목의 순서나 형식을 규정하지 아니한다.

② 충당부채와 관련된 지출을 제3자와의 계약관계에 따라 보전받는 경우, 당해 지출과 보전받는 금액은 상계하여 표시할 수 있다.

③ 기업이 기존의 대출계약조건에 따라 보고기간 후 적어도 12개월 이상 부채를 차환하거나 연장할 것으로 기대하고 있지만, 그런 재량권이 없다면 차환가능성을 고려하지 않고 유동부채로 분류한다.

④ FVOCI금융자산의 재측정손익, 확정급여제도의 재측정요소, 현금흐름위험회피 파생상품의 평가손익 중 효과적인 부분은 재분류조정이 되는 기타포괄손익이다.

⑤ 회계정책을 적용하는 과정에서 추정에 관련된 공시와는 별도로, 재무제표에 인식되는 금액에 유의적인 영향을 미친 경영진이 내린 판단은 유의적인 회계정책 또는 기타 주석사항과 함께 공시한다.

38 '재무제표 표시'에 대한 설명으로 옳지 않은 것은? [세무사 2011년]

① 한국채택국제회계기준을 준수하여 작성한 재무제표는 국제회계기준을 준수하여 작성된 재무제표임을 주석으로 공시할 수 있다.

② 보고기간 말 이전에 장기차입약정을 위반했을 때 대여자가 즉시 상환을 요구할 수 있는 채무는 보고기간 후 재무제표 발행승인일 전에 채권자가 약정위반을 이유로 상환을 요구하지 않기로 합의한다면 비유동부채로 분류한다.

③ 비용을 기능별로 분류하는 기업은 감가상각비, 기타 상각비와 종업원급여비용을 포함하여 비용의 성격에 대한 추가 정보를 공시한다.

④ 정상영업주기 내에 사용되는 운전자본의 일부인 매입채무 그리고 종업원 및 그 밖의 영업원가에 대한 미지급비용은 보고기간 후 12개월 후에 결제일이 도래한다 하더라도 유동부채로 분류한다.

⑤ 재고자산에 대한 재고자산평가충당금과 매출채권에 대한 손실충당금과 같은 평가충당금을 차감하여 표시하는 것은 상계표시에 해당하지 아니한다.

39 개념체계와 재무제표의 작성과 표시에 대한 옳은 설명을 모두 모은 것은? [공인회계사 2017년]

가. 현금은 자원에 대한 구매력을 통하여 기업에 효익을 제공하므로 자산의 정의를 만족한다.
나. 특정 항목이 자산, 부채 또는 자본의 정의를 충족하기 위해서는 법률적 형식과 거래의 실질 및 경제적 현실을 모두 만족시켜야 한다.
다. 경영진이 미래에 특정 자산을 취득하겠다는 의사결정은 미래의 약속이므로 현재의 의무라는 부채의 정의를 만족시키지 못한다.
라. 재무제표는 기업이 계속기업이며 예상가능한 기간 동안 영업을 한다는 가정하에서 작성되기 때문에 기업이 1년 이내에 경영활동을 청산할 계획이 있다면 계속기업 가정에 위반되며 재무제표를 작성하지 않을 수도 있다.
마. 수익과 비용 항목의 원천이 기업의 미래현금 창출능력을 평가하는 데 목적적합하다면 기업은 포괄손익계산서에서 정상영업활동의 일환으로 발생하는 수익과 비용 항목 및 그렇지 않은 수익과 비용 항목을 구분하여 표시할 수 있다.

① 가, 다 ② 가, 다, 마 ③ 나, 다, 마
④ 나, 라, 마 ⑤ 가, 나, 다, 라

40 재무제표 표시에 관한 설명으로 옳은 것은? [세무사 2021년]

① 재무제표는 동일한 문서에 포함되어 함께 공표되는 그 밖의 정보와 명확하게 구분되고 식별되어야 한다.
② 각각의 재무제표는 전체 재무제표에서 중요성에 따라 상이한 비중으로 표시한다.
③ 상이한 성격이나 기능을 가진 항목은 구분하여 표시하므로 중요하지 않은 항목이라도 성격이나 기능이 유사한 항목과 통합하여 표시할 수 없다.
④ 동일 거래에서 발생하는 수익과 관련 비용의 상계표시가 거래나 그 밖의 사건의 실질을 반영하더라도 그러한 거래의 결과는 상계하여 표시하지 않는다.
⑤ 공시나 주석 또는 보충 자료를 통해 충분히 설명한다면 부적절한 회계정책도 정당화될 수 있다.

41 기업회계기준서 제1001호 '재무제표 표시'에 대한 다음 설명 중 옳지 않은 것은?

[공인회계사 2022년]

① 한국채택국제회계기준에서 요구하거나 허용하지 않는 한 자산과 부채 그리고 수익과 비용은 상계하지 아니한다.

② 계속기업의 가정이 적절한지의 여부를 평가할 때 기업이 상당 기간 계속 사업이익을 보고하였고 보고기간 말 현재 경영에 필요한 재무자원을 확보하고 있는 경우에도, 자세한 분석을 의무적으로 수행하여야 하며 이용가능한 모든 정보를 고려하여 계속기업을 전제로 한 회계처리가 적절하다는 결론을 내려야 한다.

③ 기업은 비용의 성격별 또는 기능별 분류방법 중에서 신뢰성 있고 더욱 목적적합한 정보를 제공할 수 있는 방법을 적용하여 당기손익으로 인식한 비용의 분석내용을 표시한다.

④ 유사한 항목은 중요성 분류에 따라 재무제표에 구분하여 표시하고, 상이한 성격이나 기능을 가진 항목은 구분하여 표시한다. 다만 중요하지 않은 항목은 성격이나 기능이 유사한 항목과 통합하여 표시할 수 있다.

⑤ 재무제표 항목의 표시나 분류를 변경하는 경우 실무적으로 적용할 수 없는 것이 아니라면 비교금액도 재분류해야 한다.

42 재무제표 표시에 관한 설명으로 옳지 않은 것은? [세무사 2022년]

① 비용을 기능별로 분류하는 기업은 감가상각비, 기타 상각비와 종업원급여비용을 포함하여 비용의 성격에 대한 추가 정보를 공시한다.

② 수익과 비용의 어느 항목도 당기손익과 기타포괄손익을 표시하는 보고서 또는 주석에 특별손익 항목으로 표시할 수 없다.

③ 비용의 기능별 분류 정보가 비용의 성격에 대한 정보보다 미래현금흐름을 예측하는 데 유용하다.

④ 동일 거래에서 발생하는 수익과 관련 비용의 상계표시가 거래나 그 밖의 사건의 실질을 반영한다면 그러한 거래의 결과는 상계하여 표시한다.

⑤ 기업이 재무상태표에 유동자산과 비유동자산, 그리고 유동부채와 비유동부채로 구분하여 표시하는 경우, 이연법인세자산(부채)은 유동자산(부채)으로 분류하지 아니한다.

43 재무제표 표시에 관한 설명으로 옳은 것은? [세무사 2023년]

① 포괄손익계산서에 기타포괄손익의 항목은 관련 법인세효과를 차감한 순액으로 표시할 수 있다.

② 한국채택국제회계기준은 재무제표 이외에도 연차보고서 및 감독기구 제출서류에 반드시 적용한다.

③ 서술형 정보의 경우에는 당기 재무제표를 이해하는 데 목적적합하더라도 비교정보를 포함하지 않는다.

④ 재무상태표에 자산과 부채는 유동자산과 비유동자산, 그리고 유동부채와 비유동부채를 구분하여 표시하며, 유동성 순서에 따른 표시방법은 허용하지 않는다.

⑤ 한국채택국제회계기준의 요구에 따라 공시되는 정보가 중요하지 않더라도 그 공시를 제공하여야 한다.

관련 유형 연습

01 다음 중 일반적으로 인정된 회계원칙에 관한 설명으로 틀린 것은?

① 회계원칙이 규제기관에 의하여 제정되는 것은 기업실정에 적합하지 않아 실무적용가능성이 떨어진다.

② 이해조정적 성격과 보편타당성을 갖고 있어 일반 다수에 의해 수용되고 지지를 받을 때 일반적으로 인정된 회계원칙이 될 수 있다.

③ 일반적으로 인정된 회계원칙은 경영자에 의한 자의적인 재무제표 작성을 제한하므로 재무제표의 신뢰성, 비교가능성 및 이해가능성을 높게 만든다.

④ 일반적으로 인정된 회계원칙은 시대와 사회의 환경변화에 따라 변화되는 가변성을 갖고 있다.

⑤ 회계관행 등과 같은 관습적인 요소는 논리적 일관성이 결여되어 있으므로 일반적으로 인정되는 회계원칙에 반영되어서는 안 된다.

02 다음 중 일반목적재무보고와 관련된 내용으로 틀린 것은?

① 경영진의 내부 성과평가나 신규투자 의사결정에 관한 유용한 정보를 제공하는 것은 일반목적재무보고의 목적이 아니다.

② 현재 및 잠재적 투자자, 대여자 및 기타 채권자가 기업에 자원을 제공하는 것과 관련된 의사결정에 유용한 정보를 제공하는 것은 일반목적재무보고의 목적이다.

③ 일반목적재무보고는 정보이용자가 요구하는 모든 정보를 제공하지 않고, 제공할 수도 없으므로 정보이용자들은 재무보고 이외의 다른 원천에서 입수한 보고기업에 대한 정보를 고려하여야 한다.

④ 재무제표보다 넓고 포괄적인 개념으로 질적인 정보와 미래지향적 정보까지 포함되어 있다.

⑤ 경영진뿐만 아니라 규제기관과 일반대중 등도 보고기업의 재무정보를 유용하다 여길 수 있으므로 일반목적재무보고는 이들도 주요 정보이용자 대상에 포함한다.

03 재무회계정보의 질적특성과 개념체계에 관한 설명으로 옳지 않은 것은?

① 오류가 없다는 것은 현상의 기술에 오류나 누락이 없고, 보고 정보를 생산하는 데 사용되는 절차의 선택과 적용 시 절차상 오류가 없음을 의미한다. 이 맥락에서 오류가 없다는 것은 모든 면에서 완벽하게 정확하다는 것을 의미하지는 않는다.

② 일반목적재무보고서는 현재 및 잠재적 투자자, 대여자 및 기타 채권자가 필요로 하는 모든 정보를 제공하지는 않으며 제공할 수도 없다.

③ 중요성은 개별 기업 재무보고서 관점에서 해당 정보와 관련된 항목의 성격이나 규모 또는 이 둘 모두에 근거하여 해당 기업에 특유한 측면의 목적적합성을 의미한다.

④ 재무보고서는 사업활동과 경제활동에 대해 합리적인 지식이 없고, 부지런히 정보를 검토하고 분석하지 않는 정보이용자도 이해할 수 있도록 작성되어야 한다.

⑤ 추정치로서 금액을 명확하고 정확하게 기술하고, 추정 절차의 성격과 한계를 설명하면, 그 추정치의 표현은 충실하다고 할 수 있다.

04 재무보고를 위한 개념체계 내용 중 재무정보의 질적특성에 관한 설명으로 옳은 것은?

① 개념체계는 유용한 정보가 되기 위한 근본적 질적특성을 적용하는 데 있어서 가장 효율적이고 효과적인 일반적 절차를 제시하고 있지는 않다.

② 일관성은 비교가능성과 관련은 되어 있지만 동일하지는 않다. 즉 일관성은 목표이고, 비교가능성은 그 목표를 달성하는 데 도움을 준다고 할 수 있다.

③ 오류가 없다는 것은 현상의 기술에 오류나 누락이 없고, 보고 정보를 생산하는 데 사용되는 절차의 선택과 적용 시 절차상 오류가 없음을 의미하는 것이므로 충실한 표현이란 모든 측면에서 정확함을 의미한다.

④ 중요성은 개별 기업 재무보고서 관점에서 해당 정보와 관련된 항목의 성격이나 규모 또는 이 둘 모두에 근거하여 해당 기업에 특유한 측면의 목적적합성을 의미한다.

⑤ 재무보고서는 사업활동과 경제활동에 대해 박식하고, 정보를 검토하고 분석하는 데 부지런한 정보이용자보다는 모든 수준의 정보이용자들이 자력으로 이해할 수 있도록 작성되어야 한다.

05 다음은 '재무보고를 위한 개념체계' 중 측정과 관련된 내용들이다. 옳지 않은 것은?

① 역사적 원가 측정치는 적어도 부분적으로 자산, 부채 및 관련 수익과 비용을 발생시키는 거래나 그 밖의 사건의 가격에서 도출된 정보를 사용하여 자산, 부채 및 관련 수익과 비용에 관한 화폐적 정보를 제공한다. 현행가치와 달리 역사적 원가는 자산의 손상이나 손실부담에 따른 부채와 관련되는 변동을 제외하고는 가치의 변동을 반영하지 않는다.

② 현행가치측정치는 측정일의 조건을 반영하기 위해 갱신된 정보는 사용하지 않고 자산, 부채 및 관련 수익과 비용의 화폐적 정보를 제공한다.

③ 공정가치는 기업이 접근할 수 있는 시장의 참여자 관점을 반영한다. 시장참여자가 경제적으로 최선의 행동을 한다면 자산이나 부채의 가격을 결정할 때 사용할 가정과 동일한 가정을 사용하여 그 자산이나 부채를 측정한다.

④ 공정가치는 자산이나 부채를 발생시킨 거래나 그 밖의 사건의 가격으로부터 부분적이라도 도출되지 않기 때문에, 공정가치는 자산을 취득할 때 발생한 거래원가로 인해 증가하지 않으며 부채를 발생시키거나 인수할 때 발생한 거래원가로 인해 감소하지 않는다.

⑤ 사용가치와 이행가치는 직접 관측될 수 없으며, 공정가치에 대해 기술한 것과 동일한 요소를 반영하지만 시장참여자의 관점보다는 기업 특유의 관점을 반영한다.

06 다음은 '재무보고를 위한 개념체계'의 내용들이다. 옳지 않은 것은?

① 역사적 원가는 자산의 소비와 손상을 반영하여 감소하기 때문에, 역사적 원가로 측정된 자산에서 회수될 것으로 예상되는 금액은 적어도 장부금액과 같거나 장부금액보다 크다.

② 역사적 원가로 측정한 수익과 비용은 재무제표이용자들에게 현금흐름이나 이익에 관한 그들의 종전 예측에 대해 피드백을 제공하기 때문에 확인가치를 가질 수 있다. 판매하거나 사용한 자산의 원가에 관한 정보는 기업의 경영진이 그 기업의 경제적 자원을 사용하는 책임을 얼마나 효율적이고 효과적으로 수행했는지를 평가하는 데 도움이 될 수 있다.

③ 가격 변동이 유의적일 경우, 현행원가를 기반으로 한 이익은 역사적 원가를 기반으로 한 이익보다 미래 이익을 예측하는 데 더 유용할 수 있다.

④ 자본의 총장부금액(총자본)은 직접 측정하지 않는다. 총자본은 직접 측정하지 않지만, 자본의 일부 종류와 자본의 일부 구성요소에 대한 장부금액은 직접 측정하는 것이 적절할 수 있다. 그럼에도 불구하고, 총자본은 잔여지분으로 측정되기 때문에 적어도 자본의 한 종류는 직접 측정할 수 없다.

⑤ 자본의 총장부금액은 일반적으로 계속기업을 전제로 하여 기업 전체를 매각하여 조달할 수 있는 금액과 동일하다.

07 다음은 두 개의 활성시장에서 다른 가격으로 매도되는 자산에 대한 것이다. 다음 각 경우별로 적용되는 공정가치로 올바른 것은?

> (1) 시장 A: 수취할 가격은 ₩260이며 그 시장에서의 거래원가는 ₩30, 그 시장으로 자산을 운송하기 위한 원가는 ₩20이다.
> (2) 시장 B: 수취할 가격은 ₩250이며 그 시장에서의 거래원가는 ₩10, 그 시장으로 자산을 운송하기 위한 원가는 ₩20이다.

	시장 A가 주된 시장인 경우	주된 시장이 없는 경우
①	₩240	₩230
②	₩240	₩220
③	₩240	₩240
④	₩210	₩210
⑤	₩210	₩240

08 다음 중 재무제표의 작성과 표시에 대한 설명으로 타당하지 않은 것은?

① 해당 기간에 인식한 모든 수익과 비용 항목은 별개의 손익계산서와 당기순손익에서 시작하여 기타포괄손익의 구성요소를 표시하는 보고서 또는 단일 포괄손익계산서 중 한 가지 방법으로 표시한다.

② 유동성 순서에 따른 표시방법을 적용할 경우에는 모든 자산과 부채를 유동성의 순서에 따라 표시한다.

③ 영업활동을 위한 자산의 취득시점부터 그 자산이 현금이나 현금성자산으로 실현되는 시점까지 소요되는 기간이 영업주기이다.

④ 매입채무 그리고 종업원 및 그 밖의 영업원가에 대한 미지급비용과 같은 기업의 정상영업주기 내에 사용되는 운전자본 항목은 보고기간 후 12개월 후에 결제일이 도래한다 하더라도 유동부채로 분류한다.

⑤ 비용의 기능에 대한 정보가 미래현금흐름을 예측하는 데 유용하기 때문에, 비용을 성격별로 분류하는 경우에는 비용의 기능에 대한 추가 정보를 공시하는 것이 필요하다.

09 재무제표 표시에 대한 설명으로 옳지 않은 것은?

① 비용을 기능별로 분류하는 기업은 감가상각비, 기타 상각비와 종업원급여비용을 포함하여 비용의 성격에 대한 추가 정보를 공시한다.

② 부적절한 회계정책은 이에 대하여 공시나 주석 또는 보충 자료를 통해 설명하더라도 정당화될 수 없다.

③ 계속기업의 가정이 적절한지의 여부를 평가할 때 경영진은 적어도 보고기간 말로부터 향후 12개월 기간에 대하여 이용가능한 모든 정보를 고려한다.

④ 보고기간 종료일을 변경하여 재무제표의 보고기간이 1년을 초과하거나 미달하는 경우에는 재무제표 해당 기간뿐만 아니라 보고기간이 1년을 초과하거나 미달하게 된 이유와 재무제표에 표시된 금액이 완전하게 비교가능하지 않다는 사실을 추가로 공시한다.

⑤ 기업이 재무상태표에 유동자산과 비유동자산, 그리고 유동부채와 비유동부채로 구분하여 표시하는 경우, 이연법인세자산(부채)은 유동자산(부채)으로 분류한다.

10 다음 중 재무제표의 표시와 작성에 대한 설명으로 옳은 것은?

① 재무상태표에 표시되는 자산과 부채는 반드시 유동자산과 비유동자산, 유동부채와 비유동부채로 구분하여 표시해야 한다.

② 자본의 구성요소인 기타포괄손익누계액과 자본잉여금은 포괄손익계산서와 재무상태표를 연결시키는 역할을 한다.

③ 손익계산서는 당기손익을 구성하는 요소와 기타포괄손익을 구성하는 요소로 구분 표시하여 반드시 하나의 보고서로 작성해야 한다.

④ 기타포괄손익은 관련 자산과 부채의 미실현평가손익을 당기손익에 반영하지 않고 자본에 별도의 항목으로 잠정적으로 분류했다가 나중에 전부 이익잉여금에 직접 반영될 예정인 항목이다.

⑤ 재분류조정은 당기나 과거기간에 인식한 기타포괄손익을 당기의 손익으로 재분류하는 회계처리이다.

11 ㈜대한의 20×3년 말 회계자료가 다음과 같다고 할 경우 ㈜대한이 20×3년도 기능별 포괄손익계산서에 보고할 영업이익은 얼마인가?

구분	금액	구분	금액
매출액	₩300,000	매출원가	₩128,000
손상차손*	₩4,000	급여	₩30,000
사채이자비용	₩2,000	감가상각비	₩3,000
임차료	₩20,000	유형자산처분이익	₩2,800
FVOCI금융자산처분이익	₩5,000		

* 손상차손은 매출채권에서 발생한 것이다.

① ₩113,000　② ₩115,000　③ ₩117,800
④ ₩120,000　⑤ ₩120,800

12 재무상태표와 포괄손익계산서에 관한 설명으로 옳지 않은 것은?

① 자산 항목을 재무상태표에서 구분 표시하기 위해서는 금액의 크기, 성격, 기능 및 유동성을 고려한다.
② 기업이 재무상태표에 유동자산과 비유동자산, 그리고 유동부채와 비유동부채로 구분하여 표시하는 경우, 이연법인세자산(부채)은 유동자산(부채)으로 분류하지 아니한다.
③ 당기손익으로 인식한 비용 항목은 기능별 또는 성격별로 분류하여 표시할 수 있다.
④ 수익과 비용의 어느 항목도 포괄손익계산서 또는 주석에 특별손익항목으로 표시할 수 없다.
⑤ 과거기간에 발생한 중요한 오류를 해당 기간에는 발견하지 못하고 당기에 발견하는 경우, 그 수정효과는 당기손익으로 인식한다.

실력 점검 퀴즈

01 다음은 재무보고를 위한 개념체계의 목적에 대한 내용들이다. 적합하지 않은 것은 어느 것인가?

① 한국회계기준위원회가 향후 새로운 한국채택국제회계기준을 제정하거나 기존의 한국채택국제회계기준의 개정을 검토할 때에 도움을 제공한다.

② 한국채택국제회계기준에서 허용하고 있는 대체적인 회계처리방법의 수를 축소하기 위한 근거를 제공하여 한국회계기준위원회가 재무제표의 표시와 관련되는 법규, 회계기준 및 절차를 조화시킬 수 있도록 도움을 제공한다.

③ 재무제표의 작성자가 회계기준을 해석·적용하여 재무제표를 작성·공시하거나, 특정한 거래나 사건에 대한 회계기준이 미비된 경우에 적용할 수 있는 구체적인 회계처리방법을 제공한다.

④ 감사인이 재무제표가 한국채택국제회계기준에 따르고 있는지에 대한 의견을 형성하는 데 도움을 제공한다.

⑤ 재무제표의 이용자가 한국채택국제회계기준에 따라 작성된 재무제표에 포함된 정보를 해석하는 데 도움을 제공한다.

02 다음은 재무보고를 위한 개념체계에 대한 설명이다. 옳지 않은 것은?

① 개념체계는 한국채택국제회계기준이 아니므로 특정한 측정과 공시에 관한 기준을 정하지 아니한다. 따라서 개념체계는 어떤 경우에도 특정 한국채택국제회계기준에 우선하지 아니한다.

② 일반목적재무보고의 목적은 현재 및 잠재적 투자자, 대여자 및 기타 채권자가 기업에 자원을 제공하는 것에 대한 의사결정을 할 때 유용한 보고기업 재무정보를 제공하는 것이다.

③ 많은 현재 및 잠재적 투자자, 대여자 및 기타 채권자는 그들에게 직접 정보를 제공하도록 보고기업에 요구할 수 없고, 그들이 필요로 하는 재무정보의 많은 부분을 일반목적재무보고서에 의존해야만 한다. 따라서 그들은 일반목적재무보고서가 대상으로 하는 주요 이용자이다.

④ 감독당국이나 투자자, 대여자 및 기타 채권자가 아닌 일반대중도 일반목적재무보고서가 유용하다고 여길 수 있다. 따라서 일반목적재무보고서는 이러한 기타 집단도 주요 대상으로 한다.

⑤ 경영진은 그들이 필요로 하는 재무정보를 내부에서 구할 수 있기 때문에 일반목적재무보고서에 의존할 필요가 없다. 따라서 일반목적재무보고서는 경영진은 주요 대상으로 하지 않는다.

03 다음은 일반목적 재무보고의 한계에 대한 개념체계의 설명이다. 옳지 않은 것은?

① 일반목적재무보고서는 현재 및 잠재적 투자자, 대여자 및 기타 채권자가 필요로 하는 모든 정보를 제공하지 않으며 제공할 수도 없다.

② 일반목적재무보고서는 보고기업의 가치를 보여주기 위해 고안된 것이 아니다. 그러나 그것은 현재 및 잠재적 투자자, 대여자 및 기타 채권자가 보고기업의 가치를 추정하는 데 도움이 되는 정보를 제공한다.

③ 회계기준위원회는 재무보고기준을 제정할 때 주요 이용자 최대 다수의 수요를 충족하는 정보를 제공하기 위해 노력할 것이다. 따라서 공통된 정보 수요에 초점을 맞추기 위해서 주요 이용자의 특정한 일부에게 가장 유용한 추가적인 정보라도 배제될 수 있다.

④ 일반목적재무보고서가 모든 정보를 제공할 수 없기에, 정보이용자들은 일반 경제적 상황 및 기대, 정치적 사건과 정치 풍토, 산업 및 기업 전망과 같은 다른 원천에서 입수한 관련 정보를 추가로 고려할 필요가 있다.

⑤ 재무보고서는 정확한 서술보다 상당 부분 추정, 판단 및 모형에 근거한다. 개념체계는 그 추정, 판단 및 모형의 기초가 되는 개념을 정한다. 그 개념은 회계기준위원회와 재무보고서의 작성자가 노력을 기울이는 목표이다.

04 한국채택국제회계기준에 의한 재무보고를 위한 개념체계에 따를 경우 회계정보의 질적특성에 대한 다음 설명 중 옳지 않은 것은?

① 질적특성이란 재무제표를 통해 제공되는 정보가 이용자에게 유용하기 위해 갖추어야 할 속성을 말하며, 근본적 질적특성은 목적적합성과 충실한 표현이다.

② 정보가 유용하기 위해서는 이용자의 의사결정에 목적적합해야 한다. 목적적합한 정보란 이용자가 과거, 현재 또는 미래의 사건을 평가하거나 과거의 평가를 수정하도록 도와주어 경제적 의사결정에 영향을 미치는 정보를 말한다. 따라서 제공된 정보로 인하여 과거의 평가를 수정하지 못하면 확인가치가 없으므로 목적적합성이 없는 정보라 할 수 있다.

③ 재무정보가 유용하기 위해서는 목적적합한 현상을 표현하는 것뿐만 아니라 나타내고자 하는 현상을 충실하게 표현해야 한다.

④ 완벽하게 충실한 표현을 하기 위해서 서술은 완전하고, 중립적이며, 오류가 없어야 한다.

⑤ 비교가능성, 검증가능성, 적시성 및 이해가능성은 목적적합하고 충실하게 표현된 정보의 유용성을 보강시키는 질적특성이다.

05 다음은 회계정보의 근본적 질적특성 중 목적적합성에 대한 설명이다. 개념체계의 내용과 일치하지 않는 설명은 무엇인가?

① 목적적합한 정보란 이용자가 과거, 현재 또는 미래의 사건을 평가하거나 과거의 평가를 확인 또는 수정하도록 도와주어 경제적 의사결정에 영향을 미치는 정보를 말한다.

② 기업이 현재 보유하고 있는 자산규모와 그 구성에 관한 정보는 이용자가 기업의 기회활용능력과 위기대응능력을 예측하는 데 유용한 정보이므로 예측가치가 있다고 말할 수 있다.

③ 기업이 현재 보유하고 있는 자산규모와 그 구성에 관한 정보는 기업의 예상 조직구조나 계획한 영업의 성과에 대한 이용자의 과거 예측이 적절하였는지를 확인하는 역할을 하기도 하므로, 정보의 예측가치와 확인가치는 상호 관련이 있다고 말할 수 있다.

④ 정보가 예측능력을 보유하기 위하여는 정보 자체가 명백한 예측의 형태를 갖추어야만 한다. 따라서 수익이나 비용의 비경상적, 비정상적 그리고 비반복적인 항목이 구분 표시되는 것만으로는 포괄손익계산서의 예측가치는 제고될 수 없다.

⑤ 정보가 누락되거나 잘못 기재된 경우 특정 보고기업의 재무정보에 근거한 정보이용자의 의사결정에 영향을 줄 수 있다면 그 정보는 중요한 것이다. 따라서 회계기준위원회가 중요성에 대한 획일적인 계량임계치를 정하거나 특정한 상황에서 무엇이 중요한 것인지를 미리 결정할 수 없다.

06 재무회계정보의 근본적 질적특성 중 충실한 표현에 대한 개념체계의 설명으로 옳지 않은 것은?

① 재무보고서는 경제적 현상을 글과 숫자로 나타내는 것이다. 재무정보가 유용하기 위해서는 목적적합한 현상을 표현하는 것뿐만 아니라 나타내고자 하는 현상을 충실하게 표현해야 한다.

② 충실한 표현의 구성요소인 완전한 서술은 필요한 기술과 설명을 포함하여 정보이용자가 서술되는 현상을 이해하는 데 필요한 모든 정보를 포함하는 것을 말한다.

③ 충실한 표현의 구성요소인 중립적 서술은 재무정보의 선택이나 표시에 편의가 없는 것이며, 목적이 없거나 행동에 대한 영향력이 없는 정보를 의미하는 것은 아니다.

④ 충실한 표현은 모든 면에서 정확한 것을 의미한다. 따라서 오류가 없다는 것은 현상의 기술에 오류나 누락이 없고, 보고 정보를 생산하는 데 사용되는 절차의 선택과 적용 시 절차상 오류가 없음을 의미한다.

⑤ 관측가능하지 않은 가격이나 가치의 추정치는 정확한지 또는 부정확한지 결정할 수 없다. 그러나 추정치로서 금액을 명확하고 정확하게 기술하고, 추정 절차의 성격과 한계를 설명하며, 그 추정치를 도출하기 위한 적절한 절차를 선택하고 적용하는 데 오류가 없다면 그 추정치의 표현은 충실하다고 할 수 있다.

07 다음 중 보강적 질적특성에 대한 설명으로 개념체계의 내용과 타당하지 않은 것은?

① 비교가능성은 정보이용자가 항목 간의 유사점과 차이점을 식별하고 이해할 수 있게 하는 질적특성으로 일관성과 관련되어 있기는 하지만 동일한 개념은 아니며, 통일성과는 다른 개념이다. 다른 질적특성과 달리 비교가능성은 단 하나의 항목에 관련된 것이 아니며, 비교하려면 최소한 두 항목이 필요하다.

② 통일성은 한 보고기업 내에서 기간 간 또는 같은 기간 동안에 기업 간, 동일한 항목에 대해 동일한 방법을 적용하는 것을 말한다.

③ 검증가능성은 정보가 나타내고자 하는 경제적 현상을 충실히 표현하는지를 정보이용자가 확인하는 데 도움을 주는 특성을 말한다. 계량화된 정보가 검증가능하기 위해서 단일 점추정치이어야 할 필요는 없다.

④ 적시성은 의사결정에 영향을 미칠 수 있도록 의사결정자가 정보를 제때에 이용가능하게 하는 것을 의미한다. 일반적으로 정보는 오래될수록 유용성이 낮아지지만, 일부 정보는 보고기간 말 후에도 오랫동안 적시성이 있을 수 있다.

⑤ 재무보고서는 사업활동과 경제활동에 대해 합리적인 지식이 있고, 부지런히 정보를 검토하고 분석하는 정보이용자를 위해 작성되지만, 일부 현상은 본질적으로 복잡하여 이해하기 쉽지 않다. 그 현상에 대한 정보를 재무보고서에서 제외하면 그 재무보고서의 정보를 더 이해하기 쉽게 할 수 있지만, 그 보고서는 불완전하여 잠재적으로 오도할 수 있기에 정당화될 수 없다.

08 다음은 회계정보의 보강적 질적특성 중 하나인 비교가능성에 대한 설명이다. 개념체계와 한국채택국제회계기준의 내용과 일치하지 않는 설명은 무엇인가?

① 유사한 거래나 그 밖의 사건의 재무적 영향을 측정하고 표시할 때 한 기업 내에서 그리고 당해 기업의 기간별로 일관된 방법이 적용되어야 하며, 기업 간에도 일관된 방법이 적용되어야 한다.

② 기업이 한국채택국제회계기준을 준수하여 재무제표를 작성하고 사용한 회계정책에 대하여 공시한다면 비교가능성을 달성하는 데 도움이 될 수 있지만, 동일한 경제적 현상에 대해 대체적인 회계처리방법을 허용하면 비교가능성이 감소하게 된다.

③ 목적적합성과 표현의 충실성을 제고할 수 있는 대체방법이 있는 경우에도 기존의 회계정책을 유지하여 기간 간 비교가능성을 확보하여야 회계정보의 유용성이 제고될 수 있다.

④ 비교정보를 공시하는 기업은 적어도 두 개의 재무상태표와, 두 개의 그 밖의 재무제표 및 관련 주석을 표시해야 한다. 회계정책을 소급하여 적용하거나 재무제표의 항목을 소급하여 재작성 또는 재분류하는 경우에는 적어도 세 개의 재무상태표, 두 개의 그 밖의 재무제표 및 관련 주석을 표시해야 한다.

⑤ 정보의 기간별 비교가능성이 제고되면 특히 예측을 위한 재무정보 추세분석이 가능하여 재무제표이용자의 경제적 의사결정에 도움을 준다.

09 자산은 과거 사건의 결과로 기업이 통제하고 있고 미래경제적효익이 기업에 유입될 것으로 기대되는 자원이다. 다음 중 자산의 특징에 대한 설명으로 옳은 것은?

① 유형자산을 포함한 많은 종류의 자산은 물리적 형태를 가지고 있다. 따라서 자산의 존재를 판단하기 위해서 물리적 형태가 필수적이다.

② 수취채권과 부동산을 포함한 많은 종류의 자산은 소유권 등 법률적 권리와 관련되어 있다. 따라서 소유권은 자산의 존재를 판단함에 있어 필수적이다.

③ 일반적으로 지출의 발생과 자산의 취득은 밀접하게 관련되어 있다. 따라서 무상으로 증여받은 재화는 관련된 지출이 발생하지 아니하였으므로 자산의 정의를 충족할 수 없다.

④ 기업의 자산은 과거의 거래나 그 밖의 사건에서 창출된다. 따라서 미래에 발생할 것으로 예상되는 거래나 사건 자체만으로 자산이 창출되지 아니한다.

⑤ 자산이 갖는 미래경제적효익이란 직접적으로 미래 현금 및 현금성자산의 기업에의 유입에 기여하게 될 잠재력을 말한다. 따라서 현금유출을 감소시키는 능력은 자산과 관련된 미래경제적효익과 관련이 없다.

10 다음은 개념체계에서 설명하고 있는 측정기준에 관한 내용이다. 타당하지 않은 것은?

① 역사적 원가는 자산의 경우 취득의 대가로 취득 당시에 지급한 현금 또는 현금성자산이나 그 밖의 대가의 공정가치로 기록하며, 부채의 경우 부담하는 의무의 대가로 수취한 금액으로 기록한다.

② 현행원가는 자산의 경우 동일하거나 또는 동등한 자산을 현재시점에서 취득할 경우에 그 대가로 지불하여야 할 현금이나 현금성자산의 금액으로 평가한다. 부채는 현재시점에서 추가로 차입하는 경우 유입되는 현금이나 현금성자산의 할인하지 아니한 금액으로 평가한다.

③ 실현가능(이행)가치는 자산의 경우 정상적으로 처분하는 경우 수취할 것으로 예상되는 현금이나 현금성자산의 금액으로 평가한다. 부채는 이행가치로 평가하며 이는 정상적인 영업과정에서 부채를 상환하기 위해 지급될 것으로 예상되는 현금이나 현금성자산의 할인하지 아니한 금액으로 평가한다.

④ 현재가치는 자산의 경우 정상적인 영업과정에서 그 자산이 창출할 것으로 기대되는 미래 순현금유입액의 현재할인가치로 평가한다. 부채는 정상적인 영업과정에서 그 부채를 상환할 때 필요한 것으로 예상되는 미래 순현금유출액의 현재할인가치로 평가한다.

⑤ 재무제표를 작성할 때 기업이 가장 보편적으로 채택하고 있는 측정기준은 역사적 원가이다. 한편, 역사적 원가는 일반적으로 다른 측정기준과 함께 사용된다.

11 재무제표 요소의 정의와 인식에 대한 다음 설명 중 옳지 않은 것은?

① 개념체계에서는 재무상태표, 포괄손익계산서의 고유한 요소에 대해 별도로 정의하고 있다. 하지만 자본변동표의 고유한 요소에 대해 별도로 식별하지 않고 있다.

② 일반적으로 자본총액은 그 기업이 발행한 주식의 시가총액, 또는 순자산을 나누어서 처분하거나 계속기업을 전제로 기업 전체를 처분할 때 받을 수 있는 총액과 일치하지 않으며, 우연한 경우에만 일치한다.

③ 수익은 자산의 유입이나 증가 또는 부채의 감소에 따라 자본의 증가를 초래하는 특정 회계 기간 동안에 발생한 경제적 효익의 증가로서 지분참여자에 의한 출연과 관련된 것은 제외하며, 시장성 있는 유가증권의 재평가나 장기성 자산의 장부금액 증가로 인한 미실현이익을 포함한다.

④ 개념체계에서는 광의의 수익에 차익의 개념을 포함하고 있으므로 차익을 별개의 요소로 보지 않는다. 하지만 정보이용자의 경제적 의사결정에 도움을 주기 위해 차익은 포괄손익계산서에 수익과 구분하여 표시하고, 순액으로 측정한다.

⑤ 자산과 부채에 대한 재평가 또는 재작성은 자본의 증가나 감소를 초래한다. 이와 같은 자본의 증가 또는 감소는 수익과 비용의 정의에 부합하며, 이 항목들은 항상 포괄손익계산서에 포함하여 인식된다.

12 다음은 재무회계 개념체계에서 설명한 자산·부채와 수익·비용의 인식에 관련된 설명이다. 다음 중 타당하지 못한 설명은 무엇인가?

① 지출이 발생하였으나 관련된 경제적 효익이 기업에 유입될 가능성이 높지 않다고 판단되는 경우에는 자산으로 인식하지 아니하고, 비용으로 인식한다. 이와 같은 회계처리는 경영진이 그 지출과 관련하여 미래경제적효익을 창출하려는 의도가 없거나 의사결정이 잘못되었다는 것을 의미한다.

② 부채는 현재 의무의 이행에 따라 경제적 효익을 갖는 자원의 유출가능성이 높고 결제될 금액에 대해 신뢰성 있게 측정할 수 있을 때 재무상태표에 인식한다.

③ 수익은 자산의 증가나 부채의 감소와 관련하여 미래경제적효익이 증가하고 이를 신뢰성 있게 측정할 수 있을 때 포괄손익계산서에 인식한다.

④ 비용은 자산의 감소나 부채의 증가와 관련하여 미래경제적효익이 감소하고 이를 신뢰성 있게 측정할 수 있을 때 포괄손익계산서에 인식한다.

⑤ 미래경제적효익이 기대되더라도 재무상태표에 자산으로 인식되기 위한 조건을 더 이상 충족하지 못하는 부분은 즉시 포괄손익계산서에 비용으로 인식하여야 한다.

13 다음은 재무보고를 위한 개념체계의 내용들이다. 개념체계의 내용과 다른 것은 어느 것인가?

① 개념체계는 일반목적재무보고에 적용되며, 일반목적재무보고의 목적은 현재 및 잠재적 투자자, 대여자 및 기타 채권자가 기업에 자원을 제공하는 것에 대한 의사결정을 할 때 유용한 보고기업 재무정보를 제공하는 것이다.

② 의사결정은 지분상품 및 채무상품을 매수, 매도 또는 보유하는 것과 대여 및 기타 형태의 신용을 제공 또는 결제하는 것을 포함한다.

③ 각 주요 이용자들의 정보 수요 및 욕구는 다르고 상충되기도 하므로, 재무보고기준을 제정할 때는 주요 이용자 최대 다수의 수요를 충족하는 정보를 제공하기 위해 노력해야 한다. 따라서 공통된 정보 수요에 초점을 맞추기 위해 보고기업으로 하여금 주요 이용자의 특정한 일부에게만 가장 유용한 추가적인 정보를 포함하지 못하게 하는 것이 정당화될 수 있다.

④ 일반목적재무보고서는 보고기업의 가치를 보여주기 위해 고안된 것이 아니다. 그러나 그것은 현재 및 잠재적 투자자, 대여자 및 기타 채권자가 보고기업의 가치를 추정하는 데 도움이 되는 정보를 제공한다.

⑤ 기타 이해관계자들, 예를 들어 감독당국 그리고 일반대중도 일반목적재무보고서가 유용하다고 여길 수 있다. 그렇더라도 일반목적재무보고서는 이러한 기타 집단을 주요 대상으로 한 것이 아니다.

14 다음은 재무보고를 위한 개념체계에 대한 설명 중 일반목적 재무보고의 목적과 질적특성에 대한 내용의 일부이다. 다음 중 개념체계의 내용과 일치하는 설명은 무엇인가?

① 보고기업의 경제적 자원과 청구권의 성격 및 금액에 대한 정보는 정보이용자가 보고기업의 재무적 강점과 약점을 식별하는 데 도움을 줄 수 있다. 하지만 그 정보는 정보이용자가 보고기업의 유동성과 지급능력, 추가적인 자금조달의 필요성 및 그 자금조달이 얼마나 성공적일지를 평가하는 데 도움을 줄 수는 없다.

② 재무보고서는 보고기업의 경제적 자원, 보고기업에 대한 청구권 그리고 그 자원 및 청구권에 변동을 일으키는 거래와 그 밖의 사건 및 상황의 영향에 대한 정보를 제공해야 한다. 하지만, 재무보고서에는 보고기업에 대한 경영진의 기대 및 전략과 기타 유형의 미래전망 정보에 대한 설명자료는 절대로 포함할 수 없다.

③ 발생기준회계 정보는 일정한 기간 동안의 현금 수취와 지급만의 정보보다 기업의 과거 및 미래 성과를 평가하는 데 더 나은 근거를 제공한다. 따라서 일정한 기간 동안의 보고기업의 현금흐름에 대한 정보는 정보이용자가 기업의 미래 순현금유입 창출 능력을 평가하는 데 전혀 도움이 될 수 없다.

④ 목적적합한 재무정보는 정보이용자의 의사결정에 차이가 나도록 할 수 있다. 그런데 해당 정보를 다른 원천을 통하여 이미 이를 알고 있다면 의사결정에 차이가 나도록 할 수 없으므로, 목적적합한 정보라고 할 수 없다.

⑤ 재무정보의 예측가치와 확인가치는 상호 연관되어 있다. 하지만 예측가치를 갖는 정보가 항상 확인가치를 갖는다고는 볼 수 없다.

15 재무보고를 위한 개념체계 내용 중 원가제약에 관한 설명이다. 아래의 서술 중 개념체계의 내용과 다른 설명은 무엇인가?

① 원가는 재무보고로 제공될 수 있는 정보에 대한 포괄적 제약요인이다. 재무정보의 보고에는 원가가 소요되고, 해당 정보 보고의 효익이 그 원가를 정당화한다는 것이 중요하다.

② 재무정보의 제공자는 재무정보의 수집, 처리, 검증 및 전파에 대부분의 노력을 기울인다. 그러나 이용자들은 궁극적으로 수익 감소의 형태로 그 원가를 부담한다.

③ 목적적합하고 나타내고자 하는 바가 충실하게 표현된 재무정보를 보고하는 것은 정보이용자가 더 확신을 가지고 의사결정하는 데 도움이 된다. 이것은 자본시장이 더 효율적으로 기능하도록 하고, 경제 전반적으로 자본비용을 감소시킨다.

④ 본질적인 주관성 때문에, 재무정보의 특정 항목 보고의 원가 및 효익에 대한 평가는 개인마다 달라진다. 따라서 원가와 효익의 평가가 동일한 보고 요구사항을 모든 기업에 대해 언제나 정당화한다는 것을 의미하는 것은 아니다.

⑤ 원가 제약요인은 재무정보의 제공자에게만 적용하는 것이며, 회계기준위원회의 경우 특정 정보를 보고하는 효익이 그 정보를 제공하고 사용하는 데 발생한 원가를 정당화할 수 있을 것인지 평가해야 할 필요는 없다.

16 다음은 계속기업의 가정과 관련된 설명이다. 옳지 않은 것은?

① 계속기업의 가정이 적절한지의 여부를 평가할 때 경영진은 적어도 보고기간 말로부터 향후 12개월 기간에 대하여 이용가능한 모든 정보를 고려한다.

② 경영진이 보고기간 후에, 기업을 청산하거나 경영활동을 중단할 의도를 가지고 있거나, 청산 또는 경영활동의 중단 외에 다른 현실적 대안이 없다고 판단하는 경우에는 계속기업의 기준에 따라 재무제표를 작성해서는 안 된다.

③ 보고기간 후에 영업성과와 재무상태가 악화된다는 사실은 계속기업가정이 여전히 적절한지를 고려할 필요가 있다는 것을 나타낼 수 있다. 만약 계속기업의 가정이 더 이상 적절하지 않다면 그 효과가 광범위하게 미치므로, 단순히 원래의 회계처리방법 내에서 이미 인식한 금액을 조정하는 정도가 아니라 회계처리방법을 근본적으로 변경해야 한다.

④ 기업이 상당 기간 당기순이익(중단영업이익 포함)을 보고하였고, 보고기간 말 현재 경영에 필요한 재무자원을 확보하고 있는 경우에는 자세한 분석이 없이도 계속기업을 전제로 한 회계처리가 적절하다는 결론을 내릴 수 없다.

⑤ 공정가치의 정의는 청산하거나, 사업규모를 중요하게 축소하거나 또는 불리한 조건으로 거래할 의도나 필요가 없는 상태인 계속기업의 가정을 전제로 한다. 따라서 재무제표를 계속기업의 가정으로 작성하지 않는 경우에는 공정가치가 아닌 다른 측정기준을 적용할 필요가 있다.

17 다음 중 개념체계에서 설명하고 있는 자본유지개념에 대한 내용으로 옳은 것은?

① 재무자본유지는 명목화폐단위로 측정하여야 한다.

② 자본유지개념은 기업의 자본에 대한 투자수익과 투자회수를 구분하기 위한 필수요건이다. 자본유지를 위해 필요한 금액을 초과하는 자산의 유입액만이 이익으로 간주될 수 있고 결과적으로 자본에 대한 투자수익이 된다.

③ 실물자본유지개념을 사용하기 위해서는 순자산을 역사적 원가기준에 따라 측정해야 한다.

④ 실물자본유지개념하에서 기업의 자산과 부채에 영향을 미치는 모든 가격변동은 해당 기업의 실물생산능력에 대한 측정치의 변동으로 간주되어 투자이익으로 처리된다.

⑤ 자본유지개념에 대하여 한국회계기준위원회는 특정한 모형의 사용을 규정하려는 의도를 가지고 있지 않다. 따라서 경영자는 항상 재무자본개념과 실물자본개념을 선택하여 재무제표를 작성할 수 있다.

18 한국채택국제회계기준은 포괄이익개념의 손익계산서를 전체 재무제표의 일부로 공시하도록 하여 당기손익에 기타포괄손익을 합산하여 손익계산서를 작성하도록 요구하고 있다. 다음 중 포괄이익개념의 손익계산서에 대한 설명으로 옳지 않은 것은?

① 포괄손익은 일정 기간 동안 주주와의 자본거래를 제외한 모든 거래나 사건에서 인식한 자본의 변동을 말한다.

② 중요한 오류로 인한 전기오류수정손익은 재무제표를 소급하여 재작성하기 때문에 당기의 포괄손익이 될 수 없다.

③ 당기순손익에 기타포괄손익을 가감하여 산출한 포괄손익의 내용은 포괄손익계산서의 본문에 표시하며, 기타포괄손익의 각 항목은 관련된 법인세효과가 있다면 그 금액을 차감한 후의 금액으로 표시하여야만 한다.

④ 포괄손익에 영향을 주는 순자산의 변동 중 일부는 재무상태표에 이익잉여금으로 직접 표시되고 일부는 재무상태표상 자본의 기타자본구성항목으로 표시된다.

⑤ 포괄손익에는 자산과 부채로부터 미실현된 보유손익도 포함된다.

19 A회사는 당기 초에 현금 ₩10,000을 출자하여 영업을 개시하였다. 기초에 재고자산 1개를 ₩10,000에 구입하여 기중에 ₩15,000에 판매하였다. 기초 물가지수는 100%이었고, 기말 물가지수는 120%이며, 기말 현재 동일한 재고자산의 구입가격은 ₩14,000이다. 자본유지개념과 관련된 아래의 설명 중 틀린 것은?

① 명목재무자본유지개념에서의 순이익은 ₩5,000이다.
② 불변재무자본유지개념에서의 순이익은 ₩3,000이다.
③ 불변재무자본유지개념에서 자본유지조정으로 유보시킬 금액은 ₩2,000이다.
④ 실물자본유지개념에서 유지해야 할 자본총계는 ₩10,000이다.
⑤ 실물자본유지개념에서의 순이익은 ₩1,000이다.

20 다음은 일반목적재무제표 작성을 위한 일반사항에 대한 설명이다. 한국채택국제회계기준 제1001호의 규정과 다른 설명은 무엇인가?

① 재무제표는 기업의 재무상태, 재무성과 및 현금흐름을 공정하게 표시해야 하며, 한국채택국제회계기준에 따라 작성된 재무제표는 공정하게 표시된 재무제표로 간주한다.
② 한국채택국제회계기준을 준수하여 작성된 재무제표는 국제회계기준을 준수하여 작성된 재무제표임을 주석으로 공시할 수 있다.
③ 한국채택국제회계기준의 요구사항을 대부분 충족한 재무제표는 주석에 한국채택국제회계기준을 준수하여 작성되었다고 기재할 수 있다.
④ 부적절한 회계정책은 이에 대하여 공시나 주석 또는 보충 자료를 통해 설명하더라도 정당화될 수 없다.
⑤ 극히 드문 상황에서 한국채택국제회계기준의 요구사항을 준수하는 것이 오히려 개념체계에서 정하고 있는 재무제표의 목적과 상충되어 재무제표이용자의 오해를 유발할 수 있다고 경영진이 결론을 내리는 경우에는, 관련 감독체계가 이러한 요구사항으로부터의 일탈을 의무화하거나 금지하지 않는 경우에 한하여, 한국채택국제회계기준의 규정을 달리 적용할 수 있다.

21 다음은 일반목적재무제표 작성을 위한 일반사항에 대한 설명이다. 한국채택국제회계기준 제1001호의 규정과 다른 설명은 무엇인가?

① 재무제표는 경영진이 기업을 청산하거나 경영활동을 중단할 의도를 가지고 있지 않거나, 청산 또는 경영활동의 중단 외에 다른 현실적 대안이 없는 경우가 아니면 계속기업을 전제로 작성한다.

② 모든 재무제표는 발생기준회계를 사용하여 작성한다.

③ 상이한 성격이나 기능을 가진 항목은 재무제표에 구분하여 표시하며, 중요하지 않은 항목은 성격이나 기능이 유사한 항목과 통합하여 표시할 수 있다.

④ 자산과 부채, 그리고 수익과 비용은 서로 상계하지 않는 것이 원칙이다. 다만, 자산에 대한 평가충당금을 차감하여 관련 자산을 순액으로 측정하는 것은 상계표시에 해당하지 아니한다.

⑤ 수익과 비용은 서로 상계하지 않는 것이 원칙이지만, 예외적으로 투자자산 및 영업용자산을 포함한 비유동자산의 처분손익은 처분대금에서 그 자산의 장부금액과 관련 처분비용을 상계하여 표시한다.

22 다음은 재무상태표 작성을 위한 일반사항에 대한 설명이다. 한국채택국제회계기준 제1001호의 규정과 다른 설명은 무엇인가?

① 기업이 명확히 식별가능한 영업주기 내에서 재화나 용역을 제공하는 경우, 재무상태표에 유동자산과 비유동자산 및 유동부채와 비유동부채를 구분하여 표시한다. 하지만 한국채택국제회계기준서는 재무제표에 표시되어야 할 항목의 순서나 형식을 규정하지는 않는다.

② 영업주기는 영업활동을 위한 자산의 취득시점부터 그 자산이 현금이나 현금성자산으로 실현되는 시점까지 소요되는 기간이다. 정상영업주기를 명확히 식별할 수 없는 경우에는 그 기간이 12개월인 것으로 가정한다.

③ 유동자산은 보고기간 후 12개월 이내에 실현될 것으로 예상되는 자산으로 이를 제외하면 모두 비유동자산이다.

④ 유동자산은 보고기간 후 12개월 이내에 실현될 것으로 예상되지 않는 경우에도 재고자산 및 매출채권과 같이 정상영업주기의 일부로서 판매, 소비 또는 실현되는 자산을 포함한다.

⑤ 유동성 순서에 따른 표시방법이 신뢰성 있고 더욱 목적적합한 정보를 제공하는 경우에는 모든 자산과 부채는 유동성의 순서에 따라 오름차순이나 내림차순의 순서로 표시할 수 있다.

23 다음은 부채의 유동성 분류에 대한 내용이다. 한국채택국제회계기준 제1001호의 규정과 다른 설명은 무엇인가?

① 매입채무 그리고 종업원 그 밖의 영업원가에 대한 미지급비용과 같은 유동부채는 보고기간 후 12개월 후에 결제일이 도래한다 하더라도 정상영업주기 내에 사용되는 운전자본의 일부이므로 유동부채로 분류한다.

② 보고기간 후 12개월 이내에 결제일이 도래하는 경우에도 보고기간 후 재무제표 발행승인일 전에 장기로 차환하는 약정 또는 지급기일을 장기로 재조정하는 약정이 체결된 경우에는 한국채택국제회계기준 제1010호 '보고기간후사건'에 따라 이를 비유동부채로 분류한다.

③ 기업이 기존의 대출계약조건에 따라 보고기간 후 적어도 12개월 이상 부채를 차환하거나 연장할 것으로 기대하고 있고, 그런 재량권이 있다면, 보고기간 후 12개월 이내에 만기가 도래한다 하더라도 비유동부채로 분류한다.

④ 보고기간 말 이전에 장기차입약정을 위반했을 때 대여자가 즉시 상환을 요구할 수 있는 채무는 보고기간 후 재무제표 발행승인일 전에 채권자가 약정위반을 이유로 상환을 요구하지 않기로 합의하더라도 유동부채로 분류한다.

⑤ 대여자가 보고기간 말 이전에 보고기간 후 적어도 12개월 이상의 유예기간을 주는 데 합의하여 그 유예기간 내에 기업이 위반사항을 해소할 수 있고, 또 그 유예기간 동안에는 대여자가 즉시 상환을 요구할 수 없다면 그 부채는 비유동부채로 분류한다.

24 다음은 포괄손익계산서 작성을 위한 일반사항에 대한 설명이다. 한국채택국제회계기준 제1001호의 규정과 다른 설명은 무엇인가?

① 인식한 모든 수익과 비용 항목은 단일 포괄손익계산서나 두 개의 보고서(당기순손익의 구성요소를 표시하는 별개의 손익계산서와 당기순손익에서 시작하여 기타포괄손익의 구성요소를 표시하는 보고서인 포괄손익계산서)로 공시할 수 있다.

② 수익과 비용 중에서 비경상적이며 비반복적으로 발생하는 항목에 대하여는 특별손익의 항목으로 별도 표시하여 포괄손익계산서의 예측능력을 제고하여야 한다.

③ 기타포괄손익에 대한 법인세효과는 관련 법인세효과를 차감한 순액으로 표시할 수도 있으며, 각 항목들에 관련된 법인세효과를 단일 금액으로 합산하여 차감하는 형식으로 보고할 수도 있다.

④ 비용을 표시하는 방법은 비용의 성격별 또는 기능별 분류방법 중에서 신뢰성 있고 더욱 목적적합한 정보를 제공할 수 있는 방법으로 표시한다.

⑤ 비용의 성격에 대한 정보가 미래현금흐름을 예측하는 데 유용하기 때문에, 비용을 기능별로 분류한 경우에는 감가상각비, 기타 상각비와 종업원급여비용을 포함하여 비용의 성격에 대한 추가 정보를 공시한다.

25 다음은 포괄손익계산서 구성요소인 기타포괄손익에 대한 설명이다. 한국채택국제회계기준 제1001호의 규정과 다른 설명은 무엇인가?

① 기타포괄손익의 구성요소와 관련한 법인세비용 금액은 포괄손익계산서나 주석에 공시한다.
② 기타포괄손익의 구성요소와 관련하여 기타포괄손익에서 당기손익으로 재분류되는 손익은 포괄손익의 이중계상을 방지하기 위하여 재분류조정에 대한 내용을 별도로 공시한다.
③ 모든 기타포괄손익은 실현시점에 당기손익으로 재분류하여 이익잉여금에 반영한다.
④ 재분류조정은 주석에 표시할 수 있다. 재분류조정을 주석에 표시하는 경우에는 관련 재분류조정을 반영한 후에 기타포괄손익의 구성요소를 표시한다.
⑤ 기타포괄손익에 대한 법인세효과는 관련 법인세효과를 차감하거나 별도로 기재하여 공시하는 방법 모두 인정되고 있다.

26 아래의 내용은 한국채택국제회계기준서 제1113호 '공정가치 측정'에 관한 내용이다. 기준서의 규정과 다른 설명은 무엇인가?

① 공정가치는 측정일에 시장참여자 사이의 정상거래에서 자산을 매입하면서 지급하거나 부채를 차입하면서 수취하게 될 가격인 유입가격으로 정의한다.
② 공정가치는 시장에 근거한 측정치이며, 기업 특유의 측정치가 아니다.
③ 자산을 보유하고자 하는 기업의 의도나, 부채를 결제 혹은 이행하고자 하는 기업의 의도는 공정가치 측정에 관련이 없다.
④ 거래가격은 자산을 취득하면서 지급하거나 부채를 인수하면서 수취하는 가격인 유입가격이다. 많은 경우에 거래가격은 공정가치와 동일할 것이지만, 양자가 항상 일치하는 것은 아니다.
⑤ 공정가치를 측정하는 경우 판매가격에서 운송원가는 차감하지만, 거래원가는 차감하지 아니한다. 거래원가는 자산이나 부채의 특성이 아니고 거래에 특정된 것이며 자산이나 부채를 어떻게 거래하는지에 따라 달라지기 때문이다.

해커스 IFRS 정윤돈 객관식 재무회계

회계사 · 세무사 · 경영지도사 단번에 합격!
해커스 경영아카데미 cpa.Hackers.com

1차 시험 출제현황

구분	CPA										CTA									
	15	16	17	18	19	20	21	22	23	24	15	16	17	18	19	20	21	22	23	24
재고자산의 매입과 기말재고자산 조정		1	2		1			1			1	1	1							1
재고자산의 원가배분																				
재고자산의 감모손실과 평가손실	1	1	1	1	1	1		1	1	1	1		1		1	1	1	1		1
특수한 원가배분 방법	1						1							2		2		1	1	
재고자산 서술형							1		1			1					1		1	1

제2장

재고자산과 농림어업

기초 유형 확인

[01 ~ 03]

A사는 20×1년 말 재고자산을 실사하였다. 실사 결과 회사가 보유한 재고자산의 원가는 ₩2,000,000이었으며, 재고자산 관련 자료는 아래와 같다.

(1) 선적지인도조건으로 구입한 재고자산은 ₩100,000이 결산일 현재 운송 중이다. 회사는 송장이 도착하지 않아 매입 회계처리를 하지 않았다.
(2) 도착지인도조건으로 판매한 재고자산이 결산일 현재 운송 중이다. 재고자산의 원가는 ₩200,000이다. 회사는 선적시점에 매출로 수익을 인식하였다.
(3) 회사는 20×1년 12월 20일에 원가 ₩50,000의 상품을 판매하고 판매대금을 수수하였다. 고객은 상품에 대한 법적 권리가 있으며 통제한다. 하지만, 고객은 20×2년 2월 8일에 동 상품을 인도받기를 원하여 회사의 창고에 보관하고 있으며, 실사금액에 포함되었다.
(4) 회사는 20×1년 12월 31일에 반품조건부로 원가 ₩400,000의 재고자산을 판매하였으며, 판매분 중 50%는 반품률을 합리적으로 추정할 수 없고 50%는 반품률을 10%로 추정하고 있다.
(5) 보고기간 말 현재 회사가 보관하고 있는 재고자산 중 ₩300,000은 차입금에 대한 담보로 제공되어 있다.
(6) A사는 20×1년 12월 1일에 원가 ₩800,000의 재고자산을 현금 ₩1,000,000에 판매하기로 고객과 계약을 체결하였다. 계약에는 20×2년 3월 31일 이전에 그 자산을 ₩1,050,000에 다시 살 권리를 기업이 가지는 콜옵션이 포함되어 있다. A사는 20×2년 3월 31일에 콜옵션을 행사하였다.

01 재고자산 관련 자료 중 (1) ~ (2)를 고려할 때 기말재고자산에 가감될 금액은 얼마인가?

① ₩100,000 ② ₩200,000 ③ ₩300,000
④ ₩(-)200,000 ⑤ ₩0

02 재고자산 관련 자료 중 (3) ~ (4)를 고려할 때 기말재고자산에 가감될 금액은 얼마인가?

① ₩(-)50,000 ② ₩350,000 ③ ₩(-)30,000
④ ₩(-)400,000 ⑤ ₩150,000

03 재고자산 관련 자료 중 (5) ~ (6)을 고려할 때 기말재고자산에 가감될 금액은 얼마인가?

① ₩0 ② ₩1,000,000 ③ ₩(-)300,000
④ ₩700,000 ⑤ ₩800,000

[04 ~ 08]

다음은 ㈜한국의 상품에 관련된 자료이다. 각 물음은 서로 독립적이다.

(1) 모든 매입·매출거래는 현금거래이다.
(2) 상품의 단위당 판매가격은 ₩1,500이고, 20×1년 상품의 매입·매출에 관한 자료는 다음과 같다.

일자	구분	수량(개)	단위원가	금액
1월 1일	기초상품	200	₩1,100	₩220,000
2월 28일	매입	2,400	₩1,230	₩2,952,000
3월 5일	매출	2,000		
8월 20일	매입	2,600	₩1,300	₩3,380,000
12월 25일	매출	1,500		
12월 31일	기말상품	1,700		

04 ㈜한국이 재고자산 원가흐름의 가정으로 평균법을 사용하고 있고, 계속기록법을 사용하고 있을 때, 당해 연도의 매출원가는 얼마인가?

① ₩4,800,000 ② ₩4,780,000 ③ ₩4,342,000
④ ₩4,367,500 ⑤ ₩4,410,000

05 ㈜한국이 재고자산 원가흐름의 가정으로 평균법을 사용하고 있고, 실지재고조사법을 사용하고 있을 때, 당해 연도의 매출원가는 얼마인가?

① ₩4,800,000 ② ₩4,780,000 ③ ₩4,342,000
④ ₩4,367,500 ⑤ ₩4,410,000

06 ㈜한국이 재고자산 원가흐름의 가정으로 선입선출법을 사용하고 있고, 계속기록법을 사용하고 있을 때, 당해 연도의 매출원가는 얼마인가?

① ₩4,800,000 ② ₩4,780,000 ③ ₩4,342,000
④ ₩4,367,500 ⑤ ₩4,410,000

07 ㈜한국은 재고자산 원가흐름의 가정으로 평균법을 사용하고 있고, 실지재고조사법을 사용한다. 기초에 동 재고자산의 재고자산평가충당금은 없었고 실사 결과, 실제 창고에 존재하는 재고자산은 1,500개였다. 또한, 동 재고자산의 기말순실현가능가치는 단위당 ₩1,000이다. 이 경우 당해 연도의 매출원가는 얼마인가? (단, 감모손실은 모두 기타비용처리하고 평가손실만 매출원가에 반영한다)

① ₩4,800,000 ② ₩4,780,000 ③ ₩4,342,000
④ ₩4,367,500 ⑤ ₩4,410,000

08 ㈜한국은 재고자산 원가흐름의 가정으로 평균법을 사용하고 있고, 실지재고조사법을 사용한다. 기초에 동 재고자산의 재고자산평가충당금은 ₩20,000이고 실사 결과, 실제 창고에 존재하는 재고자산은 1,500개였다. 또한, 동 재고자산의 기말순실현가능가치는 단위당 ₩1,000이다. 이 경우 당해 연도의 매출원가는 얼마인가? (단, 감모손실은 모두 기타비용처리하고 평가손실만 매출원가에 반영한다)

① ₩4,800,000 ② ₩4,780,000 ③ ₩4,342,000
④ ₩4,367,500 ⑤ ₩4,410,000

[09 ~ 10]

㈜포도는 20×1년에 설립된 회사로 원재료를 제조공정에 투입하여 재공품을 거쳐 제품을 생산 판매하고 있다.

〈20×1년 말 현재 보유 중인 재고자산〉

구분	실제수량	단위당		
		원가	현행대체원가	순실현가능가치
제품	370개	₩4,000	₩3,800	₩3,600
재공품	50개	₩1,500	₩1,200	₩1,400
원재료	180개	₩1,000	₩800	₩850

〈20×2년 말 현재 보유 중인 재고자산〉

구분	실제수량	단위당		
		원가	현행대체원가	순실현가능가치
제품	470개	₩5,000	₩4,800	₩5,200
재공품	20개	₩1,400	₩1,200	₩1,100
원재료	70개	₩1,200	₩700	₩900

㈜포도는 20×2년 12월 28일 ㈜앵두에 제품 200개를 개당 ₩4,500에 판매하는 확정판매계약을 체결하였다. 동 계약은 20×3년 중에 인도할 예정이며, 판매 시 거래원가는 ₩200이다.

09 ㈜포도가 20×1년도에 인식할 재고자산평가손실(또는 평가손실환입)은 얼마인가?

① ₩5,000 ② ₩148,000 ③ ₩153,000
④ ₩189,000 ⑤ ₩0

10 ㈜포도가 20×2년도에 인식할 재고자산평가손실(또는 (-)평가손실환입)은 얼마인가?

① ₩140,000 ② ₩(-)43,000 ③ ₩(-)7,000
④ ₩146,000 ⑤ ₩181,000

11 12월 말 결산법인인 A사는 전기자동차를 제조판매하는 회사로 20×1년 4월 1일 창고에 화재가 발생하였다. 20×1년 1월 1일 상품재고액은 ₩10,000이며 관련된 자료들은 다음과 같다.

구분	금액	구분	금액
기초매입채무	₩30,000	기초매출채권	₩20,000
현금매입	₩10,000	현금매출	₩15,000
매입할인	₩3,000	매출할인	₩5,000
1분기 매입채무 결제액	₩500,000	1분기 매출채권 회수액	₩500,000
3월 31일 현재 매입채무	₩20,000	3월 31일 현재 매출채권	₩30,000

20×1년 3월 31일 현재 선적지인도조건으로 매입하는 운송 중인 미착품 ₩6,000이 있으며, 매입채무를 인식하지 않았다. A사는 제품을 판매할 때 원가에 25% 이익을 가산하여 판매한다. 화재 이후에 남은 창고보관 제품의 내역은 다음과 같다.

구분	원가	판매가
제품 A	₩40,000	₩8,000
제품 B	₩20,000	₩30,000

A사가 화재로 인하여 인식할 재해손실은 얼마인가?

① ₩60,000 ② ₩62,000 ③ ₩65,000
④ ₩68,000 ⑤ ₩70,000

12 소매업을 영위하고 있는 ㈜대한은 재고자산에 대해 소매재고법을 적용하고 있다.

〈자료〉

(1) ㈜대한의 당기 재고자산과 관련된 항목별 원가와 매가는 다음과 같다.

항목	원가	매가
기초재고자산	?	₩40,000
당기매입액(총액)	?	₩210,000
매입환출	₩3,000	₩5,000
매입할인	₩1,000	
매출액(총액)		₩120,000
매출환입	₩2,000	₩16,000
매출에누리		₩4,000
가격 인상액(순액)		₩22,000
가격 인하액(순액)		₩15,000
정상파손	₩2,000	₩4,000
비정상파손	₩6,000	₩12,000
종업원할인		₩2,000

(2) ㈜대한이 재고자산에 대해 원가기준으로 선입선출법과 가중평균법을 각각 적용하여 측정한 원가율은 다음과 같다.

적용방법	원가율
원가기준 선입선출법	55%
원가기준 가중평균법	50%

(3) 정상파손의 원가는 매출원가에 포함하며, 비정상파손의 원가는 영업외비용으로 처리한다.

(4) 원가율 계산 시 소수점 이하는 반올림한다(예 61.6%는 62%로 계산).

㈜대한이 재고자산에 대해 저가기준으로 선입선출법을 적용하였을 경우 매출원가를 계산하시오.

① ₩61,260　② ₩58,660　③ ₩55,000
④ ₩51,660　⑤ ₩49,270

13 ㈜대한농림은 사과를 생산·판매하는 사과 과수원을 운영하고 있다.

〈자료〉

(1) 사과나무의 20×1년 초 장부금액은 ₩50,000이며, 잔존내용연수는 5년이다. 잔존가치는 없으며, 정액법으로 감가상각하고 원가모형을 적용한다.

(2) 20×1년 9월에 20박스의 사과를 수확하였으며, 수확한 사과의 순공정가치는 박스당 ₩30,000이고 수확비용은 총 ₩20,000이다.

(3) 20×1년 10월에 10박스를 ₩400,000에 판매하였고, 판매비용은 총 ₩10,000이다.

(4) 20×1년 말 사과 10박스를 보유하고 있고, 10박스의 순공정가치는 ₩450,000이다.

(5) 20×1년에 생산되기 시작하여 20×1년 말 수확되지 않고 사과나무에서 자라고 있는 사과의 순공정가치는 ₩200,000으로 추정된다.

㈜대한농림의 20×1년도 포괄손익계산서상 당기순이익에 미치는 영향을 계산하시오.

① ₩870,000 ② ₩860,000 ③ ₩855,000
④ ₩460,000 ⑤ ₩400,000

기출 유형 정리

01 다음은 ㈜서울의 20×1년 단일 상품거래와 관련된 자료이다.

구분	금액	구분	금액
기초재고	₩120,000	당기매입	₩500,000
매입운임(선적지인도조건)	₩15,000	보험료	₩2,000
하역료	₩3,000	매입할인	₩2,000
관세납부금	₩7,000	매입에누리	₩13,000
기말재고	₩75,000	관세환급금	₩5,000

㈜서울은 감모손실과 평가손실이 존재하지 않았다고 할 때 20×1년의 매출원가는 얼마인가?

[공인회계사 2009년 수정]

① ₩530,000　② ₩534,000　③ ₩542,000
④ ₩552,000　⑤ ₩654,000

02 재고자산을 실사한 결과, ㈜한국은 20×1년 12월 31일 현재 원가 ₩600,000의 상품을 창고에 보관하고 있다. 다음의 자료를 반영한 후 ㈜한국의 20×1년 올바른 기말상품재고액은 얼마인가? (단, 재고자산감모손실 및 평가손실은 없다고 가정한다)

[공인회계사 2016년 수정]

〈추가 자료〉

(1) ㈜한국은 판매자로부터 원가 ₩10,000의 상품을 매입한 후 대금을 완불하였으나 보관창고가 부족하여 20×1년 12월 31일 현재 동 상품을 판매자가 보관하고 있다.

(2) ㈜한국은 위탁판매거래를 위해 20×1년 11월 중 수탁자에게 원가 ₩20,000의 상품을 적송했는데 20×1년 12월 31일 현재까지 상품이 판매되지 않았다. 적송 시 운임은 발생하지 않았다.

(3) ㈜한국은 20×1년 12월 25일 판매자로부터 선적지인도조건(F.O.B. Shipping Point)으로 원가 ₩80,000의 상품을 매입하여 20×1년 12월 31일 현재 운송 중에 있으며, 도착예정일은 20×2년 1월 9일이다. 매입 시 운임은 발생하지 않았다.

(4) ㈜한국은 20×1년 12월 28일 중개업자를 통해 인도결제판매조건으로 원가 ₩30,000의 상품을 판매하여 인도가 완료되었다. 중개업자는 판매대금을 회수하고 대행수수료 ₩5,000을 차감한 후 ㈜한국에 지급한다. ㈜한국 및 중개업자는 20×1년 12월 31일 현재 판매대금 전액을 현금으로 수취하지 못하고 있다.

① ₩700,000　② ₩720,000　③ ₩750,000
④ ₩770,000　⑤ ₩740,000

03 ㈜세무의 20×1년 재고자산 관련 현황이 다음과 같을 때, 20×1년 말 재무상태표의 재고자산은 얼마인가?

[세무사 2017년]

- 20×1년 말 재고실사를 한 결과 ㈜세무의 창고에 보관 중인 재고자산의 원가는 ₩100,000 이다.
- 20×1년도 중 고객에게 원가 ₩80,000 상당의 시송품을 인도하였으나, 기말 현재까지 매입 의사를 표시하지 않았다.
- 20×1년도 중 운영자금 차입목적으로 은행에 원가 ₩80,000의 재고자산을 담보로 인도하였으며, 해당 재고자산은 재고실사 목록에 포함되지 않았다.
- ㈜한국과 위탁판매계약을 체결하고 20×1년도 중 원가 ₩100,000 상당의 재고자산을 ㈜한국으로 운송하였으며, 이 중 기말 현재 미판매되어 ㈜한국이 보유하고 있는 재고자산의 원가는 ₩40,000이다.
- ㈜대한으로부터 원가 ₩65,000의 재고자산을 도착지인도조건으로 매입하였으나 20×1년 말 현재 운송 중이다.

① ₩220,000 ② ₩260,000 ③ ₩300,000
④ ₩320,000 ⑤ ₩365,000

04 ㈜한국의 회계담당자가 20×1년 12월 31일 재고자산을 실사한 결과, 창고에 보관하고 있는 상품은 ₩1,000,000이며 아래 항목은 반영되지 않은 상태이다.

- 선적지인도조건의 거래명세서 ₩200,000을 20×2년 1월 3일에 수령하여 매입거래로 기록하였다. 상품은 20×1년 12월 29일에 선적되어 20×2년 1월 3일에 입고되었다.
- 도착지인도조건의 거래명세서 ₩300,000을 20×1년 12월 28일에 수령하였다. 상품은 20×2년 1월 2일에 입고되었다.
- 20×1년 12월 26일 도착지인도조건으로 판매한 상품 ₩400,000(원가)이 20×1년 12월 31일 현재 운송 중이었다. 20×2년 1월 2일 고객으로부터 상품을 인수하였다는 통보를 받고 ㈜한국은 동 일자로 매출을 기록하였다.
- 20×1년 12월 31일 매출로 기록한 상품이 하역장에 보관되어 기말재고실사과정에서 누락되었다. 선적지인도조건이며 20×2년 1월 3일 선적되었고, 상품원가는 ₩500,000이었다.

위의 자료를 반영한 후 ㈜한국의 20×1년 올바른 기말상품재고액은 얼마인가? (단, 재고자산감모손실 및 평가손실은 없다고 가정한다)

[공인회계사 2017년]

① ₩1,200,000 ② ₩1,600,000 ③ ₩1,700,000
④ ₩2,100,000 ⑤ ₩2,400,000

05 ㈜대한이 실지재고조사법으로 재고자산을 실사한 결과 20×1년 말 현재 창고에 보관하고 있는 재고자산의 실사금액은 ₩5,000,000으로 집계되었다. 다음의 추가 자료를 반영하면 ㈜대한의 20×1년 말 재무상태표에 보고될 재고자산은 얼마인가? [공인회계사 2016년]

> (1) 20×1년 10월 1일 ㈜대한은 ㈜서울에 원가 ₩500,000의 상품을 인도하고, 판매대금은 10월 말부터 매월 말일에 ₩200,000씩 4개월에 걸쳐 할부로 수령하기로 하였다.
> (2) ㈜대한은 20×1년 11월 1일에 ㈜충청과 위탁판매계약을 맺고 원가 ₩2,000,000의 상품을 적송하였다. ㈜충청은 20×1년 말까지 이 중 60%만을 판매 완료하였다.
> (3) 20×1년 말 ㈜대한은 ㈜경기에 원가 ₩1,200,000의 상품을 ₩1,600,000에 판매 즉시 인도하면서, ㈜경기가 ㈜대한에게 동 상품을 ₩1,800,000에 재매입하도록 요구할 수 있는 풋옵션을 부여하는 약정을 체결하였다. (단, 재매입약정액은 재매입시점에 예상되는 시장가치보다 클 것으로 예상된다)
> (4) 20×1년 12월 1일에 ㈜대한은 제품재고가 없어 생산 중인 제품에 대한 주문을 ㈜강원으로부터 받아 이를 수락하고 동 제품에 대한 판매대금 ₩1,500,000을 전부 수령하였다. 20×1년 말 현재 동 제품은 생산이 완료되었으며 ㈜대한은 이를 20×2년 1월 5일에 ㈜강원에 인도하였다. 동 제품의 제조원가는 ₩1,000,000이고 실사금액에 포함되어 있다.

① ₩4,800,000 ② ₩5,200,000 ③ ₩6,000,000
④ ₩6,200,000 ⑤ ₩7,000,000

06 ㈜한영은 20×1년 12월 31일 실사를 통하여 창고에 보관 중인 상품의 원가가 ₩1,000,000인 것을 확인하였다. 다음의 자료를 고려한 ㈜한영의 기말상품재고액은 얼마인가? (단, 재고자산의 평가손실 및 감모손실은 없다)

> (1) ㈜한영은 20×1년 말 ㈜삼정에 원가 ₩200,000의 상품을 ₩250,000에 판매 즉시 인도하면서, ㈜삼정이 ㈜한영에게 동 상품을 ₩270,000에 재매입하도록 요구할 수 있는 풋옵션을 부여하는 약정을 체결하였다. 풋옵션 행사시점의 예상시장가치는 ₩290,000이다.
> (2) ㈜한영은 20×1년 말 ㈜안진에게 ₩200,000에 재판매할 수 있는 풋옵션을 보유하는 조건으로 상품을 ₩150,000에 매입(실사 재고에 포함됨)하고 매입채무를 인식하였다. 풋옵션 행사시점의 예상시장가치는 ₩180,000으로 추정되며, 매입대금은 20×2년 1월 중에 지급하였다.
> (3) ㈜한영은 20×1년 반품가능조건으로 매출 ₩100,000을 기록하였다. 매출원가율은 80%이다. 업계 평균 반품률은 20%이지만, ㈜한영은 전액을 매출과 매출원가로 각각 인식하였다. 동 상품의 반품 후 판매가치의 감소는 없고 추가적으로 지출되는 비용도 없다.

① ₩1,200,000 ② ₩1,150,000 ③ ₩1,000,000
④ ₩850,000 ⑤ ₩750,000

07 ㈜대한이 재고자산을 실사한 결과 20×1년 12월 31일 현재 창고에 보관 중인 상품의 실사금액은 ₩2,000,000인 것으로 확인되었다. 추가 자료 내용은 다음과 같다.

(1) ㈜대한이 20×1년 12월 21일 ㈜서울로부터 선적지인도조건(F.O.B. Shipping Point)으로 매입한 원가 ₩250,000의 상품이 20×1년 12월 31일 현재 운송 중에 있다. 이 상품은 20×2년 1월 5일 도착예정이며, 매입 시 발생한 운임은 없다.
(2) ㈜대한은 20×1년 10월 1일에 ㈜부산으로부터 원가 ₩150,000의 상품에 대해 판매를 수탁받았으며 이 중 원가 ₩40,000의 상품을 20×1년 11월 15일에 판매하였다. 나머지 상품은 20×1년 12월 31일 현재 ㈜대한의 창고에 보관 중이며 기말상품의 실사금액에 포함되었다. 수탁 시 발생한 운임은 없다.
(3) ㈜대한은 20×1년 12월 19일에 ㈜대전에게 원가 ₩80,000의 상품을 ₩120,000에 판매 즉시 인도하고 2개월 후 ₩130,000에 재구매하기로 약정을 체결하였다.
(4) 20×1년 11월 10일에 ㈜대한은 ㈜강릉과 위탁판매계약을 체결하고 원가 ₩500,000의 상품을 적송하였으며, ㈜강릉은 20×1년 12월 31일 현재까지 이 중 80%의 상품을 판매하였다. 적송 시 발생한 운임은 없다.
(5) ㈜대한은 단위당 원가 ₩50,000의 신상품 10개를 20×1년 10월 15일에 ㈜광주에게 전달하고 20×2년 2월 15일까지 단위당 ₩80,000에 매입할 의사를 통보해 줄 것을 요청하였다. 20×1년 12월 31일 현재 ㈜대한은 ㈜광주로부터 6개의 상품을 매입하겠다는 의사를 전달받았다.

위의 추가 자료 내용을 반영한 이후 ㈜대한의 20×1년 12월 31일 재무상태표에 표시될 기말상품재고액은 얼마인가? (단, 재고자산감모손실 및 재고자산평가손실은 없다고 가정한다)

[공인회계사 2019년]

① ₩2,330,000 ② ₩2,430,000 ③ ₩2,520,000
④ ₩2,530,000 ⑤ ₩2,740,000

08 ㈜대한이 재고자산을 실사한 결과 20×1년 12월 31일 현재 창고에 보관 중인 상품의 실사금액은 ₩1,500,000인 것으로 확인되었다. 재고자산과 관련된 추가 자료는 다음과 같다.

- ㈜대한은 20×1년 9월 1일에 ㈜강원으로부터 원가 ₩100,000의 상품에 대해 판매를 수탁받았으며, 이 중 원가 ₩20,000의 상품을 20×1년 10월 1일에 판매하였다. 나머지 상품은 20×1년 12월 31일 현재 ㈜대한의 창고에 보관 중이며, 창고보관상품의 실사금액에 이미 포함되었다.
- ㈜대한은 20×1년 11월 1일 ㈜경북에 원가 ₩400,000의 상품을 인도하고, 판매대금은 11월 말부터 매월 말일에 3개월에 걸쳐 ₩150,000씩 할부로 수령하기로 하였다.
- ㈜대한은 20×1년 11월 5일에 ㈜충남과 위탁판매계약을 체결하고 원가 ₩200,000의 상품을 적송하였으며, ㈜충남은 20×1년 12월 31일 현재까지 이 중 60%의 상품을 판매하였다.
- ㈜대한이 20×1년 12월 23일에 ㈜민국으로부터 선적지인도조건으로 매입한 원가 ₩100,000의 상품이 20×1년 12월 31일 현재 운송 중에 있다. 이 상품은 20×2년 1월 10일 도착예정이다.
- ㈜대한은 20×1년 12월 24일에 ㈜충북에게 원가 ₩50,000의 상품을 ₩80,000에 판매 즉시 인도하고 2개월 후 ₩100,000에 재구매하기로 약정하였다.

위의 추가 자료를 반영한 후 ㈜대한의 20×1년 말 재무상태표에 표시될 기말상품재고액은 얼마인가? (단, 재고자산감모손실 및 재고자산평가손실은 없다. ㈜대한의 위탁(수탁)판매계약은 기업회계기준서 제1115호 '고객과의 계약에서 생기는 수익'의 위탁(수탁)약정에 해당한다) [공인회계사 2022년]

① ₩1,570,000 ② ₩1,600,000 ③ ₩1,650,000
④ ₩1,730,000 ⑤ ₩1,800,000

09 다음은 ㈜대한의 20×1년도 매입과 매출에 관한 자료이며, 재고자산의 평가방법으로 평균법을 적용하고 있다. 실지재고조사법 또는 계속기록법을 적용한다고 가정할 경우 20×1년의 매출원가는 각각 얼마인가? (단, 장부상 재고와 실지재고는 일치한다) [세무사 2009년]

일자	적요	수량	단가	금액
1월 1일	기초재고	100개	₩50	₩5,000
3월 1일	매입	200개	₩65	₩13,000
5월 1일	매출	(200)개		
7월 1일	매입	200개	₩75	₩15,000
9월 1일	매출	(100)개		
10월 1일	매입	50개	₩77	₩3,850

	실지재고조사법	계속기록법
①	₩16,750	₩17,850
②	₩16,750	₩19,000
③	₩19,000	₩20,100
④	₩20,100	₩17,850
⑤	₩20,100	₩19,000

10 재고자산에 관한 설명으로 옳지 않은 것은? [세무사 2021년]

① 재고자산의 취득원가는 매입원가, 전환원가 및 재고자산을 현재의 장소에 현재의 상태로 이르게 하는 데 발생한 기타원가 모두를 포함한다.

② 완성될 제품이 원가 이상으로 판매될 것으로 예상하는 경우에는 그 생산에 투입하기 위해 보유하는 원재료 및 기타 소모품을 감액하지 아니한다.

③ 후속 생산단계에 투입하기 전에 보관이 필요한 경우 이외의 보관원가는 재고자산의 취득원가에 포함한다.

④ 통상적으로 상호 교환가능한 대량의 재고자산 항목에 개별법을 적용하는 것은 적절하지 아니하다.

⑤ 성격과 용도 면에서 유사한 재고자산에는 동일한 단위원가 결정방법을 적용하여야 하며, 성격이나 용도 면에서 차이가 있는 재고자산에는 서로 다른 단위원가 결정방법을 적용할 수 있다.

11 20×1년 초에 설립한 ㈜세무는 유사성이 없는 두 종류의 상품 A와 상품 B를 판매하고 있다. ㈜세무는 20×1년 중 상품 A 200단위(단위당 취득원가 ₩1,000)와 상품 B 200단위(단위당 취득원가 ₩2,000)를 매입하였으며, 20×1년 말 상품재고와 관련된 자료는 다음과 같다.

구분	장부수량	실제수량	단위당 취득원가	단위당 예상 판매가격
상품 A	50개	30개	₩1,000	₩1,300
상품 B	100개	70개	₩2,000	₩2,200

상품 A의 재고 중 20단위는 ㈜대한에 단위당 ₩900에 판매하기로 한 확정판매계약을 이행하기 위해 보유 중이다. 확정판매계약에 의한 판매 시에는 판매비용이 발생하지 않으나, 일반 판매의 경우에는 상품 A와 상품 B 모두 단위당 ₩300의 판매비용이 발생할 것으로 예상된다. ㈜세무가 20×1년도에 인식할 매출원가는 얼마인가? (단, 정상감모손실과 재고자산평가손실은 매출원가에 가산하며, 상품 A와 상품 B 모두 감모의 70%는 정상감모이다) [세무사 2021년]

① ₩410,000 ② ₩413,000 ③ ₩415,000
④ ₩423,000 ⑤ ₩439,000

12 유통업을 영위하고 있는 ㈜대한은 재고자산에 대해 계속기록법과 평균법을 적용하고 있으며, 기말에는 실지재고조사를 실시하여 실제 재고수량을 파악하고 있다. 다음은 ㈜대한의 20×1년 재고자산에 관한 자료이다.

일자	적요	수량	매입단가	비고
1월 1일	기초재고	100개	₩300	전기 말 실제수량
6월 1일	매입	400개	₩400	
7월 1일	매출	300개		판매단가 ₩600
9월 1일	매입	100개	₩500	
10월 1일	매출	200개		판매단가 ₩500

20×1년 기말재고자산의 실제 재고수량은 장부수량과 일치하였고, 단위당 순실현가능가치는 ₩300인 경우, ㈜대한의 20×1년도 매출총이익은 얼마인가? 단, 재고자산평가손실은 매출원가로 분류하며, 기초재고자산과 관련된 평가충당금은 ₩4,000이다. [공인회계사 2024년]

① ₩70,000 ② ₩74,000 ③ ₩78,000
④ ₩82,000 ⑤ ₩100,000

13 ㈜한국의 20×1년 말 재고자산의 취득원가는 ₩200,000, 순실현가능가치는 ₩160,000이다. 20×2년 중 재고자산을 ₩1,600,000에 매입하였다. 20×2년 말 장부상 재고자산 수량은 200단위지만 재고실사 결과 수량은 190단위(단위당 취득원가 ₩2,200, 단위당 순실현가능가치 ₩1,900)였다. 회사는 재고자산으로 인한 당기비용 중 재고자산감모손실을 제외한 금액을 매출원가로 인식할 때, 20×2년 매출원가는 얼마인가? (단, 20×1년 말 재고자산은 20×2년에 모두 판매되었다) [세무사 2015년]

① ₩1,377,000 ② ₩1,394,000 ③ ₩1,399,000
④ ₩1,417,000 ⑤ ₩1,421,000

14 다음은 제조업을 영위하는 ㈜대한의 20×1년도 기말재고자산과 관련된 자료이다.

재고자산	장부재고	실지재고	단위당 원가	단위당 순실현가능가치
원재료	500Kg	400Kg	₩50/Kg	₩45/Kg
제품	200개	150개	₩300/개	₩350/개

㈜대한은 재고자산감모손실과 재고자산평가손실(환입)을 매출원가에서 조정하고 있다. 재고자산평가충당금(제품)의 기초잔액이 ₩3,000 존재할 때, ㈜대한의 20×1년도 매출원가에서 조정될 재고자산감모손실과 재고자산평가손실(환입)의 순효과는 얼마인가? (단, ㈜대한은 단일 제품만을 생산·판매하고 있으며, 기초재공품과 기말재공품은 없다)

① 매출원가 차감 ₩3,000 ② 매출원가 가산 ₩5,000 ③ 매출원가 가산 ₩15,000
④ 매출원가 가산 ₩17,000 ⑤ 매출원가 가산 ₩20,000

15 다음의 자료는 ㈜민국의 20×1년도 재고자산과 관련된 내용이다.

- 기초재고자산: ₩485,000
- 재고자산평가충당금(기초): 없음
- 당기매입액: ₩4,000,000
- ㈜민국은 재고자산감모손실과 재고자산평가손실을 매출원가에 포함한다.

상품	장부재고	실지재고	단위당 원가	단위당 순실현가능가치
A	1,000개	900개	₩100	₩110
B	400개	350개	₩200	₩180
C	500개	500개	₩250	₩220

㈜민국이 20×1년도 포괄손익계산서에 인식할 매출원가는 얼마인가?

① ₩4,202,000 ② ₩4,215,000 ③ ₩4,222,000
④ ₩4,237,000 ⑤ ₩4,242,000

16 ㈜한국은 하나의 원재료를 가공하여 제품을 생산하고 있다. ㈜한국은 재고자산에 대하여 실지재고조사법과 가중평균법을 적용하고 있다. 다만, ㈜한국은 감모손실을 파악하기 위하여 입·출고수량을 별도로 확인하고 있다. ㈜한국의 원재료와 제품재고 등에 대한 정보는 다음과 같다. 동 재고자산과 관련하여 ㈜한국의 20×1년도 재고자산평가손실과 재고자산감모손실 합계액은 얼마인가?

[공인회계사 2013년]

(1) 원재료
- 20×1년 초 장부금액은 ₩25,000(수량 500단위, 단가 ₩50)이며, 20×1년도 매입액은 ₩27,000(수량 500단위, 단가 ₩54)이다.
- 입·출고 기록에 의한 20×1년 말 원재료 재고수량은 500단위이나 재고조사 결과 460단위가 있는 것으로 확인되었다.
- 20×1년 말 원재료 단위당 현행대체원가는 ₩50이다.

(2) 제품
- 20×1년 초 장부금액은 ₩100,000(수량 500단위, 단가 ₩200)이며, 20×1년도 당기제품 제조원가는 ₩200,000(수량 500단위, 단가 ₩400)이다.
- 입·출고 기록에 의한 20×1년 말 제품재고수량은 200단위이나 재고조사 결과 150단위가 있는 것으로 확인되었다.
- 20×1년 말 제품의 단위당 판매가격은 ₩350이며, 단위당 판매비용은 ₩30이다.

① ₩15,600 ② ₩16,000 ③ ₩16,420
④ ₩17,080 ⑤ ₩18,000

17 ㈜대한은 재고자산을 관리하기 위하여 계속기록법과 평균법을 적용하고 있으며, 기말재고자산의 장부수량과 실지재고수량은 일치한다. 다음은 ㈜대한의 20×1년 매입과 매출에 관한 자료이다.

일자	적요	수량(개)	매입단가(₩)
1월 1일	기초재고	100	300
5월 1일	매입	200	400
6월 1일	매입	200	300
9월 1일	매입	100	200
12월 15일	매입	100	200

일자	적요	수량(개)	매출단가(₩)
8월 1일	매출	200	600
10월 1일	매출	200	500

20×1년 기말재고자산의 단위당 순실현가능가치가 ₩200인 경우 ㈜대한이 20×1년 말에 인식할 재고자산평가손실액은 얼마인가? (단, 기초재고자산과 관련된 평가충당금은 없다) [공인회계사 2022년]

① ₩21,000 ② ₩24,000 ③ ₩27,000
④ ₩30,000 ⑤ ₩33,000

18 상품판매업을 하는 ㈜한국은 확정판매계약(취소불능계약)에 따른 판매와 시장을 통한 판매를 동시에 실시하고 있다. 다음은 ㈜한국의 20×1년 말 보유 중인 재고내역이다.

종목	실사수량	단위당 취득원가	단위당 정상판매가격
상품 A	100개	₩150	₩160
상품 B	200개	₩200	₩230
상품 C	300개	₩250	₩260

㈜한국의 경우 확정판매계약에 따른 판매의 경우에는 판매비용이 발생하지 않으나, 시장을 통해 판매하는 경우에는 상품의 종목과 관계없이 단위당 ₩20의 판매비용이 발생한다. 재고자산 중 상품 B의 50%와 상품 C의 50%는 확정판매계약을 이행하기 위하여 보유하고 있는 재고자산이다. 상품 B의 단위당 확정판매계약은 ₩190이며, 상품 C의 단위당 확정판매계약가격은 ₩230이다. 재고자산평가와 관련한 20×1년도 당기손익은 얼마인가? (단, 재고자산의 감모는 발생하지 않았다)

[세무사 2015년]

① ₩5,000 손실 ② ₩5,500 이익 ③ ₩6,500 손실
④ ₩7,500 이익 ⑤ ₩8,000 손실

19 ㈜대한은 재고자산과 관련하여 실지재고조사법을 사용하고 있으며 이와는 별도로 입 · 출고수량에 대한 기록을 병행하고 있다. ㈜대한의 20×1년도 재고자산과 관련된 자료는 다음과 같다.

- ㈜대한의 20×1년 초 재무상태표상 상품재고액은 ₩70,000이며, 당기 순매입액은 ₩580,000이다.
- ㈜대한은 20×1년 10월 초에 ㈜소한에게 원가 ₩100,000의 상품을 발송하였으며, 발송운임은 발생하지 않았다. ㈜소한은 20×1년 12월 중순에 수탁받은 상품의 75%를 판매하였다고 ㈜대한에 통보하였다. ㈜대한은 이에 대한 회계처리를 적절히 수행하였다.
- ㈜대한은 20×1년 11월 초에 원가 ₩15,000의 상품을 ㈜동방에게 인도하면서 매출로 회계처리하고, 20×2년 3월에 공정가치와 관계없이 ₩20,000에 재매입하기로 약정하였다.
- ㈜대한이 20×1년 12월 말에 장부상 기말재고수량과 실사 재고수량을 비교한 결과, 정상적인 감모손실(매출원가에 가산)은 ₩5,000이며 비정상적인 감모손실(별도비용으로 계상)은 ₩8,000이다.
- ㈜대한이 20×1년 12월 말에 창고에 있는 기말재고를 실사한 금액은 ₩150,000이며, 이 금액은 재고자산에 대한 기말평가 전의 금액이다. 기초재고자산평가충당금이 없으며, 기말에 계산된 재고자산평가손실은 ₩35,000이다.

위 거래와 관련하여 ㈜대한의 20×1년도 포괄손익계산서에 인식할 비용총액은 얼마인가? (단, 이자비용은 제외한다)

[세무사 2011년]

① ₩456,000 ② ₩460,000 ③ ₩478,000
④ ₩480,000 ⑤ ₩495,000

20 ㈜세무의 20×1년도 및 20×2년도 상품 관련 자료는 다음과 같다.

- 20×1년도 기말재고자산: ₩4,000,000(단위당 원가 ₩1,000)
- 20×2년도 매입액: ₩11,500,000(단위당 원가 ₩1,250)
- 20×2년도 매출액: ₩15,000,000

20×2년 말 장부상 상품수량은 4,000개였으나, 실지재고조사 결과 기말수량은 3,500개로 확인되었다. 20×2년 말 현재 보유하고 있는 상품의 예상 판매가격은 단위당 ₩1,500이며, 단위당 ₩300의 판매비용이 예상된다. ㈜세무가 선입선출법을 적용할 때, 20×2년도에 인식할 당기손익은 얼마인가?

[세무사 2017년]

① ₩3,000,000 이익 ② ₩3,700,000 이익 ③ ₩3,875,000 이익
④ ₩4,300,000 이익 ⑤ ₩4,500,000 이익

21 유통업을 영위하는 ㈜대한의 20×1년도 기초재고자산은 ₩855,000이며, 기초재고자산평가충당금은 ₩0이다. 20×1년도 순매입액은 ₩7,500,000이다. ㈜대한의 20×1년도 기말재고자산 관련 자료는 다음과 같다.

조	항목	장부수량	실제수량	단위당 원가	단위당 순실현가능가치
A	A1	120개	110개	₩800	₩700
	A2	200개	200개	₩1,000	₩950
B	B1	300개	280개	₩900	₩800
	B2	350개	300개	₩1,050	₩1,150

㈜대한은 재고자산감모손실과 재고자산평가손실을 매출원가에 포함한다. ㈜대한이 항목별기준 저가법과 조별기준 저가법을 각각 적용할 경우, ㈜대한의 20×1년도 포괄손익계산서에 표시되는 매출원가는 얼마인가? [공인회계사 2018년]

	항목별기준	조별기준
①	₩7,549,000	₩7,521,000
②	₩7,549,000	₩7,500,000
③	₩7,519,000	₩7,500,000
④	₩7,519,000	₩7,498,000
⑤	₩7,500,000	₩7,498,000

22 상품매매업을 하는 ㈜세무의 20×1년 기말재고자산 관련 자료는 다음과 같다.

조	종목구분	장부수량	실제수량	단위당 원가	단위당 순실현가능가치
I	상품 A	150개	140개	₩1,000	₩900
	상품 B	180개	180개	₩500	₩450
II	상품 C	200개	190개	₩750	₩650
	상품 D	430개	400개	₩1,200	₩1,300

종목별기준 저가법을 적용할 경우 20×1년도 포괄손익계산서에 표시되는 매출원가가 ₩8,000,000일 때, 조별기준 저가법을 적용할 경우 20×1년도 포괄손익계산서에 표시되는 매출원가는 얼마인가? (단, 재고자산평가손실은 매출원가에 포함한다) [세무사 2019년]

① ₩7,958,000 ② ₩7,981,000 ③ ₩8,000,000
④ ₩8,040,000 ⑤ ₩8,043,000

23 ㈜세무는 단일 상품을 판매하는 기업으로, 20×1년 결산 이전 재고자산의 정상적인 수량부족과 평가손실을 반영하지 않은 매출원가는 ₩989,400이다. 재고와 관련된 자료가 다음과 같을 때, 20×1년 기초 재고자산은 얼마인가? (단, 재고자산의 정상적인 수량부족과 평가손실은 매출원가로 처리하고, 비정상적인 수량부족은 기타비용으로 처리한다) [세무사 2020년]

- 당기매입 관련 자료
  - 상품매입액: ₩800,000
  - 매입운임: ₩60,000
  - 관세환급금: ₩10,000
- 기말재고실사자료
  - 기말재고 장부상 수량: 500개
  - 기말재고 실제수량: 480개(14개는 정상적인 수량부족임)
  - 단위당 취득단가: ₩900
  - 단위당 순실현가능가치: ₩800

① ₩584,000 ② ₩586,600 ③ ₩587,400
④ ₩589,400 ⑤ ₩596,600

24 유통업을 영위하고 있는 ㈜대한은 확정판매계약(취소불능계약)에 따른 판매와 시장을 통한 일반 판매를 동시에 수행하고 있다. ㈜대한이 20×1년 말 보유하고 있는 상품재고 관련 자료는 다음과 같다.

- 기말재고내역

항목	수량	단위당 취득원가	단위당 일반판매가격	단위당 확정판매 계약가격
상품 A	300개	₩500	₩600	-
상품 B	200개	₩300	₩350	₩280
상품 C	160개	₩200	₩250	₩180
상품 D	150개	₩250	₩300	-
상품 E	50개	₩300	₩350	₩290

- 재고자산 각 항목은 성격과 용도가 유사하지 않으며, ㈜대한은 저가법을 사용하고 있고, 저가법 적용 시 항목기준을 사용한다.
- 확정판매계약(취소불능계약)에 따른 판매 시에는 단위당 추정 판매비용이 발생하지 않을 것으로 예상되며, 일반 판매 시에는 단위당 ₩20의 추정 판매비용이 발생할 것으로 예상된다.
- 재고자산 중 상품 B, 상품 C, 상품 E는 모두 확정판매계약(취소불능계약) 이행을 위해 보유 중이다.
- 모든 상품에 대해 재고자산 감모는 발생하지 않았으며, 기초의 재고자산평가충당금은 없다.

㈜대한의 재고자산평가와 관련된 회계처리가 20×1년도 포괄손익계산서의 당기순이익에 미치는 영향은 얼마인가? [공인회계사 2020년]

① ₩11,800 감소 ② ₩10,800 감소 ③ ₩9,700 감소
④ ₩8,700 감소 ⑤ ₩7,700 감소

25 ㈜세무의 20×1년 초 상품재고액은 ₩100,000(재고자산평가충당금 ₩0)이다. ㈜세무의 20×1년과 20×2년의 상품매입액은 각각 ₩500,000과 ₩600,000이며, 기말상품재고와 관련된 자료는 다음과 같다. ㈜세무는 재고자산평가손실(환입)과 정상적인 재고자산감모손실은 매출원가에 반영하고, 비정상적인 재고자산감모손실은 기타비용에 반영하고 있다. ㈜세무의 20×2년도 매출원가는?

[세무사 2022년]

항목	장부수량	실제수량	정상감모수량	단위당 취득원가	단위당 순실현가능가치
20×1년 말	450개	400개	20개	₩300	₩250
20×2년 말	650개	625개	10개	₩350	₩330

① ₩481,000　② ₩488,500　③ ₩496,000
④ ₩501,000　⑤ ₩523,500

26 20×1년 초 설립된 ㈜세무는 단일 상품만 판매하고 있으며, 재고자산에 대하여 가중평균법(실지재고조사법)을 적용하고 있고, 기말장부상 재고와 실제재고를 함께 확인한다. ㈜세무의 20×1년도 재고자산에 관한 자료는 다음과 같다.

일자	적요	수량	단위당 원가
1월 10일	매입	300개	₩100
3월 20일	매출	200	-
6월 15일	매입	300	120
10월 16일	매입	400	130
12월 7일	매출	400	-

20×1년 말 재고자산의 단위당 순실현가능가치는 ₩110이며, 20×1년도 재고자산평가손실은 ₩2,960일 때, ㈜세무가 20×1년도 재무제표에 보고할 매출원가는? (단, 감모의 80%는 정상감모이며, 정상감모손실과 재고자산평가손실은 매출원가에 반영하고, 비정상감모손실은 기타비용으로 처리한다)

[세무사 2024년]

① ₩70,800　② ₩71,508　③ ₩73,632
④ ₩76,592　⑤ ₩77,300

27 유통업을 영위하고 있는 ㈜대한은 재고자산에 대해 계속기록법과 가중평균법을 적용하고 있으며, 기말에는 실지재고조사를 실시하고 있다. 다음은 ㈜대한의 20×1년 재고자산(단일 상품)과 관련된 자료이다.

• 일자별 거래 자료

일자	적요	수량	매입단가	비고
1월 1일	기초재고	100개	₩200	전기 말 실사수량
3월 1일	매입	200개	₩200	
6월 1일	매입계약	200개	₩300	선적지인도조건
7월 1일	매출	200개	-	
9월 1일	매입계약	200개	₩300	도착지인도조건
11월 1일	매출	100개	-	

• ㈜대한이 6월 1일에 계약한 상품 200개는 6월 30일에 창고로 입고되었다.
• ㈜대한이 9월 1일에 계약한 상품 200개는 11월 1일에 선적되었으나 12월 말 현재까지 운송 중인 상태로 확인되었다.
• 12월 말 현재 ㈜대한이 창고에 보관 중인 상품의 총수량은 300개이고 실사를 통해 다음과 같은 사실을 발견하였다.

> • ㈜대한은 12월 1일에 ㈜민국으로부터 상품 200개(단위원가 ₩300)에 대해 판매를 수탁받아 창고에 보관하였으며, 이 중 20%를 12월 중에 판매하였다.
> • ㈜대한은 12월 1일에 ㈜만세와 위탁판매계약을 체결하고 상품 50개(단위원가 ₩240)를 적송하였다. 기말 실사 후 ㈜만세가 12월 말 현재 보관 중인 상품은 20개임을 확인하였다.

• ㈜대한은 재고자산감모손실과 재고자산평가손실(환입)을 매출원가에서 조정하고 있다.
• 수탁품과 적송품에서는 감모(분실, 도난 등)가 발생하지 않았다.

20×1년 기말재고자산의 단위당 순실현가능가치가 ₩200이고, 재고자산평가충당금의 기초잔액이 ₩3,000일 때, ㈜대한의 20×1년도 매출원가는 얼마인가? [공인회계사 2023년]

① ₩72,000 ② ₩74,400 ③ ₩81,800
④ ₩85,000 ⑤ ₩88,000

28 다음은 ㈜대한의 20×1년도 매출 및 매입 관련 자료이다. ㈜대한의 매출원가 대비 매출총이익률이 25%일 때, 20×1년 기초상품재고원가는 얼마인가? [세무사 2009년]

• 총매출액	₩1,170,000
• 매출에누리와 환입	₩120,000
• 기초상품재고원가	?
• 총매입액	₩600,000
• 매입에누리와 환출	₩30,000
• 기말상품재고원가	₩120,000

① ₩307,500 ② ₩337,500 ③ ₩390,000
④ ₩410,000 ⑤ ₩427,500

29 ㈜일용은 20×1년 6월 말 재고자산을 보관 중인 창고에 화재가 발생해 모든 재고자산과 재고자산에 관한 장부를 소실하였다. 회사는 실지재고조사법을 사용하고 있다. 화재 이후 20×1년 12월 말까지 회사는 정상적인 영업활동을 수행하였다. 다음은 재고자산과 관련된 자료이다. ㈜일용의 20×1년 6월의 재고자산화재손실금액은 얼마인가? (단, 20×1년 6월 말까지의 매출원가는 20×0년도의 매출총이익률을 사용하여 추정한 금액을 활용한다) [공인회계사 2014년 수정]

(1) 20×0년 말 재무상태표상에 따르면 재고자산은 ₩450,000이며, 매출채권은 ₩200,000, 매입채무는 ₩150,000이다.
(2) 20×0년도 포괄손익계산서의 매출액 및 매출원가는 각각 ₩8,000,000과 ₩6,400,000이다.
(3) 20×1년 6월 말 현재 매출채권보조원장 차변 합계액은 ₩3,000,000이고, 매입채무보조원장 대변 합계액은 ₩2,300,000이다. 회사는 모두 신용거래만을 하고 있다.
(4) 20×1년 7월부터 12월까지 매입액과 매출액은 각각 ₩2,400,000, ₩3,100,000이다.

① ₩150,000 ② ₩200,000 ③ ₩350,000
④ ₩360,000 ⑤ ₩450,000

30 ㈜대한은 20×2년도 결산을 앞둔 시점에 화재가 발생하여 장부와 창고에 보관 중이던 재고자산 전부를 잃게 되었다. ㈜대한은 재고자산 손실액을 파악할 목적으로 외부감사인, 매입처 및 매출처 등으로부터 다음과 같은 자료를 수집하였다. ㈜대한의 20×2년도 매출총이익률이 20×1년도와 동일하다고 가정할 때, 화재와 관련된 재고자산 손실액은 얼마인가? (단, 재고자산회전율 계산 시 평균재고자산을 사용하며, 1년은 360일로 가정한다) [세무사 2013년]

(1) 외부감사인으로부터 수집한 20×1년도 재무자료
- 20×1년도 매출총이익률: 25%
- 20×1년도 기초재고자산: ₩700,000
- 20×1년도 매출원가: ₩5,000,000
- 20×1년도 재고자산평균보유기간: 72일

(2) 매입처 및 매출처로부터 수집한 20×2년도 재무자료
- 20×2년도 매입액: ₩7,500,000
- 20×2년도 매출액: ₩9,000,000

① ₩2,050,000 ② ₩2,150,000 ③ ₩2,250,000
④ ₩2,350,000 ⑤ ₩2,450,000

31 ㈜세무의 20×1년도 회계자료가 다음과 같을 때, 20×1년의 재고자산평균보유기간은? (단, 재고자산회전율 계산 시 평균재고자산을 사용하며, 1년은 360일로 가정한다) [세무사 2017년]

- 매출총이익: ₩106,000
- 당기현금매출액: ₩45,000
- 기초매출채권: ₩60,000
- 기말매출채권: ₩105,000
- 당기매출채권회수액: ₩250,000
- 기초상품재고: ₩150,000
- 당기상품매입액: ₩194,000

① 200일 ② 210일 ③ 220일
④ 230일 ⑤ 240일

32 20×1년 12월 31일 ㈜세무의 창고에 화재가 발생하여 재고자산의 90%가 소실되었다. ㈜세무의 이용 가능한 회계자료가 다음과 같을 때, 재고자산의 추정 손실금액은 얼마인가? (단, ㈜세무의 매출은 모두 신용거래이다) [세무사 2018년]

- 기초재고 ₩150,000
- 당기매입액 ₩12,000,000
- 매출채권(기초) ₩80,000
- 매출채권(기말) ₩120,000
- 손실충당금(기초) ₩(8,000)
- 손실충당금(기말) ₩(10,000)
- 당기 매출채권 현금회수액: ₩11,500,000
- 당기 회수불능으로 인한 매출채권 제거 금액: ₩5,000
- 최근 3년간 평균매출총이익률은 40%이며 큰 변동은 없었다.

① ₩4,696,920 ② ₩4,700,700 ③ ₩4,704,480
④ ₩5,223,000 ⑤ ₩5,268,000

33 ㈜한국백화점은 선입선출법에 의한 저가기준 소매재고법을 이용하여 재고자산을 평가하고 있으며, 재고자산 관련 자료는 다음과 같다. ㈜한국백화점이 20×1년도 포괄손익계산서에 인식할 매출원가는 얼마인가? [공인회계사 2013년]

구분	원가	소매가
기초재고액	₩2,000,000	₩3,000,000
당기매입액	₩6,000,000	₩9,600,000
매입운반비	₩100,000	-
매입할인	₩318,000	-
당기매출액	-	₩10,000,000
종업원할인	-	₩500,000
순인상액	-	₩200,000
순인하액	-	₩300,000

① ₩6,502,000 ② ₩6,562,000 ③ ₩6,582,000
④ ₩6,602,000 ⑤ ₩6,642,000

34 ㈜대한은 소매재고법으로 재고자산을 평가하고 있으며, 원가흐름에 대한 가정으로 가중평균법을 사용하여 원가율을 산정한다. 20×1년에 ㈜대한의 재고자산 관련 자료는 다음과 같다.

구분	원가	소매가
기초재고액	?	₩120,000
당기매입액	₩650,000	₩800,000
당기매출액	-	₩700,000
순인상액	-	₩80,000

당기 중 매입할인 ₩20,000과 종업원할인 ₩50,000이 있으며, ㈜대한의 매입 및 매출에 영향을 주는 다른 항목은 없다. 20×1년 ㈜대한의 포괄손익계산서상 매출원가가 ₩525,000일 때 기초재고액은 얼마인가?

① ₩70,000 ② ₩80,000 ③ ₩85,000
④ ₩90,000 ⑤ ₩105,000

35 ㈜세무는 20×1년 12월 31일 독립 사업부로 운영되는 A공장에 화재가 발생하여 재고자산 전부와 장부가 소실되었다. 화재로 인한 재고자산 손실을 확인하기 위하여 A공장의 매출처 및 매입처, 그리고 외부감사인으로부터 다음과 같은 자료를 수집하였다.

- 매출: ₩1,000,000
- 기초재고: ₩100,000
- 20×0년 재무비용
  - 매출총이익률: 15%
  - 재고자산회전율: 680%

㈜세무가 추정한 재고자산 손실금액은 얼마인가? (단, 매출총이익률과 재고자산회전율은 매년 동일하며, 재고자산회전율은 매출원가와 평균재고자산을 이용한다) [세무사 2020년]

① ₩150,000 ② ₩150,500 ③ ₩151,000
④ ₩151,500 ⑤ ₩152,000

36 ㈜세무는 저가기준으로 선입선출 소매재고법을 적용하고 있다. 재고자산과 관련된 자료가 다음과 같을 때, 매출원가는 얼마인가? (단, 원가율은 소수점 이하 셋째 자리에서 반올림한다)

[세무사 2020년]

구분	원가	판매가
기초재고	₩12,000	₩14,000
매입	₩649,700	₩999,500
매입운임	₩300	-
매출	-	₩1,000,000
매출환입	-	₩500
순인상	-	₩500
순인하	-	₩300
정상파손	₩100	₩200

① ₩652,670 ② ₩652,770 ③ ₩652,800
④ ₩652,870 ⑤ ₩652,900

37 유통업을 영위하고 있는 ㈜세무는 저가기준으로 가중평균 소매재고법을 적용하고 있다. ㈜세무의 재고자산과 관련된 자료가 다음과 같을 때, 매출총이익은? (단, 정상파손은 매출원가로 처리하고, 비정상파손은 기타비용으로 처리한다)

[세무사 2023년]

구분	원가	판매가
기초재고	₩80,000	₩100,000
총매입액	₩806,000	₩1,000,000
매입할인	₩50,000	-
총매출액	-	₩1,050,000
매출환입	-	₩24,000
순인상액	-	₩95,000
순인하액	-	₩50,000
정상파손	-	₩50,000
비정상파손	₩10,000	₩15,000

① ₩221,000 ② ₩227,800 ③ ₩237,800
④ ₩245,000 ⑤ ₩261,800

38 ㈜대한은 우유 생산을 위하여 20×1년 1월 1일에 어미 젖소 5마리를 마리당 ₩1,500,000에 취득하였으며, 관련 자료는 다음과 같다.

- 20×1년 10월 말에 처음으로 우유를 생산하였으며, 동 일자에 생산된 우유 전체의 순공정가치는 ₩1,000,000이다.
- 20×1년 11월 초 전월에 생산된 우유 전체를 유제품 생산업체에 ₩1,200,000에 납품하였다.
- 20×1년 11월 말에 새끼 젖소 2마리가 태어났다. 이 시점의 새끼 젖소의 순공정가치는 마리당 ₩300,000이다.
- 20×1년 12월 말 2차로 우유를 생산하였으며, 동 일자에 생산된 우유 전체의 순공정가치는 ₩1,100,000이다. 또한 20×1년 12월 말에도 어미 젖소와 새끼 젖소의 수량 변화는 없으며, 기말 현재 어미 젖소의 순공정가치는 마리당 ₩1,550,000, 새끼 젖소의 순공정가치는 마리당 ₩280,000이다.

위 거래가 ㈜대한의 20×1년도 포괄손익계산서상 당기순이익에 미치는 영향은 얼마인가?

[세무사 2011년]

① ₩250,000 증가 ② ₩640,000 증가 ③ ₩2,100,000 증가
④ ₩2,700,000 증가 ⑤ ₩3,110,000 증가

39 농림어업 기준서의 내용으로 옳지 않은 것은? [세무사 2018년]

① 최초의 인식시점에 생물자산의 공정가치를 신뢰성 있게 측정할 수 없다면, 원가에서 감가상각누계액 및 손상차손누계액을 차감한 금액으로 측정한다.
② 생물자산을 이전에 순공정가치로 측정하였다면 처분시점까지 계속하여 당해 생물자산을 순공정가치로 측정한다.
③ 수확물을 최초 인식시점에 순공정가치로 인식하여 발생하는 평가손익은 발생한 기간의 당기손익에 반영한다.
④ 목재로 사용하기 위해 재배하는 나무와 같이 수확물로 수확하기 위해 재배하는 식물은 생산용 식물이 아니다.
⑤ 과일과 목재 모두를 얻기 위해 재배하는 나무는 생산용 식물이다.

40 낙농업을 영위하는 ㈜대한목장은 20×1년 1월 1일에 우유 생산이 가능한 젖소 10마리를 보유하고 있다. ㈜대한목장은 우유의 생산 확대를 위하여 20×1년 6월 젖소 10마리를 1마리당 ₩100,000에 추가로 취득하였으며, 취득시점의 1마리당 순공정가치는 ₩95,000이다. 한편 ㈜대한목장은 20×1년에 100리터(ℓ)의 우유를 생산하였으며, 생산시점(착유시점) 우유의 1리터(ℓ)당 순공정가치는 ₩3,000이다. ㈜대한목장은 생산된 우유 전부를 20×1년에 거래처인 ㈜민국유업에 1리터(ℓ)당 ₩5,000에 판매하였다. 20×1년 말 현재 ㈜대한목장이 보유 중인 젖소 1마리당 순공정가치는 ₩100,000이다. 위 거래로 인한 ㈜대한목장의 20×1년 포괄손익계산서상 당기순이익의 증가액은 얼마인가? (단, 20×0년 말 젖소의 1마리당 순공정가치는 ₩105,000이다) [공인회계사 2021년]

① ₩340,000 ② ₩450,000 ③ ₩560,000
④ ₩630,000 ⑤ ₩750,000

41 기업회계기준서 제1002호 '재고자산'에 대한 다음 설명 중 옳지 않은 것은? [공인회계사 2023년]

① 공정가치에서 처분부대원가를 뺀 금액으로 측정한 일반상품 중개기업의 재고자산에 대해서는 저가법을 적용하지 않는다.
② 순실현가능가치는 재고자산의 주된(또는 가장 유리한) 시장에서 시장참여자 사이에 일어날 수 있는 정상거래의 가격에서 처분부대원가를 뺀 금액으로 측정하기 때문에 기업 특유의 가치가 아니다.
③ 생물자산에서 수확한 농림어업 수확물로 구성된 재고자산은 공정가치에서 처분부대원가를 뺀 금액으로 측정하여 수확시점에 최초로 인식한다.
④ 재고자산의 감액을 초래했던 상황이 해소되거나 경제상황의 변동으로 순실현가능가치가 상승한 명백한 증거가 있는 경우에는 최초의 장부금액을 초과하지 않는 범위 내에서 평가손실을 환입한다.
⑤ 성격과 용도 면에서 유사한 재고자산에는 동일한 단위원가 결정방법을 적용하여야 하며, 성격이나 용도 면에서 차이가 있는 재고자산에는 서로 다른 단위원가 결정방법을 적용할 수 있다.

관련 유형 연습

01 ㈜계림은 회계감사를 받기 전, 20×1년 말 현재 재무상태표에 재고자산 ₩5,000,000을 보고하였다. ㈜계림은 실지재고조사법을 사용하여 기말에 창고에 있는 모든 상품만을 기말재고로 보고하였다. 회계감사 도중 공인회계사는 다음 사항을 알게 되었다.

> (1) ㈜계림은 20×1년 10월 8일에 새로 개발된 단위당 원가 ₩100,000의 상품을 기존의 고객 10명에게 각각 전달하고, 사용해본 후 6개월 안에 ₩150,000에 구입 여부를 통보해 줄 것을 요청하였다. 20×1년 12월 31일 현재 4곳으로부터 구입하겠다는 의사를 전달받았고, 나머지 6곳으로부터는 아무런 연락을 받지 못했다.
> (2) ㈜계림은 20×1년 12월 2일 미국의 A사와 프랑스의 B사에 각각 ₩500,000, ₩400,000의 상품을 주문하였다. 동년 12월 30일에 선적하고 A사로부터 주문한 상품은 20×2년 1월 2일에, B사에 주문한 상품은 20×2년 1월 27일에 각각 도착하여 ㈜계림에 인도되었다. A사 상품에 대한 주문조건은 도착지인도조건이고 B사 상품에 대한 주문조건은 선적지인도조건이다.
> (3) ㈜계림은 20×1년 12월 15일에 원가 ₩250,000의 상품을 ㈜통성에게 ₩300,000에 판매하였다. 그 대금으로 판매 당일 ₩50,000을 수령하였으며, 나머지는 향후 5개월간 매월 15일에 ₩50,000씩 받기로 하고 상품을 인도하였다.
> (4) ㈜계림은 20×1년 12월 27일에 원가 ₩150,000의 상품을 ㈜한랑에게 ₩200,000에 판매하고 판매대금을 수수하였다. 하지만, ㈜한랑은 20×2년 2월 8일에 동 상품을 인도받기를 원해서 ㈜계림의 창고 한쪽에 따로 보관하고 있다.

위의 내용을 반영하여 20×1년 말 재무상태표에 재고자산을 보고하면 얼마인가?

① ₩5,450,000 ② ₩5,250,000 ③ ₩5,850,000
④ ₩6,850,000 ⑤ ₩7,100,000

02 ㈜국세의 20×1년 기초재고자산은 ₩2,000,000이며, 당기매입액은 ₩12,000,000이다. ㈜국세는 20×1년도 결산을 하는 과정에서 재고자산 실사를 한 결과 ₩1,000,000인 것으로 파악되었다. 20×1년 중에 발생한 아래와 같은 사항을 고려하여 20×1년도 매출원가를 계산하면 얼마인가? (단, 당기매입에 대한 회계처리는 적절하게 이루어졌으며, 재고자산감모손실과 재고자산평가손실은 없다고 가정한다)

(1) 20×1년 12월 25일에 ㈜대한으로부터 선적지인도조건으로 매입한 상품(송장가격: ₩1,500,000)이 20×1년 12월 31일 현재 선박으로 운송 중에 있다. 이 상품은 20×2년 1월 9일에 도착할 예정이다.
(2) 20×1년 12월 30일에 ㈜민국으로부터 도착지인도조건으로 매입한 상품(송장가격: ₩2,100,000)이 20×1년 12월 31일 현재 항공편으로 운송 중에 있다. 이 상품은 20×2년 1월 2일에 도착할 예정이다.
(3) ㈜국세가 판매를 목적으로 고객에게 발송한 상품(원가: ₩1,500,000) 중 20×1년 12월 31일 현재 원가 ₩1,000,000에 해당하는 상품에 대해서만 고객이 매입의사를 표시하였다.
(4) ㈜국세가 은행에서 자금을 차입하면서 담보로 제공한 재고자산(₩700,000)이 창고에 보관 중인데, 재고자산 실사 시 이를 포함하였다.

① ₩9,300,000 ② ₩10,300,000 ③ ₩11,000,000
④ ₩11,500,000 ⑤ ₩11,700,000

03 다음은 한국채택국제회계기준 제1002호 '재고자산'과 관련된 내용들이다. 각 문항별로 기준서의 내용과 일치 여부를 가리시오.

1. 재고자산의 취득원가에는 매입금액뿐만 아니라 매입운임, 통관수수료 등의 매입부대비용과 판매하기 전까지 발생한 보관비용이 포함된다.
2. 재고자산의 매입원가는 매입가액에 매입운임, 하역료 및 보험료 등 취득과정에서 정상적으로 발생한 부대비용을 가산하며, 매입과 관련된 할인, 에누리 및 기타 유사한 항목은 매입원가에서 차감한다.
3. 금융기관 등으로부터 자금을 차입하고 그 담보로 제공된 저당상품의 경우 저당권이 설정되는 시점에 담보제공자의 재고자산에서 제외한다.
4. 제품, 반제품 및 재공품 등 재고자산의 제조원가는 재무상태표 발행승인일까지 제조과정에서 발생한 직접재료비, 직접노무비, 제조와 관련된 변동 및 고정제조간접비의 체계적인 배부액을 포함한다.
5. 과세당국으로부터 추후에 환급받을 수 있는 금액은 재고자산의 취득가액에서 제외한다.
   예 과세환급금, 부가가치세대급금
6. 후속 생산단계에 투입하기 전에 보관이 필요한 경우 이외의 보관원가는 재고자산의 취득원가에 포함할 수 없으며 발생기간의 비용으로 인식한다.
7. 재고자산을 후불조건으로 취득하는 경우 계약이 실질적으로 금융요소를 포함하고 있다면, 해당 금융요소는 금융이 이루어지는 기간 동안 이자비용으로 인식한다.
8. 당기에 비용으로 인식하는 재고자산금액은 일반적으로 매출원가로 불리우며, 판매된 재고자산의 원가와 배분되지 않은 제조간접원가 및 제조원가 중 비정상적인 부분의 금액으로 구성된다.
9. 재고자산의 취득원가는 매입원가, 전환원가 및 재고자산을 현재의 장소에 현재의 상태로 이르게 하는 데 발생한 기타원가 모두를 포함한다.
10. 전환원가에 포함되는 고정제조간접원가는 생산설비의 정상조업도에 기초하여 전환원가에 배부하는 것을 원칙으로 하며, 실제조업도가 정상조업도와 유사한 경우에는 실제조업도를 사용할 수 있다.
11. 하나의 생산과정을 통하여 동시에 둘 이상의 제품이 생산되는 연산품의 경우에는 전환원가를 완성시점의 제품별 상대적 판매가치를 기준으로 배부할 수 있다.
12. 용역제공기업이 재고자산을 가지고 있다면, 이를 제조원가로 측정하며 이는 용역제공에 직접 관여된 인력에 대한 노무원가 및 기타원가와 관련된 간접원가로 구성된다.

04 ㈜한국은 상품의 매입원가에 20%를 가산하여 판매하고 있으며 실지재고조사법으로 재고자산을 회계처리하고 있다. 20×3년도 상품매매와 관련된 자료는 다음과 같다. ㈜한국이 재고자산의 원가흐름가정으로 가중평균법을 적용하고 있다면 20×3년도 포괄손익계산서에 인식할 매출액은 얼마인가?

일자	적요	수량	단가
1/1	기초재고	1,000개	₩200
2/5	매입	1,000개	₩200
6/10	매입	1,000개	₩300
9/15	매출	2,500개	-
11/20	매입	1,000개	₩400

① ₩687,500 ② ₩825,000 ③ ₩870,000
④ ₩900,000 ⑤ ₩920,000

05 다음은 한국채택국제회계기준 제1002호 '재고자산'과 관련된 내용들이다. 각 문항별로 기준서의 내용과 일치 여부를 가리시오.

1. 재고자산의 단위원가 결정방법으로 후입선출법은 허용되지 않는다.
2. 통상적으로 상호 교환될 수 없는 재고자산 항목의 원가와 특정 프로젝트별로 생산되고 분리되는 재화 또는 용역의 원가는 개별법을 적용한다. 개별법이 적용되지 않는 재고자산의 단위원가는 선입선출법이나 가중평균법을 사용한다.
3. 통상적으로 상호 교환가능한 대량의 재고자산에 대해서는 선입선출법이나 가중평균법을 적용하여 단가를 산정하여야 한다.
4. 자가건설한 유형자산의 구성요소로 사용되는 재고자산처럼 재고자산의 원가를 다른 자산계정에 배분하는 경우, 다른 자산에 배분된 재고자산 원가는 해당 자산의 내용연수 동안 비용으로 인식한다.
5. 특정한 고객을 위한 비제조 간접원가 또는 제품 디자인원가를 재고자산의 원가에 포함하는 것이 적절할 수도 있다.
6. 회사가 실지재고조사법만을 사용하더라도 재고자산평가손실을 파악할 수 있다.
7. 물가가 지속적으로 상승하는 경우 선입선출법하의 기말재고자산금액은 평균법하의 기말재고자산금액보다 작지 않다.
8. 물가가 지속적으로 상승하는 경제하에서 후입선출법하에서의 당기순이익이 선입선출법하에서의 당기순이익보다 적어지는데, 이는 후입선출법이 수익·비용의 대응을 왜곡하는 일례이다.
9. 계속기록법에서는 판매가 이루어질 때마다 당해 판매로 인한 매출원가를 계산하여야 한다.
10. 계속기록법을 사용하더라도 기말의 정확한 재고를 파악하기 위하여 실지재고조사법을 병행하여 사용할 수 있다.
11. 개별법을 적용할 수 없는 재고자산의 단위원가는 선입선출법, 가중평균법이나 후입선출법을 사용하여 결정한다.
12. 성격과 용도 면에서 유사한 재고자산에는 동일한 단위원가 결정방법을 적용하여야 하며, 성격이나 용도 면에서 차이가 있는 재고자산에는 서로 다른 단위원가 결정방법을 적용할 수 있다.
13. 동일한 재고자산이 동일한 기업 내에서 영업부문에 따라 서로 다른 용도로 사용되는 경우에는 서로 다른 단위원가 결정방법을 적용할 수 있다.
14. 재고자산의 지역별 위치나 과세방식이 다르다는 이유만으로 동일한 재고자산에 다른 단위원가 결정방법을 적용하는 것이 정당화될 수는 없다.

06 영업 첫해인 20×1년 말 현재 ㈜대한이 보유하고 있는 재고자산에 관한 자료는 다음과 같다.

구분	수량	단위당 원가	단위당 현행대체원가 혹은 순실현가능가치
원재료	1,000단위	₩500	₩350
제품	2,000단위	₩2,700	₩3,000
상품	1,500단위	₩2,500	₩2,250

㈜대한은 원재료를 사용하여 제품을 직접 생산 · 판매하며, 상품의 경우 다른 제조업자로부터 취득하여 적절한 이윤을 덧붙여 판매하고 있다. 20×1년도에 ㈜대한이 인식해야 할 재고자산평가손실은 얼마인가?

① ₩0 ② ₩225,000 ③ ₩275,000
④ ₩325,000 ⑤ ₩375,000

07 ㈜한영은 상품에 관한 단위원가 결정방법으로 선입선출법을 이용하고 있으며 20×1년도 상품 관련 자료는 다음과 같다. 20×1년 말 재고실사 결과 감모수량은 1개였으며 모두 정상적이다. 기말 현재 상품의 단위당 순실현가능가치가 ₩100일 때 ㈜한영의 20×1년도 매출총이익은 얼마인가? (단, 정상적인 재고자산감모손실과 재고자산평가손실은 모두 매출원가에 포함한다)

항목	수량	단위당 취득원가	단위당 판매가격	금액
기초재고(1월 1일)	20개	₩120	-	₩2,400
매입(4월 8일)	30개	₩180	-	₩5,400
매출(5월 3일)	46개	-	₩300	₩13,800

① ₩6,300 ② ₩6,780 ③ ₩7,020
④ ₩7,260 ⑤ ₩7,500

08 단일 상품만을 매입 · 판매하는 A사의 최초 사업연도 결산일(20×1년 12월 31일) 현재 재고자산(추가 완성원가 발생하지 않음)에 대한 자료는 다음과 같다.

실지재고수량	장부상 단가	단위당 예상 판매가격	단위당 공정가치	단위당 예상 판매비용
1,000개	₩100	₩110	₩120	₩30

A사가 20×1년 말에 보유하고 있는 상품 중 200개는 20×2년 1월 초에 B사에게 단위당 ₩130에 판매(단위당 예상 판매비용 ₩30)하기로 확정계약되어 있다. 당기감모수량은 200개이다. A사가 20×1년도에 인식할 재고자산평가손실은 얼마인가?

① ₩0
② ₩8,000
③ ₩10,000
④ ₩16,000
⑤ ₩20,000

09 다음은 20×1년 ㈜한영의 재고자산 매입과 매출에 관한 자료이다. ㈜한영은 재고자산에 대하여 실지재고조사법과 가중평균법을 이용하고 있다. 기말재고자산의 실지수량은 15개이며, 단위당 순실현가능가치는 ₩18이다. 재고자산감모손실은 매출원가에 포함하지 않고 별도의 계정으로 분류하며 재고자산평가손실(환입)은 매출원가에 포함하여 표시한다고 할 때 당기 매출원가는 얼마인가? (단, 기초재고의 단위당 순실현가능가치는 ₩12이다)

일자	적요	수량	단가*	금액
1월 1일	기초재고	20개	₩10	₩200
2월 3일	매입	40개	₩20	₩800
7월 8일	매출	(50)개	₩50	₩2,500
10월 3일	매입	40개	₩30	₩1,200
11월 31일	매출	(30)개	₩60	₩1,800

* 매입 시 매입단가, 매출 시 판매단가를 의미함

① ₩2,220
② ₩2,120
③ ₩2,020
④ ₩1,920
⑤ ₩1,820

10 ㈜한국이 보유하고 있는 재고자산의 품목 A와 품목 B는 서로 다른 종목이며, 재고자산을 저가법으로 평가할 때 종목기준을 적용하고 있다. 20×1년의 기초재고자산은 ₩200,000이며 20×1년 중에 매입한 재고자산의 품목 A와 품목 B의 합계는 총 ₩6,000,000이다. 단, 기초의 재고자산평가충당금은 없다. 아래에서는 ㈜한국이 20×1년 12월 31일 현재 실지재고조사를 통해 보유 중인 재고자산의 수량 및 단위당 가치에 대한 현황을 나타내고 있다.

항목	장부수량	실제수량	단위당 취득원가	단위당 순실현가능가치
품목 A	500개	400개	₩400	₩450
품목 B	500개	450개	₩100	₩80

㈜한국이 재고자산과 관련하여 20×1년도에 당기비용으로 인식할 금액은 얼마인가? 만약 20×2년 12월 31일 현재 재고자산 품목 B의 단위당 순실현가능가치가 ₩120으로 회복될 경우, 재고자산평가손실환입액으로 인식할 금액은 얼마인가? (단, ㈜한국은 판매가격의 하락으로 인해 감액된 재고자산 품목 B의 수량을 20×2년 12월 31일까지 계속 보유하고 있으며, 20×2년도 중 품목 B의 추가취득은 없다고 가정한다)

	20×1년도 당기비용	20×2년도 품목 B의 재고자산평가손실환입액
①	₩5,900,000	₩18,000
②	₩5,950,000	₩18,000
③	₩5,959,000	₩9,000
④	₩5,995,000	₩9,000
⑤	₩6,004,000	₩9,000

11 재고자산의 회계처리에 관한 설명으로 옳지 않은 것은? [세무사 2023년]

① 재료원가, 노무원가 및 기타 제조원가 중 비정상적으로 낭비된 부분은 재고자산의 취득원가에 포함될 수 없다.

② 성격과 용도 면에서 유사한 재고자산에는 동일한 단위원가 결정방법을 적용하여야 하며, 성격이나 용도 면에서 차이가 있는 재고자산에는 서로 다른 단위원가 결정방법을 적용할 수 있다.

③ 순실현가능가치를 추정할 때 재고자산의 보유목적은 고려하지 않는다.

④ 자가건설한 유형자산의 구성요소로 사용되는 재고자산처럼 재고자산의 원가를 다른 자산계정에 배분하는 경우, 다른 자산에 배분된 재고자산 원가는 해당 자산의 내용연수 동안 비용으로 인식한다.

⑤ 통상적으로 상호 교환될 수 없는 재고자산항목의 원가와 특정 프로젝트별로 생산되고 분리되는 재화 또는 용역의 원가는 개별법을 사용하여 결정한다.

12 재고자산 회계처리에 관한 설명으로 옳은 것은? [세무사 2024년]

① 재고자산의 매입원가는 매입가격에 수입관세와 제세금, 매입운임, 하역료 그리고 완제품, 원재료 및 용역의 취득과정에 직접 관련된 기타 원가, 리베이트 및 기타 유사한 항목을 가산한 금액이다.

② 재고자산을 후불조건으로 취득할 때 그 계약이 실질적인 금융요소를 포함하고 있다면, 정상신용조건의 매입가격과 실제 지급액 간의 차이는 재고자산의 취득원가에 가산한다.

③ 확정판매계약 또는 용역계약만을 이행하기 위하여 보유하는 재고자산의 순실현가능가치는 일반 판매가격에 기초하여 추정한다.

④ 원재료 가격이 하락하여 원재료 원가가 순실현가능가치를 초과할 것으로 예상된다면 완성될 제품이 원가 이상으로 판매되더라도 해당 원재료를 현행대체원가로 측정된 순실현가능가치로 감액한다.

⑤ 재고자산의 감액을 초래했던 상황이 해소되거나 경제상황의 변동으로 순실현가능가치가 상승한 명백한 증거가 있는 경우 최초의 장부금액을 초과하지 않는 범위 내에서 평가손실을 환입한다.

13 다음은 한국채택국제회계기준 제1002호 '재고자산'과 관련된 내용들이다. 각 문항별로 기준서의 내용과 일치 여부를 가리시오.

1. 재고자산에 대한 단위원가 결정방법의 적용은 동일한 용도나 성격을 지닌 재고자산에 대해서는 동일하게 적용해야 하나, 지역별로 분포된 사업장이나 과세방식이 다른 사업장 간에는 동일한 재고자산이라도 원칙적으로 다른 방법을 적용한다.
2. 재고자산은 서로 유사하거나 관련 있는 항목들을 통합하여 적용하는 것이 적절하지 않다면 항목별로 순실현가능가치로 감액하는 저가법을 적용한다.
3. 완성될 제품이 원가 이상으로 판매될 것으로 예상하는 경우에는 그 제품의 생산에 투입하기 위해 보유하는 원재료는 감액하지 아니한다.
4. 순실현가능가치를 추정할 때에는 재고자산으로부터 실현가능한 금액에 대하여 추정일 현재 사용가능한 가장 신뢰성 있는 증거에 기초하여야 한다. 또한 보고기간후사건이 보고기간 말 존재하는 상황에 대하여 확인해 주는 경우에는, 그 사건과 직접 관련된 가격이나 원가의 변동을 고려하여 추정하여야 한다.
5. 순실현가능가치는 기업 특유 가치이지만, 공정가치는 그러하지 않다. 재고자산의 순실현가능가치는 순공정가치와 일치하지 않을 수도 있다.
6. 회사가 실지재고조사법만을 사용하더라도 재고자산평가손실을 파악할 수 있다.
7. 재고자산을 순실현가능가치로 감액한 평가손실과 모든 감모손실은 감액이나 감모가 발생한 기간에 비용으로 인식한다.
8. 완성될 제품이 원가 이상으로 판매될 것으로 예상되더라도 생산에 투입하기 위해 보유한 원재료가격이 현행대체원가보다 하락한다면 평가손실을 인식한다.
9. 재고자산을 순실현가능가치로 감액한 평가손실과 모든 감모손실은 감액이나 감모가 발생한 기간에 비용으로 인식한다. 순실현가능가치의 상승으로 인한 재고자산평가손실의 환입은 환입이 발생한 기간의 비용으로 인식된 재고자산금액의 차감액으로 인식한다.
10. 당기에 비용으로 인식하는 재고자산금액은 일반적으로 매출원가로 불리며, 판매된 재고자산의 원가와 배분되지 않는 제조간접원가 및 제조원가 중 비정상적인 부분의 금액으로 구성된다.
11. 재고자산 보유수량을 초과하는 확정판매계약을 체결하는 경우 매입단가와 계약단가를 비교하여 손실이 예상되면 손실충당부채가 인식될 수 있다.

14 다음은 ㈜국세의 20×1년도 회계자료 중 일부이다. ㈜국세의 20×1년 말 재무상태표에 표시될 매출채권은 얼마인가? (단, 손상확정액은 고려하지 않는다)

• 당기현금매출액	₩50,000	• 매출총이익	₩90,000
• 기초매출채권	₩80,000	• 매출채권회수액	₩260,000
• 기초상품재고	₩120,000	• 당기상품매입액	₩200,000
• 기말상품재고	₩110,000		

① ₩60,000 ② ₩70,000 ③ ₩80,000
④ ₩90,000 ⑤ ₩100,000

15 다음은 현금판매 없이 외상판매만을 하는 ㈜국세의 20×1년도 관련 사항이다. 기업의 재고자산보유기간(또는 회전기간)과 매출채권회수기간의 합을 영업순환주기라고 할 때, ㈜국세의 20×1년도 평균매출채권은 얼마인가? (단, 재고자산회전율 계산 시 매출원가를 사용하며, 평균재고자산과 평균매출채권은 기초와 기말의 평균으로 계산한다. 또한 1년은 360일로 가정한다)

• 영업순환주기	236일	• 매출	₩100,000
• 매출원가율(매출원가/매출액)	90%	• 평균재고자산	₩50,000

① ₩5,000 ② ₩10,000 ③ ₩15,000
④ ₩20,000 ⑤ ₩36,000

16 12월 말 결산법인인 ㈜한국은 매출가격환원법에 의하여 기말재고자산의 원가를 추정하고 있다. 다음은 ㈜한국의 20×1년 회계연도의 재고자산에 관한 자료이다. ㈜한국은 평균법에 의한 저가기준을 적용하여 매출가격환원법(전통적 소매재고법)을 사용하고 있다. ㈜한국의 20×1년 매출총이익으로 가장 근사한 금액은 얼마인가?

항목	원가	판매가
기초재고	₩360,000	₩560,000
매입	₩2,500,000	₩3,640,000
매입운임	₩20,000	-
매입환출	₩150,000	₩280,000
비정상파손	₩35,000	₩50,000
매입할인	₩30,000	-
순인상액	-	₩230,000
순인하액	-	₩60,000
총매출	-	₩2,240,000
매출환입	₩16,000	₩20,000
정상파손	₩14,000	₩20,000
종업원할인	-	₩80,000

① ₩673,000 ② ₩682,000 ③ ₩708,000
④ ₩688,000 ⑤ ₩665,000

17 다음은 한국채택국제회계기준 제1002호 '재고자산'과 관련된 내용들이다. 각 문항별로 기준서의 내용과 일치 여부를 가리시오.

1. 표준원가법이나 소매재고법 등의 원가 측정방법은 그러한 방법으로 평가한 결과가 실제 원가와 유사한 경우에 편의상 사용할 수 있다.
2. 소매재고법은 이익률이 유사하고 품종변화가 심한 다품종상품을 취급하는 유통업에서 실무적으로 다른 원가 측정법을 사용할 수 없는 경우에 흔히 사용한다.
3. 소매재고법에서 재고자산의 원가는 재고자산의 판매가격을 적절한 총이익률을 반영하여 환원하는 방법으로 결정한다. 이때 적용되는 이익률은 최초 판매가격 이하로 가격이 인하된 재고자산을 고려하여 계산하는데, 일반적으로 판매부문별 평균이익률을 사용한다.
4. 선입선출 소매재고법을 사용할 경우 매출원가는 판매가능재고자산의 원가와 판매가를 이용하여 산출한 원가율을 매출액에 곱하여 결정한다.

18 ㈜서산농장은 20×1년 1월 1일에 정부로부터 아래의 정부보조금을 수령하였다. ㈜서산농장이 정부보조금과 관련하여 20×1년도 당기손익으로 인식할 금액은 얼마인가? (단, 20×1년 초에 사육 중인 어미 양과 새끼 양은 20×1년 말까지 정상적으로 사육하였다고 가정한다)

구분	정부보조금	지급조건
어미 양	₩20,000	현재 사육 중인 경우에 지급하며 반환하지 않음
새끼 양	₩80,000	지급일로부터 8년간 사육하여야 함 (사육 중단 시 기간 경과에 비례하여 반환하여야 함)

① ₩10,000 ② ₩20,000 ③ ₩30,000
④ ₩40,000 ⑤ ₩50,000

19 20×1년 초 ㈜세무낙농은 우유 생산을 위하여 젖소 5마리(1마리당 순공정가치 ₩5,000,000)를 1마리당 ₩5,200,000에 취득하고 목장운영을 시작하였다. 20×1년 12월 25일에 처음으로 우유를 생산하였으며, 생산된 우유는 전부 1,000리터(ℓ)이다. 생산시점 우유의 1리터(ℓ)당 순공정가치는 ₩10,000이다. 20×1년 12월 27일 ㈜세무낙농은 생산된 우유 중 500리터(ℓ)를 유가공업체인 ㈜대한에 1리터(ℓ)당 ₩9,000에 판매하였다. 20×1년 말 목장의 실제 젖소는 5마리이고, 우유보관창고의 실제 우유는 500리터(ℓ)이다. 20×1년 말 젖소 1마리당 순공정가치는 ₩5,100,000이고 우유 1리터(ℓ)당 순실현가능가치는 ₩11,000이다. 위 거래가 ㈜세무낙농의 20×1년도 포괄손익계산서상 당기순이익에 미치는 영향은? [세무사 2022년]

① ₩9,000,000 증가 ② ₩10,000,000 증가 ③ ₩11,000,000 증가
④ ₩12,000,000 증가 ⑤ ₩13,000,000 증가

실력 점검 퀴즈

01 ㈜포도는 재고자산과 관련하여 실지재고조사법을 사용하고 있으며, ㈜포도의 창고에 실물로 보관되어 있는 재고자산에 대한 20×1년 12월 31일 현재 실사금액은 ₩1,000,000(2,000개, 단위당 ₩500)이다. 다음 자료를 고려할 경우 ㈜포도가 20×1년 12월 31일 재무상태표에 보고할 재고자산은?

• ㈜포도가 FOB 선적지인도조건으로 20×1년 12월 25일에 ㈜한국으로 출하한 상품(원가 ₩100,000)이 20×1년 12월 31일 현재 운송 중에 있다. • ㈜포도가 위탁판매하기 위해 ㈜민국에 20×1년 12월 10일에 발송한 적송품(원가 ₩300,000) 중 30%가 20×1년 12월 31일 현재 외부고객에게 판매되었다. • ㈜포도가 FOB 도착지인도조건으로 20×1년 12월 26일에 ㈜우주로부터 외상으로 주문한 상품(원가 ₩150,000)이 20×1년 12월 31일 현재 운송 중에 있다. • ㈜포도가 20×1년 12월 15일에 외부고객에게 발송한 시송품(원가 ₩200,000) 중 40%가 20×1년 12월 31일 현재 외부고객으로부터 매입의사를 통보받지 못한 상태이다.

① ₩1,080,000 ② ₩1,210,000 ③ ₩1,290,000
④ ₩1,350,000 ⑤ ₩1,440,000

02 재고자산의 취득원가에 포함하는 것은?

① 재료원가, 노무원가 및 기타 제조원가 중 비정상적으로 낭비된 부분
② 후속 생산단계에 투입하기 전에 보관이 필요한 경우 이외의 보관원가
③ 적격자산에 해당하는 재고자산의 제조에 직접 관련된 차입원가
④ 취득과정에 직접 관련되어 있으며 과세당국으로부터 추후 환급받을 수 있는 제세금
⑤ 재고자산을 현재의 장소에 현재의 상태로 이르게 하는 데 기여하지 않은 관리간접원가

03 재고자산에 관한 설명으로 옳지 않은 것은?

① 재고자산은 정상적인 영업활동을 통하여 판매할 목적으로 보유하는 자산이라는 점에서 사용할 목적으로 보유하는 유형자산과는 구별된다.
② 선입선출법, 평균법 등의 평가방법은 실제 물량흐름과 상관없이 일정한 가정을 전제로 정의된 것이다.
③ 재고자산의 취득원가는 매입가격 이외에도 재고자산을 현재의 상태에 이르게 하는 데 소요된 부대비용을 포함하여 인식한다.
④ 표준원가법에 의한 원가측정방법은 그러한 방법으로 평가한 결과가 실제 원가와 유사한 경우에도 사용할 수 없다.
⑤ 수입한 재고자산의 취득원가에는 수입관세(과세당국으로부터 추후 환급받을 수 있는 금액은 제외)가 포함된다.

04 다음은 ㈜하늘의 20×1년도 재고자산 거래와 관련된 자료이다.

일자	적요	수량	단가
1월 1일	기초재고	100개	₩90
3월 9일	매입	200개	150
5월 16일	매출	150개	
8월 20일	매입	50개	200
10월 25일	매입	50개	220
11월 28일	매출	200개	

다음 설명 중 옳지 않은 것은?

① 실지재고조사법을 적용하여 선입선출법을 사용할 경우 기말재고자산 금액은 ₩11,000이다.
② 실지재고조사법을 적용하여 가중평균법을 사용할 경우 매출원가는 ₩52,500이다.
③ 선입선출법을 사용할 경우보다 가중평균법을 사용할 때 당기순이익이 더 작다.
④ 가중평균법을 사용할 경우, 실지재고조사법을 적용하였을 때보다 계속기록법을 적용하였을 때 당기순이익이 더 크다.
⑤ 선입선출법을 사용할 경우, 계속기록법을 적용하였을 때보다 실지재고조사법을 적용하였을 때 매출원가가 더 크다.

05 ㈜하늘의 20×1년도 상품매입과 관련된 자료이다. 20×1년도 상품매입원가는? (단, ㈜하늘은 부가가치세 과세사업자이며, 부가가치세는 환급대상에 속하는 매입세액이다)

항목	금액	비고
당기매입	₩110,000	부가가치세 ₩10,000 포함
매입운임	10,000	
하역료	5,000	
매입할인	5,000	
리베이트	2,000	
보관료	3,000	후속 생산단계에 투입하기 전에 보관이 필요한 경우가 아님
관세납부금	500	

① ₩108,500 ② ₩110,300 ③ ₩110,500
④ ₩113,500 ⑤ ₩123,500

[06 ~ 07]

다음은 A사의 20×9년도 상반기의 매입과 매출에 관한 자료이며, 재고자산의 평가방법으로 가중평균법을 적용하고 있다(단, 장부상 재고와 실지재고는 일치하며, 소수점 이하 금액은 반올림한다).

일자	적요	수량	단가
1월 1일	기초재고	50개	₩310
2월 3일	매입	200개	₩330
3월 12일	매출	(-)100개	₩500
4월 7일	매입	90개	₩350
5월 23일	매출	(-)150개	₩600
6월 30일	매입	60개	₩370

06 A사가 총평균법을 사용할 경우 6월 30일 현재 재고자산의 장부금액을 구하시오.

① ₩50,700 ② ₩51,000 ③ ₩52,000
④ ₩52,350 ⑤ ₩54,000

07 A사가 이동평균법을 사용할 경우 6월 30일 현재 재고자산의 장부금액을 구하시오.

① ₩50,700 ② ₩51,000 ③ ₩52,000
④ ₩52,350 ⑤ ₩54,000

08 다음은 20×1년 초에 설립하여 단일 품목의 상품을 판매하는 ㈜하늘의 20×1년 말 상품재고에 관한 자료이다.

장부상 재고	실지재고	단위당 취득원가	단위당 확정판매계약가격	단위당 예상판매가격
100단위	100단위	₩700	₩690	₩750

위 상품 중 40단위는 취소불능의 확정판매계약을 이행하기 위하여 보유 중인 재고자산이다. 확정판매계약을 맺은 상품의 경우에는 판매비용이 발생하지 않으나, 나머지 상품의 경우에는 단위당 ₩80의 판매비용이 발생할 것으로 예상된다. ㈜하늘이 동 상품과 관련하여 20×1년도에 인식할 재고자산평가손실은?

① ₩1,800 ② ₩2,200 ③ ₩2,800
④ ₩3,600 ⑤ ₩5,400

09 재고자산의 저가법 평가에 관한 설명으로 옳지 않은 것은?

① 재고자산은 취득원가와 순실현가능가치 중 낮은 금액으로 측정한다.
② 저가법은 항목별로 적용하되, 경우에 따라서는 재고자산의 분류나 특정영업부문에 속하는 모든 재고자산에 기초하여 저가법을 적용하는 것도 적절하다.
③ 재고자산의 감액을 초래했던 상황이 해소되거나 경제상황의 변동으로 순실현가능가치가 상승한 명백한 증거가 있는 경우에는 최초의 장부금액을 초과하지 않는 범위 내에서 평가손실을 환입한다.
④ 재고자산을 순실현가능가치로 감액한 평가손실과 모든 감모손실은 감액이나 감모가 발생한 기간에 비용으로 인식한다.
⑤ 저가법은 자산의 장부금액이 판매나 사용으로부터 실현될 것으로 기대되는 금액을 초과하여서는 아니 된다는 견해와 일관성이 있다.

10 20×1년 초에 설립한 ㈜하늘의 기말 상품과 원재료에 대한 자료는 다음과 같다.

재고자산 품목	단위당 취득원가	단위당 일반판매가	단위당 확정판매가	단위당 현행대체원가
상품(50개)	₩20,000	₩17,000	₩18,000	-
원재료(50kg)	1,000	-	-	₩900

상품 중 40개는 확정판매계약이 체결되어 보관 중이다. 일반판매 시에는 판매가격의 10%에 해당하는 판매비용이 소요될 것으로 예상되며, 원재료를 이용하여 생산하는 제품은 원가 이상으로 판매될 것으로 예상된다. ㈜하늘이 상품과 원재료에 대하여 인식할 재고자산평가손실은?

① ₩110,000 ② ₩115,000 ③ ₩127,000
④ ₩132,000 ⑤ ₩199,000

11 상품매매기업인 ㈜하늘은 계속기록법과 실지재고조사법을 병행하고 있다. ㈜하늘의 20×1년 기초재고는 ₩10,000(단가 ₩100)이고, 당기매입액은 ₩30,000(단가 ₩100), 20×1년 말 현재 장부상 재고수량은 70개이다. ㈜하늘이 보유하고 있는 재고자산은 진부화로 인해 단위당 순실현가능가치가 ₩80으로 하락하였다. ㈜하늘이 포괄손익계산서에 매출원가로 ₩36,000을 인식하였다면, ㈜하늘의 20×1년 말 현재 실제재고수량은? (단, 재고자산감모손실과 재고자산평가손실은 모두 매출원가에 포함한다)

① 40개 ② 50개 ③ 65개
④ 70개 ⑤ 80개

12 다음은 20×1년 초 설립된 ㈜하늘의 재고자산(상품) 관련 자료이다.

- 당기매입액: ₩2,000,000
- 취득원가로 파악한 장부상 기말재고액: ₩250,000

기말상품	실지재고	단위당 원가	단위당 순실현가능가치
A	800개	₩100	₩120
B	250개	180	150
C	400개	250	200

㈜하늘의 20×1년 재고자산감모손실은? (단, 재고자산평가손실과 재고자산감모손실은 매출원가에 포함한다)

① ₩0 ② ₩9,000 ③ ₩25,000
④ ₩27,500 ⑤ ₩52,500

13 ㈜한국은 실지재고조사법을 적용하며 저가법 적용에 따른 평가손실 및 평가손실환입을 매출원가에 반영하고 있다. ㈜한국의 20×1년 상품매입금액은 ₩100,000이며, 20×0년 말과 20×1년 말 상품재고는 아래와 같을 때, 20×1년 상품매출원가는 얼마인가?

구분	20×0년 말	20×1년 말
상품	₩25,000	₩30,000
상품평가충당금	₩(5,000)	₩(2,000)

① ₩90,000 ② ₩92,000 ③ ₩95,000
④ ₩97,000 ⑤ ₩102,500

14 다음은 ㈜사과의 20×1년도 매입과 매출에 관한 자료이며, 재고자산의 평가방법으로 가중평균법을 적용하고 있다(단, 소수점 이하 금액은 반올림한다).

일자	적요	수량	단가
1월 1일	기초재고	50개	₩310
2월 25일	매입	200개	₩330
5월 11일	매출	(-)100개	₩500
7월 10일	매입	90개	₩350
9월 25일	매출	(-)150개	₩600
12월 31일	매입	60개	₩370

㈜사과는 실지재고조사법을 적용하여 기말상품 수량을 확정하고 있다. 12월 31일자 상품 실사 결과 실제수량은 100개였으며, 상품수량 부족분 중 50%는 정상적인 영업과정에서 발생하였다. 또한 기말 현재 동 상품과 관련하여 성능이 개선된 신제품이 출시됨에 따라 상품의 순실현가능가치가 ₩300으로 하락하였다. ㈜사과는 정상감모와 재고자산평가손실은 매출원가에 가산하고 비정상감모는 영업외비용으로 처리하고 있으며, ㈜사과의 재고자산평가충당금의 기초잔액은 ₩5,000이다.
㈜사과는 재고 기말실사를 통해 파악된 실지재고액만을 고려하여 매출원가 산정을 위한 수정분개를 하였다. 또한 정확한 매출원가의 도출을 위해 (1) 감모손실에 대한 수정분개와 (2) 기말재고자산의 평가를 위한 분개를 추가로 수행한다고 할 때, (1)과 (2)의 수정분개가 매출원가에 미치는 영향을 고르시오.

① ₩9,650 감소 ② ₩8,650 증가 ③ ₩8,450 감소
④ ₩4,650 감소 ⑤ ₩3,800 증가

15 다음은 한국채택국제회계기준을 적용하고 있는 ㈜포도의 재고자산과 관련된 자료이다. ㈜포도의 회계기간은 20×1년 1월 1일부터 12월 31일까지이다. 관련 자료를 기초로 하여 20×1년 ㈜포도의 매출원가를 구하시오.

(1) 상품(기초): ₩500,000, 재고자산평가충당금(기초): ₩30,000
(2) 당기총매입: ₩4,100,000, 매입에누리와 환출: ₩80,000, 매입할인: ₩20,000
(3) 기말상품의 장부재고액과 실지재고액 및 공정가치는 다음과 같다. 재고자산감모손실 중 30%는 원가성이 있는 것으로 판명되었으며 종목별로 저가법을 적용한다.

상품	장부재고	실지재고	단위원가	판매단가	추정판매비
A	1,000개	900개	₩100	₩150	₩40
B	400개	350개	₩200	₩240	₩60
C	500개	500개	₩250	₩300	₩80

(4) 당기 중 접대비로 사용한 재고자산의 원가는 ₩150,000이다.
(5) ㈜포도는 재고자산과 관련하여 평가손실 및 원가성 있는 감모는 매출원가에 포함하고, 원가성 없는 감모는 기타비용으로 처리한다.

① ₩4,098,000 ② ₩4,088,000 ③ ₩4,078,000
④ ₩4,068,000 ⑤ ₩4,043,000

16 다음 자료를 이용하여 계산한 ㈜하늘의 기말매출채권 잔액은?

- 기초매출채권은 ₩10,000이고, 당기 매출채권 현금회수액은 ₩40,000이며, 당기 현금매출액은 ₩7,000이다.
- 기초와 기말의 상품재고액은 각각 ₩16,000과 ₩22,000이며, 당기상품매입액은 ₩32,000이다.
- 당기 매출총이익은 ₩13,000이다.

① ₩0 ② ₩1,000 ③ ₩2,000
④ ₩22,000 ⑤ ₩35,000

17 ㈜하늘의 재고자산 관련 자료는 다음과 같다.

구분	원가	판매가
기초재고액	₩1,400,000	₩2,100,000
당기매입액	6,000,000	9,800,000
매입운임	200,000	
매입할인	400,000	
당기매출액		10,000,000
종업원할인		500,000
순인상액		200,000
순인하액		100,000

㈜하늘이 선입선출법에 의한 저가기준 소매재고법을 이용하여 재고자산을 평가하고 있을 때 매출원가는?

① ₩6,300,000 ② ₩6,307,500 ③ ₩6,321,150
④ ₩6,330,000 ⑤ ₩6,337,500

18 생물자산 및 수확물 등 농림어업의 회계기준 적용에 관한 설명으로 옳지 않은 것은?

① 당해 자산에 대한 자금조달, 세금 또는 수확 후 생물자산의 복구 관련 현금흐름(예를 들어, 수확 후 조림지에 나무를 다시 심는 원가)을 포함해야 한다.

② 수확물로 수확하기 위해 재배하는 식물(예 목재로 사용하기 위해 재배하는 나무)은 생산용식물이 아니다.

③ 생물자산에서 수확된 수확물은 수확시점에 순공정가치로 측정하여야 한다.

④ 생물자산을 최초 인식시점에 순공정가치로 인식하여 발생하는 평가손익과 생물자산의 순공정가치 변동으로 발생하는 평가손익은 발생한 기간의 당기손익에 반영한다.

⑤ 순공정가치로 측정하는 생물자산과 관련된 정부보조금에 부수되는 조건이 있는 경우에는 그 조건을 충족하는 시점에만 당기손익으로 인식한다.

19 12월 1일 화재로 인하여 창고에 남아있던 ㈜포도의 재고자산이 전부 소실되었다. ㈜포도는 모든 매입과 매출을 외상으로 하고 있으며 이용 가능한 자료는 다음과 같다. 매출총이익률이 30%라고 가정할 때 화재로 인한 추정재고손실액은?

> (1) 기초재고자산: ₩1,000
> (2) 기초매출채권: ₩3,000, 12월 1일 매출채권: ₩2,000
> (3) 기초부터 12월 1일까지 거래
> • 매입액: ₩80,000(FOB 선적지인도조건으로 매입하여 12월 1일 현재 운송 중인 상품 ₩100 포함)
> • 매출채권 현금회수액: ₩100,000
> • 매출할인: ₩200

① ₩11,600　② ₩12,600　③ ₩13,600
④ ₩51,200　⑤ ₩52,200

20 ㈜한국의 20×1년 재무자료 일부인 다음 자료를 이용할 때, 재고자산회전기간은? 단, 매출총이익률은 매출액 대비 60%이며, 1년은 360일로 간주한다.

> • 기초재고자산: ₩300,000
> • 당기매입재고자산: ₩800,000
> • 매출액: ₩1,750,000

① 90일　② 135일　③ 180일
④ 215일　⑤ 220일

2차 문제 Preview

01 다음은 ㈜대한의 재고자산에 관련된 자료이다. [세무사 2차 2017년]

(1) 20×1년 1월 1일 재고자산은 ₩200,000이고, 재고자산평가충당금은 ₩15,000이다.

(2) 20×1년 1월 1일 재고자산을 ₩18,000,000에 취득하면서 ₩6,000,000은 즉시 지급하였다. 나머지 대금은 20×1년 12월 31일과 20×2년 12월 31일에 ₩6,000,000씩 총 2회에 걸쳐 분할지급하면서, 기초미지급대금의 연 5% 이자도 함께 지급하기로 하였다. 취득일 현재 재고자산의 현금가격상당액은 총지급액을 유효이자율로 할인한 현재가치와 동일하며, 동 거래에 적용되는 유효이자율은 연 8%이다.

(3) 현재가치 계산 시 아래의 현가계수를 이용하고, 계산은 소수점 첫째 자리에서 반올림하시오.

기간	단일금액 ₩1의 현가계수	
	5%	8%
1	0.95238	0.92593
2	0.90703	0.85734
3	0.86384	0.79383

(4) 20×1년 총매입액은 ₩30,000,000(1월 1일 매입액 포함)이고, 매입에누리와 환출은 ₩1,000,000, 매입할인은 ₩400,000이다.

(5) 20×1년 총매출액은 ₩40,000,000이고, ㈜대한이 부담한 매출운임은 ₩100,000, 매출에누리와 환입은 ₩300,000, 매출할인은 ₩150,000이다.

(6) 20×1년 12월 31일 재고자산의 장부상 수량은 1,100개, 실사수량은 1,050개이다. 재고자산의 단위당 취득원가는 ₩1,300이고, 기말평가를 위한 자료는 다음과 같다.

단위당 현행대체원가	단위당 예상판매가격	단위당 예상 판매비용
₩1,200	₩1,400	₩150

(7) 재고자산감모손실 중 80%는 원가성이 있고 20%는 원가성이 없는 것으로 판명되었다. 원가성이 있는 재고자산감모손실과 재고자산평가손실(환입)은 매출원가에 반영하고, 원가성이 없는 재고자산감모손실은 기타비용으로 처리한다.

물음 1 20×1년 1월 1일의 매입액을 계산하시오.

물음 2 ㈜대한은 재고자산의 기말장부수량에 단위당 취득원가를 적용하여 매출원가 산정을 위한 분개를 하였다. 정확한 매출원가 계산을 위해 ① 재고자산감모손실과 ② 재고자산평가손실(환입)에 대한 분개를 추가로 행하였다. ①과 ②의 분개가 매출원가에 미치는 영향을 각각 계산하시오(단, 매출원가를 감소시키는 경우에는 금액 앞에 (-)를 표시하시오).

물음 3 20×1년 포괄손익계산서에 보고되는 ① 매출액, ② 매출원가, ③ 당기순이익을 각각 계산하시오(단, ③의 당기순이익을 계산할 경우 매출총이익은 ₩3,000,000으로 가정한다).

02 유통업을 영위하고 있는 B사는 재고자산에 대해 계속기록법과 가중평균법을 적용하고 있으며, 기말에는 실지재고조사를 실시하고 있다. 다음은 B사의 20×1년 재고자산(단일 상품)과 관련된 자료이다.

(1) 일자별 거래 자료

일자	적요	수량	매입단가	비고
1월 1일	기초재고	100개	₩200	전기 말 실사수량
3월 1일	매입	200개	₩200	
6월 1일	매입계약	200개	₩300	선적지인도조건
7월 1일	매출	200개	-	
9월 1일	매입계약	200개	₩300	도착지인도조건
11월 1일	매출	100개	-	

(2) B사가 6월 1일에 계약한 상품 200개는 6월 30일에 창고로 입고되었다.

(3) B사가 9월 1일에 계약한 상품 200개는 11월 1일에 선적되었으나 12월 말 현재까지 운송 중인 상태로 확인되었다.

(4) 12월 말 현재 B사가 창고에 보관 중인 상품의 총수량은 300개이고 실사를 통해 다음과 같은 사실을 발견하였다.

1) B사는 12월 1일에 ㈜민국으로부터 상품 200개(단위원가 ₩300)에 대해 판매를 수탁받아 창고에 보관하였으며, 이 중 20%를 12월 중에 판매하였다.

2) B사는 12월 1일에 ㈜만세와 위탁판매계약을 체결하고 상품 50개(단위원가 ₩240)를 적송하였다. 기말 실사 후 ㈜만세가 12월 말 현재 보관 중인 상품은 20개임을 확인하였다.

(5) B사는 재고자산감모손실과 재고자산평가손실(환입)을 매출원가에서 조정하고 있다.

(6) 수탁품과 적송품에서는 감모(분실, 도난 등)가 발생하지 않았다.

물음 1 기말재고자산의 단위당 취득원가를 구하시오.

물음 2 기말재고자산의 실제수량을 구하시오.

물음 3 20×1년 기말재고자산의 단위당 순실현가능가치가 ₩200이고, 재고자산평가충당금의 기초잔액이 ₩3,000일 때, B사의 20×1년도 매출원가를 구하시오.

해커스 IFRS 정윤돈 객관식 재무회계

1차 시험 출제현황

구분	CPA										CTA									
	15	16	17	18	19	20	21	22	23	24	15	16	17	18	19	20	21	22	23	24
현금및현금성자산												1		1						
수취채권														1						

제3장

현금및현금성자산과 수취채권

기초 유형 확인

[01 ~ 03]

㈜포도는 20×1년 초에 설립되었으며, 매출채권과 기대신용손실에 관한 자료는 아래와 같다.

(1) 20×1년 말 현재 매출채권의 금액과 연령분석법에 따른 자료는 아래와 같다.

구분	총장부금액	손실률
30일 이내	₩200,000	1%
30일 초과 60일 이내	₩100,000	2%
60일 초과 90일 이내	₩50,000	4%
	₩350,000	

(2) 20×2년 매출채권 중 ₩3,000이 손상이 확정되었다.

(3) 20×2년 말 현재 매출채권의 금액과 연령분석법에 따른 자료는 아래와 같다.

구분	총장부금액	손실률
30일 이내	₩100,000	1%
30일 초과 60일 이내	₩200,000	2%
60일 초과 90일 이내	₩50,000	4%
90일 초과 120일 이내	₩40,000	20%
120일 초과	₩10,000	100%
	₩400,000	

(4) 20×3년 전기 손상처리된 매출채권 중 ₩2,000이 회수되었다.

(5) 20×3년 말 현재 연령분석법에 따라 추정한 기대신용손실액은 ₩15,000으로 추정되었다.

01 20×1년 말 현재 ㈜포도의 재무상태표에 계상될 매출채권의 장부금액과 손실충당금 및 20×1년 ㈜포도의 포괄손익계산서에 계상될 손상차손은 얼마인가?

	20×1년 말 매출채권 장부금액	20×1년 말 손실충당금	20×1년 손상차손
①	₩350,000	₩3,000	₩5,000
②	₩350,000	₩6,000	₩6,000
③	₩344,000	₩6,000	₩6,000
④	₩340,000	₩4,000	₩7,000
⑤	₩350,000	₩4,000	₩7,000

02 20×2년 말 현재 ㈜포도의 재무상태표에 계상될 매출채권의 장부금액과 손실충당금 및 20×2년 ㈜포도의 포괄손익계산서에 계상될 손상차손은 얼마인가?

	20×2년 말 매출채권 장부금액	20×2년 말 손실충당금	20×2년 손상차손
①	₩350,000	₩13,000	₩25,000
②	₩390,000	₩16,000	₩22,000
③	₩375,000	₩15,000	₩22,000
④	₩390,000	₩15,000	₩28,000
⑤	₩375,000	₩16,000	₩28,000

03 20×3년 ㈜포도의 포괄손익계산서에 계상될 손상차손(손상차손환입)은 얼마인가?

① ₩2,000 손상차손
② ₩(-)2,000 손상차손환입
③ ₩3,000 손상차손
④ ₩(-)3,000 손상차손환입
⑤ ₩0

기출 유형 정리

01 20×1년 말 ㈜세무와 관련된 자료는 다음과 같다. 20×1년 말 ㈜세무의 재무상태표에 표시해야 하는 현금및현금성자산은 얼마인가? (단, 사용이 제한된 것은 없다) [세무사 2016년]

(1) ㈜세무의 실사 및 조회자료
- 소액현금: ₩100,000
- 지급기일이 도래한 공채이자표: ₩200,000
- 수입인지: ₩100,000
- 양도성예금증서(만기 20×2년 5월 31일): ₩200,000
- 타인발행당좌수표: ₩100,000
- 우표: ₩100,000
- 차용증서: ₩300,000
- 은행이 발급한 당좌예금잔액증명서 금액: ₩700,000

(2) ㈜세무와 은행 간 당좌예금잔액 차이 원인
- 은행이 ㈜세무에 통보하지 않은 매출채권 추심액: ₩50,000
- 은행이 ㈜세무에 통보하지 않은 은행수수료: ₩100,000
- ㈜세무가 당해 연도 발행했지만 은행에서 미인출된 수표: ₩200,000
- 마감시간 후 입금으로 인한 은행미기입예금: ₩300,000

① ₩1,050,000 ② ₩1,200,000 ③ ₩1,300,000
④ ₩1,350,000 ⑤ ₩1,400,000

02 다음은 현금및현금성자산과 관련된 한국채택국제회계기준의 규정들이다. 옳은 것은 무엇인가?

① 현금및현금성자산은 다른 금융자산과 함께 금융자산 항목으로 재무상태표에 공시한다.
② 투자자산은 보고기간 말로부터 잔여 만기일이 3개월 이내인 경우와 같이 만기일이 단기에 도래하는 경우에만 현금성자산으로 분류된다.
③ 지분상품은 현금성자산에서 제외한다. 다만, 상환일이 정해져 있고 취득일로부터 상환일까지의 기간이 단기인 우선주와 같이 실질적인 현금성자산인 경우에는 예외로 한다.
④ 금융회사의 요구에 따라 즉시 상환하여야 하는 당좌차월은 기업 현금관리의 일부를 구성한다. 이러한 당좌차월도 차입금으로 표시한다.
⑤ 현금은 보유 현금과 요구불예금을 말하며, 현금성자산은 유동성이 높은 단기 투자자산으로서 확정된 금액의 현금으로 전환이 용이하고 가치 변동의 위험이 중요한 자산을 말한다.

03 ㈜대경은 20×1년 1월 1일에 상품을 ₩4,000,000에 판매하고 대금은 20×1년부터 매년 12월 31일에 ₩1,000,000씩 4회에 걸쳐 분할수령하기로 하였다. 장기할부판매대금의 명목가액과 현재가치의 차이는 중요하고 유효이자율은 연 10%이다. 할부판매로 인하여 발생한 장기매출채권에 대하여 20×2년 말 현재 기대신용손실 추정액은 ₩300,000이다. 장기매출채권의 20×2년 말 현재 장부금액(순액)은 얼마인가? (단, 계산과정에서 소수점 이하는 첫째 자리에서 반올림한다. 그러나 계산방식에 따라 단수차이로 인해 오차가 있는 경우, 가장 근사치를 선택한다. 또한 유동성 대체는 하지 않는다. ₩1의 현재가치(4년, 10%)는 0.6830이고, ₩1의 정상연금 현재가치(4년, 10%)는 3.1699이다)

[공인회계사 2014년]

① ₩1,435,579　② ₩1,733,580　③ ₩2,086,857
④ ₩2,869,900　⑤ ₩3,535,579

04 ㈜진성은 20×1년 12월 5일 ㈜대한팩토링에 액면 ₩3,500,000의 매출채권을 다음과 같은 조건으로 양도하였다.

> (1) ㈜대한팩토링은 매출채권 액면금액의 3%를 금융비용으로 부과하고, 5%를 매출할인 및 매출환입 목적으로 유보한 후 나머지 잔액을 ㈜진성에 지급하였다. 매출할인 및 매출환입에 대한 유보액은 이후 실제발생액에 따라 양자 간에 정산하기로 하였다.
> (2) ㈜진성은 양도한 매출채권에 대하여 손상처리를 한 적이 없으며, 이후 손상발생에 대한 위험은 ㈜대한팩토링이 전액 부담한다. ㈜대한팩토링은 12월 말에 당해 매출채권 중 1%가 손상된 것으로 판단하였다.
> (3) 20×2년 1월과 2월 중 당해 매출채권과 관련하여 매출환입 ₩70,000과 매출할인 ₩15,000이 발생하였으며, ₩30,000은 회수가 불가능한 것으로 판명되었고, 나머지는 현금으로 회수되었다.

위 거래가 제거요건을 충족한다면, 상기 매출채권의 양도 시 ㈜진성이 인식할 매출채권처분손실(금융자산처분손실)과 거래정산 시 ㈜진성이 ㈜대한팩토링으로부터 수취할 현금은 얼마인가?

[공인회계사 2009년]

	매출채권처분손실	수취할 현금
①	₩105,000	₩55,000
②	₩105,000	₩90,000
③	₩105,000	₩160,000
④	₩175,000	₩55,000
⑤	₩175,000	₩90,000

05 20×1년 6월 1일 ㈜대한은 판매대금으로 만기가 20×1년 9월 30일인 액면금액 ₩1,200,000의 어음을 거래처로부터 수취하였다. ㈜대한은 20×1년 9월 1일 동 어음을 은행에서 할인하였으며, 은행의 할인율은 연 12%였다. 동 어음이 무이자부어음인 경우와 연 10% 이자부어음인 경우로 구분하여 어음할인 시 ㈜대한이 인식할 매출채권처분손실(금융자산처분손실)을 계산하면 각각 얼마인가? (단, 어음할인은 제거조건을 충족한다. 이자는 월할 계산한다) [세무사 2009년]

	무이자부어음	연 10% 이자부어음
①	₩24,000	₩12,400
②	₩24,000	₩2,400
③	₩12,000	₩27,600
④	₩12,000	₩2,400
⑤	₩10,000	₩12,400

06 ㈜세무는 ㈜한국에 상품을 판매한 대가로 이자부약속어음(액면가액 ₩160,000, 5개월 만기, 표시이자 연 9%)을 받고, 이 어음을 2개월간 보유한 후 은행에서 할인하여 ₩161,518을 수령하였다. 동 어음할인 거래는 금융자산의 제거요건을 충족한다. 이 어음 거래에 적용된 연간 할인율은 얼마인가? (단, 이자는 월할 계산한다) [세무사 2018년]

① 10.2%　② 10.4%　③ 10.5%
④ 10.6%　⑤ 10.8%

관련 유형 연습

01 다음은 ㈜현주의 20×1년 결산자료의 일부이다. 부도수표는 B은행에 입금한 수표에서 발생한 것이며, 당좌예금잔액은 두 은행 모두 정확한 잔액이다. 또한 지점전도금은 영업활동자금으로 보낸 것이다. ㈜현주가 재무상태표에 표시할 현금및현금성자산의 금액은 얼마인가?

(1) 통화	₩700,000	(2) 차입금담보제공예금	₩200,000
(3) B은행 당좌예금	₩55,000	(4) 만기도래 국채이자표	₩135,000
(5) 차용증서	₩30,000	(6) 타인발행약속어음	₩300,000
(7) 선일자수표	₩27,000	(8) 타인발행당좌수표	₩180,000
(9) 우편환증서	₩38,000	(10) 수입인지	₩20,000
(11) 부도수표	₩34,000	(12) 국세환급통지표	₩400,000
(13) 국채(만기 1년)	₩50,000	(14) 배당금지급통지표	₩120,000
(15) 직원급여가불증	₩100,000	(16) 지점전도금	₩140,000
(17) A은행 당좌차월	₩30,000	(18) 당좌개설보증금	₩22,000
(19) 여행자수표	₩100,000	(20) 자기앞수표	₩500,000

① ₩2,368,000　② ₩2,568,000　③ ₩2,338,000
④ ₩2,668,000　⑤ ₩2,700,000

02 ㈜국세는 20×1년 12월 31일 자금담당 직원이 회사자금을 횡령하고 잠적한 사건이 발생하였다. 12월 31일 현재 회사 장부상 당좌예금계정잔액을 검토한 결과 ₩106,000이었으며, 은행 측 당좌예금계정 잔액을 조회한 결과 ₩70,000으로 확인되었다. 회사 측 잔액과 은행 측 잔액이 차이가 나는 이유가 다음과 같다고 할 경우 자금담당 직원이 회사에서 횡령한 것으로 추정할 수 있는 금액은 얼마인가?

- 은행 미기입예금: ₩60,000
- 은행수수료: ₩10,000
- 기발행 미인출수표: ₩50,000
- 미통지입금: ₩46,000
- 타사발행수표를 ㈜국세의 당좌예금계좌에서 차감한 금액: ₩22,000

① ₩22,000　② ₩26,000　③ ₩32,000
④ ₩36,000　⑤ ₩40,000

03 다음은 ㈜뿌잉의 당좌예금계좌에 대한 자료들이다. 이 자료들을 이용하여 ㈜뿌잉의 12월 중 올바른 당좌예금 출금액을 계산하면 얼마인가?

(1) 11월 30일 은행계정조정표

구분	금액
예금잔액증명서상 잔액	₩13,000
은행 미기입예금	₩2,000
기발행 미결제수표	₩(800)
수정 후 잔액	₩14,200

(2) 은행의 예금잔액증명서상 12월 중 입금액은 ₩80,000, 12월 31일의 잔액은 ₩22,000이다.

(3) ㈜뿌잉이 12월 31일 늦게 입금처리한 타인발행수표 ₩4,200을 은행에서는 1월 2일에 입금처리하였다.

(4) ㈜뿌잉이 매입채무 결제대금으로 발행한 수표 ₩5,000이 보고기간 말 현재 인출되지 않고 있다.

(5) 은행은 타사가 입금한 금액 ₩2,400을 ㈜뿌잉의 당좌예금계정에 입금하였다.

① ₩77,600　② ₩75,200　③ ₩72,800
④ ₩71,200　⑤ ₩71,000

04 ㈜세무의 20×1년 말 자료가 다음과 같을 때, 재무상태표의 현금및현금성자산으로 인식하는 금액은 얼마인가?

• 당좌개설보증금	₩10,000	• 당좌차월	₩1,200
• 당좌예금	( )	• 우편환증서	₩4,000
• 차용증서	₩1,000	• 수입인지	₩500
• 소액현금	₩300	• 배당금지급통지서	₩1,500
• 종업원 가불증서	₩2,500	• 환매채	₩1,500
• 타인발행약속어음	₩10,000	• 정기예금	₩2,000

〈추가 자료〉

- 아래 사항을 조정하기 전 은행 측 당좌예금잔액은 ₩12,800이다.
  - 거래처에 상품매입대금 결제로 발행한 수표 ₩7,500이 아직 인출되지 않았다.
  - 거래처에서 판매대금으로 입금 통보한 ₩2,800을 ㈜세무는 회계처리하였으나, 은행은 전산장애로 인해 입금처리하지 못했다.
- 환매채의 취득일은 20×1년 12월 1일이며, 4개월 후 환매조건이다.
- 정기예금은 1년 만기이며, 만기일은 20×2년 1월 31일이다.

① ₩12,100　② ₩13,900　③ ₩15,400
④ ₩15,900　⑤ ₩25,100

05 다음은 현금및현금성자산과 관련된 한국채택국제회계기준의 규정이다. 옳고 그름을 가리시오.

1. 현금성자산은 투자나 다른 목적이 아닌 단기의 자금수요를 충족하기 위한 목적으로 보유하므로 일반적으로 재무상태표 발행승인일로부터 만기가 3개월 이내인 것과 같이 만기일이 단기에 도래하는 경우에 현금성자산으로 분류된다.
2. 지분상품은 현금성자산이 될 수 없으므로 상환우선주의 지급기일이 취득일로부터 3개월 이내에 도래한다 하더라도 상환우선주의 보유자는 이를 지분상품으로 분류한다.
3. 재무상태표 발행승인일로부터 만기가 1년 이내에 도래하는 정기예금·정기적금이 차입금에 대한 담보로 제공되어 사용이 제한된 경우에는 이를 재무상태표에 비유동자산으로 분류하고, 사용제한에 관한 사항을 주석으로 공시한다.
4. 상품매출과 관련하여 회수한 당좌수표에 부도가 발생한 경우에는 이를 매출채권으로 분류한 후 회수가 불가능한 것으로 확정된 시점에 손상처리한다.
5. 당좌차월이 존재하는 경우 당좌예금잔액과 상계하며, 당좌예금잔액을 초과하는 당좌차월은 재무상태표에 차입금으로 표시한다.

06 다음은 ㈜한국의 20×8년 말 재무상태표에 보고된 매출채권에 대한 손실충당금과 20×9년 중 거래내용이다. 아래 자료를 이용하여 회계처리할 경우 20×9년도 당기순이익은 얼마나 감소하는가?

- 20×8년 말 매출채권은 ₩15,500,000이고, 매출채권에 대한 손실충당금은 ₩372,000이다.
- 20×9년 1월 중 매출채권 ₩325,000이 회수불능으로 판명되어 해당 매출채권을 제거하였다.
- 20×8년 중 회수불능채권으로 처리한 매출채권 중 ₩85,000을 20×9년 3월에 현금으로 회수하였다.
- 20×9년 말 매출채권 잔액은 ₩12,790,000이고, 이 잔액에 대한 손실충당금은 ₩255,800으로 추정되었다.

① ₩123,800 ② ₩208,800 ③ ₩210,000
④ ₩255,800 ⑤ ₩325,000

07 다음은 ㈜한영의 20×1년도와 20×2년도 재무제표의 일부이다. 한편, 회사는 20×2년 중 매출채권 ₩300,000을 현금으로 회수하였다. 20×2년도의 외상매출액은 얼마인가? (회사의 매출은 전액 외상매출이다)

구분	20×1년	20×2년
기말매출채권	₩900,000	₩1,000,000
기말손실충당금	₩(9,000)	₩(10,000)
외상매출	₩700,000	?
손상확정액	₩3,000	₩4,000

① ₩200,000 ② ₩304,000 ③ ₩400,000
④ ₩404,000 ⑤ ₩425,000

실력 점검 퀴즈

01 ㈜한국은 회수불능채권에 대하여 손실충당금을 설정하고 있으며 기말 매출채권 잔액의 1%가 회수불가능할 것으로 추정하고 있다. 다음 자료를 이용하여 ㈜한국이 20×2년 포괄손익계산서에 인식할 손상차손은?

• 매출채권, 손실충당금 장부상 자료

구분	20×1년 말	20×2년 말
매출채권	₩900,000	₩1,000,000
손실충당금	₩9,000	?

• 20×2년 중 매출채권 손상 및 회수 거래
- 1월 10일: ㈜대한의 매출채권 ₩5,000이 회수불가능한 것으로 판명
- 3월 10일: ㈜민국의 매출채권 ₩2,000이 회수불가능한 것으로 판명
- 6월 10일: 1월 10일에 손상처리되었던 ㈜대한의 매출채권 ₩1,500 회수

① ₩1,000　② ₩6,500　③ ₩8,000
④ ₩10,000　⑤ ₩12,000

02 ㈜한국은 20×1년 4월 1일에 고객에게 상품판매 대가로 이자부약속어음(만기 5개월, 이자율 연 5%, 액면가액 ₩72,000)을 수령하였다. 이 어음을 2개월간 보유한 후 자금사정으로 ₩72,030을 받고 할인하였다. 이 어음의 할인율과 어음처분손실은? (단, 이자는 월할 계산하며, 어음의 할인은 제거요건을 충족한다)

	할인율	어음처분손실
①	8%	₩570
②	8%	₩1,470
③	12%	₩570
④	12%	₩1,470
⑤	13%	₩1,500

2차 문제 Preview

01 ㈜대한은 20×1년 10월 1일에 상품을 판매하고 동 일자에 발행된 어음(액면 ₩300,000, 만기 6개월, 연 이자율 5%)을 수령하였다. ㈜대한은 받을어음을 현재가치로 측정하지 않는다. 아래 각 물음에 답하되, 물음은 독립적이다.

물음 1 ㈜대한은 20×1년 12월 1일에 받을어음을 전액 연 6%로 할인(받을어음 관련 위험과 보상을 대부분 보유)하였다. 동 어음의 보유 및 할인이 20×1년도 당기순이익에 미치는 영향을 계산하시오. 단, 당기순이익이 감소하는 경우 금액 앞에 (-)를 표시하시오.

20×1년 당기순이익에 미치는 영향	①

물음 2 ㈜대한은 20×2년 2월 1일에 받을어음을 전액 연 6%로 할인(받을어음 관련 위험과 보상을 대부분 이전)하였다. 동 어음의 보유 및 할인이 20×2년도 당기순이익에 미치는 영향을 계산하시오. 단, 당기순이익이 감소하는 경우 금액 앞에 (-)를 표시하시오.

20×2년 당기순이익에 미치는 영향	①

02 다음의 자료를 이용하여, ㈜대한의 대여금 이자 양도 시 회계처리가 당기순이익에 미치는 영향을 계산하시오. 단, 당기순이익이 감소하는 경우에는 금액 앞에 (-)를 표시하시오.

(1) ㈜대한은 20×1년 10월 1일 현재 장부금액 ₩500,000의 대여금(만기일인 20×4년 9월 30일에 원금 일시상환 및 매년 9월 30일에 연 이자율 6% 이자 수령)을 보유하고 있다.
(2) ㈜대한은 20×1년 10월 1일 보유하고 있는 동 대여금에서 발생하는 만기까지 수령할 이자를 이자수령액의 공정가치로 양도하였다. 동 양도는 금융자산 제거요건을 충족한다.
(3) 20×1년 10월 1일의 유효이자율은 8%이다. 기간 3, 8%에 대한 단일금액 ₩1과 정상연금 ₩1의 현가계수는 각각 0.7938과 2.5770이다.

당기순이익에 미치는 영향	①

03 다음의 자료를 이용하여, ㈜대한의 미수금 양도 시의 회계처리가 자산총액에 미치는 영향을 계산하시오. 단, 자산총액이 감소하는 경우에는 금액 앞에 (-)를 표시하시오.

> (1) ㈜대한은 20×1년 1월 1일 미수금 ₩5,000,000(20×1년 4월 1일 회수예정)을 ㈜민국에 양도하고 ₩4,800,000을 수령하였다.
> (2) ㈜대한은 미수금과 관련된 신용위험을 ㈜민국에 이전하였으나, 미수금의 회수가 지연되는 경우 최대 5개월 동안의 지연이자(연 6%)를 즉시 지급하기로 약정하였다. ㈜민국은 ㈜대한으로부터 양도받은 미수금을 제3자에게 매도할 수 있는 능력이 없다.
> (3) 미수금 양도일 현재 회수지연 위험에 대한 보증의 공정가치는 ₩50,000이다.

자산총액에 미치는 영향	①

1차 시험 출제현황

구분	CPA										CTA									
	15	16	17	18	19	20	21	22	23	24	15	16	17	18	19	20	21	22	23	24
유형자산의 최초 인식과 측정 (일괄구입, 교환)							0.5	1			1			1	1			1		1
복구원가			1			1					1			1			1			
정부보조금	1	1	1	1				1			1		1		1	1			1	1
유형자산의 감가상각, 제거							0.5						1		1	1			1	
유형자산의 손상						1			1			1	1	1		1	1	1		
유형자산의 재평가	1		1		1	1	1		1	1	1	1	2	1	1		1		1	1
유형자산 서술형				1							1	1		1			1			

제4장

유형자산

기초 유형 확인

[01 ~ 05]

20×1년 1월 1일 영업을 시작한 K회사의 유형자산 내역은 다음과 같다. K회사의 결산일은 매년 12월 31일이다.

(1) 20×1년 1월 1일 토지 A와 건물 A를 취득하고 ₩812,500을 지급하였다. 취득 당시의 공정가치는 토지 A는 ₩72,000, 건물 A는 ₩828,000이었다.
(2) 20×1년 7월 1일 기계 A를 ₩300,000에 구입하였다. 이 기계의 잔존가치는 ₩30,000이고, 내용연수는 5년이다.
(3) 20×1년 1월 1일에 기계 B를 취득하면서 ₩4,000을 먼저 지급하고, 잔금은 20×1년 12월 31일부터 매년 ₩4,000씩 3년간 분할상환하기로 하였다. 유효이자율은 연 8%이다(할인율이 8%인 경우 ₩1의 3년 현가는 0.79383이며, 연금현가는 2.57710이다).

〈감가상각명세표〉

자산	취득일	취득원가	잔존가치	감가상각방법	내용연수	감가상각비	
						20×1년	20×2년
토지 A	20×1. 1. 1.	①					
건물 A	20×1. 1. 1.		₩47,500	정액법	②	₩14,000	₩14,000
기계 A	20×1. 7. 1.	₩300,000	₩30,000	연수합계법	5년		③
기계 B	20×1. 1. 1.		₩308	정액법	5년		

01 감가상각명세표의 ①에 들어갈 금액은 얼마인가?

① ₩65,000　② ₩75,000　③ ₩32,000
④ ₩812,500　⑤ ₩81,000

02 감가상각명세표의 ②에 들어갈 금액은 얼마인가?

① 47년　② 48년　③ 49년
④ 50년　⑤ 52년

03 감가상각명세표의 ③에 들어갈 금액은 얼마인가?

① ₩65,000　② ₩75,000　③ ₩32,000
④ ₩812,500　⑤ ₩81,000

04 K회사의 유형자산 중 기계 B가 20×1년 말 물리적 손상으로 인하여 사용가치가 ₩8,000, 순공정가치가 ₩10,000이 되었으나, 20×2년 말에 기계 B의 사용가치와 순공정가치를 재측정한 결과 사용가치가 ₩12,000, 순공정가치가 ₩11,000으로 회복되었다면, 다음 중 옳지 않은 것은? (단, 회사는 유형자산을 원가모형으로 후속측정하며, 다른 유형자산은 손상사유가 발생하지 않은 것으로 가정한다)

① 기계장치 B의 취득원가는 ₩14,308이다.
② 기계장치 B에 대한 20×1년의 손상차손은 ₩1,508이다.
③ 기계장치 B로 인식할 20×2년의 감가상각비는 ₩2,423이다.
④ 기계장치 B에 대한 20×2년의 손상차손환입액은 ₩1,131이다.
⑤ 기계장치 B와 관련하여 20×2년 말에 인식할 손상차손누계액은 없다.

05 유형자산의 감가상각방법, 내용연수 및 잔존가치는 매 회계연도 말에 재검토하여야 한다. 20×3년 말 감가상각 전 기계 A의 감가상각방법, 내용연수 및 잔존가치를 재검토한 결과 감가상각방법을 정액법으로, 잔존가치를 ₩14,000으로 변경하는 것이 타당한 것으로 파악되었으며, 잔존내용연수는 4년으로 추정되었다. 20×3년에 K회사가 인식할 기계 A의 감가상각비는 얼마인가?

① ₩65,000　② ₩75,000　③ ₩32,000
④ ₩812,500　⑤ ₩81,000

[06 ~ 08]

A사는 경주시 소유의 토지에 5년간 방사선폐기물 매립장을 설치하고 이를 이용하는 계약을 체결하였다. 동 계약에 따르면 5년의 계약기간 종료 후 A사는 토지를 원상회복해야 할 의무를 부담하기로 되어 있다. 방사선폐기물 매립장은 20×1년 1월 1일 ₩3,000,000에 설치가 완료되어 사용하기 시작하였으며, 동 일자로 추정한 원상회복을 위한 지출액은 ₩500,000으로 추정하였다. 방사선폐기물 매립장의 잔존가치는 없으며 정액법으로 상각한다.

부채의 특유위험과 화폐의 시간가치에 대한 현행시장의 평가를 반영한 세전이자율은 20×1년 1월 1일에 10%이다. 현가계수는 다음과 같다.

구분	1년	2년	3년	4년	5년
10%	0.90909	0.82645	0.75131	0.68301	0.62092
12%	0.89286	0.79719	0.71178	0.63552	0.56743

06 A사는 방사선폐기물 매립장에 대해 원가모형을 적용하고 있다. 동 거래가 A사의 20×1년 당기손익에 미치는 영향은 얼마인가?

① ₩(-)662,092 ② ₩(-)640,268 ③ ₩(-)693,138
④ ₩(-)702,091 ⑤ ₩(-)737,547

07 A사는 방사선폐기물 매립장에 대해 원가모형을 적용하고 있다. 5년 후 원상복구 시 실제 지출액이 ₩530,000이었다. 동 거래가 A사의 20×5년 당기손익에 미치는 영향은 얼마인가?

① ₩(-)662,092 ② ₩(-)640,268 ③ ₩(-)670,773
④ ₩(-)702,091 ⑤ ₩(-)737,547

08 위 물음과 독립적으로 A사는 방사선폐기물 매립장에 대해 원가모형을 적용하고 있다. 20×1년 12월 31일에 기술발전의 결과로서 미래 복구비용이 ₩400,000으로 감소할 것으로 추정하였고 해당 시점의 적절한 할인율은 12%이다. 동 거래가 A사의 20×2년 당기손익에 미친 영향은 얼마인가?

① ₩(-)662,092 ② ₩(-)640,268 ③ ₩(-)670,773
④ ₩(-)702,091 ⑤ ₩(-)737,547

[09 ~ 11]

A회사는 방위산업에 종사하고 있는 회사로 20×1년에 방위산업설비의 취득 시 설비자금의 일부인 ₩1,000,000을 20×1년 7월 1일에 정부에서 현금지원받았다.

> (1) 유형자산의 취득일은 20×1년 10월 1일이며, 유형자산의 취득원가는 ₩4,000,000, 내용연수는 5년이며, 잔존가치는 ₩200,000으로 추정된다.
> (2) A회사는 해당 유형자산을 20×4년 9월 30일에 ₩1,600,000에 처분하였다.

09 A회사가 감가상각방법을 정액법으로 하는 경우에 동 거래가 A회사의 20×4년 당기손익에 미친 영향은 얼마인가? (단, 회사는 정부보조금을 수령한 경우 이를 부채로 분류하여 인식하고 있다)

① ₩(−)140,000 ② ₩420,000 ③ ₩756,092
④ ₩350,000 ⑤ ₩(−)737,547

10 A회사가 감가상각방법을 연수합계법으로 하는 경우에 동 거래가 A회사의 20×4년 당기손익에 미친 영향은 얼마인가? (단, 회사는 정부보조금을 수령한 경우 이를 부채로 분류하여 인식하고 있다)

① ₩(−)140,000 ② ₩420,000 ③ ₩756,092
④ ₩350,000 ⑤ ₩(−)737,547

11 A회사가 감가상각방법을 정률법(상각률: 45%)으로 하는 경우에 동 거래가 A회사의 20×4년 당기손익에 미친 영향은 얼마인가? (단, 회사는 정부보조금을 수령한 경우 이를 부채로 분류하여 인식하고 있다)

① ₩(−)140,000 ② ₩420,000 ③ ₩756,092
④ ₩350,000 ⑤ ₩(−)737,547

[12 ~ 14]

12월 말 결산법인인 A사는 20×1년 1월 1일 건물을 ₩100,000에 취득(경제적 내용연수 10년, 잔존가치 ₩0, 정액법 적용)하고 누계액제거법에 따라 재평가모형을 적용하고 있다. A사는 각 회계연도 말 공정가치와 회수가능액을 다음과 같이 추정하였다. 회수가능액이 공정가치에 미달하는 경우에는 손상징후가 발생하였다고 가정한다(단, 법인세효과는 고려하지 않는다).

구분	20×1년 말	20×2년 말	20×3년 말
공정가치	₩126,000	₩80,000	₩105,000
회수가능액	₩130,000	₩48,000	₩120,000

12 A사가 재평가잉여금을 이익잉여금으로 대체하지 않는 정책을 채택하고 있을 경우, 동 거래로 인하여 20×2년도에 A사가 인식할 손상차손은 얼마인가?

① ₩0　② ₩10,000　③ ₩36,000
④ ₩28,000　⑤ ₩32,000

13 A사가 비례수정법에 따라 재평가에 대한 회계처리를 한다고 할 경우, 20×1년 말에 재무상태표에 기록될 건물의 취득원가는 얼마인가?

① ₩0　② ₩126,000　③ ₩136,000
④ ₩140,000　⑤ ₩142,000

14 위 물음과 독립적으로 A사는 사업을 확장하기 위해 20×4년 4월 1일 미국에 있는 건물을 $1,000에 추가로 구입하였다. 동 건물의 내용연수는 5년이며, 잔존가치는 ₩0이다. 추가로 구입한 건물의 20×4년 말 공정가치가 $1,100일 경우, 동 건물과 관련하여 A사의 20×4년 재무제표에 표시될 재평가잉여금은 얼마인가? (단, 20×4년 4월 1일 환율은 ₩1,000/$이며, 20×4년 12월 31일 환율은 ₩900/$이다)

① ₩0　② ₩126,000　③ ₩136,000
④ ₩140,000　⑤ ₩142,000

기출 유형 정리

01 ㈜세무는 20×1년 7월 1일에 순장부금액이 ₩7,000인 기계장치를 ㈜국세의 기계장치(순장부금액 ₩8,000, 공정가치 ₩9,000)와 교환하면서 현금 ₩500을 추가로 지급하였으며, 유형자산처분손실로 ₩1,000을 인식하였다. ㈜세무는 20×1년 7월 1일에 교환으로 취득한 기계장치와 관련하여 설치장소 준비원가 ₩500과 설치원가 ₩500을 지출하고 즉시 사용하였다. 한편, ㈜세무는 취득한 기계장치의 잔존가치와 내용연수를 각각 ₩500과 3년으로 추정하였으며, 연수합계법으로 감가상각하고 원가모형을 적용한다. ㈜세무의 20×2년도 기계장치 감가상각비는? (단, 동 자산의 교환은 상업적 실질이 있으며, ㈜세무의 기계장치 공정가치는 신뢰성 있게 측정가능하고 ㈜국세의 기계장치 공정가치보다 명백하다고 가정한다. 감가상각은 월할 계산한다) [세무사 2024년]

① ₩1,750 ② ₩2,000 ③ ₩2,333
④ ₩2,917 ⑤ ₩3,500

02 ㈜세무와 ㈜한국은 다음과 같은 기계장치를 서로 교환하였다. 교환과정에서 ㈜세무는 ㈜한국에게 현금 ₩20,000을 지급하였다.

구분	㈜세무	㈜한국
취득원가	₩500,000	₩350,000
감가상각누계액	₩220,000	₩20,000
공정가치	₩270,000	₩300,000

동 거래에 관한 설명으로 옳은 것은? [세무사 2019년]

① 교환거래에 상업적 실질이 있으며, 각 기계장치의 공정가치가 신뢰성 있게 측정된 금액이라면 ㈜세무가 교환 취득한 기계장치의 취득원가는 ₩300,000이다.
② 교환거래에 상업적 실질이 있으며, 각 기계장치의 공정가치가 신뢰성 있게 측정된 금액이라면 ㈜한국이 교환 취득한 기계장치의 취득원가는 ₩290,000이다.
③ 교환거래에 상업적 실질이 있으며, ㈜세무가 사용하던 기계장치의 공정가치가 명백하지 않을 경우 ㈜세무가 교환 취득한 기계장치의 취득원가는 ₩280,000이다.
④ 교환거래에 상업적 실질이 없으면 ㈜세무만 손실을 인식한다.
⑤ 교환거래에 상업적 실질이 있으며, 각 기계장치의 공정가치가 신뢰성 있게 측정된 금액이라면 ㈜세무와 ㈜한국 모두 손실을 인식한다.

03 ㈜대한은 20×1년 1월 1일에 장부금액이 ₩700,000인 기계장치를 ㈜민국의 기계장치(장부금액: ₩800,000, 공정가치: ₩900,000)와 교환하면서 현금 ₩50,000을 추가로 지급하였으며, 유형자산처분손실로 ₩100,000을 인식하였다. ㈜대한은 교환으로 취득한 기계장치와 관련하여 설치장소 준비원가 ₩50,000과 설치원가 ₩50,000을 20×1년 1월 1일에 지출하고 즉시 사용하였다. 한편, ㈜대한은 취득한 기계장치의 잔존가치와 내용연수를 각각 ₩50,000과 5년으로 추정하였으며, 정액법으로 감가상각한다. ㈜대한이 동 기계장치와 관련하여 20×1년 감가상각비로 인식할 금액은 얼마인가? (단, 동 자산의 교환은 상업적 실질이 있으며, ㈜대한의 기계장치 공정가치는 신뢰성 있게 측정가능하고 ㈜민국의 기계장치 공정가치보다 명백하다고 가정한다) [공인회계사 2021년]

① ₩130,000 ② ₩140,000 ③ ₩160,000
④ ₩212,500 ⑤ ₩250,000

04 다음의 각 독립적인 상황(상황 1, 상황 2)에서 ㈜대한의 유형자산(기계장치) 취득원가는 각각 얼마인가? [공인회계사 2022년]

<table>
<tr><td>상황 1</td><td>• ㈜대한은 기계장치(장부금액 ₩800,000, 공정가치 ₩1,000,000)를 ㈜민국의 기계장치와 교환하면서 현금 ₩1,800,000을 추가로 지급하였다.
• ㈜대한과 ㈜민국 간의 기계장치 교환은 상업적 실질이 있는 거래이다.</td></tr>
<tr><td>상황 2</td><td>• ㈜대한은 기계장치를 ㈜민국의 기계장치와 교환하였다.
• ㈜대한과 ㈜민국의 기계장치에 대한 취득원가 및 감가상각누계액은 각각 다음과 같다.
<table><tr><th>구분</th><th>㈜대한</th><th>㈜민국</th></tr><tr><td>취득원가</td><td>₩2,000,000</td><td>₩2,400,000</td></tr><tr><td>감가상각누계액</td><td>1,200,000</td><td>1,500,000</td></tr></table>• ㈜대한과 ㈜민국 간의 기계장치 교환은 상업적 실질이 결여된 거래이다.</td></tr>
</table>

	상황 1	상황 2
①	₩2,700,000	₩800,000
②	₩2,700,000	₩900,000
③	₩2,800,000	₩800,000
④	₩2,800,000	₩900,000
⑤	₩3,100,000	₩2,000,000

05 ㈜세무는 20×1년 7월 1일에 본사사옥으로 사용하기 위하여 토지와 건물을 ₩14,000,000에 일괄 취득하고, 공통으로 발생한 취득 관련 직접원가 ₩1,000,000을 지출하였다. 취득 당시 토지와 건물의 공정가치는 각각 ₩9,600,000과 ₩6,400,000이었다. 건물의 내용연수는 4년, 잔존가치는 ₩1,000,000, 연수합계법으로 감가상각한다. 건물과 관련하여 ㈜세무가 20×2년도에 인식할 감가상각비는? (단, 감가상각은 월할 계산하고 건물에 대해 원가모형을 적용한다) [세무사 2023년]

① ₩1,380,000 ② ₩1,500,000 ③ ₩1,610,000
④ ₩1,750,000 ⑤ ₩1,890,000

06 ㈜한국은 20×3년 1월 1일에 저유설비를 신축하기 위하여 기존건물이 있는 토지를 ₩10,000,000에 취득하였다. 기존건물을 철거하는 데 ₩500,000이 발생하였으며, 20×3년 4월 1일 저유설비를 신축완료하고 공사대금으로 ₩2,400,000을 지급하였다. 이 저유설비의 내용연수는 5년, 잔존가치는 ₩100,000이며, 원가모형을 적용하여 정액법으로 감가상각한다. 이 저유설비의 경우 내용연수 종료시에 원상복구의무가 있으며, 저유설비 신축완료시점에 예상되는 원상복구비용의 현재가치는 ₩200,000이다. ㈜한국은 저유설비와 관련된 비용을 자본화하지 않는다고 할 때, 동 저유설비와 관련하여 20×3년도 포괄손익계산서에 인식할 비용은 얼마인가? (단, 무위험이자율에 ㈜한국의 신용위험을 고려하여 산출된 할인율은 연 9%이며, 감가상각은 월할 계산한다) [세무사 2014년]

① ₩361,500 ② ₩375,000 ③ ₩388,500
④ ₩513,500 ⑤ ₩518,000

07 20×1년 1월 1일 ㈜대한은 ㈜민주로부터 축사를 구입하면서 5년 동안 매년 말 ₩100,000씩 지급하기로 했다. ㈜대한의 내재이자율 및 복구충당부채의 할인율은 연 10%이다. 축사의 내용연수는 5년이고 잔존가치는 없으며 정액법으로 감가상각한다. 축사는 내용연수 종료 후 주변 환경을 원상회복하는 조건으로 허가받아 취득한 것이며, 내용연수 종료시점의 원상회복비용은 ₩20,000으로 추정된다. ㈜대한은 축사의 내용연수 종료와 동시에 원상회복을 위한 복구공사를 하였으며, 복구비용으로 ₩17,000을 지출하였다.

기간 \ 할인율	단일금액 ₩1의 현재가치	정상연금 ₩1의 현재가치
	10%	10%
5년	0.6209	3.7908

위의 거래에 대하여 옳지 않은 설명은? (단, 필요시 소수점 첫째 자리에서 반올림하고, 단수차이로 오차가 있는 경우 ₩10 이내의 차이는 무시한다) [공인회계사 2017년]

① 축사의 취득원가는 ₩391,498이다.
② 축사의 20×1년 감가상각비는 ₩78,300이다.
③ 축사의 20×2년 복구충당부채 증가액은 ₩1,366이다.
④ 축사의 20×3년 말 복구충당부채 장부금액은 ₩16,529이다.
⑤ 축사의 20×5년 복구공사손실은 ₩3,000이다.

08 ㈜세무는 20×1년 1월 1일 복구조건이 있는 연구용 설비(취득원가 ₩440,000, 잔존가치 ₩5,130, 내용연수 3년, 복구비용 추정금액 ₩100,000)를 취득하여, 원가모형을 적용하고 정액법으로 감가상각하였다. 내용연수 종료시점에 실제 복구비용은 ₩120,000이 지출되었으며, 잔존설비는 ₩3,830에 처분하였다. 20×3년도에 이 설비와 관련하여 인식할 총비용은 얼마인가? (단, 현재가치에 적용할 할인율은 10%이며, 기간 3년(10%) 단일금액 ₩1의 현재가치는 0.7513으로 계산하고 단수차이로 인한 오차는 근사치를 선택한다) [세무사 2019년]

① ₩180,391 ② ₩191,300 ③ ₩199,091
④ ₩200,391 ⑤ ₩202,466

09 ㈜세무는 20×1년 7월 1일 관리부서에서 사용할 설비를 ₩1,000,000에 취득하였다. 동 설비는 복구의무가 있으며, 내용연수 종료 후 원상복구를 위해 지출할 복구비용은 ₩300,000으로 추정된다. ㈜세무는 동 설비에 대해 원가모형을 적용하고 있으며, 연수합계법(잔존가치 ₩200,000, 내용연수 4년)으로 감가상각한다. 동 설비와 관련하여 ㈜세무가 20×2년도 당기비용으로 인식할 금액은 얼마인가? (단, 현재가치에 적용할 할인율은 연 10%이며, 이후 할인율의 변동은 없다. 10%, 4기간 단일금액 ₩1의 현재가치는 0.6830이다. 계산금액은 소수점 첫째 자리에서 반올림하며, 감가상각비와 이자비용은 월할 계산한다) [세무사 2021년]

① ₩301,470 ② ₩322,985 ③ ₩351,715
④ ₩373,230 ⑤ ₩389,335

10 ㈜한국은 20×1년 1월 1일 기계장치를 ₩50,000,000에 취득(내용연수 5년, 잔존가치 ₩5,000,000)하고 연수합계법으로 감가상각한다. ㈜한국은 동 기계장치를 취득하면서 정부로부터 ₩9,000,000을 보조받아 기계장치 취득에 전액 사용하였으며, 이에 대한 상환의무는 없다. ㈜한국이 20×3년 12월 31일 동 기계장치를 ₩10,000,000에 처분하였다면, 유형자산처분손익은 얼마인가? (단, 원가모형을 적용하며, 기계장치의 장부금액을 결정할 때 취득원가에서 정부보조금을 차감하는 원가차감법을 사용한다) [세무사 2014년]

① ₩3,200,000 이익 ② ₩2,000,000 이익 ③ ₩0
④ ₩2,000,000 손실 ⑤ ₩2,200,000 손실

11 ㈜대한은 20×1년 1월 1일 정부로부터 자금을 전액 차입하여 기계장치를 ₩400,000에 구입하였다. 정부로부터 수령한 차입금은 20×4년 12월 31일에 일시상환해야 하며, 매년 말 차입금의 연 3% 이자를 지급하는 조건이다. ㈜대한은 구입한 기계장치에 대해서 원가모형을 적용하며, 추정내용연수 4년, 잔존가치 ₩0, 정액법으로 감가상각한다. 20×1년 1월 1일 차입 시 ㈜대한에 적용되는 시장이자율은 연 8%이다. 정부로부터 수령한 차입금과 관련하여 ㈜대한의 20×1년 말 재무상태표상에 표시될 기계장치의 장부금액은 얼마인가? (단, 정부보조금은 자산의 취득원가에서 차감하는 원가(자산)차감법을 사용하여 표시한다. 단수차이로 인해 오차가 있다면 가장 근사치를 선택한다)

[공인회계사 2022년]

할인율 기간	8%	
	단일금액 ₩1의 현재가치	정상연금 ₩1의 현재가치
4년	0.7350	3.3121

① ₩242,309
② ₩244,309
③ ₩246,309
④ ₩248,309
⑤ ₩250,309

12 ㈜대한은 친환경회사로서 20×1년 1월 1일 기계설비를 취득하면서 최소 2년간 생산에 사용하는 조건으로 설비자금의 일부를 정부로부터 보조받았다. 해당 유형자산취득 및 보조금의 정보는 다음과 같다.

• 취득원가	₩2,000
• 정부보조금	₩500
• 추정내용연수	5년
• 추정잔존가치	₩0
• 감가상각방법	정액법(월할 상각)

20×3년 1월 1일 ㈜대한은 해당 기계설비를 현금 ₩400과 함께 제공하는 조건으로 ㈜민국의 토지와 교환하였다. ㈜대한은 수익성 악화로 교환을 결정했으며, 토지는 새로운 사업의 공장 부지로 사용될 예정이다. 교환시점에 해당 토지의 공정가치는 ₩1,400이다. 위 거래로 ㈜대한이 20×3년도 포괄손익계산서에 인식할 당기손익은 얼마인가?

[공인회계사 2017년]

① ₩0
② ₩100 이익
③ ₩100 손실
④ ₩200 이익
⑤ ₩200 손실

13 ㈜세무는 20×1년 초 친환경 영업용 차량(내용연수 5년, 잔존가치 ₩0)을 공정가치 ₩10,000,000에 취득하면서, 자산취득에 따른 정부보조금으로 ₩5,000,000을 수취하였다. 동 차량을 중도처분할 경우 내용연수 미사용 기간에 비례하여 정부보조금 잔액을 즉시 상환한다. 감가상각방법은 정액법(월할 상각)을 적용하였으며, 20×3년도 7월 1일에 동 자산을 ₩4,000,000에 처분하였다. 자산 관련 정부보조금의 표시방법으로 장부금액에서 차감 표시하는 방법을 사용할 때, 동 차량의 회계처리에 관한 설명으로 옳지 않은 것은? [세무사 2017년]

① 20×1년 말 차량의 장부금액은 ₩4,000,000이다.
② 20×2년 말 정부보조금 잔액은 ₩3,000,000이다.
③ 20×2년도의 동 차량과 관련하여 인식할 당기손익은 (-)₩2,000,000이다.
④ 20×3년 처분에 따른 유형자산처분이익은 ₩1,500,000이다.
⑤ 20×3년 정부보조금 상환금액은 ₩2,500,000이다.

14 20×1년 4월 1일 ㈜세무는 다음의 영업용 건물을 ₩500,000에 처분하였다.

- 취득원가: ₩2,000,000
- 취득 시 정부보조금 수령액: ₩450,000
- 감가상각방법: 정률법(상각률: 25%)
- 잔존가치: ₩200,000
- 20×1년 1월 1일 감가상각누계액: ₩1,200,000
- 기말평가: 원가모형

동 건물의 감가상각 및 처분이 ㈜세무의 20×1년 당기순이익에 미친 영향은 얼마인가? [세무사 2019년]

① ₩150,000 감소 ② ₩187,500 감소 ③ ₩227,500 감소
④ ₩250,000 증가 ⑤ ₩262,500 증가

15 ㈜세무는 20×1년 4월 1일 영업용 차량을 취득(취득원가 ₩1,200,000, 내용연수 5년, 잔존가치 ₩200,000, 정액법으로 감가상각)하면서 정부로부터 취득원가의 30%를 보조받고, 이를 부채(이연수익법)로 회계처리하였다. 20×3년 7월 1일에 동 영업용 차량을 현금 ₩600,000에 처분하였다면, 정부보조금과 관련하여 처분시점에 제거해야 할 부채(이연정부보조금수익)는 얼마인가? (단, 감가상각은 월할 상각한다) [세무사 2020년]

① ₩126,000 ② ₩144,000 ③ ₩162,000
④ ₩198,000 ⑤ ₩234,000

16 ㈜세무는 20×1년 초 정부보조금으로 ₩500,000을 수취하여 기계설비(취득원가 ₩2,000,000, 내용연수 5년, 잔존가치 ₩0, 정액법 상각, 원가모형 적용)를 취득하였다. 20×2년 초 ㈜세무는 동 기계설비에 자산의 인식요건을 충족하는 ₩1,000,000의 지출을 하였으며, 이로 인하여 기계설비의 잔존가치는 ₩100,000 증가하고, 내용연수는 1년 연장되었다. 기계설비와 관련하여 ㈜세무가 20×2년도에 인식할 감가상각비는? (단, 정부보조금은 자산에서 차감하는 방법으로 회계처리한다) [세무사 2023년]

① ₩360,000 ② ₩380,000 ③ ₩400,000
④ ₩420,000 ⑤ ₩440,000

17 ㈜대한은 20×1년 9월 1일 내용연수 5년의 기계장치를 취득하였다. 이 기계장치는 정률법을 사용하여 감가상각하며, 감가상각률은 36%이다. 20×2년도에 인식한 감가상각비는 ₩253,440이다. 20×3년도에 인식할 기계장치의 감가상각비는 얼마인가? (단, 계산방식에 따라 단수차이로 인해 오차가 있는 경우, 가장 근사치를 선택한다) [공인회계사 2014년]

① ₩85,899 ② ₩91,238 ③ ₩102,005
④ ₩103,809 ⑤ ₩162,202

18 ㈜세무는 20×1년 4월 1일 기계장치를 취득(취득원가 ₩30,000, 잔존가치 ₩0, 내용연수 4년)하여 연수합계법으로 감가상각하고 원가모형을 적용하고 있다. 20×3년 1월 1일 동 기계장치의 부품 교체에 ₩10,000을 지출하고 다음과 같은 조치를 취하였다.

(1) 부품 교체는 자본적 지출로 인식
(2) 부품 교체시점에서의 회계추정치 변경사항
- 감가상각방법: 정액법
- 잔존내용연수: 5년
- 잔존가치: ₩500

동 기계장치의 20×2년 감가상각비와 20×3년 말 장부금액은? (단, 감가상각은 월할 상각한다) [세무사 2018년]

	20×2년 감가상각비	20×3년 말 장부금액
①	₩9,000	₩15,500
②	₩9,000	₩17,100
③	₩9,750	₩15,500
④	₩9,750	₩17,100
⑤	₩12,000	₩17,100

19 ㈜세무와 ㈜한국은 20×1년 초에 모든 조건이 동일한 영업용 차량(내용연수 4년, 잔존가치 ₩500,000)을 ₩9,000,000에 각각 취득하였다. 두 회사가 동 차량에 대하여 각 보고기간별로 다음과 같이 감가상각방법을 적용하던 중, 두 회사 모두 20×4년 초 현금 ₩3,000,000에 동 차량을 매각하였다.

구분	20×1년	20×2년	20×3년
㈜세무	정률법	정률법	정액법
㈜한국	정액법	연수합계법	연수합계법

두 회사의 총수익 및 동 차량에서 발생한 감가상각비를 제외한 총비용이 동일하다고 가정할 경우 옳은 설명은? (단, ㈜세무와 ㈜한국은 동 차량에 대해 원가모형을 적용하고 있으며, 정률법 상각률은 56%이다) [세무사 2017년]

① 20×1년도 당기순이익은 ㈜한국이 더 작다.
② 20×4년 초에 인식하는 유형자산처분이익은 ㈜세무가 더 크다.
③ ㈜세무의 20×2년도 감가상각비는 ₩4,675,000이다.
④ ㈜한국의 20×3년 말 차량 장부금액은 ₩1,145,833이다.
⑤ ㈜세무의 20×3년도 감가상각비는 ₩330,625이다.

20 ㈜세무는 20×1년 1월 1일에 기계장치(취득원가 ₩1,000,000, 잔존가치 ₩0, 내용연수 4년, 정액법으로 감가상각)를 취득하여 원가모형을 적용하고 있다. 20×3년 1월 1일에 ㈜세무는 동 기계장치에 대하여 자산인식기준을 충족하는 후속원가 ₩500,000을 지출하였다. 이로 인해 내용연수가 2년 연장(20×3년 1월 1일 현재 잔존내용연수 4년)되고 잔존가치는 ₩100,000 증가할 것으로 추정하였으며, 감가상각방법은 연수합계법으로 변경하였다. ㈜세무는 동 기계장치를 20×4년 1월 1일에 현금을 수령하고 처분하였으며, 처분손실은 ₩60,000이다. 기계장치 처분 시 수령한 현금은 얼마인가? [세무사 2019년]

① ₩190,000 ② ₩480,000 ③ ₩540,000
④ ₩580,000 ⑤ ₩700,000

21 ㈜세무는 20×1년 10월 1일 기계장치를 취득(취득원가 ₩4,800,000, 내용연수 5년, 잔존가치 ₩0)하여 정액법으로 감가상각하였다. 20×2년 4월 1일 동 기계장치에 대하여 ₩1,200,000을 지출하고, 이를 내용연수를 증가시키는 자본적 지출로 처리하였으며 다음과 같은 회계변경을 실행하였다.

감가상각방법	내용연수	잔존가치
정액법에서 연수합계법	잔존내용연수를 8년으로 재추정	₩0에서 ₩120,000으로 재추정

20×3년 7월 1일 현금 ₩4,000,000을 수령하고 동 기계장치를 처분하였을 경우 처분손익은 얼마인가? (단, 감가상각은 월할 계산한다) [세무사 2020년]

① 유형자산처분손실 ₩57,500
② 유형자산처분손실 ₩252,500
③ 유형자산처분손실 ₩537,500
④ 유형자산처분이익 ₩242,500
⑤ 유형자산처분이익 ₩442,500

22 유형자산의 감가상각에 관한 설명으로 옳은 것은? [세무사 2021년]

① 감가상각이 완전히 이루어지기 전이라도 유형자산이 운휴 중이거나 적극적인 사용상태가 아니라면 상각방법과 관계없이 감가상각을 중단해야 한다.
② 유형자산의 잔존가치와 내용연수는 매 3년이나 5년마다 재검토하는 것으로 충분하다.
③ 유형자산의 전체원가에 비교하여 해당 원가가 유의적이지 않은 부분은 별도로 분리하여 감가상각할 수 없다.
④ 자산의 사용을 포함하는 활동에서 창출되는 수익에 기초한 감가상각방법은 적절하지 않다.
⑤ 유형자산의 공정가치가 장부금액을 초과하는 상황이 발생하면 감가상각액을 인식할 수 없다.

23 ㈜대한은 20×1년 1월 1일에 현금 ₩80,000을 지급하고 기계장치를 취득하였다. ㈜대한은 동 기계장치에 대해 내용연수는 5년, 잔존가치는 ₩0으로 추정하였으며 감가상각방법으로 정액법을 사용하기로 하였다. 20×1년 말 동 기계장치에 자산손상사유가 발생하여 ㈜대한은 자산손상을 인식하기로 하였다. 20×1년 12월 31일 현재 동 기계장치의 회수가능액은 ₩50,000이다. ㈜대한은 20×2년 1월 1일 동 기계장치의 잔존내용연수를 6년으로, 잔존가치를 ₩5,000으로 재추정하여 변경하였다. 20×2년 12월 31일 현재 동 기계장치의 회수가능액은 ₩30,000이다. ㈜대한이 20×2년 12월 31일 재무상태표에 동 기계장치의 손상차손누계액으로 표시할 금액은 얼마인가? (단, ㈜대한은 동 기계장치에 대해 원가모형을 선택하여 회계처리하고 있다) [공인회계사 2019년]

① ₩21,500 ② ₩25,000 ③ ₩26,500
④ ₩28,500 ⑤ ₩30,000

24 ㈜세무는 20×1년 1월 1일 기계장치(취득원가 ₩550,000, 잔존가치 ₩10,000, 내용연수 10년)를 취득하여 정액법으로 감가상각하고, 원가모형을 적용하고 있다. 20×2년 말 동 기계장치의 회수가능액이 ₩300,000으로 추정되어 손상을 인식하였다. 20×4년 말 동 기계장치의 회수가능액이 ₩340,000으로 회복되었다. 다음 설명 중 옳지 않은 것은? [세무사 2018년]

① 20×2년 말 장부금액은 ₩300,000이다.
② 20×2년에 인식하는 손상차손은 ₩142,000이다.
③ 20×3년에 인식하는 감가상각비는 ₩36,250이다.
④ 20×4년 말 감가상각누계액은 ₩180,500이다.
⑤ 20×4년에 인식하는 손상차손환입액은 ₩112,500이다.

25 ㈜국세가 20×1년 1월 1일에 취득한 영업용 차량운반구(내용연수 10년, 잔존가치 ₩0, 정액법 상각)의 20×3년 초 재무상태표상 장부금액은 ₩7,500,000(감가상각누계액 ₩2,000,000, 손상차손누계액 ₩500,000)이다. ㈜국세는 영업용 차량운반구에 원가모형을 적용하고 있으며 동 자산에 대한 손상은 20×2년 말 처음으로 발생하였다. 다음은 동 영업용 차량운반구의 순공정가치와 사용가치에 대한 자료이다.

구분	20×3년 말	20×4년 말
순공정가치	₩6,860,000	₩6,300,000
사용가치	₩6,800,000	₩6,400,000

위 거래가 ㈜국세의 20×4년도 포괄손익계산서상 당기순이익에 미치는 영향은 얼마인가? (단, 법인세 효과는 고려하지 않는다) [세무사 2011년]

① ₩640,000 감소 ② ₩690,000 감소 ③ ₩780,000 감소
④ ₩860,000 감소 ⑤ ₩920,000 감소

26 ㈜대한은 건물(유형자산)에 대해서 원가모형을 선택하여 회계처리하고 있고 관련 자료는 다음과 같다.

- ㈜대한은 20×1년 초에 본사 건물(유형자산)을 ₩600,000에 취득하였으며, 내용연수는 6년, 잔존가치는 없고, 감가상각방법은 정액법을 사용한다.
- ㈜대한은 20×1년 말 보유 중인 건물에 대해서 손상징후를 검토한 결과 손상징후가 존재하여 이를 회수가능액으로 감액하고 해당 건물에 대해서 손상차손을 인식하였다.
- 20×1년 말 건물을 처분하는 경우 처분금액은 ₩370,000, 처분부대원가는 ₩10,000이 발생할 것으로 추정되었다. 20×1년 말 건물을 계속 사용하는 경우 20×2년 말부터 내용연수 종료시점까지 매년 말 ₩80,000의 순현금유입이 있을 것으로 예상되며, 잔존가치는 없을 것으로 예상된다. 미래 순현금유입액의 현재가치측정에 사용될 할인율은 연 8%이다.
- 20×2년 초 건물의 일상적인 수선 및 유지비용(수익적 지출)과 관련하여 ₩20,000이 발생하였다.
- 20×2년 말 건물이 손상회복의 징후가 있는 것으로 판단되었고, 회수가능액은 ₩450,000으로 추정되고 있다.

할인율 / 기간	8%	
	단일금액 ₩1의 현재가치	정상연금 ₩1의 현재가치
4년	0.7350	3.3121
5년	0.6806	3.9927

㈜대한의 건물 관련 회계처리가 20×2년도 포괄손익계산서의 당기순이익에 미치는 영향은 얼마인가? (단, 단수차이로 인해 오차가 있다면 가장 근사치를 선택한다) [공인회계사 2020년]

① ₩20,000 증가 ② ₩40,000 증가 ③ ₩80,000 증가
④ ₩92,000 증가 ⑤ ₩100,000 증가

27 ㈜세무는 20×1년 1월 1일 기계장치(내용연수 4년, 잔존가치 ₩0, 정액법 상각, 원가모형 적용)를 ₩240,000에 취득하여 기계장치가 정상적으로 작동되는지 여부를 시험한 후 즉시 사용하고 있다. 시험하는 과정에서 시운전비 ₩40,000이 발생하였고, 시험하는 과정에서 생산된 시제품은 시험 종료 후 즉시 전부 판매하고 ₩20,000을 현금으로 수취하였다. ㈜세무는 20×1년 7월 1일 동 기계장치를 재배치하기 위해 운반비 ₩50,000과 설치원가 ₩50,000을 추가 지출하였다. 20×1년 말 기계장치에 대한 순공정가치와 사용가치는 각각 ₩150,000과 ₩120,000으로 손상이 발생하였으며, 20×2년 말 순공정가치와 사용가치는 각각 ₩160,000과 ₩170,000으로 회복되었다. 위 거래와 관련하여 ㈜세무의 기계장치 회계처리에 관한 설명으로 옳은 것은? (단, 감가상각은 월할 계산한다)

[세무사 2022년]

① 20×1년 손상차손은 ₩45,000이다.
② 20×1년 감가상각비는 ₩65,000이다.
③ 20×2년 감가상각비는 ₩40,000이다.
④ 20×2년 말 장부금액은 ₩140,000이다.
⑤ 20×2년 손상차손환입액은 ₩30,000이다.

28 ㈜세무는 20×1년 1월 1일 소유하고 있는 장부금액 ₩1,000,000(공정가치 ₩900,000)인 기계장치를 ㈜대한이 소유하고 있는 기계장치와 교환하면서 ㈜대한의 기계장치와의 공정가치 차이 ₩100,000을 현금으로 수취하였다. 동 자산의 교환은 상업적 실질이 있다. ㈜세무는 ㈜대한과의 교환으로 취득하여 사용하고 있는 기계장치에 대해 내용연수 4년과 잔존가치 ₩0을 적용하여 정액법으로 상각하고 재평가모형(매년 말 평가)을 적용하고 있다. 재평가모형을 적용하여 장부금액을 조정할 때 기존의 감가상각누계액을 전부 제거하는 방법을 사용하며, 재평가잉여금을 이익잉여금으로 대체하지 않는다. 20×1년 말과 20×2년 말의 공정가치는 각각 ₩570,000과 ₩420,000이다. 위 거래가 ㈜세무의 20×2년 포괄손익계산서상 당기순이익에 미치는 영향은? (단, 감가상각은 월할 계산하며 감가상각비 중 자본화한 금액은 없다) [세무사 2022년]

① ₩130,000 감소 ② ₩160,000 감소 ③ ₩190,000 감소
④ ₩220,000 감소 ⑤ ₩250,000 감소

29 ㈜대한은 제조기업이며, 20×1년 초에 제품의 생산을 위해 기계장치를 취득하였다(취득원가: ₩6,000,000, 내용연수: 10년, 잔존가치: ₩500,000, 감가상각방법: 정액법). ㈜대한은 기계장치에 대하여 재평가모형을 적용하기로 하였으며, 기계장치의 각 연도 말 공정가치는 다음과 같다.

20×1년 말	20×2년 말	20×3년 말
₩5,000,000	₩5,500,000	₩3,500,000

㈜대한은 20×3년 초에 기계장치의 잔존내용연수를 5년, 잔존가치는 ₩600,000으로 추정을 변경하였다. ㈜대한의 기계장치 관련 회계처리가 20×3년도 당기순이익에 미치는 영향은 얼마인가? 단, ㈜대한은 기계장치를 사용하는 기간 동안 재평가잉여금을 이익잉여금으로 대체하지 않으며, 손상차손은 고려하지 않는다. [공인회계사 2024년]

① ₩980,000 감소 ② ₩1,020,000 감소 ③ ₩1,300,000 감소
④ ₩1,450,000 감소 ⑤ ₩2,000,000 감소

30 ㈜한국은 설비자산을 20×1년 초에 ₩400,000에 취득하여, 재평가모형으로 기록하고 있으며, 매년 말 재평가를 수행한다. 이 설비자산의 잔존가치는 ₩0, 내용연수는 8년이며, 정액법으로 감가상각한다. 20×2년 초 설비자산의 잔존내용연수를 4년으로 변경하였다. 또한, 20×2년 말 설비자산에 대해서 손상을 인식하기로 하였다. 다음은 설비자산의 공정가치와 회수가능액에 대한 자료이다. 20×2년에 당기손익으로 인식할 손상차손은 얼마인가? (단, 설비자산을 사용하는 기간 동안에 재평가잉여금을 이익잉여금으로 대체하지 않는다) [세무사 2015년]

구분	공정가치	회수가능액
20×1년 말	₩380,000	₩385,000
20×2년 말	₩270,000	₩242,000

① ₩11,000 ② ₩13,000 ③ ₩15,000
④ ₩19,000 ⑤ ₩28,000

31 ㈜세무는 20×1년 1월 1일에 기계장치를 ₩100,000(내용연수 5년, 잔존가치 ₩0, 정액법 감가상각)에 취득하고 재평가모형(매년 말 재평가)을 적용하기로 하였다. 재평가잉여금은 자산을 사용함에 따라 이익잉여금으로 대체한다. 공정가치가 다음과 같을 때 관련 설명으로 옳지 않은 것은? (단, 공정가치의 하락은 자산손상과 무관하다) [세무사 2016년]

연도	20×1년 말	20×2년 말	20×3년 말
공정가치	₩100,000	₩63,000	₩39,000

① 20×2년도 감가상각비는 ₩25,000이다.
② 동 거래로 인한 20×2년도 이익잉여금의 당기 변동분은 ₩(-)20,000이다.
③ 20×2년 말 당기손익으로 인식할 재평가손실은 ₩0이다.
④ 20×3년 말 당기손익으로 인식할 재평가손실은 ₩3,000이다.
⑤ 동 거래로 인한 20×3년도 이익잉여금의 당기 변동분은 ₩(-)21,000이다.

32 ㈜대한은 20×1년 1월 1일 ㈜민국으로부터 토지와 건물을 ₩2,400에 일괄취득하였다. 구입 당시 토지의 공정가치는 ₩1,500이며 건물의 공정가치는 ₩1,000이다. ㈜대한은 매년 말 토지를 재평가하여 측정하며 토지의 공정가치 변동에 대한 정보는 다음과 같다.

구분	토지의 공정가치
20×1. 1. 1.	₩1,500
20×1. 12. 31.	₩1,400
20×2. 12. 31.	₩1,500
20×3. 12. 31.	₩400

토지의 재평가와 관련하여 ㈜대한이 수행해야 하는 회계처리 결과로 옳은 설명은?

[공인회계사 2017년]

① 20×1년 12월 31일 당기순이익 ₩100 감소
② 20×2년 12월 31일 당기순이익 ₩60 증가
③ 20×2년 12월 31일 재평가잉여금 ₩60 증가
④ 20×3년 12월 31일 재평가잉여금 ₩1,040 감소
⑤ 20×3년 12월 31일 당기순이익 ₩60 감소

33 ㈜세무는 20×1년 초 건물(내용연수 5년, 잔존가치 ₩100,000)을 ₩1,000,000에 취득하여 재평가모형을 적용하고, 이중체감법(상각률 40%)으로 감가상각하였다. 재평가일인 20×1년 말 건물의 공정가치가 ₩900,000이고 자산의 총장부금액에서 감가상각누계액을 제거하는 방법으로 재평가 회계처리할 때, 재평가 회계처리로 옳은 것은? [세무사 2017년]

	(차변)		(대변)	
①	감가상각누계액	400,000	건물	100,000
			재평가잉여금	300,000
②	감가상각누계액	260,000	재평가잉여금	260,000
③	감가상각누계액	360,000	건물	100,000
			재평가잉여금	260,000
④	감가상각누계액	400,000	재평가잉여금	400,000
⑤	재평가손실	100,000	건물	100,000

34 ㈜세무는 토지와 건물에 대하여 재평가모형을 적용하고 있다. ㈜세무는 20×1년 초 토지와 영업용 건물을 각각 ₩100,000과 ₩10,000에 취득하였다. ㈜세무는 건물에 대하여 정액법(내용연수 4년, 잔존가치 ₩0)으로 감가상각하고 있으며, 20×2년 초 건물에 대하여 자산인식기준을 충족하는 후속원가 ₩2,000을 지출하였다. ㈜세무는 유형자산이 제거되기 전까지는 재평가잉여금을 이익잉여금으로 대체하지 않는다. 토지와 건물의 공정가치는 다음과 같다.

구분	토지	건물
20×1년 말	₩95,000	₩7,000
20×2년 말	₩120,000	₩6,500

동 거래가 ㈜세무의 20×2년 당기순이익에 미치는 영향은 얼마인가? [세무사 2019년]

① ₩2,000 증가 ② ₩2,500 증가 ③ ₩4,500 증가
④ ₩22,000 증가 ⑤ ₩22,500 증가

35 ㈜대한은 제조업을 영위하고 있으며, 20×1년 초에 재화의 생산에 사용할 목적으로 기계장치를 ₩5,000,000에 취득하였다(내용연수: 9년, 잔존가치: ₩500,000, 감가상각방법: 정액법). ㈜대한은 매년 말 해당 기계장치에 대해서 재평가모형을 선택하여 사용하고 있다. ㈜대한의 각 연도 말 기계장치에 대한 공정가치는 다음과 같다.

구분	20×1년 말	20×2년 말
기계장치의 공정가치	₩4,750,000	₩3,900,750

㈜대한의 기계장치 관련 회계처리가 20×2년도 포괄손익계산서의 당기순이익에 미치는 영향은 얼마인가? (단, ㈜대한은 기계장치를 사용하는 기간 동안 재평가잉여금을 이익잉여금으로 대체하지 않으며, 감가상각비 중 자본화한 금액은 없다) [공인회계사 2020년]

① ₩589,250 감소 ② ₩599,250 감소 ③ ₩600,250 감소
④ ₩601,250 감소 ⑤ ₩602,250 감소

36 차량운반구에 대해 재평가모형을 적용하고 있는 ㈜대한은 20×1년 1월 1일에 영업용으로 사용할 차량운반구를 ₩2,000,000(잔존가치: ₩200,000, 내용연수: 5년, 정액법 상각)에 취득하였다. 동 차량운반구의 20×1년 말 공정가치와 회수가능액은 각각 ₩1,800,000으로 동일하였으나, 20×2년 말 공정가치는 ₩1,300,000이고 회수가능액은 ₩1,100,000으로 자산손상이 발생하였다. 동 차량운반구와 관련하여 ㈜대한이 20×2년 포괄손익계산서에 당기비용으로 인식할 총금액은 얼마인가? (단, 차량운반구의 사용기간 동안 재평가잉여금을 이익잉여금으로 대체하지 않는다) [공인회계사 2021년]

① ₩200,000 ② ₩360,000 ③ ₩400,000
④ ₩540,000 ⑤ ₩600,000

37 ㈜대한은 20×1년 1월 1일에 기계장치(내용연수 5년, 잔존가치 ₩100,000, 정액법 사용)를 ₩1,500,000에 취득하였다. 해당 기계장치에 대해 매년 말 감가상각 후 재평가를 실시하고 있으며, 재평가모형 적용 시 감가상각누계액을 모두 제거하는 방법으로 장부금액을 조정하고 있다. ㈜대한은 20×2년 1월 1일에 기계장치의 성능향상을 위해 ₩300,000을 지출하였으며, 이로 인하여 잔존가치는 ₩20,000 증가하였고 잔존내용연수는 2년 연장되었다. 동 기계장치의 매년 말 공정가치는 다음과 같다.

구분	20×1년 말	20×2년 말
공정가치	₩1,020,000	₩1,350,000

㈜대한의 기계장치에 대한 회계처리가 20×1년도와 20×2년도 당기순이익에 미치는 영향은 얼마인가? (단, 재평가잉여금을 이익잉여금으로 대체하지 않으며, 손상차손은 고려하지 않는다)

[공인회계사 2023년]

	20×1년도	20×2년도
①	₩480,000 감소	₩0(영향 없음)
②	₩480,000 감소	₩30,000 감소
③	₩480,000 감소	₩200,000 감소
④	₩280,000 감소	₩30,000 감소
⑤	₩280,000 감소	₩200,000 감소

38 ㈜세무는 20×1년 초 영업부에서 사용할 차량운반구(취득원가 ₩2,000,000, 내용연수 3년, 잔존가치 ₩200,000, 정액법 상각, 재평가모형 적용)를 취득하였으며, 자산의 총장부금액에서 감가상각누계액을 제거하는 방법으로 재평가 회계처리를 한다. 차량운반구와 관련하여 20×2년 말에 손상이 발생하였으며, 차량운반구의 20×1년과 20×2년 말 공정가치와 회수가능액은 다음과 같다. 차량운반구 관련 회계처리가 ㈜세무의 20×2년도 당기순이익에 미치는 영향은? (단, 재평가잉여금은 이익잉여금으로 대체하지 아니하며, 처분부대원가는 무시할 수 없는 수준이다)

[세무사 2023년]

구분	20×1년 말	20×2년 말
공정가치	₩1,600,000	₩500,000
회수가능액	₩1,600,000	₩300,000

① ₩400,000 감소 ② ₩600,000 감소 ③ ₩900,000 감소
④ ₩1,100,000 감소 ⑤ ₩1,300,000 감소

관련 유형 연습

01 ㈜한영은 재화의 생산을 위하여 기계장치를 취득하였으며, 관련 자료는 다음과 같다.

• 구입가격(매입할인 미반영)	₩1,000,000
• 매입할인	₩15,000
• 설치장소 준비원가	₩25,000
• 정상작동 여부 시험과정에서 발생한 원가	₩10,000
• 정상작동 여부 시험과정에서 생산된 시제품 순매각금액	₩5,000
• 신제품을 소개하는 데 소요되는 원가	₩3,000
• 신제품 영업을 위한 직원 교육훈련비	₩2,000
• 기계 구입과 직접적으로 관련되어 발생한 종업원급여	₩2,000

동 기계장치의 취득원가는?

① ₩1,015,000 ② ₩1,017,000 ③ ₩1,020,000
④ ₩1,022,000 ⑤ ₩1,027,000

02 A회사는 20×1년 초에 영업용 건물을 ₩10,000,000에 취득하면서 취득세 ₩100,000을 지출하였다. 동 건물 취득과 관련하여 3년 만기 국채를 액면가액 ₩300,000으로 의무매입하였다. 국채의 액면이자율은 5%이고, 이자는 매년 말에 후급한다. A회사는 취득한 국채를 FVOCI금융자산으로 분류하였으며 구입 당시의 시장이자율은 연 12%이며, 12%의 현가계수는 다음과 같다(단, 건물은 잔존가치 ₩0, 내용연수 5년, 정액법). 동 거래가 A회사의 20×1년 당기손익에 미친 영향은 얼마인가?

기간	단일금액 ₩1의 현가	정상연금 ₩1의 현가
3년	0.71178	2.40183

① ₩(2,030,087) ② ₩(2,020,000) ③ ₩(2,011,087)
④ ₩(2,000,141) ⑤ ₩(2,000,000)

03 ㈜국제는 당해 연도 초에 설립한 후 유형자산과 관련하여 다음과 같은 지출을 하였다.

• 건물이 있는 토지 구입대금	₩2,000,000
• 토지취득 중개수수료	₩80,000
• 토지취득세	₩160,000
• 공장건축허가비	₩10,000
• 신축공장건물 설계비	₩50,000
• 기존건물 철거비	₩150,000
• 기존건물 철거 중 수거한 폐건축자재 판매대금	₩100,000
• 토지정지비	₩30,000
• 건물 신축을 위한 토지굴착비용	₩50,000
• 건물 신축원가	₩3,000,000
• 건물 신축용 차입금의 차입원가(전액 자본화기간에 발생)	₩10,000

위 자료를 이용할 때 토지와 건물 각각의 취득원가는? (단, 건물은 당기 중 완성되었다)

	토지	건물
①	₩2,220,000	₩3,020,000
②	₩2,320,000	₩3,110,000
③	₩2,320,000	₩3,120,000
④	₩2,420,000	₩3,120,000
⑤	₩2,420,000	₩3,220,000

04 ㈜대한은 자사가 소유하고 있는 기계장치를 ㈜세종이 소유하고 있는 차량운반구와 교환하였다. 두 기업의 유형자산에 관한 정보와 세부거래내용은 다음과 같다.

• 이 교환은 상업적 실질이 있는 거래이다.
• ㈜대한의 기계장치 공정가치가 더 명백하다.
• ㈜세종은 ㈜대한에게 공정가치의 차이인 ₩5,000을 지급하였다.

구분	㈜대한 기계장치	㈜세종 차량운반구
취득원가	₩50,000	₩50,000
감가상각누계액	₩30,000	₩20,000
공정가치	₩30,000	₩25,000

이 거래와 관련한 설명 중 옳은 것은?

① ㈜대한은 이 교환거래와 관련하여 유형자산처분이익 ₩5,000을 인식해야 한다.
② ㈜대한이 새로 취득한 차량운반구의 취득원가는 ₩30,000이다.
③ ㈜세종은 이 교환거래와 관련하여 유형자산처분이익 ₩5,000을 인식해야 한다.
④ ㈜세종이 새로 취득한 기계장치의 취득원가는 ₩30,000이다.
⑤ ㈜대한과 ㈜세종 모두 유형자산처분손익을 인식하지 않는다.

05 다음은 한국채택국제회계기준 제1016호 '유형자산'과 관련된 내용들이다. 각 문항별로 기준서의 내용과 일치 여부를 가리시오.

1. 유형자산의 건설 또는 개발과 관련하여 부수적인 영업활동이 발생할 경우, 발생한 수익과 관련 비용은 당기손익으로 인식하고 각각 수익과 비용 항목으로 구분하여 표시한다.
2. 자가건설에 따른 내부이익과 자가건설과정에서 원재료, 인력 및 기타 자원의 낭비로 인한 비정상적인 원가는 자산의 원가에 포함하지 않는다.
3. 회사가 자산을 해체, 제거하거나 부지를 복구할 의무는 해당 의무의 발생시점에 비용으로 인식한다.
4. 유형자산 자체로는 직접적인 미래경제적효익을 얻을 수 없지만, 다른 자산에서 미래경제적효익을 얻기 위하여 필요한 자산은 유형자산으로 인식할 수 있다.
5. 유형자산은 자산으로부터 발생하는 미래경제적효익이 기업에 유입될 가능성이 매우 높고, 자산의 원가를 신뢰성 있게 측정할 수 있는 경우에 인식한다.
6. 유형자산의 일부를 대체할 때 발생하는 원가가 인식기준을 충족하는 경우에는 이를 해당 유형자산의 장부금액에 포함하여 인식하며, 대체되는 부분에 해당하는 원가를 분리하여 인식한 경우에 해당 부분의 장부금액에서 제거한다.
7. 예비부품과 수선용구는 대부분의 경우 재고자산으로 분류하고 사용되는 시점에 당기손익으로 인식하지만 중요한 예비부품과 대기성 장비로서, 한 회계기간 이상 사용할 것으로 예상되는 경우에는 유형자산으로 분류한다.
8. 비화폐성 자산 간의 교환거래가 상업적 실질을 결여하지 않은 경우라 하더라도 제공한 자산과 취득한 자산 모두의 공정가치를 신뢰성 있게 측정할 수 없는 경우 취득한 유형자산의 취득원가는 그 교환으로 제공한 자산의 장부금액으로 측정한다.
9. 비화폐성 자산과 교환하여 취득한 유형자산의 원가는 교환거래에 상업적 실질이 결여된 경우 제공한 자산의 공정가치로 한다.
10. 상업적 실질이 있는 교환거래로 취득한 유형자산의 원가는 제공자산의 공정가치를 신뢰성 있게 측정할 수 없는 경우 제공받은 자산의 공정가치로 측정한다.

06 ㈜한영은 20×1년 초에 해양구조물을 ₩4,000,000(내용연수 5년, 잔존가치 없음, 정액법 상각)에 취득하여 사용하고 있다. 동 해양구조물은 사용기간 종료시점에 원상복구해야 할 의무가 있으며, 종료시점의 원상복구예상금액은 ₩500,000으로 추정되었다. 원가모형을 적용할 경우 ㈜한영이 동 해양구조물의 회계처리와 관련하여 20×1년도 포괄손익계산서에 비용으로 처리할 총금액은 얼마인가? (단, 유효이자율은 연 10%이며 단일금액 ₩1의 현가계수(5년, 10%)는 0.6209이다)

① ₩800,000　② ₩831,046　③ ₩862,092
④ ₩893,135　⑤ ₩900,000

07 ㈜한국은 20×1년 3월 1일 폐기물처리장을 신축하기 위하여 토지를 ₩2,000,000에 취득하였으며, 토지의 등기비용으로 ₩30,000이 발생하였다. 20×1년 7월 1일 폐기물처리장 신축을 완료하고, 그 신축공사원가로 ₩1,000,000을 지급하였다. 폐기물처리장의 잔존가치는 없으며 내용연수는 5년으로 추정되고 원가모형을 적용하여 정액법으로 감가상각을 한다. 폐기물처리장은 내용연수 종료시점에 원상복구의무가 있으며, 내용연수 종료시점의 복구비용은 ₩200,000으로 예상된다. 이상의 거래와 관련하여 20×1년도 포괄손익계산서에 계상되는 폐기물처리장의 복구충당부채 이자비용(전입액)은 얼마인가? (단, 이자는 월할 계산하며, 복구충당부채에 적용한 할인율은 연 10%이고, 현가계수(10%, 5년)는 0.6209이다)

① ₩0　② ₩6,209　③ ₩10,000
④ ₩12,418　⑤ ₩20,000

08 ㈜포도는 20×1년 초부터 5년간 해상에서 석유를 채굴할 수 있는 권리를 취득하는 계약을 체결하였다. ㈜포도의 결산일은 매년 12월 31일이며, 관련 자료는 다음과 같으며, 원가모형을 적용한다.

> (1) 해저구조물은 20×1년 초에 ₩5,000,000에 취득하였다. (내용연수 5년, 잔존가치 ₩0, 정액법 상각) 계약 만료 시 석유채굴선을 제거하고 원상복구하는 경우 복구원가는 ₩500,000으로 추정되며, 복구원가의 현재가치는 적절한 할인율 10%를 사용하여(5기간 현가계수 0.62092) ₩310,460이다.
> (2) 20×2년 초 내용연수 종료 후에 복구원가로 지출될 금액이 ₩500,000에서 ₩700,000으로 증가될 것으로 예상되며, 현재가치계산에 사용될 할인율도 10%에서 12%로 수정되는 경우이다.

동 거래가 20×2년 ㈜포도의 당기손익에 미치는 영향은 얼마인가?

① ₩(1,141,316)　② ₩(1,062,092)　③ ₩(310,460)
④ ₩(413,818)　⑤ ₩(200,000)

09 ㈜번영산업은 20×7년 10월 1일에 기계설비(취득원가 ₩7,000,000, 내용연수 5년, 잔존가치 ₩1,000,000)를 구입하면서 산업시설 및 기계 등의 설치 및 구입으로 사용목적이 제한된 정부보조금 ₩2,400,000을 보조받았다. 20×9년 12월 31일 현재 당해 기계설비의 장부금액은 얼마인가? (단, ㈜번영산업은 당해 기계설비에 대하여 정액법을 사용하여 월할 기준으로 감가상각하며 정부보조금은 자산의 차감항목으로 회계처리한다)

① ₩1,960,000 ② ₩2,980,000 ③ ₩3,400,000
④ ₩3,640,000 ⑤ ₩4,300,000

10 도소매업을 영위하는 ㈜세무는 20×1년 1월 1일 지방자치단체로부터 자금을 전액 차입하여 기계장치를 ₩50,000에 구입하였다. 지방자치단체로부터 수령한 차입금은 20×5년 12월 31일에 상환해야 하며, 매년 말에 연 1% 이자율로 계산한 액면이자를 지급하는 조건이다. ㈜세무가 구입한 기계장치에 원가모형을 적용하고, 추정내용연수는 5년, 잔존가치는 ₩0이며 정액법으로 감가상각한다. 20×1년 1월 1일 구입 당시의 시장이자율은 10%이다. ㈜세무가 20×3년도 포괄손익계산서에 당기비용으로 인식할 금액은? (단, 현재가치 계산 시 다음에 제시된 현가계수표를 이용한다. 정부보조금은 전액 기계장치의 구입에만 사용하여야 하며, 자산의 취득원가에서 차감하는 원가(자산)차감법을 사용하여 표시한다)

[세무사 2024년]

기간	단일금액 ₩1의 현재가치 (할인율 = 10%)	정상연금 ₩1의 현재가치 (할인율 = 10%)
5	0.6209	3.7908

① ₩10,469 ② ₩10,607 ③ ₩11,194
④ ₩12,807 ⑤ ₩13,294

11 정부보조금의 회계처리에 관한 설명으로 옳지 않은 것은?

① 정부보조금에 부수되는 조건의 준수와 보조금의 수취에 대한 합리적인 확신이 있을 경우에만 정부보조금을 인식한다.

② 자산의 취득과 이와 관련된 보조금의 수취는 재무상태표에 보조금이 관련 자산에서 차감하여 표시되는지와 관계없이 현금흐름표에 별도 항목으로 표시한다.

③ 정부보조금을 인식하는 경우, 비상각자산과 관련된 정부보조금이 일정한 의무의 이행도 요구한다면 그 의무를 충족시키기 위한 원가를 부담하는 기간에 그 정부보조금을 당기손익으로 인식한다.

④ 정부보조금을 인식하는 경우, 수익 관련 보조금은 당기손익의 일부로 별도의 계정이나 기타수익과 같은 일반계정으로 표시한다. 대체적인 방법으로 관련 비용에서 보조금을 차감할 수도 있다.

⑤ 정부보조금을 인식한 후에 상환의무가 발생하면 회계정책의 변경으로 회계처리한다.

12 ㈜한국은 20×1년 1월 1일에 기계장치를 ₩400,000에 구입하면서 정부로부터 상환의무가 있는 차입금 ₩400,000을 무이자조건으로 전액 지원받았다. 기계장치의 추정내용연수는 5년이며 추정잔존가치는 없다. 정부로부터 수령한 해당 차입금의 만기는 4년이고, 자금차입일 현재 ㈜한국이 적용할 시장이자율은 연 8%이며, 구입한 기계장치는 정액법으로 감가상각한다. 기간별 8% 현재가치계수(현가)는 아래의 표를 이용한다.

기간	8% 단일금액 ₩1의 현가	8% 정상연금 ₩1의 현가
4년	0.7350	3.3121
5년	0.6806	3.9927

위의 거래와 관련하여 ㈜한국이 20×1년도에 인식할 감가상각비는 얼마인가? (단, ㈜한국은 정부보조금을 자산의 취득원가에서 차감하는 원가차감법을 사용한다. 계산금액은 소수점 첫째 자리에서 반올림하며 단수차이로 인해 약간의 오차가 있다면 가장 근사치를 선택한다)

① ₩80,000 ② ₩73,500 ③ ₩58,800
④ ₩54,448 ⑤ ₩50,000

13 ㈜용암은 20×1년 10월 1일에 기계장치를 현금으로 구입하여 즉시 제품생산에 투입하였다. 취득시점에 이 기계장치의 내용연수는 3년, 잔존가치는 ₩12,000으로 추정하였다. ㈜용암은 이 기계장치에 대해 원가모형을 적용하여 연수합계법으로 감가상각을 하고 있는데, 20×1년 말에 인식한 감가상각비는 ₩60,000이었다. 20×2년 12월 31일 기계장치의 장부금액은 얼마인가? (단, 감가상각비는 월할 계산하며, 이 기계장치에 대한 취득 이후 자산손상은 없었다)

① ₩160,000 ② ₩200,000 ③ ₩212,000
④ ₩260,000 ⑤ ₩272,000

14 20×2년 1월 1일에 기계 B를 취득하면서 ₩4,000을 먼저 지급하고, 잔금은 20×2년 12월 31일부터 매년 ₩4,000씩 3년간 분할상환하기로 하였다. 유효이자율은 연 8%이다(할인율 8%인 경우 ₩1의 3년 현가는 0.79383이며, 연금현가는 2.57710이다). 취득 시 잔존가치는 ₩308이고 정액법으로 5년간 상각하기로 하였다. 20×5년 말 감가상각 전에 기계 B의 감가상각방법과 내용연수 및 잔존가치를 재검토한 결과 감가상각방법을 연수합계법으로, 잔존가치를 ₩6,000으로 변경하였다. 20×5년 말 감가상각비는 얼마인가?

① ₩2,862 ② ₩7,154 ③ ₩3,862
④ ₩8,154 ⑤ ₩0

15 다음은 한국채택국제회계기준 제1016호 '유형자산'과 관련된 내용들이다. 각 문항별로 기준서의 내용과 일치 여부를 가리시오.

1. 유형자산에 내재된 미래경제적효익이 다른 자산을 생산하는 데 사용되는 경우 유형자산의 감가상각액은 해당 자산의 원가의 일부가 된다.
2. 정액법으로 감가상각하는 경우, 감가상각이 완전히 이루어지기 전이라도 유형자산이 가동되지 않거나 유휴상태가 되면 감가상각을 중단해야 한다.
3. 매 회계연도 말 재검토 결과 자산에 내재된 미래경제적효익의 예상되는 소비형태에 유의적인 변동이 있다면, 변동된 소비형태를 반영하기 위하여 감가상각방법을 변경한다.
4. 유형자산의 잔존가치는 해당 자산의 장부금액과 같거나 큰 금액으로 증가할 수도 있다. 이 경우에는 자산의 잔존가치가 장부금액보다 작은 금액으로 감소될 때까지 유형자산의 감가상각액이 '0'이 된다.
5. 자산에 내재된 미래경제적효익의 예상되는 소비형태에 유의적인 변동이 있어 감가상각방법을 변경할 경우, 그 변경효과를 소급적용하여 비교표시되는 재무제표에 재작성한다.
6. 내용연수가 유한한 무형자산과 유형자산의 감가상각방법은 적어도 매 회계연도 말에 재검토한다.
7. 유형자산의 경제적 효익이 소비되는 형태를 신뢰성 있게 결정할 수 없는 경우에는 정액법을 사용해야 한다.
8. 유형자산을 구성하는 일부의 원가가 당해 유형자산의 전체원가에 비교하여 유의적이라면, 해당 유형자산을 감가상각할 때 그 부분은 별도로 구분하여 감가상각하며, 유의적이지 않은 경우에는 분리하여 감가상각할 수 없다.
9. 유형자산의 사용을 포함하는 활동에서 창출되는 수익에 기초한 감가상각방법은 미래경제적효익의 예상 소비형태를 잘 반영하는 방법이므로 적절한 방법이다.
10. 토지의 내용연수가 한정되는 경우에는 관련 경제적 효익이 유입되는 형태를 반영하는 방법으로 감가상각한다.

16 ㈜세무는 20×1년 1월 1일 기계장치를 ₩1,000,000(내용연수 5년, 잔존가치 ₩0, 정액법 감가상각, 원가모형 적용)에 취득하여 제품생산에 사용하였다. 매 회계연도 말 기계장치에 대한 회수가능액은 다음과 같으며, 회수가능액 변동은 기계장치의 손상 또는 그 회복에 따른 것이다. 동 거래가 20×3년도 ㈜세무의 당기순이익에 미치는 영향은 얼마인가?

구분	20×1년 말	20×2년 말	20×3년 말
회수가능액	₩700,000	₩420,000	₩580,000

① ₩120,000 감소　② ₩20,000 감소　③ ₩20,000 증가
④ ₩120,000 증가　⑤ ₩160,000 증가

17 ㈜세무는 20×1년 1월 1일 영업부서에서 사용할 차량운반구를 취득(내용연수 5년, 잔존가치 ₩100,000, 정액법 상각)하였다. 동 차량운반구의 20×1년 말 장부금액은 ₩560,000이며, 동 차량운반구와 관련하여 20×1년도 포괄손익계산서에 인식한 비용은 감가상각비 ₩120,000과 손상차손 ₩20,000이다. ㈜세무가 20×2년도 포괄손익계산서에 동 차량운반구와 관련하여 손상차손과 감가상각비로 총 ₩130,000을 인식하였다면, 20×2년 말 동 차량운반구의 회수가능액은 얼마인가? (단, ㈜세무는 차량운반구 취득 후 차량운반구에 대해 추가적인 지출을 하지 않았으며, 차량운반구에 대해 원가모형을 적용하고 있다) [세무사 2021년]

① ₩410,000　② ₩415,000　③ ₩420,000
④ ₩425,000　⑤ ₩430,000

18 ㈜국세는 20×1년 1월 1일에 영업용 차량운반구(내용연수 5년, 잔존가치 ₩0, 정액법 상각)를 ₩200,000에 취득하여 사용하고 있으며, 재평가모형을 적용하고 있다. ㈜국세는 재평가모형 적용 시 기존의 감가상각누계액을 전부 제거하는 방법을 사용하며, 차량운반구를 사용함에 따라 재평가잉여금의 일부를 이익잉여금으로 대체하는 회계처리방법을 채택하고 있다. 20×1년 말과 20×2년 말 차량운반구의 공정가치는 각각 ₩180,000과 ₩60,000이었다. ㈜국세가 20×2년도 포괄손익계산서에 비용으로 인식할 금액은 얼마인가?

① ₩55,000 ② ₩60,000 ③ ₩75,000
④ ₩105,000 ⑤ ₩120,000

19 ㈜세무는 20×1년 1월 1일 본사사옥으로 사용할 목적으로 건물(취득원가 ₩1,000,000, 잔존가치 ₩200,000, 내용연수 5년, 정액법 상각)을 취득하였다. ㈜세무는 건물에 대해 재평가모형을 적용하고 있으며, 자산의 총장부금액에서 감가상각누계액을 제거하는 방법으로 재평가 회계처리를 한다. 동 건물의 각 연도 말 공정가치는 다음과 같다.

20×1. 12. 31.	20×2. 12. 31.
₩700,000	₩800,000

동 건물과 관련된 회계처리가 ㈜세무의 20×2년도 당기순이익에 미치는 영향은 얼마인가? (단, 재평가잉여금은 이익잉여금으로 대체하지 않는다) [세무사 2021년]

① ₩25,000 감소 ② ₩20,000 감소 ③ ₩15,000 증가
④ ₩35,000 증가 ⑤ ₩85,000 증가

20 ㈜한국은 20×1년 초 사용 중인 기계장치(장부금액 ₩4,000,000, 공정가치 ₩3,000,000)를 제공하고 영업용 차량운반구(장부금액 ₩4,500,000)를 취득하였다. ㈜한국은 동 자산의 내용연수와 잔존가치를 각각 4년과 ₩500,000으로 추정하고, 정액법으로 감가상각하며 재평가모형을 적용한다. 동 자산의 교환은 상업적 실질이 있다. 동 자산의 20×1년 말과 20×2년 말의 공정가치는 모두 ₩3,800,000으로 동일하였다. 동 자산과 관련한 20×2년도 자본의 증감액은 얼마인가? (단, ㈜한국은 동 자산의 사용기간 중에 재평가잉여금을 이익잉여금으로 대체하지 않는다)

① ₩0 ② ₩875,000 감소 ③ ₩625,000 감소
④ ₩1,100,000 증가 ⑤ ₩1,425,000 증가

21 ㈜한국은 20×5년 1월 1일에 기계장치 1대를 ₩300,000에 취득하여 생산에 사용하였다. 동 기계장치의 내용연수는 5년, 잔존가치는 ₩0이며, 정액법으로 감가상각한다. ㈜한국은 동 기계장치에 대하여 재평가모형을 적용하여 매년 말 감가상각 후 주기적으로 재평가하고 있다. 동 기계장치의 각 회계연도 말 공정가치는 다음과 같다.

구분	20×5년 말	20×6년 말	20×7년 말
공정가치	₩250,000	₩150,000	₩130,000

㈜한국이 위 거래와 관련하여 20×6년도에 인식할 재평가손실과 20×7년도에 인식할 재평가잉여금은 각각 얼마인가? (단, 손상차손은 고려하지 않으며, 재평가잉여금을 이익잉여금으로 대체하지 않는다. 또한 기존의 감가상각누계액 전부를 제거하는 방법을 적용한다)

	20×6년도 재평가손실	20×7년도 재평가잉여금
①	₩10,000	₩2,500
②	₩27,500	₩2,500
③	₩27,500	₩10,000
④	₩37,500	₩2,500
⑤	₩37,500	₩10,000

22 다음은 한국채택국제회계기준 제1016호 '유형자산'과 관련된 내용들이다. 각 문항별로 기준서의 내용과 일치 여부를 가리시오.

1. 재평가모형을 선택한 유형자산에 대해서는 자산손상에 대해 회계처리를 적용하지 않는다.
2. 유형자산은 원가모형이나 재평가모형 중 하나를 회계정책으로 선택하여 모든 유형자산에 동일하게 적용한다.
3. 특정 유형자산을 재평가할 때에는 유형자산의 분류 내에서 공정가치와 장부금액이 중요하게 차이나는 항목만 공정가치로 재측정하고, 중요하게 차이나지 않는 항목은 장부금액으로 측정한다.
4. 자산의 장부금액이 재평가로 인하여 증가된 경우에 그 증가액은 기타포괄손익으로 인식하고 재평가잉여금의 과목으로 자본에 가산하되, 이전에 당기손익으로 인식한 재평가 감소액에 해당하는 부분도 기타포괄이익으로 인식한다.
5. 유형자산 항목과 관련하여 자본에 계상된 재평가잉여금은 그 자산이 제거될 때 이익잉여금으로 대체할 수 있으며, 대체되는 금액은 당기손익으로 인식한다.
6. 재평가모형은 자산을 원가로 최초에 인식한 후 적용한다. 따라서 일부 과정이 종료될 때까지 인식기준을 충족하지 않아서 무형자산의 원가의 일부만 자산으로 인식한 경우에는 재평가모형을 적용할 수 없다.

실력 점검 퀴즈

01 ㈜포도는 20×1년 4월 1일에 사용 중인 기계장치와 ㈜한국이 보유하고 있는 자동차를 교환하였다. 교환일 현재 두 회사가 소유 중인 자산의 장부금액과 공정가치가 다음과 같고 자동차의 공정가치가 기계장치의 공정가치보다 더 명백하다.

구분	㈜포도의 기계장치	㈜한국의 자동차
취득원가	₩100,000	₩80,000
감가상각누계액	₩55,000	₩25,000
공정가치	₩50,000	₩60,000

㈜포도가 교환일에 추가적으로 현금 ₩10,000을 지급하였을 경우 20×1년도에 인식할 유형자산처분손익은? (단, 교환거래는 상업적 실질이 있다)

① 처분이익 ₩5,000 ② 처분이익 ₩10,000 ③ ₩0
④ 처분손실 ₩5,000 ⑤ 처분손실 ₩10,000

02 ㈜포도는 20×1년 7월 1일 기계장치(내용연수 5년, 잔존가치 ₩200,000)를 ₩2,000,000에 취득하여 연수합계법으로 상각하였다. ㈜포도는 20×3년 1월 1일 감가상각방법을 정액법으로 변경하였으며, 잔존가치는 ₩0, 잔여내용연수는 4년으로 추정하였다. 이러한 변경은 모두 정당한 회계변경이다. 20×4년 1월 1일 ㈜포도가 기계장치를 ₩1,000,000에 처분할 경우 인식할 손익은?

① 처분이익 ₩100,000 ② 처분이익 ₩130,000 ③ 처분이익 ₩200,000
④ 처분손실 ₩120,000 ⑤ 처분손실 ₩160,000

03 ㈜포도는 20×1년 6월 초에 기존 건물이 있는 토지를 ₩7,500에 일괄 취득하였다. 취득 당시 건물과 토지의 공정가치는 각각 ₩3,000과 ₩6,000이었다. 기존 건물은 취득 후 즉시 철거하면서 건물 철거 비용 ₩300이 발생하였으며, 건물철거 폐자재는 ₩100에 처분하였다. ㈜포도가 인식할 토지의 취득원가는?

① ₩5,000 ② ₩5,200 ③ ₩6,200
④ ₩7,700 ⑤ ₩7,800

04 ㈜포도는 20×1년 초 사용하던 기계장치 A(취득원가 ₩9,000, 감가상각누계액 ₩3,500)와 현금 ₩1,500을 제공하고 ㈜한국의 기계장치 B와 교환하였다. 교환 당시 기계장치 B의 공정가치는 ₩8,000이지만, 기계장치 A의 공정가치를 신뢰성 있게 측정할 수 없었다. 동 교환거래가 상업적 실질이 있는 경우(가)와 상업적 실질이 결여된 경우(나) 각각에 대해 ㈜포도가 측정할 기계장치 B의 인식시점원가는?

	(가)	(나)
①	₩7,000	₩5,500
②	₩7,000	₩8,000
③	₩8,000	₩7,000
④	₩8,000	₩9,500
⑤	₩9,500	₩7,000

05 유형자산의 감가상각에 관한 설명으로 옳지 않은 것은?

① 건물이 위치한 토지의 가치가 증가할 경우 건물의 감가상각대상금액이 증가한다.
② 유형자산을 수선하고 유지하는 활동을 하더라도 감가상각의 필요성이 부인되는 것은 아니다.
③ 유형자산의 사용 정도에 따라 감가상각을 하는 경우에는 생산활동이 이루어지지 않을 때 감가상각액을 인식하지 않을 수 있다.
④ 유형자산의 잔존가치는 해당 자산의 장부금액과 같거나 큰 금액으로 증가할 수도 있다.
⑤ 유형자산의 공정가치가 장부금액을 초과하더라도 잔존가치가 장부금액을 초과하지 않는 한 감가상각액을 계속 인식한다.

06 유형자산의 취득원가에 포함되는 것을 모두 고른 것은?

ㄱ. 영업활동의 전부 또는 일부를 재배치하는 과정에서 발생하는 원가
ㄴ. 유형자산의 매입 또는 건설과 직접 관련되어 발생한 종업원 급여
ㄷ. 관세 및 환급불가능한 취득 관련 세금
ㄹ. 새로운 상품이나 용역을 소개하는 데 소요되는 원가
ㅁ. 설치장소를 준비하는 원가

① ㄱ, ㄴ, ㄷ ② ㄱ, ㄴ, ㄹ ③ ㄴ, ㄷ, ㄹ
④ ㄴ, ㄷ, ㅁ ⑤ ㄷ, ㄹ, ㅁ

07 ㈜하늘은 20×1년 초 기계장치(취득원가 ₩1,000,000, 내용연수 5년, 잔존가치 ₩0, 정액법 상각)를 취득하여 원가모형을 적용하고 있다. 20×2년 초 ㈜하늘은 동 기계장치에 대해 자산인식기준을 충족하는 후속원가 ₩325,000을 지출하였다. 이로 인해 내용연수가 2년 연장(20×2년 초 기준 잔존내용연수 6년)되고 잔존가치는 ₩75,000 증가할 것으로 추정하였으며, 감가상각방법은 이중체감법(상각률은 정액법 상각률의 2배)으로 변경하였다. ㈜하늘은 동 기계장치를 20×3년 초 현금을 받고 처분하였으며, 처분이익은 ₩10,000이다. 기계장치 처분 시 수취한 현금은?

① ₩610,000 ② ₩628,750 ③ ₩676,667
④ ₩760,000 ⑤ ₩785,000

08 ㈜한국은 20×1년 초에 비품을 ₩3,200,000에 구입하였으며, 동 비품의 감가상각 관련 자료는 다음과 같다.

- 내용연수: 4년
- 잔존가치: ₩200,000
- 감가상각방법: 정액법

해당 비품을 2년간 사용한 후 20×3년 초에 다음과 같이 회계변경하였다.

- 잔존내용연수: 3년
- 잔존가치: ₩50,000
- 감가상각방법: 연수합계법

회계변경이 ㈜한국의 재무제표에 미치는 영향으로 옳은 것은?

① 20×3년도 재무제표에서 전기이월이익잉여금은 ₩300,000이 감소한다.
② 20×4년도 감가상각비는 ₩850,000이다.
③ 20×3년도 감가상각비는 ₩550,000이다.
④ 20×3년도 감가상각비는 ₩825,000이다.
⑤ 20×3년도 말 비품의 장부금액은 ₩885,000이다.

09 ㈜대한과 ㈜민국은 사용하고 있는 기계장치를 서로 교환하였으며 이 교환은 상업적 실질이 있다. 교환시점에서 기계장치와 관련된 자료는 다음과 같다.

구분	㈜대한	㈜민국
취득가액	₩700,000	₩600,000
장부가액	₩550,000	₩350,000

기계장치의 교환시점에서 ㈜대한의 공정가치가 ㈜민국의 공정가치보다 더 명백하다. 이 교환거래로 ㈜대한은 ₩100,000의 손실을, ㈜민국은 ₩50,000의 손실을 인식하였다. 동 교환거래는 공정가치 차이만큼 현금을 수수하는 조건이다. ㈜대한이 ㈜민국으로부터 현금을 수령하였다고 가정할 경우, ㈜대한이 수령한 현금액은? (단, 교환거래로 발생한 손익은 제시된 손익 이외에는 없다)

① ₩100,000 ② ₩150,000 ③ ₩400,000
④ ₩450,000 ⑤ ₩460,000

10 감가상각과 관련된 다음 설명 중 한국채택국제회계기준의 규정과 일치하는 것은?

① 유형자산의 감가상각대상금액은 내용연수에 걸쳐 정액법으로 상각하는 것을 원칙으로 하되, 정액법을 적용할 수 없는 상황에서는 다른 상각방법을 적용하여 상각할 수 있다.

② 유형자산의 잔존가치와 내용연수는 적어도 매 회계연도 말에 재검토하며, 재검토 결과 추정치가 종전의 추정치와 다르다면 그 차이는 회계정책의 변경으로 회계처리한다.

③ 유형자산이 가동되지 않거나 운휴상태가 되면, 관련 수익이 발생하지 아니하므로 감가상각을 중단한다.

④ 유형자산의 소비 형태를 반영하기 위하여 매 회계연도 말에 감가상각방법을 변경할 수 있으며, 이를 회계추정치의 변경으로 회계처리한다.

⑤ 건물이 위치한 토지의 가치가 증가하면 건물의 감가상각대상금액에도 영향을 미친다.

11 ㈜포도는 20×1년 초 내용연수 종료시점에 복구조건이 있는 구축물을 취득(취득원가 ₩1,000,000, 잔존가치 ₩0, 내용연수 5년, 정액법 상각)하였다. 내용연수 종료시점의 복구비용은 ₩200,000으로 추정되었으나, 실제 복구비용은 ₩230,000이 지출되었다. 복구비용에 적용되는 할인율은 연 8%(5기간 단일금액 ₩1의 미래가치 1.4693, 현재가치 0.6806)이며, 이 할인율은 변동되지 않는다. 동 구축물의 복구비용은 충당부채 인식요건을 충족하고 원가모형을 적용하였을 경우, 다음 중 옳은 것은?

① 20×1년 초 복구충당부채는 ₩156,538이다.

② 20×1년 초 취득원가는 ₩863,880이다.

③ 20×1년 감가상각비는 ₩227,224이다.

④ 20×1년 복구충당부채에 대한 차입원가(이자비용)는 ₩23,509이다.

⑤ 내용연수 종료시점에서 복구공사손익은 발생되지 않는다.

12 ㈜포도는 20×1년 초 기계장치를 취득(취득원가 ₩3,600, 잔존가치 ₩0, 내용연수 5년, 정액법 상각)하고 원가모형을 적용하였다. 20×1년 말 동 기계장치에 손상징후를 검토한 결과, 사용가치와 순공정가치가 각각 ₩1,500, ₩1,600으로 추정되어 손상차손을 인식하였으며, 20×2년 말 회수가능액이 ₩2,200으로 회복되었다. 동 자산에 대한 회계처리 중 옳지 않은 것은?

① 20×1년도 감가상각비는 ₩720이다.
② 20×1년 말 회수가능액은 ₩1,600이다.
③ 20×1년도 손상차손은 ₩1,280이다.
④ 20×2년도 감가상각비는 ₩400이다.
⑤ 20×2년도 손상차손환입액은 ₩1,000이다.

13 ㈜하늘은 20×1년 초 기계장치(취득원가 ₩1,600,000, 내용연수 4년, 잔존가치 ₩0, 정액법 상각)를 취득하였다. ㈜하늘은 기계장치에 대해 원가모형을 적용한다. 20×1년 말 동 기계장치에 손상징후가 존재하여 회수가능액을 결정하기 위해 다음과 같은 정보를 수집하였다.

• 20×1년 말 현재 기계장치를 처분할 경우, 처분금액은 ₩760,000이며 처분 관련 부대원가는 ₩70,000이 발생할 것으로 추정된다.
• ㈜하늘이 동 기계장치를 계속하여 사용할 경우, 20×2년 말부터 내용연수 종료시점까지 매년 말 ₩300,000의 순현금유입과, 내용연수 종료시점에 ₩20,000의 기계 철거 관련 지출이 발생할 것으로 예상된다.
• 현재가치 측정에 사용할 할인율은 연 12%이다.

기간	단일금액 ₩1의 현재가치 (할인율 = 12%)	정상연금 ₩1의 현재가치 (할인율 = 12%)
3	0.7118	2.4018

㈜하늘이 20×1년 유형자산(기계장치) 손상차손으로 인식할 금액은? (단, 계산금액은 소수점 첫째 자리에서 반올림하며, 단수차이로 인한 오차가 있으면 가장 근사치를 선택한다)

① ₩465,194 ② ₩470,000 ③ ₩479,460
④ ₩493,696 ⑤ ₩510,000

14 ㈜하늘은 20×1년 초 환경설비(취득원가 ₩5,000,000, 내용연수 5년, 잔존가치 ₩0, 정액법 상각)를 취득하였다. 동 환경설비는 관계법령에 의하여 내용연수가 종료되면 원상복구해야 하며, 이러한 복구의무는 충당부채의 인식요건을 충족한다. ㈜하늘은 취득시점에 내용연수 종료 후 복구원가로 지출될 금액을 ₩200,000으로 추정하였으며, 현재가치 계산에 사용될 적절한 할인율은 연 10%로 내용연수 종료시점까지 변동이 없을 것으로 예상하였다. 하지만 ㈜하늘은 20×2년 초 환경설비의 내용연수 종료 후 복구원가로 지출될 금액이 ₩200,000에서 ₩300,000으로 증가할 것으로 예상하였으며, 현재가치 계산에 사용될 할인율도 연 10%에서 연 12%로 수정하였다. ㈜하늘이 환경설비와 관련된 비용을 자본화하지 않는다고 할 때, 동 환경설비와 관련하여 20×2년도 포괄손익계산서에 인식할 비용은? (단, ㈜하늘은 모든 유형자산에 대하여 원가모형을 적용하고 있으며, 계산금액은 소수점 첫째 자리에서 반올림하고, 단수차이로 인한 오차가 있으면 가장 근사치를 선택한다)

기간	단일금액 ₩1의 현재가치 (할인율 = 10%)	단일금액 ₩1의 현재가치 (할인율 = 12%)
4	0.6830	0.6355
5	0.6209	0.5674

① ₩1,024,837 ② ₩1,037,254 ③ ₩1,038,350
④ ₩1,047,716 ⑤ ₩1,061,227

15 ㈜하늘은 20×1년 1월 1일 영업활동에 사용할 목적으로 다음과 같은 건물을 취득하였다. 다음 자료를 이용하여 ㈜하늘이 20×2년 인식해야 할 재평가손실(당기손실)은?

- 취득원가: ₩1,000,000
- 내용연수: 5년
- 잔존가치: ₩0
- 감가상각방법: 정액법
- 재평가모형 적용: 매년 말 감가상각 후 재평가
- 장부금액 수정방법: 기존의 감가상각누계액 전액 제거
- 재평가잉여금의 처리: 당해 자산 제거 시 일괄적으로 이익잉여금으로 대체
- 손상차손은 고려하지 않음
- 공정가치: 20×1년 말 ₩900,000, 20×2년 말 ₩500,000

① ₩75,000 ② ₩100,000 ③ ₩175,000
④ ₩200,000 ⑤ ₩275,000

16 12월 말 결산법인인 A사는 20×1년 1월 1일 건물을 ₩100,000에 취득(경제적 내용연수 10년, 잔존가치 ₩0, 정액법 적용)하고 재평가모형을 적용하고 있다. A사는 각 회계연도 말 공정가치와 회수가능액을 다음과 같이 추정하였다. 회수가능액이 공정가치에 미달하는 경우에는 손상징후가 발생하였다고 가정한다.

구분	20×1년 말	20×2년 말
공정가치	₩126,000	₩80,000
회수가능액	130,000	48,000

A사는 재평가잉여금을 이익잉여금으로 대체하지 않는 정책을 채택하는 경우, 20×2년의 당기손익에 미친 영향과 기타포괄손익에 미친 영향을 구하시오.

	20×2년의 당기손익에 미친 영향	20×2년의 기타포괄손익에 미친 영향
①	₩22,000	₩35,000
②	21,000	33,000
③	(46,000)	(32,000)
④	(42,000)	(36,000)
⑤	25,000	30,000

17 12월 말 결산법인인 ㈜한국은 20×0년 1월 1일 현금 ₩1,100,000을 지급하고 건물(경제적 내용연수 10년, 잔존가치 ₩100,000)을 취득하였으며 정액법으로 감가상각한다. 20×2년 중 손상징후를 보였으며 20×2년 말 현재 건물의 회수가능액은 ₩590,000이다. 이후 20×5년 말 건물의 회수가능액은 ₩520,000인 것으로 나타났다. 건물에 대하여 원가모형을 적용한다고 할 경우 다음 설명 중 옳지 않은 것은?

① 20×3년도 감가상각비는 ₩70,000이다.
② 20×4년 말 감가상각누계액은 ₩440,000이다.
③ 20×5년 말 유형자산손상차손환입액은 ₩90,000이다.
④ 20×5년 말 현재 손상차손누계액은 ₩90,000이다.
⑤ 20×6년 감가상각비 금액은 20×2년도 감가상각비 금액과 동일하다.

2차 문제 Preview

01 ㈜대한의 유형자산과 관련된 다음의 자료를 이용하여 각 물음에 답하시오.

(1) ㈜대한은 20×1년 1월 1일 주유소사업을 시작하면서 동 일자로 다음의 자산을 취득하였다.

자산항목	취득금액	내용연수	잔존가치
주유기계	₩50,000,000	5년	₩10,000,000
저유설비	15,000,000	3년	3,000,000
배달트럭	12,000,000	4년	2,000,000

(2) 주유기계는 인공지능이 탑재된 설비로 정부산하 인공지능사업단으로부터 ₩20,000,000을 지원받아 취득하였다. 보조금에 대한 상환의무는 없고, 보조금은 자산의 장부금액 계산 시 차감하는 방법으로 회계처리한다.

(3) ㈜대한은 저유설비의 허가를 받으면서 저유설비의 내용연수 종료 시에 저유설비와 관련된 환경복구공사를 이행해야 하는 법적의무를 부여받았다. 복구의무는 충당부채의 인식요건을 충족하며, 종료시점에 소요되는 복구원가는 저유설비 취득원가의 50%로 추정된다. 복구원가를 현재가치로 계상하기 위해 적용할 할인율은 연 10%이다(3기간, 이자율 10%, 단일금액 ₩1의 현재가치는 ₩0.7513148이다).

(4) 배달트럭의 주요 부품인 타이어는 2년마다 교체해야 할 것으로 추정하고 있다. 타이어 가격은 ₩5,000,000(잔존가치는 없으며, 취득 시에는 배달트럭 원가에 포함되어 있음)이며, 배달트럭을 구성하는 타이어의 원가가 배달트럭 전체 원가에 비교하여 유의적이라고 가정한다.

(5) ㈜대한의 모든 자산은 정액법으로 감가상각을 하고 있으며, 원가모형을 적용하고 있다.

(6) 계산과정에서 발생하는 소수점은 소수점 아래 첫째 자리에서 반올림한다(예 1,029.6은 1,030으로 계산).

물음 1 ㈜대한이 20×1년도 포괄손익계산서에 계상해야 할 감가상각비를 감가상각 대상 자산 항목별로 구분하여 기재하시오.

물음 2 20×3년 7월 1일에 주유기계를 ₩25,000,000에 처분하였을 경우 주유기계처분손익을 계산하시오. 단, 처분손실이 발생할 경우 금액 앞에 (-)를 표시하시오.

물음 3 저유설비와 관련하여 20×3년 말 실제 복구원가는 ₩7,000,000이었다. 20×3년도 ㈜대한의 저유설비와 관련한 회계처리가 20×3년도 포괄손익계산서상 당기순이익에 미치는 영향을 계산하시오. 단, 당기순이익이 감소하는 경우 금액 앞에 (-)를 표시하시오.

02 매년 12월 31일이 결산일인 A사는 20×1년 초 취득원가 ₩1,000,000의 기계장치를 취득하여 즉시 사용하기 시작하였다. 동 기계장치의 내용연수는 5년이며, 잔존가치 없이 정액법으로 감가상각하고 원가모형을 사용한다. A사는 20×3년 초에 동 기계장치에 대하여 수선비 ₩40,000을 지출하였다. 동 지출로 인하여 잔존내용연수가 1년 더 연장되었고 잔존가치에는 변화가 없었다. 한편 동 기계장치는 기업환경의 변화에 따라 효용의 변동이 심한 자산으로, 20×2년 말과 20×3년 말 현재 손상차손 인식 여부 검토를 위한 자료는 아래와 같다.

구분	20×2년 말	20×3년 말
회수가능액	₩320,000	₩500,000

물음 1 동 거래로 인해 A사의 20×2년 당기손익에 미친 영향을 구하시오.

물음 2 A사가 20×3년 초에 수선비 지출 시 수행할 회계처리를 보이시오.

물음 3 동 거래로 인해 A사의 20×3년 당기손익에 미친 영향을 구하시오.

03 다음은 ㈜세무와 ㈜대한이 각각 보유한 영업용 차량과 관련된 자료이다.

(1) 20×1년 1월 1일 ㈜세무와 ㈜대한은 원가모형을 적용하고 있는 다음과 같은 영업용 차량을 서로 교환하면서 ㈜세무는 ㈜대한으로부터 현금 ₩20,000을 수취하였다.

구분	㈜세무	㈜대한
취득원가	₩400,000	₩600,000
감가상각누계액	150,000	400,000
공정가치	240,000	220,000

(2) 교환거래는 상업적 실질이 있으며, 취득한 자산과 제공한 자산 모두 공정가치를 신뢰성 있게 측정할 수 있다. ㈜세무가 소유한 영업용 차량의 공정가치보다 ㈜대한이 소유한 영업용 차량의 공정가치가 더 명백하다.

(3) ㈜세무는 ㈜대한으로부터 취득한 영업용 차량에 대해 잔존내용연수는 5년, 잔존가치는 ₩20,000으로 추정하였으며 정액법으로 감가상각한다. 동 영업용 차량에 대해 원가모형을 적용하며, 20×2년 말과 20×3년 말 회수가능액은 각각 ₩110,000과 ₩95,000이다. ㈜세무는 20×2년 말에 영업용 차량에 대해 손상차손이 그리고 20×3년 말에 손상차손환입이 발생하였다고 판단하였다.

(4) ㈜대한은 ㈜세무로부터 취득한 영업용 차량에 대해 잔존내용연수는 4년, 잔존가치는 ₩0으로 추정하였으며, 연수합계법으로 감가상각한다. 동 영업용 차량에 대해 재평가모형을 적용하며, 매년 말 공정가치로 재평가를 실시하고, 자산의 총장부금액에서 감가상각누계액을 제거하는 방법을 사용한다. 동 영업용 차량의 20×1년 말과 20×2년 말의 공정가치는 각각 ₩160,000과 ₩50,000이다. ㈜대한은 동 영업용 차량을 사용하는 기간 동안 손상차손이 발생하지 않은 것으로 판단하였으며, 재평가잉여금을 이익잉여금으로 대체하지 않는다.

물음 1 ㈜세무가 영업용 차량과 관련하여 ① 20×2년 말 인식해야 할 손상차손 ② 20×3년 말 인식해야 할 손상차손환입을 계산하시오.

20×2년 말 인식해야 할 손상차손	①
20×3년 말 인식해야 할 손상차손환입	②

물음 2 ㈜대한의 영업용 차량에 대한 회계처리가 ① 20×1년도 기타포괄이익에 미치는 영향 ② 20×2년도 당기순이익에 미치는 영향을 계산하시오(단, 기타포괄이익과 당기순이익에 미치는 영향이 감소하는 경우 금액 앞에 '(-)'를 표시하시오).

20×1년도 기타포괄이익에 미치는 영향	①
20×2년도 당기순이익에 미치는 영향	②

04 ㈜세무는 20×1년 1월 1일 기계장치를 취득하고(취득원가 ₩1,200,000, 내용연수 5년, 잔존가치 ₩0, 정액법 감가상각), 매년 말 재평가모형을 적용한다. 동 기계장치의 기말 장부금액은 기존의 감가상각누계액을 전액 제거하는 방법으로 조정하며, 재평가잉여금이 발생할 경우 자산을 사용하는 기간 중에 이익잉여금으로 대체하지 않는다. 또한, 동 기계장치에 대하여 손상징후를 검토하고 손상징후가 발견되면 이를 반영하는데, 처분부대원가는 무시할 수 없을 정도로 판단한다. 재평가와 자산손상을 적용하기 위한 연도별 자료는 다음과 같다.

구분	20×1년 말	20×2년 말	20×3년 말
공정가치	₩1,050,000	₩730,000	₩490,000
사용가치	1,090,000	680,000	470,000
순공정가치	1,020,000	690,000	480,000

물음 1 ㈜세무가 20×1년 말에 계상할 ① 손상차손과 ② 기타포괄손익을 계산하시오(단, 손상차손 혹은 기타포괄손익이 없으면 0으로 표시하고, 기타포괄손실이 발생하면 금액 앞에 '(-)'를 표시하시오).

손상차손	①
기타포괄손익	②

물음 2 ㈜세무가 20×2년 말에 계상할 ① 손상차손을 계산하시오.

손상차손	①

물음 3 ㈜세무가 20×3년 말에 보고할 ① 기타포괄손익을 계산하시오(단, 기타포괄손실이 발생하면 금액 앞에 '(-)'를 표시하시오).

기타포괄손익	①

해커스 IFRS 정윤돈 객관식 재무회계

1차 시험 출제현황

구분	CPA										CTA									
	15	16	17	18	19	20	21	22	23	24	15	16	17	18	19	20	21	22	23	24
차입원가 자본화 계산형	1	1	1	1	1	1	1	1	1	1	1			1	1		1	1		1
차입원가 자본화 서술형												1								1

제5장

차입원가 자본화

기초 유형 확인

[01 ~ 07]

12월 31일이 결산일인 ㈜합격은 보유하고 있던 토지에 건물을 신축하기 위하여 20×1년 1월 1일 건설회사와 도급계약을 체결하였다. 관련 자료는 다음과 같다.

(1) ㈜합격은 20×1년 4월 1일부터 4월 30일까지 건물설계와 건물 신축 관련 인가 업무를 완료하였고, 20×1년 5월 1일부터 본격적인 건물 신축공사를 시작하였다.

(2) ㈜합격의 건물 신축과 관련하여 다음과 같이 지출이 발생하였다.

20×1. 4. 1.	₩800,000	20×1. 7. 1.	₩3,000,000	20×2. 6. 30.	₩1,200,000

* 20×1년 4월 1일 정부로부터 동 건물 신축과 관련하여 ₩400,000을 보조받았다.

(3) 동 건물은 20×2년 6월 30일에 완공되었다.

(4) ㈜합격의 20×1년 중 차입금 현황은 다음과 같다.

차입금	차입일	차입금액	상환일	연 이자율
A	20×1. 4. 1.	₩1,200,000	20×2. 3. 31.	12%
B	20×1. 7. 1.	₩3,000,000	20×2. 12. 31.	9%
C	20×0. 1. 1.	₩1,000,000	20×3. 12. 31.	12%

* 이들 차입금 중 차입금 A는 건물 신축을 위하여 개별적으로 차입되었으며, 이 중 ₩400,000은 20×1년 4월 1일부터 20×1년 6월 30일까지 연 10%의 이자지급조건의 정기예금에 예치하였다. 차입금 B, C는 일반적으로 차입된 것이다.

01 20×1년 연평균지출액은 얼마인가?

① ₩1,800,000　② ₩2,000,000　③ ₩2,200,000
④ ₩3,000,000　⑤ ₩3,100,000

02 20×1년 자본화가능차입원가는 얼마인가?

① ₩123,000　② ₩200,000　③ ₩220,000
④ ₩245,000　⑤ ₩300,000

03 적격자산 평균지출액은 회계기간 동안 건설중인자산의 매월 말 장부금액 가중평균으로 계산한다고 할 때, 20×2년 연평균지출액은 얼마인가?

① ₩1,800,000　② ₩2,000,000　③ ₩2,200,000
④ ₩3,000,000　⑤ ₩3,100,000

04 적격자산 평균지출액은 회계기간 동안 건설중인자산의 매월 말 장부금액 가중평균으로 계산한다고 할 때, 20×2년 자본화가능차입원가는 얼마인가?

① ₩100,000 ② ₩165,200 ③ ₩135,000
④ ₩172,250 ⑤ ₩182,250

05 위 물음과 독립적으로 일반차입금 B, C의 이자율을 알지 못한다고 가정할 때, 20×1년 건설과 관련하여 총차입원가 ₩218,000을 자본화하였다면 일반차입금에 대한 자본화이자율은 얼마인가?

① 10% ② 12% ③ 14%
④ 16% ⑤ 18%

06 20×2년도 포괄손익계산서에 보고할 이자비용은 얼마인가?

① ₩223,750 ② ₩233,750 ③ ₩243,750
④ ₩253,750 ⑤ ₩263,750

07 위와는 독립적으로 ㈜합격은 20×1년 초 건물을 위하여 $100를 차입(환율 ₩1,000/$, 연 5% 이자지급)하고 건설을 시작하였다. 유사한 조건의 원화차입금 이자율은 연 12%이다. 20×1년도의 평균환율은 ₩1,050/$, 기말환율이 ₩1,050/$이라고 할 때, 동 외화차입금과 관련하여 자본화할 금융비용은 얼마인가?

① ₩10,250 ② ₩20,250 ③ ₩30,250
④ ₩40,250 ⑤ ₩50,250

기출 유형 정리

01 차입원가 회계처리에 관한 설명으로 옳지 않은 것은? [세무사 2016년]

① 일반적인 목적으로 차입한 자금을 적격자산 취득에 사용하였다면 관련 차입원가를 자본화하되, 동 차입금과 관련하여 자본화기간 내에 발생한 일시적 투자수익을 자본화가능차입원가에서 차감한다.
② 일반적인 목적으로 차입한 자금의 자본화가능차입원가를 결정할 때, 적용되는 자본화이자율은 회계기간 동안 차입한 자금(적격자산을 취득하기 위해 특정 목적으로 차입한 자금 제외)으로부터 발생된 차입원가를 가중평균하여 산정한다.
③ 적격자산과 관련하여 수취하는 정부보조금과 건설 등의 진행에 따라 수취하는 금액은 적격자산에 대한 지출액에서 차감한다.
④ 적격자산에 대한 적극적인 개발활동을 중단한 기간에는 차입원가의 자본화를 중단한다.
⑤ 적격자산을 의도된 용도로 사용하거나 판매가능한 상태에 이르게 하는 데 필요한 대부분의 활동이 완료된 시점에 차입원가의 자본화를 종료한다.

02 ㈜세무는 20×1년 7월 1일에 영업지점 건물 신축을 시작하여 20×2년 12월 31일에 공사를 완료하였다. 동 건물은 차입원가를 자본화하는 적격자산이며, 20×1년도 영업지점 건물 신축 관련 공사비지출 내역은 다음과 같다. 20×1년 10월 1일 지출액 중 ₩240,000은 당일에 정부로부터 수령한 보조금으로 지출되었다.

구분	20×1. 7. 1.	20×1. 10. 1.	20×1. 12. 1.
공사대금지출액	₩300,000	₩960,000	₩1,200,000

㈜세무의 차입금 내역은 다음과 같으며, 모든 차입금은 매년 말 이자지급조건이다. 특정차입금 중 ₩200,000은 20×1년 7월 1일부터 20×1년 9월 30일까지 3개월간 연 10%의 수익률을 제공하는 금융상품에 투자하여 일시적 운용수익을 획득하였다.

차입금	차입일	차입금액	상환일	이자율
특정차입금	20×1. 7. 1.	₩500,000	20×2. 6. 30.	8%
일반차입금 A	20×1. 1. 1.	₩500,000	20×2. 12. 31.	8%
일반차입금 B	20×1. 7. 1.	₩1,000,000	20×3. 6. 30.	6%

신축 중인 영업지점 건물과 관련하여 20×1년도에 자본화할 차입원가는 얼마인가? (단, 연평균지출액과 이자비용은 월할 계산하며, 정부보조금은 해당 자산의 장부금액에서 차감하는 방법으로 처리한다) [세무사 2021년]

① ₩15,000 ② ₩31,100 ③ ₩49,300
④ ₩62,300 ⑤ ₩85,000

03 ㈜국세는 20×1년 1월 1일에 생산공장을 신축하기 위하여 공사를 시작하였다. 동 생산공장은 20×3년 12월 31일에 준공될 예정이다. 생산공장 신축과 관련하여 ㈜국세는 20×1년 1월 1일과 7월 1일에 각각 ₩60,000,000과 ₩100,000,000을 지출하였다. 20×1년 7월 1일에 지출한 금액 중 ₩30,000,000은 동 일자로 상환의무 없이 생산공장 신축과 관련하여 정부로부터 보조받은 금액이다. ㈜국세는 20×1년 1월 1일에 대둔은행으로부터 생산공장 신축을 위하여 ₩20,000,000을 차입하여 즉시 전액 지출하였다. 동 차입금의 이자율은 10%(단리, 매년 말 지급)이며, 상환일은 20×4년 1월 31일이다. 한편, 일반목적차입금 내역은 다음과 같다.

차입처	차입일	차입금액	상환일	이자율	이자지급조건
해남은행	20×1. 7. 1.	₩40,000,000	20×4. 4. 30.	10%	단리/매년 말 지급
제부은행	20×1. 1. 1.	₩20,000,000	20×3. 12. 31.	8%	단리/매년 말 지급

동 생산공장 신축과 관련하여 ㈜국세가 20×1년 말 재무상태표상 건설중인자산으로 자본화하여야 할 차입원가는 얼마인가? (단, 위 문제와 관련한 이자는 월할 계산한다) [세무사 2011년]

① ₩5,600,000 ② ₩7,250,000 ③ ₩8,750,000
④ ₩11,900,000 ⑤ ₩14,100,000

04 ㈜세무는 20×1년 7월 1일 공장건물 신축을 시작하여 20×2년 12월 31일에 공사를 완료하였다. 동 공장건물은 차입원가를 자본화하는 적격자산이다. 공장건물 신축을 위해 20×1년 7월 1일에 ₩12,000,000, 그리고 20×2년에 ₩10,000,000을 각각 지출하였다. ㈜세무는 20×1년 7월 1일 공장건물 신축을 위한 특정차입금 ₩2,000,000(이자율 5%, 2년 후 일시상환)을 차입하였다. ㈜세무는 특정차입금 중 ₩1,000,000을 연 2% 이자지급조건의 정기예금에 20×1년 8월 1일부터 20×1년 10월 31일까지 예치하였다. ㈜세무가 20×1년에 공장건물 신축과 관련하여 자본화한 차입원가는 ₩150,000일 때, 20×1년 일반차입금에 대한 자본화이자율은? (단, 특정차입금으로 사용하지 않은 지출액은 일반차입금으로 지출되었으며, 20×1년도에 일반차입금에서 발생한 실제 차입원가는 ₩520,000이다. 연평균지출액과 이자비용은 월할 계산한다) [세무사 2022년]

① 2% ② 3% ③ 4%
④ 5% ⑤ 6%

05 ㈜한국은 20×1년 1월 1일 사옥건설을 시작하였으며, 20×2년 9월 30일에 완공하였다. 다음은 사옥건설과 관련된 세부내역이다.

[지출액]

- 20×1년 1월 1일: ₩200,000
- 20×2년 1월 1일: ₩300,000

[차입금 내역]

차입금	차입일	차입금액	상환일	이자율
A	20×1. 1. 1.	₩100,000	20×2. 6. 30.	연 5%
B	20×1. 1. 1.	₩200,000	20×2. 12. 31.	연 10%

차입금 A는 사옥건설 목적을 위하여 개별적으로 차입(특정차입금)하였으며 차입금 B는 일반목적차입금이다. 20×2년 사옥의 취득원가로 인식할 금액은 얼마인가? (단, 이자는 월할 계산하며, 전기 이전에 자본화한 차입원가는 연평균지출액 계산 시 포함하지 아니한다) [세무사 2015년]

① ₩500,000 ② ₩522,500 ③ ₩537,500
④ ₩545,000 ⑤ ₩550,000

06 ㈜한국은 20×1년 4월 1일부터 공장건물 신축공사를 시작하여 20×2년 중에 준공할 예정이다. 동 공장건물은 차입원가를 자본화하는 적격자산이며, 관련 자료는 다음과 같다.

지출일	20×1. 4. 1.	20×1. 10. 1.
공사대금지출액	₩400,000	₩1,000,000

차입금	차입일	차입금액	상환일	연 이자율
특정차입금	20×1. 4. 1.	₩500,000	20×2. 12. 31.	6%
일반차입금	20×1. 1. 1.	₩2,000,000	20×2. 12. 31.	10%

20×1년 10월 1일의 지출액에는 공장건물 건설과 관련하여 동 일자에 수령한 정부보조금 ₩200,000이 포함되어 있다. 모든 차입금은 매년 말 이자지급조건이다. 특정차입금 중 ₩100,000은 20×1년 4월 1일부터 9월 30일까지 연 이자율 4%의 정기예금에 예치하였다. 20×1년도에 자본화할 차입원가는 얼마인가? (단, 연평균지출액과 이자비용은 월할로 계산한다) [공인회계사 2017년]

① ₩37,475 ② ₩38,000 ③ ₩55,500
④ ₩59,300 ⑤ ₩60,500

07 ㈜대한은 공장건물을 신축하기로 하고 20×1년 1월 1일에 ㈜민국건설과 도급계약을 체결하였다. 동 건설공사는 20×2년 9월 30일에 완공하였다. 공장건물은 차입원가를 자본화하는 적격자산이며, 공사대금지출과 관련된 자료는 다음과 같다.

지출일	20×1년 4월 1일	20×1년 5월 1일
지출액	₩200,000	₩1,200,000

20×1년 4월 1일의 지출액은 물리적인 건설공사를 착공하기 전에 각종 인 · 허가를 얻는 과정에서 지출되었다. 모든 차입금은 매년 말 이자지급조건이며, 특정차입금과 일반차입금에서 발생한 일시투자수익은 없다. ㈜대한의 차입금 내역은 다음과 같다.

차입금	차입금액	차입일	상환일	연 이자율
특정차입금	₩600,000	20×1. 4. 1.	20×2. 6. 30.	6%
일반차입금	₩2,000,000	20×1. 1. 1.	20×2. 12. 31.	10%
일반차입금	₩1,000,000	20×1. 7. 1.	20×2. 12. 31.	8%

㈜민국건설은 20×1년 7월 1일부터 7월 31일까지 건설공사를 일시적으로 중단하였는데, 이 중단기간에도 상당한 기술 및 관리활동이 진행되고 있었던 것으로 확인되었다. ㈜대한이 20×1년도에 자본화할 차입원가는 얼마인가? (단, 연평균지출액과 이자비용은 월할로 계산한다) [공인회계사 2018년]

① ₩54,600 ② ₩62,400 ③ ₩65,600
④ ₩71,500 ⑤ ₩75,000

08 ㈜대한은 20×1년 3월 1일부터 공장건물 신축공사를 실시하여 20×2년 10월 31일에 해당 공사를 완료하였다. 동 공장건물은 차입원가를 자본화하는 적격자산이다. ㈜대한의 신축공사와 관련된 자료는 다음과 같다.

구분	20×1. 3. 1.	20×1. 10. 1.	20×2. 1. 1.	20×2. 10. 1.
공사대금지출액	₩200,000	₩400,000	₩300,000	₩120,000

종류	차입금액	차입기간	연 이자율
특정차입금 A	₩240,000	20×1. 3. 1. ~ 20×2. 10. 31.	4%
일반차입금 B	₩240,000	20×1. 3. 1. ~ 20×2. 6. 30.	4%
일반차입금 C	₩60,000	20×1. 6. 1. ~ 20×2. 12. 31.	10%

㈜대한이 20×2년에 자본화할 차입원가는 얼마인가? (단, 전기 이전에 자본화한 차입원가는 연평균지출액 계산 시 포함하지 아니하며, 연평균지출액, 이자비용은 월할 계산한다) [공인회계사 2020년]

① ₩16,800 ② ₩17,000 ③ ₩18,800
④ ₩20,000 ⑤ ₩20,800

09 ㈜대한은 20×1년 7월 1일에 차입원가 자본화 적격자산에 해당하는 본사사옥 신축공사를 시작하였으며, 본 공사는 20×2년 9월 말에 완료될 것으로 예상된다. 동 공사와 관련하여 20×1년에 지출한 공사비는 다음과 같다.

일자	20×1. 7. 1.	20×1. 10. 1.	20×1. 12. 1.
지출액	₩500,000	₩600,000	₩1,200,000

㈜대한의 차입금 내역은 아래와 같다.

구분	차입금액	차입일	상환일	연 이자율
특정차입금	₩800,000	20×1. 7. 1.	20×3. 6. 30.	5%
일반차입금	₩1,000,000	20×1. 1. 1.	20×3. 12. 31.	?

모든 차입금은 매년 말 이자지급조건이며, 특정차입금 중 50%는 20×1년 9월 말까지 3개월간 연 3% 수익률을 제공하는 투자처에 일시적으로 투자하였다. ㈜대한이 동 공사와 관련하여 20×1년 말에 건설중인자산(유형자산)으로 ₩2,333,000을 보고하였다면, 일반차입금의 연 이자율은 몇 퍼센트(%)인가? (단, 연평균지출액, 이자수익 및 이자비용은 월할로 계산한다) [공인회계사 2021년]

① 1.6% ② 3% ③ 5%
④ 8% ⑤ 10.5%

10 ㈜대한은 20×1년 7월 1일에 공장건물을 신축하기 시작하여 20×2년 10월 31일에 해당 공사를 완료하였다. ㈜대한의 동 공장건물은 차입원가를 자본화하는 적격자산이다.

• 공장건물 신축 관련 공사비지출 내역은 다음과 같다.

구분	20×1. 7. 1.	20×1. 10. 1.	20×2. 4. 1.
공사비지출액	₩1,500,000	₩3,000,000	₩1,000,000

• ㈜대한은 20×1년 7월 1일에 ₩200,000의 정부보조금을 수령하여 즉시 동 공장건물을 건설하는 데 모두 사용하였다.
• 특정차입금 ₩2,500,000 중 ₩300,000은 20×1년 7월 1일부터 9월 30일까지 연 4% 수익률을 제공하는 투자처에 일시적으로 투자하였다.
• ㈜대한의 차입금 내역은 다음과 같으며, 모든 차입금은 매년 말 이자지급조건이다.

차입금	차입일	차입금액	상환일	연 이자율
특정	20×1. 7. 1.	₩2,500,000	20×2. 8. 31.	5%
일반	20×1. 1. 1.	2,000,000	20×3. 12. 31.	4%
일반	20×1. 7. 1.	4,000,000	20×2. 12. 31.	8%

㈜대한이 동 공사와 관련하여 20×1년에 자본화할 차입원가는 얼마인가? (단, 연평균지출액, 이자수익 및 이자비용은 월할로 계산한다) [공인회계사 2022년]

① ₩73,000 ② ₩83,000 ③ ₩92,500
④ ₩148,500 ⑤ ₩152,500

11 ㈜세무는 20×1년 4월 1일부터 공장건물 신축공사를 실시하여 20×2년 10월 31일에 해당 공사를 완료하였다. 동 공장건물은 차입원가를 자본화하는 적격자산이다. ㈜세무의 신축공사와 관련된 자료는 다음과 같다.

구분	20×1. 4. 1.	20×1. 11. 1.	20×2. 2. 1.	20×2. 7. 1.
공사대금지출액	₩100,000	₩30,000	₩20,000	₩20,000

종류	차입금액	차입기간	이자율
특정차입금 A	₩90,000	20×1. 4. 1. ~ 20×2. 10. 31.	3%
일반차입금 B	60,000	20×1. 5. 1. ~ 20×2. 8. 31.	5%
일반차입금 C	30,000	20×1. 9. 1. ~ 20×2. 4. 30.	10%

㈜세무는 특정차입금 중 ₩30,000을 연 2% 이자지급조건의 정기예금에 20×1년 5월 1일부터 20×1년 7월 31일까지 예치하였다. ㈜세무가 20×1년도와 20×2년도에 자본화할 차입원가는? (단, 연평균지출액과 이자비용은 월할 계산하며, 자본화한 차입원가는 연평균지출액 계산 시 포함하지 아니한다)

[세무사 2024년]

	20×1년	20×2년
①	₩3,075	₩5,250
②	₩3,075	₩5,550
③	₩4,875	₩4,875
④	₩4,875	₩5,250
⑤	₩4,875	₩5,550

관련 유형 연습

01 ㈜한국은 20×1년 초에 공장건물 신축을 시작하여 20×2년 7월 1일에 공사를 완료하였다. 동 공장건물은 차입원가를 자본화하는 적격자산이며, 신축 관련 공사비지출액의 내역은 다음과 같다.

구분	20×1. 3. 1.	20×1. 9. 1.	20×2. 4. 1.
공사대금지출액	₩3,000,000	₩6,000,000	₩7,000,000

공장건물 신축을 목적으로 직접 차입한 자금은 없으며, 20×1년도와 20×2년도의 회계기간 동안 일반목적차입금 이자비용과 일반목적차입금 가중평균 관련 자료는 다음과 같다.

구분	20×1년	20×2년
이자비용	₩480,000	₩700,000
연평균차입금	₩6,000,000	₩7,000,000

㈜한국은 신축 관련 공사비지출액을 건설중인자산으로 인식한다. 적격자산 평균지출액은 회계기간 동안 건설중인자산의 매월 말 장부금액 가중평균으로 계산한다고 할 때, 20×2년 ㈜한국이 인식해야 할 자본화 차입원가는 얼마인가?

① ₩360,000 ② ₩450,000 ③ ₩625,000
④ ₩643,000 ⑤ ₩700,000

02 ㈜한국은 20×5년 5월 1일부터 공장건물 신축공사를 시작하여 20×6년 9월 30일에 완공하였다. 관련 자료는 다음과 같다.

구분	20×5. 5. 1.	20×5. 11. 1.	20×6. 1. 1.	20×6. 7. 1.
공사대금지출액	₩800,000	₩400,000	₩500,000	₩400,000

차입금 종류	차입금액	차입기간	연 이자율
특정차입금 A	₩700,000	20×5. 5. 1. ~ 20×6. 12. 31.	6%
일반차입금 B	₩300,000	20×5. 5. 1. ~ 20×6. 8. 31.	9%
일반차입금 C	₩400,000	20×5. 10. 1. ~ 20×6. 3. 31.	12%

특정차입금 A ₩700,000 중 ₩100,000을 20×5년에 5개월간 연 3% 투자수익률로 일시투자하였다. 20×5년도와 20×6년도의 일반차입금 자본화이자율은 연 10%로 동일하다. 20×5년도에 자본화할 차입원가는 얼마인가? (단, 연평균지출액과 이자비용 등은 월할 계산하며, 단수차이로 인해 오차가 있는 경우 가장 근사치를 선택한다)

① ₩44,250 ② ₩46,500 ③ ₩45,500
④ ₩56,750 ⑤ ₩61,750

03 ㈜대한은 20×1년 3월 1일부터 공장건물 신축공사를 실시하여 20×2년 9월 30일에 해당 공사를 완료하였다. 동 공장건물은 차입원가를 자본화하는 적격자산이다. ㈜대한의 신축공사와 관련된 자료는 다음과 같다.

구분	20×1. 3. 1.	20×1. 10. 1.	20×2. 1. 1.	20×2. 9. 1.
공사대금지출액	₩300,000	₩400,000	₩300,000	₩120,000

종류	차입금액	차입기간	연 이자율
특정차입금 A	₩240,000	20×1. 3. 1. ~ 20×2. 9. 30.	6%(단리)
일반차입금 B	₩240,000	20×1. 3. 1. ~ 20×2. 6. 30.	6%(단리)
일반차입금 C	₩60,000	20×1. 6. 1. ~ 20×2. 12. 31.	9%(단리)

20×1년 3월 1일의 지출액에는 공장건물 건설과 관련하여 동 일자에 수령한 정부보조금(상환의무 없음) ₩200,000이 포함되어 있다. 특정차입금 A 중 ₩100,000은 20×1년 4월 1일부터 20×1년 9월 30일까지 연 이자율 3%(단리)의 정기예금에 예치하였다. ㈜대한이 20×2년도에 자본화할 차입원가는 얼마인가? (단, 전기 이전에 자본화한 차입원가는 연평균지출액 계산 시 포함하지 아니하며, 연평균지출액, 이자수익 및 이자비용은 월할로 계산한다. 그리고 모든 차입금과 정기예금은 매월 말 이자지급(수취)조건이다)

[공인회계사 2023년]

① ₩16,450
② ₩21,900
③ ₩23,400
④ ₩42,700
⑤ ₩53,200

04 ㈜대한은 20×1년 7월 1일에 태양광 전력생산설비 건설공사를 시작하여 20×2년 9월 30일에 해당 공사를 완료하였다. 전력생산설비는 차입원가 자본화 적격자산에 해당하며, ㈜대한의 건설공사와 관련된 자료는 다음과 같다.

• 공사비 지출 내역

구분	20×1. 7. 1.	20×1. 10. 1.	20×2. 4. 1.	20×2. 9. 1.
공사비 지출액	₩1,000,000	₩2,000,000	₩1,500,000	₩2,400,000

• ㈜대한은 20×1년 7월 1일에 ₩500,000의 정부보조금(상환의무 없음)을 수령하여 즉시 동 전력생산설비를 건설하는 데 모두 사용하였다.

• ㈜대한의 차입금 내역은 다음과 같으며, 모든 차입금은 매월 말과 상환일에 월할로 이자지급을 하는 조건이다.

차입금	차입일	차입금액	상환일	연 이자율
특정	20×1. 7. 1.	₩1,500,000	20×2. 6. 30.	5%(단리)
일반 A	20×1. 10. 1.	₩2,000,000	20×2. 9. 30.	4%(단리)
일반 B	20×2. 4. 1.	₩2,000,000	20×4. 3. 31.	8%(단리)

㈜대한이 20×2년에 자본화할 차입원가는 얼마인가? 단, 자본화한 차입원가는 연평균지출액 계산 시 포함하지 않으며, 연평균지출액, 이자수익 및 이자비용은 모두 월할계산한다. [공인회계사 2024년]

① ₩20,000 ② ₩37,500 ③ ₩124,500
④ ₩162,000 ⑤ ₩180,000

05 다음은 한국채택국제회계기준 제1023호 '자본화 차입원가'와 관련된 내용들이다. 각 문항별로 기준서의 내용과 일치 여부를 가리시오.

1. 제조설비자산, 투자부동산 및 금융자산은 적격자산이 될 수 있다. 그러나 무형자산과 단기간 내에 제조되거나 다른 방법으로 생산되는 재고자산은 적격자산에 해당하지 않는다.
2. 상당한 기술 및 관리활동을 진행하고 있거나 자산을 의도된 용도로 사용하거나 판매가능한 상태에 이르기 위한 과정에 있는 기간에는 차입원가의 자본화를 중단하지 아니한다.
3. 자본화이자율은 회계기간 동안 차입한 자금으로부터 발생한 차입원가를 가중평균하여 산정한다. 회계기간 동안 자본화한 차입원가는 당해 기간 동안 실제 발생한 차입원가를 초과할 수 없다.
4. 건물의 취득이 완료될 때까지 토지와 관련된 차입원가를 자본화한다. 다만, 토지의 취득 이전에 발생한 자본화가능차입원가는 토지의 취득원가로 계상하지만 토지취득 이후에 발생한 자본화가능차입원가는 건물의 취득원가에 계상한다.
5. 적격자산의 취득, 건설 또는 생산과 직접 관련된 차입원가는 당해 자산 원가의 일부로 자본화할 수 있다.
6. 특정 외화차입금의 경우 외환차이는 한도 없이 전액을 자본화한다.
7. 적격자산을 의도된 용도로 사용하거나 판매가능한 상태에 이르게 하는 데 필요한 활동은 당해 자산의 물리적인 제작을 포함하지만 그 이전 단계에서 이루어진 기술 및 관리상의 활동은 제외한다.
8. 일반적인 목적으로 자금을 차입하고 이를 적격자산의 취득을 위해 사용하는 경우 회계기간 동안 자본화한 차입원가는 자본화기간 동안 실제 발생한 차입원가를 초과할 수 없다.

실력 점검 퀴즈

01 다음 중 차입원가 회계처리에 대한 설명으로 옳지 않은 것은?

① 적격자산에 대한 적극적인 개발활동을 중단한 기간에는 차입원가의 자본화를 중단한다.

② 적격자산을 의도된 용도로 사용(또는 판매) 가능하게 하는 데 필요한 대부분의 활동이 완료된 시점에 차입원가의 자본화를 종료한다.

③ 적격자산의 장부금액 또는 예상최종원가가 회수가능액 또는 순실현가능가치를 초과하는 경우 다른 한국채택국제회계기준서의 규정에 따라 자산손상을 기록한다.

④ 일반적인 목적으로 차입한 자금의 경우 회계기간 동안 그 차입금으로부터 실제 발생한 차입원가에서 당해 차입금의 일시적 운용에서 생긴 투자수익을 차감한 금액을 자본화가능차입원가로 결정한다.

⑤ 적격자산을 의도된 용도로 사용(또는 판매) 가능하게 하는 데 필요한 활동은 당해 자산의 물리적인 제작뿐만 아니라 그 이전 단계에서 이루어진 기술 및 관리상의 활동도 포함한다.

02 차입원가의 회계처리와 관련하여 적격자산에 관한 설명으로 옳지 않은 것은?

① 적격자산의 취득, 건설 또는 생산과 직접 관련된 차입원가는 당해 적격자산과 관련된 지출이 발생하지 아니하였다면 부담하지 않았을 차입원가이다.

② 금융자산과 단기간 내에 제조되거나 다른 방법으로 생산되는 재고자산은 적격자산에 해당하지 아니한다.

③ 적격자산을 의도된 용도로 사용(또는 판매) 가능하게 하는 데 필요한 활동은 당해 자산의 물리적인 제작뿐만 아니라 그 이전 단계에서 이루어진 기술 및 관리상의 활동도 포함한다.

④ 적격자산에 대한 적극적인 개발활동을 중단한 기간에는 차입원가의 자본화를 중단한다.

⑤ 적격자산을 취득하기 위한 목적으로 특정하여 차입한 자금에 한하여, 회계기간 동안 그 차입금으로부터 실제 발생한 차입원가에서 당해 차입금의 일시적 운용에서 생긴 투자수익을 가산한 금액을 자본화가능차입원가로 결정한다.

[03 ~ 04]

㈜대한건설은 본사 사옥 건설을 위하여 다음과 같이 지출하였다.

- 20×1년: 4월 1일 ₩800,000, 10월 1일 ₩2,000,000
- 20×2년: 1월 1일 ₩1,300,000

㈜대한건설의 지출액 중 20×1년 10월 1일의 지출액 ₩2,000,000에는 본사 사옥 건설과 관련하여 수령한 정부보조금 ₩400,000이 포함되어 있다. 본사 사옥은 20×2년 9월 30일에 준공되었다. ㈜대한건설의 20×1년도 차입금은 다음과 같으며, 20×2년도에 신규로 조달한 차입금은 없다.

<차입금 현황>

차입금	차입일	차입금액	상환일	이자율	이자지급조건
A	20×1. 4. 1.	₩500,000	20×2. 12. 31.	6%	단리/매년 말
B	20×1. 7. 1.	₩2,000,000	20×2. 12. 31.	8%	단리/매년 말
C	20×1. 1. 1.	₩1,000,000	20×2. 6. 30.	12%	단리/매년 말

이들 차입금 중 차입금 A는 본사 사옥 건설목적을 위하여 개별적으로 차입되었으며, 이 중 ₩100,000은 20×1년 4월 1일부터 6월 30일까지 연 4%(단리) 이자지급조건의 정기예금에 예치하였다. 차입금 B, C는 일반목적으로 차입하였다. 한편, 차입금 B 중 ₩400,000은 20×1년 7월 1일부터 9월 30일까지 연 6%(단리) 이자지급조건의 정기예금에 예치하였다(단, 적격자산의 연평균지출액은 회계기간 동안 건설중인자산의 매월 말 장부금액을 가중평균하여 계산한다).

03 20×1년 말 동 건설중인자산의 장부금액(정부보조금 차감하여 계산)을 구하시오.

① ₩2,486,500 ② ₩2,440,000 ③ ₩2,436,500
④ ₩2,286,500 ⑤ ₩2,266,000

04 20×2년의 자본화할 차입원가를 구하시오.

① ₩216,205 ② ₩236,205 ③ ₩246,205
④ ₩256,223 ⑤ ₩265,205

2차 문제 Preview

01 ㈜대한의 공장건물 신축과 관련한 다음의 <자료>를 이용하여 물음에 답하시오.

〈자료〉

(1) 20×1년 4월 1일 ㈜대한은 ㈜민국과 도급계약을 체결하였으며, 동 건설공사는 20×3년 3월 31일에 완공되었다. ㈜대한의 공장건물은 차입원가 자본화 적격자산에 해당한다.

(2) 동 공사와 관련된 공사비 지출내역은 다음과 같다.

일자	공사비 지출액
20×1년 8월 1일	₩120,000
20×1년 9월 1일	1,500,000
20×2년 4월 1일	3,000,000
20×2년 12월 1일	1,500,000

(3) 상기 공사비 지출 내역 중 20×1년 8월 1일 ₩120,000은 물리적인 건설공사 착공 전 각종 인허가를 얻기 위한 활동에서 발생한 것이다.

(4) ㈜대한의 차입금 내역은 다음과 같으며, 모든 차입금은 매년 말 이자지급조건이다.

일자	차입금액	차입일	상환일	연 이자율
특정차입금 A	₩900,000	20×1. 8. 1.	20×2. 8. 31.	6%
특정차입금 B	1,800,000	20×2. 11. 1.	20×3. 3. 31.	7%
일반차입금 C	1,000,000	20×1. 1. 1.	20×3. 9. 30.	8%
일반차입금 D	500,000	20×1. 7. 1.	20×4. 6. 30.	10%

(5) ㈜대한은 20×2년 12월 1일에 ₩300,000의 정부보조금을 수령하여 즉시 동 공장건물을 건설하는 데 모두 사용하였다.

(6) ㈜대한은 전기 이전에 자본화한 차입원가는 연평균지출액 계산 시 포함하지 아니하며, 연평균지출액과 이자비용은 월할 계산한다.

(7) 자본화이자율은 소수점 아래 둘째 자리에서 반올림한다(예 5.67%는 5.7%로 계산).

물음 1 ㈜대한이 20×1년 ~ 20×3년에 자본화할 차입원가를 계산하시오.

구분	20×1년	20×2년	20×3년
특정차입금 자본화 차입원가	①	③	⑤
일반차입금 자본화 차입원가	②	④	⑥

물음 2 ㈜대한이 동 공사와 관련하여 20×2년도 적격자산에 대한 연평균지출액 중 자기자본으로 지출한 금액을 구하시오.

물음 3 ㈜대한은 ㈜민국과 상기 도급계약의 일부 조항 해석에 대한 이견이 발생하여, 20×3년 1월 한 달 동안 적격자산에 대한 적극적인 개발활동을 중단하였다. 이 기간 동안 상당한 기술 및 관리활동은 진행되지 않았으며, 이러한 일시적 지연이 필수적인 경우도 아니어서 ㈜대한은 동 기간 동안 차입원가의 자본화를 중단하였다. 이때, ㈜대한이 20×3년 자본화할 차입원가를 계산하시오(단, 동 건설공사는 예정대로 20×3년 3월 31일에 완공되었다).

구분	20×3년
특정차입금 자본화 차입원가	①
일반차입금 자본화 차입원가	②

해커스 IFRS 정윤돈 객관식 재무회계 **제5장** 차입원가 자본화

해커스 IFRS 정윤돈 객관식 재무회계

1차 시험 출제현황

구분	CPA										CTA									
	15	16	17	18	19	20	21	22	23	24	15	16	17	18	19	20	21	22	23	24
투자부동산	1		1	1	1	1			1	2	1	1			1		1	1	1	
무형자산 취득 및 후속측정	0.5		1								1									
내부적으로 창출한 무형자산	0.5							1				1								
무형자산 서술형		1		1	1		1		1	1					1			1		1
매각예정비유동자산		1	1				1													1

제6장

기타의 자산

기초 유형 확인

[01 ~ 05]

12월 말 결산법인인 ㈜하늘은 20×1년 1월 1일 건물을 ₩10,000에 취득하였다. 건물의 경제적 내용연수는 10년, 잔존가치는 없으며 감가상각방법은 정액법이다. 각 보고기간 말 현재 건물의 공정가치는 다음과 같다.

20×1년 말	20×2년 말	20×3년 말	20×4년 말
₩9,180	₩7,200	₩6,300	₩6,000

단, 동 건물을 자가사용부동산으로 분류하여 재평가모형을 적용하는 경우에는 사용 중에 재평가잉여금을 이익잉여금으로 대체하지 않고, 회계처리는 감가상각누계액을 우선적으로 상계하는 방법을 사용한다. 다음에 제시되는 문제는 각각 독립된 상황이다.

01 ㈜하늘이 동 건물을 아래의 3가지 경우로 분류한 경우, 20×2년도의 당기순이익이 큰 순서대로 나열한 것은? (단, 동 거래를 고려하지 않을 때 20×2년의 당기순이익이 ₩10,000이다)

> A: 유형자산으로 분류하고 원가모형 적용
> B: 유형자산으로 분류하고 재평가모형 적용
> C: 투자부동산으로 분류하고 공정가치모형 적용

① B > C > A ② C > B > A ③ A > C > B
④ A > B > C ⑤ B > A > C

02 ㈜하늘은 동 건물을 임대목적으로 취득하여 공정가치모형을 적용하였으나 20×2년 7월 초 건물의 사용목적을 자가사용목적으로 변경하였다. 20×2년 7월 초 동 건물의 공정가치는 ₩10,500이다. 또한 20×2년 7월 초 현재 건물의 잔여내용연수를 10년으로 추정하였으며 잔존가치는 없이 정액법으로 감가상각하기로 하였다. ㈜하늘이 동 건물에 대해서 원가모형을 적용하는 경우 동 거래가 20×2년 ㈜하늘의 당기손익에 미친 영향은 얼마인가?

① ₩0 ② ₩795 ③ ₩1,320
④ ₩(-)1,980 ⑤ ₩(-)2,775

03 ㈜하늘은 동 건물을 임대목적으로 취득하여 공정가치모형을 적용하였으나 20×2년 7월 초 건물의 사용목적을 자가사용목적으로 변경하였다. 20×2년 7월 초 동 건물의 공정가치는 ₩10,500이다. 또한 20×2년 7월 초 현재 건물의 잔여내용연수를 10년으로 추정하였으며 잔존가치는 없이 정액법으로 감가상각하기로 하였다. ㈜하늘이 동 건물에 대해서 재평가모형을 적용하는 경우 동 거래가 20×2년 ㈜하늘의 당기손익에 미친 영향은 얼마인가?

① ₩0 ② ₩795 ③ ₩1,320
④ ₩(−)1,980 ⑤ ₩(−)2,775

04 위 문제와 독립적으로 ㈜하늘은 20×1년 7월 1일에 자가사용목적으로 건물을 ₩200,000에 취득하였으며 내용연수 20년, 잔존가치 없이 정액법으로 상각하였다가 20×2년 7월 초 투자부동산(공정가치모형 적용)으로 대체하였을 경우에 각 시점별 공정가치가 아래와 같다.

20×1. 12. 31.	20×2. 7. 1.	20×2. 12. 31.
₩220,000	₩210,000	₩202,000

동 거래에 ㈜하늘이 원가모형을 적용하는 경우 20×2년의 당기손익에 미친 영향은 얼마인가? (단, 소수점 이하의 숫자는 반올림한다)

① ₩0 ② ₩(−)13,641 ③ ₩(−)13,000
④ ₩(−)1,980 ⑤ ₩(−)2,775

05 위 문제와 독립적으로 ㈜하늘은 20×1년 7월 1일에 자가사용목적으로 건물을 ₩200,000에 취득하였으며 내용연수 20년, 잔존가치 없이 정액법으로 상각하였다가 20×2년 7월 초 투자부동산(공정가치모형 적용)으로 대체하였을 경우에 각 시점별 공정가치가 아래와 같다.

20×1. 12. 31.	20×2. 7. 1.	20×2. 12. 31.
₩220,000	₩210,000	₩202,000

동 거래에 ㈜하늘이 재평가모형을 적용하는 경우 20×2년의 당기손익에 미친 영향은 얼마인가? (단, 소수점 이하의 숫자는 반올림한다)

① ₩0 ② ₩(−)13,641 ③ ₩(−)13,000
④ ₩(−)1,980 ⑤ ₩(−)2,775

06 다음은 ㈜대한의 무형자산과 관련된 자료이다.

(1) ㈜대한은 탄소배출량을 혁신적으로 감소시킬 수 있는 신기술에 대해서 연구 및 개발활동을 수행하고 있다. ㈜대한의 20×1년과 20×2년의 연구 및 개발활동에서 발생한 지출 내역을 요약하면 다음과 같다.

구분	20×1년	20×2년
연구활동	₩900,000	₩300,000
개발활동	-	₩3,500,000

(2) ㈜대한의 개발활동과 관련된 지출은 모두 무형자산의 인식요건을 충족한다.

(3) ㈜대한의 탄소배출량 감소와 관련된 신기술은 20×2년 중에 개발이 완료되었으며, 20×2년 10월 1일부터 사용가능하게 되었다.

(4) ㈜대한은 신기술 관련 무형자산에 대해서 원가모형을 적용하며 추정내용연수 4년, 잔존가치 ₩0, 연수합계법으로 상각한다.

(5) 20×3년 말 상기 신기술의 사업성이 매우 낮은 것으로 판명되었고, 신기술의 회수가능금액은 ₩1,000,000으로 평가되었다.

㈜대한이 동 거래로 인식할 20×3년 비용의 합계를 구하시오.

① ₩2,700,000 ② ₩2,260,000 ③ ₩2,150,000
④ ₩1,312,500 ⑤ ₩837,700

기출 유형 정리

01 투자부동산에 대한 설명으로 옳은 것은? [세무사 2015년 수정]

① 종업원이 사용하고 있는 부동산은 종업원이 시장가격으로 임차료를 지급하였다면 투자부동산으로 분류한다.

② 투자부동산을 공정가치로 측정해온 경우라면 비교할 만한 시장의 거래가 줄어들거나 시장가격 정보를 쉽게 얻을 수 없게 된다면, 원가모형을 적용하여 측정한다.

③ 투자부동산을 재개발하여 미래에도 투자부동산으로 사용하고자 하는 경우에도 재개발기간 동안 자가사용부동산으로 대체한다.

④ 건설 중인 투자부동산의 공정가치가 신뢰성 있게 측정될 수 있다는 가정은 오직 최초 인식시점 이후에만 반박될 수 있다.

⑤ 일부 투자부동산에 대하여는 공정가치모형을 적용하고, 일부 투자부동산에 대하여는 원가모형을 적용할 수 없다.

02 제조업을 영위하는 ㈜세무는 20×1년 4월 1일 시세차익을 위하여 건물을 ₩2,000,000에 취득하였다. 그러나 ㈜세무는 20×2년 4월 1일 동 건물을 자가사용으로 용도를 전환하고 동 일자에 영업지점으로 사용하기 시작하였다. 20×2년 4월 1일 현재 동 건물의 잔존내용연수는 5년, 잔존가치는 ₩200,000이며, 정액법으로 감가상각(월할 상각)한다. 동 건물의 일자별 공정가치는 다음과 같다.

20×1. 12. 31.	20×2. 4. 1.	20×2. 12. 31.
₩2,400,000	₩2,600,000	₩2,200,000

동 건물 관련 회계처리가 ㈜세무의 20×2년도 당기순이익에 미치는 영향은 얼마인가? (단, ㈜세무는 투자부동산에 대해서는 공정가치모형을 적용하고 있으며, 유형자산에 대해서는 원가모형을 적용하고 있다) [세무사 2021년]

① ₩70,000 감소 ② ₩160,000 감소 ③ ₩200,000 감소
④ ₩40,000 증가 ⑤ ₩240,000 증가

03 투자부동산의 회계처리에 대하여 옳지 않은 설명은? [공인회계사 2017년 수정]

① 부동산 중 일부는 시세차익을 얻기 위하여 보유하고 일부분은 재화의 생산에 사용하기 위하여 보유하고 있으나, 이를 부분별로 나누어 매각할 수 없다면 재화의 생산에 사용하기 위하여 보유하는 부분이 중요하다고 하더라도 전체 부동산을 자가사용부동산으로 분류한다.

② 공정가치로 평가하게 될 자가건설 투자부동산의 건설이나 개발이 완료되면 해당 일의 공정가치와 기존 장부금액의 차액은 당기손익으로 인식한다.

③ 운용리스로 제공하기 위하여 직접 소유하고 있는 미사용 건물은 투자부동산에 해당된다.

④ 지배기업이 보유하고 있는 건물을 종속기업에게 리스하여 종속기업의 본사 건물로 사용하는 경우 그 건물은 지배기업의 연결재무제표에서 투자부동산으로 분류할 수 없다.

⑤ 투자부동산의 손상, 멸실 또는 포기로 제3자에게서 받는 보상은 보상금을 수취한 시점에 당기손익으로 인식한다.

04 ㈜한국은 20×1년 말에 취득한 건물(취득원가 ₩1,000,000, 내용연수 12년, 잔존가치 ₩0)을 투자부동산으로 분류하고 공정가치모형을 적용하기로 하였다. 그러나 20×2년 7월 1일에 ㈜한국은 동 건물을 유형자산으로 계정대체하고 즉시 사용하였다. 20×2년 7월 1일 현재 동 건물의 잔존내용연수는 10년이고, 잔존가치는 ₩0이며, 정액법(월할 상각)으로 감가상각한다. 각 일자별 건물의 공정가치는 다음과 같다.

20×1. 12. 31.	20×2. 7. 1.	20×2. 12. 31.
₩1,000,000	₩1,100,000	₩1,200,000

㈜한국이 유형자산으로 계정대체된 건물에 대하여 원가모형을 적용한다고 할 때, 동 건물과 관련된 회계처리가 20×2년도 ㈜한국의 당기순이익에 미치는 영향은 얼마인가? [공인회계사 2015년]

① ₩100,000 감소 ② ₩55,000 감소 ③ ₩10,000 감소
④ ₩45,000 증가 ⑤ ₩200,000 증가

05 ㈜세무는 20×1년 말에 취득한 건물(취득원가 ₩1,000,000, 내용연수 12년, 잔존가치 ₩0)을 투자부동산으로 분류하고 공정가치모형을 적용하였다. 20×2년 7월 1일부터 동 건물 전부를 본사사옥으로 전환하여 사용하고 있다. 20×2년 7월 1일 현재 동 건물의 잔존내용연수를 10년, 잔존가치를 ₩0으로 추정하였으며, 정액법으로 감가상각하기로 결정하였다. 아래 표는 동 건물의 공정가치 변동 현황이다.

구분	20×1년 12월 31일	20×2년 7월 1일	20×2년 12월 31일
공정가치	₩1,000,000	₩1,200,000	₩1,000,000

20×2년 12월 31일 동 건물을 원가모형에 따라 회계처리하였을 경우 20×2년 당기순이익은 ₩750,000이다. 재평가모형을 적용하였을 경우 ㈜세무의 20×2년 당기순이익은 얼마인가? [세무사 2019년]

① ₩550,000 ② ₩610,000 ③ ₩670,000
④ ₩750,000 ⑤ ₩916,667

06 유통업을 영위하는 ㈜대한은 20×1년 1월 1일 건물을 ₩10,000에 취득하였다. 건물의 내용연수는 10년, 잔존가치는 ₩0이며, 정액법으로 상각한다. 다음은 20×1년 초부터 20×2년 말까지의 동 건물에 관한 공정가치 정보이다.

20×1년 초	20×1년 말	20×2년 말
₩10,000	₩10,800	₩8,000

㈜대한이 동 건물을 다음과 같은 방법(A ~ C)으로 회계처리하는 경우, 20×2년도 당기순이익 크기 순서대로 올바르게 나열한 것은? (단, 손상차손은 고려하지 않으며, 동 건물의 회계처리를 반영하기 전의 20×2년도 당기순이익은 ₩10,000이라고 가정한다) [공인회계사 2018년]

A. 원가모형을 적용하는 유형자산
B. 재평가모형을 적용하는 유형자산
(단, 재평가잉여금은 건물을 사용함에 따라 잉여금에 대체한다고 가정함)
C. 공정가치모형을 적용하는 투자부동산

① A > B > C ② A > C > B ③ B > A > C
④ C > B > A ⑤ A > B = C

07 기업회계기준서 제1040호 '투자부동산'에 대한 다음 설명 중 옳지 않은 것은?

[공인회계사 2020년]

① 소유 투자부동산은 최초 인식시점에 원가로 측정하며, 거래원가는 최초 측정치에 포함한다.

② 계획된 사용수준에 도달하기 전에 발생하는 부동산의 운영손실은 투자부동산의 원가에 포함한다.

③ 투자부동산을 후불조건으로 취득하는 경우의 원가는 취득시점의 현금가격상당액으로 하고, 현금가격상당액과 실제 총지급액의 차액은 신용기간 동안의 이자비용으로 인식한다.

④ 투자부동산을 공정가치로 측정해 온 경우라면 비교할 만한 시장의 거래가 줄어들거나 시장가격 정보를 쉽게 얻을 수 없게 되더라도, 당해 부동산을 처분할 때까지 또는 자가사용부동산으로 대체하거나 통상적인 영업과정에서 판매하기 위하여 개발을 시작하기 전까지는 계속하여 공정가치로 측정한다.

⑤ 공정가치모형을 적용하는 경우 투자부동산의 공정가치 변동으로 발생하는 손익은 발생한 기간의 당기손익에 반영한다.

08 투자부동산의 분류에 관한 설명으로 옳은 것은? [세무사 2022년]

① 통상적인 영업과정에서 가까운 장래에 개발하여 판매하기 위해 취득한 부동산은 투자부동산으로 분류한다.

② 토지를 자가사용할지 통상적인 영업과정에서 단기간에 판매할지를 결정하지 못한 경우 자가사용부동산으로 분류한다.

③ 호텔을 소유하고 직접 경영하는 경우 투숙객에게 제공하는 용역이 전체 계약에서 유의적인 비중을 차지하므로 투자부동산으로 분류한다.

④ 지배기업 또는 다른 종속기업에게 부동산을 리스하는 경우 당해 부동산을 연결재무제표에 투자부동산으로 분류할 수 없고 자가사용부동산으로 분류한다.

⑤ 사무실 건물의 소유자가 그 건물을 사용하는 리스이용자에게 경미한 비중의 보안과 관리용역을 제공하는 경우 부동산 보유자는 당해 부동산을 자가사용부동산으로 분류한다.

09 투자부동산의 회계처리에 관한 설명으로 옳지 않은 것은? [세무사 2023년]

① 지배기업 또는 다른 종속기업에게 부동산을 리스하는 경우, 이러한 부동산은 연결재무제표에 투자부동산으로 분류한다.

② 부동산의 용도가 변경되는 경우에만 다른 자산에서 투자부동산으로 또는 투자부동산에서 다른 자산으로 대체한다.

③ 투자부동산의 손상, 멸실 또는 포기로 제3자에게서 받는 보상은 받을 수 있게 되는 시점에 당기손익으로 인식한다.

④ 재고자산을 공정가치로 평가하는 투자부동산으로 대체하는 경우, 재고자산의 장부금액과 대체시점의 공정가치의 차액은 당기손익으로 인식한다.

⑤ 부동산 보유자가 부동산 사용자에게 부수적인 용역을 제공하는 경우, 전체 계약에서 그러한 용역의 비중이 경미하다면 부동산 보유자는 당해 부동산을 투자부동산으로 분류한다.

10 기업회계기준서 제1040호 '투자부동산'에 대한 다음 설명 중 옳지 않은 것은? [공인회계사 2024년]

① 부동산 보유자가 부동산 사용자에게 부수적인 용역을 제공하는 경우가 있다. 전체 계약에서 그러한 용역의 비중이 경미하다면 부동산 보유자는 당해 부동산을 투자부동산으로 분류한다.

② 부동산 보유자가 부동산 사용자에게 제공하는 용역이 유의적인 경우가 있다. 예를 들면 호텔을 소유하고 직접 경영하는 경우, 투숙객에게 제공하는 용역은 전체 계약에서 유의적인 비중을 차지한다. 그러므로 소유자가 직접 경영하는 호텔은 투자부동산이 아니며 자가사용부동산이다.

③ 투자부동산에 대하여 공정가치모형을 선택한 경우에는 투자부동산의 공정가치 변동으로 발생하는 손익은 발생한 기간의 당기손익에 반영한다.

④ 기업은 투자부동산의 공정가치를 계속 신뢰성 있게 측정할 수 있다고 추정한다. 그러나 처음으로 취득한 투자부동산의 공정가치를 계속 신뢰성 있게 측정하기가 어려울 것이라는 명백한 증거가 있을 수 있다.

⑤ 투자부동산을 공정가치로 측정해 온 경우라도 비교할만한 시장의 거래가 줄어들거나 시장가격 정보를 쉽게 얻을 수 없게 되면, 당해 부동산에 대한 공정가치 측정을 중단하고 원가로 측정한다.

11 투자부동산의 회계처리에 관한 설명으로 옳지 않은 것은? [세무사 2024년]

① 투자부동산의 손상, 멸실 또는 포기로 제3자에게서 받는 보상은 받을 수 있게 되는 시점에 당기 손익으로 인식한다.

② 투자부동산을 후불조건으로 취득하는 경우의 원가는 취득시점의 현금가격상당액으로 하고, 현금가격상당액과 실제 총지급액의 차액은 신용기간 동안의 이자비용으로 인식한다.

③ 지배기업이 보유하고 있는 건물을 종속기업에게 리스하여 종속기업의 본사 건물로 사용하는 경우 그 건물은 지배기업의 연결재무제표상에서 투자부동산으로 분류할 수 없다.

④ 부동산 중 일부는 시세차익을 얻기 위하여 보유하고, 일부분은 재화의 생산에 사용하기 위하여 보유하고 있으나, 이를 부분별로 나누어 매각할 수 없다면, 재화의 생산에 사용하기 위하여 보유하는 부분이 중요하다고 하더라도 전체 부동산을 투자부동산으로 분류한다.

⑤ 투자부동산을 공정가치로 측정해 온 경우라면 비교할만한 시장의 거래가 줄어들거나 시장가격 정보를 쉽게 얻을 수 없게 되더라도, 당해 부동산을 처분할 때까지 또는 자가사용부동산으로 대체하거나 통상적인 영업과정에서 판매하기 위하여 개발을 시작하기 전까지는 계속하여 공정가치로 측정한다.

12 무형자산의 정의 및 인식기준에 관한 설명으로 옳지 않은 것은? [세무사 2014년]

① 무형자산을 최초로 인식할 때에는 원가로 측정한다.

② 무형자산의 미래경제적효익에 대한 통제능력은 일반적으로 법원에서 강제할 수 있는 법적 권리에서 나오나, 권리의 법적 집행가능성이 통제의 필요조건은 아니다.

③ 계약상 권리 또는 기타 법적 권리는 그러한 권리가 이전가능하거나 또는 기업에서 분리가능한 경우 무형자산 정의의 식별가능성 조건을 충족한 것으로 본다.

④ 미래경제적효익이 기업에 유입될 가능성은 무형자산의 내용연수 동안의 경제적 상황에 대한 경영자의 최선의 추정치를 반영하는 합리적이고 객관적인 가정에 근거하여 평가하여야 한다.

⑤ 무형자산으로부터의 미래경제적효익은 제품의 매출, 용역수익, 원가절감 또는 자산의 사용에 따른 기타 효익의 형태로 발생할 수 있다.

13 무형자산에 관한 설명으로 옳지 않은 것은? [세무사 2016년]

① 사업결합으로 취득한 연구·개발프로젝트의 경우, 사업결합 전에 그 자산을 피취득자가 인식하였는지 여부에 관계없이 취득일에 무형자산의 정의를 충족한다면, 취득자는 영업권과 분리하여 별도의 무형자산으로 인식한다.
② 내부적으로 창출한 브랜드, 제호, 출판표제, 고객목록은 무형자산으로 인식하지 않는다.
③ 자산을 운용하는 직원의 교육훈련과 관련된 지출은 내부적으로 창출한 무형자산의 원가에 포함한다.
④ 무형자산을 창출하기 위한 내부 프로젝트를 연구단계와 개발단계로 구분할 수 없는 경우에는 그 프로젝트에서 발생한 지출은 모두 연구단계에서 발생한 것으로 본다.
⑤ 사업결합과정에서 발생한 것이 아닌 교환거래로 취득하여 동일하거나 유사한, 비계약적 고객관계는 고객관계를 보호할 법적 권리가 없는 경우에도 무형자산의 정의를 충족한다.

14 다음 중 무형자산의 회계처리에 대한 설명으로 타당하지 않은 것은? [공인회계사 2010년]

① 최초에 비용으로 인식한 무형항목에 대한 지출은 그 이후에 무형자산의 원가로 인식할 수 없다.
② 내용연수가 유한한 무형자산의 잔존가치는 해당 자산의 장부금액과 같을 수 있으나, 장부금액보다 더 클 수는 없다.
③ 내부적으로 창출한 영업권은 무형자산으로 인식하지 않는다.
④ 내용연수가 비한정인 무형자산은 상각하지 아니하지만, 내용연수가 유한한 무형자산은 상각하고 상각기간과 상각방법은 적어도 매 보고기간 말에 검토한다.
⑤ 무형자산의 회계정책으로 원가모형이나 재평가모형을 선택할 수 있다.

15 다음 무형자산과 노천광산 생산단계의 박토원가의 회계처리에 대한 설명 중 옳은 것은? [공인회계사 2016년]

① 무형자산을 창출하기 위한 내부 프로젝트를 연구단계와 개발단계로 구분할 수 없는 경우에는 그 프로젝트에서 발생한 지출은 모두 개발단계에서 발생한 것으로 본다.
② 내부적으로 창출한 브랜드, 제호, 출판표제, 고객목록과 이와 실질이 유사한 항목은 무형자산으로 인식한다.
③ 개별 취득하는 무형자산이라도 자산에서 발생하는 미래경제적효익이 기업에 유입될 가능성이 높다고 발생가능성 기준을 항상 충족하는 것은 아니라고 본다.
④ 박토활동자산의 원가와 생산된 재고자산의 원가를 별도로 식별할 수 없는 경우, 관련된 생산측정치를 기초로 한 배분 기준을 이용하여 생산 관련 박토원가를 생산된 재고자산과 박토활동자산에 배분한다.
⑤ 박토활동의 결과로 보다 더 접근하기 쉬워진, 광체의 식별된 구성요소에 예상내용연수에 걸쳐 체계적인 방법에 따라 박토활동자산을 감가상각하거나 상각하는 데, 다른 방법이 더 적절하지 않다면 정액법을 적용한다.

16 무형자산의 회계처리에 대한 옳은 설명은? [공인회계사 2017년]

① 무형자산을 최초로 인식할 때에는 공정가치로 측정한다.
② 내부적으로 창출한 브랜드, 제호, 출판표제, 고객목록과 이와 실질이 유사한 항목은 무형자산으로 인식한다.
③ 연구결과를 최종선택, 응용하는 활동과 관련된 지출은 내부적으로 창출된 무형자산의 취득원가에 포함한다.
④ 무형자산을 창출하기 위한 내부 프로젝트를 연구단계와 개발단계로 구분할 수 없는 경우에는 그 프로젝트에서 발생한 지출은 모두 개발단계에서 발생한 것으로 본다.
⑤ 내용연수가 유한한 무형자산의 상각방법은 자산의 경제적 효익이 소비될 것으로 예상되는 형태를 반영한 방법이어야 한다. 다만, 그 형태를 신뢰성 있게 결정할 수 없는 경우에는 정액법을 사용한다.

17 무형자산에 관한 다음 설명 중 옳은 것은? [공인회계사 2018년]

① 무형자산을 최초로 인식할 때에는 공정가치로 측정한다.
② 내용연수가 비한정인 무형자산은 상각하지 않는다.
③ 내용연수가 비한정인 무형자산을 유한 내용연수로 재평가하는 경우에는 자산손상의 징후에 해당되지 않으므로 손상차손을 인식하지 않는다.
④ 내용연수가 유한한 무형자산의 잔존가치는 내용연수 종료시점에 제3자가 자산을 구입하기로 한 약정이 있다고 하더라도 영(0)으로 본다.
⑤ 미래경제적효익 창출에 대해 식별가능하고 해당 원가를 신뢰성 있게 결정할 수 있는 경우에는 내부적으로 창출한 영업권이라도 무형자산으로 인식할 수 있다.

18 무형자산의 회계처리에 관한 설명으로 옳지 않은 것은? [세무사 2019년]

① 사업결합과정에서 피취득자가 진행하고 있는 연구·개발프로젝트가 무형자산의 정의를 충족한다면 사업결합 전에 그 자산을 피취득자가 인식하였는지 여부에 관계없이, 취득자는 취득일에 피취득자의 무형자산을 영업권과 분리하여 인식한다.
② 무형자산의 인식기준을 충족하지 못하여 비용으로 인식한 지출은 그 이후에 무형자산의 원가로 인식할 수 없다.
③ 내용연수가 비한정인 무형자산을 유한 내용연수로 재평가하는 것은 그 자산의 손상을 시사하는 징후에 해당하지 않으므로 손상차손을 인식하지 않는다.
④ 상각하지 않는 무형자산에 대하여 사건과 상황이 그 자산의 내용연수가 비한정이라는 평가를 계속하여 정당화하는지를 매 회계기간에 검토하며, 사건과 상황이 그러한 평가를 정당화하지 않는 경우에 비한정 내용연수를 유한 내용연수로 변경하는 것은 회계추정치의 변경으로 회계처리한다.
⑤ 내부적으로 창출한 브랜드, 제호, 출판표제, 고객목록과 이와 실질이 유사한 항목은 무형자산으로 인식하지 않는다.

19 ㈜강내는 신제품에 대한 새로운 생산공정을 개발하고 있는데, 동 생산공정 개발은 20×1년 10월 1일부터 무형자산의 인식기준을 충족한다. 이와 관련하여 20×1년 동안 발생한 지출은 ₩100,000이었고, 그 중 ₩60,000은 20×1년 10월 1일 전에 발생하였으며, ₩40,000은 20×1년 10월 1일과 20×1년 12월 31일 사이에 발생했다. 20×1년 말 동 생산공정 개발비의 공정가치는 ₩45,000이며, 손상은 없었다. 20×2년 말 동 생산공정 개발비의 공정가치는 20×1년 말 대비 변동이 없었으나, 동 무형자산이 속해 있는 사업부의 손상으로 배부받은 ₩9,000을 손상차손으로 인식했다. 취득시점 이후에 동 무형자산을 재평가모형으로 평가할 때 20×2년도에 인식할 당기손실은 얼마인가? (단, 동 무형자산은 상각하지 않으며, 법인세효과는 고려하지 않는다) [공인회계사 2010년]

① ₩9,000 ② ₩6,000 ③ ₩5,000
④ ₩4,000 ⑤ ₩0

20 기업회계기준서 제1038호 '무형자산'에 관한 다음 설명 중 옳지 않은 것은? [공인회계사 2021년]

① 개별 취득하는 무형자산의 원가는 그 자산을 경영자가 의도하는 방식으로 운용될 수 있는 상태에 이를 때까지 인식하므로 무형자산을 사용하거나 재배치하는 데 발생하는 원가도 자산의 장부금액에 포함한다.
② 미래경제적효익이 기업에 유입될 가능성은 무형자산의 내용연수 동안의 경제적 상황에 대한 경영자의 최선의 추정치를 반영하는 합리적이고 객관적인 가정에 근거하여 평가하여야 한다.
③ 자산의 사용에서 발생하는 미래경제적효익의 유입에 대한 확실성 정도에 대한 평가는 무형자산을 최초로 인식하는 시점에 이용가능한 증거에 근거하며, 외부 증거에 비중을 더 크게 둔다.
④ 무형자산의 미래경제적효익은 제품의 매출, 용역수익, 원가절감 또는 자산의 사용에 따른 기타 효익의 형태로 발생할 수 있다.
⑤ 내부적으로 창출한 영업권은 원가를 신뢰성 있게 측정할 수 없고 기업이 통제하고 있는 식별가능한 자원이 아니기 때문에 자산으로 인식하지 아니한다.

21 무형자산 회계처리에 관한 설명으로 옳은 것은? [세무사 2022년]

① 내용연수가 비한정인 무형자산의 비한정 내용연수를 유한 내용연수로 변경하는 것은 회계정책의 변경이다.

② 자산을 운용하는 직원의 교육훈련과 관련된 지출은 내부적으로 창출한 내용연수가 비한정인 무형자산의 원가에 포함한다.

③ 내부적으로 창출한 브랜드, 제호, 출판표제, 고객목록과 이와 실질이 유사한 항목은 내용연수가 비한정인 무형자산으로 인식한다.

④ 내용연수가 유한한 무형자산을 내용연수 종료시점에 제3자가 구입하기로 약정한 경우, 잔존가치는 영(0)으로 보지 않는다.

⑤ 경제적 효익이 소비될 것으로 예상되는 형태를 신뢰성 있게 결정할 수 없는 내용연수가 비한정인 무형자산은 정액법을 적용하여 상각한다.

22 무형자산의 인식과 측정에 대한 다음 설명 중 옳지 않은 것은? [공인회계사 2023년]

① 개별 취득하는 무형자산과 사업결합으로 취득하는 무형자산은 무형자산 인식조건 중 자산에서 발생하는 미래경제적효익이 기업에 유입될 가능성이 높다는 조건을 항상 충족하는 것은 아니다.

② 무형자산을 최초로 인식할 때에는 원가로 측정하며, 사업결합으로 취득하는 무형자산의 원가는 취득일 공정가치로 한다.

③ 사업결합으로 취득하는 자산이 분리가능하거나 계약상 또는 기타 법적 권리에서 발생한다면, 그 자산의 공정가치를 신뢰성 있게 측정하기에 충분한 정보가 존재한다.

④ 내부적으로 창출한 영업권과 내부 프로젝트의 연구단계에서 발생한 지출은 자산으로 인식하지 않는다.

⑤ 내부적으로 창출한 무형자산의 원가는 그 자산의 창출, 제조 및 경영자가 의도하는 방식으로 운영될 수 있게 준비하는 데 필요한 직접 관련된 모든 원가를 포함한다.

23 기업회계기준서 제1038호 '무형자산'에 대한 다음 설명 중 옳지 않은 것은? [공인회계사 2024년]

① 연구와 개발활동의 목적은 지식의 개발에 있다. 따라서 이러한 활동으로 인하여 물리적 형체(예 시제품)가 있는 자산이 만들어지더라도, 그 자산의 물리적 요소는 무형자산 요소 즉, 그 자산이 갖는 지식에 부수적인 것으로 본다.

② 시장에 대한 지식과 기술적 지식에서도 미래경제적효익이 발생할 수 있다. 이러한 지식이 저작권, 계약상의 제약이나 법에 의한 종업원의 기밀유지의무 등과 같은 법적 권리에 의하여 보호된다면, 기업은 그러한 지식에서 얻을 수 있는 미래경제적효익을 통제하고 있는 것이다.

③ 미래경제적효익이 기업에 유입될 가능성은 무형자산의 내용연수 동안의 경제적 상황에 대한 시장참여자들의 최선의 추정치를 반영하는 합리적이고 객관적인 가정에 근거하여 평가하여야 한다.

④ 사업결합으로 취득하는 무형자산의 원가는 기업회계기준서 제1103호 '사업결합'에 따라 취득일 공정가치로 한다. 무형자산의 공정가치는 취득일에 그 자산이 갖는 미래경제적효익이 기업에 유입될 확률에 대한 시장참여자의 기대를 반영할 것이다.

⑤ 무형자산을 창출하기 위한 내부 프로젝트를 연구단계와 개발단계로 구분할 수 없는 경우에는 그 프로젝트에서 발생한 지출은 모두 연구단계에서 발생한 것으로 본다.

24 무형자산의 회계처리에 관한 설명으로 옳지 않은 것은? [세무사 2024년]

① 무형자산의 미래경제적효익은 제품의 매출, 용역수익, 원가절감 또는 자산의 사용에 따른 기타 효익의 형태로 발생할 수 있다.

② 내부적으로 창출한 영업권은 원가를 신뢰성 있게 측정할 수 없고 기업이 통제하고 있는 식별가능한 자원이 아니기 때문에 자산으로 인식하지 아니한다.

③ 자산의 사용에서 발생하는 미래경제적효익의 유입에 대한 확실성 정도에 대한 평가는 무형자산을 최초로 인식하는 시점에서 이용 가능한 증거에 근거하며, 내부 증거에 비중을 더 크게 둔다.

④ 계약상 권리 또는 기타 법적 권리로부터 발생하는 무형자산의 내용연수는 그러한 계약상 권리 또는 기타 법적 권리의 기간을 초과할 수는 없지만, 자산의 예상사용기간에 따라 더 짧을 수는 있다.

⑤ 개별 취득하는 무형자산의 원가는 그 자산을 경영자가 의도하는 방식으로 운용될 수 있는 상태에 이를 때까지 인식하므로 무형자산을 사용하거나 재배치하는 데 발생하는 원가도 자산의 취득원가에 포함한다.

25 다음은 ㈜대한의 무형자산과 관련된 자료이다.

- ㈜대한은 탄소배출량을 혁신적으로 감소시킬 수 있는 신기술에 대해서 연구 및 개발활동을 수행하고 있다. ㈜대한의 20×1년과 20×2년의 연구 및 개발활동에서 발생한 지출내역을 요약하면 다음과 같다.

구분	20×1년	20×2년
연구활동	₩900,000	₩300,000
개발활동	-	3,500,000

- ㈜대한의 개발활동과 관련된 지출은 모두 무형자산의 인식요건을 충족한다.
- ㈜대한의 탄소배출량 감소와 관련된 신기술은 20×2년 중에 개발이 완료되었으며, 20×2년 10월 1일부터 사용가능하게 되었다.
- ㈜대한은 신기술 관련 무형자산에 대해서 원가모형을 적용하며 추정내용연수 20년, 잔존가치 ₩0, 정액법으로 상각한다.
- 20×3년 말 상기 신기술의 사업성이 매우 낮은 것으로 판명되었고, 신기술의 회수가능가액은 ₩2,000,000으로 평가되었다.

동 신기술 관련 무형자산 회계처리가 ㈜대한의 20×3년도 포괄손익계산서상 당기순이익에 미치는 영향은 얼마인가? [공인회계사 2022년]

① ₩1,496,250 감소 ② ₩1,486,250 감소 ③ ₩1,480,250 감소
④ ₩1,456,250 감소 ⑤ ₩1,281,250 감소

26 ㈜세무는 신제품 개발활동으로 연구개발비가 다음과 같이 발생하였다. 차입원가는 연구개발활동과 관련된 특정차입금에서 발생한 이자비용이다. 20×1년은 연구단계이고, 20×2년은 개발단계(무형자산의 인식요건을 충족함)에 속하는데, 20×2년 7월 1일에 프로젝트가 완료되어 제품생산에 사용되었다. 무형자산(개발비)은 내용연수 5년, 잔존가치 ₩0, 정액법 상각(월할 상각)하며, 원가모형을 적용한다. 20×2년 12월 31일 무형자산(개발비)의 장부금액은 얼마인가? [세무사 2016년]

내역	20×1년 1월 1일 ~ 20×1년 12월 31일	20×2년 1월 1일 ~ 20×2년 6월 30일
연구원급여	₩40,000	₩30,000
시험용 원재료 사용액	₩25,000	₩20,000
시험용 기계장치 감가상각비	₩10,000	₩5,000
차입원가	₩5,000	₩5,000

① ₩49,500 ② ₩50,000 ③ ₩54,000
④ ₩55,000 ⑤ ₩60,000

27 ㈜대한은 20×1년부터 연구 · 개발하기 시작한 신기술이 20×2년 7월 1일에 완료되어 즉시 동 신기술을 사용하기 시작하였다. 동 신기술 연구 · 개발과 관련하여 20×1년 연구단계에서 지출한 금액은 ₩25,000이고 개발단계에서 지출한 금액은 ₩10,000이며, 20×2년 1월 1일부터 6월 30일까지의 개발단계에서 지출한 금액은 ₩30,000이다. 개발단계의 지출은 모두 무형자산의 인식요건을 충족한다. ㈜대한은 개발된 무형자산의 내용연수를 8년으로 추정하였으며, 정액법(잔존가치 ₩0)으로 상각한다. ㈜대한은 특허권 획득과 직접 관련하여 ₩1,000을 지출하고, 20×2년 10월 1일에 동 신기술에 대해 특허권을 획득하였다. 특허권의 내용연수는 5년으로 추정하였으며, 정액법(잔존가치 ₩0)으로 상각한다. 무형자산으로 인식한 개발비는 20×3년 말에 손상사유가 발생하여 회수가능금액 ₩25,000으로 평가되었고, 내용연수는 3년이 축소된 것으로 평가되었다. ㈜대한이 위 무형자산과 관련된 비용을 자본화하지 않는다고 할 때, 20×3년도 포괄손익계산서에 인식할 비용총액은 얼마인가? (단, 무형자산상각은 월할 상각한다) [세무사 2011년]

① ₩5,000 ② ₩5,200 ③ ₩7,500
④ ₩12,500 ⑤ ₩12,700

28 ㈜세무는 20×1년 12월 말에 다음의 자산집단을 매각방식으로 처분하기로 하였고, 이는 매각예정의 분류기준을 충족한다. 처분자산집단에 속한 자산은 다음과 같이 측정한다.

구분	매각예정으로 분류하기 전 12월 말의 장부가액	매각예정으로 분류하기 직전에 재측정한 장부가액
재고자산	₩1,100	₩1,000
기타포괄손익-공정가치 측정 금융자산	1,300	1,000
유형자산 Ⅰ(재평가액으로 표시)	1,200	1,000
유형자산 Ⅱ(원가로 표시)	3,400	3,000
영업권	1,000	1,000
합계	₩8,000	₩7,000

한편, ㈜세무는 매각예정으로 분류하는 시점에서 처분자산집단의 순공정가치를 ₩4,000으로 추정하였다. 20×1년 12월 말 손상차손 배분 후, 재고자산과 유형자산 Ⅱ의 장부금액은? [세무사 2024년]

	재고자산	유형자산 Ⅱ
①	₩500	₩1,500
②	₩500	₩2,500
③	₩500	₩3,000
④	₩1,000	₩1,500
⑤	₩1,000	₩2,500

29 매각예정비유동자산과 중단영업에 관한 설명으로 옳지 않은 것은? [세무사 2013년]

① 처분자산집단에 대하여 인식한 손상차손은 우선 영업권을 감소시키고 나머지 금액은 유동자산에 배분한다.

② 매각예정으로 분류하였으나 중단영업의 정의를 충족하지 않는 비유동자산(또는 처분자산집단)을 재측정하여 인식하는 평가손익은 계속영업손익에 포함한다.

③ 비유동자산이 매각예정으로 분류되거나 매각예정으로 분류된 처분자산집단의 일부이면 그 자산은 감가상각(또는 상각)하지 아니한다.

④ 매각예정으로 분류된 비유동자산(또는 처분자산집단)은 순공정가치와 장부금액 중 작은 금액으로 측정한다.

⑤ 매각예정으로 분류된 비유동자산(또는 처분자산집단)과 관련하여 기타포괄손익으로 인식한 손익누계액은 별도로 표시한다.

30 매각예정자산에 대한 옳지 않은 설명은? [공인회계사 2017년]

① 비유동자산의 장부금액이 계속사용이 아닌 매각거래를 통하여 회수될 것이라면 매각예정자산으로 분류한다.

② 경영자가 특정 비유동자산에 대해서 매각할 의사를 갖고 매각을 추진하고 있다면 해당 비유동자산은 매각예정자산으로 분류한다.

③ 기업이 통제할 수 없는 사건으로 인하여 매각예정자산에 대한 매각을 완료하는 데 소요되는 기간이 연장되어 1년을 초과하는 경우, 해당 자산을 매각예정자산으로 분류하기 위해서는 기업이 여전히 해당 자산의 매각계획을 확약한다는 근거가 필요하다.

④ 기업이 확약한 매각계획이 종속기업에 대한 지배력의 상실을 포함하고 매각예정자산의 분류조건을 충족하는 경우, 기업은 매각 후 종전 종속기업에 대한 비지배지분의 보유 여부에 관계없이 그 종속기업의 모든 자산과 부채를 매각예정으로 분류한다.

⑤ 비유동자산 간의 교환거래를 통하여 비유동자산의 매각거래를 계획하고 있는 경우, 해당 거래의 상업적 실질이 없다면 매각예정자산으로 분류할 수 없다.

31 중단영업에 관한 설명으로 옳은 것은? [세무사 2019년]

① 매각만을 목적으로 취득한 종속기업의 경우에는 이미 처분된 경우에만 중단영업에 해당한다.
② '세후 중단영업손익'과 '중단영업에 포함된 자산이나 처분자산집단을 순공정가치로 측정하거나 처분함에 따른 세후 손익'을 구분하여 포괄손익계산서에 별도로 표시한다.
③ 중단영업의 영업활동, 투자활동 및 재무활동으로부터 발생한 순현금흐름은 주석으로 공시해야 하며, 재무제표 본문에 표시할 수 없다.
④ 기업의 구분단위를 매각예정으로 더 이상 분류할 수 없는 경우, 중단영업으로 표시하였던 당해 구분단위의 영업성과를 비교표시되는 모든 회계기간에 재분류하여 계속영업손익에 포함하고 과거 기간에 해당하는 금액이 재분류되었음을 주석으로 기재한다.
⑤ 중단영업의 정의를 충족하지 않더라도 매각예정으로 분류된 처분자산집단과 관련하여 발생한 평가손익은 중단영업손익에 포함한다.

32 기업회계기준서 제1105호 '매각예정비유동자산과 중단영업'에 대한 다음 설명 중 옳지 않은 것은? [공인회계사 2021년]

① 비유동자산의 장부금액이 계속사용이 아닌 매각거래를 통하여 주로 회수될 것이라면 이를 매각예정으로 분류한다.
② 매각예정비유동자산으로 분류하기 위한 요건이 보고기간 후에 충족된 경우 당해 비유동자산은 보고기간 후 발행되는 당해 재무제표에서 매각예정으로 분류할 수 없다.
③ 매각예정으로 분류된 비유동자산은 공정가치에서 처분부대원가를 뺀 금액과 장부금액 중 작은 금액으로 측정한다.
④ 비유동자산이 매각예정으로 분류되거나 매각예정으로 분류된 처분자산집단의 일부이면 그 자산은 감가상각(또는 상각)하지 아니하며, 매각예정으로 분류된 처분자산집단의 부채와 관련된 이자와 기타비용 또한 인식하지 아니한다.
⑤ 과거 재무상태표에 매각예정으로 분류된 비유동자산 또는 처분자산집단에 포함된 자산과 부채의 금액은 최근 재무상태표의 분류를 반영하기 위하여 재분류하거나 재작성하지 아니한다.

관련 유형 연습

01 ㈜서울은 투자부동산에 대하여는 공정가치모형을 사용하고, 유형자산에 대하여는 재평가모형을 사용하여 후속측정을 하고 있다. 다음의 자료에 의하여 20×2년에 후속측정과 관련하여 당기손익과 기타포괄손익으로 계상할 금액은 얼마인가?

구분	20×1년 초 취득원가	20×1년 말 공정가치	20×2년 말 공정가치
건물(투자부동산)	₩1,000,000	₩1,200,000	₩1,100,000
토지(유형자산)	₩5,000,000	₩4,750,000	₩5,050,000

	당기손익	기타포괄손익
①	₩50,000 손실	₩0
②	₩150,000 이익	₩50,000 손실
③	₩150,000 이익	₩50,000 이익
④	₩200,000 이익	₩0
⑤	₩200,000 이익	₩50,000 손실

02 투자부동산의 계정대체에 관한 설명으로 옳은 것은?

① 공정가치로 평가하게 될 자가건설 투자부동산의 건설이나 개발이 완료되면 해당 일의 공정가치와 기존 장부금액의 차액은 기타포괄손익으로 인식한다.

② 투자부동산을 원가모형으로 평가하는 경우에는 투자부동산, 자가사용부동산, 재고자산 사이에 대체가 발생할 때에 대체 전 자산의 공정가치를 승계한다.

③ 자가사용부동산을 공정가치로 평가하는 투자부동산으로 대체하는 시점까지 그 부동산을 감가상각하고, 발생한 손상차손은 인식하지 않는다.

④ 자가사용부동산을 제3자에게 운용리스로 제공을 약정하는 경우에는 당해 부동산을 재고자산으로 대체한다.

⑤ 재고자산을 공정가치모형 적용 투자부동산으로 계정대체 시, 재고자산의 장부금액과 대체시점의 공정가치 차액을 당기손익으로 인식한다.

03 ㈜세무는 20×1년 1월 1일에 투자목적으로 건물(취득원가 ₩2,000,000, 잔존가치 ₩0, 내용연수 4년, 공정가치모형 적용)을 구입하였다. 20×2년 7월 1일부터 ㈜세무는 동 건물을 업무용으로 전환하여 사용하고 있다. ㈜세무는 동 건물을 잔여내용연수 동안 정액법으로 감가상각(잔존가치 ₩0)하며, 재평가모형을 적용한다. 공정가치의 변동내역이 다음과 같을 때, 동 거래가 20×2년도 ㈜세무의 당기순이익에 미치는 영향은 얼마인가? (단, 감가상각은 월할 상각한다)

구분	20×1년 말	20×2년 7월 1일	20×2년 말
공정가치	₩2,200,000	₩2,400,000	₩2,500,000

① ₩480,000 감소　② ₩280,000 감소　③ ₩200,000 증가
④ ₩300,000 증가　⑤ ₩580,000 증가

04 ㈜대한은 20×1년 1월 1일에 취득하여 본사 사옥으로 사용하고 있던 건물(취득원가 ₩2,000,000, 내용연수 20년, 잔존가치 ₩200,000, 정액법 상각)을 20×3년 7월 1일에 ㈜민국에게 운용리스 목적으로 제공하였다. ㈜대한은 투자부동산에 대해서 공정가치모형을 적용하고 있으며, 유형자산에 대해서는 원가모형을 적용하고 있다. 건물의 공정가치는 다음과 같다.

20×2년 말	20×3년 7월 1일	20×3년 말
₩2,000,000	₩2,500,000	₩3,000,000

㈜대한의 건물에 대한 회계처리가 20×3년도 당기순이익에 미치는 영향은 얼마인가? (단, 감가상각비는 월할로 계산한다)

[공인회계사 2023년]

① ₩45,000 감소　② ₩455,000 증가　③ ₩500,000 증가
④ ₩600,000 증가　⑤ ₩1,180,000 증가

05 다음은 투자부동산과 관련된 내용들이다. 각 문항별로 기준서의 내용과 일치 여부를 가리시오.

1. 부동산 중 일부는 시세차익을 얻기 위하여 보유하고, 일부분은 재화의 생산에 사용하기 위하여 보유하고 있으나, 이를 부분별로 나누어 매각할 수 없다면 재화의 생산에 사용하기 위하여 보유하는 부분이 중요하더라도 전체 부동산을 투자부동산으로 분류한다.
2. 지배기업이 보유하고 있는 건물을 종속기업에게 리스하여 종속기업의 본사 건물로 사용하는 경우 그 건물은 지배기업의 연결재무제표상에서 투자부동산으로 분류할 수 없다.
3. 건설 중인 투자부동산의 공정가치가 신뢰성 있게 측정될 수 있다는 가정은 오직 최초 인식시점 이후에만 반박될 수 있다.
4. 기업이 건설 중인 투자부동산의 공정가치는 신뢰성 있게 측정할 수 없지만, 건설이 완료된 시점에 투자부동산의 공정가치를 신뢰성 있게 측정할 수 있다고 기대하는 경우, 공정가치를 신뢰성 있게 측정할 수 있는 시점과 건설이 완료되는 시점 중 빠른 시점까지는 건설 중인 투자부동산을 원가로 측정한다.
5. 사무실 건물의 소유자가 그 건물을 사용하는 리스이용자에게 경미한 보안과 관리용역을 제공하는 경우 당해 부동산은 투자부동산으로 분류한다.
6. 운용리스로 제공하기 위하여 직접 소유하고 있는 미사용 건물은 투자부동산에 해당된다.
7. 투자부동산의 손상, 멸실 또는 포기로 제3자에게 받는 보상은 받을 수 있게 되는 시점에 당기손익으로 인식한다.

06 ㈜한국은 20×1년 1월 1일 활성시장에서 특허권을 ₩6,000,000에 취득하고, 매년 말 재평가모형을 적용한다. 동 특허권은 향후 10년간 사용할 수 있고 잔존가치는 없으며 정액법으로 상각한다. 20×1년, 20×2년, 20×3년 각 연도 말 동 특허권의 공정가치는 각각 ₩5,400,000, ₩5,182,000, ₩4,150,000이다. 20×3년 말 동 특허권과 관련하여 인식할 당기손익은 얼마인가? (단, 특허권을 사용하는 기간 동안에 재평가잉여금을 이익잉여금으로 대체하지 않는다)

① ₩647,750 손실 ② ₩650,000 손실 ③ ₩847,750 손실
④ ₩1,032,000 손실 ⑤ ₩1,200,000 손실

07 다음은 한국채택국제회계기준 제1038호 '무형자산'과 관련된 내용들이다. 각 문항별로 기준서의 내용과 일치 여부를 가리시오.

1. 사업결합으로 취득한 연구·개발프로젝트의 경우 사업결합 전에 그 자산을 피취득자가 인식하였는지 여부에 관계없이 취득일에 무형자산의 정의를 충족한다면 취득자는 영업권과 분리하여 별도의 무형자산으로 인식한다.
2. 무형자산을 창출하기 위한 내부 프로젝트를 연구단계와 개발단계로 구분할 수 없는 경우에는 그 프로젝트에서 발생한 지출은 모두 연구단계에서 발생한 것으로 본다.
3. 계약상 권리 또는 기타 법적 권리로부터 발생하는 무형자산의 내용연수는 그러한 계약상 권리 또는 법적 권리의 기간을 초과할 수 없지만, 자산의 예상기간에 따라 더 짧을 수 있다.
4. 내용연수가 유한한 무형자산의 잔존가치가 장부금액을 초과하는 경우에는 과거 무형자산 상각액을 소급하여 수정한다.
5. 내용연수가 비한정인 무형자산은 상각하지 아니한다. 다만 매년 그리고 무형자산의 손상을 시사하는 징후가 있을 때마다 회수가능액과 장부금액을 비교하는 손상검사를 수행하여 손상차손을 인식한다.
6. 무형자산의 상각방법으로 정액법 이외의 방법을 사용할 수 있다.
7. 정부보조로 무형자산을 무상이나 낮은 대가로 취득한 경우 당해 무형자산의 최초 원가는 명목상 금액과 직접 관련된 지출을 합한 금액으로 하여야만 한다.
8. 무형자산의 사용을 포함하는 활동에서 창출되는 수익에 기초한 상각방법은 적절하지 않으므로 적용할 수 없다.
9. 내용연수가 유한한 무형자산은 그 자산을 더 이상 사용하지 않을 때도 상각을 중지하지 아니한다. 다만, 완전히 상각하거나 매각예정으로 분류되는 경우에는 상각을 중지한다.
10. 광물자원 추출에 대한 기술적 실현가능성과 상업화가능성을 제시할 수 있는 시점에는 더 이상 탐사평가자산으로 분류하지 아니하며, 탐사평가자산을 재분류하기 전에 손상을 검토하여 손상차손을 인식한다.
11. 웹사이트의 계획단계, 응용프로그램과 하부구조 개발단계, 그래픽 디자인 단계, 콘텐츠 개발단계에서 발생한 지출은 웹사이트의 창출·제조 및 경영자가 의도하는 방식으로 운영될 수 있게 준비하는 데 직접 관련되며 필수적인 경우에는 무형자산으로 인식하는 웹사이트의 취득원가에 포함한다.
12. 박토활동자산의 원가와 생산된 재고자산의 원가를 별도로 식별할 수 없는 경우, 관련된 생산측정치를 기초로 한 배분 기준을 이용하여 생산 관련 박토원가를 생산된 재고자산과 박토활동자산에 배분한다.
13. 박토활동의 결과로 보다 더 접근하기 쉬워진, 광체의 식별된 구성요소에 예상내용연수에 걸쳐 체계적인 방법에 따라 박토활동자산을 감가상각하거나 상각하는 데, 다른 방법이 더 적절하지 않다면 정액법을 적용한다.

08 다음은 ㈜국세의 20×1년도 연구 및 개발활동 지출 내역이다. 이를 이용하여 ㈜국세가 20×1년도 연구활동으로 분류해야 하는 금액은 얼마인가?

> • 새로운 지식을 얻고자 하는 활동: ₩100,000
> • 생산이나 사용 전의 시제품과 모형을 제작하는 활동: ₩150,000
> • 상업적 생산목적으로 실현가능한 경제적 규모가 아닌 실험공장을 건설하는 활동 : ₩200,000
> • 연구결과나 기타 지식을 응용하는 활동: ₩300,000

① ₩100,000　② ₩250,000　③ ₩400,000
④ ₩450,000　⑤ ₩750,000

09 ㈜한국은 제품공정 A를 연구 · 개발하고 있으며 20×5년 동안에 공정 A의 연구 · 개발을 위해 지출한 금액은 ₩100,000이었다. 이 금액 중 ₩70,000은 20×5년 10월 1일 전에 지출되었고, ₩30,000은 20×5년 10월 1일부터 12월 31일까지 지출되었다. 공정 A는 20×5년 10월 1일에 무형자산 인식기준을 충족하게 되었다. 또한 ㈜한국은 20×6년 중 공정 A를 위해 추가로 ₩30,000을 지출하였다. 공정 A가 갖는 노하우의 회수가능액(그 공정이 사용가능하기 전에 해당 공정을 완료하기 위한 미래 현금유출액 포함)은 다음과 같다.

구분	20×5년 말	20×6년 말
회수가능액	₩20,000	₩70,000

㈜한국의 20×5년도와 20×6년도의 순이익에 미치는 영향은 각각 얼마인가? (단, 무형자산에 대해 상각하지 않으며, 원가모형을 적용한다. 또한, 20×5년도는 손상 조건을 충족하고, 20×6년도는 손상회복 조건을 충족한다)

	20×5년도	20×6년도
①	₩80,000 감소	₩20,000 감소
②	₩80,000 감소	₩10,000 증가
③	₩70,000 감소	₩20,000 감소
④	₩70,000 감소	₩10,000 감소
⑤	₩70,000 감소	₩10,000 증가

10 다음은 한국채택국제회계기준 제1038호 '무형자산'과 관련된 내용들이다. 각 문항별로 기준서의 내용과 일치 여부를 가리시오.

1. 연구와 개발활동으로 인하여 물리적 형체가 있는 자산이 만들어지는 경우 당해 자산의 물리적 요소는 자산인식요건을 충족하는 경우 유형자산으로 인식한다.
2. 개별 취득하는 무형자산의 원가에는 자산을 의도한 목적에 사용할 수 있도록 준비하는 데 직접 관련되는 원가가 포함되며, 이러한 원가에는 그 자산이 적절하게 기능을 발휘하는지 검사하는 데 발생하는 원가가 포함된다.
3. 내부적으로 창출한 무형자산의 원가는 인식기준을 최초로 충족시킨 이후에 발생한 지출금액의 합으로 하며, 이미 비용으로 인식한 지출도 무형자산의 원가로 인식할 수 있다.
4. 미래경제적효익이 기업에 유입될 가능성은 무형자산의 내용연수 동안의 경제적 상황에 대한 경영자의 최선의 추정치를 반영하는 합리적이고 객관적인 가정에 근거하여 평가하여야 하며, 이용가능한 증거는 외부 증거에 비중을 더 크게 둔다.
5. 내부 프로젝트의 연구단계에서 미래경제적효익을 창출한 무형자산이 존재한다는 것을 제시할 수 있는 경우에는 무형자산으로 인식하며, 그렇지 못한 경우에는 내부 프로젝트의 연구단계에서 발생한 지출은 발생시점에 비용으로 인식한다.
6. 일반적으로 무형자산을 개별 취득하기 위하여 지급하는 가격은 그 자산이 갖는 미래경제적효익이 기업에 유입될 확률에 대한 기대를 반영할 것이다. 그러나 기업은 유입의 시기와 금액이 불확실한 경우 미래경제적효익이 있을 것인지 여부를 항상 판단하여야 한다.

11 ㈜한국은 20×1년 12월 말에 다음의 자산집단을 매각방식으로 처분하기로 하였고, 이는 매각예정의 분류기준을 충족한다. 처분자산집단에 속한 자산은 다음과 같이 측정한다.

구분	매각예정으로 분류하기 전 12월 말의 장부금액	매각예정으로 분류하기 직전에 재측정한 장부금액
영업권	₩100,000	₩100,000
유형자산 Ⅰ(재평가액으로 표시)	₩1,200,000	₩1,000,000
유형자산 Ⅱ(원가로 표시)	₩2,000,000	₩2,000,000
재고자산	₩1,100,000	₩1,050,000
FVOCI금융자산	₩1,300,000	₩1,250,000
합계	₩5,700,000	₩5,400,000

한편, ㈜한국은 매각예정으로 분류하는 시점에 처분자산집단의 순공정가치를 ₩5,000,000으로 추정하였다. 20×1년 12월 말에 ㈜한국이 처분자산집단에 대하여 인식할 총포괄손익(A)과 손상차손 배분 후 유형자산 Ⅰ의 장부금액(B)은 각각 얼마인가?

	처분자산집단에 대하여 인식할 총포괄손익(A)	손상차손 배분 후 유형자산 Ⅰ의 장부금액(B)
①	₩(300,000)	₩800,000
②	₩(400,000)	₩800,000
③	₩(400,000)	₩900,000
④	₩(700,000)	₩800,000
⑤	₩(700,000)	₩900,000

12 다음은 한국채택국제회계기준 제1105호 '매각예정비유동자산과 중단영업'과 관련된 내용들이다. 각 문항별로 기준서의 내용과 일치 여부를 가리시오.

1. 처분자산집단에 대하여 인식한 손상차손은 우선 영업권을 감소시키고 나머지 금액은 유동자산에 배분한다.
2. 매각예정으로 분류하였으나 중단영업의 정의를 충족하지 않은 비유동자산(또는 처분자산집단)을 재측정하여 인식하는 평가손익은 계속영업손익에 포함한다.
3. 매각예정으로 분류된 비유동자산(또는 처분자산집단)과 관련하여 기타포괄손익으로 인식한 손익누계액은 별도로 표시한다.
4. 비유동자산(또는 처분자산집단)의 장부금액이 계속사용이 아닌 매각거래를 통하여 주로 회수될 것이라면 이를 매각예정으로 분류한다.
5. 매각예정으로 분류된 처분자산집단에 포함되는 자산이나 부채는 다른 자산이나 부채와 별도로 재무상태표에 표시한다. 해당 자산과 부채는 상계하여 단일금액으로 표시할 수 있다.
6. 비유동자산이 매각예정으로 분류되거나 매각예정으로 분류된 처분자산집단의 일부이면 그 자산은 감가상각(또는 상각)하지 아니하며, 매각예정으로 분류된 처분자산집단의 부채와 관련된 이자와 기타비용도 인식하지 아니한다.
7. 매각예정으로 분류된 비유동자산은 순공정가치와 장부금액 중 큰 금액으로 측정한다. 이때 1년 이후에 매각될 것으로 예상된다면 매각부대원가는 현재가치로 측정하고 기간 경과에 따라 발생하는 매각부대원가의 현재가치의 증가분은 당기손익으로 회계처리한다.
8. 매각예정으로 분류되던 자산이 더 이상 매각예정으로 분류할 수 없게 되는 경우에는 매각예정으로 분류할 수 없다. 이 경우 당해 자산은 당해 자산을 매각예정으로 분류하기 전 장부금액에 감가상각(또는 상각), 재평가 등 매각예정으로 분류하지 않았더라면 인식하였을 조정사항을 반영한 금액과 매각하지 않기로 결정한 날의 회수가능액 중 큰 금액으로 측정한다.
9. 기업의 구분단위를 매각예정으로 더 이상 분류할 수 없는 경우 중단영업으로 표시하였던 당해 구분단위의 영업성과를 비교표시되는 모든 회계기간에 재분류하여 계속영업손익에 포함하고 과거기간에 해당하는 금액이 재분류되었음을 주석으로 기재한다. 또한 과거 재무상태표에 매각예정으로 분류된 비유동자산 또는 처분자산집단에 포함된 자산과 부채의 금액도 최근 재무상태표의 분류를 반영하기 위하여 재분류한다.

실력 점검 퀴즈

01 무형자산에 관한 설명으로 옳지 않은 것은?

① 내용연수가 비한정인 무형자산은 상각하지 아니한다.
② 무형자산을 최초로 인식할 때에는 원가로 측정한다.
③ 내부적으로 창출한 영업권은 자산으로 인식하지 아니한다.
④ 최초에 비용으로 인식한 무형항목에 대한 지출은 그 이후에 무형자산의 원가로 인식할 수 없다.
⑤ 무형자산의 경제적 효익이 소비될 것으로 예상되는 형태를 반영한 방법을 신뢰성 있게 결정할 수 없을 경우 상각방법은 정률법을 사용한다.

02 투자부동산에 관한 설명으로 옳지 않은 것은?

① 임대수익이나 시세차익을 얻기 위하여 보유하는 부동산은 투자부동산으로 분류된다.
② 투자부동산은 최초 인식시점에서 원가로 측정한다.
③ 투자부동산을 개발하지 않고 처분하기로 결정하는 경우에는 재고자산으로 재분류하지 않는다.
④ 투자부동산의 공정가치 변동으로 발생하는 손익은 발생한 기간의 당기손익에 반영한다.
⑤ 투자부동산의 인식 후 측정에 있어서 자산의 분류별로 공정가치모형과 원가모형 중 선택하여 적용할 수 있다.

03 상품매매기업인 ㈜하늘은 20×1년 1월 1일 특허권(내용연수 5년, 잔존가치 ₩0)과 상표권(비한정적 내용연수, 잔존가치 ₩0)을 각각 ₩100,000과 ₩200,000에 취득하였다. ㈜하늘은 무형자산에 대해 원가모형을 적용하며, 정액법에 의한 월할상각을 한다. 특허권과 상표권 회수가능액 자료가 다음과 같을 때, 20×2년도 포괄손익계산서에 인식할 당기비용은? (단, 20×2년 말 모든 무형자산의 회수가능액 감소는 손상징후에 해당된다)

구분	특허권	상표권
20×1년 말 회수가능액	₩90,000	₩200,000
20×2년 말 회수가능액	35,000	120,000

① ₩45,000　② ₩105,000　③ ₩120,000
④ ₩125,000　⑤ ₩145,000

04 투자부동산에 관한 설명으로 옳지 않은 것은?

① 미래에 투자부동산으로 사용하기 위하여 건설 또는 개발 중인 부동산은 투자부동산에 해당한다.
② 소유 투자부동산은 최초 인식시점에 원가로 측정하며, 거래원가는 최초 측정치에 포함한다.
③ 통상적인 영업과정에서 판매하기 위한 부동산이나 이를 위하여 건설 또는 개발 중인 부동산은 투자부동산에 해당하지 않는다.
④ 투자부동산을 개발하지 않고 처분하기로 결정하는 경우에는 재고자산으로 재분류한다.
⑤ 투자부동산에 대하여 공정가치모형을 선택한 경우, 투자부동산의 공정가치 변동으로 발생하는 손익은 발생한 기간의 당기손익에 반영한다.

05 무형자산의 회계처리에 관한 설명으로 옳은 것을 모두 고른 것은?

ㄱ. 내용연수가 비한정적인 무형자산은 상각하지 않고, 무형자산의 손상을 시사하는 징후가 있을 경우에 한하여 손상검사를 수행해야 한다.
ㄴ. 무형자산을 창출하기 위한 내부 프로젝트를 연구단계와 개발단계로 구분할 수 없는 경우에는 그 프로젝트에서 발생한 지출은 모두 연구단계에서 발생한 것으로 본다.
ㄷ. 브랜드, 제호, 출판표제, 고객목록 및 이와 실질이 유사한 항목은 그것을 외부에서 창출하였는지 또는 내부적으로 창출하였는지에 관계없이 취득이나 완성 후의 지출은 발생시점에 무형자산의 원가로 인식한다.
ㄹ. 내용연수가 유한한 무형자산의 잔존가치는 적어도 매 회계연도 말에는 검토하고, 잔존가치의 변동은 회계추정치의 변경으로 처리한다.
ㅁ. 무형자산은 처분하는 때 또는 사용이나 처분으로부터 미래경제적효익이 기대되지 않을 때 재무상태표에서 제거한다.

① ㄱ, ㄴ, ㄷ　② ㄱ, ㄷ, ㄹ　③ ㄱ, ㄹ, ㅁ
④ ㄴ, ㄷ, ㅁ　⑤ ㄴ, ㄹ, ㅁ

06 A회사는 20×1년 1월 1일 내용연수 5년, 잔존가치가 없는 건물을 사무실용도로 ₩100,000에 취득하였다. 건물에 대한 감가상각방법은 정액법을 적용하고 있으며, 재평가모형을 이용하여 회계처리를 수행하고 있다. 20×1년 12월 31일 건물의 공정가치는 ₩90,000이다. A회사는 20×2년 1월 1일에 사무실로 사용하던 건물을 임대목적으로 변경하여 투자부동산으로 대체하였다. 투자부동산에 대해서 공정가치모형을 적용하며, 공정가치는 20×2년 1월 1일 ₩75,000, 20×2년 12월 31일 ₩85,000이다. A회사가 건물과 관련하여 20×2년의 포괄손익계산서에 인식할 당기손익효과는 얼마인가?

① ₩5,000 감소　② ₩5,000 증가　③ 당기손익효과 없음
④ ₩13,750 감소　⑤ ₩13,750 증가

07 무형자산으로 인식하기 위하여는 무형자산의 정의와 함께 인식요건을 모두 충족하여야 한다. 다음 중 무형자산의 정의에 관한 설명으로 적절하지 않은 것은?

① 무형자산으로 정의되기 위해서는 식별가능성 조건을 충족하여야 한다. 자산이 식별가능하다는 것은 자산이 분리가능하다는 것을 의미하며 기업에서 분리하거나 분할할 수 있고, 개별적으로 또는 관련된 계약, 자산이나 부채와 함께 매각, 이전, 라이선스, 임대, 교환할 수 있다는 것을 말한다. 따라서 무형의 항목이 분리가능하지 않다면 식별가능성의 요건을 충족한다고 볼 수 없다.

② 특정 경영능력이나 기술적 재능도 그것을 사용하여 미래경제적효익을 확보하는 것이 법적 권리에 의하여 보호되지 않거나 무형자산 정의의 기타 요건을 충족하지 않는다면 일반적으로 무형자산의 정의를 충족할 수 없다고 본다.

③ 고객과의 관계나 고객의 충성도를 지속할 수 있는 법적 권리나 그것을 통제할 기타 방법이 없다면 일반적으로 고객과의 관계나 고객의 충성도에서 창출된 미래경제적효익에 대해서는 그러한 항목이 무형자산의 정의를 충족하기에 기업이 충분한 통제를 가지고 있지 않다고 본다.

④ 개별 취득하는 무형자산은 자산에서 발생하는 미래경제적효익이 기업에 유입될 가능성이 높다는 발생가능성 인식기준을 항상 충족하는 것으로 본다.

⑤ 재고자산의 제조과정에서 지적재산을 사용하면 미래 수익을 증가시키기보다는 미래 제조원가를 감소시킬 수 있다는 측면에서 미래경제적효익이 존재한다고 볼 수 있다.

08 다음은 한국채택국제회계기준서 제1038호 '무형자산'의 취득원가와 관련된 설명이다. 기준서의 규정과 다른 설명은 무엇인가?

① 미래경제적효익을 얻기 위해 지출이 발생하더라도 인식할 수 있는 무형자산이나 다른 자산이 획득 또는 창출되지 않는다면 관련 지출을 비용으로 인식한다.

② 사업결합의 일부로 취득하는 경우를 제외하고는 연구활동을 위한 지출은 발생시점에 비용으로 인식한다.

③ 사업결합의 과정에서 피취득자가 진행하고 연구·개발 프로젝트가 무형자산의 정의를 충족하는 경우에도 취득자는 이를 모두 영업권으로 일괄 인식한다.

④ 내부적으로 창출한 영업권은 어떠한 경우에도 자산으로 인식하지 아니한다.

⑤ 법적 실체를 설립하는 데 발생하는 법률비용과 새로운 영업을 시작하거나 새로운 제품 또는 공정을 시작하기 위하여 발생하는 지출은 중요성 여부를 떠나서 어떠한 경우에도 무형자산으로 계상할 수 없다.

09 C사는 20×1년 초 기계장치를 ₩1,000에 취득하고 원가모형으로 측정하기로 하였다(내용연수 5년, 잔존가치 ₩0, 정액법 사용). C사는 20×1년 7월 1일에 기계장치를 매각예정으로 분류하기로 하였으나 20×2년 7월 1일에 매각계획을 철회하고 계속 사용하기로 하였다. 각 일자의 자료들이 아래와 같을 때 동 거래가 20×1년과 20×2년의 C사의 당기손익에 미치는 영향은 얼마인가?

구분	20×1. 7. 1.	20×1년 말	20×2. 7. 1.
순FV	₩400	₩600	₩800
사용가치	950	900	900

	20×1년 당기손익에 미치는 영향	20×2년 당기손익에 미치는 영향
①	₩(400)	₩0
②	(600)	100
③	(500)	(100)
④	(100)	0
⑤	0	200

2차 문제 Preview

01 다음은 ㈜한국이 20×1년 10월 1일 시세차익을 목적으로 취득한 건물과 관련된 자료이다.

(1) ㈜한국은 건물을 아래의 지급조건으로 취득하였다.
- 20×1년 10월 1일: ₩1,000,000 현금지급
- 20×2년 9월 30일: ₩1,000,000 현금지급

건물 취득일 현재 건물의 현금가격상당액은 총지급액을 5%의 이자율로 할인한 현재가치와 동일하다.

(2) 건물 취득시점에 건물의 내용연수는 20년으로 추정하였으며, 잔존가치는 없고 정액법으로 상각한다.

(3) ㈜한국은 투자부동산에 대해서는 공정가치모형을 적용하며 유형자산에 대해서는 원가모형을 적용한다.

(4) ㈜한국은 20×2년 4월 1일부터 건물을 본사 사옥으로 사용하기 시작하였다.

(5) ㈜한국은 20×5년 7월 1일 동 건물을 ₩1,700,000에 처분하였다.

(6) 건물의 공정가치와 회수가능액은 다음과 같으며 손상차손의 인식요건을 충족한다.

일자	공정가치	회수가능액
20×1. 12. 31.	₩2,035,100	₩2,040,000
20×2. 4. 1.	₩2,059,200	₩2,070,000
20×2. 12. 31.	₩2,127,500	₩2,150,000
20×3. 12. 31.	₩1,800,000	₩1,575,000
20×4. 12. 31.	₩1,821,600	₩1,770,000

위의 거래들에 대해 ㈜한국이 관련 회계처리를 모두 적절하게 수행한 경우, 해당 연도 당기순이익에 미치는 영향을 구하시오(단, 원 이하는 반올림하며, 당기순이익에 음의 영향을 미칠 경우 (-)를 숫자 앞에 표시하시오).

구분	금액
20×1년	①
20×2년	②
20×3년	③
20×4년	④
20×5년	⑤

02 ㈜세무의 공장건물과 관련한 사항은 다음과 같다.

㈜세무는 20×1년 1월 1일에 공장건물을 ₩25,000,000에 신규 취득하였다. ㈜세무는 곧바로 공장건물을 제품 생산에 사용하였다. ㈜세무는 공장건물에 대하여 내용연수는 10년, 잔존가치는 ₩0으로 추정하고, 정액법에 의해 감가상각하기로 하였으며 재평가모형을 적용하였다. 20×1년 말과 20×2년 말 공장건물의 공정가치는 각각 ₩24,750,000과 ₩26,400,000이었다. ㈜세무는 자산의 장부금액을 재평가금액으로 조정할 때, 총장부금액은 장부금액의 변동에 따라 비례하여 수정하고, 재평가일의 감가상각누계액은 손상차손누계액을 고려한 후 총장부금액과 장부금액의 차이와 같아지도록 조정한다. 또한 재평가잉여금은 이익잉여금으로 대체하지 않는다.

물음 1 ㈜세무의 20×1년 말 재무상태표에 표시될 공장건물의 감가상각누계액과 재평가잉여금을 계산하시오.

공장건물의 감가상각누계액	공장건물 관련 재평가잉여금
①	②

물음 2 ㈜세무의 20×2년 말 재무상태표에 표시될 공장건물의 감가상각누계액과 재평가잉여금을 계산하시오.

공장건물의 감가상각누계액	공장건물 관련 재평가잉여금
①	②

03 다음의 <자료>를 이용하여 물음에 답하시오.

〈자료〉

(1) ㈜민국은 바이오신약 개발프로젝트 X와 Y를 진행 중에 있다. 프로젝트 X는 20×1년 6월 1일 임상 승인을 받아 무형자산의 인식기준을 충족하였으며, 이후 발생한 지출은 모두 자산화 요건을 충족한다. 프로젝트 Y는 20×1년 중 임상에 실패하여 개발을 중단하였다. 프로젝트 X, Y와 관련된 지출액은 다음과 같으며, 프로젝트 X의 20×1년 지출액 중 6월 1일 이후에 지출한 금액은 ₩500,000이다.

구분	20×1년	20×2년
프로젝트 X	₩800,000	₩100,000[1]
프로젝트 Y	₩700,000	-

[1] 20×2년 1월 2일 지출금액이다.

20×2년 1월 3일 프로젝트 X의 개발이 종료되고 바로 제품에 대한 생산이 시작되었다. 개발비의 내용연수는 3년이고 잔존가치는 ₩0이며 연수합계법에 따라 상각한다. 상각은 월할 계산을 원칙으로 한다.

(2) ㈜민국은 20×2년 1월 1일 제3자로부터 신약 관련 기술을 ₩500,000에 구입하고 기타무형자산으로 인식하였다. 기타무형자산의 내용연수는 5년, 잔존가치는 ₩0, 정액법으로 상각한다. 제3자로부터 구입한 신약 관련 기술에 대한 활성시장은 존재한다.

(3) ㈜민국은 개발비에 대해서는 원가모형을 적용하며, 기타무형자산에 대해서는 재평가모형을 적용한다. 20×2년 말과 20×3년 말 개발비의 회수가능액과 기타무형자산의 공정가치는 다음과 같다.

구분	개발비 회수가능액	기타무형자산 공정가치
20×2년 말	₩150,000	₩480,000
20×3년 말	₩200,000	₩280,000

물음 1 개발프로젝트와 관련하여 ㈜민국이 20×1년 말 인식할 무형자산과 20×1년 비용을 계산하시오(단, 20×1년 무형자산과 관련된 손상차손은 발생하지 않는다고 가정한다).

무형자산	①
비용	②

물음 2 ㈜민국이 개발비와 관련하여 20×2년에 인식할 손상차손과 20×3년에 인식할 손상차손환입을 계산하시오(단, 회수가능액이 장부금액보다 낮으면 손상징후가 있는 것으로 가정하며, 회수가능액이 장부금액보다 증가하는 것은 해당 자산의 용역잠재력 증가를 반영한 것으로 본다).

20×2년 손상차손	①
20×3년 손상차손환입	②

물음 3 ㈜민국은 재평가잉여금을 사용하는 기간 동안 이익잉여금으로 대체하며, 대체분개 후 재평가를 수행한다. 매 보고기간 말 자산의 장부금액이 공정가치와 중요하게 차이가 나며, 손상차손은 발생하지 않았고, 발생한 비용 중 자본화된 금액은 없다. 기타무형자산과 관련된 회계처리가 ㈜민국의 20×3년 당기순이익 및 기타포괄이익에 미치는 영향을 계산하시오(단, 당기순이익과 기타포괄이익이 감소하는 경우에는 (-)를 숫자 앞에 표시하시오).

당기순이익에 미치는 영향	①
기타포괄이익에 미치는 영향	②

해커스 IFRS 정윤돈 객관식 재무회계

/ 1차 시험 출제현황 /

구분	CPA										CTA									
	15	16	17	18	19	20	21	22	23	24	15	16	17	18	19	20	21	22	23	24
상각후원가측정금융부채	1		1		1		2	1	1	1		1	1	1	1	1	1	1	1	1
금융부채 - 기타사항		1		1	1			1									1	1	1	

제7장

금융부채

기초 유형 확인

[01 ~ 03]

다음에 제시되는 물음은 각각 독립된 상황이다.

> A사는 20×1년 초에 다음과 같은 조건의 사채를 B사에 발행하였으며 사채발행일에 A사의 사채에 적용될 시장이자율은 연 10%이다. A사의 보고기간은 매년 1월 1일부터 12월 31일까지이다. 동 사채의 액면금액은 ₩100,000이고 액면이자율은 연 8%, 이자지급일은 매년 12월 31일에 연 1회 지급하고 만기는 20×3년 말이다.

01 사채발행 시 사채발행비로 ₩4,633을 지출하였으며, 20×1년 12월 31일 A사의 재무상태표에 위 사채의 장부금액이 ₩93,240으로 계상되었을 경우 A사가 계상할 20×1년의 이자비용은 얼마인가? (이자율 10% 3기간 ₩1의 현가계수와 연금현가계수는 각각 0.75131, 2.48685이다)

① ₩10,847　② ₩12,847　③ ₩13,847
④ ₩9,745　⑤ ₩8,000

02 사채의 사채발행비가 없다고 가정하고 A사는 동 사채를 사채액면의 발행일인 20×1년 초가 아닌 20×1년 4월 1일에 실제 발행하였을 경우, 다음 중 옳지 않은 것은? (단, 실제발행일인 4월 1일의 시장이자율은 15%이며 이자율 15% 3기간 ₩1의 현가계수와 연금현가계수는 각각 0.65752, 2.28323이다)

① 20×1년 4월 1일의 사채발행금액은 ₩87,169이다.
② 20×1년 말 사채할인발행차금의 장부금액은 ₩11,379이다.
③ 20×1년 사채의 이자비용은 ₩9,452이다.
④ 20×1년 사채할인발행차금상각액은 ₩3,452이다.
⑤ 동 사채로 A사가 인식할 총이자비용은 ₩38,831이다.

03 A사는 동 사채액면금액 ₩40,000을 20×3년 7월 1일 ₩45,000에 상환하였다. 동 거래가 A사의 20×3년 당기손익에 미치는 영향은 얼마인가?

① ₩(−)3,764　② ₩(−)4,909　③ ₩(−)7,855
④ ₩(−)11,619　⑤ ₩(−)12,000

[04 ~ 05]

B사는 다음과 같은 조건의 사채를 20×1년 4월 1일에 경과이자를 포함하여 ㈜사과에 발행하였다. B사와 ㈜사과의 결산일은 모두 12월 31일이다.

- 사채권면상 발행일: 20×1년 1월 1일
- 액면금액: ₩10,000,000
- 표시이자율: 연 10%
- 이자지급시기: 매년 12월 31일
- 원금의 상환: 20×1년부터 20×5년까지 매년 12월 31일에 ₩2,000,000씩 연속상환
- 20×1년 1월 1일의 시장이자율: 연 3%
- 20×1년 4월 1일의 시장이자율: 연 5%
- 사채발행과 관련하여 발생한 비용은 없음
- 시장이자율이 3%와 5%일 때 ₩1의 현가계수와 정상연금 ₩1의 현가계수는 아래의 표와 같다.

기간	₩1의 현가계수		정상연금 ₩1의 현가계수	
	3%	5%	3%	5%
1	0.97087	0.95238	0.97087	0.95238
2	0.94260	0.90703	1.91347	1.85941
3	0.91514	0.86384	2.82861	2.72325
4	0.88849	0.82270	3.71710	3.54595
5	0.86261	0.78353	4.57971	4.32948

단, 각 물음은 독립적이며, 소수점 이하 금액은 반올림한다.

04 B사가 동 사채와 관련하여 인식해야 하는 20×1년 12월 31일 현재 사채의 사채할증발행차금은 얼마인가?

① ₩908,107 ② ₩905,107 ③ ₩901,235
④ ₩887,165 ⑤ ₩875,106

05 B사가 위 사채를 20×4년 1월 1일에 시가(미래현금흐름의 현재가치)로 조기상환하는 경우 인식해야 하는 사채상환이익(손실)은 얼마인가? (단, 20×4년 1월 1일의 시장이자율은 연 4%이다)

① ₩60,538 ② ₩(-)60,538 ③ ₩72,538
④ ₩(-)72,538 ⑤ ₩75,106

[06 ~ 07]

A사는 20×1년 1월 1일 현재 만기일이 20×1년 12월 31일인 사채가 ₩98,182(액면금액 ₩100,000) 있다. 사채의 유효이자율은 연 10%이며, 표시이자는 매년 말 지급한다. A사는 동 사채의 만기일을 20×3년 12월 31일로 연장하고, 표시이자율은 연 5%로 조건을 변경하였다. 조건변경일 현재의 시장이자율은 연 12%이다. 현가계수는 다음과 같다(단, 사채의 회계처리는 순액법으로 한다).

기간	10%		12%	
	현가	연금현가계수	현가	연금현가계수
1	0.9091	0.9091	0.8928	0.8928
2	0.8264	1.7355	0.7972	1.6900
3	0.7513	2.4868	0.7118	2.4018

06 A사가 조건변경과 관련된 수수료 ₩500을 지출했다고 할 때, 동 사채로 인하여 인식할 조건변경이익은 얼마인가?

① ₩14,993 ② ₩14,493 ③ ₩10,618
④ ₩8,392 ⑤ ₩0

07 A사가 조건변경과 관련된 수수료 ₩1,000을 지출했다고 할 때, 동 사채로 인하여 인식할 조건변경이익은 얼마인가?

① ₩14,993 ② ₩14,493 ③ ₩10,618
④ ₩8,392 ⑤ ₩0

기출 유형 정리

01 ㈜민국은 20×1년 1월 1일 액면금액 ₩1,000,000, 액면이자율 연 5%(매년 말 이자지급), 3년 만기인 회사채를 발행하고 상각후원가측정금융부채로 분류하였다. 사채발행 당시 시장이자율은 연 8%이었으며, 사채할인발행차금에 대하여 유효이자율법으로 상각한다. 한편, ㈜민국이 동 사채를 발행하는 과정에서 직접적인 사채발행비 ₩47,015이 발생하였으며, ㈜민국은 동 사채와 관련하여 20×1년도 포괄손익계산서상 이자비용으로 ₩87,564를 인식하였다. 동 사채와 관련하여 ㈜민국이 20×2년도 포괄손익계산서상 이자비용으로 인식할 금액은 얼마인가? (단, 8%, 3기간 기간 말 단일금액 ₩1의 현가계수는 0.7938이며, 8%, 3기간 정상연금 ₩1의 현가계수는 2.5771이다. 계산금액은 소수점 첫째 자리에서 반올림하며, 단수차이로 인해 약간의 오차가 있으면 가장 근사치를 선택한다. 또한 법인세효과는 고려하지 않는다) [공인회계사 2011년]

① ₩91,320　② ₩92,076　③ ₩93,560
④ ₩94,070　⑤ ₩95,783

02 ㈜세무는 20×1년 초 5년 만기 사채를 발행하여 매년 말 액면이자를 지급하고 유효이자율법에 의하여 이자비용을 인식하고 있다. 20×2년 말 이자와 관련하여 다음과 같은 회계처리 후 사채의 장부금액이 ₩84,000이 되었다면, 20×3년 말 사채의 장부금액은 얼마인가? [세무사 2018년]

차) 이자비용	8,200	대) 사채할인발행차금	2,000
		현금	6,200

① ₩86,200　② ₩86,600　③ ₩87,000
④ ₩87,200　⑤ ₩87,600

03 ㈜세무는 20×1년 1월 1일 액면금액 ₩1,000,000, 표시이자율 5%(매년 말 지급), 만기 3년인 회사채를 ₩875,645에 발행하고 상각후원가측정금융부채로 분류하였다. 사채발행시점의 유효이자율은 10%이었으며, 사채할인발행차금을 유효이자율법으로 상각한다. ㈜세무는 20×2년 1월 1일에 동 사채의 일부를 ₩637,000에 조기상환하여, 사채상환이익 ₩2,184 발생하였다. 20×2년 말 재무상태표에 표시될 사채의 장부금액(순액)은 얼마인가? [세무사 2019년]

① ₩190,906　② ₩286,359　③ ₩334,086
④ ₩381,812　⑤ ₩429,539

04 ㈜대한은 20×1년 1월 1일 만기가 2년을 초과하는 사채를 발행하였으며, 이는 회사의 유일한 사채이다. 동 사채는 액면이자를 매년 12월 31일에 지급하며, 액면금액을 만기일에 일시상환하는 조건이다. 사채발행 이후 발행조건의 변경은 없다. 동 사채에 대한 20×1년도와 20×2년도의 관련 이자 정보는 다음과 같다.

구분	20×1년도	20×2년도
연도 말 액면이자지급액	₩120,000	₩120,000
포괄손익계산서상 연간 이자비용	₩148,420	₩152,400

상기 사채의 발행시점의 유효이자율은 얼마인가? (단, 사채발행비와 조기상환, 차입원가 자본화는 발생하지 않았으며, 단수차이로 인해 오차가 있다면 가장 근사치를 선택한다) [공인회계사 2019년]

① 14% ② 15% ③ 16%
④ 17% ⑤ 18%

05 ㈜국세는 아래와 같은 조건으로 사채를 발행하였다.

- 사채권면에 표시된 발행일은 20×0년 1월 1일이며, 실제발행일은 20×0년 8월 1일이다.
- 사채의 액면금액은 ₩3,000,000이며, 이자지급일은 매년 12월 31일이고 만기는 4년이다.
- 사채의 액면이자율은 연 6%이며, 동 사채에 적용되는 유효이자율은 연 12%이다.
- 사채권면에 표시된 발행일과 실제발행일 사이의 발생이자는 실제발행일의 사채발행금액에 포함되어 있다.

위 사채의 회계처리에 관한 다음 설명 중 옳지 않은 것은? (단, 이자는 월할 계산하며, 소수점 첫째 자리에서 반올림한다. 12%, 4기간 기간 말 단일금액 ₩1의 현가계수는 0.63552이고, 12%, 4기간 정상연금 ₩1의 현가계수는 3.03735이다) [세무사 2012년]

① 실제발행일의 순수 사채발행금액은 ₩2,520,013이다.
② 20×0년도에 상각되는 사채할인발행차금은 ₩122,664이다.
③ 20×0년 12월 31일 현재 사채할인발행차금 잔액은 ₩432,323이다.
④ 사채권면상 발행일과 실제발행일 사이의 액면발생이자는 ₩105,000이다.
⑤ 사채권면상 발행일과 실제발행일 사이의 사채가치의 증가분(경과이자 포함)은 ₩171,730이다.

06 ㈜한국은 20×1년 1월 1일 액면금액 ₩1,000,000, 액면이자율 연 8%(매년 말 이자지급), 만기 3년인 회사채를 ₩950,244에 발행하였다. 발행 당시 유효이자율은 연 10%이었으며, 사채할인발행차금에 대하여 유효이자율법으로 상각하고 있다. 한편, ㈜한국은 자산매각을 통해 발생한 자금으로 20×1년 7월 1일에 동 사채액면금액의 50%를 ₩500,000(경과이자 포함)에 조기상환하였다. 동 사채와 관련하여 20×1년도에 발생한 거래가 ㈜한국의 20×1년도 포괄손익계산서상 당기순이익에 미치는 영향은 얼마인가? (단, 법인세효과는 고려하지 않으며, 이자는 월할 계산한다. 또한 계산금액은 소수점 첫째 자리에서 반올림하며, 단수차이로 인해 약간의 오차가 있으면 가장 근사치를 선택한다)

[공인회계사 2011년]

① ₩47,512 감소 ② ₩48,634 감소 ③ ₩58,638 감소
④ ₩71,268 감소 ⑤ ₩72,390 감소

07 ㈜세무는 20×1년 1월 1일에 액면금액 ₩1,200,000, 표시이자율 연 5%, 매년 말 이자를 지급하는 조건의 사채(매년 말에 액면금액 ₩400,000씩을 상환하는 연속상환사채)를 발행하였다. 20×1년 12월 31일 사채의 장부금액은 얼마인가? (단, 사채발행 당시의 유효이자율은 연 6%, 계산금액은 소수점 첫째 자리에서 반올림하며, 단수차이로 인한 오차는 가장 근사치를 선택한다) [세무사 2016년]

기간	단일금액 ₩1의 현재가치		정상연금 ₩1의 현재가치	
	5%	6%	5%	6%
1	0.9524	0.9434	0.9524	0.9434
2	0.9070	0.8900	1.8594	1.8334
3	0.8638	0.8396	2.7232	2.6730

① ₩678,169 ② ₩778,196 ③ ₩788,888
④ ₩795,888 ⑤ ₩800,000

08 ㈜한국은 액면금액 ₩1,000,000(표시이자율 연 8%, 사채권면상 발행일 20×1년 1월 1일, 만기 3년, 매년 말 이자지급)인 사채를 20×1년 4월 1일에 발행하였다. 권면상 발행일인 20×1년 1월 1일의 시장이자율은 연 10%이며, 실제발행일(20×1년 4월 1일)의 시장이자율은 연 12%이다. 현가계수는 아래 표를 이용한다.

기간 \ 할인율	단일금액 ₩1의 현재가치			정상연금 ₩1의 현재가치		
	8%	10%	12%	8%	10%	12%
3년	0.7938	0.7513	0.7118	2.5771	2.4868	2.4018

㈜한국이 사채발행으로 20×1년 4월 1일 수취하는 금액은 얼마인가? (단, 단수차이로 인해 오차가 있다면 가장 근사치를 선택한다) [공인회계사 2017년]

① ₩911,062 ② ₩931,062 ③ ₩938,751
④ ₩958,751 ⑤ ₩978,751

09 ㈜세무는 20×1년 초 사채(액면금액 ₩100,000, 만기 3년, 매년 말 이자지급 표시이자율 5%)를 ₩87,565에 발행하였으며, 유효이자율은 10%이다. 20×2년 말 사채 관련 이자비용 회계처리를 한 후 장부마감 전에 20×1년과 20×2년에 사채할인발행차금을 유효이자율법이 아닌 정액법으로 상각하였다는 것을 발견하였을 때, 20×2년 수정분개로 옳은 것은? [세무사 2017년]

기간	단일금액 ₩1의 현재가치		정상연금 ₩1의 현재가치	
	5%	10%	5%	10%
1	0.95238	0.90909	0.95238	0.90909
2	0.90703	0.82645	1.85941	1.73554
3	0.86384	0.75131	2.72325	2.48685

	(차변)		(대변)	
①	사채할인발행차금	401	이자비용	401
②	사채할인발행차금	401	이자비용	13
			이익잉여금	388
③	사채할인발행차금	401	이익잉여금	401
④	이자비용	401	사채할인발행차금	401
⑤	이자비용	13	사채할인발행차금	401
	이익잉여금	388		

10 ㈜세무는 20×1년 1월 1일 ㈜대한에게 사채 A(액면금액 ₩1,000,000, 만기 5년, 표시이자율 연 5%, 매년 말 이자지급)를 발행하고 상각후원가측정금융부채로 분류하였다. 사채발행시점의 유효이자율은 연 10%이고, 사채할인발행차금은 유효이자율법으로 상각하고 있다. 20×4년 1월 1일 유효이자율이 연 8%로 하락함에 따라 ㈜민국에게 새로운 사채 B(액면금액 ₩1,000,000, 만기 2년, 표시이자율 연 3%, 매년 말 이자지급)를 발행하여 수취한 현금으로 사채 A를 조기상환하였다. ㈜세무가 20×4년 1월 1일 인식할 사채 A의 상환손익과 사채 B의 발행금액은 얼마인가? (단, 계산금액은 소수점 이하 첫째 자리에서 반올림한다) [세무사 2020년]

기간	단일금액 ₩1의 현재가치				정상연금 ₩1의 현재가치			
	3%	5%	8%	10%	3%	5%	8%	10%
2년	0.9426	0.9070	0.8573	0.8264	1.9135	1.8594	1.7833	1.7355
5년	0.8626	0.7835	0.6806	0.6209	4.5797	4.3295	3.9927	3.7908

	사채 A 상환손익	사채 B 발행금액
①	손실 ₩2,396	₩878,465
②	손실 ₩2,396	₩913,195
③	손실 ₩2,396	₩915,591
④	이익 ₩2,396	₩910,799
⑤	이익 ₩2,396	₩1,000,000

11 ㈜세무는 20×1년 1월 1일 액면금액 ₩1,000,000(표시이자율 연 5%, 매년 말 이자지급, 만기 3년)인 사채를 발행하였으며, 사채발행비로 ₩46,998을 지출하였다. 사채발행 당시 시장이자율은 연 8%이며, 20×1년 말 이자비용으로 ₩87,566을 인식하였다. 사채의 액면금액 중 ₩600,000을 20×3년 4월 1일에 경과이자를 포함하여 ₩570,000에 조기상환한 경우 사채상환손익은 얼마인가? (단, 계산금액은 소수점 이하 첫째 자리에서 반올림한다) [세무사 2021년]

기간	단일금액 ₩1의 현재가치		정상연금 ₩1의 현재가치	
	5%	8%	5%	8%
3년	0.8638	0.7938	2.7233	2.5771

① 손실 ₩7,462 ② 손실 ₩9,545 ③ 이익 ₩7,462
④ 이익 ₩9,545 ⑤ 이익 ₩17,045

12 ㈜대한은 20×1년 1월 1일 사채(액면금액 ₩5,000,000, 표시이자율 연 6%, 매년 말 이자지급, 3년 만기)를 발행하였으며, 동 사채를 상각후원가로 측정하는 금융부채로 분류하였다. 사채발행일의 시장이자율은 연 8%이며, 사채발행비 ₩50,000이 지급되었다. 20×1년 12월 31일 사채의 장부금액이 ₩4,814,389일 경우 ㈜대한이 동 사채와 관련하여 20×2년에 인식할 이자비용은 얼마인가? (단, 단수차이로 인해 오차가 있다면 가장 근사치를 선택한다) [공인회계사 2022년]

할인율 / 기간	단일금액 ₩1의 현재가치		정상연금 ₩1의 현재가치	
	6%	8%	6%	8%
1년	0.9434	0.9259	0.9434	0.9259
2년	0.8900	0.8573	1.8334	1.7832
3년	0.8396	0.7938	2.6730	2.5770

① ₩394,780 ② ₩404,409 ③ ₩414,037
④ ₩423,666 ⑤ ₩433,295

13 ㈜세무는 20×1년 초 상각후원가로 측정하는 금융부채에 해당하는 사채(액면금액 ₩2,000,000, 표시이자율 연 8%, 만기 3년, 매년 말 이자지급)를 ₩1,900,504에 발행하고, 사채발행비 ₩92,604을 현금으로 지출하였다. 발행 당시 시장이자율은 연 10%이며 ㈜세무는 동 사채와 관련하여 20×1년도 이자비용으로 ₩216,948을 인식하였다. 20×2년 말 ㈜세무가 경과이자를 포함하여 ₩2,000,000에 사채 전부를 조기상환하였다면, 사채의 상환으로 인식할 사채상환이익은? (단, 현재가치 계산 시 다음에 제시된 현가계수표를 이용한다) [세무사 2023년]

기간	단일금액 ₩1의 현재가치		정상연금 ₩1의 현재가치	
	8%	10%	8%	10%
1	0.9259	0.9091	0.9259	0.9091
2	0.8573	0.8265	1.7833	1.7355
3	0.7938	0.7513	2.5771	2.4869

① ₩51,325 ② ₩61,345 ③ ₩88,630
④ ₩123,656 ⑤ ₩160,000

14 ㈜대한은 20×1년 1월 1일에 다음과 같은 조건의 사채를 발행하려고 하였으나 실패하고, 3개월이 경과된 20×1년 4월 1일에 동 사채를 발행하였으며 상각후원가측정금융부채(AC금융부채)로 분류하였다. 20×1년 4월 1일 현재 유효이자율은 연 4%이다.

> • 권면상 발행일: 20×1년 1월 1일
> • 액면금액: ₩1,000,000
> • 만기일: 20×3년 12월 31일(일시상환)
> • 표시이자율: 연 6%, 매년 말 지급

㈜대한은 20×2년 4월 1일에 액면금액 중 ₩600,000을 경과이자를 포함하여 ₩610,000에 조기상환하였다. ㈜대한의 사채에 대한 회계처리가 20×2년도 당기순이익에 미치는 영향은 얼마인가? (단, 이자는 월할로 계산하며, 단수차이로 인해 오차가 있다면 가장 근사치를 선택한다)

[공인회계사 2023년]

할인율 / 기간	단일금액 ₩1의 현재가치		정상연금 ₩1의 현재가치	
	4%	6%	4%	6%
1년	0.9615	0.9434	0.9615	0.9434
2년	0.9246	0.8900	1.8861	1.8334
3년	0.8890	0.8396	2.7751	2.6730

① ₩3,968 감소 ② ₩6,226 감소 ③ ₩22,830 감소
④ ₩2,258 증가 ⑤ ₩12,636 증가

15 ㈜한국은 권면상 발행일이 20×1년 1월 1일이며 만기는 20×3년 12월 31일, 액면금액 ₩1,000,000, 표시이자율 연 6%(매년 말 지급)인 사채를 20×1년 4월 1일에 발행하고, 사채발행비용 ₩10,000을 지출하였다. 20×1년 1월 1일 사채에 적용되는 시장이자율은 연 8%이지만, 실제발행일인 20×1년 4월 1일의 시장이자율은 연 10%이다. 20×1년 4월 1일에 동 사채를 당기손익-공정가치측정금융부채로 분류했을 때의 당기손익-공정가치측정금융부채 장부금액(A)과 상각후원가측정금융부채로 분류했을 때의 상각후원가측정금융부채 장부금액(B)을 구하면 각각 얼마인가? (단, 현가계수는 아래의 현가계수표를 이용하며, 단수차이로 인해 오차가 있는 경우 가장 근사치를 선택한다)

[공인회계사 2016년]

할인율	단일금액 ₩1의 현가			정상연금 ₩1의 현가		
	1년	2년	3년	1년	2년	3년
8%	0.9259	0.8573	0.7938	0.9259	1.7832	2.5770
10%	0.9091	0.8264	0.7513	0.9091	1.7355	2.4868

	당기손익-공정가치측정금융부채로 분류했을 때의 장부금액(A)	상각후원가측정금융부채로 분류했을 때의 장부금액(B)
①	₩898,021	₩898,021
②	₩898,021	₩908,021
③	₩908,021	₩898,021
④	₩942,388	₩942,388
⑤	₩952,388	₩942,388

16 ㈜대한은 20×1년 1월 1일 다음과 같은 사채를 발행하고 상각후원가로 측정하는 금융부채로 분류하였다.

> • 발행일: 20×1년 1월 1일
> • 액면금액: ₩1,000,000
> • 이자지급: 연 8%를 매년 12월 31일에 지급
> • 만기일: 20×3년 12월 31일(일시상환)
> • 사채발행시점의 유효이자율: 연 10%

㈜대한은 20×2년 초 사채의 만기일을 20×4년 12월 31일로 연장하고 표시이자율을 연 3%로 조건을 변경하였다. 20×2년 초 현재 유효이자율은 연 12%이다. 사채의 조건변경으로 인해 ㈜대한이 20×2년도에 인식할 조건변경이익(A)과 조건변경 후 20×2년도에 인식할 이자비용(B)은 각각 얼마인가? (단, 단수차이로 인해 오차가 있다면 가장 근사치로 선택한다) [공인회계사 2018년]

기간 \ 할인율	단일금액 ₩1의 현재가치		정상연금 ₩1의 현재가치	
	10%	12%	10%	12%
1년	0.9091	0.8928	0.9091	0.8928
2년	0.8264	0.7972	1.7355	1.6900
3년	0.7513	0.7118	2.4868	2.4018

	20×2년도 조건변경이익(A)	20×2년도 이자비용(B)
①	₩139,364	₩94,062
②	₩139,364	₩82,590
③	₩139,364	₩78,385
④	₩181,414	₩82,590
⑤	₩181,414	₩94,062

17 ㈜세무는 20×1년 1월 1일 ㈜대한에게 ₩500,000(만기 4년, 표시이자율 연 5%, 매년 말 지급)을 차입하였으며, 유효이자율은 연 5%이다. 20×2년 12월 31일 ㈜세무는 경영상황이 악화되어 ㈜대한과 차입금에 대해 다음과 같은 조건으로 변경하기로 합의하였다.

> • 만기일: 20×7년 12월 31일
> • 표시이자율: 연 2%, 매년 말 지급
> • 유효이자율: 연 8%

기간	단일금액 ₩1의 현재가치		정상연금 ₩1의 현재가치	
	5%	8%	5%	8%
2년	0.9070	0.8573	1.8594	1.7833
5년	0.7835	0.6806	4.3295	3.9927

20×2년 12월 31일 ㈜세무가 재무상태표에 인식해야 할 장기차입금은? [세무사 2021년]

① ₩380,227 ② ₩435,045 ③ ₩446,483
④ ₩472,094 ⑤ ₩500,000

18 ㈜대한은 20×1년 1월 1일에 ㈜민국에게 사채(액면금액 ₩1,000,000, 3년 만기, 표시이자율 연 10%, 매년 말 이자지급)를 발행하였으며, 동 사채를 상각후원가로 측정하는 금융부채로 분류하였다. 사채발행일의 시장이자율은 연 12%이다. ㈜대한은 20×1년 12월 31일 동 사채의 만기를 20×4년 12월 31일로 연장하고 매년 말 연 4%의 이자를 지급하는 조건으로 ㈜민국과 합의하였다. 조건 변경 전 20×1년 12월 31일 사채의 장부금액은 ₩966,218이며, 현행시장이자율은 연 15%이다. ㈜대한이 20×1년 12월 31일 동 사채의 조건변경으로 인식할 조정손익은 얼마인가? (단, 단수차이로 인해 오차가 있다면 가장 근사치를 선택한다) [공인회계사 2022년]

할인율 / 기간	단일금액 ₩1의 현재가치			정상연금 ₩1의 현재가치		
	10%	12%	15%	10%	12%	15%
3년	0.7513	0.7118	0.6575	2.4868	2.4018	2.2832

① 조정이익 ₩217,390 ② 조정이익 ₩158,346 ③ ₩0
④ 조정손실 ₩158,346 ⑤ 조정손실 ₩217,390

19 ㈜세무는 20×1년 초 상각후원가로 측정하는 금융부채에 해당하는 사채(액면금액 ₩1,000,000, 표시이자율 연 8%, 만기 3년, 매년 말 이자지급)를 ₩950,252(유효이자율 연 10%)에 발행하였다. ㈜세무는 20×2년 초에 표시이자율을 연 5%(매년 말 이자지급)로, 만기를 20×5년 말로 조건을 변경하는 것에 사채권자와 합의하였다. 조건변경과 관련한 수수료는 발생하지 않았으며, 20×2년 초 시장이자율은 12%이다. 동 사채의 회계처리가 ㈜세무의 20×2년도 당기순이익에 미치는 영향은? (단, 현재가치 계산 시 다음에 제시된 현가계수표를 이용한다) [세무사 2023년]

기간	단일금액 ₩1의 현재가치				정상연금 ₩1의 현재가치			
	5%	8%	10%	12%	5%	8%	10%	12%
1	0.9524	0.9259	0.9091	0.8929	0.9524	0.9259	0.9091	0.8929
2	0.9070	0.8573	0.8265	0.7972	1.8594	1.7833	1.7355	1.6901
3	0.8638	0.7938	0.7513	0.7118	2.7233	2.5771	2.4869	2.4018
4	0.8227	0.7350	0.6830	0.6355	3.5460	3.3121	3.1699	3.0374
5	0.7835	0.6806	0.6209	0.5674	4.3295	3.9927	3.7908	3.6048

① ₩207,932 감소 ② ₩272,391 감소 ③ ₩39,637 증가
④ ₩53,212 증가 ⑤ ₩83,423 증가

20 ㈜세무는 20×1년 초 상각후원가로 측정하는 금융부채에 해당하는 사채(액면금액 ₩1,000,000, 표시이자율 8%, 만기 5년, 매년 말 원금 ₩200,000씩 연속 상환, 매년 말 이자지급)를 발행하였다. 20×1년 말과 20×2년 말 원금과 이자는 정상적으로 지급하였으나 20×3년 초 재무위기가 발생하여 채권자들의 동의를 받아 사채의 조건을 변경(무이자로 20×5년 말 원금 ₩600,000 일시상환)하였다. 시장이자율이 각각 20×1년 초 10%, 20×3년 초 12%이고 조건변경과 관련한 수수료는 발생하지 않았을 때, 동 사채에 관한 설명으로 옳은 것은? (단, 사채발행 시 거래원가는 발생하지 않았으며, 현재가치 계산 시 다음에 제시된 현가계수표를 이용한다) [세무사 2024년]

기간	단일금액 ₩1의 현재가치			정상연금 ₩1의 현재가치		
	8%	10%	12%	8%	10%	12%
1	0.9259	0.9091	0.8929	0.9259	0.9091	0.8929
2	0.8573	0.8265	0.7972	1.7833	1.7355	1.6901
3	0.7938	0.7513	0.7118	2.5771	2.4869	2.4018
4	0.7350	0.6830	0.6355	3.3121	3.1699	3.0374
5	0.6806	0.6209	0.5674	3.9927	3.7908	3.6048

① 20×1년 초 사채의 발행금액은 ₩924,164이다.
② 20×2년도 인식할 이자비용은 ₩96,681이다.
③ 20×3년 초 조건 변경 시 제거될 사채의 장부금액은 ₩601,920이다.
④ 20×3년 초 조건 변경 시 새로 인식할 사채의 장부금액은 ₩450,780이다.
⑤ 20×3년 초 조건 변경으로 인해 인식될 조정이익은 ₩152,401이다.

21 ㈜세무는 사채(사채권면상 발행일 20×1년 1월 1일, 액면금액 ₩1,000,000, 표시이자율 연 8%, 만기 3년, 매년 말 이자지급)를 20×1년 4월 1일에 발행하고 사채발행비용 ₩1,000을 지출하였다. 사채권면상 발행일인 20×1년 1월 1일의 시장이자율은 연 10%이며, 실제 발행일(20×1년 4월 1일)의 시장이자율은 연 12%이다. 동 사채를 당기손익-공정가치측정금융부채로 분류했을 경우 20×1년 4월 1일의 장부금액은? (단, 현재가치 계산 시 다음에 제시된 현가계수를 이용한다. 12%, 3년 현가계수: 0.7, 연금현가계수: 2.4) [세무사 2022년 수정]

① ₩898,760 ② ₩911,062 ③ ₩953,000
④ ₩954,000 ⑤ ₩1,000,000

관련 유형 연습

01 다음은 ㈜현주가 20×1년 기초에 발행한 사채와 관련된 자료이다.

- 액면금액: ₩3,000,000
- 발행일: 20×1년 1월 1일
- 만기일: 3년
- 표시이자율: 연 8% 매년 말 지급
- 발행 시 유효이자율: 연 10%

사채발행차금을 유효이자율법으로 회계처리하는 ㈜현주가 20×2년 3월 31일에 상기 사채를 ₩3,150,000(미지급이자 포함)에 매입하였다면, 사채상환손실은 얼마인가? (단, 모든 계산금액은 소수점 첫째 자리에서 반올림하며, 이 경우 약간의 오차는 나타날 수 있다. 3년 만기 10% 현가계수: 0.7513, 3년 만기 10% 연금현가계수: 2.4868)

① ₩54,614　② ₩91,800　③ ₩181,800
④ ₩241,800　⑤ ₩254,195

02 ㈜대경은 20×1년 1월 1일 액면금액 ₩1,000,000, 액면이자율 연 7%(매년 말 이자지급), 3년 만기인 회사채를 발행하고 상각후원가측정금융부채로 분류하였다. 사채발행 당시 시장이자율은 연 9%이었으며, 사채할인발행차금에 대하여 유효이자율법으로 상각한다. 한편, ㈜대경이 동 사채를 발행하는 과정에서 직접적인 사채발행비 ₩24,011이 발생하였다. ㈜대경은 동 사채와 관련하여 20×1년도 포괄손익계산서상 이자비용으로 ₩92,538을 인식하였다. ㈜대경이 20×2년 5월 31일에 상기 사채를 ₩1,050,000(미지급이자 포함)에 매입하였다면, 사채상환손실은 얼마인가? (단, 계산과정에서 소수점 이하는 첫째 자리에서 반올림한다. 그러나 계산방식에 따라 단수차이로 인해 오차가 있는 경우, 가장 근사치를 선택한다. 또한 법인세효과는 고려하지 않는다. 3년 만기 9% 현가계수: 0.7722, 3년 만기 9% 연금현가계수: 2.5313)

① ₩12,045　② ₩39,254　③ ₩50,000
④ ₩62,585　⑤ ₩76,136

03 ㈜동화는 20×1년 1월 1일에 액면금액 ₩3,000,000, 표시이자율 6%, 3년에 걸쳐 매년 말 이자지급과 원금 ₩1,000,000씩을 상환하는 연속상환사채를 발행하였다. 사채의 발행금액은 얼마인가? (단, 사채발행 시의 유효이자율은 8%이고 사채발행비는 없다. 또한 모든 계산금액은 소수점 첫째 자리에서 반올림하며, 오차가 있는 경우 가장 근사치를 선택한다)

① ₩2,641,259 ② ₩2,703,342 ③ ₩2,765,391
④ ₩2,823,256 ⑤ ₩2,894,178

04 ㈜한국은 20×1년 1월 1일 액면금액 ₩1,000,000, 액면이자율 연 8%(매년 말 이자지급), 3년 만기인 회사채를 발행하고 상각후원가측정금융부채로 분류하였다. 사채발행 당시 시장이자율은 연 10%이었으며, 사채발행차금에 대하여 유효이자율법으로 상각한다. ㈜한국은 20×2년 7월 1일에 동 사채를 모두 ₩1,000,000(경과이자 포함)에 매입하였으며, 이 중 액면금액 ₩400,000은 매입 즉시 소각하고, 나머지 액면금액 ₩600,000은 20×2년 12월 31일에 재발행하였다. 20×2년 7월 1일의 시장이자율은 연 8%이고, 20×2년 12월 31일의 시장이자율은 연 10%이다. 동 사채와 관련된 회계처리가 ㈜한국의 20×2년 당기순이익에 미치는 영향은 얼마인가? (단, 현가계수는 아래의 현가계수표를 이용하며, 계산과정에서 소수점 이하는 첫째 자리에서 반올림하고, 단수차이로 인해 오차가 있는 경우 가장 근사치를 선택한다)

할인율	단일금액 ₩1의 현가			정상연금 ₩1의 현가		
	1년	2년	3년	1년	2년	3년
8%	0.9259	0.8573	0.7938	0.9259	1.7832	2.5770
10%	0.9091	0.8264	0.7513	0.9091	1.7355	2.4868

① ₩(−)12,045 ② ₩(−)39,254 ③ ₩(−)34,711
④ ₩(−)62,585 ⑤ ₩(−)76,136

05 ㈜봄이는 액면 ₩100,000의 사채를 20×1년 초에 발행하였다. 발행 당시의 시장이자율은 연 12%, 액면이자율은 연 10%, 이자는 매년 6월 30일과 12월 31일에 나누어 지급한다. 만기일은 20×3년 말이다. 동 사채의 20×1년 이자비용은 얼마인가? (단, 관련 현가계수는 아래와 같다)

구분	현가계수	연금현가계수
3기간, ₩1의 12% 현가요소	0.71178	2.40183
6기간, ₩1의 6% 현가요소	0.70496	4.91732

① ₩11,452 ② ₩10,302 ③ ₩98,452
④ ₩5,747 ⑤ ₩5,705

06 ㈜현주는 20×1년 4월 초에 사채액면 ₩100,000(동 사채의 이자기산일은 20×1년 4월 초이며, 액면이자율 10%로 매년 3월 31일 후급, 만기는 20×4년 3월 31일)을 발행하였다. 발행 당시의 시장이자율은 12%이었다. 동 사채의 20×2년 이자비용은 얼마인가? (단, 시장이자율 12%, 기간 3년의 현가요소는 0.71178, 연금현가요소는 2.40183)

① ₩2,856
② ₩8,568
③ ₩8,695
④ ₩11,552
⑤ ₩13,554

07 A사는 20×1년 1월 1일에 액면금액 ₩100,000이고, 표시이자율은 6%, 이자지급일은 매년 12월 31일이며, 만기가 20×3년 12월 31일인 사채를 발행하였다. 사채발행시점의 시장이자율은 10%이며, ₩90,051에 발행하였다. 사채발행 시 거래원가는 ₩4,460이 발생하여 발행 당시 유효이자율은 12%이다.

기간	10%		12%		13%		15%	
	현가계수	연금 현가계수	현가계수	연금 현가계수	현가계수	연금 현가계수	현가계수	연금 현가계수
1기간	0.9091	0.9091	0.8929	0.8929	0.8850	0.8850	0.8696	0.8696
2기간	0.8265	1.7356	0.7972	1.6901	0.7831	1.6681	0.7561	1.6257
3기간	0.7513	2.4869	0.7118	2.4019	0.6931	2.3612	0.6575	2.2832

A사는 사채를 당기손익-공정가치측정금융부채로 지정하였다. 사채에 적용되는 20×1년 말 현재 기준금리는 연 7%이므로 발행시점의 신용위험이 유지되는 경우의 시장이자율은 연 12%(기준금리 7% + 신용가산이자율 5%)이다. 20×1년 말 현재 A사가 발행한 동 회사채의 시장이자율은 15%(기준금리 7% + 신용가산이자율 8%)이다. (단, 15%와 12% 적용 시 공정가치의 차이로 신용가산이자율의 변동에 따른 공정가치 차이를 구한다) A사가 발행한 사채의 신용위험 변동효과의 회계처리가 당기손익의 회계불일치를 일으키거나 확대하지 않는다고 할 때, 20×1년 포괄손익계산서상 당기순이익과 기타포괄손익에 미치는 영향은 얼마인가?

	20×1년 당기순이익에 미치는 영향	20×1년 기타포괄손익에 미치는 영향
①	₩(10,270)	₩4,497
②	₩(10,270)	₩0
③	₩0	₩(10,270)
④	₩0	₩0
⑤	₩4,497	₩0

08 ㈜대한은 20×1년 1월 1일 사채를 발행하고 해당 사채를 상각후원가 측정(AC)금융부채로 분류하였다. 사채와 관련된 자료는 다음과 같다.

- 발행일: 20×1년 1월 1일
- 액면금액: ₩2,000,000
- 만기일: 20×3년 12월 31일(일시상환)
- 표시이자율: 연 5%, 매년 말 지급
- 사채발행시점의 유효이자율: 연 6%
- 적용할 현가계수는 아래의 표와 같다.

기간 \ 할인율	단일금액 ₩1의 현재가치		정상연금 ₩1의 현재가치	
	6%	8%	6%	8%
1년	0.9434	0.9259	0.9434	0.9259
2년	0.8900	0.8573	1.8334	1.7832
3년	0.8396	0.7938	2.6730	2.5770

㈜대한은 재무적 어려움으로 인하여 20×2년 초에 사채의 만기일을 20×4년 12월 31일로 연장하고 표시이자율을 연 1%로 조건을 변경하였다. 20×2년 초 시장이자율은 연 8%이다. ㈜대한이 사채의 조건변경으로 인해 (A) 20×2년도에 인식할 조건변경이익과 (B) 조건변경 후 20×2년도에 인식할 이자비용은 각각 얼마인가? 단, 단수차이로 인해 오차가 있다면 가장 근사치를 선택한다.

[공인회계사 2024년]

	(A) 조건변경이익	(B) 이자비용
①	₩324,150	₩121,131
②	₩324,150	₩131,131
③	₩334,150	₩131,131
④	₩334,150	₩151,131
⑤	₩354,150	₩151,131

실력 점검 퀴즈

01 ㈜포도는 20×1년 1월 1일 사채(액면금액 ₩100,000, 만기 3년, 표시이자율 연 10%, 매년 말 지급)를 ₩95,000에 발행하였다. ㈜포도는 동 사채와 관련하여 20×1년도 포괄손익계산서에 이자비용으로 ₩11,400을 인식하였다. 20×2년 7월 1일 ㈜포도는 동 사채 중 액면금액 ₩50,000을 ₩60,000(상환분에 대한 경과이자 포함)에 조기상환하였다. 동 사채와 관련하여 ㈜포도가 20×2년도에 인식할 이자비용은? (단, 동 사채는 상각후원가로 후속측정하는 금융부채이며, 계산 시 화폐금액은 소수점 첫째 자리에서 반올림한다)

① ₩2,892　② ₩5,874　③ ₩8,676
④ ₩9,287　⑤ ₩11,568

02 ㈜포도는 20×1년 1월 1일 사채(액면금액 ₩1,000,000, 표시이자율 연 8%, 매년 말 이자지급, 만기 3년)를 ₩950,263에 발행하였다. ㈜포도는 동 사채를 20×3년 1월 1일에 전액 상환하였으며 발행시점부터 상환 직전까지 인식한 총이자비용은 ₩191,555이었다. 사채상환 시 사채상환손실이 ₩8,182인 경우 ㈜포도가 지급한 현금은?

① ₩960,000　② ₩970,000　③ ₩980,000
④ ₩990,000　⑤ ₩1,000,000

03 ㈜하늘은 20×1년 1월 1일에 사채를 발행하여 매년 말 액면이자를 지급하고 유효이자율법에 의하여 상각한다. 20×2년 말 이자와 관련된 회계처리는 다음과 같다.

(차변)	이자비용	6,000	(대변)	사채할인발행차금	3,000
				현금	3,000

위 거래가 반영된 20×2년 말 사채의 장부금액이 ₩43,000으로 표시되었다면, 사채의 유효이자율은? (단, 사채의 만기는 20×3년 12월 31일이다)

① 연 11%　② 연 12%　③ 연 13%
④ 연 14%　⑤ 연 15%

04 ㈜하늘은 20×1년 1월 1일 액면금액 ₩1,000,000(만기 3년, 표시이자율 연 6%, 매년 말 이자지급)의 사채를 발행하였으며, 사채의 발행 당시 유효이자율은 연 8%이었다. ㈜하늘은 20×2년 6월 30일 사채를 조기상환하였다. 조기상환 시 발생한 사채상환손실은 ₩32,000이다. ㈜하늘이 유효이자율법을 적용할 때, 상환일까지의 경과이자를 포함한 사채조기상환금액은? (단, 이자비용은 월할 계산하고, 계산금액은 소수점 첫째 자리에서 반올림하며, 단수차이로 인한 오차가 있으면 가장 근사치를 선택한다)

기간	단일금액 ₩1의 현재가치		정상연금 ₩1의 현재가치	
	6%	8%	6%	8%
1	0.9434	0.9259	0.9434	0.9259
2	0.8900	0.8574	1.8334	1.7833
3	0.8396	0.7938	2.6730	2.5771

① ₩970,872 ② ₩996,300 ③ ₩1,004,872
④ ₩1,034,872 ⑤ ₩1,073,444

05 12월 말 결산법인인 ㈜포도는 20×1년 1월 1일 액면금액 ₩6,000,000, 표시이자율 연 10%, 3년에 걸쳐 매년 말 이자지급과 원금 ₩2,000,000씩을 상환하는 연속상환사채를 발행하였다. 사채발행시점의 유효이자율은 연 8%일 때 ㈜포도의 20×2년 말 재무상태표에 표시될 사채의 장부금액은 얼마인가? (단, 계산금액은 소수점 첫째 자리에서 반올림하며 이 경우 약간의 반올림 오차가 나타날 수 있다. 현가요소는 주어진 자료를 사용할 것)

기간 / 할인율	정상연금 ₩1의 현가			단일금액 ₩1의 현가		
	1년	2년	3년	1년	2년	3년
8%	0.92593	1.78326	2.57710	0.92593	0.85734	0.79383
10%	0.90909	1.73554	2.48685	0.90909	0.82645	0.75131

① ₩2,053,124 ② ₩2,037,047 ③ ₩2,000,000
④ ₩1,968,730 ⑤ ₩1,952,649

06 ㈜대한은 B사채를 20×1년 1월 1일에 발행하려고 하였으나, 시장상황이 여의치 않아 3개월 지연되어 20×1년 4월 1일에 ㈜민국에게 발행(판매)을 완료하였다. 다음의 <자료>를 이용하여 물음에 답하시오.

〈자료〉

(1) B사채의 발행조건은 다음과 같다.

- 액면금액: ₩1,000,000
- 만기일: 20×4년 12월 31일
- 표시이자율: 연 5%
- 이자지급일: 매년 12월 31일

(2) 각 일자의 동종 사채에 대한 시장이자율은 다음과 같다. 한편, 미래현금흐름의 현재가치는 공정가치와 동일한 것으로 본다.

일자	시장이자율
20×1년 1월 1일	5%
20×1년 4월 1일	6%
20×2년 1월 1일	4%
20×4년 12월 31일	5%

(3) 사채 발행 및 취득과 직접적으로 관련되는 비용은 없다.

(4) 현재가치 계산 시 아래의 현가계수를 이용하고, 답안 작성 시 원 이하는 반올림한다.

기간	단일금액 ₩1의 현가계수			정상연금 ₩1의 현가계수		
	4%	5%	6%	4%	5%	6%
1	0.9615	0.9524	0.9434	0.9615	0.9524	0.9434
2	0.9246	0.9070	0.8900	1.8861	1.8594	1.8334
3	0.8890	0.8638	0.8396	2.7751	2.7232	2.6730
4	0.8548	0.8227	0.7921	3.6299	3.5459	3.4651

㈜대한은 20×4년 12월 31일에 표시이자를 지급한 직후 B사채를 상환하는 대신 ㈜민국과 만기를 3년 연장하고, 연 2%의 이자를 매년 말 지급하기로 합의하였다. 이 경우 ㈜대한이 ① 조건변경에 따라 인식할 금융부채조정이익과 ② 20×5년도 포괄손익계산서에 인식할 이자비용을 계산하시오(단, 손실의 경우에는 (-)를 숫자 앞에 표시하시오).

	금융부채조정이익	이자비용
①	₩100,000	₩45,913
②	85,685	48,913
③	83,736	45,913
④	82,736	48,913
⑤	81,736	45,913

2차 문제 Preview

01 ㈜한국이 발행한 사채와 관련된 다음의 물음은 서로 독립적인 상황이다. 아래의 공통 자료를 이용하여 물음에 답하시오.

[세무사 2차 2016년]

(1) 기간별 현재가치(현가)계수는 다음과 같다.

〈단일금액 ₩1의 현가〉

기간	6%	7%	8%	9%	10%
1	0.9434	0.9346	0.9259	0.9174	0.9091
2	0.8900	0.8734	0.8573	0.8417	0.8264
3	0.8396	0.8163	0.7938	0.7722	0.7513
합계	2.6730	2.6243	2.5770	2.5313	2.4868

(2) 경과기간 혹은 잔여기간은 월 단위로 계산한다.

(3) 계산금액은 특별한 언급이 없는 한, 소수점 첫째 자리에서 반올림한다.

물음 1 ㈜한국은 20×1년 4월 1일 표시이자율이 연 6%인 액면금액 ₩500,000의 사채를 발행하였다. 권면상 사채발행일이 20×1년 1월 1일로 기록된 동 사채의 실제 발행일은 20×1년 4월 1일이다. 20×1년 1월 1일 사채에 적용되는 시장이자율은 연 8%이며, 20×1년 4월 1일 사채에 적용되는 시장이자율은 연 7%이다. 사채는 상각후원가로 측정되고, 만기는 3년이며 만기일은 20×3년 12월 31일이다. 이자지급일은 매년 말 12월 31일이며, 사채발행비는 발생하지 않았다. 다음 물음에 답하시오.

(1) ㈜한국이 발행한 사채와 관련하여 실제 발행일의 사채 발행금액을 계산하시오.

(2) ㈜한국이 발행한 사채와 관련하여 20×1년도에 인식할 이자비용을 계산하시오

(3) ㈜한국이 사채의 실제 발행일로부터 잔여상환기간에 걸쳐 인식할 총이자비용을 계산하시오.

물음 2 ㈜한국은 권면상 발행일인 20×1년 1월 1일 사채를 실제로 발행하였으며, 사채발행비 ₩6,870이 발생하였다. 실제 발행일인 20×1년 1월 1일 사채에 적용되는 시장이자율은 연 8%이다. 사채의 액면금액은 ₩500,000이고, 표시이자율은 연 6%이며, 이자지급일은 매년 말 12월 31일이다. 사채는 상각후원가로 측정되며, 만기는 3년이고 만기일은 20×3년 12월 31일이다. 사채발행차금상각은 유효이자율법을 사용하며, 이자율 계산 시 소수점 셋째 자리에서 반올림한다. 다음 물음에 답하시오(예 4.226% → 4.23%).

(1) 20×1년 12월 31일 사채의 장부금액이 ₩477,340인 경우, 사채발행일에 적용된 유효이자율을 계산하시오.

(2) 20×2년 4월 1일에 동 사채가 ₩485,500에 상환된 경우, 사채상환손익을 계산하시오 (단, 상환일에 발생한 거래원가는 없다고 가정한다).

물음 3 ㈜한국은 다음과 같은 조건의 사채를 발행하였다. 사채의 액면금액은 ₩300,000이고, 매년 12월 31일 3회에 걸쳐 액면금액을 균등하게 분할하여 연속상환한다. 사채의 권면상 발행일은 20×1년 1월 1일이며, 표시이자율은 연 5%이다. 사채의 실제 발행일은 20×1년 4월 1일이며, 사채발행비는 발생하지 않았다. 20×1년 1월 1일 사채에 적용되는 시장이자율은 연 10%이며, 20×1년 4월 1일 사채에 적용되는 시장이자율은 연 9%이다. 사채는 상각후원가로 측정되며, 이자지급일은 매년 12월 31일이다. ㈜한국이 동 사채와 관련하여 인식해야 하는 20×1년 12월 31일 사채의 장부금액을 계산하시오.

cpa.Hackers.com

해커스 IFRS 정윤돈 객관식 재무회계

회계사·세무사·경영지도사 단번에 합격!
해커스 경영아카데미 cpa.Hackers.com

/ 1차 시험 출제현황 /

구분	CPA										CTA									
	15	16	17	18	19	20	21	22	23	24	15	16	17	18	19	20	21	22	23	24
충당부채 서술형	1	1	1	1		1					1		1					1	1	
충당부채 계산형					1					1		1				1				1
중간재무보고와 특수관계자 공시				1				1					2		2	2				

제8장

충당부채와 중간재무보고 및 특수관계자 공시

기초 유형 확인

01 충당부채에 관한 설명으로 옳지 않은 것은?

① 의무는 언제나 당해 의무의 이행대상이 되는 상대방이 존재하게 된다. 그러나 의무의 상대방이 누구인지 반드시 알아야 하는 것은 아니며 경우에 따라서는 일반 대중도 상대방이 될 수 있다.
② 현재의무를 이행하기 위하여 소요되는 지출금액에 영향을 미치는 미래사건이 발생할 것이라는 충분하고 객관적인 증거가 있는 경우에는 그러한 미래사건을 감안하여 충당부채 금액을 추정한다.
③ 의제의무는 과거의 실무관행, 발표된 경영방침 또는 구체적이고 유효한 약속 등을 통하여 기업이 특정 책임을 부담하겠다는 것을 상대방에게 표명하고, 책임을 이행하는 것이라는 정당한 기대를 상대방이 가지게 하여야 발생한다.
④ 우발자산은 경제적 효익이 유입될 것이 거의 확실하게 되는 경우에 그러한 상황 변화가 발생한 기간의 재무제표에 그 자산과 관련 이익을 인식한다.
⑤ 재무제표는 재무제표이용자들의 현재 및 미래 의사결정에 유용한 정보를 제공하는 데에 그 목적이 있다. 따라서 미래영업을 위하여 발생하게 될 원가에 대해서 충당부채로 인식한다.

02 보고기간후사건에 관한 설명으로 옳지 않은 것은?

① 보고기간 후부터 재무제표 발행승인일 전 사이에 배당을 선언한 경우에는 보고기간 말에 부채로 인식한다.
② 보고기간 말 이전에 구입한 자산의 취득원가나 매각한 자산의 대가를 보고기간 후에 결정하는 경우는 수정을 요하는 보고기간후사건이다.
③ 보고기간 말과 재무제표 발행승인일 사이에 투자자산의 공정가치의 하락은 수정을 요하지 않는 보고기간후사건이다.
④ 보고기간 후에 발생한 화재로 인한 주요 생산 설비의 파손은 수정을 요하지 않는 보고기간후사건이다.
⑤ 경영진이 보고기간 후에, 기업을 청산하거나 경영활동을 중단할 의도를 가지고 있다고 판단하는 경우에는 계속기업의 기준에 따라 재무제표를 작성해서는 안 된다.

03 충당부채와 우발부채에 관한 설명으로 옳지 않은 것은?

① 제3자와 연대하여 의무를 지는 경우에는 이행할 전체 의무 중 제3자가 이행할 것으로 예상되는 부분을 우발부채로 인식한다.
② 충당부채로 인식되기 위해서는 과거사건의 결과로 현재의무가 존재하여야 한다.
③ 충당부채를 현재가치로 평가할 때 할인율은 부채의 특유한 위험과 화폐의 시간가치에 대한 현행 시장의 평가를 반영한 세전 이율을 적용한다.
④ 충당부채와 관련하여 포괄손익계산서에 인식한 비용은 제3자의 변제와 관련하여 인식한 금액과 상계하여 표시할 수 있다.
⑤ 과거에 우발부채로 처리하였다면 이후 충당부채의 인식조건을 충족하더라도 재무제표의 신뢰성 제고를 위해서 충당부채로 인식하지 않는다.

04 다음은 20×1년 말 ㈜당근의 자료에서 재무상태표에 표시될 충당부채 금액은 얼마인가? (단, 현재가치 계산은 고려하지 않는다)

(1) 20×1년 초에 취득한 공장건물은 정부와의 협약에 의해 내용연수가 종료되면 부속 토지를 원상으로 회복시켜야 하는데, 그 복구비용은 ₩500,000이 발생될 것으로 추정된다.
(2) 20×1년 말에 새로운 회계시스템의 도입으로 종업원들에 대한 교육훈련이 20×2년에 진행될 예정이며, 교육훈련비용으로 ₩300,000의 지출이 예상된다.
(3) 20×1년 초에 구입한 기계장치는 3년마다 한 번씩 대대적인 수리가 필요한데, 3년 후 ₩600,000의 수리비용이 발생될 것으로 추정된다.

① ₩0 ② ₩500,000 ③ ₩600,000
④ ₩800,000 ⑤ ₩1,100,000

05 다음은 충당부채에 관한 한국채택국제회계기준의 설명이다. 가장 옳지 않은 것은?

① 경제적 효익이 유출될 가능성이 높고 금액을 신뢰성 있게 추정할 수 있다 하더라도 의무의 이행대상이 정확히 누구인지 모를 경우에는 충당부채를 인식할 수 없다.
② 과거에 우발부채로 처리하였더라도 그 이후 상황변화로 인하여 미래경제적효익의 유출가능성이 높아지고 금액을 신뢰성 있게 추정할 수 있는 경우에는 그러한 변화가 발생한 기간에 충당부채로 인식한다.
③ 충당부채는 부채로 인식하는 반면, 우발부채와 우발자산은 부채와 자산으로 인식하지 않는다.
④ 어떤 의무에 대하여 제3자와 연대하여 보증의무를 지는 경우에는 이행할 의무 중 제3자가 이행할 부분은 우발부채로 처리한다.
⑤ 구조조정과 관련된 자산의 처분이익, 구조조정을 완료하는 날까지 발생할 것으로 예상되는 영업손실은 충당부채로 인식될 금액에 반영하지 아니한다.

06 A회사에는 20×2년 말 현재 다음과 같은 세 가지 독립된 우발상황이 존재하고 있다.

> (1) 20×2년 12월 10일 A회사에 화재가 발생하여 건물이 소실되었으며, 이웃 건물에 상당한 재산상의 피해를 입혔다. 이 사고로 인한 어떠한 손해배상청구를 받지는 않았으나, A회사의 경영자와 변호사는 손실피해에 대한 채무로서 ₩2,000,000이 합당할 것으로 판단하였다. ₩2,000,000의 추정부채 중에서 ₩500,000은 보험금으로 배상할 수 있다.
> (2) A회사는 공장에서 나오는 유독물질로 인한 인근주민에 대한 질병유발혐의로 인근주민에 의하여 제소되었다. A회사의 변호사는 재판에서 회사가 패소할 가능성이 높으며, 보상비용은 ₩100,000과 ₩1,000,000 사이에 있을 것이라고 예측하고 있으나, 가장 합리적인 금액은 ₩500,000으로 판단되었다.
> (3) A회사는 당사의 주원료 공급업체인 B회사의 차입금 ₩2,000,000에 대해서 지급보증을 제공하였다. 그러나 B회사의 재정적인 문제 때문에 ₩2,000,000에 대해서 지불을 하면 ₩400,000밖에 받지 못할 것이 거의 확실시된다.

A회사는 위 상황에 대하여 아무런 회계처리를 하지 않았다. 위 상황을 K-IFRS에 따라 회계처리할 때 20×2년의 포괄손익계산서에 손실 또는 비용으로 인식될 금액은 얼마인가?

① ₩4,600,000　② ₩5,000,000　③ ₩3,600,000
④ ₩4,000,000　⑤ ₩3,900,000

07 다음은 한국채택국제회계기준서 제1037호 '충당부채, 우발부채 및 우발자산'에 관련된 설명이다. 기준서의 내용과 일치하지 않는 설명은 무엇인가?

① 충당부채는 현재의무이지만 지출의 시기 또는 금액이 불확실한 부채를 말한다. 하지만, 자원이 유출될 가능성이 높고 당해 금액을 신뢰성 있게 추정할 수 있는 경우에만 재무상태표에 부채로 인식한다.
② 현재의무의 존재 여부는 보고기간 말 기준으로 판단하여야 하며, 보고기간후사건이 제공하는 추가적인 증거까지 포함하여 판단하여야 한다.
③ 부채의 인식요건을 만족하지 않는 충당부채는 우발부채로 분류하고, 우발부채는 재무상태표에 부채로 인식하지 아니하며, 주석으로 공시하는 것을 원칙으로 한다.
④ 과거에 우발부채로 처리하였더라도 미래경제적효익의 유출가능성이 높아진 경우에는 그러한 가능성의 변화가 발생한 기간의 재무제표에 충당부채로 인식한다.
⑤ 제품보증 또는 이와 유사한 계약 등 다수의 유사한 의무가 있는 경우 의무이행에 필요한 자원의 유출가능성은 당해 유사한 의무 전체를 고려하여 결정한다. 개별 항목의 의무이행에 필요한 자원의 유출가능성이 높지 않다면 전체적인 의무이행을 의하여 필요한 자원의 유출가능성이 높을 경우에도 충당부채로 인식할 수 없다.

08 충당부채는 부채의 인식요건을 만족하는 추정부채로 재무상태표에 부채로 계상한다. 이때 부채로 인식하는 금액은 현재의무를 보고기간 말에 이행하기 위하여 소요되는 지출에 대한 최선의 추정치이어야 한다. 다음 중 충당부채의 측정방법에 관한 한국채택국제회계기준의 내용과 일치하지 않는 설명은 무엇인가?

① 충당부채에 대한 최선의 추정치를 구할 때에는 관련된 사건과 상황에 대한 불가피한 위험과 불확실성을 고려한다.

② 화폐의 시간가치 효과가 중요한 경우 충당부채는 의무를 이행하기 위하여 예상되는 지출액의 현재가치로 평가한다.

③ 현재의무를 이행하기 위하여 소요되는 지출금액에 영향을 미치는 미래사건이 발생할 것이라는 충분하고 객관적인 증거가 있는 경우에는 그러한 미래사건을 감안하여 충당부채 금액을 추정한다. 하지만, 미래의 예상영업손실은 충당부채로 인식하지 아니한다.

④ 자산의 예상처분이익은 충당부채를 발생시킨 사건과 밀접하게 관련되어 있는 경우에도 충당부채를 측정할 때 고려하지 아니한다.

⑤ 충당부채를 결제하기 위하여 필요한 지출액의 일부 또는 전부를 제3자가 변제할 것이 예상되는 경우 기업이 의무를 이행한다면 변제를 받을 것이 거의 확실하게 되는 때에 한하여 변제금액을 인식하고 변제금액을 제외한 순액을 충당부채로 계산한다.

09 A회사는 20×1년에 영업을 개시하여 1년간 확신유형의 제품보증을 해주는 조건으로 전기밥솥을 대당 ₩100에 현금판매하고 있다. 전기밥솥을 20×1년에 1,000대, 20×2년에 3,000대 판매하였다. 동종업계의 과거 경험으로 보아 보증기간 내에 평균 2%의 보증요청이 있고 보증비용은 대당 평균 ₩60이 소요된다. 20×1년 판매분에 대하여 20×1년 6월과 20×2년 5월에 각각 8대, 11대의 보증요청이 있었으며, 20×2년 판매분에 대하여 20×2년에 20대의 보증요청이 있었다. 다음 설명 중 옳지 않은 것은? 한편, A회사는 제품보증수리를 하면서 회수하는 전기밥솥의 폐부품을 처분하면서 처분이익으로 대당 평균 ₩25이 발생할 것으로 예상하고 있다.

① 20×1년의 손익계산서상 제품보증비용은 ₩1,200이다.

② 20×2년의 손익계산서상 제품보증비용은 ₩3,540이다.

③ 20×1년 말 재무상태표에 계상할 제품보증충당부채는 ₩720이다.

④ 20×2년 말 재무상태표에 계상할 제품보증충당부채는 ₩2,200이다.

⑤ 충당부채에 대하여 보충법으로 회계처리를 수행하는 경우 20×1년 말에 추가로 인식할 제품보증비용은 ₩720이다.

10 문제 **09**에서 제품보증기간이 판매 후 1년이 아니라, 2년인 경우 A회사가 20×2년 포괄손익계산서에 당기손익으로 인식할 제품보증비와 20×2년 말의 재무상태표에 부채로 인식할 제품보증충당부채의 금액은 각각 얼마인가?

	제품보증비	제품보증충당부채
①	₩3,600	₩2,460
②	₩3,600	₩2,400
③	₩3,540	₩2,460
④	₩3,540	₩2,400
⑤	₩2,460	₩3,600

11 20×1년 말에 회사는 일부생산시설의 폐쇄 및 이전에 대한 상세한 계획을 수립하고 이를 공표하였으며 예상되는 영향은 다음과 같다. 회사의 할인율은 연 10%이며 관련 현가계수는 아래에 제시된 것과 동일하다.

구분	20×2년 말	20×3년 말	20×4년 말
종업원 해고급여 지급액	₩100	₩200	₩100
기존직원의 재배치비용	₩26	₩50	₩36
구조조정대상사업부 컨설팅비용	₩156	₩30	-
신규사업에 대한 마케팅비용	₩25	₩35	₩48
신입사원의 교육훈련비용	₩15	₩26	₩28
구조조정대상자산의 처분이익	₩30	₩26	-
현가계수(10%)	0.90909	0.82645	0.75131

20×1년 말 현재 구조조정충당부채로 인식해야 할 금액은 얼마인가?

① ₩798 ② ₩698 ③ ₩598
④ ₩498 ⑤ ₩398

12 다음은 20×9년 말 현재 A회사가 체결한 계약과 관련한 내용이다.

(1) A회사는 상품의 가격상승에 대비하기 위하여 20×9년 10월에 상품 100단위를 3개월 후 단위당 ₩100,000에 매입하겠다는 취소불능계약을 체결하였다. 20×9년 말 상품의 공정가치는 단위당 ₩75,000으로 하락하였으며, 향후 공정가치의 상승가능성은 희박한 것으로 파악되고 있다. 계약조건에 의하면 계약을 해지할 경우 계약금액의 20%에 해당하는 위약금을 지불하여야 한다.

(2) A회사는 20×8년 초에 4년간 본사 사무실임차계약을 체결하여 사용하여 오던 중 20×9년 말에 본사의 이전으로 사무실을 다른 지역으로 이전하였다. 사무실임차계약에 의하면 임차료는 매년 초에 ₩10,000,000씩 4회 지급조건이며, 타인에게 재임대할 수 없다. 또한, 임차기간 내에 임차계약을 해지할 경우 위약금으로 잔여 임차기간에 대한 임차료를 일시불로 지급하여야 한다.

A회사는 위 상황에 대하여 아무런 회계처리를 하지 않았다. 위 상황을 K-IFRS에 따라 회계처리할 경우 20×9년의 포괄손익계산서에 손실 또는 비용으로 인식될 금액은 얼마인가? (단, 20×9년 말 현재 현재가치 평가를 위한 할인율은 10%라고 가정한다)

① ₩12,000,000 ② ₩12,500,000 ③ ₩19,090,909
④ ₩21,090,909 ⑤ ₩22,500,000

기출 유형 정리

01 충당부채, 우발부채 및 우발자산에 관한 설명으로 옳은 것은? [세무사 2015년]

① 우발자산은 경제적 효익의 유입가능성이 높아지더라도 공시하지 않는다.

② 손실부담계약을 체결하고 있는 경우에는 관련된 현재의무를 충당부채로 인식하지 않는다.

③ 충당부채를 현재가치로 평가하는 경우 적용될 할인율은 부채의 특유위험과 화폐의 시간가치에 대한 현행 시장의 평가를 반영한 세후 이율이다.

④ 충당부채와 관련하여 포괄손익계산서에 인식된 비용은 제3자의 변제와 관련하여 인식한 금액과 상계하여 표시할 수 있다.

⑤ 화폐의 시간가치 효과가 중요한 경우에도 충당부채는 현재가치로 평가하지 않는다.

02 충당부채의 변동과 변제에 관한 설명으로 옳지 않은 것은? [세무사 2017년]

① 어떤 의무를 제3자와 연대하여 부담하는 경우에 이행하여야 하는 전체 의무 중에서 제3자가 이행할 것으로 예상되는 정도까지만 충당부채로 처리한다.

② 의무를 이행하기 위하여 경제적 효익이 있는 자원을 유출할 가능성이 높지 않게 된 경우에는 관련 충당부채를 환입한다.

③ 충당부채를 현재가치로 평가하여 표시하는 경우에는 장부금액을 기간 경과에 따라 증액하고 해당 증가금액은 차입원가로 인식한다.

④ 충당부채를 결제하기 위하여 필요한 지출액의 일부나 전부를 제3자가 변제할 것으로 예상되는 경우에는 기업이 의무를 이행한다면 변제를 받을 것이 거의 확실하게 되는 때에만 변제금액을 별도의 자산으로 인식하고 회계처리한다.

⑤ 보고기간 말마다 충당부채의 잔액을 검토하고, 보고기간 말 현재 최선의 추정치를 반영하여 조정한다.

03 ㈜태평은 20×1년 말 현재 다음과 같은 사항에 대한 회계처리를 고심하고 있다. ㈜태평이 20×1년 말 재무상태표에 계상하여야 할 충당부채의 금액은 얼마인가? (단, 아래에 제시된 금액은 모두 신뢰성 있게 측정되었다)

[공인회계사 2014년]

> 가. 20×1년 12월 15일에 이사회에서 회사의 조직구조 개편을 포함한 구조조정계획이 수립되었으며, 이를 수행하는 데 ₩250,000의 비용이 발생할 것으로 추정하였다. 그러나 20×1년 말까지 회사는 동 구조조정계획에 착수하지 않았다.
> 나. 회사는 경쟁업체가 제기한 특허권 무단 사용에 대한 소송에 제소되어 있다. 만약 동 소송에서 패소한다면 ㈜태평이 배상하여야 하는 손해배상금액은 ₩100,000으로 추정된다. ㈜태평의 자문 법무법인에 따르면 이러한 손해배상이 발생할 가능성이 높지 않다고 한다.
> 다. 회사가 사용 중인 공장 구축물의 내용연수가 종료되면 이를 철거하고 구축물이 정착되어 있던 토지를 원상으로 회복하여야 한다. 복구비용은 ₩200,000으로 추정되며 그 현재가치금액은 ₩140,000이다.
> 라. 회사가 판매한 제품에 제조상 결함이 발견되어 이에 대한 보증비용이 ₩200,000으로 예상되고, 그 지출가능성이 높다. 한편, 회사는 동 예상비용을 보험사에 청구하였으며 50%만큼 변제받기로 하였다.

① ₩240,000　② ₩340,000　③ ₩440,000
④ ₩590,000　⑤ ₩800,000

04 다음 사례는 A사의 20×1년과 20×2년에 발생한 사건으로, 금액은 신뢰성 있게 추정이 가능하다고 가정한다.

> [사례 A]
> 석유산업에 속한 A사는 오염을 일으키고 있지만 사업을 영위하는 특정 국가의 법률에서 요구하는 경우에만 오염된 토지를 정화한다. A사는 20×1년부터 토지를 오염시켰으나, 이러한 사업이 운영되는 어떤 국가에서도 오염된 토지를 정화하도록 요구하는 법률이 20×1년 말까지 제정되지 않았다. 20×2년 말 현재 A사가 사업을 영위하는 국가에서 이미 오염된 토지를 정화하도록 요구하는 법안이 연말 후에 곧 제정될 것이 거의 확실하다.
> [사례 B]
> 20×1년 초 새로운 법률에 따라 A사는 20×1년 말까지 매연 여과장치를 공장에 설치해야 하고, 해당 법률을 위반할 경우 벌과금이 부과될 가능성이 매우 높다. A사는 20×2년 말까지 매연 여과장치를 설치하지 않아 20×2년 말 관계 당국으로부터 벌과금 납부서(납부기한: 20×3년 2월 말)를 통지받았으나 아직 납부하지 않았다.
> [사례 C]
> 20×1년 12월 12일 해외사업부를 폐쇄하기 위한 구체적인 계획에 대하여 이사회 동의를 받았다. 20×1년 말이 되기 전에 이러한 의사결정의 영향을 받는 대상자들에게 그 결정을 알리지 않았고 실행을 위한 어떠한 절차도 착수하지 않았다. 20×2년 말이 되어서야 해당 사업부의 종업원들에게 감원을 통보하였다.

위 사례 중 A사의 20×1년 말과 20×2년 말 재무상태표에 충당부채로 인식해야 하는 사항을 모두 고른다면?

	20×1년 말	20×2년 말
①	A, B	B, C
②	B, C	A, B, C
③	B	A, C
④	B	A, B, C
⑤	C	B, C

05 다음은 ㈜대한과 관련하여 20×1년에 발생한 사건이다.

가. ㈜대한은 20×1년부터 해저유전을 운영한다. 관련 라이선싱 약정에 따르면, 석유 생산 종료시점에는 유정 굴착장치를 제거하고 해저를 원상복구하여야 한다. 최종 원상복구원가의 90%는 유정 굴착장치 제거와 그 장치의 건설로 말미암은 해저 손상의 원상복구와 관련이 있다. 나머지 10%의 원상복구원가는 석유의 채굴로 생긴다. 20×1년 12월 31일 현재 굴착장치는 건설되었으나 석유는 채굴되지 않은 상태이다. 20×1년 12월 31일 현재 유정 굴착장치 제거와 그 장치의 건설로 말미암은 손상의 원상복구에 관련된 원가(최종 원가의 90%)의 최선의 추정치는 ₩90,000이며, 석유 채굴로 생기는 나머지 10%의 원가에 대한 최선의 추정치는 ₩10,000이다.

나. 20×1년 8월 A씨의 결혼식이 끝나고 10명이 식중독으로 사망하였다. 유족들은 ㈜대한이 판매한 제품 때문에 식중독이 발생했다고 주장하면서 ㈜대한에 민사소송을 제기하였다(손해배상금 ₩50,000). ㈜대한은 그 책임에 대해 이의를 제기하였다. 회사의 자문 법무법인은 20×1년 12월 31일로 종료하는 연차재무제표의 발행승인일까지는 ㈜대한에 책임이 있는지 밝혀지지 않을 가능성이 높다고 조언하였다.

상기 사건들에 대하여, 20×1년 말 ㈜대한의 재무상태표에 표시되는 충당부채는 얼마인가? (단, 기초잔액은 없는 것으로 가정한다) [공인회계사 2019년]

① ₩150,000 ② ₩140,000 ③ ₩100,000
④ ₩90,000 ⑤ ₩0

06 다음은 각 기업의 사례이다. 이 중 20×1년 말 재무제표에 충당부채를 인식해야 하는 사례는 무엇인가? (단, 모든 사례에 대하여 예상되는 유출금액은 중요하며, 그 금액을 신뢰성 있게 추정할 수 있다고 가정한다) [공인회계사 2010년]

① ㈜항공은 고객충성제도를 운영하고 있다. 이 제도의 회원이 당 회사의 여객기를 이용하면 ㈜항공은 마일리지를 부여한다. 회원은 마일리지를 이용하여 무료로 항공기를 탑승할 수 있다. 20×1년 중 회원들은 1억 마일리지를 적립하였다. 이 마일리지의 유효기간은 없으며 이 중 80%가 사용될 것으로 예상한다.

② ㈜세계는 법률이 요구하는 경우에만 오염된 토지를 정화하는 정책을 가지고 있다. 이제까지는 오염된 토지를 정화해야 한다는 법규가 없었고, 따라서 ㈜세계는 지난 몇 년에 걸쳐 토지를 오염시켜 왔다. 그런데 이미 오염된 토지를 정화하는 것을 의무화하는 관계 법률이 연말 이후 곧 제정될 것이, 20×1년 12월 31일 현재 거의 확실하다. 제정될 법률에 따라 오염된 토지를 정화하기 위한 추가 금액이 필요할 것으로 예상한다.

③ 20×1년 12월 28일 ㈜부산은 한 사업부를 폐쇄하기로 결정하였고 이를 고객과 폐쇄되는 사업부의 종업원들에게 공표하였다. 그러나 20×1년 12월 31일까지 이 사업부의 폐쇄와 관련한 지출이나 폐쇄결정의 구체적인 이행시기에 대해서는 계획을 확정하지 못하였다.

④ ㈜서울은 외부용역에 의존하여 20×1년까지 한국채택국제회계기준을 적용해왔다. 그러나 20×2년부터 회사 자체적으로 한국채택국제회계기준을 적용하기 위하여, 회계 관련 분야의 기존 종업원들을 교육훈련하고 기존의 회계처리시스템을 수정·보완할 계획이며, 이를 위하여 외부용역비보다 더 큰 지출이 필요함을 알고 있다. ㈜서울은 20×1년 말까지 회사 내부의 회계시스템의 개선을 위하여 어떠한 비용도 지출하지 않았다.

⑤ ㈜클린은 기존의 법규에 따라 적정한 폐수처리시설을 운용하고 있다. 그런데 기존의 법규상 기준치보다 더 강화된 새로운 폐수처리에 대한 법규가 연말 이후 곧 제정될 것이, 20×1년 12월 31일 현재 거의 확실하다. 개정될 법규에 따라 추가 시설투자가 필요할 것으로 예상한다.

07 충당부채, 우발부채, 우발자산과 관련된 다음의 회계처리 중 옳은 것은? (단, 각 설명에 제시된 금액은 최선의 추정치라고 가정한다) [공인회계사 2020년]

① 항공업을 영위하는 ㈜대한은 3년에 한 번씩 항공기에 대해 정기점검을 수행한다. 20×1년 말 현재 ㈜대한은 동 항공기를 1년 동안 사용하였으며, 20×1년 말 기준으로 측정한 2년 후 정기점검비용 ₩10,000을 20×1년에 충당부채로 인식하였다.

② ㈜민국은 새로운 법률에 따라 20×1년 6월까지 매연 여과장치를 공장에 설치해야 하며 미설치 시 벌과금이 부과된다. ㈜민국은 20×1년 말까지 매연 여과장치를 설치하지 않아 법규 위반으로 인한 벌과금이 부과될 가능성이 그렇지 않을 가능성보다 높으며, 벌과금은 ₩20,000으로 예상된다. ㈜민국은 20×1년에 동 벌과금을 우발부채로 주석공시하였다.

③ ㈜민국이 판매한 제품의 폭발로 소비자가 크게 다치는 사고가 발생하였다. 해당 소비자는 ㈜민국에 손해배상청구소송을 제기하였으며, 20×1년 말까지 재판이 진행 중에 있다. ㈜민국의 담당 변호사는 20×1년 재무제표 발행승인일까지 기업에 책임이 있다고 밝혀질 가능성이 높으나, ㈜민국이 부담할 배상금액은 법적 다툼의 여지가 남아 있어 신뢰성 있게 추정하기가 어렵다고 조언하였다. ㈜민국은 동 소송사건을 20×1년에 우발부채로 주석공시하였다.

④ 제조업을 영위하는 ㈜대한은 20×1년 12월 고객에게 제품을 판매하면서 1년간 확신유형의 제품보증을 하였다. 제조상 결함이 명백할 경우 ㈜대한은 제품보증계약에 따라 수선이나 교체를 해준다. 과거 경험에 비추어 볼 때, 제품보증에 따라 일부가 청구될 가능성이 청구되지 않을 가능성보다 높을 것으로 예상된다. 20×1년 말 현재 ₩5,000의 보증비용이 발생할 것으로 추정되었으며, ㈜대한은 동 제품보증을 20×1년에 우발부채로 주석공시하였다.

⑤ 20×1년 12월 28일 ㈜부산은 한 사업부를 폐쇄하기로 결정하였고 이를 고객과 폐쇄되는 사업부의 종업원들에게 공표하였다. 그러나 20×1년 12월 31일까지 이 사업부의 폐쇄와 관련된 지출이나 폐쇄결정의 구체적인 이행시기에 대해서는 계획을 확정하지 못하였다. ㈜부산은 동 구조조정과 관련하여 충당부채를 인식하였다.

08 다음 중 충당부채를 인식할 수 없는 상황은? (단, 금액은 모두 신뢰성 있게 측정할 수 있다) [세무사 2022년]

① 법률에 따라 항공사의 항공기를 3년에 한 번씩 정밀하게 정비하도록 하고 있는 경우

② 법적규제가 아직 없는 상태에서 기업이 토지를 오염시켰지만, 이에 대한 법률 제정이 거의 확실한 경우

③ 보고기간 말 전에 사업부를 폐쇄하기 위한 구체적인 계획에 대하여 이사회의 동의를 받았고, 고객들에게 다른 제품 공급처를 찾아야 한다고 알리는 서한을 보냈으며, 사업부의 종업원들에게는 감원을 통보한 경우

④ 기업이 토지를 오염시킨 후 법적의무가 없음에도 불구하고 오염된 토지를 정화한다는 방침을 공표하고 준수하는 경우

⑤ 관련 법규가 제정되어 매연 여과장치를 설치하여야 하나, 당해 연도 말까지 매연 여과장치를 설치하지 않아 법규위반으로 인한 벌과금이 부과될 가능성이 그렇지 않은 경우보다 높은 경우

09 충당부채와 우발부채에 관한 설명으로 옳지 않은 것은? [세무사 2023년]

① 현재의무를 이행하기 위하여 필요한 지출금액에 영향을 미치는 미래 사건이 일어날 것이라는 충분하고 객관적인 증거가 있는 경우에는 그 미래 사건을 고려하여 충당부채금액을 추정한다.

② 우발부채는 의무를 이행하기 위하여 경제적 효익이 있는 자원을 유출할 가능성이 희박하지 않다면 주석으로 공시한다.

③ 충당부채와 관련하여 포괄손익계산서에 인식한 비용은 제삼자의 변제와 관련하여 인식한 금액과 상계하여 표시할 수 있다.

④ 당초에 다른 목적으로 인식된 충당부채를 그 목적이 아닌 다른 지출에 사용할 수 있다.

⑤ 충당부채를 현재가치로 평가하여 표시하는 경우에는 장부금액을 기간 경과에 따라 증액하고 해당 증가금액은 차입원가로 인식한다.

10 ㈜갑은 20×1년 초에 한정 생산 판매한 제품에 대하여 3년 동안 품질을 보증하기로 하였다. 20×1년 중 실제 발생한 품질보증비는 ₩210이다. ㈜갑은 기대가치를 계산하는 방식으로 최선의 추정치 개념을 사용하여 충당부채를 인식한다. ㈜갑은 이 제품의 품질보증과 관련하여 20×1년 말에 20×2년 및 20×3년에 발생할 것으로 예상되는 품질보증비 및 예상확률을 다음과 같이 추정하였다.

20×2년		20×3년	
품질보증비	예상확률	품질보증비	예상확률
₩144	10%	₩220	40%
₩296	60%	₩300	50%
₩640	30%	₩500	10%

㈜갑은 20×2년 및 20×3년에 발생할 것으로 예상되는 품질보증비에 대해 설정하는 충당부채를 20%의 할인율을 적용하여 현재가치로 측정하기로 하였다. ㈜갑의 20×1년 말 재무상태표에 보고될 제품보증충당부채는 얼마인가? (단, 20×2년과 20×3년에 발생할 것으로 예상되는 품질보증비는 각 회계연도 말에 발생한다고 가정한다) [공인회계사 2012년]

① ₩310　② ₩320　③ ₩520
④ ₩560　⑤ ₩730

11 ㈜세무는 20×3년부터 판매한 제품의 결함에 대해 1년간 무상보증을 해주고 있으며, 판매한 제품 중 5%의 보증요청이 있을 것으로 예상한다. ㈜세무는 제품보증활동에 관한 수익을 별도로 인식하지 않고 제품보증비용을 인식한다. 개당 보증비용은 20×3년 말과 20×4년 말에 각각 ₩1,200과 ₩1,500으로 추정되었다. 판매량과 보증비용지출액에 관한 자료가 다음과 같을 때, 20×4년 말 재무상태표에 표시할 제품보증충당부채는 얼마인가? (단, 모든 보증활동은 현금지출로 이루어진다) [세무사 2016년]

연도	판매량	보증비용지출액
20×3년	600개	₩15,000
20×4년	800개	₩17,000(전기 판매분), ₩30,000(당기 판매분)

① ₩26,000　② ₩30,000　③ ₩34,000
④ ₩37,500　⑤ ₩40,500

12 ㈜세무는 20×1년부터 제품을 판매하기 시작하고 3년간 품질을 보증하며, 품질보증기간이 지나면 보증의무는 사라진다. 과거의 경험에 의하면 제품 1단위당 ₩200의 제품보증비가 발생하며, 판매량의 5%에 대하여 품질보증요청이 있을 것으로 추정된다. 20×3년 말 현재 20×1년에 판매한 제품 중 4%만 실제 제품보증활동을 수행하였다. 20×1년부터 20×3년까지의 판매량과 보증비용 지출액 자료는 다음과 같다.

연도	판매량(대)	보증비용 지출액
20×1년	3,000	₩20,000
20×2년	4,000	₩30,000
20×3년	6,000	₩40,000

㈜세무가 제품보증과 관련하여 충당부채를 설정한다고 할 때, 20×3년 말 제품보증충당부채는 얼마인가? (단, 모든 보증활동은 현금지출로 이루어진다) [세무사 2020년]

① ₩10,000 ② ₩14,000 ③ ₩20,000
④ ₩34,000 ⑤ ₩40,000

13 ㈜세무는 20×1년 초에 한정 생산·판매한 제품에 대하여 3년 동안 품질을 보증하기로 하였다. 20×1년 중 실제 발생한 품질보증비는 ₩10,000이다. ㈜세무는 기대가치를 계산하는 방식으로 최선의 추정치 개념을 사용하여 충당부채를 인식한다. ㈜세무는 이 제품의 품질보증과 관련하여 20×1년 말에 20×2년 및 20×3년에 발생할 것으로 예상되는 품질보증비 및 예상확률을 다음과 같이 추정하였다.

20×2년		20×3년	
품질보증비	예상확률	품질보증비	예상확률
₩1,800	20%	₩3,000	30%
3,000	50%	4,000	60%
7,000	30%	5,000	10%

㈜세무는 20×2년 및 20×3년에 발생할 것으로 예상되는 품질보증비에 대해 설정하는 충당부채를 10%의 할인율을 적용하여 현재가치로 측정하기로 하였다. 또한 ㈜세무는 20×2년도에 ₩1,000의 영업손실이 발생할 것으로 예상하고 있다. ㈜세무의 20×1년 말 재무상태표에 보고될 제품보증충당부채는? (단, 현재가치 계산 시 다음에 제시된 현가계수표를 이용한다. 20×2년과 20×3년에 발생할 것으로 예상되는 품질보증비는 각 회계연도 말에 발생한다고 가정한다) [세무사 2024년]

기간	단일금액 ₩1의 현재가치 (할인율 = 10%)
1	0.9091
2	0.8264
3	0.7513

① ₩6,360 ② ₩6,740 ③ ₩7,360
④ ₩7,740 ⑤ ₩8,360

14 다음은 기업회계기준서 제1034호 '중간재무보고'에 규정된 내용들이다. 옳은 내용은 어느 것인가?

① 중간재무보고서는 연차재무제표와 동일한 정보를 공시하여야 한다.

② 직전 연차재무보고서를 연결기준으로 작성한 경우라도 중간재무보고서는 개별 기업기준으로 작성할 수 있다.

③ 중간기간의 법인세비용은 기대 총연간이익에 적용될 수 있는 법인세율, 즉 추정평균연간유효법인세율을 중간기간의 세전 이익에 적용하여 계산한다. 세무상결손금의 소급공제혜택은 관련 세무상결손금이 발생한 중간기간에 반영한다.

④ 중간보고기간 말 현재 자산의 정의를 충족하지는 못하지만 그 후에 정의를 충족할 가능성이 있는 경우에는 당해 원가를 자산으로 계상한다.

⑤ 계절적, 주기적 또는 일시적으로 발생하는 수익은 중간보고기간 말에 미리 예측하여 인식하거나 이연한다.

15 다음은 중간재무보고에 대한 설명이다. 다음 중 옳은 내용으로 모두 묶인 것은?

[공인회계사 2018년]

A	중간재무제표에 포함되는 포괄손익계산서, 자본변동표 및 현금흐름표는 당해 회계연도 누적기간만을 직전 회계연도의 동일기간과 비교하는 형식으로 작성한다.
B	계절적, 주기적 또는 일시적으로 발생하는 수익은 연차보고기간 말에 미리 예측하여 인식하거나 이연하는 것이 적절하지 않은 경우 중간보고기간 말에도 미리 예측하여 인식하거나 이연해서는 안 된다.
C	특정 중간기간에 보고된 추정금액이 최종 중간기간에 중요하게 변동하였지만 최종 중간기간에 대하여 별도의 재무보고를 하지 않은 경우, 추정의 변동 성격과 금액을 해당 회계연도의 연차재무제표에 주석으로 공시해야 한다.

① B ② C ③ A, B
④ B, C ⑤ A, B, C

16 재무제표에 인식된 금액을 수정할 필요가 없는 보고기간후사건의 예로 옳은 것은? [세무사 2019년]

① 보고기간 말에 존재하였던 현재의무가 보고기간 후에 소송사건의 확정에 의해 확인되는 경우
② 보고기간 말에 이미 자산손상이 발생되었음을 나타내는 정보를 보고기간 후에 입수하는 경우나 이미 손상차손을 인식한 자산에 대하여 손상차손금액의 수정이 필요한 정보를 보고기간 후에 입수하는 경우
③ 보고기간 말 이전 사건의 결과로서 보고기간 말에 종업원에게 지급하여야 할 법적 의무나 의제의무가 있는 이익분배나 상여금 지급금액을 보고기간 후에 확정하는 경우
④ 보고기간 말과 재무제표 발행승인일 사이에 투자자산의 공정가치 하락이 중요하여 정보이용자의 의사결정에 영향을 줄 수 있는 경우
⑤ 보고기간 말 이전에 구입한 자산의 취득원가나 매각한 자산의 대가를 보고기간 후에 결정하는 경우

17 특수관계자 공시에 관한 설명으로 옳지 않은 것은? [세무사 2017년]

① 지배기업과 종속기업 간의 관계는 거래유무에 관계없이 공시한다. 기업은 지배기업의 명칭을 공시한다.
② 연결실체 내 다른 기업들과의 특수관계자거래와 채권·채무 잔액은 기업의 재무제표에 공시한다. 투자기업과, 공정가치로 측정하여 당기손익에 반영하는 그 종속기업 간을 제외하고 연결실체 내 기업 간 특수관계자거래와 채권·채무 잔액은 그 연결실체의 연결재무제표를 작성할 때 제거된다.
③ 보고기업에 유의적인 영향력이 있는 개인이나 그 개인의 가까운 가족은 보고기업의 특수관계자로 본다. 이때 개인의 가까운 가족의 범위는 자녀 및 배우자로 한정한다.
④ 주요 경영진에 대한 보상의 총액과 분류별 금액을 공시한다. 분류별 금액에는 단기종업원급여, 퇴직급여, 기타 장기급여, 해고급여, 주식기준보상이 해당된다.
⑤ 특수관계는 기업의 당기순손익과 재무상태에 영향을 미칠 수 있다. 또한 특수관계자거래가 없더라도 특수관계 자체가 기업의 당기순손익과 재무상태에 영향을 줄 수 있다.

18 보고기간후사건에 관한 설명으로 옳은 것은? [세무사 2020년]

① 보고기간 후에 발생한 상황을 나타내는 사건을 반영하기 위하여, 재무제표에 인식된 금액을 수정한다.

② 보고기간 말과 재무제표 발행승인일 사이에 투자자산의 공정가치가 하락한다면, 재무제표에 투자자산으로 인식된 금액을 수정한다.

③ 보고기간 후에 지분상품 보유자에 대해 배당을 선언한 경우, 그 배당금을 보고기간 말의 부채로 인식하지 아니한다.

④ 보고기간 말에 존재하였던 상황에 대한 정보를 보고기간 후에 추가로 입수한 경우에도 그 정보를 반영하여 공시 내용을 수정하지 않는다.

⑤ 경영진이 보고기간 후에 기업을 청산하거나 경영활동을 중단할 의도를 가지고 있거나, 청산 또는 경영활동의 중단 외에 다른 현실적 대안이 없다고 판단하는 경우에도 계속기업의 기준에 따라 재무제표를 작성할 수 있다.

19 중간재무보고에 관한 내용으로 옳은 것은? [세무사 2020년]

① 한국채택국제회계기준에 따라 중간재무보고서를 작성한 경우, 그 사실을 공시할 필요는 없다.

② 중간재무보고서상의 재무상태표는 당해 중간보고기간 말과 직전 연도 동일기간 말을 비교하는 형식으로 작성한다.

③ 중간재무보고서상의 포괄손익계산서는 당해 중간기간과 당해 회계연도 누적기간을 직전 회계연도의 동일기간과 비교하는 형식으로 작성한다.

④ 중간재무보고서를 작성할 때 인식, 측정, 분류 및 공시와 관련된 중요성의 판단은 직전 회계연도의 재무자료에 근거하여 이루어져야 한다.

⑤ 중간재무보고서상의 재무제표는 연차재무제표보다 더 많은 정보를 제공하므로 신뢰성은 높고, 적시성은 낮다.

20 기업회계기준서 제1034호 '중간재무보고'에 대한 다음 설명 중 옳지 않은 것은?

[공인회계사 2022년]

① 중간재무보고서는 최소한 요약재무상태표, 요약된 하나 또는 그 이상의 포괄손익계산서, 요약자본변동표, 요약현금흐름표 그리고 선별적 주석을 포함하여야 한다.

② 중간재무보고서에는 직전 연차보고기간 말 후 발생한 재무상태와 경영성과의 변동을 이해하는 데 유의적인 거래나 사건에 대한 설명을 포함한다.

③ 특정 중간기간에 보고된 추정금액이 최종 중간기간에 중요하게 변동하였지만 최종 중간기간에 대하여 별도의 재무보고를 하지 않는 경우에는, 추정의 변동 성격과 금액을 해당 회계연도의 연차재무제표에 주석으로 공시하지 않는다.

④ 중간재무보고서를 작성할 때 인식, 측정, 분류 및 공시와 관련된 중요성의 판단은 해당 중간기간의 재무자료에 근거하여 이루어져야 한다.

⑤ 중간재무제표는 연차재무제표에 적용하는 회계정책과 동일한 회계정책을 적용하여 작성한다. 다만 직전 연차보고기간 말 후에 회계정책을 변경하여 그 후의 연차재무제표에 반영하는 경우에는 변경된 회계정책을 적용한다.

21 중간재무보고에 관한 설명으로 옳지 않은 것은? [세무사 2024년]

① 직전 연차재무보고서를 연결기준으로 작성하였다면 중간재무보고서도 연결기준으로 작성해야 한다.

② 중간재무보고서에 포함해야 하는 최소한의 구성요소는 요약재무상태표, 요약된 하나 또는 그 이상의 포괄손익계산서, 요약자본변동표, 요약현금흐름표이다.

③ 중간재무보고서에는 직전 연차보고기간말 후 발생한 재무상태와 경영성과의 변동을 이해하는 데 유의적인 거래나 사건에 대한 설명을 포함한다.

④ 중요성을 평가하는 과정에서 중간기간의 측정은 연차재무자료의 측정에 비하여 추정치에 의존하는 정도가 크다는 점을 고려하여야 한다.

⑤ 계절적, 주기적 또는 일시적으로 발생하는 수익은 연차보고기간말에 미리 예측하여 인식하거나 이연하는 것이 적절하지 않은 경우 중간보고기간말에도 미리 예측하여 인식하거나 이연하여서는 아니 된다.

관련 유형 연습

01 다음 중 충당부채, 우발부채 및 우발자산에 대한 설명으로 옳지 않은 것은?

① 충당부채로 인식되기 위해서는 과거 사건으로 인한 의무가 기업의 미래행위와 독립적이어야 한다. 따라서 불법적인 환경오염으로 인한 범칙금이나 환경정화비용의 경우에는 충당부채로 인식한다.

② 충당부채는 부채로 인식하는 반면, 우발부채와 우발자산은 부채와 자산으로 인식하지 않는다.

③ 당초에 다른 목적으로 인식된 충당부채를 어떤 지출에 대하여 사용하게 되면 다른 두 사건의 영향이 적절하게 표시되지 않으므로 당초 충당부채에 관련된 지출에 대해서만 그 충당부채를 사용한다.

④ 의무발생사건이 되기 위해서는 당해 사건으로부터 발생된 의무를 이행하는 것 외에는 실질적인 대안이 없어야 한다. 이러한 경우는 의무의 이행을 법적으로 강제할 수 있거나 기업이 당해 의무를 이행할 것이라는 정당한 기대를 상대방이 가지는 경우에만 해당한다.

⑤ 재무제표는 재무제표이용자들의 현재 및 미래 의사결정에 유용한 정보를 제공하는 데에 그 목적이 있다. 따라서 미래영업을 위하여 발생하게 될 원가에 대해서 충당부채로 인식한다.

02 충당부채 및 우발부채와 관련된 다음의 회계처리 중 옳은 것은?

① ㈜민국은 ㈜나라와 공동으로 사용하는 토지의 환경정화에 대하여 연대하여 의무를 부담한다. 이에 ㈜민국은 ㈜나라가 이행할 것으로 기대되는 ₩1,000,000을 우발부채로 처리하였다.

② ㈜한국은 토지의 환경정화와 관련하여 3년 후 지급하게 될 미래현금흐름을 ₩1,000,000으로 추정하고, 동 미래현금흐름 추정 시 고려한 위험을 반영한 할인율을 적용하여 계산한 현재가치를 충당부채로 인식하였다.

③ ㈜대한은 토지의 환경정화원가를 ₩2,000,000으로 추정하고, 법인세율 20%를 고려한 ₩1,600,000을 충당부채로 인식하였다.

④ ㈜충청은 예상되는 토지의 환경정화원가 ₩2,000,000을 위하여 ㈜경상보험에 보험을 가입하였다. 동 보험약정에 의해 ㈜경상보험은 ㈜충청이 환경정화를 실시하면 ₩1,000,000을 보전해 주기로 하여 ㈜충청은 토지의 환경정화와 관련된 충당부채로 ₩1,000,000을 인식하였다.

⑤ ㈜전라는 토지환경정화와 유전복구를 위해 각각 충당부채를 인식하였으나 토지환경정화에 대한 지출은 ₩500,000이 과소 발생하였고, 유전복구에 대한 지출은 ₩500,000이 과다 발생하였다. 이에 ㈜전라는 토지환경정화와 관련된 충당부채를 유전복구지출에 사용하였다.

03 미래예상영업손실과 손실부담계약에 대한 설명으로 옳지 않은 것은?

① 미래예상영업손실은 충당부채로 인식하지 아니한다.

② 손실부담계약은 계약상의 의무에 따라 발생하는 회피불가능한 원가가 당해 계약에 의하여 얻을 것으로 기대되는 경제적 효익을 초과하는 계약이다.

③ 손실부담계약을 체결하고 있는 경우에는 관련된 현재의무를 충당부채로 인식하고 측정한다.

④ 손실부담계약에 대한 충당부채를 인식하기 전에, 당해 손실부담계약을 이행하기 위하여 사용하는 자산에서 발생한 손상차손을 먼저 인식한다.

⑤ 손실부담계약의 경우 계약상의 의무에 따른 회피불가능한 원가는 계약을 해지하기 위한 최소순원가로서, 계약을 이행하기 위하여 소요되는 원가와 계약을 이행하지 못하였을 때 지급하여야 할 보상금(또는 위약금) 중에서 큰 금액을 말한다.

04 다음은 충당부채에 대한 기업회계기준서의 내용들이다. 각 항목들의 옳고 그름을 가리시오.

1. 의제의무는 과거의 실무관행, 발표된 경영방침 또는 구체적이고 유효한 약속 등을 통하여 기업이 특정 책임을 부담하겠다는 것을 상대방에게 표명하는 것만으로 발생한다.
2. 입법 예고된 법규의 세부사항이 아직 확정되지 않은 경우에는 당해 법규안대로 제정될 것이 확실한 때에만 의무가 발생한 것으로 본다.
3. 어떤 사건이 실제로 발생하였는지 혹은 당해 사건으로 현재의무가 발생하였는지의 여부가 분명하지 아니한 경우에는 모든 이용가능한 증거를 고려함으로써 보고기간 말 현재의무가 존재하는지를 결정하여야 하며, 이때 고려해야 할 증거에는 보고기간후사건이 제공하는 추가적인 증거는 제외한다.
4. 할인율은 부채의 특유위험과 화폐의 시간가치에 대한 현행 시장의 평가를 반영한 세후 이자율이다.
5. 현재의무를 이행하기 위하여 소요되는 지출금액에 영향을 미치는 미래 사건이 발생할 것이라는 충분하고 객관적인 증거가 있는 경우에는 그러한 미래 사건을 감안하여 충당부채 금액을 추정한다.
6. 예상되는 처분이 충당부채를 발생시킨 사건과 밀접하게 관련된 경우 당해 자산의 예상 처분이익은 충당부채를 측정하는 데 고려한다.
7. 충당부채를 현재가치로 평가하여 표시하는 경우에는 장부금액을 기간 경과에 따라 증가시키고 해당 증가금액은 차입원가로 인식한다.
8. 충당부채로 인식되기 위해서는 과거 사건으로 인한 의무가 기업의 미래행위와 독립적이어야 한다. 따라서 불법적인 환경오염으로 인한 범칙금이나 환경정화비용의 경우에는 충당부채로 인식한다.
9. 재무제표는 재무제표이용자들의 현재 및 미래 의사결정에 유용한 정보를 제공하는 데에 그 목적이 있다. 따라서 미래영업을 위하여 발생하게 될 원가에 대해서 충당부채로 인식한다.
10. 우발자산은 경제적 효익이 유입될 것이 거의 확실하게 되는 경우에는 그러한 상황 변화가 발생한 기간의 재무제표에 그 자산과 관련 이익을 인식한다.
11. 의무는 언제나 당해 의무의 이행대상이 되는 상대방이 존재하게 된다. 그러나 의무의 상대방이 누구인지 반드시 알아야 하는 것은 아니며 경우에 따라서는 일반 대중도 상대방이 될 수 있다.

05 ㈜대한의 확신유형보증 관련 충당부채 자료는 다음과 같다.

- ㈜대한은 20×1년부터 판매한 제품의 결함에 대해 1년간 무상보증을 해주고 있으며, 판매량 중 3%에 대해서 품질보증요청이 있을 것으로 추정된다.
- ㈜대한은 제품보증활동에 관한 수익을 별도로 인식하지 않고 제품보증비용을 인식한다. ㈜대한의 연도별 판매량과 보증비용 지출액에 관한 자료는 다음과 같다. ㈜대한의 20×2년 및 20×3년의 판매 개당 품질보증비는 각각 ₩420과 ₩730으로 추정된다.

연도	판매량	보증비용 지출액
20×2년	800개	₩10,080(당기판매분)
20×3년	1,000개	₩8,000(당기판매분)

20×3년 말 ㈜대한이 재무상태표에 인식할 제품보증충당부채는 얼마인가? 단, 제품보증충당부채의 20×2년 초 잔액은 없고, 모든 보증활동은 현금지출로 이루어진다. [공인회계사 2024년]

① ₩11,900 ② ₩13,900 ③ ₩14,900
④ ₩16,900 ⑤ ₩18,900

06 중간재무보고에 관한 설명으로 옳지 않은 것은? [세무사 2017년]

① 직전 연차재무보고서를 연결기준으로 작성하였다면 중간재무보고서도 연결기준으로 작성해야 한다. 연차보고기간 말에 연결재무제표를 작성할 때에 자세하게 조정되는 일부 내부거래 잔액은 중간보고기간 말에 연결재무제표를 작성할 때는 덜 자세하게 조정될 수 있다.
② 중간재무보고서는 당해 중간보고기간 말과 직전 연차보고기간 말을 비교하는 형식으로 작성한 재무상태표, 당해 중간기간과 당해 회계연도 누적기간을 직전 회계연도의 동일기간과 비교하는 형식으로 작성한 포괄손익계산서, 당해 회계연도 누적기간을 직전 회계연도의 동일기간과 비교하는 형식으로 작성한 자본변동표와 당해 회계연도 누적기간을 직전 회계연도의 동일기간과 비교하는 형식으로 작성한 현금흐름표를 포함한다.
③ 계절적, 주기적 또는 일시적으로 발생하는 수익은 연차보고기간 말에 미리 예측하여 인식하거나 이연하는 것이 적절하지 않은 경우 중간보고기간 말에도 미리 예측하여 인식하거나 이연하여서는 안 된다. 배당수익, 로열티수익 및 정부보조금 등이 예이다.
④ 중간재무보고서를 작성할 때 인식, 측정, 분류 및 공시와 관련된 중요성의 판단은 연차재무보고서의 재무자료에 근거하여 이루어져야 한다. 중요성을 평가하는 과정에서 중간기간의 측정은 연차재무자료의 측정에 비하여 추정에 의존하는 정도가 크다는 점을 고려하여야 한다.
⑤ 중간기간의 법인세비용은 기대총연간이익에 적용될 수 있는 법인세율, 즉 추정평균연간유효법인세율을 중간기간의 세전 이익에 적용하여 계산한다. 세무상결손금의 소급공제혜택은 관련 세무상결손금이 발생한 중간기간에 반영한다.

실력 점검 퀴즈

01 충당부채, 우발부채 및 우발자산에 관한 설명으로 옳지 않은 것은?

① 충당부채는 부채로 인식하는 반면, 우발부채는 부채로 인식하지 아니한다.
② 충당부채로 인식하는 금액은 현재의무를 보고기간 말에 이행하기 위하여 필요한 지출에 대한 최선의 추정치이어야 한다.
③ 충당부채에 대한 최선의 추정치를 구할 때에는 관련된 여러 사건과 상황에 따르는 불가피한 위험과 불확실성을 고려한다.
④ 예상되는 자산 처분이익은 충당부채를 생기게 한 사건과 밀접하게 관련되어 있다고 하더라도 충당부채를 측정함에 있어 고려하지 아니한다.
⑤ 충당부채는 충당부채의 법인세효과와 그 변동을 고려하여 세후 금액으로 측정한다.

02 ㈜하늘은 20×1년 2월 초 영업을 개시하여 2년간 제품보증 조건으로 건조기(대당 판매가격 ₩100)를 판매하고 있다. 20×1년 1,500대, 20×2년 4,000대의 건조기를 판매하였으며, 동종업계의 과거 경험에 따라 판매수량 대비 평균 3%의 보증요청이 있을 것으로 추정되고 보증비용은 대당 평균 ₩20이 소요된다. 당사가 제공하는 보증은 확신유형의 보증이며 연도별 보증이행 현황은 다음과 같다.

구분	20×1년	20×2년
20×1년 판매분	5대	15대
20×2년 판매분		30대

20×2년 말 보증손실충당부채는? (단, 보증요청의 발생가능성이 높고 금액은 신뢰성 있게 측정되었다. 충당부채의 현재가치요소는 고려하지 않는다)

① ₩800 ② ₩1,000 ③ ₩1,200
④ ₩1,800 ⑤ ₩2,300

03 다음의 사건들을 고려하였을 때 ㈜하늘이 20×1년 말 재무상태표에 계상하여야 할 충당부채는? (단, 아래에 제시된 금액은 모두 신뢰성 있게 측정되었다)

사건	비고
20×1년 9월 25일에 구조조정계획이 수립되었으며 예상비용은 ₩300,000으로 추정된다.	20×1년 말까지는 구조조정계획의 이행에 착수하지 않았다.
20×1년 말 현재 소송이 제기되어 있으며, 동 소송에서 패소 시 배상하여야 할 손해배상금액은 ₩200,000으로 추정된다.	㈜하늘의 자문 법무법인에 의하면 손해발생가능성은 높지 않다.
미래의 예상 영업손실이 ₩450,000으로 추정된다.	
회사가 사용 중인 공장 구축물 철거 시, 구축물이 정착되어 있던 토지는 원상복구의무가 있다. 원상복구원가는 ₩200,000으로 추정되며 그 현재가치는 ₩120,000이다.	
판매한 제품에서 제조상 결함이 발견되어 보증비용 ₩350,000이 예상되며, 그 지출가능성이 높다. 동 보증은 확신유형보증에 해당한다.	예상비용을 보험사에 청구하여 50%만큼 변제받기로 하였다.

① ₩295,000 ② ₩470,000 ③ ₩550,000
④ ₩670,000 ⑤ ₩920,000

04 충당부채와 우발부채에 관한 설명으로 옳지 않은 것은?

① 충당부채와 관련하여 포괄손익계산서에 인식한 비용은 제삼자의 변제와 관련하여 인식한 금액과 상계하여 표시할 수 있다.
② 과거사건으로 생겼으나, 기업이 전적으로 통제할 수는 없는 하나 이상의 불확실한 미래사건의 발생 여부로만 그 존재 유무를 확인할 수 있는 잠재적 의무는 우발채무이다.
③ 어떤 의무를 제삼자와 연대하여 부담하는 경우에 이행하여야 하는 전체 의무 중에서 제삼자가 이행할 것으로 예상되는 정도까지만 우발부채로 처리한다.
④ 충당부채는 과거사건의 결과로 현재의무가 존재하며, 의무 이행에 경제적 효익이 있는 자원의 유출가능성이 높고, 그 금액을 신뢰성 있게 추정할 수 있을 때 인식한다.
⑤ 예상되는 자산 처분이 충당부채를 생기게 한 사건과 밀접하게 관련된 경우에 예상되는 자산 처분이익은 충당부채를 측정할 때 차감한다.

05 다음 중 수정을 요하지 않는 보고기간후사건은?

① 보고기간 말과 재무제표 발행승인일 사이에 투자자산의 공정가치가 하락한 경우
② 보고기간 말 이전에 구입한 자산의 취득원가나 매각한 자산의 대가를 보고기간 후에 결정하는 경우
③ 보고기간 말에 존재하였던 현재의무가 보고기간 후에 소송사건의 확정에 의해 확인되는 경우
④ 보고기간 말 이전 사건의 결과로서 보고기간 말에 종업원에게 지급하여야 할 법적 의무나 의제의무가 있는 이익분배나 상여금지급 금액을 보고기간 후에 확정하는 경우
⑤ 재무제표가 부정확하다는 것을 보여주는 부정이나 오류를 발견한 경우

2차 문제 Preview

01 아래의 모든 기업은 매년 12월 31일을 보고기한으로 하며, 재무제표 발행승인일은 20×3년 2월 25일이다. 아래의 각 사례별로 20×2년 말 재무상태표에 충당부채로 보고할 금액을 다음 양식과 같이 표시하고, 충당부채로 계상할 금액이 없으면 '없음'으로 기재하시오.

구분	20×2년 말 재무상태표에 충당부채로 계상할 금액
사례 1	×××

사례 1 ㈜포스포는 철강생산에 사용하는 용광로 내벽을 매 3년마다 대규모 수선을 하고 주요 부품을 교체하여야 하며, 이를 법률에서 규정하고 있다. 만약, 법률을 위반하면 벌과금(추정금액 ₩200,000)을 납부하여야 한다. 20×2년 12월 30일이 법률에서 정한 3년째이다. ㈜포스포의 경영진은 수선과 주요 부품 교체로 1억원의 지출을 예상하고 있다. ㈜포스포의 경영진은 해외자원개발투자에 대한 손실로 인해 자금의 여력이 없어 20×3년 12월 30일에 용광로 내벽을 수선하기로 결정하였다. 벌과금의 납부기간은 20×3년 3월 31일까지이며, ㈜포스포는 20×3년 2월 10일 벌과금 ₩230,000을 납부하였다(단, 벌과금 납부고지서는 20×3년 2월 8일에 수령하였다).

사례 2 20×1년 중 ㈜동영고속은 ㈜동영건설의 은행차입금에 대하여 ㈜파라오와 함께 연대보증을 제공하였다. ㈜동영건설은 재무상태가 악화되어 20×2년 12월 은행차입금 ₩1,000,000을 상환하지 못한 채 파산하였다. ㈜동영고속은 ㈜동영건설의 은행차입금에 대한 연대보증을 하면서, 채무불이행에 대한 위험에 대비하기 위하여 보증보험에 가입하였다. ㈜동영건설의 파산으로 인해 ㈜동영고속은 보증보험회사로부터 ₩300,000을 지급받을 것이 확실시된다. 또한, ㈜동영고속은 ㈜동영건설에게 지급해야 하는 미지급금 ₩200,000을 지급하지 않기로 결정하였다. 한편, ㈜파라오는 경영난으로 인해 이행의무 기대부분 ₩500,000 중 20%를 책임질 수 없는 불가피한 상황이 발생하였다.

사례 3 A사는 20×2년 말 안마의자를 2년간 무상수리하는 조건으로 판매하였다. 안마의자 1대당 무상수리비용 예상액은 아래와 같이 추정되며, 모든 무상수리비용은 보고기간 말 지출된다고 가정한다. 안마의자 1대당 20×3년 말의 무상수리비용과 20×4년 말의 무상수리비용이 모두 발생한다. A사가 20×2년 말 판매한 안마의자가 모두 100대라고 가정한다(단, 미래현금흐름의 추정에 고려한 위험을 제외한 세전 이자율은 10%이고, 1기간 현가계수는 0.9091, 2기간 현가계수는 0.8264이며, 동 무상수리는 확신유형의 보증이다).

구분	발생확률	20×3년 말	20×4년 말
하자가 없는 경우	70%	-	-
중요하지 않은 하자	20%	₩2,000	₩4,000
중요한 하자	10%	₩10,000	₩20,000

사례 4 B사가 20×2년 말 손해배상청구소송과 관련하여 충당부채로 인식할 최선의 추정치가 ₩10,000이다. 기업이 충당부채 의무를 이행하기 위해서는 현재 보유하고 있는 장부금액 ₩7,000의 토지를 처분하여야 하는데, 토지를 처분하는 경우 발생할 예상처분이익은 ₩2,000이다.

사례 5 C사는 고객들에게 무료 여행권 지급 이벤트를 진행하고 있다. 20×2년 말 현재 이벤트와 관련하여 지출이 예상되는 금액은 ₩600,000이다. C사는 동 이벤트와 관련하여 손해보험에 가입하였으며, ₩650,000을 보상받을 것이 거의 확실하다.

사례 6 D사가 판매한 제품의 결함으로 제품을 사용하던 고객이 부상을 입었다. 고객은 손해배상소송을 제기하였으며, 20×2년 말 현재 계류 중이다. 회사가 패소할 가능성이 매우 높고, 패소 시 추정되는 손실금액은 ₩5,000,000 ~ ₩10,000,000의 범위 내에서 결정될 가능성이 있다. 동 범위 내의 금액 중 손실금액으로 판결이 내려질 확률은 모두 동일하다고 판단되며, 회사는 보험에 가입되어 있어 동 소송과 관련하여 보험회사로부터 ₩7,000,000을 수령할 것이 거의 확실하다. D사가 동 거래와 관련하여 20×2년 말 충당부채로 인식할 금액을 구하시오.

해커스 IFRS 정윤돈 객관식 재무회계

/ 1차 시험 출제현황 /

구분	CPA										CTA									
	15	16	17	18	19	20	21	22	23	24	15	16	17	18	19	20	21	22	23	24
자본의 변동	2		1	1	1						1		2	1		1		1		
상환우선주							1				1									
우선주배당금									1							1				1
이익잉여금의 변동						1														

제9장

자본

기초 유형 확인

01 다음은 ㈜도도의 20×1년 1월 1일 현재의 주주지분이다.

납입자본(보통주자본금, 액면금액 ₩5,000)	₩50,000,000
이익잉여금	₩50,000,000
기타자본요소	₩1,200,000

상기 기타자본요소는 전액 자본잉여금이며 감자차익 ₩1,000,000, 자기주식처분이익 ₩200,000으로 구성되어 있다. ㈜도도의 20×1년에 발생한 다음의 자기주식거래로 인하여 회사의 주주지분은 얼마나 증가(감소)하는가?

- 1월: 자기주식 1,000주를 주당 ₩6,000에 현금으로 취득
- 2월: 자기주식 300주를 소각
- 4월: 자기주식 400주를 주당 ₩5,400에 처분
- 6월: 자기주식 100주를 주당 ₩7,000에 처분
- 8월: 대주주로부터 공정가치 ₩8,000인 자기주식 50주를 증여받음
- 9월: 자기주식 50주를 주당 ₩8,000에 처분(단위당 원가는 이동평균법을 적용한다)

① ₩2,740,000 증가 ② ₩2,740,000 감소 ③ ₩1,600,000 감소
④ ₩1,200,000 증가 ⑤ ₩1,200,000 감소

02 A사의 20×1년도 기초자산총액은 ₩300,000이며, 동년 기말자산총액과 부채총액은 각각 ₩500,000과 ₩200,000이다. A사는 20×1년도 중에 ₩50,000을 유상증자했고 주주에게 ₩30,000의 현금배당과 ₩20,000의 주식배당을 실시하였다. 20×1년에 보유 중인 FVOCI금융자산의 평가손실이 ₩40,000 발생하였고 20×1년의 총포괄이익은 ₩120,000일 때, A사의 20×1년도 기초부채총액은 얼마인가?

① ₩40,000 ② ₩120,000 ③ ₩140,000
④ ₩170,000 ⑤ ₩200,000

03 ㈜앵두는 20×1년 1월 20일 자사가 발행한 보통주식 30주를 주당 ₩2,000에 취득하였다. 20×1년 4월 10일 자기주식 중 10주를 주당 ₩3,000에 매각한 후, 20×1년 5월 25일 나머지 20주를 주당 ₩500에 매각하였다. 20×1년도 말 자본에 표시되는 자기주식처분손익은 얼마인가? (단, 20×1년 1월 1일 현재 자기주식과 자기주식처분손익은 없다고 가정한다)

① 손실 ₩30,000 ② 손실 ₩20,000 ③ ₩0
④ 이익 ₩20,000 ⑤ 이익 ₩30,000

04 다음은 자본거래의 결과로 변동하게 되는 자본의 구성내역을 표시한 것이다. 틀린 것은 무엇인가? (단, 주식배당과 무상증자는 액면금액을 기준으로 이루어진 것으로 가정한다)

		무상증자	주식배당	주식분할	주식병합
①	발행주식수	증가	증가	증가	감소
②	주당액면금액	불변	불변	감소	증가
③	자본금총액	증가	증가	불변	감소
④	자본잉여금	감소가능	불변	불변	불변
⑤	이익잉여금	감소가능	감소	불변	불변

05 A회사는 20×1년 1월 1일에 설립되었는데, 이 회사의 수권주식수는 액면 ₩5,000의 보통주 2,000주이다. 20×1년간의 자본거래는 다음과 같다. 아래의 거래로 인하여 A회사가 20×1년 말 재무상태표에 보고할 자본의 총계와 자본잉여금의 총계를 각각 계산하면 얼마인가?

(1) 1월 10일 주당 ₩5,000으로 보통주 1,000주를 발행하였으며, 3월 6일에 주당 ₩4,000으로 보통주 500주를 발행하였다.
(2) 5월 11일에 주당 ₩10,000으로 보통주 150주를 발행하였으며, 8월 12일에 주당 ₩4,000에 자기주식 250주를 매입하였다. 12월 31일에 주당 ₩7,000에 자기주식 250주를 처분하였다.

	자본총계	자본잉여금
①	₩9,250,000	₩1,000,000
②	₩9,250,000	₩1,750,000
③	₩7,500,000	₩1,600,000
④	₩7,500,000	₩1,750,000
⑤	₩9,250,000	₩1,500,000

06 12월 말 결산법인인 A사의 20×0년 12월 31일 현재 재무상태표상 자본의 구성 내역은 다음과 같다.

구분		금액	비고
자본금		₩1,000,000	1,000주, 주당액면 ₩1,000
자본잉여금	주식발행초과금	₩177,000	
	자기주식처분이익	₩43,000	
이익잉여금	이익준비금	₩400,000	
	재무구조개선적립금	₩140,000	
	시설확장적립금	₩50,000	
	미처분이익잉여금	₩300,000	
기타자본	자기주식	₩(-)150,000	100주
	재평가잉여금	₩40,000	
합계		₩2,000,000	

A사는 자본거래의 결과로 발생한 손익은 우선 상계하며, 손실이 발생하는 경우에는 정기주주총회에서 이익잉여금의 처분으로 우선 상각하는 정책을 채택하고 있다. 또한 이익준비금의 적립은 법률이 허용하는 최소한의 금액을 적립한다. 20×1년 중 아래와 같은 사건이 발생하였다.

(1) 20×1년 2월 5일 개최된 정기주주총회에서 재무구조개선적립금 중 ₩40,000을 이입하고 이익잉여금을 다음과 같이 처분하였다. 20×0년 중 중간배당으로 지급한 금액은 ₩30,000이다.

현금배당	₩50,000
주식배당	₩10,000
시설확장적립금의 적립	₩10,000
이익준비금 적립액	?

(2) 20×1년 7월 1일 보유 중인 자기주식 전부를 주당 ₩1,000에 처분하였다.

(3) 20×1년 10월 1일 공정가치 ₩500,000의 토지를 현물출자받고 보통주식 400주를 발행교부하였다. 발행교부일 현재 보통주식의 주당 공정가치는 ₩1,200이다.

(4) 20×1년도에 보고한 당기순이익은 ₩120,000이며, 당기에 발생한 재평가잉여금은 ₩30,000이다. 재평가잉여금은 건물과 관련된 것으로 사용함에 따라 이익잉여금으로 대체하고 있으며, 20×1년 초 현재 잔존내용연수는 4년, 정액법으로 감가상각한다.

(5) 20×2년 2월 8일에 개최예정인 정기주주총회에서는 임의적립금을 이입하지 않으며, 최대한의 금액을 현금배당할 예정이다.

A사의 20×1년 2월 5일 정기주주총회 종료 직후 차기이월이익잉여금은 얼마인가?

① ₩262,000 ② ₩226,000 ③ ₩215,000
④ ₩172,000 ⑤ ₩167,200

07 20×1년 1월 1일 A회사는 액면금액 ₩500,000의 다음과 같은 조건의 상환우선주를 발행하였다. 우선주의 액면배당률은 20%이며 매년 말 배당을 지급할 계획이며, 실제로 지급하였다. 상환우선주의 발행과 관련하여 20×1년 당기손익에 미치는 영향을 누적적 우선주인 경우와 비누적적 우선주인 경우로 구분하여 계산하면 얼마인가?

> (1) A회사는 상기 상환우선주에 대하여 20×3년 12월 31일 ₩1,000,000에 의무적으로 상환하여야 한다.
> (2) 20×1년 1월 1일 A회사의 일반사채의 시장이자율은 12%이다.
> (3) 12%, 3기간 일시금현가계수와 연금현가계수는 각각 0.71178과 2.40183이다.

	누적적 우선주	비누적적 우선주
①	₩114,236	₩85,414
②	₩114,236	₩185,414
③	₩100,000	₩80,000
④	₩100,000	없음
⑤	없음	없음

08 20×1년 초에 설립된 ㈜도도는 보통주 5,000주와 우선주 5,000주를 발행하여 설립되었으며 설립일 이후 당기순이익 이외에 자본의 변동은 없다. 보통주와 우선주의 주당 액면금액은 각각 ₩100이며, 우선주는 비누적적 10% 부분참가적이고 약정배당률은 5%이다. ㈜도도의 20×3년 말 이익잉여금 잔액은 ₩220,000이며 전액 배당으로 처분한다고 가정할 경우, 우선주 주주에게 최대 지급가능한 배당금액은 얼마인가? (단, 배당은 전액 현금배당이며, 20×3년에 이익준비금을 적립하더라도 자본금의 1/2에 미달한다)

① ₩50,000 ② ₩75,000 ③ ₩100,000
④ ₩110,000 ⑤ ₩150,000

09 12월 말 결산법인인 A사의 20×1년 1월 1일 현재 재무상태표상 자본 중 이익잉여금으로 보고된 금액은 ₩100,000이다. 다음의 자료를 이용하여 A사가 20×1년 말 현재 재무상태표상 자본 중 이익잉여금으로 보고할 금액을 계산하면 얼마인가?

일자	거래내역
2월 5일	20×0년도 정기주주총회에서 현금배당 ₩3,000과 주식배당 ₩2,000을 각각 결의하고 지급하였다. 이익준비금은 상법에서 규정한 최소금액을, 시설확장적립금은 ₩4,000을 각각 적립하였다. 또한 주식할인발행차금 ₩500을 이익잉여금의 처분으로 상각하였으며, 시설적립금 ₩800을 미처분의 상태로 이입하였다.
7월 8일	이사회 결의로 중간배당 ₩1,000을 지급하였다.
12월 31일	20×1년도 당기순이익으로 ₩8,000, 총포괄이익으로 ₩10,000을 각각 보고하였으며, 재평가잉여금 중 이익잉여금으로 직접 대체한 금액은 ₩400이다.

① ₩100,400 ② ₩101,900 ③ ₩103,900
④ ₩106,000 ⑤ ₩106,400

10 A사는 20×1년 1월 1일 액면금액 ₩200,000의 상환우선주(상환시점의 상환금액은 ₩200,000)를 ₩195,000에 할인하였다. A사는 20×3년 12월 31일 당해 우선주를 액면금액으로 상환하여야 하며, 배당률은 8%, 비누적적 우선주이다. 20×1년 1월 1일 현재 A사의 시장이자율은 10%로, 10% 3기간 현재가치계수는 0.7513, 연금현가계수는 2.4868이다. A사는 20×1년 12월 31일에 8%의 현금배당을 선언하고 즉시 현금으로 지급하였다. A사가 20×1년 1월 1일 발행한 상환우선주와 관련하여 20×1년 당기순이익에 미친 영향을 구하시오.

① ₩15,026 증가 ② ₩15,026 감소 ③ ₩13,026 증가
④ ₩13,026 감소 ⑤ 영향 없음

기출 유형 정리

01 ㈜세무의 20×1년 초 자본총계는 ₩3,000,000이었다. 20×1년 중 자본과 관련된 자료가 다음과 같을 때, 20×1년 말 자본총계는? [세무사 2022년]

- 4월 1일: 1주당 액면금액 ₩5,000인 보통주 100주를 1주당 ₩12,000에 발행하였다.
- 7월 30일: 이사회에서 총 ₩200,000의 중간배당을 결의하고 즉시 현금으로 지급하였다.
- 10월 1일: 20주의 보통주(자기주식)를 1주당 ₩11,000에 취득하였다.
- 11월 30일: 10월 1일에 취득하였던 보통주(자기주식) 중에서 10주는 1주당 ₩13,000에 재발행하였고, 나머지 10주는 소각하였다.
- 12월 31일: 20×1년도의 당기순이익과 기타포괄이익으로 각각 ₩850,000과 ₩130,000을 보고하였다.

① ₩4,040,000 ② ₩4,470,000 ③ ₩4,690,000
④ ₩4,760,000 ⑤ ₩4,890,000

02 보통주(주당 액면금액 ₩1,000)만을 발행하고 있는 ㈜국세의 20×1년도의 회계기간 중 자본과 관련된 거래내역은 다음과 같다.

일자	거래내역
20×1년 3월 3일	자기주식 취득(100주, @₩1,300)
20×1년 8월 7일	자기주식 재발행(60주, @₩1,500), 자기주식 소각(40주)
20×1년 8월 9일	FVOCI금융자산 취득(150주, @₩1,000)
20×1년 12월 31일	FVOCI금융자산 공정가치(150주, @₩1,300)

20×1년도 당기순이익이 ₩1,500,000이라면 ㈜국세의 20×1년 회계기간의 자본 증가액은 얼마인가? (단, 위 자료 이외의 자본과 관련된 일체의 거래는 없었다. 또한 직전 연도까지 자기주식 및 FVOCI금융자산의 취득은 없었으며, 자기주식 취득은 정당한 것으로 가정한다) [세무사 2010년]

① ₩1,000,000 ② ₩1,057,000 ③ ₩1,415,000
④ ₩1,505,000 ⑤ ₩1,557,000

03 다음은 ㈜코리아의 20×1년 기초 및 기말 재무상태표에서 추출한 자산과 부채의 자료이다. ㈜코리아는 20×1년 중에 유상증자로 ₩1,000,000의 자금을 조달하였고 ₩200,000의 무상증자를 실시하였다. 이익처분으로 현금배당 ₩600,000과 주식배당 ₩800,000을 지급하였고 법정적립금으로 ₩100,000의 이익준비금을 적립하였다. 20×1년도 당기에 재평가잉여금은 ₩500,000만큼 증가했고, FVOCI금융자산평가이익은 ₩800,000이 증가하였다. ㈜코리아의 20×1년 포괄손익계산서에 표시될 총포괄이익은 얼마인가? (단, ㈜코리아의 자본은 납입자본과 이익잉여금 및 기타자본요소로 구성되어 있다)

[공인회계사 2015년]

구분	20×1년 기초	20×1년 기말
자산총계	₩6,000,000	₩20,000,000
부채총계	₩2,800,000	₩10,000,000

① ₩4,200,000 ② ₩5,000,000 ③ ₩5,100,000
④ ₩6,400,000 ⑤ ₩4,300,000

04 ㈜세무의 20×1년 중 자본 관련 자료가 다음과 같을 때, 20×1년도 자본 증가액은 얼마인가? (단, ㈜세무는 주당 액면금액이 ₩1,000인 보통주만을 발행하고 있다) [세무사 2017년]

- 2월 1일: 보통주 200주를 주당 ₩1,500에 유상증자
- 3월 31일: 자기주식 50주를 주당 ₩1,000에 취득
- 5월 10일: 3월 31일에 취득한 자기주식 중 20주를 소각
- 7월 1일
  : 상장기업 A사 주식 150주를 주당 ₩1,500에 취득하여 FVOCI금융자산으로 분류
- 8월 25일: 보통주 50주를 무상감자
- 9월 1일: 보통주 100주를 주당 ₩800에 유상감자
- 12월 31일: 상장기업 A사 주식 공정가치 주당 ₩1,200

① ₩55,000 ② ₩105,000 ③ ₩115,000
④ ₩125,000 ⑤ ₩235,000

05 ㈜대한의 20×1년 1월 1일 현재 자본 관련 자료는 다음과 같다.

보통주-자본금	₩5,000,000
(주당 액면금액 ₩5,000, 발행주식수 1,000주)	
보통주-주식발행초과금	₩3,000,000
이익잉여금	₩1,500,000
자본총계	₩9,500,000

20×1년에 발생한 ㈜대한의 자기주식거래는 다음과 같다.

- 20×1년 3월 1일: 자기주식 60주를 주당 ₩6,000에 취득하였다.
- 20×1년 5월 10일: 자기주식 20주를 주당 ₩7,500에 처분하였다.
- 20×1년 7월 25일: 자기주식 10주를 주당 ₩5,000에 처분하였다.
- 20×1년 9월 15일: 자기주식 20주를 주당 ₩4,500에 처분하였다.
- 20×1년 10월 30일: 자기주식 10주를 소각하였다.
- 20×1년 11월 20일: 대주주로부터 보통주 20주를 무상으로 증여받았으며, 수증 시 시가는 주당 ₩8,000이었다.

㈜대한의 20×1년도 당기순이익은 ₩300,000이다. ㈜대한은 선입선출법에 따른 원가법을 적용하여 자기주식거래를 회계처리한다. ㈜대한의 20×1년 12월 31일 재무상태표에 표시되는 자본총계는 얼마인가?

[공인회계사 2019년]

① ₩9,710,000 ② ₩9,730,000 ③ ₩9,740,000
④ ₩9,820,000 ⑤ ₩9,850,000

06 다음 [사례 A] ~ [사례 E] 내용을 20×1년 ㈜한국의 자본변동표에 표시하는 방법으로 옳지 않은 것은? (단, ㈜한국이 발행한 주식의 단위당 액면금액은 ₩500으로 일정하다) [공인회계사 2015년]

- 사례 A: 20×1년 2월 초에 자기주식 10주를 주당 ₩800에 취득하였다.
- 사례 B: 20×1년 3월 말에 토지를 취득하고 이에 대한 대가로 주식 100주를 발행·교부하였다. 토지의 공정가치는 알 수 없으나, 주식 교부일 현재 주식의 단위당 공정가치는 ₩700이다. 신주발행비용 ₩1,000은 현금으로 지급하였다.
- 사례 C: 20×1년 7월 초에 ₩100,000에 취득한 상품의 20×1년 말 순실현가능가치는 ₩120,000이다. 단, 동 상품은 기말 현재 보유하고 있다.
- 사례 D: 20×1년 8월 초에 중간배당으로 ₩50,000을 지급하였으며, 20×1년도 결산배당으로 ₩200,000(현금배당 ₩100,000, 주식배당 ₩100,000)을 20×2년 3월 3일 주주총회에서 의결하였다.
- 사례 E: 20×1년 말에 FVOCI금융상품으로 회계처리하고 있는 투자주식에 대하여 FVOCI금융상품평가이익 ₩20,000을 인식하였다.

자본변동표(관련 내역만 표시됨)

㈜한국 20×1. 1. 1. ~ 20×1. 12. 31. (단위: 원)

	사례	납입자본	이익잉여금	기타자본요소	총계
①	A	-	-	(8,000)	(8,000)
②	B	69,000	-	-	69,000
③	C	-	-	-	-
④	D	-	(250,000)	100,000	(150,000)
⑤	E	-	-	20,000	20,000

07 ㈜대한은 20×1년 1월 1일에 주당 액면금액 ₩5,000인 보통주 1,000주를 주당 ₩15,000에 발행하여 설립되었다. 20×2년 중 다음과 같은 자기주식거래가 발생하였다.

3월 1일	100주의 보통주를 주당 ₩14,000에 재취득
6월 1일	60주의 자기주식을 주당 ₩18,000에 재발행
9월 1일	40주의 보통주를 주당 ₩16,000에 재취득
12월 1일	60주의 자기주식을 주당 ₩10,000에 재발행
12월 31일	20주의 자기주식을 소각

20×1년 중 자기주식거래는 없었으며, ㈜대한은 자기주식의 회계처리에 선입선출법에 따른 원가법을 적용하고 있다. 20×2년도 위 거래의 회계처리 결과로 옳은 설명은? [공인회계사 2017년]

① 자본총계 ₩360,000이 감소한다.
② 포괄손익계산서에 자기주식처분손실 ₩40,000을 보고한다.
③ 포괄손익계산서에 자기주식처분이익 ₩240,000과 자기주식처분손실 ₩280,000을 각각 보고한다.
④ 20×2년 말 자본금 ₩5,000,000을 보고한다.
⑤ 감자차손 ₩320,000을 보고한다.

08 ㈜세무의 보통주(주당 액면금액 ₩5,000, 주당 발행가 ₩6,500)와 관련된 거래가 다음과 같이 발생했을 때, 20×1년 4월 30일 회계처리로 옳은 것은? (단, 회계처리는 선입선출법을 적용한다) [세무사 2018년]

거래일자	주식수	주당 재취득금액	주당 재발행금액
20×1년 3월 1일	50	₩6,800	-
20×1년 4월 1일	20	₩5,600	-
20×1년 4월 21일	30	-	₩6,900
20×1년 4월 30일	10	-	₩4,800

	(차변)		(대변)	
①	현금	48,000	자기주식	68,000
	자기주식처분이익	3,000		
	자기주식처분손실	17,000		
②	현금	48,000	자기주식	68,000
	자기주식처분손실	20,000		
③	현금	48,000	자기주식	56,000
	자기주식처분손실	8,000		
④	현금	48,000	자기주식	50,000
	감자차익	2,000		
⑤	현금	48,000	자기주식	50,000
	감자차손	2,000		

09 다음은 ㈜대한의 자본과 관련된 자료이다. 20×1년 초 현재 보통주 발행주식수는 1,000주이고 주당 액면금액은 ₩500이다. 다음은 ㈜대한의 20×1년 초 현재의 자본내역이다.

보통주자본금	₩500,000	감자차익	₩1,000
주식발행초과금	₩40,000	재평가잉여금	₩30,000
자기주식	₩35,000	미처분이익잉여금	₩10,000

20×1년 중 다음의 거래가 발생하였다.

A	20×1년 초 현재 보유하고 있는 자기주식 수량은 50주이다. 자기주식은 원가법으로 회계처리하며 자기주식 취득원가는 주당 ₩700이다. 20×1년 3월 초 자기주식 10주를 소각하였다.
B	20×1년 초 현재 보유하고 있는 토지는 ₩70,000에 취득하였는데 재평가잉여금은 토지의 재평가로 발생한 것이다. 20×1년 말 토지는 ₩80,000으로 재평가되었다.
C	20×1년 3월 말 자기주식 20주를 주당 ₩800에 재발행하였다.
D	20×1년 5월 초 현물출자방식으로 보통주 300주를 발행하여 건물을 취득하였다. 현물출자시점에 건물의 공정가치는 ₩200,000이고, 원가모형을 적용한다.
E	20×1년 7월 초 이사회에서 중간배당으로 총 ₩1,500을 지급하기로 결의하고 7월 말에 지급하였다. 20×1년도 당기순이익으로 ₩10,000을 보고하였다.

상기 A부터 E까지의 거래가 반영된 20×1년 말 자본총계를 구하면 얼마인가? [공인회계사 2018년]

① ₩740,500 ② ₩742,500 ③ ₩747,500
④ ₩750,500 ⑤ ₩757,500

10 ㈜세무의 20×1년 초 자본잉여금은 ₩100,000이고 20×1년 기중 거래내역이 다음과 같을 때, 20×1년 12월 31일 자본잉여금은 얼마인가? [세무사 2020년]

일자	거래내역
2월 1일	보통주 600주(주당 액면 ₩500)를 주당 ₩700에 발행하고, 주식발행비용 ₩30,000이 발생하였다.
3월 10일	이월결손금 ₩250,000을 보전하기 위하여 기발행주식수 3,000주(주당 액면금액 ₩500)를 1주당 0.8주로 교부하는 주식병합을 실시하였다. (20×1년 초 감자차손 없음)
5월 2일	화재발생으로 유형자산(장부금액 ₩400,000)이 전소되고, 보험회사로부터 ₩40,000의 화재보험금을 수령하였다.
8월 23일	이익준비금 ₩200,000을 재원으로 하여 보통주 400주(주당 액면 ₩500)를 무상증자하였다.
9월 30일	신제품 생산용 기계장치 구입을 위해 정부보조금 ₩80,000을 수령하였다.
11월 17일	보유 중인 자기주식 500주(재취득가 주당 ₩650)를 주당 ₩700에 재발행하였다. (20×1년 초 자기주식처분손실은 없으며, 자기주식은 원가법으로 회계처리함)

① ₩215,000 ② ₩235,000 ③ ₩240,000
④ ₩245,000 ⑤ ₩265,000

11 ㈜리비는 20×1년 1월 1일 다음과 같이 두 종류의 비참가적 우선주를 발행하였으며, 이 시점의 적절한 할인율은 연 5%이다.

- A우선주: 주당 액면금액 ₩5,000이고 연 배당률이 3%인 누적적 우선주 100주 발행. ㈜리비는 동 우선주를 상환할 수 있는 권리를 가짐
- B우선주: 주당 액면금액은 ₩5,000이고 연 배당률이 4%인 비누적적 우선주 100주 발행. ㈜리비는 20×5년 1월 1일 주당 ₩5,000에 동 우선주를 의무적으로 상환해야 함

기간	5% 현재가치계수	5% 정상연금 현재가치계수
4	0.8227	3.5460

20×1년도에는 배당가능이익이 부족하여 우선주에 대해 배당을 하지 못했으나, 20×2년도에는 배당을 현금으로 전액 지급하였다. 단, 해당 연도 배당금은 매 연도 말에 지급된다고 가정한다. 위의 두 종류의 우선주와 관련하여 20×1년도와 20×2년도의 당기순이익에 미치는 영향의 합계액은 얼마인가? (단, 차입원가는 모두 당기비용으로 인식하며, 법인세효과는 고려하지 않는다) [공인회계사 2013년]

① ₩72,164 감소 ② ₩62,164 감소 ③ ₩57,164 감소
④ ₩42,164 감소 ⑤ 영향 없음

12 ㈜세무는 20×1년 초 보통주와 우선주를 발행하여 영업을 개시하였으며, 영업개시 이후 자본금의 변동은 없었다. 20×3년 말 현재 ㈜세무의 자본금 구성은 다음과 같다.

구분	1주당 액면금액	배당률	자본금	비고
보통주	₩1,000	2%	₩8,000,000	
우선주	₩1,000	3%	₩2,000,000	누적적, 5% 부분참가적

20×4년 3월 말 주주총회에서 ₩600,000의 현금배당이 결의되었다. ㈜세무의 보통주에 배분될 배당금은? (단, 과거에 배당을 실시하지 않았고 배당가능이익은 충분하다) [세무사 2024년]

① ₩360,000 ② ₩380,000 ③ ₩400,000
④ ₩420,000 ⑤ ₩440,000

13 ㈜대한은 20×1년 1월 1일에 상환우선주 200주(1주당 액면금액 ₩500)를 공정가치로 발행하였다. 동 상환우선주와 관련된 자료는 다음과 같다.

- ㈜대한은 상환우선주를 20×2년 12월 31일에 1주당 ₩600에 의무적으로 상환해야 한다.
- 상환우선주의 배당률은 액면금액기준 연 3%이며, 배당은 매년 말에 지급한다. 배당이 지급되지 않는 경우에는 상환금액에 가산하여 지급한다.
- 20×1년 1월 1일 현재 상환우선주에 적용되는 유효이자율은 연 6%이며, 그 현가계수는 아래 표와 같다.

기간 \ 할인율	6%	
	단일금액 ₩1의 현재가치	정상연금 ₩1의 현재가치
2년	0.8900	1.8334

- 20×1년 말에 ㈜대한은 동 상환우선주의 보유자에게 배당을 결의하고 지급하였다.

㈜대한이 동 상환우선주와 관련하여 20×1년 포괄손익계산서상 이자비용으로 인식해야 할 금액은 얼마인가? (단, 단수차이로 인해 오차가 있다면 가장 근사치를 선택한다) [공인회계사 2021년]

① ₩0 ② ₩3,000 ③ ₩3,600
④ ₩6,408 ⑤ ₩6,738

14 20×1년 1월 1일에 ㈜대한은 보통주와 우선주(배당률 2%)를 발행하여 영업을 개시하였다. 설립 이후 자본금의 변동은 없으며, 배당결의와 지급은 없었다. 20×3년 12월 31일 현재 ㈜대한의 보통주자본금과 우선주자본금의 내역은 다음과 같다.

구분	1주당 액면금액	자본금
보통주	₩1,000	₩10,000,000
우선주	₩1,000	₩6,000,000

20×4년 2월, 주주총회에서 총 ₩1,080,000의 현금배당이 결의되었다. ㈜대한의 우선주가 (1) 누적적, 5% 부분참가적인 경우와 (2) 비누적적, 완전참가적인 경우, 보통주에 배분될 배당금은 각각 얼마인가? (단, ㈜대한의 배당가능이익은 충분하며 자기주식은 취득하지 않았다고 가정한다)

[공인회계사 2023년]

	(1)	(2)
①	₩525,000	₩475,000
②	₩525,000	₩675,000
③	₩540,000	₩405,000
④	₩540,000	₩675,000
⑤	₩555,000	₩405,000

15 자본항목에 관한 설명으로 옳지 않은 것은? [세무사 2023년]

① 지분상품의 상환이나 차환은 자본의 변동으로 인식하지만, 지분상품의 공정가치 변동은 재무제표에 인식하지 않는다.
② 확정수량의 보통주로 전환되는 조건으로 발행된 전환우선주는 지분상품으로 회계처리한다.
③ 기업이 자기지분상품을 재취득하는 경우에는 자본에서 차감하며, 자기지분상품을 매입, 매도, 발행, 소각하는 경우의 손익은 당기손익으로 인식하지 않는다.
④ 액면주식을 액면발행한 경우, 발생한 주식발행 직접원가는 주식할인발행차금으로 차변에 기록된다.
⑤ 보유자가 발행자에게 특정일이나 그 후에 확정되었거나 결정가능한 금액으로 상환해 줄 것을 청구할 수 있는 권리가 있는 우선주는 지분상품으로 분류한다.

16 20×2년 2월 개최된 주주총회 결의일 직후 작성된 ㈜대경의 20×1년 말 재무상태표상 자본은 다음과 같다.

• 보통주자본금	₩30,000,000
• 이익준비금	₩1,000,000
• 사업확장적립금	₩500,000
• 감채기금적립금	₩600,000
• 미처분이익잉여금	₩800,000

㈜대경의 20×2년도 당기순이익은 ₩1,200,000이고, 당기 이익잉여금 처분 예정은 다음과 같다.

• 감채기금적립금 이입	₩300,000
• 현금배당	₩400,000
• 주식배당	₩100,000
• 사업확장적립금 적립	₩250,000
• 이익준비금 적립	법정 최소금액 적립

위 사항들이 20×3년 2월 개최된 주주총회에서 원안대로 승인되었다. 한국채택국제회계기준에 따라 20×2년도 이익잉여금 처분계산서를 작성할 때 차기이월미처분이익잉여금은 얼마인가?

[공인회계사 2014년]

① ₩1,510,000
② ₩1,550,000
③ ₩1,610,000
④ ₩1,650,000
⑤ ₩1,800,000

17 다음은 유통업을 영위하는 ㈜대한의 자본과 관련된 자료이다. 20×2년도 포괄손익계산서의 당기순이익은 얼마인가? [공인회계사 2020년]

[부분재무상태표(20×1년 12월 31일)]

구분	금액
Ⅰ. 자본금	₩2,000,000
Ⅱ. 주식발행초과금	₩200,000
Ⅲ. 이익잉여금	₩355,000
이익준비금	₩45,000
사업확장적립금	₩60,000
미처분이익잉여금	₩250,000
자본총계	₩2,555,000

(1) ㈜대한은 재무상태표의 이익잉여금에 대한 보충정보로서 이익잉여금 처분계산서를 주석으로 공시하고 있다.

(2) ㈜대한은 20×2년 3월 정기 주주총회 결의를 통해 20×1년도 이익잉여금을 다음과 같이 처분하기로 확정하고 실행하였다.

- ₩100,000의 현금배당과 ₩20,000의 주식배당
- 사업확장적립금 ₩25,000 적립
- 현금배당의 10%를 이익준비금으로 적립

(3) 20×3년 2월 정기 주주총회 결의를 통해 확정될 20×2년도 이익잉여금 처분내역은 다음과 같으며, 동 처분내역이 반영된 20×2년도 이익잉여금 처분계산서의 차기이월미처분이익잉여금은 ₩420,000이다.

- ₩200,000의 현금배당
- 현금배당의 10%를 이익준비금으로 적립

(4) 상기 이익잉여금 처분과 당기순이익 외 이익잉여금 변동은 없다.

① ₩545,000 ② ₩325,000 ③ ₩340,000
④ ₩220,000 ⑤ ₩640,000

관련 유형 연습

01 ㈜갑은 20×1년에 자기주식 60주를 주당 ₩3,000에 취득하였으며, 20×2년에 이 중 30주를 주당 ₩5,000에 처분하였다. 20×1년 말 ㈜갑 주식의 주당 공정가치는 ₩4,000이다. 20×2년의 자기주식 처분이 자본총계에 미치는 영향을 옳게 나타낸 것은? (단, 법인세효과는 고려하지 않는다)

① ₩30,000 감소 ② ₩60,000 감소 ③ ₩1,500,000 감소
④ ₩150,000 증가 ⑤ ₩180,000 증가

02 ㈜백두의 20×1년 1월 1일 자산과 부채의 총계는 각각 ₩3,500,000과 ₩1,300,000이었으며, ㈜백두의 20×1년 중 발생한 모든 자본거래는 다음과 같다.

- 3월 8일: 20×0년도 정기주주총회(2월 28일 개최)에서 결의한 배당을 지급하였다. 현금배당으로 ₩130,000을 지급하였으며, 주식배당으로 보통주 100주(주당 액면금액 ₩500, 주당 공정가치 ₩550)를 발행하였다. ㈜백두는 현금배당의 10%를 「상법」상의 이익준비금으로 적립하였다.
- 5월 8일: 보통주 200주(주당 액면금액 ₩500)를 주당 ₩600에 발행하였으며, 이와 관련하여 직접적인 주식발행비용 ₩30,000이 발생하였다.
- 10월 9일
  : 20×0년에 취득한 자기주식(취득원가 ₩70,000)을 ₩80,000에 재발행하였다.

㈜백두가 20×1년도 포괄손익계산서상 당기순이익과 총포괄이익으로 ₩130,000과 ₩40,000을 보고하였다면, ㈜백두가 20×1년 말 현재 재무상태표상 자본의 총계로 보고할 금액은 얼마인가? (단, 법인세효과는 고려하지 않는다)

① ₩2,280,000 ② ₩2,283,000 ③ ₩2,293,000
④ ₩2,390,000 ⑤ ₩2,410,000

03 다음은 ㈜한국의 기초 및 기말 재무제표 자료 중 일부이다.

구분	기초	기말
자산총계	₩11,000,000	₩15,000,000
부채총계	₩5,000,000	₩6,000,000

당기 중 무상증자 ₩1,000,000이 있었으며, 현금배당 ₩500,000 및 주식배당 ₩300,000이 결의 및 지급되고 토지 재평가이익 ₩100,000이 있었다면, 당기순이익은 얼마인가? (단, 토지 재평가는 당기에 처음으로 실시하였다)

① ₩2,400,000 ② ₩2,800,000 ③ ₩3,000,000
④ ₩3,400,000 ⑤ ₩3,600,000

04 ㈜한국은 20×1년 초 주당 액면금액이 ₩500인 우선주 1,000주를 발행하였고, 20×2년 말 주당 ₩700에 상환하여야 한다. 동 우선주는 약정배당률이 액면금액의 5%인 비누적적 우선주이다. 우선주 발행 시 유효이자율은 연 8%일 때, 동 우선주와 관련된 20×1년도 당기비용은 얼마인가? (단, ㈜한국은 20×1년 말에 배당금을 지급하였으며, 연 8%, 2년 단일금액 ₩1의 현재가치는 0.8573이고, 2년 정상연금 ₩1의 현재가치는 1.7833이다)

① ₩25,000 ② ₩41,575 ③ ₩48,009
④ ₩51,575 ⑤ ₩73,009

05

12월 말 결산법인인 ㈜베르테르는 20×4년 초에 보통주 10,000주와 우선주 6,000주를 발행하여 설립되었다. 관련 자료는 다음과 같다.

(1) 회사가 보고한 3년간의 연도별 당기순손익
- 20×4년 당기순손실: ₩(290,000)
- 20×5년 당기순손실: ₩(220,000)
- 20×6년 당기순이익: ₩840,000

(2) 보통주와 우선주의 주당 액면금액은 각각 ₩100이며, 우선주는 배당률 5%의 누적적·부분참가적(10%까지)이다. ㈜베르테르의 자본금은 설립일 이후 변동이 없었다.

(3) 모든 배당은 현금배당이며, 이익준비금은 법정 최소한을 적립하고, 20×6년에 이익준비금을 적립하더라도 자본금의 1/2에 미달한다.

20×7년 초 정기주주총회에서 보통주와 우선주에 배당가능한 금액은 얼마인가?

	보통주에 배분될 배당금	우선주에 배분될 배당금
①	₩180,000	₩120,000
②	₩160,000	₩130,500
③	₩184,300	₩115,000
④	₩200,000	₩193,000
⑤	₩220,000	₩180,000

06

20×1년 회계기간에 대한 서울회사의 이익잉여금 처분계산서 관련 자료와 기타 자료는 다음과 같다. 서울회사는 이익준비금은 최소한 적립할 것을 결의하였다. 아래의 모든 사항들은 20×2년 2월 1일에 개최된 이사회에서 승인되고, 이후 주주총회에서 변경 없이 확정되었다. 이익잉여금 처분계산서를 작성할 때 서울회사의 차기이월미처분이익잉여금은 얼마인가?

• 현금배당	₩800,000
• 주식배당	₩9,000,000
• 당기순이익	₩8,500,000
• 중간배당	₩500,000
• 자기주식처분손실 상각	₩500,000
• 전기이월미처분이익잉여금	₩50,000,000
• 사업확장적립금으로 처분	₩1,700,000
• 재무구조개선적립금으로 처분	₩900,000
• 감채기금적립금 이입액	₩2,000,000

① ₩44,000,000 ② ₩45,970,000 ③ ₩46,970,000
④ ₩46,000,000 ⑤ ₩47,800,000

실력 점검 퀴즈

01 ㈜포도의 20×1년 12월 31일 재무상태표에 표시된 이익잉여금은 ₩300,000으로 이에 대한 세부항목은 이익준비금 ₩30,000과 임의적립금 ₩60,000 그리고 미처분이익잉여금 ₩210,000이다. ㈜포도는 20×2년 2월 27일에 개최한 정기주주총회에서 20×1년도 재무제표에 대해 다음과 같이 결산승인하였다.

- 임의적립금 이입액 ₩20,000
- 이익준비금 적립액 ₩10,000
- 자기주식처분손실 상각액 ₩10,000
- 현금배당액 ₩100,000

㈜포도가 20×2년 2월 27일의 결산승인사항을 반영한 후 이익잉여금은? (단, 이익준비금은 자본금의 1/2에 미달한다고 가정한다)

① ₩180,000　② ₩190,000　③ ₩200,000
④ ₩210,000　⑤ ₩220,000

02 다음은 ㈜포도의 20×1년 발생 거래내역이다. 다음 거래의 결과로 증가되는 ㈜포도의 자본총액은?

- 3월 10일: 주당 액면금액 ₩1,000의 자기주식 100주를 주당 ₩3,000에 취득하였다.
- 6월 30일: 3월 10일에 취득한 자기주식 중 50주를 주당 ₩3,600에 처분하였다.
- 10월 13일: 3월 10일에 취득한 자기주식 중 50주를 소각하였다.
- 11월 30일: 주당 액면금액 ₩1,000의 보통주 50주를 주당 ₩4,000에 발행하면서, 추가적으로 주식발행비 ₩35,000을 지출하였다.
- 12월 31일: ₩200,000의 당기순이익과 ₩130,000의 기타포괄이익을 보고하였다.

① ₩260,000　② ₩375,000　③ ₩410,000
④ ₩710,000　⑤ ₩1,010,000

03 20×1년 초 설립된 ㈜포도는 설립 후 처음으로 20×5년 3월 ₩50,000의 현금배당을 결의하였다. 20×4년 말 자본금 관련 내역이 다음과 같을 경우, 보통주 주주에게 귀속되는 배당금은? (단, 설립 이후 20×4년 말까지 자본금과 관련한 변동은 없다)

구분	발행주식수	주당 액면금액	비고
우선주	200주	₩500	배당률 4%, 누적적 · 부분참가적(7%) 우선주
보통주	500주	₩500	

① ₩10,000　② ₩19,000　③ ₩31,000
④ ₩34,000　⑤ ₩43,000

04 ㈜포도의 20×1년 초 자본총액이 ₩2,000,000이고, 20×1년 중 다음과 같은 거래가 발생하였을 때, 20×1년 말 자본총액은?

- 설립 이후 처음으로 액면가 ₩500인 자기주식(원가법 적용) 10주를 주당 ₩700에 구입하였다.
- 주주총회 결과 기존 주주들에게 10% 주식배당(배당 직전 자본금 ₩1,000,000)을 실시하기로 결의하고, 즉시 신주를 발행하여 교부하였다.
- 액면가 ₩500인 보통주 100주를 주당 ₩800에 발행하였으며, 주식발행과 관련된 직접원가는 ₩5,000이다.
- 자기주식 6주를 주당 ₩600에 재발행하였다.
- 액면가 ₩500인 보통주 100주를 발행하면서 그 대가로 신뢰성 있게 측정된 토지(공정가치 ₩55,000)를 현물출자 받았다.
- 20×1년 당기순이익은 ₩200,000이고, 기타포괄손실은 ₩10,000이다.

① ₩2,236,600　② ₩2,316,600　③ ₩2,319,400
④ ₩2,331,600　⑤ ₩2,339,400

05 다음은 ㈜하늘의 20×1년도 기초와 기말 재무상태표의 금액이다.

구분	20×1년 기초	20×1년 기말
자산총계	₩5,000	₩7,000
부채총계	2,500	3,400

㈜하늘은 20×1년 중에 ₩300의 유상증자와 ₩100의 무상증자를 각각 실시하였으며, 현금배당 ₩200을 지급하였다. 20×1년도 당기에 유형자산 관련 재평가잉여금이 ₩80만큼 증가한 경우 ㈜하늘의 20×1년도 포괄손익계산서상 당기순이익은? (단, 재평가잉여금의 변동 외에 다른 기타자본요소의 변동은 없다)

① ₩820 ② ₩900 ③ ₩920
④ ₩980 ⑤ ₩1,000

06 다음은 ㈜하늘의 20×2년 자본 관련 자료이다. 20×2년 말 자본총계는? (단, 자기주식 거래는 선입선출법에 따른 원가법을 적용한다)

(1) 기초자본
- 보통주 자본금(주당 액면금액 ₩500, 발행주식수 40주) ₩20,000
- 보통주 주식발행초과금 ₩4,000
- 이익잉여금 ₩30,000
- 자기주식(주당 ₩600에 10주 취득)

(2) 기중자본거래
- 4월 1일 자기주식 20주를 1주당 ₩450에 취득
- 5월 25일 자기주식 8주를 1주당 ₩700에 처분
- 6월 12일 자기주식 3주를 소각
- 8월 20일 주식발행초과금 ₩4,000과 이익잉여금 중 ₩5,000을 재원으로 무상증자 실시

(3) 20×2년 당기순이익: ₩50,000

① ₩77,300 ② ₩87,500 ③ ₩94,600
④ ₩96,250 ⑤ ₩112,600

2차 문제 Preview

01 A사의 20×1년 초 현재 자본은 다음과 같다.

자본금(보통주) - 액면금액 ₩5,000	₩10,000,000
자본금(상환우선주) - 액면금액 ₩5,000	₩2,000,000
주식발행초과금(보통주)	₩2,000,000
자기주식(100주)	₩(1,000,000)
미처분이익잉여금	₩6,000,000

다음은 20×1년 중 A사에서 발생한 자본 관련 거래이다.

거래 1

회사는 2월 28일과 3월 1일 무상증자와 유상증자를 실시하였고 그 내역은 다음과 같다.

(1) 무상증자(2월 28일): 주식발행초과금(보통주) ₩1,000,000을 재원으로 하여 보통주를 액면가로 무상증자하였다.

(2) 유상증자(3월 1일): 보통주 400주를 주당 ₩7,000을 납입받고 발행하였으며, 발행 시 발생한 거래원가는 ₩200,000이다.

거래 2

3월 2일 개최된 정기주주총회에서 다음과 같이 20×1년도 이익잉여금 처분을 승인하였다.

(1) 현금배당: ₩300,000

(2) 주식배당: ₩200,000(보통주에 대해서만 주식배당을 하였으며, 4월 1일에 주식 발행)

(3) 이익준비금 적립: ₩60,000, 임의적립금 적립: ₩100,000

거래 3

5월 20일 상환우선주(우선주) 400주를 ₩2,200,000에 모두 취득하였으며, 이 중 200주는 12월 31일에 상환절차를 완료하였고, 나머지 200주는 다음 연도 중에 상환절차를 완료할 예정이다.

거래 4

6월 1일 보유 중인 자기주식 100주 중 50주를 ₩9,000에 처분하고, 50주는 소각하였다(단, 소각 시 자본금만 제거한다).

거래 1 부터 **거래 4** 까지 각 거래가 자본항목에 미치는 금액을 아래의 양식에 따라 표시하시오(단, 금액이 음수이면 앞에 (-)표시를 하시오).

구분	자본금	자본잉여금	자본조정	이익잉여금
거래 1	①	②		
거래 2	③			④
거래 3			⑤	⑥
거래 4	⑦	⑧	⑨	⑩

02 다음의 <자료>를 이용하여 물음에 답하시오.

〈자료〉

(1) ㈜대한은 20×1년 초에 설립되었으며, 20×3년 1월 1일 현재 자본부분은 다음과 같다.

Ⅰ. 자본금		₩7,500,000
1. 보통주자본금	₩5,000,000	
2. 우선주자본금	₩2,500,000	
Ⅱ. 자본잉여금		₩1,500,000
1. 보통주주식발행초과금	₩1,500,000	
Ⅲ. 기타포괄손익누계액		₩(-)20,000
1. 금융자산평가손익	₩(-)20,000	
Ⅴ. 이익잉여금		₩3,000,000
1. 이익준비금	₩1,000,000	
2. 미처분이익잉여금	₩2,000,000	
자본총계		₩11,980,000

(2) ㈜대한의 자본금은 설립 이후 20×3년 초까지 변화가 없었으며, 보통주와 우선주의 1주당 액면금액은 각각 ₩1,000과 ₩2,000이다.

(3) ㈜대한은 20×2년 경영성과에 대해 20×3년 3월 25일 주주총회에서 현금배당 ₩1,050,000을 원안대로 승인하고 지급하였으며, 이익준비금은 「상법」 규정에 따라 최소 금액만을 적립하기로 결의하였다.

(4) ㈜대한은 20×3년 4월 1일 보통주 5,000주를 1주당 ₩950에 현금발행하였다.

(5) ㈜대한은 20×3년 5월 1일 주가 안정화를 위해 현재 유통 중인 보통주 1,000주를 1주당 ₩900에 취득하였으며, 자본조정으로 분류한 자기주식의 취득은 원가법으로 회계처리하였다.

(6) ㈜대한은 20×3년 7월 1일 자본잉여금 ₩1,000,000과 이익준비금 ₩500,000을 재원으로 하여 보통주에 대한 무상증자를 실시하였다.

(7) ㈜대한은 20×3년 10월 1일 보유 중인 자기주식 500주를 1주당 ₩1,300에 재발행하였다.

(8) ㈜대한의 20×3년도 당기순이익은 ₩1,200,000이다.

㈜대한의 20×3년 말 재무상태표에 표시되는 자본금, 자본잉여금, 자본조정 및 이익잉여금의 금액을 계산하시오(단, 음의 값은 (-)를 숫자 앞에 표시하시오).

자본금	①
자본잉여금	②
자본조정	③
이익잉여금	④

cpa.Hackers.com

해커스 IFRS 정윤돈 객관식 재무회계

회계사·세무사·경영지도사 단번에 합격!
해커스 경영아카데미 cpa.Hackers.com

1차 시험 출제현황

구분	CPA										CTA									
	15	16	17	18	19	20	21	22	23	24	15	16	17	18	19	20	21	22	23	24
금융자산의 정의 및 분류				1						1		1							1	
최초 인식 및 측정과 지분상품		1				1										1				
채무상품			1			1	1		1	1		2			1					
금융자산의 손상				1	1				1				1		1				1	
금융자산의 재분류	1				1	1	1	1			1			1			1	1		
금융자산의 제거																				

제10장

금융자산

기초 유형 확인

[01 ~ 02]

아래는 12월 말 결산법인인 C사가 거래한 D사 주식과 관련된 내용들이다. 이들 자료를 이용하여 물음에 답하시오.

(1) 20×1년 10월 1일 D사 주식 100주를 주당 ₩4,900에 취득하고 증권회사 수수료로 주당 ₩50을 지급하였다. 취득일 현재 D사 주식의 주당 공정가치는 ₩4,900이다.
(2) 20×1년 말 현재 D사 주식의 주당 공정가치는 ₩4,700이다.
(3) 20×2년 7월 1일 C사는 D사 주식 40주를 주당 ₩5,200에 처분하였으며, 처분 시 거래원가는 주당 ₩50이다.
(4) 20×2년 말 현재 D사 주식의 주당 공정가치는 ₩5,400이다.

01 C사가 동 주식을 FVPL금융자산으로 분류할 경우, 다음 중 옳은 것은?

① 20×1년에 인식할 평가손익은 ₩(-)25,000이다.
② 20×2년에 인식할 처분이익은 ₩(-)30,000이다.
③ 20×2년에 인식할 평가이익은 ₩30,000이다.
④ 20×1년에 인식할 평가손익은 ₩(-)20,000이다.
⑤ 20×2년에 인식할 처분이익은 ₩(-)40,000이다.

02 C사가 동 주식을 FVOCI금융자산으로 분류할 경우, 다음 중 옳은 것은?

① 20×1년에 포괄손익계산서상에 인식할 평가손익은 ₩(-)20,000이다.
② 20×2년에 인식할 처분이익은 ₩(-)30,000이다.
③ 20×1년에 포괄손익계산서상에 인식할 평가손익은 ₩(-)25,000이다.
④ 20×2년에 인식할 처분이익은 ₩0이다.
⑤ 20×2년에 인식할 총포괄손익은 FVOCI와 FVPL금융자산이 서로 다르다.

[03 ~ 07]

12월 말 결산법인인 A사는 20×1년 1월 1일 액면금액 ₩100,000, 만기 3년의 회사채를 취득하였다. 다음은 이와 관련된 자료들이다.

(1) 회사채의 발행일은 20×1년 1월 1일, 만기일은 20×3년 말이며, 표시이자율은 4%로 매년 말 지급한다.

(2) 취득일 현재 시장이자율은 10%이며, 거래원가를 고려하는 경우 유효이자율은 연 9%이다.

(3) 회사채의 20×1년 말 현재 공정가치는 ₩90,000이며, 신용위험은 유의적으로 증가하지 않았다. 20×1년 말 현재 12개월 기대신용손실과 전체기간 기대신용손실은 각각 ₩3,000과 ₩7,000으로 추정하였다.

기간	9%		10%	
	현가계수	연금현가계수	현가계수	연금현가계수
1년	0.9174	0.9174	0.9091	0.9091
2년	0.8417	1.7591	0.8265	1.7356
3년	0.7722	2.5313	0.7513	2.4869

03 A사가 회사채를 취득할 때 발생한 거래원가는 얼마인가?

① ₩2,268　② ₩2,368　③ ₩2,578
④ ₩3,123　⑤ ₩1,794

04 A사가 회사채를 FVPL금융자산으로 분류하기로 하였을 때, 동 회사채가 20×1년도의 당기손익에 미친 영향은 얼마인가?

① ₩4,861　② ₩8,923　③ ₩6,655
④ ₩5,698　⑤ ₩1,794

05 A사가 회사채를 AC금융자산으로 분류하기로 하였을 때, 동 회사채가 20×1년도의 당기손익에 미친 영향은 얼마인가?

① ₩4,861　② ₩8,923　③ ₩6,655
④ ₩5,698　⑤ ₩1,794

06 A사가 회사채를 FVOCI금융자산으로 분류하기로 하였을 때, 동 회사채가 20×1년도의 당기손익에 미친 영향은 얼마인가?

① ₩4,861　② ₩8,923　③ ₩6,655
④ ₩5,698　⑤ ₩1,794

07 A사가 회사채를 FVOCI금융자산으로 분류하기로 하였을 때, 동 회사채가 20×1년도의 기타포괄손익에 미친 영향은 얼마인가?

① ₩4,861 ② ₩8,923 ③ ₩6,655
④ ₩5,698 ⑤ ₩1,794

[08 ~ 11]

12월 말 결산법인인 A사는 20×1년 1월 1일 액면금액 ₩100,000의 B사 사채를 ₩93,660에 취득하였다. 사채의 표시이자율은 8%로 이자지급일은 매년 말이며, 취득 시의 유효이자율은 10%이다. 사채 만기일은 20×4년 12월 31일이다.

(1) 20×1년 12월 31일, B사 사채의 공정가치는 ₩92,000이며, 신용위험은 유의적으로 증가하지 않았다. B사 사채의 12개월 기대신용손실과 전체기간 기대신용손실은 각각 ₩2,000과 ₩3,000이다.

(2) 20×2년 중 B사 사채는 신용손실이 발생하였으며 20×2년 12월 31일 현재 추정미래현금흐름은 다음과 같이 추정된다. 20×2년 말 현재 유사한 금융자산의 현행시장이자율은 14%이며, 20×2년 말에 수령할 표시이자는 정상적으로 회수하였다.

구분	20×3년 말	20×4년 말
액면금액	-	₩60,000
표시이자	₩4,000	₩4,000

(3) 20×3년 12월 31일, B사 사채의 추정미래현금흐름은 다음과 같이 추정되었으며, 이들 현금흐름의 회복은 신용손실이 회복된 사건과 관련되어 있다. 20×3년 말 현재 유사한 금융자산의 현행시장이자율은 12%이며, 20×3년 말에 수령할 것으로 추정된 표시이자 ₩4,000은 정상적으로 회수하였다.

구분	20×4년 말
액면금액	₩80,000
표시이자	₩7,000

08 A사가 동 금융자산을 AC금융자산으로 분류한 경우 20×2년에 인식할 손상차손은 얼마인가?

① ₩2,000 ② ₩38,000 ③ ₩40,000
④ ₩20,909 ⑤ ₩22,909

09 A사가 동 금융자산을 AC금융자산으로 분류한 경우 20×3년에 인식할 손상차손환입은 얼마인가?

① ₩2,000 ② ₩38,000 ③ ₩40,000
④ ₩20,909 ⑤ ₩22,909

10 A사가 동 금융자산을 FVOCI금융자산으로 분류한 경우 20×2년에 인식할 손상차손은 얼마인가?

① ₩2,000 ② ₩38,000 ③ ₩40,000
④ ₩20,909 ⑤ ₩22,909

11 A사가 동 금융자산을 FVOCI금융자산으로 분류한 경우 20×3년에 인식할 손상차손환입은 얼마인가?

① ₩2,000 ② ₩38,000 ③ ₩40,000
④ ₩20,909 ⑤ ₩22,909

[12 ~ 14]

A사는 20×1년 1월 1일 액면금액 ₩100,000의 B사가 발행한 사채를 ₩92,790에 FVOCI금융자산으로 취득하였다.

> (1) B사 사채의 만기일은 20×5년 12월 31일이며, 표시이자율은 10%, 이자지급일은 매년 12월 31일이다. 투자채무상품 취득 시 유효이자율은 12%이다.
> (2) A사가 손실충당금으로 측정한 20×1년 말 기대신용손실은 ₩2,000이며, 20×2년 말과 20×3년 말의 기대신용손실은 각각 ₩5,000과 ₩7,000이다.
> (3) 투자채무상품의 20×1년 말 공정가치는 ₩90,000이며, 20×2년 말 공정가치는 ₩88,000, 20×3년 말 공정가치는 ₩92,000이다. 기말의 공정가치는 다음 연도 초 공정가치와 같다.

12 A사는 20×2년 10월 1일 사업모형을 변경하여 투자채무상품을 FVOCI금융자산에서 FVPL금융자산으로 재분류하였다. 동 금융자산이 A사의 20×3년 당기손익에 미치는 영향은 얼마인가?

① ₩1,804 ② ₩10,424 ③ ₩14,348
④ ₩11,804 ⑤ ₩9,424

13 A사는 20×2년 10월 1일 사업모형을 변경하여 투자채무상품을 FVOCI금융자산에서 AC금융자산으로 재분류하였다. 동 금융자산이 A사의 20×3년 당기손익에 미치는 영향은 얼마인가?

① ₩1,804 ② ₩10,424 ③ ₩14,348
④ ₩11,804 ⑤ ₩9,424

14 위 물음과 독립적으로 A사는 동 채무상품을 취득시점부터 FVPL금융자산으로 분류하여 오다가 20×4년 10월 1일에 사업모형을 변경하여 투자채무상품을 FVPL금융자산에서 AC금융자산으로 재분류하였다. A사가 20×5년에 인식할 이자수익은 얼마인가? (단 20×4년 말 동 채무상품의 공정가치는 ₩95,652이고, 기대신용손실은 고려하지 않는다)

① ₩1,804
② ₩10,424
③ ₩14,348
④ ₩11,804
⑤ ₩9,424

기출 유형 정리

01 다음은 기업회계기준서 제1109호 '금융상품'에 규정된 금융자산의 분류와 관련된 내용들이다. 옳은 것은?

① 원리금 지급만으로 구성되는 계약상 현금흐름은 기본대여계약과 일관된다. 기본대여계약과 관련 없는 계약상 현금흐름의 위험이나 변동성에 노출시키는 계약조건도 원리금 지급만으로 구성되는 계약상 현금흐름이 생긴다.

② 사업모형의 목적인 계약상 현금흐름을 수취하기 위해 금융자산을 보유하는 것이더라도 그러한 모든 금융상품을 만기까지 보유할 필요는 없다. 그러나 금융자산의 매도가 일어나거나 미래에 일어날 것으로 예상되는 경우 사업모형은 계약상 현금흐름을 수취하기 위해 금융자산을 보유하는 것일 수 없다.

③ 계약상 현금흐름의 수취와 금융자산의 매도 둘 다를 통해 목적을 이루는 사업모형은 기업의 금융자산 보유의도를 해당 금융자산의 계약상 현금흐름 수취와 금융자산의 매도 둘 다를 통해 목적을 이루기 위한 것으로 본다. 주요 경영진은 계약상 현금흐름의 수취와 금융자산의 매도 둘 다가 사업모형의 목적을 이루는 데 필수적이라고 결정한다.

④ 계약상 현금흐름의 수취와 금융자산의 매도 둘 다를 통해 목적을 이루는 사업모형은 계약상 현금흐름 수취와 금융자산의 매도 둘 다가 사업모형의 목적을 이루는 데 필수적이다. 그러나 이러한 사업모형에서 일어나야만 하는 매도의 빈도나 금액에 대한 기준이 있다.

⑤ 사업모형은 특정 사업목적을 이루기 위해 금융자산의 집합을 함께 관리하는 방식을 반영하는 수준보다 하나의 기업 수준에서 결정한다.

02 다음은 기업회계기준서 제1109호 '금융상품'에 규정된 금융자산의 분류와 관련된 내용들이다. 옳지 않은 것은?

① 계약상 현금흐름을 수취하기 위해 보유하는 것이 목적인 사업모형하에서 금융자산의 계약조건에 따라 특정일에 원리금 지급만으로 구성되어 있는 현금흐름이 발생하면 금융자산을 상각후원가로 측정한다.

② 계약상 현금흐름의 수취와 금융자산의 매도 둘 다를 통해 목적을 이루는 사업모형하에서 금융자산의 계약조건에 따라 특정일에 원리금 지급만으로 구성되어 있는 현금흐름이 발생하면 금융자산을 기타포괄손익-공정가치로 측정한다.

③ 상각후원가측정금융자산이나 기타포괄손익-공정가치측정금융자산으로 분류되지 않는 경우라면, 당기손익-공정가치로 측정한다.

④ 당기손익-공정가치로 측정되는 채무상품에 대한 특정 투자에 대하여는 후속적인 공정가치 변동을 기타포괄손익으로 표시하도록 최초 인식시점에 선택할 수 있다. 다만, 한 번 선택하면 이를 취소할 수 없다.

⑤ 서로 다른 기준에 따라 자산이나 부채를 측정하거나 그에 따른 손익을 인식하는 경우에는 측정이나 인식의 불일치가 발생할 수 있다. 이 경우 최초 인식시점에 해당 금융자산을 당기손익-공정가치측정항목으로 지정할 수 있다. 다만 한 번 지정하면 취소할 수 없다.

03 기업회계기준서 제1109호 '금융상품'에 관한 다음 설명 중 옳은 것은? [공인회계사 2018년]

① 회계불일치 상황이 아닌 경우의 금융자산은 금융자산의 관리를 위한 사업모형과 금융자산의 계약상 현금흐름 특성 모두에 근거하여 상각후원가, 기타포괄손익-공정가치, 당기손익-공정가치로 측정되도록 분류한다.

② 당기손익-공정가치로 측정되는 지분상품에 대한 특정 투자의 후속적인 공정가치 변동은 최초 인식시점이라도 기타포괄손익으로 표시하는 것을 선택할 수 없다.

③ 금융자산의 전체나 일부의 회수를 합리적으로 예상할 수 없는 경우에도 해당 금융자산의 총장부금액을 직접 줄일 수는 없다.

④ 기타포괄손익-공정가치측정금융자산의 손상차손은 당기손실로 인식하고, 손상차손환입은 기타포괄손익으로 인식한다.

⑤ 회계불일치를 제거하거나 유의적으로 줄이는 경우에는 최초 인식시점에 해당 금융자산을 기타포괄손익-공정가치측정항목으로 지정할 수 있으며, 지정 후 이를 취소할 수 있다.

04 한국채택국제회계기준 금융자산 회계처리에 대한 내용 중 옳은 것은?

① 금융자산의 정형화된 매입이나 매도는 매매일 또는 결제일에 인식하거나 제거한다. 후속적으로 원가나 상각후원가로 측정하는 자산에 대하여 결제일 회계처리방법을 적용하는 경우, 당해 자산은 최초 인식 시 결제일의 공정가치로 인식한다.

② 금융자산은 최초 인식 시 공정가치로 측정한다. 다만, FVPL금융자산이 아닌 경우 당해 금융자산의 취득과 직접 관련되는 거래원가는 최초 인식하는 공정가치에서 차감하여 측정한다.

③ 금융자산의 정형화된 매입이나 매도는 매매일 회계처리방법 또는 결제일 회계처리방법 중 하나를 사용하여 인식하며, 사용한 방법은 동일한 범주에 속하는 금융자산의 매입이나 매도 모두에 대하여 일관성 있게 적용한다.

④ FVPL금융자산으로 분류된 자산에 결제일 회계처리방법을 적용하는 경우에는 매매일과 결제일 사이에 수취할 자산의 공정가치에 대한 변동은 기타포괄손익으로 인식한다.

⑤ FVOCI금융자산으로 분류된 자산에 결제일 회계처리방법을 적용하는 경우에는 매매일과 결제일 사이에 수취할 자산의 공정가치에 대한 변동은 당기손익으로 인식한다.

05 ㈜갑은 20×1년 7월 1일에 주식 A 10주를 수수료 ₩100을 포함한 ₩1,100에 취득하여 FVPL금융자산으로 분류하였다. 또한 ㈜갑은 20×1년 10월 1일에 주식 B 10주를 수수료 ₩200을 포함한 ₩2,200에 취득하여 FVOCI금융자산으로 분류하였다. 각 주식의 1주당 공정가치는 다음과 같다.

구분	20×1년 말	20×2년 말	20×3년 말
주식 A	₩120	-	-
주식 B	₩230	₩200	₩250

㈜갑은 20×2년 2월 5일에 주식 A를 주당 ₩130에 전부 처분하였으며, 20×4년 1월 5일에 주식 B를 주당 ₩240에 전부 처분하였다. 주식 A와 관련하여 인식할 20×1년도의 당기순이익 및 20×2년 2월 5일의 처분이익과, 주식 B와 관련하여 인식할 20×1년도의 기타포괄손익 및 20×4년 1월 5일의 처분이익은 얼마인가? (단, 손상차손은 없다) [공인회계사 2012년 수정]

	주식 A		주식 B	
	당기손익	처분이익	기타포괄손익	처분이익
①	₩100	₩100	₩300	₩400
②	₩100	₩100	₩100	₩0
③	₩200	₩300	₩0	₩300
④	₩200	₩100	₩0	₩200
⑤	₩200	₩100	₩100	₩0

06 ㈜한국은 20×3년 10월 7일에 상장회사인 ㈜대한의 보통주식을 ₩3,000,000에 취득하고, 취득에 따른 거래비용 ₩30,000을 지급하였다. 20×3년 말 ㈜대한의 보통주식 공정가치는 ₩3,500,000이었다. ㈜한국은 20×4년 1월 20일에 ㈜대한의 보통주식을 ₩3,350,000에 매도하였다. ㈜대한의 보통주식을 FVPL금융자산 혹은 FVOCI금융자산으로 분류한 경우, ㈜한국의 회계처리에 관한 설명으로 옳은 것은? [세무사 2014년 수정]

① FVPL금융자산으로 분류한 경우나 FVOCI금융자산으로 분류한 경우 취득원가는 동일하다.
② FVOCI금융자산으로 분류한 경우나 FVPL금융자산으로 분류한 경우 20×3년 말 공정가치 변화가 당기손익에 미치는 영향은 동일하다.
③ FVPL금융자산으로 분류한 경우 20×4년 FVPL금융자산처분손실은 ₩200,000이다.
④ FVOCI금융자산으로 분류한 경우 20×3년 총포괄이익은 FVPL금융자산으로 분류한 경우와 동일하다.
⑤ FVOCI금융자산으로 분류한 경우 20×4년 FVOCI금융자산처분이익은 ₩320,000이다.

07 ㈜대한은 20×1년 중에 ㈜한국이 발행한 10주를 주당 ₩110,000에 취득하고 FVOCI금융자산으로 분류하였다. 20×2년 중에 ㈜한국은 영업부진의 어려움으로 주식의 공정가치가 크게 하락하였는데, 손상차손을 인식해야 하는 객관적인 증거가 있는 것으로 판단되었다. 20×3년에는 ㈜한국의 새로운 상품이 시장에서 폭발적인 인기를 얻게 되어 공정가치가 크게 회복되었다. ㈜한국 주식의 각 회계연도 말 주당 공정가치가 다음과 같다고 할 때, ㈜대한의 20×2년도의 재무상태표에 기재될 기타포괄손익과 20×3년도 포괄손익계산서의 기타포괄손익에 미치는 영향은 얼마인가? [공인회계사 2014년 수정]

구분	주식수	주당 취득원가	주당 공정가치		
			20×1년 말	20×2년 말	20×3년 말
㈜한국 주식	10주	₩110,000	₩100,000	₩60,000	₩120,000

① 20×2년 ₩(400,000), 20×3년 ₩0
② 20×2년 ₩(400,000), 20×3년 ₩400,000 증가
③ 20×2년 ₩(400,000), 20×3년 ₩600,000 증가
④ 20×2년 ₩(500,000), 20×3년 ₩0
⑤ 20×2년 ₩(500,000), 20×3년 ₩600,000 증가

08 ㈜세무는 ㈜대한의 주식 A를 취득하고, 이를 기타포괄손익-공정가치측정금융자산으로 '선택'(이하 "FVOCI") 지정분류하였다. 동 주식 A의 거래와 관련된 자료가 다음과 같고, 다른 거래가 없을 경우 설명으로 옳은 것은? (단, 동 FVOCI 취득과 처분은 공정가치로 한다) [세무사 2020년]

구분	20×1년 기중	20×1년 기말	20×2년 기말	20×3년 기중
회계처리	취득	후속평가	후속평가	처분
공정가치	₩100,000	₩110,000	₩98,000	₩99,000
거래원가	₩500	-	-	₩200

① 20×1년 기중 FVOCI 취득원가는 ₩100,000이다.
② 20×1년 기말 FVOCI 평가이익은 ₩10,000이다.
③ 20×2년 기말 FVOCI 평가손실은 ₩3,000 발생된다.
④ 20×3년 처분 직전 FVOCI 평가손실 잔액은 ₩2,000이다.
⑤ 20×3년 처분 시 당기손실 ₩200이 발생된다.

09 다음은 금융자산과 금융부채의 최초 측정 및 후속측정과 관련된 내용이다. 기준서 제1109호 '금융상품'에서 규정하고 있는 내용과 다른 것은 무엇인가?

① 최초 인식시점에 금융상품의 공정가치는 일반적으로 거래가격인 제공하거나 수취한 대가의 공정가치이다. 제공하거나 수취한 대가 중 일부가 금융상품이 아닌 다른 것의 대가라면, 금융상품의 공정가치를 측정하고 차이금액은 자산이나 당기손익으로 인식한다.
② 최초 인식 후 금융자산은 상각후원가나 기타포괄손익-공정가치, 당기손익-공정가치 중 하나로 측정하며, 상각후원가나 기타포괄손익-공정가치로 측정하는 채무상품은 추가로 손상 요구사항을 적용한다.
③ 기타포괄손익-공정가치로 측정하는 채무상품투자의 손익은 해당 금융자산을 제거하거나 재분류할 때까지 기타포괄손익으로 인식하고, 해당 금융자산을 제거할 때에는 인식한 기타포괄손익누계액을 재분류조정으로 자본에서 당기손익으로 재분류한다(단, 손상차손과 외환손익은 당기손익으로 인식한다).
④ 기타포괄손익-공정가치측정을 선택한 지분상품의 경우에는 채무상품과 달리 기타포괄손익에 표시하는 손익을 후속적으로 당기손익으로 이전하지 않는다. 다만, 누적손익을 자본 내에서는 이전할 수는 있다.
⑤ 일부 매출채권을 제외하고는 최초 인식시점에 금융자산이나 금융부채를 공정가치로 측정하며, 해당 금융자산의 취득이나 해당 금융부채의 발행과 직접 관련되는 거래원가는 공정가치에 가감한다.

10 ㈜대한과 관련된 다음의 자료를 활용하여 물음에 답하시오.

• ㈜대한은 다음과 같은 A, B, C사채를 발행일에 취득하였다.

사채	A사채	B사채	C사채
액면금액	₩2,000,000	₩1,500,000	₩500,000
표시이자율	연 6%	연 8%	연 10%
만기일	20×3. 12. 31.	20×3. 12. 31.	20×3. 12. 31.
발행일	20×1. 1. 1.	20×1. 1. 1.	20×1. 1. 1.

• ㈜대한은 A, B, C사채를 구입한 직후에 A사채는 당기손익-공정가치측정(FVPL)금융자산으로, B사채와 C사채는 기타포괄손익-공정가치측정(FVOCI)금융자산으로 각각 분류하였다.
• A, B, C사채 모두 이자 지급일은 매년 말이며, 사채발행일 현재 유효이자율은 연 10%이다.
• ㈜대한이 사채에 대해서 발행일에 취득한 가격은 A사채 ₩1,801,016, B사채 ₩1,425,366, C사채 ₩500,000이고, 해당 취득가격은 공정가치와 같다.
• 20×1년 12월 31일, 연말 이자수취 직후의 금액인 공정가치는 A사채의 경우 ₩1,888,234이고, B사채는 ₩1,466,300이며, C사채는 ₩501,000이다.

㈜대한의 금융자산에 대한 회계처리가 20×1년도 포괄손익계산서의 당기순이익에 미치는 영향은 얼마인가? 단, 단수차이로 인해 오차가 있다면 가장 근사치를 선택한다. [공인회계사 2024년]

① ₩50,755 증가　② ₩120,755 증가　③ ₩399,755 증가
④ ₩417,218 증가　⑤ ₩427,218 증가

11 ㈜세무는 ㈜한국이 발행한 다음의 사채를 계약상 현금흐름 수취를 목적으로 20×6년 10월 1일에 취득하였다.

• 액면금액: ₩1,000,000	• 발행일: 20×6년 7월 1일
• 표시이자율: 연 8%	• 만기일: 20×9년 6월 30일
• 발행일 유효이자율: 연 10%	• 이자지급일: 매년 6월 30일

사채의 취득금액에는 경과이자가 포함되어 있으며, 사채취득시점의 유효이자율은 연 8%이다. 동 거래와 관련하여 ㈜세무가 20×6년에 인식할 이자수익금액과 20×6년 말 인식할 금융자산장부금액의 합계액은 얼마인가? (단, 이자는 월할 계산한다) [세무사 2016년]

기간	단일금액 ₩1의 현재가치		정상연금 ₩1의 현재가치	
	8%	10%	8%	10%
1년	0.9259	0.9091	0.9259	0.9091
2년	0.8573	0.8264	1.7833	1.7355
3년	0.7938	0.7513	2.5771	2.4869

① ₩981,521 ② ₩977,765 ③ ₩990,765
④ ₩1,020,000 ⑤ ₩1,023,756

12 20×1년 1월 1일에 ㈜대한은 ㈜한국이 동 일자에 발행한 액면가액 ₩1,000,000, 표시이자율 연 8%(이자는 매년 말 후급)의 3년 만기 사채를 ₩950,220에 취득하였다. 취득 당시 유효이자율은 연 10%이었다. 동 사채의 20×1년 말 공정가치는 ₩970,000이었으며, 20×2년 초에 ₩975,000에 처분하였다. ㈜대한의 동 사채에 대한 회계처리로서 옳지 않은 것은? [공인회계사 2014년 수정]

① FVPL금융자산으로 분류되었다면, 20×1년 당기순이익은 ₩99,780 증가한다.
② FVOCI금융자산으로 분류되었다면, 20×1년 당기순이익은 ₩95,022 증가한다.
③ AC금융자산으로 분류되었다면, 20×1년 당기순이익은 ₩95,022 증가한다.
④ FVOCI금융자산으로 분류되었다면, 20×2년 당기순이익은 ₩5,000 증가한다.
⑤ AC금융자산으로 분류되었다면, 20×2년 당기순이익은 ₩9,758 증가한다.

13 ㈜세무는 20×1년 1월 1일에 ㈜한국이 발행한 채권을 ₩927,910에 취득하였다. 동 채권의 액면금액은 ₩1,000,000, 표시이자율은 연 10%(매년 말 지급)이며, 취득 당시 유효이자율은 연 12%이었다. 20×1년 말 동 채권의 이자수취 후 공정가치는 ₩990,000이며, ㈜세무는 20×2년 3월 31일에 발생이자를 포함하여 ₩1,020,000에 동 채권을 처분하였다. ㈜세무의 동 채권과 관련된 회계처리에 관한 설명으로 옳지 않은 것은? (단, 채권취득과 직접 관련된 거래원가는 없다) [세무사 2016년 수정]

① FVPL금융자산으로 분류한 경우나 FVOCI금융자산으로 분류한 경우, 20×1년 말 재무상태표상에 표시되는 금융자산은 ₩990,000으로 동일하다.

② FVPL금융자산으로 분류한 경우, 20×1년 당기순이익은 ₩162,090 증가한다.

③ FVPL금융자산으로 분류한 경우나 FVOCI금융자산으로 분류한 경우, 20×1년 총포괄손익금액에 미치는 영향은 동일하다.

④ FVPL금융자산으로 분류한 경우, 20×2년 당기순이익은 ₩30,000 증가한다.

⑤ FVOCI금융자산으로 분류한 경우, 20×2년 당기순이익은 ₩75,741 증가한다.

14 ㈜세무는 3년 만기 회사채 A(액면금액 ₩1,000,000, 표시이자율 4% 매년 말 이자지급, 유효이자율 8%)를 20×1년 1월 1일 1매당 공정가치 ₩896,884에 발행하였다. 동 일자에 ㈜세무가 발행한 회사채 A를 공정가치로 1매씩 매입한 회사들의 매입 및 분류현황은 다음과 같다.

구분	계정분류	매입수수료	회사채 A 처분일
㈜대한	상각후원가측정금융자산	₩1,200	-
㈜민국	기타포괄손익-공정가치측정금융자산	₩1,200	20×3년 9월 17일
㈜한국	당기손익-공정가치측정금융자산	₩900	20×2년 1월 10일

20×1년 12월 31일 회사채 A의 공정가치가 ₩1,000,000일 때, 20×1년도 포괄손익계산서상 총포괄이익이 큰 회사순으로 나열한 것은? (단, 모든 회사는 비금융업을 영위하며, 회사채 A 관련 회계처리가 미치는 재무적 영향을 제외할 때 회사채 A를 매입한 세 회사의 총포괄이익은 같다)

[세무사 2019년]

① ㈜대한 > ㈜민국 > ㈜한국

② ㈜민국 > ㈜대한 > ㈜한국

③ ㈜민국 > ㈜한국 > ㈜대한

④ ㈜한국 > ㈜민국 > ㈜대한

⑤ ㈜민국 = ㈜한국 > ㈜대한

15 ㈜대한은 20×1년 1월 1일에 ㈜민국이 발행한 사채(액면금액 ₩1,000,000, 만기 3년, 표시이자율 연 6%(매년 12월 31일에 이자지급), 만기 일시상환, 사채발행시점의 유효이자율 연 10%)를 ₩900,508에 취득(취득 시 신용이 손상되어 있지 않음)하여 기타포괄손익-공정가치로 측정하는 금융자산(FVOCI금융자산)으로 분류하였다. 20×1년 말과 20×2년 말 동 금융자산의 공정가치는 각각 ₩912,540과 ₩935,478이며, 손상이 발생하였다는 객관적인 증거는 없다. 한편 ㈜대한은 20×3년 1월 1일에 동 금융자산 전부를 ₩950,000에 처분하였다. ㈜대한의 동 금융자산이 20×2년도 포괄손익계산서의 기타포괄이익과 20×3년도 포괄손익계산서의 당기순이익에 미치는 영향은 각각 얼마인가? (단, 단수차이로 인해 오차가 있다면 가장 근사치를 선택한다) [공인회계사 2020년]

	20×2년도 기타포괄이익에 미치는 영향	20×3년도 당기순이익에 미치는 영향
①	₩10,118 감소	₩13,615 감소
②	₩10,118 감소	₩14,522 증가
③	₩18,019 감소	₩13,615 감소
④	₩18,019 감소	₩14,522 증가
⑤	₩18,019 감소	₩49,492 증가

16 ㈜대한은 ㈜민국이 20×1년 1월 1일에 발행한 액면금액 ₩100,000(만기 3년(일시상환), 표시이자율 연 10%, 매년 말 이자지급)의 사채를 동 일자에 ₩95,198(유효이자율 연 12%)을 지급하고 취득하였다. 동 금융자산의 20×1년 말과 20×2년 말의 이자수령 후 공정가치는 각각 ₩93,417과 ₩99,099이며, ㈜대한은 20×3년 초 ₩99,099에 동 금융자산을 처분하였다. 동 금융자산과 관련한 다음의 설명 중 옳지 않은 것은? (단, 필요시 소수점 첫째 자리에서 반올림한다) [공인회계사 2021년]

① 금융자산을 상각후원가로 측정하는 금융자산(AC금융자산)으로 분류한 경우에 기타포괄손익-공정가치로 측정하는 금융자산(FVOCI금융자산)으로 분류한 경우보다 ㈜대한의 20×1년 말 자본총액은 더 크게 계상된다.

② 금융자산을 상각후원가로 측정하는 금융자산(AC금융자산)으로 분류한 경우 ㈜대한이 금융자산과 관련하여 20×1년의 이자수익으로 인식할 금액은 ₩11,424이다.

③ 금융자산을 상각후원가로 측정하는 금융자산(AC금융자산)으로 분류한 경우와 기타포괄손익-공정가치로 측정하는 금융자산(FVOCI금융자산)으로 분류한 경우를 비교하였을 때, 금융자산이 ㈜대한의 20×2년 당기손익에 미치는 영향은 차이가 없다.

④ 금융자산을 기타포괄손익-공정가치로 측정하는 금융자산(FVOCI금융자산)으로 분류한 경우 금융자산과 관련한 ㈜대한의 20×2년 말 재무상태표상 기타포괄손익누계액은 ₩882이다.

⑤ 금융자산을 상각후원가로 측정하는 금융자산(AC금융자산)으로 분류한 경우에 기타포괄손익-공정가치로 측정하는 금융자산(FVOCI금융자산)으로 분류한 경우보다 ㈜대한이 20×3년 초 금융자산처분 시 처분이익을 많이 인식한다.

17 ㈜한영은 20×1년 1월 1일 액면금액 ₩100,000의 ㈜삼정이 발행한 사채를 취득 관련 거래원가를 포함하여 ₩92,790에 FVOCI금융자산으로 취득하였다.

(1) 동 사채의 만기일은 20×5년 12월 31일이며, 표시이자율은 10%, 이자지급일은 매년 12월 31일이다.

(2) FVOCI금융자산 취득 시 유효이자율은 12%이며, 현가계수는 아래와 같다.

구분	1기간		2기간		3기간	
	현가	연금현가	현가	연금현가	현가	연금현가
12%	0.89286	0.89286	0.79719	1.69005	0.71178	2.40183

(3) 20×1년 말 금융자산의 신용위험이 유의적으로 증가하여 ㈜한영은 전체기간 기대신용손실 ₩2,000을 손실충당금으로 측정하였다. 20×1년 말 공정가치는 ₩90,000이다.

20×2년 말 표시이자는 수령하였으나, ㈜삼정의 유의적인 재무적 어려움으로 인하여 금융자산의 신용이 손상되어 20×3년 말부터 액면이자는 ₩5,000씩 지급하며, 액면금액은 ₩70,000을 지급한다. 동 금융자산으로 인해 20×2년 ㈜한영의 당기손익에 미친 영향과 기타포괄손익에 미친 영향은 얼마인가? (단, 20×2년 말 공정가치는 ₩55,000이다)

	당기손익에 미친 영향	기타포괄손익에 미친 영향
①	₩50,506 감소	영향 없음
②	₩50,506 감소	₩27,500 감소
③	₩20,091 감소	₩4,909 감소
④	₩39,235 감소	₩14,235 감소
⑤	₩28,359 감소	₩24,500 감소

18 다음은 한국채택국제회계기준서 제1109호 '금융상품'에 규정된 금융자산의 손상과 관련된 내용들이다. 옳지 않은 것은 어느 것인가?

① 기대신용손실은 측정할 때 가능한 시나리오를 모두 고려할 필요는 없다. 그러나 신용손실의 발생가능성이 매우 낮더라도 신용손실이 발생할 가능성과 발생하지 아니할 가능성을 반영하여 신용손실이 발생할 위험이나 확률을 고려한다. 이는 발생가능성이 가장 높은 결과나 단일최선의 추정치를 의미한다.

② 기대신용손실을 측정할 때 고려하는 가장 긴 기간은 신용위험에 노출되는 최장 계약기간(연장옵션 포함)이며, 이보다 더 긴 기간이 사업 관행과 일관된다고 하더라도 최장 계약기간을 넘어설 수 없다.

③ 기대신용손실에 확률, 현재가치, 예측정보를 반영하여 측정한다. 여기서 예측정보란 보고기간 말에 과거 사건, 현재 상황과 미래 경제적 상황의 예측에 대한 정보로서 합리적이고 뒷받침될 수 있으며 과도한 원가나 노력 없이 이용할 수 있는 정보를 의미한다.

④ 최초 인식 후 금융상품의 신용위험이 유의적으로 증가하였는지는 매 보고기간 말에 평가한다. 보고기간 말에 금융상품의 신용위험이 낮다고 판단된다면 최초 인식 후에 해당 금융상품의 신용위험이 유의적으로 증가하지 않았다고 볼 수 있다.

⑤ 최초 인식 후에 금융상품의 신용위험이 유의적으로 증가한 경우에는 매 보고기간 말에 전체기간 기대신용손실에 해당하는 금액으로 손실충당금을 측정한다.

19 12월 말 결산법인인 ㈜한영은 20×1년 초 B사가 발행한 액면금액 ₩200,000(만기 3년, 액면이자율 8%, 이자는 매년 말 지급)의 사채를 공정가치 ₩180,792에 취득하고 AC금융자산으로 분류하였다. ㈜한영은 사채의 취득과 관련하여 거래원가 ₩9,260을 지출하였으며, 이를 고려한 유효이자율은 10%이다. 20×1년 말 B사 사채의 신용위험이 유의적으로 증가하지 않았으며, 12개월 기대손실은 ₩6,000으로 추정하였다. 20×2년 말 표시이자는 정상적으로 회수하였으나 20×2년 말 B사 사채의 신용이 손상되어 20×3년 말 이자회수는 불가능하고 20×3년 말 액면금액만 회수할 것으로 추정하였다. 20×2년 말 현재 시장이자율은 13%일 때, B사 사채의 보유가 ㈜한영의 20×2년도 당기손익에 미치는 영향은 얼마인가?

① ₩10,761 증가 ② ₩8,538 감소 ③ ₩4,770 감소
④ ₩16,000 증가 ⑤ ₩19,306 증가

20 ㈜세무는 ㈜대한이 다음과 같이 발행한 만기 4년인 회사채를 20×1년 1월 1일에 취득하고 상각후원가측정금융자산으로 분류하였다.

- 발행일: 20×1년 1월 1일
- 액면금액: ₩1,000,000
- 이자지급: 액면금액의 4%를 매년 말에 후급
- 만기 및 상환방법: 20×4년 12월 31일에 전액 일시상환
- 사채발행시점의 유효이자율: 8%

㈜세무는 20×1년 말에 상각후원가측정금융자산의 신용위험이 유의하게 증가하였다고 판단하고 전체기간 기대신용손실을 ₩50,000으로 추정하였다. 20×2년 말에 이자는 정상적으로 수취하였으나 상각후원가측정금융자산의 신용이 손상되었다고 판단하였다. 20×2년 말 현재 채무불이행 발생확률을 고려하여 향후 이자는 받을 수 없으며, 만기일에 수취할 원금의 현금흐름을 ₩700,000으로 추정하였다. 상각후원가측정금융자산 관련 회계처리가 ㈜세무의 20×1년도와 20×2년도의 당기순이익에 미치는 영향으로 옳은 것은? (단, 20×1년 말과 20×2년 말의 시장이자율은 각각 10%와 12%이며, 회사채 취득 시 손상은 없다) [세무사 2019년]

기간	단일금액 ₩1의 현재가치			정상연금 ₩1의 현재가치		
	8%	10%	12%	8%	10%	12%
1년	0.9259	0.9091	0.8929	0.9259	0.9091	0.8929
2년	0.8573	0.8264	0.7972	1.7833	1.7355	1.6901
3년	0.7938	0.7513	0.7118	2.5771	2.4869	2.4018
4년	0.7350	0.6830	0.6355	3.3121	3.1699	3.0373

	20×1년	20×2년
①	₩19,399 증가	₩206,773 감소
②	₩19,399 증가	₩248,843 감소
③	₩31,834 증가	₩248,843 감소
④	₩19,399 증가	₩216,913 감소
⑤	₩31,834 증가	₩206,773 감소

21 ㈜국세는 다음과 같은 조건으로 발행된 채무상품을 20×2년 1월 1일에 취득하여 FVOCI금융자산으로 분류하였다. 동 금융자산의 20×2년 말과 20×3년 말 이자수취 후 공정가치가 각각 ₩188,000과 ₩170,000이다. 각 회계연도 말 현재 신용위험은 유의적으로 증가하지 않았으며, 20×2년 말과 20×3년 말 현재 12개월 기대신용손실은 각각 ₩10,000과 ₩14,000인 경우, 동 금융상품이 ㈜국세의 20×3년 기타포괄손익에 미치는 영향은 얼마인가? (단, 현가계수는 아래의 표를 이용한다)

[세무사 2012년 수정]

- 액면금액: ₩200,000
- 액면이자: 연 5%, 매년 12월 31일 지급
- 발행일: 20×2년 1월 1일
- 만기: 3년
- 유효이자율: 연 8%

구분	단일금액 ₩1의 현재가치		정상연금 ₩1의 현재가치	
	5%	8%	5%	8%
1	0.95238	0.92593	0.95238	0.92593
2	0.90703	0.85734	1.85941	1.78327
3	0.86384	0.79383	2.72325	2.57710

① ₩(19,144) ② ₩19,144 ③ ₩4,000
④ ₩(4,000) ⑤ ₩15,444

22 ㈜대한은 ㈜민국이 발행한 사채(발행일 20×1년 1월 1일, 액면금액 ₩3,000,000으로 매년 12월 31일에 연 8% 이자지급, 20×4년 12월 31일에 일시상환)를 20×1년 1월 1일에 사채의 발행가액으로 취득하였다. (취득 시 신용이 손상되어 있지 않음) ㈜대한은 취득한 사채를 상각후원가로 측정하는 금융자산으로 분류하였으며, 사채발행시점의 유효이자율은 연 10%이다. ㈜대한은 ㈜민국으로부터 20×1년도 이자 ₩240,000은 정상적으로 수취하였으나 20×1년 말에 상각후원가로 측정하는 금융자산의 신용이 손상되었다고 판단하였다. ㈜대한은 채무불이행확률을 고려하여 20×2년부터 20×4년까지 다음과 같은 현금흐름을 추정하였다.

- 매년 말 수취할 이자: ₩150,000
- 만기에 수취할 원금: ₩2,000,000

또한 ㈜대한은 ㈜민국으로부터 20×2년도 이자 ₩150,000을 수취하였으며, 20×2년 말에 상각후원가로 측정하는 금융자산의 채무불이행확률을 합리적으로 판단하여 20×3년부터 20×4년까지 다음과 같은 현금흐름을 추정하였다.

- 매년 말 수취할 이자: ₩210,000
- 만기에 수취할 원금: ₩2,000,000

㈜대한이 20×2년도에 인식할 손상차손환입은 얼마인가? (단, 단수차이로 인해 오차가 있다면 가장 근사치를 선택한다)

[공인회계사 2018년]

기간 \ 할인율	단일금액 ₩1의 현재가치		정상연금 ₩1의 현재가치	
	8%	10%	8%	10%
1년	0.9259	0.9091	0.9259	0.9091
2년	0.8573	0.8264	1.7832	1.7355
3년	0.7938	0.7513	2.5770	2.4868
4년	0.7350	0.6830	3.3120	3.1698

① ₩0 ② ₩104,073 ③ ₩141,635
④ ₩187,562 ⑤ ₩975,107

23 ㈜대한은 ㈜민국이 다음과 같이 발행한 사채를 20×1년 1월 1일에 발행가액으로 현금취득(취득 시 신용이 손상되어 있지 않음)하고, 기타포괄손익 - 공정가치로 측정하는 금융자산(FVOCI금융자산)으로 분류하였다.

- 사채발행일: 20×1년 1월 1일
- 액면금액: ₩1,000,000
- 만기일: 20×3년 12월 31일(일시상환)
- 표시이자율: 연 10%(매년 12월 31일에 지급)
- 사채발행시점의 유효이자율: 연 12%

20×1년 말 ㈜대한은 동 금융자산의 이자를 정상적으로 수취하였으나, ㈜민국의 신용이 손상되어 만기일에 원금은 회수가능하지만 20×2년부터는 연 6%(표시이자율)의 이자만 매년 말 수령할 것으로 추정하였다. 20×1년 말 현재 동 금융자산의 공정가치가 ₩800,000인 경우, ㈜대한의 20×1년도 포괄손익계산서의 당기순이익과 기타포괄이익에 미치는 영향은 각각 얼마인가? (단, 단수차이로 인해 오차가 있다면 가장 근사치를 선택한다) [공인회계사 2020년]

할인율 / 기간	단일금액 ₩1의 현재가치			정상연금 ₩1의 현재가치		
	6%	10%	12%	6%	10%	12%
1년	0.9434	0.9091	0.8929	0.9434	0.9091	0.8929
2년	0.8900	0.8264	0.7972	1.8334	1.7355	1.6901
3년	0.8396	0.7513	0.7118	2.6730	2.4868	2.4019

	당기순이익에 미치는 영향	기타포괄이익에 미치는 영향
①	₩67,623 감소	₩14,239 감소
②	₩67,623 감소	₩98,606 감소
③	₩67,623 감소	₩166,229 감소
④	₩46,616 증가	₩98,606 감소
⑤	₩46,616 증가	₩166,229 감소

24 ㈜대한은 ㈜민국이 20×1년 1월 1일에 발행한 사채를 발행일에 취득하였으며, 취득 시 동 사채를 기타포괄손익-공정가치측정금융자산(FVOCI금융자산)으로 분류하였다. ㈜민국의 사채는 다음과 같은 조건으로 발행되었다.

- 액면금액: ₩1,000,000
- 만기일: 20×3년 12월 31일(일시상환)
- 표시이자율: 연 4%, 매년 말 지급
- 유효이자율: 연 6%

㈜대한은 ㈜민국으로부터 20×1년도 표시이자는 정상적으로 수취하였으나, 20×1년 말에 상기 사채의 신용이 손상되어 향후 표시이자 수령 없이 만기일에 원금의 80%만 회수가능할 것으로 추정하였다. ㈜대한은 20×2년에 예상대로 이자는 회수하지 못하였으나, 20×2년 말 현재 상황이 호전되어 사채의 만기일에 원금의 100%를 회수할 수 있을 것으로 추정하였다(이자는 회수불가능). 상기 사채의 20×1년 말과 20×2년 말 현재 공정가치는 각각 ₩700,000과 ₩820,000이다.
㈜대한의 상기 금융자산이 (1) 20×1년도 총포괄이익에 미치는 영향과 (2) 20×2년도 당기순이익에 미치는 영향은 각각 얼마인가? (단, 단수차이로 인해 오차가 있다면 가장 근사치를 선택한다)

[공인회계사 2023년]

기간 \ 할인율	단일금액 ₩1의 현재가치		정상연금 ₩1의 현재가치	
	4%	6%	4%	6%
1년	0.9615	0.9434	0.9615	0.9434
2년	0.9246	0.8900	1.8861	1.8334
3년	0.8890	0.8396	2.7751	2.6730

	(1) 20×1년도 총포괄이익	(2) 20×2년도 당기순이익
①	₩206,520 감소	₩213,200 증가
②	₩206,520 감소	₩231,400 증가
③	₩186,520 감소	₩213,200 증가
④	₩186,520 감소	₩231,400 증가
⑤	₩186,520 감소	₩121,200 증가

25 ㈜세무는 20×1년 초 ㈜한국이 동 일자로 발행한 사채(액면금액 ₩1,000,000, 표시이자율 연 10%, 만기 4년, 매년 말 이자지급)를 ₩939,240에 취득하고 상각후원가측정금융자산으로 분류하였다. 취득 시 유효이자율은 연 12%이며, 취득 당시 손상은 없었다. ㈜세무는 20×1년 말 ㈜한국으로부터 20×1년도 이자는 정상적으로 수취하였으나, 20×1년 말 동 금융자산에 신용손상이 발생하였다. ㈜세무는 채무불이행 발생확률을 고려하여 20×2년부터 만기까지 매년 말 이자 ₩70,000과 만기에 원금 ₩700,000을 수취할 것으로 추정하였다. 금융자산의 회계처리가 ㈜세무의 20×1년도 당기순이익에 미치는 영향은? (단, 현재가치 계산 시 다음에 제시된 현가계수표를 이용한다) [세무사 2023년]

기간	단일금액 ₩1의 현재가치		정상연금 ₩1의 현재가치	
	10%	12%	10%	12%
1	0.9091	0.8929	0.9091	0.8929
2	0.8265	0.7972	1.7355	1.6901
3	0.7513	0.7118	2.4869	2.4018
4	0.6830	0.6355	3.1699	3.0374

① ₩139,247 감소 ② ₩164,447 감소 ③ ₩172,854 감소
④ ₩181,772 감소 ⑤ ₩285,597 감소

26 금융자산의 재분류 시 회계처리에 관한 설명으로 옳지 않은 것은? [세무사 2018년]

① 상각후원가측정금융자산을 당기손익-공정가치측정금융자산으로 재분류할 경우 재분류일의 공정가치로 측정하고, 재분류 전 상각후원가와 공정가치의 차이를 당기손익으로 인식한다.
② 상각후원가측정금융자산을 기타포괄손익-공정가치측정금융자산으로 재분류할 경우 재분류일의 공정가치로 측정하고, 재분류 전 상각후원가와 공정가치의 차이를 기타포괄손익으로 인식하며, 재분류에 따라 유효이자율과 기대신용손실 측정치는 조정하지 않는다.
③ 기타포괄손익-공정가치측정금융자산을 당기손익-공정가치측정금융자산으로 재분류할 경우 계속 공정가치로 측정하고, 재분류 전에 인식한 기타포괄손익누계액은 재분류일에 이익잉여금으로 대체한다.
④ 기타포괄손익-공정가치측정금융자산을 상각후원가측정금융자산으로 재분류할 경우 재분류일의 공정가치로 측정하고, 재분류 전에 인식한 기타포괄손익누계액은 자본에서 제거하고 재분류일의 금융자산의 공정가치에서 조정하며, 재분류에 따라 유효이자율과 기대신용손실 측정치는 조정하지 않는다.
⑤ 당기손익-공정가치측정금융자산을 기타포괄손익-공정가치측정금융자산으로 재분류할 경우 계속 공정가치로 측정하고, 재분류일의 공정가치에 기초하여 유효이자율로 다시 계산한다.

27 ㈜대한은 20×1년 1월 1일에 ㈜민국의 사채를 발행가액으로 취득하였으며 사채의 발행조건은 다음과 같다(취득 시 신용이 손상되어 있지 않음). ㈜대한은 사업모형 및 사채의 현금흐름 특성을 고려하여 취득한 사채를 상각후원가로 측정하는 금융자산으로 분류하였다.

- 사채발행일: 20×1년 1월 1일
- 만기일: 20×3년 12월 31일(일시상환)
- 액면금액: ₩1,000,000
- 이자지급: 매년 12월 31일에 연 7% 지급
- 사채발행시점의 유효이자율: 연 10%

20×3년 1월 1일에 ㈜대한과 ㈜민국은 다음과 같은 조건으로 재협상하여 계약상 현금흐름을 변경하였으며, 20×3년 1월 1일의 현행이자율은 연 13%이다. ㈜대한은 재협상을 통한 계약상 현금흐름의 변경이 금융자산의 제거조건을 충족하지 않는 것으로 판단하였다.

- 만기일: 20×5년 12월 31일로 연장(일시상환)
- 이자지급: 20×3년부터 매년 12월 31일에 연 5% 지급

㈜대한이 계약상 현금흐름의 변경과 관련하여 인식할 변경손익은 얼마인가? (단, 단수차이로 인해 오차가 있다면 가장 근사치를 선택한다) [공인회계사 2019년]

기간 \ 할인율	단일금액 ₩1의 현재가치		정상연금 ₩1의 현재가치	
	10%	13%	10%	13%
1년	0.9091	0.8850	0.9091	0.8850
2년	0.8264	0.7831	1.7355	1.6681
3년	0.7513	0.6931	2.4868	2.3612

① ₩0 ② ₩97,065 이익 ③ ₩97,065 손실
④ ₩161,545 이익 ⑤ ₩161,545 손실

28 기업회계기준서 제1109호 '금융상품' 중 계약상 현금흐름 특성 조건을 충족하는 금융자산으로서 사업 모형을 변경하는 경우의 재분류 및 금융자산의 제거에 대한 다음 설명 중 옳은 것은?

[공인회계사 2018년]

① 금융자산을 기타포괄손익-공정가치측정범주에서 상각후원가측정범주로 재분류하는 경우에는 최초 인식시점부터 상각후원가로 측정했었던 것처럼 재분류일에 금융자산을 측정한다.

② 양도자가 발생가능성이 높은 신용손실의 보상을 양수자에게 보증하면서 단기 수취채권을 매도한 것은 양도자가 소유에 따른 위험과 보상의 대부분을 이전하는 경우의 예이다.

③ 금융자산을 기타포괄손익-공정가치측정범주에서 당기손익-공정가치측정범주로 재분류하는 경우에 계속 공정가치로 측정하며, 재분류 전에 인식한 기타포괄손익누계액은 자본에서 당기손익으로 재분류하지 않는다.

④ 양도자가 매도한 금융자산을 재매입시점의 공정가치로 재매입할 수 있는 권리를 보유하고 있는 것은 양도자가 소유에 따른 위험과 보상의 대부분을 보유하는 경우의 예이다.

⑤ 양도자가 매도 후에 미리 정한 가격으로 또는 매도가격에 양도자에게 금전을 대여하였더라면 그 대가로 받았을 이자수익을 더한 금액으로 양도자산을 재매입하는 거래는 양도자가 소유에 따른 위험과 보상의 대부분을 이전하는 경우의 예이다.

29 20×1년 1월 1일 ㈜세무는 ㈜대한이 동 일자에 발행한 사채(액면금액 ₩1,000,000, 만기 3년, 표시이자율 연 8%, 매년 말 이자지급)를 ₩950,252에 취득하였다. 취득 당시의 유효이자율은 연 10%이며, ㈜세무는 동 사채를 기타포괄손익-공정가치측정금융자산으로 분류하였다. 한편, ㈜세무는 20×1년 중 사업모형을 변경하여 동 사채를 당기손익-공정가치측정금융자산으로 재분류하였다. 20×1년 말 동 사채의 신용위험은 유의적으로 증가하지 않았으며, 12개월 기대신용손실은 ₩10,000이다. ㈜세무는 20×1년 말과 20×2년 말에 표시이자를 정상적으로 수령하였다. 동 사채의 각 연도 말의 공정가치는 다음과 같으며, 재분류일의 공정가치는 20×1년 말의 공정가치와 동일하다.

구분	20×1. 12. 31.	20×2. 12. 31.
공정가치	₩932,408	₩981,828

㈜세무의 동 사채 관련 회계처리가 20×2년도 당기순이익에 미치는 영향은 얼마인가? (단, 계산금액은 소수점 이하 첫째 자리에서 반올림한다) [세무사 2021년]

① ₩16,551 감소
② ₩22,869 감소
③ ₩26,551 증가
④ ₩96,551 증가
⑤ ₩106,551 증가

30 ㈜대한은 ㈜민국이 20×1년 1월 1일에 발행한 액면금액 ₩50,000(만기 5년(일시상환), 표시이자율 연 10%, 매년 말 이자지급)인 사채를 동 일자에 액면금액으로 취득하고, 상각후원가로 측정하는 금융자산(AC금융자산)으로 분류하여 회계처리하였다. 그러나 ㈜대한은 20×2년 중 사업모형의 변경으로 동 사채를 당기손익-공정가치로 측정하는 금융자산(FVPL금융자산)으로 재분류하였다. 20×2년 말 현재 동 사채와 관련하여 인식한 손실충당금은 ₩3,000이다. 동 사채의 20×3년 초와 20×3년 말의 공정가치는 각각 ₩45,000과 ₩46,000이다. 동 사채가 ㈜대한의 20×3년 포괄손익계산서상 당기순이익에 미치는 영향은 얼마인가? (단, 동 사채의 20×3년 말 공정가치는 이자수령 후 금액이다)

[공인회계사 2021년]

① ₩2,000 감소　② ₩1,000 감소　③ ₩4,000 증가
④ ₩5,000 증가　⑤ ₩6,000 증가

31 ㈜대한은 ㈜민국이 20×1년 1월 1일 발행한 사채를 발행일에 취득하였으며, 취득 시 상각후원가로 측정하는 금융자산(AC금융자산)으로 분류하였다. ㈜민국의 사채는 다음과 같은 조건으로 발행되었다.

- 액면금액: ₩500,000
- 표시이자율: 연 6%
- 이자지급일: 매년 말
- 유효이자율: 연 8%
- 만기일: 20×3년 12월 31일

20×2년 12월 31일 ㈜대한과 ㈜민국은 다음과 같은 조건으로 재협상하여 계약상 현금흐름을 변경하였다. 변경시점의 현행시장이자율은 연 10%이다.

- 만기일을 20×4년 12월 31일로 연장
- 표시이자율을 연 4%로 인하

위 계약상 현금흐름의 변경이 금융자산의 제거조건을 충족하지 않는 경우 ㈜대한이 인식할 변경손익은 얼마인가? (단, 단수차이로 인해 오차가 있다면 가장 근사치를 선택한다) [공인회계사 2022년]

기간 \ 할인율	단일금액 ₩1의 현재가치			정상연금 ₩1의 현재가치		
	6%	8%	10%	6%	8%	10%
1년	0.9434	0.9259	0.9091	0.9434	0.9259	0.9091
2년	0.8900	0.8573	0.8264	1.8334	1.7832	1.7355
3년	0.8396	0.7938	0.7513	2.6730	2.5770	2.4868

① 변경이익 ₩42,809　② 변경이익 ₩26,405　③ ₩0
④ 변경손실 ₩26,405　⑤ 변경손실 ₩42,809

32 다음은 금융자산의 분류 및 재분류 등에 관한 설명이다. 옳은 설명을 모두 고른 것은?

[세무사 2022년]

ㄱ. 계약상 현금흐름을 수취하기 위해 보유하는 것이 목적인 사업모형하에서 금융자산을 보유하고, 금융자산의 계약조건에 따라 특정일에 원금과 원금잔액에 대한 이자지급만으로 구성되어 있는 현금흐름이 발생하는 금융자산은 상각후원가로 측정한다.

ㄴ. 계약상 현금흐름의 수취와 금융자산의 매도 둘 다를 통해 목적을 이루는 사업모형하에서 금융자산을 보유하고, 금융자산의 계약조건에 따라 특정일에 원금과 원금잔액에 대한 이자지급만으로 구성되어 있는 현금흐름이 발생하는 금융자산은 당기손익-공정가치로 측정한다.

ㄷ. 서로 다른 기준에 따라 자산이나 부채를 측정하거나 그에 따른 손익을 인식한 결과로 발생한 인식이나 측정의 불일치를 제거하거나 유의적으로 줄이는 경우에는 최초 인식시점에 해당 금융자산을 당기손익-공정가치측정항목으로 지정할 수 있다.

ㄹ. 금융자산을 기타포괄손익-공정가치측정범주에서 당기손익-공정가치측정범주로 재분류하는 경우, 재분류 전에 인식한 기타포괄손익누계액은 재분류일에 자본의 다른 항목으로 직접 대체한다.

① ㄱ, ㄴ ② ㄱ, ㄷ ③ ㄴ, ㄷ
④ ㄴ, ㄹ ⑤ ㄷ, ㄹ

33 ㈜대한은 ㈜민국이 20×1년 1월 1일에 발행한 사채를 동 일자에 ₩950,244에 취득하였으며, 이를 상각후원가로 측정하는 금융자산(AC금융자산)으로 분류하였다. ㈜민국의 사채는 다음과 같은 조건으로 발행되었다.

- 액면금액: ₩1,000,000
- 만기일: 20×3년 12월 31일(일시상환)
- 표시이자율: 연 8%, 매년 말 지급
- 유효이자율: 연 10%

20×1년 12월 31일에 ㈜대한과 ㈜민국은 다음과 같은 조건으로 재협상하여 계약상 현금흐름을 변경하였다.

- 만기일: 20×4년 12월 31일로 1년 연장(일시상환)
- 표시이자율: 20×2년부터 연 5%로 인하, 매년 말 지급
- 변경시점의 현행시장이자율: 연 12%

계약상 현금흐름의 변경과 관련하여 발생한 수수료 ₩124,360은 ㈜대한이 부담하였다. ㈜대한은 재협상을 통한 계약상 현금흐름의 변경이 금융자산의 제거조건을 충족하지 않는 것으로 판단하였다. 상기 금융자산과 관련하여 ㈜대한이 20×2년도에 인식할 이자수익은 얼마인가? (단, 단수차이로 인해 오차가 있다면 가장 근사치를 선택한다) [공인회계사 2023년]

할인율 / 기간	단일금액 ₩1의 현재가치		정상연금 ₩1의 현재가치	
	10%	12%	10%	12%
1년	0.9091	0.8929	0.9091	0.8929
2년	0.8264	0.7972	1.7355	1.6901
3년	0.7513	0.7118	2.4868	2.4019

① ₩50,000 ② ₩87,564 ③ ₩89,628
④ ₩95,024 ⑤ ₩96,527

34 금융자산의 제거에 대한 다음 설명 중 옳지 않은 것은? [공인회계사 2012년]

① 금융자산의 정형화된 매도 시 당해 금융자산을 매매일 또는 결제일에 제거한다.
② 금융자산의 현금흐름에 대한 계약상 권리가 소멸한 경우에는 당해 금융자산을 제거한다.
③ 금융자산의 현금흐름에 대한 계약상 권리를 양도하고 위험과 보상의 대부분을 이전하면 당해 금융자산을 제거한다.
④ 금융자산의 현금흐름에 대한 계약상 권리를 양도하고 위험과 보상의 대부분을 보유하지도 않고 이전하지도 않으면서 당해 금융자산을 통제하고 있지 않다면 당해 금융자산을 제거한다.
⑤ 금융자산의 현금흐름에 대한 계약상 권리는 양도하였지만 양도자가 매도 후에 미리 정한 가격으로 당해 금융자산을 재매입하기로 한 경우에는 당해 금융자산을 제거한다.

35 기업회계기준서 제1109호 '금융상품' 중 금융자산의 제거에 대한 다음 설명 중 옳지 않은 것은? [공인회계사 2020년]

① 양도자가 양도자산의 소유에 따른 위험과 보상의 대부분을 보유하지도 이전하지도 않고, 양도자가 양도자산을 통제하고 있다면, 그 양도자산에 지속적으로 관여하는 정도까지 그 양도자산을 계속 인식한다.
② 양도자가 확정가격이나 매도가격에 대여자의 이자수익을 더한 금액으로 재매입하기로 하고 금융자산을 매도한 경우, 양도자는 금융자산의 소유에 따른 위험과 보상의 대부분을 보유하고 있는 것이다.
③ 금융자산 전체가 제거조건을 충족하는 양도로 금융자산을 양도하고, 수수료를 대가로 해당 양도자산의 관리용역을 제공하기로 한다면 관리용역제공계약과 관련하여 자산이나 부채를 인식하지 않는다.
④ 양도자가 금융자산의 일부에만 지속적으로 관여하는 경우에 양도하기 전 금융자산의 장부금액을 지속적 관여에 따라 계속 인식하는 부분과 제거하는 부분에 양도일 현재 각 부분의 상대적 공정가치를 기준으로 배분한다.
⑤ 양도의 결과로 금융자산 전체를 제거하지만 새로운 금융자산을 획득하거나 새로운 금융부채나 관리용역부채를 부담한다면, 그 새로운 금융자산, 금융부채, 관리용역부채를 공정가치로 인식한다.

36 기업회계기준서 제1109호 '금융상품'에 대한 다음 설명 중 옳지 않은 것은? [공인회계사 2024년]

① 양도자산이 양도하기 전 금융자산 전체 중 일부이고 그 양도한 부분 전체가 제거 조건을 충족한다면, 양도하기 전 금융자산 전체의 장부금액은 계속 인식하는 부분과 제거하는 부분에 대해 양도일 현재 각 부분의 상대적 공정가치를 기준으로 배분한다.

② 사업모형의 변경은 사업계열의 취득, 처분, 종결과 같이 영업에 유의적인 활동을 시작하거나 중단하는 경우에만 발생할 것이다. 그러나 특정 금융자산과 관련된 의도의 변경, 금융자산에 대한 특정 시장의 일시적 소멸, 기업 내 서로 다른 사업모형을 갖고 있는 부문 간 금융자산의 이전 등은 사업모형의 변경에 해당하지 않는다.

③ 양도자가 양도자산의 소유에 따른 위험과 보상의 대부분을 보유하지도 이전하지도 않고, 양도자가 양도자산을 통제하고 있다면, 그 양도자산에 지속적으로 관여하는 정도까지 그 양도자산을 계속 인식한다.

④ 금융상품의 기대신용손실은 일정 범위의 발생 가능한 결과를 평가하여 산정한 금액으로서 편의가 없고 확률로 가중한 금액, 화폐의 시간가치 및 보고기간 말에 과거사건, 현재 상황과 미래 경제적 상황의 예측에 대한 정보로서 합리적이고 뒷받침될 수 있으며 과도한 원가나 노력 없이 이용할 수 있는 정보를 반영하도록 측정한다.

⑤ 금융자산을 재분류하기 위해서는 그 재분류를 중요도에 따라 구분하며, 중요한 재분류는 소급법을 적용하고, 중요하지 않은 재분류는 전진법을 적용한다.

관련 유형 연습

01 다음은 기업회계기준서 제1109호 '금융상품'에 규정된 금융자산의 분류와 관련된 내용들이다. 옳지 않은 것은?

① 서로 다른 기준에 따라 자산이나 부채를 측정하거나 그에 따른 손익을 인식하는 경우에 측정이나 인식의 불일치가 발생하는 경우 금융자산을 당기손익-공정가치측정항목으로 지정한다면 이와 같은 불일치를 제거하거나 유의적으로 줄이는 경우에는 최초 인식시점에 해당 금융자산을 당기손익-공정가치측정항목으로 지정할 수 있다. 다만 한 번 지정하면 이를 취소할 수 없다.

② 계약상 현금흐름을 수취하기 위해 보유하는 것이 목적인 사업모형하에서 금융자산을 보유하고 금융자산의 계약조건에 따라 특정일에 원리금 지급만으로 구성되어 있는 현금흐름이 발생하면 금융자산을 당기손익-기타포괄손익으로 측정한다.

③ 당기손익-공정가치로 측정되는 '지분상품에 대한 특정 투자'에 대하여 후속적인 공정가치 변동을 기타포괄손익으로 표시하도록 최초 인식시점에 선택할 수도 있다. 다만 한 번 선택하면 이를 취소할 수 없다.

④ 계약상 현금흐름의 수취와 금융자산의 매도 둘 다를 통해 목적을 이루는 사업모형하에서 금융자산을 보유하고 금융자산의 계약조건에 따라 특정일에 원리금 지급만으로 구성되어 있는 현금흐름이 발생하면 금융자산을 기타포괄손익-공정가치로 측정한다.

⑤ 금융자산은 상각후원가로 측정하거나 기타포괄손익-공정가치로 측정하는 경우가 아니라면, 당기손익-공정가치로 측정한다.

02 12월 말 결산법인인 A사는 20×1년 12월 1일에 ㈜러블리즈 주식 10주를 주당 ₩2,000에 취득하고 FVPL금융자산으로 분류하였다. 취득일 현재 ㈜러블리즈 주식의 공정가치는 주당 ₩2,500이며, 동 주식 취득과 관련하여 거래수수료로 ₩2,000을 지출하였다. 20×1년 12월 10일에 동 주식 6주를 주당 ₩2,700에 처분하고 거래수수료로 ₩1,000을 지출하였다. 20×1년 말 현재 동 주식의 주당 공정가치는 ₩2,800이며, 처분 관련 거래원가는 주당 ₩500으로 추정된다고 할 경우 다음 중 올바른 것은?

① 20×1년 12월 1일의 동 거래가 A사의 당기손익에 미치는 영향은 없다.

② 20×1년 12월 1일에 ㈜러블리즈 주식의 취득시점 최초 원가는 ₩22,000이다.

③ 20×1년 12월 10일 ㈜러블리즈 주식의 처분으로 인한 처분손익은 ₩200이다.

④ 20×1년 말 ㈜러블리즈의 주식과 관련하여 인식할 평가손익은 ₩(800)이다.

⑤ 만약, 20×1년 말 동 금융자산의 주당 공정가치가 ₩1,000으로 손상의 사유에 해당한다면 손상차손을 인식한다.

03 결산일이 매년 12월 31일인 A사는 20×1년 7월 1일에 단기매매목적으로 B사가 발행한 사채(액면금액 ₩1,000,000, 만기일 20×4년 9월 30일, 이자율 연 10%, 이자지급일 매년 3월 말, 9월 말)를 발생이자를 포함하여 ₩940,000에 취득하였다. 20×1년 12월 말 현재 B사 사채는 공정가치가 ₩980,000이고, 이 공정가치에는 직전 이자지급일 이후의 발생이자가 포함되어 있다. A사가 B사 사채를 취득 및 보유함으로써 20×1년의 당기순이익에 미치는 영향은 얼마인가? (단, 사채취득과 관련된 거래비용은 없으며, 사채이자는 월수를 기준으로 계산하고 법인세효과는 무시한다)

① ₩40,000 이익 ② ₩50,000 이익 ③ ₩75,000 이익
④ ₩85,000 이익 ⑤ ₩90,000 이익

04 ㈜진리는 20×1년 1월 1일에 액면금액 ₩1,000,000의 사채(액면이자율 연 10%, 매년 말 이자지급, 만기 3년)를 발행하였으며, ㈜자유는 20×1년 4월 1일에 시장에서 ㈜진리가 발행한 사채 전액을 구입하여 AC금융자산으로 분류하였다. 20×1년 초 시장이자율은 10%이고 20×1년 4월 1일의 시장이자율은 12%라고 가정할 때, 사채와 관련하여 ㈜진리가 사채의 만기까지 인식할 총이자비용과 ㈜자유가 사채의 만기까지 인식할 총이자수익은 각각 얼마인가? (단, 사채의 발행 및 취득과 관련된 거래원가는 없으며, 현재가치요소는 아래의 자료를 이용한다)

구분	3년(10%)	3년(12%)
₩1의 현재가치	0.75131	0.71178
₩1의 연금의 현재가치	2.48685	2.40183

	㈜진리: 총이자비용	㈜자유: 총이자수익
①	₩300,000	₩275,000
②	₩300,000	₩300,000
③	₩300,000	₩319,478
④	₩319,478	₩348,037
⑤	₩348,037	₩348,037

05 다음은 한국채택국제회계기준서 제1109호 '금융상품'에 규정된 금융자산의 손상과 관련된 내용들이다. 옳지 않은 것은?

① 취득 시 신용이 손상되어 있는 금융자산은 보고기간 말에 최초 인식 이후 전체기간 기대신용손실의 누적변동분만을 손실충당금으로 인식한다.
② 최초 인식 후에 금융상품의 신용위험이 유의적으로 증가하지 아니한 경우에는 보고기간 말에 전체 기대기간 기대신용손실에 해당하는 금액으로 손실충당금을 측정한다.
③ 금융자산, 리스채권, 계약자산, 대출약정, 금융보증계약의 기대신용손실은 손실충당금으로 인식한다.
④ 기타포괄손익-공정가치측정금융자산의 손실충당금은 기타포괄손익으로 인식하고 재무상태표에서 해당 손실충당금만큼 금융자산의 장부금액을 줄이지 않는다.
⑤ 최초 인식 후에 금융상품의 신용위험이 유의적으로 증가한 경우에는 매 보고기간 말에 전체기간 기대신용손실에 해당하는 금액으로 손실충당금을 측정한다.

06 ㈜대한은 20×1년 1월 1일 ㈜민국이 당일 발행한 액면금액 ₩100,000(만기 3년, 액면이자율 8%, 이자는 매년 말 지급)인 사채를 공정가치 ₩90,394에 취득하고 AC금융자산으로 분류하였다. ㈜대한은 사채의 취득과 직접 관련된 거래원가로 ₩4,630을 추가 지출하였으며, 취득 당시 유효이자율은 10%이다. ㈜민국의 사채는 20×1년 말 현재 신용위험이 유의적으로 증가하지 않아 12개월 기대신용손실로 추정한 금액이 ₩4,000이다. 20×2년 말 현재 ㈜대한은 20×2년분 액면이자 ₩8,000을 정상적으로 수령하였으나 ㈜민국의 사채는 부도처리 및 당좌거래가 정지되어 손상이 발생하였다. 이에 따라 ㈜대한은 동 사채의 만기시점에 액면금액 중 ₩50,000만 수령할 수 있고 이자는 받을 수 없을 것으로 예상하였다. ㈜대한이 20×2년도에 인식할 손상차손은 얼마인가? (단, 현가계수는 아래 표를 이용하며, 단수차이가 있으면 가장 근사치를 선택한다)

구분	기간 말 1원의 현재가치	정상연금 1원의 현재가치
	10%	10%
1	0.9091	0.9091
2	0.8264	1.7355
3	0.7513	2.4868

① ₩52,724 ② ₩48,724 ③ ₩42,724
④ ₩38,724 ⑤ ₩4,000

07 ㈜국세는 다음과 같은 조건으로 발행된 채무상품을 20×2년 1월 1일에 취득하여 FVOCI금융자산으로 분류하였다. 동 금융자산의 20×2년 말 이자수취 후 공정가치가 ₩18,800,000이고 20×2년 말 현재 신용위험이 유의적으로 증가하여 전체기간 기대손실로 측정된 금액은 ₩30,000이다. ㈜국세가 20×2년 말에 재무상태표상 인식해야 할 FVOCI금융자산평가손익은 얼마인가? (단, 현가계수는 아래의 표를 이용한다)

- 액면금액: ₩20,000,000
- 액면이자: 연 5%, 매년 12월 31일 지급
- 발행일: 20×2년 1월 1일
- 만기: 3년
- 유효이자율: 연 8%

구분	단일금액 ₩1의 현재가치		정상연금 ₩1의 현재가치	
	5%	8%	5%	8%
1	0.95238	0.92593	0.95238	0.92593
2	0.90703	0.85734	1.85941	1.78327
3	0.86384	0.79383	2.72325	2.57710

① ₩100,070 평가손실 ② ₩130,070 평가손실 ③ ₩100,070 평가이익
④ ₩130,070 평가이익 ⑤ ₩100,000 평가이익

08 다음은 금융자산의 재분류에 대한 내용들이다. 옳지 않은 것은?

① 재분류일은 금융자산의 재분류를 초래하는 사업모형의 변경이 발생한 보고기간의 마지막 날을 말한다.
② 금융자산을 재분류하는 경우에는 그 재분류를 재분류일로부터 전진적으로 적용하며, 재분류하기 전에 인식한 손익이나 이자는 다시 작성하지 아니한다.
③ 금융자산을 상각후원가측정범주에서 당기손익－공정가치측정범주로 재분류하는 경우에 재분류일의 공정가치로 측정한다. 금융자산의 재분류 전 상각후원가와 공정가치의 차이에 따른 손익은 당기손익으로 인식한다.
④ 금융자산을 당기손익－공정가치측정범주에서 상각후원가측정범주로 재분류하는 경우에 재분류일의 공정가치가 새로운 총장부금액이 된다.
⑤ 금융자산을 기타포괄손익－공정가치측정범주에서 상각후원가측정범주로 재분류하는 경우에 재분류일의 공정가치로 측정한다. 그러나 재분류 전에 인식한 기타포괄손익누계액은 자본에서 제거하고 재분류일의 금융자산 공정가치에서 조정한다.

09 다음 금융자산 제거의 회계처리에 대한 설명 중 옳지 않은 것은?

① 양도자가 금융자산의 소유에 따른 위험과 보상의 대부분을 이전하면, 당해 금융자산을 제거하고 양도함으로써 발생하거나 보유하게 된 권리와 의무를 각각 자산과 부채로 인식한다.

② 양도자가 금융자산의 소유에 따른 위험과 보상의 대부분을 보유하면, 당해 금융자산을 계속하여 인식한다.

③ 양도자가 금융자산의 소유에 따른 위험과 보상의 대부분을 소유하지도 아니하고 이전하지도 아니한 상태에서, 양도자가 금융자산을 통제하고 있다면 당해 금융자산을 제거하고 양도함으로써 발생하거나 보유하게 된 권리와 의무를 각각의 자산과 부채로 인식한다.

④ 양도자가 양도자산을 통제하고 있는지 여부는 양수자가 그 자산을 매도할 수 있는 실질적인 능력을 가지고 있는지 여부에 따라 결정한다.

⑤ 금융자산 전체가 제거조건을 충족하는 양도로 금융자산을 양도하고, 수수료를 대가로 당해 양도자산의 관리용역을 제공하기로 한다면, 관리용역제공계약과 관련하여 자산이나 부채를 인식한다.

실력 점검 퀴즈

01 다음은 금융자산의 손상과 관련된 내용이다. 기준서 제1109호 '금융상품'에서 규정하고 있는 내용과 다른 것은 무엇인가?

① 채무상품 중 상각후원가 측정 금융자산과 기타포괄손익-공정가치 측정 금융자산에서 기대신용손실이 발생하는 경우 이를 손상차손으로서 당기손익으로 인식한다. 당기손익-공정가치 측정 금융자산과 투자지분상품의 경우에는 손상회계처리의 대상이 아니다.

② 최초 인식 후에 금융상품의 신용위험이 유의적으로 증가한 경우에는 매 보고기간 말에 12개월 기대신용손실에 해당하는 금액으로 손실충당금을 측정하며, 그렇지 않은 경우에는 전체기간 기대신용손실에 해당하는 금액으로 손실충당금을 측정한다.

③ 기대신용손실은 금융상품의 기대존속기간에 걸친 신용손실인 모든 현금부족액의 현재가치의 확률가중추정치이다. 여기서 현금부족액은 계약상 수취하기로 한 현금흐름과 수취할 것으로 기대하는 현금흐름의 차이이다.

④ 보고기간 말에 신용이 손상된 금융자산의 기대신용손실은 해당 자산의 총장부금액과 추정미래현금흐름을 취득시점의 유효이자율로 할인한 현재가치의 차이로 측정한다. 조정금액은 손상차손으로 당기손익에 인식한다.

⑤ 기타포괄손익-공정가치 측정 금융자산의 손실충당금을 인식하고 측정하는 데 손상 요구사항을 적용한다. 그러나 해당 손실충당금은 기타포괄손익에서 인식하고 재무상태표에서 금융자산의 장부금액을 줄이지 않는다.

02 12월 말 결산법인인 A사는 다음과 같은 조건으로 발행된 채무상품을 20×1년 1월 1일에 취득하여 기타포괄손익-공정가치 측정 범주로 분류하였다. 20×1년 말 채무상품의 신용위험은 유의적으로 증가하였으며, 12개월 기대신용손실은 ₩500,000, 전체기간 기대신용손실은 ₩900,000으로 추정하였다. 채무상품의 20×1년 말 이자수취 후 공정가치가 ₩18,800,000인 경우 A사가 재무상태표에 인식해야 할 금융자산평가손익은 얼마인가?

(1) 액면금액: ₩20,000,000 (2) 액면이자: 연 5%, 매년 12월 31일 지급 (3) 발행일: 20×1년 1월 1일 (4) 만기: 3년 (5) 유효이자율: 연8% 단, 3년, 8%의 현가계수는 0.79383, 연금현가계수는 2.57710이다.

① ₩476,296 평가이익 ② ₩370,004 평가이익 ③ ₩129,996 평가손실
④ ₩129,996 평가이익 ⑤ ₩770,004 평가이익

03 12월 말 결산법인인 A사는 B사의 3년 만기 회사채(표시이자율 6%, 매년 말 이자지급, 유효이자율 8%, 액면금액 ₩100,000)를 ₩94,846에 취득하였다. A사는 회사채를 당기손익-공정가치 측정 범주, 기타포괄손익-공정가치 측정 범주, 상각후원가 측정 범주 중 어느 것으로 분류해야 할지에 대해 고민하고 있다. 자금담당임원의 예측에 따르면 연말 이자율이 전반적으로 하락하여 B사 회사채의 시장 이자율이 6%로 낮아질 것으로 예상된다. A사의 당기순이익의 크기를 가장 적절하게 표시한 것은? 단, 기대신용손실은 없다고 가정한다.

① FVPL금융자산 > FVOCI금융자산 > AC금융자산
② FVPL금융자산 > FVOCI금융자산 = AC금융자산
③ FVPL금융자산 < FVOCI금융자산 = AC금융자산
④ FVPL금융자산 < FVOCI금융자산 < AC금융자산
⑤ FVPL금융자산 = FVOCI금융자산 > AC금융자산

04 위의 문제 **03**에서 A회사의 당기순이익이 아닌 포괄이익의 크기를 비교한다면 가장 적절하게 표시한 것은 무엇인가?

① FVPL금융자산 > FVOCI금융자산 > AC금융자산
② FVPL금융자산 > FVOCI금융자산 = AC금융자산
③ FVPL금융자산 < FVOCI금융자산 = AC금융자산
④ FVPL금융자산 < FVOCI금융자산 < AC금융자산
⑤ FVPL금융자산 = FVOCI금융자산 > AC금융자산

05 금융상품에 관한 설명으로 옳지 않은 것은?

① 금융자산의 정형화된 매입 또는 매도는 매매일이나 결제일에 인식하거나 제거한다.
② 당기손익-공정가치 측정 금융자산이 아닌 경우 해당 금융자산의 취득과 직접 관련되는 거래원가는 최초 인식시점의 공정가치에 가산한다.
③ 금융자산의 계약상 현금흐름이 재협상되거나 변경되었으나 그 금융자산이 제거되지 아니하는 경우에는 해당 금융자산의 총장부금액을 재계산하고 변경손익을 당기손익으로 인식한다.
④ 금융자산 양도의 결과로 금융자산 전체를 제거하는 경우에는 금융자산의 장부금액과 수취한 대가의 차액을 당기손익으로 인식한다.
⑤ 최초 발생시점이나 매입할 때 신용이 손상되어 있는 상각후원가 측정 금융자산의 이자수익은 최초 인식시점부터 총장부금액에 유효이자율을 적용하여 계산한다.

06 금융상품에 관한 설명으로 옳은 것은?

① 당기손익-공정가치로 측정되는 '지분상품에 대한 특정 투자'에 대해서는 후속적인 공정가치 변동은 최초 인식시점이라 하더라도 기타포괄손익으로 표시하도록 선택할 수 없다.

② 측정이나 인식의 불일치, 즉 회계불일치의 상황이 아닌 경우 금융자산은 금융자산의 관리를 위한 사업모형과 금융자산의 계약상 현금흐름의 특성 모두에 근거하여 상각후원가, 기타포괄손익-공정가치, 당기손익-공정가치로 측정되도록 분류한다.

③ 금융자산 전체나 일부의 회수를 합리적으로 예상할 수 없는 경우에도 해당 금융자산의 총장부금액을 직접 줄일 수는 없다.

④ 기타포괄손익-공정가치 측정 금융자산의 기대신용손실을 조정하기 위한 기대신용손실액(손상차손)은 당기손실로 인식하고, 기대신용손실환입액(손상차손환입)은 기타포괄손익으로 인식한다.

⑤ 금융자산을 상각후원가 측정 범주에서 기타포괄손익-공정가치 측정 범주로 재분류하는 경우 재분류일의 공정가치로 측정하며, 재분류 전 상각후원가와 공정가치 차이에 따른 손익은 당기손익으로 인식한다.

07 20×1년 1월 1일 ㈜하늘은 ㈜한국이 동 일자에 발행한 사채(액면금액 ₩1,000,000, 액면이자율 연 4%, 이자는 매년 말 지급)를 ₩896,884에 취득하였다. 취득 당시 유효이자율은 연 8%이다. 20×1년 말 동 사채의 이자수취 후 공정가치는 ₩925,000이며, 20×2년 초 ₩940,000에 처분하였다. ㈜하늘의 동 사채 관련 회계처리에 관한 설명으로 옳지 않은 것은? (단, 계산금액은 소수점 첫째 자리에서 반올림하며, 단수차이로 인한 오차가 있으면 가장 근사치를 선택한다)

① 당기손익-공정가치(FVPL) 측정 금융자산으로 분류하였을 경우, 20×1년 당기순이익은 ₩68,116 증가한다.

② 상각후원가(AC) 측정 금융자산으로 분류하였을 경우, 20×1년 당기순이익은 ₩71,751 증가한다.

③ 기타포괄손익-공정가치(FVOCI) 측정 금융자산으로 분류하였을 경우, 20×1년 당기순이익은 ₩71,751 증가한다.

④ 상각후원가(AC) 측정 금융자산으로 분류하였을 경우, 20×2년 당기순이익은 ₩11,365 증가한다.

⑤ 기타포괄손익-공정가치(FVOCI) 측정 금융자산으로 분류하였을 경우, 20×2년 당기순이익은 ₩15,000 증가한다.

2차 문제 Preview

[01 ~ 02]

다음은 각각 독립적인 상황이다. (단, 현재가치 계산이 필요할 경우 다음의 현가계수를 이용하고, 금액은 소수점 첫째 자리에서 반올림하여 계산한다)

기간	단일금액 1원의 현가계수			정상연금 1원의 현가계수		
	8%	10%	12%	8%	10%	12%
1	0.9259	0.9091	0.8929	0.9259	0.9091	0.8929
2	0.8573	0.8264	0.7972	1.7833	1.7355	1.6901
3	0.7938	0.7513	0.7118	2.5771	2.4868	2.4018
4	0.7350	0.6830	0.6355	3.3121	3.1699	3.0373
5	0.6806	0.6209	0.5674	3.9927	3.7908	3.6048

01 ㈜세무는 20×1년 1월 1일에 ㈜한국이 발행한 A사채(액면금액 ₩1,000,000, 표시이자율 연 6%, 만기 3년, 매년 말 이자지급)를 취득하고 '상각후원가 측정 금융자산'으로 분류하였으며, ㈜한국은 A사채를 '상각후원가 측정 금융부채'로 분류하였다. 발행시점의 유효이자율은 연 10%이다. 20×2년 12월 31일에 ㈜세무와 ㈜한국은 A사채의 만기를 20×5년 12월 31일로 연장하고, 표시이자율을 연 4%로 낮추어 매년 말에 이자를 지급하는 것으로 계약변경(조건변경)에 합의하였다. 이 과정에서 ㈜한국은 ㈜세무에게 수수료 ₩12,000을 지급하였다. 계약상 현금흐름 변경일(20×2년 12월 31일)의 현행이자율은 연 8%이다. (단, ㈜세무는 계약변경 합의 전에 20×2년도 이자를 수령하였다고 가정하며, A사채와 관련된 신용위험은 고려하지 않는다)

물음 1 20×2년 12월 31일 계약변경 합의 전 ㈜세무의 금융자산(A사채) 장부금액을 계산하시오.

물음 2 20×2년 12월 31일 A사채와 관련된 계약변경이 '금융자산의 제거조건을 충족하지 않는 경우', ㈜세무가 계약변경시점에 인식할 계약변경이익을 계산하시오. (단 20×2년 12월 31일 계약변경 합의 전 금융자산(A사채)의 장부금액은 ₩960,000이라고 가정하고, 계약변경손실의 경우 금액 앞에 '(−)'를 표시하며, 계약변경손익이 없는 경우에는 '없음'으로 표시하시오)

물음 3 20×2년 12월 31일 A사채와 관련하여 ㈜한국이 계약변경시점에 인식할 계약변경이익을 계산하시오. (단, 20×2년 12월 31일 계약변경 합의 전 ㈜한국의 금융부채(A사채) 장부금액은 ₩960,000이라고 가정하고, 계약변경손실의 경우 금액 앞에 '(−)'를 표시하며, 계약변경손익이 없는 경우에는 '없음'으로 표시하시오)

02 ㈜세무는 20×1년 1월 1일에 ㈜나라가 발행한 B사채(액면금액 ₩1,000,000, 표시이자율 연 8%, 만기 3년, 매년 말 이자지급)를 ₩950,244에 취득하여 '기타포괄손익-공정가치 측정 금융자산'으로 분류하였다. B사채 발행시점의 유효이자율은 연 10%이다. ㈜세무는 20×1년 9월 1일에 사업모형을 변경하여 B사채를 '상각후원가 측정 금융자산'으로 재분류하였다. ㈜세무는 20×1년 말 현재 B사채의 신용위험이 유의하게 증가하지 않았다고 판단하였으며, 12개월 기대신용손실을 ₩30,000으로 추정하였다. ㈜세무는 20×2년 말에도 B사채의 신용위험이 유의하게 증가하지 않았다고 판단하였으며, 12개월 기대신용손실을 ₩10,000으로 추정하였다. B사채와 관련된 공정가치는 다음과 같다.

일자	20×1. 9. 1.	20×1. 12. 31.	20×2. 1. 1.	20×2. 12. 31.
공정가치	₩950,000	₩970,000	₩970,000	₩985,000

물음 1 금융자산을 재분류하는 경우, 재분류일은 언제인지 구체적인 연, 월, 일을 예시와 같이 기술하시오. (예 20×3년 8월 12일)

물음 2 ㈜세무의 금융자산(B사채) 회계처리가 20×1년도 당기순이익에 미치는 영향을 계산하시오. (단, 당기순이익이 감소하는 경우 금액 앞에 '(-)'를 표시하시오)

물음 3 ㈜세무의 금융자산(B사채) 회계처리가 20×2년도 당기순이익에 미치는 영향을 계산하시오. (단, 당기순이익이 감소하는 경우 금액 앞에 '(-)'를 표시하시오)

해커스 IFRS 정윤돈 객관식 재무회계

회계사·세무사·경영지도사 단번에 합격!
해커스 경영아카데미 cpa.Hackers.com

1차 시험 출제현황

구분	CPA										CTA									
	15	16	17	18	19	20	21	22	23	24	15	16	17	18	19	20	21	22	23	24
전환사채 일반		1	1	1		1				1				0.5	1					
전환사채의 특수상황	1	1				1		2						0.5					1	
신주인수권부사채 일반	1	1			1				2	1						1		1		1
전환사채 서술형												1								

제11장

복합금융상품

기초 유형 확인

[01 ~ 04]

㈜한영은 20×1년 초에 신주인수권부사채를 발행하였다. ㈜한영의 결산일은 매년 12월 31일이며, 관련 자료는 다음과 같다.

> (1) 신주인수권부사채는 액면 ₩100,000, 표시이자율 10%, 만기 3년, 이자는 매년 말 1회 지급조건이다.
> (2) 신주인수권부사채의 발행가액은 ₩100,000이고, 행사조건은 사채액면 ₩10,000당 보통주 1주(액면 ₩5,000)를 ₩7,000에 매입할 수 있다. 보장수익률은 12%이고 상환할증률은 106.749%이다. 사채발행 당시의 시장이자율은 연 13%이다(단, 13%, 3년의 연금현가요소는 2.36115이고 13%, 3년 현가요소는 0.69305이다).

01 ㈜한영이 동 신주인수권부사채를 발행하였을 때, 인식할 신주인수권대가는 얼마인가?

① ₩2,406 ② ₩3,408 ③ ₩12,687
④ ₩13,431 ⑤ ₩6,468

02 ㈜한영이 동 신주인수권부사채로 인해 인식할 20×3년 이자비용은 얼마인가?

① ₩2,406 ② ₩3,408 ③ ₩12,687
④ ₩13,431 ⑤ ₩6,468

03 ㈜한영의 재무상태표상에 계상될 20×1년 말 신주인수권조정의 장부금액은 얼마인가?

① ₩2,406 ② ₩3,408 ③ ₩12,687
④ ₩13,431 ⑤ ₩6,468

04 동 신주인수권이 20×1년 말 40%가 행사되었을 때, 다음 중 옳지 않은 것은?

① 신주인수권의 행사시점에 자본은 ₩30,114 증가한다.
② 신주인수권의 행사시점에 주식발행초과금은 ₩11,076 증가한다.
③ 신주인수권의 행사 이후 만기지급액(액면이자 제외)은 ₩104,049이다.
④ 신주인수권의 행사 이후 20×2년에 인식할 이자비용은 ₩7,822이다.
⑤ 신주인수권의 행사 이후 20×2년 말에 신주인수권조정의 장부금액은 ₩3,120이다.

05 A회사는 20×1년 초 액면가액 ₩1,000,000의 3년 만기 전환사채를 액면발행하였다.

(1) 전환권이 행사되면 사채액면 ₩20,000당 액면 ₩5,000의 보통주 1주를 교부하며, 권리가 행사되지 않은 부분에 대하여는 액면가액의 115%를 만기금액으로 지급한다.
(2) 표시이자율은 연 4%로 매년 말 후급조건이며, 사채발행일 현재 동종 일반사채의 시장이자율은 10%이다(단, 3기간 10% 현가계수와 연금현가계수는 각각 0.75131과 2.48685이다).

전환사채발행 시 사채발행원가로 ₩100,000이 소요되는 경우 사채발행일의 사채 순발행가액은 얼마인가?

① ₩963,481 ② ₩867,133 ③ ₩954,383
④ ₩913,431 ⑤ ₩876,468

06 ㈜포도는 20×1년 1월 1일에 전환사채를 발행하였다. 전환사채와 관련된 내용은 아래와 같다.

(1) 만기일: 20×3년 12월 31일
(2) 액면금액: ₩100,000
(3) 액면이자율은 2%로 매년 말 지급하며, 만기까지 전환되지 않는 경우에 상환할증금을 지급하는 조건으로 보장수익률은 4%이다.
(4) 전환사채의 액면금액 ₩200당 보통주 1주(액면금액 ₩100)로 전환가능하다.
(5) 전환사채 발행일 현재 일반사채의 유효이자율은 7%이다.
(6) ㈜포도의 보통주의 공정가치는 다음과 같다.

구분	20×1년 초	20×2년 초	20×3년 초
공정가치	₩200	₩150	₩120

(7) 현재가치 계수는 다음과 같다.

기간	단일금액 ₩1의 현가계수				정상연금 ₩1의 현가계수			
	4%	6%	7%	8%	4%	6%	7%	8%
1	0.9615	0.9434	0.9346	0.9259	0.9615	0.9434	0.9346	0.9259
2	0.9246	0.8900	0.8734	0.8573	1.8861	1.8334	1.8080	1.7832
3	0.8890	0.8396	0.8163	0.7938	2.7751	2.6730	2.6243	2.5770

20×1년 초에 전환사채는 액면발행되었다. 20×2년 초에 동 전환사채의 60%가 전환되었다. ㈜포도가 동 전환사채로 인하여 20×2년 재무제표에 표시할 주식발행초과금 증가액을 구하시오.

① ₩34,663 ② ₩32,663 ③ ₩30,663
④ ₩27,663 ⑤ ₩25,663

기출 유형 정리

01 ㈜예림은 20×1년 1월 1일 다음과 같은 조건의 전환사채를 ₩970,000에 발행하였다.

- 액면금액: ₩1,000,000
- 표시이자율: 연 5%
- 전환사채발행시점의 자본요소가 결합되지 않은 유사한 일반사채 시장이자율: 연 10%
- 이자지급일: 매년 12월 31일
- 만기상환일: 20×4년 1월 1일
- 원금상환방법: 상환기일에 액면금액의 105.96%를 일시상환

기간	₩1의 현재가치(10%)	₩1의 정상연금현가(10%)
1년	0.9091	0.9091
2년	0.8265	1.7356
3년	0.7513	2.4869

전환사채 중 액면금액 ₩700,000이 20×2년 1월 1일에 보통주식(주당 액면금액 ₩5,000)으로 전환되었으며, 전환가격은 ₩10,000이다. 전환권대가는 전환권이 행사되어 주식을 발행할 때 행사된 부분만큼 주식발행초과금으로 대체하며, 전환간주일은 기초시점으로 가정한다. 20×2년 12월 31일 전환사채와 전환권대가의 장부금액은 각각 얼마인가? (단, 법인세효과는 고려하지 않으며, 계산결과 단수차이로 인해 답안과 오차가 있는 경우 근사치를 선택한다) [공인회계사 2013년]

	전환사채	전환권대가
①	₩317,880	₩23,873
②	₩317,880	₩14,873
③	₩302,618	₩14,873
④	₩302,618	₩23,873
⑤	₩300,000	₩59,600

02 ㈜대한은 20×1년 1월 1일 다음과 같은 조건의 전환사채를 ₩980,000에 발행하였으며, 관련 자료는 다음과 같다.

- 발행일: 20×1년 1월 1일
- 액면금액: ₩1,000,000
- 만기일: 20×3년 12월 31일(일시상환)
- 표시이자율: 연 4%, 매년 말 지급
- 원금상환방법: 상환기일에 액면금액의 106%를 일시상환
- 전환사채 발행시점의 자본요소가 결합되지 않은 유사한 일반사채의 시장이자율: 연 8%
- 전환조건: 전환사채발행시점부터 1개월 경과 후 만기시점까지 전환청구 가능하며, 전환가격은 전환사채 액면금액 ₩10,000이다.
- 적용할 현가계수는 아래의 표와 같다.

기간 \ 할인율	단일금액 ₩1의 현재가치		정상연금 ₩1의 현재가치	
	4%	8%	4%	8%
1년	0.9615	0.9259	0.9615	0.9259
2년	0.9246	0.8573	1.8861	1.7832
3년	0.8890	0.7938	2.7751	2.5770

㈜대한의 전환사채 중 액면금액 ₩600,000이 20×2년 1월 1일 보통주식(주당 액면금액 ₩5,000)으로 전환되었다. 전환권대가는 전환권이 행사되어 주식을 발행할 때 행사된 부분만큼 주식발행초과금으로 대체되며, 전환간주일은 기초시점으로 가정한다. ㈜대한의 20×2년 말 재무상태표에 인식될 (A) 전환사채의 장부금액과 (B) 전환권대가의 장부금액은 각각 얼마인가? 단, 단수차이로 인한 오차가 있다면 가장 근사치를 선택한다.

[공인회계사 2024년]

	(A) 전환사채	(B) 전환권대가
①	₩383,700	₩8,038
②	₩385,719	₩12,038
③	₩387,267	₩12,038
④	₩401,396	₩14,197
⑤	₩407,390	₩14,197

03 ㈜조선의 복합금융상품과 관련된 다음의 자료를 이용하여 아래의 물음에 답하시오.

- 액면금액: ₩1,000,000
- 표시이자율: 연 5%
- 이자지급일: 매년 12월 31일
- 만기일: 20×3년 12월 31일
- 일반사채 시장이자율: 연 12%

할인율	단일금액 ₩1의 현가			정상금액 ₩1의 현가		
	1년	2년	3년	1년	2년	3년
5%	0.9524	0.9070	0.8638	0.9524	1.8594	2.7233
8%	0.9259	0.8573	0.7938	0.9259	1.7833	2.5771
12%	0.8929	0.7972	0.7118	0.8929	1.6901	2.4018

상기 복합금융상품은 상환할증금 미지급조건의 전환사채이며, ㈜조선은 20×1년 1월 1일 상기 전환사채를 액면발행하였다. 전환조건은 전환사채액면 ₩10,000당 액면 ₩5,000의 보통주 1주를 교부하는 것이다. 20×2년 1월 1일 전환사채의 일부가 보통주로 전환되었으며, 나머지는 만기에 상환되었다. ㈜조선은 전환사채발행 시 인식한 자본요소(전환권대가) 중 전환된 부분은 주식발행초과금으로 대체하는 회계처리를 한다. 20×2년 1월 1일 전환사채의 전환으로 인한 ㈜조선의 주식발행초과금 증가액은 ₩329,896이다. 이 경우 전환된 전환사채의 비율은 얼마인가? (단, 단수차이로 인해 오차가 있는 경우 가장 근사치를 선택한다) [공인회계사 2016년]

① 40% ② 45% ③ 50%
④ 55% ⑤ 60%

04 다음은 ㈜한국의 전환사채와 관련된 자료이다.

> • 20×1년 1월 1일 전환사채 ₩1,000,000(표시이자율 연 7%, 매년 말 이자지급, 만기 3년)을 액면발행하였다. 전환사채발행시점의 일반사채 시장이자율은 연 15%이다.
> • 전환으로 발행되는 주식 1주(액면금액 ₩5,000)에 요구되는 사채액면금액은 ₩20,000으로 한다. 만기일까지 전환되지 않으면 만기일에 액면금액의 116.87%를 지급하고 일시 상환한다.
> • 이자율이 연 15%일 때 3년 후 ₩1의 현재가치는 ₩0.6575이며, 3년간 정상연금 ₩1의 현재가치는 ₩2.2832이다.
> • 20×2년 1월 1일 사채액면금액 ₩500,000의 전환청구로 사채가 주식으로 전환되었다.

㈜한국의 전환사채에 대한 회계처리로 옳은 설명은? (단, 전환권대가는 전환시점에 주식발행초과금으로 대체한다. 필요시 소수점 첫째 자리에서 반올림하고, 단수차이로 오차가 있는 경우 ₩10 이내의 차이는 무시한다) [공인회계사 2017년]

① 전환사채발행시점의 부채요소는 ₩759,544이다.
② 전환사채발행시점의 자본요소는 ₩240,456이다.
③ 20×1년 포괄손익계산서에 계상되는 이자비용은 ₩139,237이다.
④ 전환권 행사로 자본총계는 ₩534,619 증가한다.
⑤ 전환권 행사로 주식발행초과금은 ₩498,740 증가한다.

05 ㈜럭키는 20×1년 1월 1일 다음과 같은 조건의 비분리형 신주인수권부사채를 액면발행하였다.

> • 액면금액: ₩1,000,000 • 표시이자율: 연 4%
> • 이자지급일: 매년 12월 31일 • 행사가격: ₩10,000
> • 만기상환일: 20×4년 1월 1일 • 발행주식의 주당 액면금액: ₩5,000
> • 원금상환방법: 상환기일에 액면금액의 109.74%를 일시상환
> • 신주인수권부사채 발행시점의 신주인수권이 부여되지 않은 유사한 일반사채 시장이자율 : 8%

기간	8%, ₩1의 현가계수	8%, ₩1의 정상연금현가
3	0.7938	2.5771

동 사채액면금액 중 ₩700,000의 신주인수권이 20×2년 1월 1일에 행사되었을 때, 증가되는 주식발행초과금은 얼마인가? (단, ㈜럭키는 신주인수권이 행사되는 시점에 신주인수권대가를 주식발행초과금으로 대체하며, 법인세효과는 고려하지 않는다) [공인회계사 2013년]

① ₩358,331 ② ₩368,060 ③ ₩376,555
④ ₩408,451 ⑤ ₩426,511

06 ㈜청명은 20×1년 1월 1일 비분리형 신주인수권부사채를 ₩98,000에 발행하였다. 다음은 이 사채와 관련된 사항이다.

- 사채의 액면금액은 ₩100,000이고 만기는 20×3년 12월 31일이다.
- 액면금액에 대해 연 6%의 이자를 매 연도 말에 지급한다.
- 신주인수권의 행사기간은 20×1년 2월 1일부터 20×3년 11월 30일까지이다.
- 신주인수권 행사 시 사채의 액면금액 ₩1,000당 주식 1주를 인수할 수 있으며, 행사금액은 주당 ₩8,000이다. 발행하는 주식의 주당 액면금액은 ₩5,000이다.
- 신주인수권부사채의 발행 시 동일조건을 가진 일반사채의 유효이자율은 연 10%이다. ₩1의 현재가치(3년, 10%)는 0.7513이고, ₩1의 정상연금 현재가치(3년, 10%)는 2.4869이다.

위 신주인수권부사채의 액면금액 중 70%에 해당하는 신주인수권이 20×2년 1월 1일에 행사되었다. 신주인수권의 행사로 증가하는 주식발행초과금과 20×2년도 포괄손익계산서에 인식할 이자비용은 각각 얼마인가? (단, 신주인수권이 행사되는 시점에 신주인수권대가를 주식발행초과금으로 대체하며, 법인세효과는 고려하지 않는다. 또한 계산과정에서 소수점 이하는 첫째 자리에서 반올림한다. 그러나 계산방식에 따라 단수차이로 인해 오차가 있는 경우, 가장 근사치를 선택한다) [공인회계사 2014년]

	주식발행초과금	이자비용
①	₩210,000	₩2,792
②	₩215,564	₩2,792
③	₩212,385	₩8,511
④	₩216,964	₩9,005
⑤	₩215,564	₩9,306

07 ㈜갑은 운영자금을 조달하기 위하여 20×1년 초에 상환할증금이 있는 신주인수권부사채를 액면발행하였다. 신주인수권부사채의 발행내역은 다음과 같다.

- 액면금액: ₩100,000
- 이자율 및 지급조건: 표시이자율 연 5%, 매년 말 지급
- 만기상환일: 20×3년 12월 31일
- 발행 시 신주인수권조정: ₩29,684
- ㈜갑이 신주인수권부사채를 발행하는 시점에 신주인수권이 부여되지 않은 유사한 일반사채의 시장이자율은 연 15%이다. 15%의 현가와 연금현가는 다음과 같다.

기간	단일금액 ₩1	정상연금 ₩1
3	0.6575	2.2832

신주인수권부사채의 액면금액 중 60%의 신주인수권이 만기 전에 행사되었다면, 만기상환 시 ㈜갑이 지급해야 할 현금총액은 얼마인가? (단, 이자지급액은 제외하며, 만기 전에 상환된 신주인수권부사채는 없다)

[공인회계사 2012년]

① ₩101,920 ② ₩104,000 ③ ₩104,800
④ ₩108,000 ⑤ ₩121,022

08 ㈜대한은 20×1년 1월 1일에 다음과 같은 상환할증금 미지급조건의 비분리형 신주인수권부사채를 액면발행하였다.

- 사채의 액면금액은 ₩1,000,000이고 만기는 20×3년 12월 31일이다.
- 액면금액에 대하여 연 10%의 이자를 매년 말에 지급한다.
- 신주인수권의 행사기간은 발행일로부터 1개월이 경과한 날부터 상환기일 30일 전까지이다.
- 행사비율은 사채액면금액의 100%로 행사금액은 ₩20,000(사채액면금액 ₩20,000당 보통주 1주(주당 액면금액 ₩5,000)를 인수)이다.
- 원금상환방법은 만기에 액면금액의 100%를 상환한다.
- 신주인수권부사채 발행시점에 일반사채의 시장수익률은 연 12%이다.

㈜대한은 신주인수권부사채 발행 시 인식한 자본요소(신주인수권대가) 중 행사된 부분은 주식발행초과금으로 대체하는 회계처리를 한다. 20×3년 1월 1일에 ㈜대한의 신주인수권부사채 액면금액 중 40%에 해당하는 신주인수권이 행사되었다. 다음 설명 중 옳은 것은? (단, 단수차이로 인해 오차가 있다면 가장 근사치를 선택한다) [공인회계사 2019년]

할인율 / 기간	단일금액 ₩1의 현재가치		정상연금 ₩1의 현재가치	
	10%	12%	10%	12%
1년	0.9091	0.8929	0.9091	0.8929
2년	0.8264	0.7972	1.7355	1.6901
3년	0.7513	0.7118	2.4868	2.4019

① 20×1년 1월 1일 신주인수권부사채 발행시점의 자본요소(신주인수권대가)는 ₩951,990이다.
② 20×2년도 포괄손익계산서에 인식할 이자비용은 ₩114,239이다.
③ 20×2년 말 재무상태표에 부채로 계상할 신주인수권부사채의 장부금액은 ₩966,229이다.
④ 20×3년 1월 1일 신주인수권의 행사로 증가하는 주식발행초과금은 ₩319,204이다.
⑤ 20×3년도 포괄손익계산서에 인식할 이자비용은 ₩70,694이다.

[09 ~ 10]

다음 <자료>를 이용하여 **09**와 **10**에 답하시오. [공인회계사 2023년]

〈자료〉

- ㈜대한은 20×1년 1월 1일에 액면금액 ₩1,000,000의 비분리형 신주인수권부사채를 다음과 같은 조건으로 액면발행하였다.

> - 만기일: 20×3년 12월 31일(일시상환)
> - 표시이자율: 연 4%, 매년 말 지급
> - 발행시점의 일반사채 시장이자율: 연 8%
> - 신주인수권 행사가액: 사채액면금액 ₩20,000당 보통주 1주(주당 액면금액 ₩5,000)를 ₩20,000에 인수
> - 상환할증금: 만기일까지 신주인수권을 행사하지 않으면 만기일에 액면금액의 10%를 지급

- 적용할 현가계수는 아래의 표와 같다.

기간 \ 할인율	단일금액 ₩1의 현재가치			정상연금 ₩1의 현재가치		
	4%	8%	10%	4%	8%	10%
1년	0.9615	0.9259	0.9091	0.9615	0.9259	0.9091
2년	0.9246	0.8573	0.8264	1.8861	1.7832	1.7355
3년	0.8890	0.7938	0.7513	2.7751	2.5770	2.4868

- ㈜대한은 신주인수권부사채 발행 시 인식한 자본요소(신주인수권대가) 중 신주인수권이 행사된 부분은 주식발행초과금으로 대체하는 회계처리를 한다.
- 20×2년 1월 1일에 ㈜대한의 신주인수권부사채 액면금액 중 40%에 해당하는 신주인수권이 행사되었다.

09 ㈜대한이 신주인수권부사채를 발행할 때 인식할 신주인수권대가는 얼마인가? (단, 단수차이로 인해 오차가 있다면 가장 근사치를 선택한다)

① ₩20,000 ② ₩23,740 ③ ₩79,380
④ ₩100,000 ⑤ ₩103,120

10 신주인수권 행사시점에 ㈜대한이 인식해야 하는 자본변동액은 얼마인가? (단, 단수차이로 인해 오차가 있다면 가장 근사치를 선택한다)

① ₩405,744 증가 ② ₩409,496 증가 ③ ₩415,240 증가
④ ₩434,292 증가 ⑤ ₩443,788 증가

11 ㈜대한은 비분리형 신주인수권부사채를 액면발행하였으며, 관련된 자료는 다음과 같다.

- 발행일: 20×1년 1월 1일
- 액면금액: ₩100,000
- 만기일: 20×3년 12월 31일(일시상환)
- 표시이자율: 연 4%, 매년 말 지급
- 발행 당시 신주인수권이 없는 일반사채의 시장이자율: 연 8%
- 보장수익률은 연 6%이며, 동 신주인수권부사채는 액면금액 ₩10,000당 보통주 1주(액면금액: ₩5,000)를 인수(행사가격: ₩10,000)할 수 있다.
- 신주인수권 행사기간은 발행일로부터 1개월이 경과한 날부터 상환기일 30일 전까지이다.
- 적용할 현가계수는 아래의 표와 같다.

기간 \ 할인율	단일금액 ₩1의 현재가치		정상연금 ₩1의 현재가치	
	6%	8%	6%	8%
1년	0.9434	0.9259	0.9434	0.9259
2년	0.8900	0.8573	1.8334	1.7832
3년	0.8396	0.7938	2.6730	2.5770

20×2년 1월 1일 ㈜대한의 신주인수권부사채 40%(액면금액 기준)에 해당하는 신주인수권이 행사되었다. ㈜대한은 신주인수권 발행 시 인식한 자본요소(신주인수권대가) 중 행사된 부분은 주식발행초과금으로 대체하는 회계처리를 한다. ㈜대한의 신주인수권과 관련된 회계처리와 관련하여 20×2년 1월 1일 신주인수권 행사로 인한 ㈜대한의 주식발행초과금 증가액은 얼마인가? 단, 만기 전에 상환된 신주인수권부사채는 없다. 단수차이로 인한 오차가 있다면 가장 근사치를 선택한다.

[공인회계사 2024년]

① ₩15,431　　② ₩22,431　　③ ₩23,286
④ ₩24,286　　⑤ ₩28,431

12 ㈜코리아는 20×1년 1월 1일 액면금액 ₩1,000,000의 전환사채를 ₩900,000에 발행하였다. 전환사채발행과 관련된 중개수수료, 인쇄비 등 거래비용으로 ₩10,000을 지출하였다. 이자는 매년 말 액면금액의 4%를 지급하며 만기는 5년이다. 전환사채는 20×1년 7월 1일부터 만기일까지 액면금액 ₩5,000당 액면금액 ₩1,000의 보통주 1주로 전환이 가능하다. 전환사채발행 당시 전환권이 없는 일반사채의 시장이자율은 연 10%이며, 만기일까지 전환권을 행사하지 않을 경우에는 액면금액의 106%를 지급한다. 동 사채발행일에 ㈜코리아의 부채 및 자본이 증가한 금액은 각각 얼마인가? (단, 현가계수는 아래의 표를 이용하며 소수점 첫째 자리에서 반올림한다. 계산결과 단수차이로 인한 약간의 오차가 있으면 가장 근사치를 선택한다) [공인회계사 2015년]

이자율	기간	단일금액 ₩1의 현가	정상연금 ₩1의 현가
4%	5년	0.8219	4.4518
10%	5년	0.6209	3.7908

	부채 증가액	자본 증가액
①	₩800,788	₩89,212
②	₩809,786	₩89,212
③	₩809,786	₩88,518
④	₩836,226	₩88,518
⑤	₩836,226	₩89,505

13 ㈜한국은 20×1년 1월 1일에 3년 만기의 전환사채 ₩1,000,000을 액면발행했다. 전환사채의 표시이자율은 연 10%이고, 이자는 매년 말에 지급한다. 전환사채는 20×1년 7월 1일부터 보통주로 전환이 가능하며, 사채액면 ₩10,000당 1주의 보통주(주당 액면 ₩5,000)로 전환될 수 있다. 사채발행일에 전환권이 부여되지 않은 일반사채의 시장이자율은 연 15%이다. (단, 사채발행과 관련된 거래비용은 없으며, 현가요소는 아래 표를 이용한다. 또한 계산금액은 소수점 첫째 자리에서 반올림하며, 이 경우 단수차이로 인해 약간의 오차가 있으면 가장 근사치를 선택한다)

구분	단일금액 ₩1의 현재가치			정상연금 ₩1의 현재가치		
	10%	12%	15%	10%	12%	15%
1년	0.9091	0.8929	0.8696	0.9091	0.8929	0.8696
2년	0.8264	0.7972	0.7561	1.7355	1.6901	1.6257
3년	0.7513	0.7118	0.6575	2.4868	2.4018	2.2832

20×2년 1월 1일에 ㈜한국은 전환사채의 조기전환을 유도하기 위하여 20×2년 6월 30일까지 전환사채를 전환하면 사채액면 ₩10,000당 2주의 보통주(주당 액면 ₩5,000)로 전환할 수 있도록 조건을 변경했다. 조건변경일의 ㈜한국의 보통주 1주당 공정가치가 ₩7,000이라면 ㈜한국이 전환조건의 변경으로 ㈜한국이 인식하게 될 손실은 얼마인가? (단, 전환조건을 변경하기 전까지 전환청구가 없었으며, 법인세효과는 고려하지 않는다) [공인회계사 2010년]

① ₩400,000 ② ₩500,000 ③ ₩600,000
④ ₩700,000 ⑤ ₩800,000

14 ㈜국세는 20×1년 1월 1일 액면금액 ₩3,000,000인 전환사채를 상환할증금 지급조건 없이 액면발행하였다. 전환사채의 액면이자율은 8%(매년 말 이자지급), 사채발행일 현재 일반사채의 유효이자율은 10%이다. 전환사채의 상환기일은 20×3년 12월 31일이며, 전환청구기간은 20×1년 6월 1일부터 20×3년 11월 30일까지이다. 동 전환사채는 사채액면 ₩10,000당 1주의 보통주(주당 액면 ₩5,000)로 전환이 가능하다. ㈜국세가 20×2년 1월 1일 동 전환사채 전부를 공정가치인 ₩2,960,000에 재구매하였다면, 동 전환사채의 재구매거래가 20×2년도 ㈜국세의 포괄손익계산서상 당기순이익에 미치는 영향은 얼마인가? (단, 재구매일 현재 일반사채의 시장이자율은 9%이며, 현가계수는 아래 표를 이용한다. 계산금액은 소수점 첫째 자리에서 반올림하며, 이 경우 단수차이로 인해 약간의 오차가 있으면 가장 근사치를 선택한다) [세무사 2011년]

구분(이자율 10%)	단일금액 ₩1의 현재가치	정상연금 ₩1의 현재가치
3년	0.75131	2.48685

① 감소 ₩38,601 ② 감소 ₩51,375 ③ 감소 ₩64,149
④ 증가 ₩12,774 ⑤ 증가 ₩91,375

15 ㈜세무는 20×1년 초 다음과 같은 전환사채를 액면발행하였으며, 20×2년 초 전환사채 전부를 ₩1,070,000(상환시점의 공정가치)에 조기상환하였다. 이 전환사채의 회계처리에 관한 설명으로 옳지 않은 것은? (단, 주어진 현가계수표를 이용하며, 현가계산 시 소수점 이하는 첫째 자리에서 반올림한다)

[세무사 2018년]

- 액면금액: ₩1,000,000
- 표시이자율: 연 4%
- 일반사채의 시장수익률: 연 8%
- 이자지급일: 매년 12월 31일
- 만기상환일: 20×3년 12월 31일
- 조기상환일 일반사채의 시장수익률: 연 15%
- 상환할증금: 없음
- 발행 시 주식전환 옵션은 전환조건이 확정되어 있다.
- 현가계수

기간 \ 할인율	단일금액 ₩1의 현재가치		정상연금 ₩1의 현재가치	
	8%	15%	8%	15%
2	0.85733	0.75614	1.78326	1.62571
3	0.79383	0.65752	2.57710	2.28323

① 발행 당시 전환권대가는 ₩103,086이다.
② 20×1년도 전환권조정 상각액은 ₩31,753이다.
③ 20×2년 초 장부금액은 ₩928,667이다.
④ 20×2년 전환사채의 조기상환일에 부채요소의 공정가치는 ₩821,168이다.
⑤ 20×2년 전환사채의 조기상환과 관련하여 당기손익에 반영되는 사채상환손실은 ₩38,247이다.

16 ㈜세무는 20×1년 1월 1일 액면 ₩100,000(표시이자율 6% 매년 말 지급, 만기 3년)인 전환사채를 ₩100,000에 발행하였다. 발행 당시 일반사채의 유효이자율은 12%이다. 전환조건은 전환사채액면 ₩800당 보통주 1주(액면 ₩500)이며, 만기일까지 전환권이 행사되지 않은 경우에는 액면의 113.24%를 지급한다. 동 전환사채와 관련된 설명으로 옳지 않은 것은? (단, 현가(3년, 12%)는 0.7118이고 연금현가(3년, 12%)는 2.4018이다)

[세무사 2019년]

① 전환사채발행시점 부채요소의 장부금액은 ₩95,015이다.
② 20×1년 12월 31일 전환사채의 자본요소는 ₩4,985이다.
③ 20×2년 부채 증가금액은 ₩6,050이다.
④ 20×3년 1월 1일 전환사채 액면 ₩40,000의 전환청구가 이루어지면 전환권대가 ₩1,994을 자본잉여금으로 대체할 수 있다.
⑤ 20×3년 1월 1일 전환사채 전부를 ₩100,000에 상환할 경우 인식할 사채상환이익은 ₩11,452 이다.

[17 ~ 18]

17과 **18**은 서로 독립적이다. ㈜대한의 전환사채와 관련된 다음 <자료>를 이용하여 **17**과 **18**에 대해 각각 답하시오. [공인회계사 2020년]

〈자료〉

㈜대한은 20×1년 1월 1일 다음과 같은 상환할증금 미지급조건의 전환사채를 액면발행하였다.

액면금액	₩3,000,000
표시이자율	연 10%(매년 12월 31일에 지급)
일반사채 유효이자율	연 12%
상환만기일	20×3년 12월 31일
전환가격	사채액면 ₩1,000당 보통주 3주(주당 액면금액 ₩200)로 전환
전환청구기간	사채발행일 이후 1개월 경과일로부터 상환만기일 30일 이전까지

17 ㈜대한은 20×2년 1월 1일에 전환사채 전부를 동 일자의 공정가치인 ₩3,100,000에 현금으로 조기상환하였다. 만약 조기상환일 현재 ㈜대한이 표시이자율 연 10%로 매년 말에 이자를 지급하는 2년 만기 일반사채를 발행한다면, 이 사채에 적용될 유효이자율은 연 15%이다. ㈜대한의 조기상환으로 발생하는 상환손익이 20×2년도 포괄손익계산서의 당기순이익에 미치는 영향은 얼마인가? (단, 단수차이로 인해 오차가 있다면 가장 근사치를 선택한다)

기간 \ 할인율	단일금액 ₩1의 현재가치			정상연금 ₩1의 현재가치		
	10%	12%	15%	10%	12%	15%
1년	0.9091	0.8929	0.8696	0.9091	0.8929	0.8696
2년	0.8264	0.7972	0.7561	1.7355	1.6901	1.6257
3년	0.7513	0.7118	0.6575	2.4868	2.4019	2.2832

① ₩76,848 증가　② ₩76,848 감소　③ ₩100,000 증가
④ ₩142,676 증가　⑤ ₩142,676 감소

18 20×2년 1월 1일에 ㈜대한의 자금팀장과 회계팀장은 위 <자료>의 전환사채 조기전환을 유도하고자 전환조건의 변경방안을 각각 제시하였다. 자금팀장은 다음과 같이 [A]를, 회계팀장은 [B]를 제시하였다. ㈜대한은 20×2년 1월 1일에 [A]와 [B] 중 하나의 방안을 채택하려고 한다. ㈜대한의 [A]와 [B] 조건변경과 관련하여 조건변경일(20×2년 1월 1일)에 발생할 것으로 예상되는 손실은 각각 얼마인가?

변경방안	내용
[A]	만기 이전 전환으로 발행되는 보통주 1주당 ₩200을 추가로 지급한다.
[B]	사채액면 ₩1,000당 보통주 3.2주(주당 액면금액 ₩200)로 전환할 수 있으며, 조건변경일 현재 ㈜대한의 보통주 1주당 공정가치는 ₩700이다.

	[A]	[B]
①	₩600,000	₩0
②	₩600,000	₩420,000
③	₩1,800,000	₩0
④	₩1,800,000	₩140,000
⑤	₩1,800,000	₩420,000

[19 ~ 20]

다음 자료를 이용하여 **19**와 **20**에 답하시오. [공인회계사 2022년]

- ㈜대한은 20×1년 1월 1일 액면금액 ₩1,000,000의 전환사채를 다음과 같은 조건으로 액면발행하였다.

  - 표시이자율: 연 4%
  - 일반사채 시장이자율: 연 8%
  - 이자지급일: 매년 말
  - 만기일: 20×3년 12월 31일
  - 전환조건: 사채액면금액 ₩5,000당 1주의 보통주(1주당 액면금액 ₩3,000)로 전환되며, 후속적으로 변경되지 않는다.
  - 만기일까지 전환권을 행사하지 않으면 만기일에 액면금액의 108.6%를 지급

- 적용할 현가계수는 아래의 표와 같다.

기간 \ 할인율	단일금액 ₩1의 현재가치			정상연금 ₩1의 현재가치		
	4%	8%	10%	4%	8%	10%
1년	0.9615	0.9259	0.9091	0.9615	0.9259	0.9091
2년	0.9246	0.8573	0.8264	1.8861	1.7832	1.7355
3년	0.8890	0.7938	0.7513	2.7751	2.5770	2.4868

19 20×2년 1월 1일 위 전환사채의 액면금액 40%가 전환되었을 때, ㈜대한의 자본 증가액은 얼마인가? (단, 단수차이로 인해 오차가 있다면 가장 근사치를 선택한다)

① ₩365,081 ② ₩379,274 ③ ₩387,003
④ ₩400,944 ⑤ ₩414,885

20 ㈜대한은 전환되지 않고 남아있는 전환사채를 모두 20×3년 1월 1일 조기상환하였다. 조기상환 시 전환사채의 공정가치는 ₩650,000이며, 일반사채의 시장이자율은 연 10%이다. ㈜대한의 조기상환이 당기순이익에 미치는 영향은 얼마인가? (단, 단수차이로 인해 오차가 있다면 가장 근사치를 선택한다)

① ₩3,560 증가 ② ₩11,340 증가 ③ ₩14,900 증가
④ ₩3,560 감소 ⑤ ₩11,340 감소

21 ㈜세무는 20×1년 1월 1일 액면금액 ₩1,000,000의 전환사채를 액면발행하였다. 다음 자료를 이용할 경우, 전환사채 상환 회계처리가 ㈜세무의 20×2년도 당기순이익에 미치는 영향은? (단, 현재가치 계산 시 다음에 제시된 현가계수표를 이용한다) [세무사 2023년]

- 표시이자율 연 5%, 매년 말 이자지급
- 만기상환일: 20×3년 12월 31일
- 일반사채의 유효이자율: 20×1년 1월 1일 연 10%, 20×2년 1월 1일 연 12%
- 상환조건: 상환기일에 액면금액의 115%를 일시상환
- 전환조건: 사채액면 ₩1,000당 보통주식 1주(주당 액면 ₩500)로 전환
- 20×2년 1월 1일에 전환사채 중 50%를 동 일자의 공정가치 ₩550,000에 상환

기간	단일금액 ₩1의 현재가치		정상연금 ₩1의 현재가치	
	10%	12%	10%	12%
1	0.9091	0.8929	0.9091	0.8929
2	0.8265	0.7972	1.7355	1.6901
3	0.7513	0.7118	2.4869	2.4018

① ₩25,583 감소 ② ₩31,413 감소 ③ ₩55,830 감소
④ ₩17,944 증가 ⑤ ₩25,456 증가

관련 유형 연습

01 ㈜한영은 20×5년 초 액면금액 ₩1,000,000(액면이자율 연 4%, 매년 말 이자지급, 만기 3년)의 전환사채를 발행하였다. 사채액면금액 ₩3,000당 보통주(액면금액 ₩1,000) 1주로 전환할 수 있는 권리가 부여되어 있다. 만약 만기일까지 전환권이 행사되지 않을 경우 추가로 ₩198,600의 상환할증금을 지급한다. 이 사채는 액면금액인 ₩1,000,000에 발행되었으며 전환권이 없었다면 ₩949,213에 발행되었을 것이다(유효이자율 연 12%). 사채발행 후 1년된 시점인 20×6년 초에 액면금액의 60%에 해당하는 전환사채가 보통주로 전환되었다. 이러한 전환으로 인해 증가할 주식발행초과금은 얼마인가? (단, 전환사채발행 시 인식한 전환권대가 중 전환된 부분은 주식발행초과금으로 대체하며, 단수차이가 있으면 가장 근사치를 선택한다)

① ₩413,871 ② ₩433,871 ③ ₩444,071
④ ₩444,344 ⑤ ₩464,658

02 ㈜빌리진은 20×1년 초에 전환사채를 발행하였다. ㈜빌리진의 결산일은 매년 12월 31일이며, 관련 자료는 다음과 같다.

(1) 전환사채는 액면 ₩100,000(10좌), 표시이자율 연 10%, 만기 3년, 이자는 매년 말 1회 지급조건이다.
(2) 사채의 발행금액은 ₩100,000이고, 전환조건은 사채액면금액 ₩10,000당 보통주식 1주(액면 ₩5,000)이며, 사채발행 당시 시장이자율은 연 13%이다.
(3) 전환사채는 상환할증조건부로 만기상환 시 원금의 106.749%로 상환한다.
(4) 동 전환사채는 20×2년 초에 40%가 전환청구되어 전환되었다.
(5) 이자율: 13%, 3기간 연금현가계수: 2.36115, 현가계수: 0.69305

아래의 설명 중 옳지 않은 것은?

① 20×1년 초 발행 시 자본요소 증가액은 ₩2,406이다.
② 20×1년 말 전환권조정의 장부가액은 ₩6,468이다.
③ 20×2년 초 전환 시 자본총계에 미치는 영향은 ₩40,112이다.
④ 20×2년 동 전환사채에서 발생한 이자비용은 ₩13,037이다.
⑤ 동 전환사채의 만기 시 상환액(액면이자 제외)은 ₩64,049이다.

03 전환사채 회계처리에 관한 설명으로 옳지 않은 것은?

① 전환사채발행자는 재무상태표에 부채요소와 자본요소를 분리하여 표시한다.
② 전환조건이 변경되면 발행자는 '변경된 조건에 따라 전환으로 보유자가 수취하게 되는 대가의 공정가치'와 '원래의 조건에 따라 전환으로 보유자가 수취하였을 대가의 공정가치' 차이를 조건이 변경되는 시점에 당기손익으로 인식한다.
③ 전환사채를 취득하는 경우 만기 이전에 지분증권으로 전환하는 권리인 전환권 특성에 대해 대가를 지급하기 때문에 일반적으로 전환사채를 만기보유금융상품으로 분류할 수 없다.
④ 복합금융상품의 발행과 관련된 거래원가는 배분된 발행금액에 비례하여 부채요소와 자본요소로 배분한다.
⑤ 전환권을 행사할 가능성이 변동하는 경우에는 전환상품의 부채요소와 자본요소의 분류를 수정한다.

04 ㈜조선의 복합금융상품과 관련된 다음의 자료를 이용하여 아래의 물음에 답하시오.

- 액면금액: ₩1,000,000
- 표시이자율: 연 5%
- 이자지급일: 매년 12월 31일
- 만기일: 20×3년 12월 31일
- 일반사채 시장이자율: 연 12%

할인율	단일금액 ₩1의 현가			정상금액 ₩1의 현가		
	1년	2년	3년	1년	2년	3년
5%	0.9524	0.9070	0.8638	0.9524	1.8594	2.7233
8%	0.9259	0.8573	0.7938	0.9259	1.7833	2.5771
12%	0.8929	0.7972	0.7118	0.8929	1.6901	2.4018

상기 복합금융상품은 비분리형 신주인수권부사채이다. ㈜조선은 상기 신주인수권부사채를 20×1년 1월 1일에 액면발행하였다. 20×2년 1월 1일부터 권리행사가 가능하며, 신주인수권부사채의 신주인수권을 행사하지 않을 경우에는 만기에 상환할증금이 지급된다. 보장수익률은 연 8%이며, 20×3년 1월 1일에 액면금액의 50%에 해당하는 신주인수권이 행사되었다. 행사가격은 ₩10,000이며, 신주인수권부사채 액면 ₩10,000당 액면 ₩5,000의 보통주 1주를 인수할 수 있다. 상기 신주인수권부사채와 관련하여 20×3년에 인식하는 이자비용은 얼마인가? (단, 단수차이로 인해 오차가 있는 경우 가장 근사치를 선택한다)

① ₩61,467 ② ₩86,549 ③ ₩117,717
④ ₩141,413 ⑤ ₩146,549

05 ㈜한영은 20×1년 1월 1일에 액면금액 ₩1,000,000, 액면이자율 연 6%, 만기 3년, 상환할증금 ₩90,169, 매년 말 이자지급조건으로 비분리형 신주인수권부사채를 액면발행하였다. 발행일의 시장이자율은 연 10%로 이를 적용할 경우, 발행일 현재 ㈜한영이 발행한 신주인수권부사채의 현재가치는 ₩968,258이다. 신주인수권 행사 시 사채의 액면금액 ₩10,000당 주식 1주를 인수할 수 있으며 행사금액은 주당 ₩8,000, 각 신주인수권은 액면금액이 ₩5,000인 보통주 1주를 매입할 수 있다. 동 신주인수권부사채의 25%가 20×2년 1월 1일 행사되었다면, 행사 시 증가하는 주식발행초과금은 얼마인가? (단, 아래의 현가요소를 사용하고 소수점 첫째 자리에서 반올림하며, 신주인수권대가는 신주인수권 행사 시 주식발행초과금으로 대체한다)

3년 기준	6%	10%
단일금액 ₩1의 현가요소	0.8396	0.7513
정상연금 ₩1의 현가요소	2.6730	2.4869

① ₩100,000 ② ₩101,566 ③ ₩124,532
④ ₩134,901 ⑤ ₩145,230

06 ㈜세무는 20×1년 초 다음과 같은 조건의 비분리형 신주인수권부사채를 액면발행하였다.

- 액면금액: ₩1,000,000
- 표시이자율: 5%(매년 말 지급)
- 사채발행 시 신주인수권이 부여되지 않은 일반사채의 시장이자율: 10%
- 만기상환일: 20×3년 말
- 행사가격: 사채액면금액 ₩20,000당 보통주 1주(액면금액 ₩10,000)를 ₩20,000에 인수
- 행사기간: 발행일로부터 12개월이 경과한 날부터 상환기일 30일 전까지
- 상환조건: 신주인수권 미행사 시 상환기일에 액면금액의 115%를 일시상환
- 신주인수권(지분상품에 해당)이 행사된 부분은 주식발행초과금으로 대체되며, 만기 때까지 신주인수권부사채는 상환되지 않음

20×2년 초 상기 신주인수권의 40%가 행사되었으며, 이후 신주인수권이 행사되지 않았을 때, 동 사채에 관한 설명으로 옳은 것은? (단, 현재가치 계산이 필요한 경우 다음에 제시된 현가계수표를 이용한다)

[세무사 2024년]

기간	단일금액 ₩1의 현재가치		정상연금 ₩1의 현재가치	
	5%	10%	5%	10%
1년	1.8594	1.7355	0.9524	0.9091
2년	0.9070	0.8265	1.8594	1.7355
3년	0.8638	0.7513	2.7233	2.4869

① 20×1년 초 인식된 신주인수권대가는 ₩124,355입니다.
② 20×1년도 이자비용은 ₩87,565입니다.
③ 20×2년 초 신주인수권 행사 시 자본 증가액은 ₩454,254입니다.
④ 20×2년 초 신주인수권 행사 직후 상환할증금을 포함한 사채의 장부금액은 ₩1,037,174입니다.
⑤ 20×2년도 이자비용은 ₩98,758입니다.

07 ㈜한영은 20×1년 초에 다음과 같은 조건의 전환사채를 액면발행하였다.

- 액면금액: ₩100,000
- 액면이자율: 연 8%
- 만기: 20×3년 12월 31일
- 전환조건: 사채액면 ₩2,000당 보통주 1주 발행(액면금액 ₩1,000)

㈜한영은 20×2년 말에 전환사채의 조기전환을 유도하기 위하여 전환권 행사 시 교부되는 보통주 1주당 ₩1,000을 추가로 지급할 것을 제안하여 20×2년 말에 전액 전환되었다. 전환사채발행 시 ㈜한영의 일반사채에 적용되는 시장이자율이 연 10%인 경우, 전환사채가 ㈜한영의 20×2년 법인세비용차감전순이익에 미친 영향은 얼마인가?

구분(이자율 10%)	단일금액 ₩1의 현재가치	정상연금 ₩1의 현재가치
3년	0.7513	2.4869

① 감소 ₩52,495 ② 감소 ₩59,653 ③ 감소 ₩50,000
④ 증가 ₩9,653 ⑤ 감소 ₩9,653

08 ㈜한영은 20×1년 1월 1일에 액면금액 ₩500,000(액면이자율 연 8%, 매년 말 이자지급, 만기 3년, 보장수익률 연 10%)인 전환사채를 액면발행하였다. ㈜한영의 결산일은 매년 말이다. ㈜한영은 20×2년 1월 1일 전환사채의 70%를 ₩355,000에 매입상환하였다. 동 거래가 ㈜한영의 20×2년 세전 이익에 미치는 영향은 얼마인가? (단, 전환사채와 관련된 거래원가는 없으며 20×1년 초와 20×2년 초의 시장이자율은 각각 연 12%와 연 11%이다)

구분	단일금액 ₩1의 현재가치	정상연금 ₩1의 현재가치
3년(이자율 12%)	0.71178	2.40183
2년(이자율 11%)	0.81162	1.71252

① 감소 ₩8,000 ② 감소 ₩6,014 ③ 감소 ₩10,790
④ 증가 ₩17,733 ⑤ 감소 ₩23,746

09 ㈜빌리진은 20×1년 초에 전환사채를 발행하였다. ㈜빌리진의 결산일은 매년 12월 31일이며 관련 자료는 다음과 같다.

> (1) 전환사채는 액면 ₩100,000(10좌), 표시이자율 연 10%, 만기 3년, 이자는 매년 말 1회 지급조건이다.
> (2) 전환사채의 발행금액은 ₩100,000이고, 전환조건은 사채액면금액 ₩10,000당 보통주식 1주(액면 ₩5,000)이며, 사채발행 당시 시장이자율은 연 13%이다.
> (3) 전환사채는 상환할증조건부로 만기상환 시 원금의 106.749%로 상환, 보장수익률은 연 12%이다.

㈜빌리진은 동 사채를 20×2년 7월 1일에 위의 전환사채 100%가 전환청구되어 주식을 발행 · 교부하였다. 전환 시 ㈜빌리진의 주식발행가액은 얼마인가?

구분(이자율 13%)	단일금액 ₩1의 현재가치	정상연금 ₩1의 현재가치
3년	0.6931	2.3612

① ₩101,799　② ₩55,000　③ ₩50,000
④ ₩100,281　⑤ ₩104,207

실력 점검 퀴즈

01 ㈜포도는 20×1년 1월 1일 다음과 같은 조건으로 전환사채를 액면발행하였다.

- 액면금액: ₩200,000
- 만기일: 20×3년 12월 31일
- 표시이자: 연 5%(매년 12월 31일 지급)
- 전환조건: 사채액면금액 ₩2,000당 보통주(주당 액면금액 ₩1,000) 1주로 전환
- 사채발행시점의 유효이자율: 연 8%
- 원금상환방법: 상환기일에 액면금액을 일시상환

20×2년 1월 1일 전환사채 중 액면금액 ₩80,000이 보통주로 전환되었을때, 20×2년도에 인식해야 할 이자비용은? (단, 계산 시 화폐금액은 소수점 첫째 자리에서 반올림하고 단일금액 ₩1의 현재가치는 0.7938(3년, 8%), 정상연금 ₩1의 현재가치는 2.5771(3년, 8%)이다)

① ₩6,000 ② ₩6,424 ③ ₩9,086
④ ₩10,000 ⑤ ₩15,144

02 ㈜하늘은 20×1년 1월 1일에 다음 조건의 전환사채를 발행하였다.

- 액면금액: ₩2,000,000
- 표시이자율: 연 7%
- 일반사채의 시장이자율: 연 12%
- 이자지급일: 매년 12월 31일
- 상환조건: 20×3년 12월 31일에 액면금액의 110.5%로 일시상환
- 전환가격: ₩3,000(보통주 주당 액면금액 ₩1,000)

만일 위 전환사채에 상환할증금 지급조건이 없었다면, 상환할증금 지급조건이 있는 경우에 비해 포괄손익계산서에 표시되는 20×1년 이자비용은 얼마나 감소하는가? (단, 현재가치는 다음과 같으며 계산 결과는 가장 근사치를 선택한다)

기간	단일금액 ₩1의 현재가치		정상연금 ₩1의 현재가치	
	7%	12%	7%	12%
1	0.9346	0.8929	0.9346	0.8929
2	0.8734	0.7972	1.8080	1.6901
3	0.8163	0.7118	2.6243	2.4018

① ₩17,938 ② ₩10,320 ③ ₩21,215
④ ₩23,457 ⑤ ₩211,182

03 다음은 ㈜하늘이 20×1년 1월 1일 액면발행한 전환사채와 관련된 자료이다.

> • 액면금액: ₩100,000
> • 20×1년 1월 1일 전환권조정: ₩11,414
> • 20×1년 12월 31일 전환권조정 상각액: ₩3,087
> • 전환가격: ₩1,000(보통주 주당 액면금액 ₩500)
> • 상환할증금: 만기에 액면금액의 105.348%

20×2년 1월 1일 전환사채 액면금액의 60%에 해당하는 전환사채가 보통주로 전환될 때, 증가하는 주식발행초과금은? (단, 전환사채 발행시점에서 인식한 자본요소(전환권대가) 중 전환된 부분은 주식발행초과금으로 대체하며, 계산금액은 소수점 첫째 자리에서 반올림하며, 단수차이로 인한 오차가 있으면 가장 근사치를 선택한다)

① ₩25,853 ② ₩28,213 ③ ₩28,644
④ ₩31,852 ⑤ ₩36,849

[04 ~ 05]

㈜보잉은 20×1년 초에 액면가액 ₩1,000,000의 3년 만기 전환사채를 액면발행하였다. 아래에 제시되는 자료는 공통 자료이며, 각 물음은 독립적이다.

(1) 전환권이 행사되면 사채액면 ₩20,000당 액면 ₩5,000의 보통주 1주를 교부하며, 권리가 행사되지 않은 부분에 대하여는 액면가액의 115%를 만기금액으로 지급한다. (2) 표시이자율은 연 4%로 매년 말 후급 조건이며, 사채발행일 현재 동종 일반사채의 시장이자율은 10%이었다(단, 3기간 10% 현가계수와 연금현가계수는 각각 0.7513과 2.48685이다). (3) 20×2년 초에 80%의 전환권이 행사되었고 나머지는 만기까지 행사되지 않았다.

04 ㈜보잉이 전환을 유도하기 위하여 전환된 전환사채에 대하여만 기존 전환비율의 10%에 해당하는 주식을 추가로 교부해주기로 결정하고 전환사채의 전환을 유도하기 위하여 미전환된 전환사채에 대하여도 기존의 전환비율보다 10%의 주식을 추가로 교부해주기로 결정한 경우 조건의 변경으로 인하여 ㈜보잉의 당기손익에 미치는 영향은 얼마인가? 조건변경 시 주당 공정가치는 ₩8,000이다.

① ₩(50,000) ② ₩(40,000) ③ ₩(32,000)
④ ₩(22,000) ⑤ ₩(8,000)

05 20×2년 초에 전환권이 행사되지 않은 것으로 가정한다. ㈜보잉은 20×2년 말에 모든 전환사채를 현금 ₩1,150,000으로 조기상환한 경우 전환사채의 조기상환으로 인한 당기손익효과를 구하시오. 단, 20×2년 말 ㈜보잉의 전환권 없는 일반사채의 시장이자율은 연 8%이다.

① ₩(40,040) ② ₩(30,040) ③ ₩(20,040)
④ ₩(48,148) ⑤ ₩(28,148)

06 ㈜금강은 20×1년 1월 1일 액면금액 ₩5,000,000, 표시이자율 연 10%, 매년 말 이자지급, 만기 3년, 보장수익률 연 12%인 신주인수권부사채를 ₩4,800,000에 발행하였다. 발행 당시 신주인수권이 없는 일반사채의 유효이자율은 연 15%이다. 동 신주인수권부사채는 사채액면금액 ₩20,000당 보통주 1주(액면금액 ₩5,000)를 ₩10,000에 인수할 수 있는 조건이 부여되어 있다. 20×2년 1월 1일에 신주인수권부사채의 60%(액면금액 기준)에 해당하는 신주인수권이 행사되었다.

3년 기준	₩1의 현재가치	정상연금 ₩1의 현재가치
12%	0.71178	2.40183
15%	0.65752	2.28323

2년 기준	₩1의 현재가치	정상연금 ₩1의 현재가치
12%	0.79719	1.69005
15%	0.75614	1.62571

신주인수권부사채로 인하여 ㈜금강의 20×2년도 자본에 미치는 영향은 얼마인가?

① ₩704,342 감소
② ₩727,313 감소
③ ₩948,749 증가
④ ₩750,000 증가
⑤ ₩1,653,091 증가

07 ㈜태티서는 20×1년 초에 다음과 같은 조건으로 복합금융상품을 액면발행하였으며 ㈜제시카는 동 복합금융상품을 액면가액에 인수하였다. 단, 권리행사 시 자본요소는 주식발행초과금으로 대체하며, 만기 상환 시 자본요소의 소멸과 관련된 별도의 회계처리는 수행하지 않는다.

(1) 발행가액은 액면 ₩1,000,000이며, 표시이자율은 연 5%로 매년 말 후급조건이다. 상환기일인 만기는 20×3년 말이다. 복합금융상품의 보장수익률은 10%이며, 만기 현금상환 시에는 보장이자와 표시이자의 차이를 상환할증금으로 일시에 지급한다.
(2) 행사가격은 사채액면 ₩20,000당 보통주 1주(액면가액 ₩5,000)로 행사가능하다.
(3) 복합금융상품 발행 당시 회사의 일반사채에 적용되는 시장이자율은 연 12%이며, 12% 3연도 현가계수는 0.71178, 연금현가계수는 2.40183이다.

20×3년 초에 동 복합금융상품의 60%만 권리가 행사되었을 때 신주인수권부사채와 전환사채를 가정하여 20×3년 ㈜태티서의 이자비용은 각각 얼마인가?

	신주인수권부사채 이자비용	전환사채 이자비용
①	₩62,092	₩120,592
②	120,592	62,092
③	119,592	52,092
④	52,092	119,592
⑤	52,092	115,592

2차 문제 Preview

01 다음의 각 물음은 독립적이다.

㈜대한은 20×1년 1월 1일 복합금융상품을 발행하였다. 이와 관련된 다음의 <공통 자료>를 이용하여 각 물음에 답하시오.

〈공통 자료〉

(1) 발행조건은 다음과 같다.
- 액면금액: ₩1,000,000
- 만기상환일: 20×4년 12월 31일
- 표시이자율: 연 2%
- 이자지급일: 매년 12월 31일(연 1회)
- 보장수익률: 연 4%
- 사채발행일 현재 동일 조건의 신주인수권(전환권)이 없는 일반사채 시장수익률: 연 5%
- 행사(전환)가격: 사채액면 ₩10,000당 1주의 보통주
- 보통주 액면금액: 1주당 ₩5,000

(2) ㈜대한은 주식발행금액 중 주식의 액면금액은 '자본금'으로, 액면금액을 초과하는 부분은 '주식발행초과금'으로 표시한다.

(3) ㈜대한은 신주인수권(전환권)이 행사될 때 신주인수권대가(전환권대가)를 주식의 발행금액으로 대체한다.

(4) 현재가치 계산 시 아래의 현가계수를 이용하고, 답안 작성 시 원 이하는 반올림한다.

기간	단일금액 ₩1의 현가계수					
	1%	2%	3%	4%	5%	6%
1	0.9901	0.9804	0.9709	0.9615	0.9524	0.9434
2	0.9803	0.9612	0.9426	0.9246	0.9070	0.8900
3	0.9706	0.9423	0.9151	0.8890	0.8638	0.8396
4	0.9610	0.9238	0.8885	0.8548	0.8227	0.7921

기간	정상연금 ₩1의 현가계수					
	1%	2%	3%	4%	5%	6%
1	0.9901	0.9804	0.9709	0.9615	0.9524	0.9434
2	1.9704	1.9416	1.9135	1.8861	1.8594	1.8334
3	2.9410	2.8839	2.8286	2.7751	2.7232	2.6730
4	3.9020	3.8077	3.7171	3.6299	3.5459	3.4651

물음 1 상기 복합금융상품이 비분리형 신주인수권부사채이며 액면발행되었다고 가정할 때 다음 물음에 답하시오.

(1) ㈜대한의 20×1년도 포괄손익계산서에 인식될 이자비용을 계산하시오.

20×1년 이자비용	①

(2) 20×2년 7월 1일 50%의 신주인수권이 행사되어 보통주가 발행되었고, 행사비율은 사채액면금액의 100%이다. 다음 양식에 제시된 항목을 계산하시오.

신주인수권 행사 시 주식발행초과금 증가분	①
신주인수권 행사 직후 신주인수권부사채의 장부금액	②
20×2년 이자비용	③

물음 2 상기 복합금융상품이 전환사채이며 액면발행되었다고 가정하자. 20×2년 7월 1일 50%의 전환권이 행사되어 보통주가 발행되었을 때, 다음 양식에 제시된 항목을 계산하시오(단, 기중전환 시 전환간주일은 고려하지 않으며, 전환된 부분의 전환일까지의 표시이자를 지급하는 것으로 가정한다).

전환권 행사 시 주식발행초과금 증가분	①
전환권 행사 직후 전환사채의 장부금액	②
20×2년 이자비용	③

물음 3 상기 복합금융상품이 전환사채이며 액면발행되었다고 가정하자. ㈜대한이 20×2년 1월 1일에 전환사채 전부를 동 일자의 공정가치인 ₩1,000,000에 조기상환하였고, 조기상환일 현재 일반사채의 시장수익률은 연 6%이다. 20×2년 당기순이익에 반영될 사채상환손익을 계산하시오(단, 손실일 경우에는 (-)를 숫자 앞에 표시하시오).

사채상환손익	①

물음 4 상기 복합금융상품이 전환사채이며 액면발행되었다고 가정하자. ㈜대한은 20×2년 1월 1일에 전환사채의 조기전환을 유도하기 위하여 전환으로 발행되는 보통주 1주에 요구되는 사채액면금액을 ₩8,000으로 변경하였다. 전환조건변경일 현재 ㈜대한의 보통주 1주당 공정가치가 ₩4,000일 때, 해당 조건변경이 20×2년 당기순이익에 미치는 영향을 계산하시오(단, 당기순이익이 감소하는 경우에는 (-)를 숫자 앞에 표시하시오).

당기순이익에 미치는 영향	①

해커스 IFRS 정윤돈 객관식 재무회계

1차 시험 출제현황

구분	CPA										CTA									
	15	16	17	18	19	20	21	22	23	24	15	16	17	18	19	20	21	22	23	24
고객과의 계약에서 생기는 수익 서술형		1		1	1	1	1	1			1					1				
고객과의 계약에서 생기는 수익 계산형	2	1	1	2	1	2	2	2	2	1	1				3		2	1	1	1
건설계약		1								1		1	1			1	1			

제12장

고객과의 계약에서 생기는 수익

기초 유형 확인

01 다음은 ㈜대한의 20×1년과 20×2년의 수취채권, 계약자산, 계약부채에 대한 거래이다.

> (1) ㈜대한은 고객에게 제품을 이전하기로 한 약속을 수행의무로 식별하고, 제품을 고객에게 이전할 때 각 수행의무에 대한 수익을 인식한다.
> (2) ㈜대한은 20×2년 1월 31일에 ㈜민국에게 제품 A를 이전하는 취소 불가능 계약을 20×1년 10월 1일에 체결하였다. 계약에 따라 ㈜민국은 20×1년 11월 30일에 대가 ₩1,000 전액을 미리 지급하여야 하나 ₩300만 지급하였고, 20×2년 1월 15일에 잔액 ₩700을 지급하였다. ㈜대한은 20×2년 1월 31일에 제품 A를 ㈜민국에게 이전하였다.
> (3) ㈜대한은 ㈜만세에게 제품 B와 제품 C를 이전하고 그 대가로 ₩1,000을 받기로 20×1년 10월 1일에 계약을 체결하였다. 계약에서는 제품 B를 먼저 인도하도록 요구하고, 제품 B의 인도대가는 제품 C의 인도를 조건으로 한다고 기재되어 있다. ㈜대한은 제품의 상대적 개별 판매가격에 기초하여 제품 B에 대한 수행의무에 ₩400을, 제품 C에 대한 수행의무에 ₩600을 배분한다. ㈜대한은 ㈜만세에게 20×1년 11월 30일에 제품 B를, 20×2년 1월 31일에 제품 C를 각각 이전하였다.

상기 거래에 대하여, 20×1년 12월 31일 현재 ㈜대한의 수취채권, 계약자산, 계약부채 금액은 각각 얼마인가? (단, 기초잔액은 없는 것으로 가정한다)

	수취채권	계약자산	계약부채
①	₩1,000	₩400	₩700
②	₩700	₩400	₩1,000
③	₩500	₩500	₩400
④	₩600	₩500	₩400
⑤	₩1,200	₩600	₩1,000

[02 ~ 03]

20×1년 1월 1일 A사는 제품 120개를 고객에게 개당 ₩100에 판매하기로 계약하고, 향후 2개월에 걸쳐 고객에게 이전하기로 하였다. A사는 제품에 대한 통제를 한 시점에 이전한다. 20×1년 1월 중 기업이 제품 50개에 대한 통제를 고객에게 이전한 다음에, 추가로 제품 30개를 고객에게 납품하기로 계약을 변경하였다. 그 후 20×1년 2월 중 기존 계약 제품 40개와 추가 계약 제품 10개를 고객에게 이전하였다. 추가 제품은 최초 계약에 포함되지 않았다.

02 계약을 변경할 때 추가 제품 30개에 대한 계약변경의 가격은 개당 ₩95이다. 추가 제품은 계약변경 시점에 그 제품의 개별 판매가격을 반영하여 가격이 책정되고, 원래 제품과 구별된다. 이 경우 A사가 2월에 고객에게 이전한 기존 계약 제품 40개에 대한 수익인식액과 추가 계약 제품 10개에 대한 수익인식액의 합계는 얼마인가?

① ₩5,150 ② ₩5,000 ③ ₩4,950
④ ₩4,700 ⑤ ₩4,500

03 추가 제품 30개를 구매하는 협상을 진행하면서, 처음에는 개당 ₩80에 합의하였다. 동 금액은 그 제품의 개별 판매가격을 반영하지 못하였다. 그러나 고객은 20×1년 1월에 이전받은 최초 제품 50개에 그 인도된 제품 특유의 사소한 결함이 있음을 알게 되었다. A사는 그 제품의 결함에 대한 보상으로 고객에게 개당 ₩15씩 일부 공제를 약속하였다. 그러나 동 공제금액을 A사가 고객에게 별도로 지급하지 않고, 기업이 추가 제품 30개에 부과하는 가격에서 공제하기로 합의하였다. 이로 인해 계약변경으로 추가 주문되는 제품 30개의 가격을 개당 ₩55으로 정하였다. 이 경우 A사가 2월에 고객에게 이전한 기존 계약 제품 40개에 대한 수익인식액과 추가 계약 제품 10개에 대한 수익인식액의 합계는 얼마인가?

① ₩5,150 ② ₩5,000 ③ ₩4,950
④ ₩4,700 ⑤ ₩4,500

[04 ~ 05]

A회사는 고객에게 환불조건부판매를 마케팅 포인트로 하여 영업을 하고 있는 회사이다. C회사와 제품을 개당 ₩100에 판매하기로 20×1년 10월 1일에 계약을 체결하였으며, 계약상 C회사가 6개월 동안 1,000개 넘게 구매하면 개당 가격을 ₩90으로 소급하여 낮추기로 계약을 정하였다. 따라서 계약상 대가 중의 일부는 환불될 수 있다. A회사는 제품에 대한 통제를 고객에게 이전할 때 대가를 지급받을 권리가 생긴다. 그러므로 기업은 가격 감액을 소급 적용하기 전까지는 개당 ₩100의 대가를 받을 무조건적 권리(수취채권)가 있다.
20×1년 12월 31일까지 C회사에 제품 600개를 판매하였다. A회사는 C회사가 대량 할인을 받을 수 있는 1,000개의 임계치를 초과하여 구매할 수 있을 것이라고 추정한다.

04 20×2년 3월 31일까지 C회사에 추가로 제품 500개를 판매하였다. 판매대금은 20×2년 4월 1일에 일괄적으로 현금회수하였다. A회사가 20×2년에 수익으로 인식할 금액은 얼마인가?

① ₩30,000 ② ₩36,000 ③ ₩40,000
④ ₩45,000 ⑤ ₩48,000

05 위의 문제 **04**와 달리 20×2년 3월 31일까지 C회사에 추가로 제품 300개를 판매하였다. 판매대금은 20×2년 4월 1일에 일괄적으로 현금회수하였다. A회사가 20×2년에 수익으로 인식할 금액은 얼마인가?

① ₩30,000 ② ₩36,000 ③ ₩40,000
④ ₩45,000 ⑤ ₩48,000

[06 ~ 08]

각 물음은 서로 독립적이다.

06 A사는 20×1년 7월 1일 고객에게 1년 동안 재화를 판매하기로 계약을 체결하였다. 고객은 1년 동안은 최소 제품 100단위를 단위당 ₩20,000씩 총 ₩2,000,000의 제품을 사기로 약속하였다. 계약에서 A사는 계약 개시시점에 고객에게 환불되지 않는 ₩200,000을 고객에게 지급하도록 되어 있다. 이는 고객이 기업의 제품을 사용하는 데 필요한 변경에 대해 고객에게 보상하는 것이다. A사는 20×1년에 제품 50단위를 판매하고 현금 ₩1,000,000을 수령하였다. A사가 20×1년에 인식할 수익은 얼마인가?

① ₩900,000 ② ₩1,000,000 ③ ₩400,000
④ ₩390,000 ⑤ ₩449,440

07 B사는 20×1년 11월 1일 고객 C에게 자체 제작한 생산설비를 ₩400,000에 판매하는 계약을 체결하였다. 생산설비의 판매대가는 전액 계약 개시시점에 수령하였다고 가정한다. B사는 계약 개시시점에 고객 C에게 환불되지 않는 금액 ₩50,000을 지급하였다. 이 금액은 B사가 고객 C에게 경영자문을 받은 대가에 해당하며, 고객 C는 통상적인 경영자문에 대하여 ₩40,000을 대가로 받는다. B사가 20×1년도에 인식할 수익은 얼마인가?

① ₩900,000 ② ₩1,000,000 ③ ₩400,000
④ ₩390,000 ⑤ ₩449,440

08 A사는 20×1년 7월 1일 제품을 판매하기로 고객과 계약을 체결하였다. 제품에 대한 통제는 20×3년 6월 30일에 고객에게 이전될 것이다. 계약에 따라 고객은 20×1년 7월 1일 계약에 서명하는 시점에 ₩400,000을 지급하기로 하였다. A사는 약속된 대가를 조정하기 위해 사용해야 할 이자율은 연 6%라고 판단하였다. 그러나 20×1년 말 이후 A사는 고객 신용특성의 변동을 반영하여 새로운 할인율 연 10%를 산정하였다. A사는 20×3년 6월 30일에 원가 ₩300,000의 재고자산을 이전하였다. A사가 20×3년에 제품을 판매할 때 인식할 매출액은 얼마인가?

① ₩900,000 ② ₩1,000,000 ③ ₩400,000
④ ₩390,000 ⑤ ₩449,440

[09 ~ 10]

D건설회사는 20×1년 초에 도로와 교량을 건설하는 계약을 체결하고 즉시 공사를 진행하였다(도로의 건설과 교량의 건설이라는 별도의 이행의무가 있다고 가정). D건설회사는 계약체결 시 거래가격을 ₩120,000으로 결정하였고 이는 ₩100,000의 고정가격과 포상금에 대한 추정치 ₩20,000이 포함된 금액이다. 회사는 ₩20,000의 장려금에 대한 변동가능대가를 추정하는 데 최선의 추정치를 이용한다. D건설회사는 추정치의 변동으로 수익이 감소하지 않을 가능성이 매우 높다고 결론 내렸다. 20×2년 초에 변동가능대가가 계약 개시 이후 예상했던 ₩20,000에서 ₩30,000으로 변동되었다. 동 변동은 건설기간 중 기상상황의 호전으로 인한 것으로서 예상한 것보다 일찍 공사를 종료할 것으로 기대하였기 때문에 발생하였다. 예측치가 변동되어 20×1년 말에 도로는 90%가 완료되었지만 교량 건설은 아직 시작하지 않았다가 20×2년에 두 공사 모두 완료되었다(단, 20×1년 도로 건설의 개별 판매가격은 ₩70,000이고 교량 건설의 개별 판매가격은 ₩70,000이었으나 20×2년 도로 건설의 개별 판매가격은 ₩60,000이고 교량 건설의 개별 판매가격은 ₩70,000으로 변경되었다. 또한 동 공사는 모두 지금까지 수행을 완료한 부분에 대해 집행가능한 지급청구권을 D건설회사가 가지고 있다).

09 동 거래로 기업이 20×1년에 수익으로 계상할 금액은 얼마인가?

① ₩60,000 ② ₩54,000 ③ ₩76,000
④ ₩65,000 ⑤ ₩11,000

10 동 거래로 기업이 20×2년에 수익으로 계상할 금액은 얼마인가?

① ₩60,000 ② ₩54,000 ③ ₩76,000
④ ₩65,000 ⑤ ₩11,000

11 A사는 제품을 ₩50,000에 판매하기로 계약을 체결하였다. 이 계약의 일부로 기업은 앞으로 30일 이내에 ₩40,000 한도의 구매에 대해 30% 할인권을 고객에게 주었다. A사는 할인을 제공하기로 한 약속을 제품 판매 계약에서 수행의무로 회계처리한다. A사는 고객의 60%가 할인권을 사용하고 추가 제품을 평균 ₩25,000에 구매할 것으로 추정한다. 또한, A사는 계절 마케팅의 일환으로 앞으로 30일 동안 모든 판매에 10% 할인을 제공할 계획이다. 10% 할인은 30% 할인권에 추가하여 사용할 수 없다. A사가 동 제품을 판매하는 시점에 인식할 수익은 얼마인가?

① ₩45,872 ② ₩47,170 ③ ₩40,872
④ ₩41,170 ⑤ ₩50,000

12 12월 말 결산법인인 A사는 20×1년 말에 제조원가 ₩300,000인 기계 1대를 ₩480,000에 판매하고 중장비를 사용하는 중에 고장이 발생하면 4년간 무상으로 수리해주기로 하였다. 관련 법률에 따르면 판매 후 2년간 무상수리하여야 하며, 동종업계에서는 모두 2년간 무상수리를 보증한다. 향후 4년간 발생할 것으로 예상되는 수리비용은 다음과 같다.

구분	20×2년	20×3년	20×4년	20×5년
수리비용	₩1,000	₩2,000	₩6,000	₩10,000

A사는 무상수리를 별도로 판매하지 않으므로 수리용역의 개별 판매가격은 없으나 적정이윤은 원가의 25%에 해당하는 것으로 추정하였다. 동 거래로 A사의 20×1년 말 재무상태표상 계상될 충당부채와 20×1년에 수익으로 인식할 금액의 합은 얼마인가?

① ₩300,000 ② ₩425,000 ③ ₩444,200
④ ₩455,760 ⑤ ₩463,800

13 유통업을 영위하고 있는 ㈜대한은 20×1년 1월 1일 제품 A를 생산하는 ㈜민국과 각 제품에 대해 다음과 같은 조건의 판매 계약을 체결하였다.

- ㈜대한은 제품 A에 대해 매년 최소 200개의 판매를 보장하며, 이에 대해서는 재판매 여부에 관계없이 ㈜민국에게 매입대금을 지급한다. 다만, ㈜대한이 200개를 초과하여 제품 A를 판매한 경우 ㈜대한은 판매되지 않은 제품 A를 모두 조건 없이 ㈜민국에게 반환할 수 있다.
- 고객에게 판매할 제품 A의 판매가격은 ㈜대한이 결정한다.
- ㈜민국은 ㈜대한에 1개당 원가 ₩1,000의 제품 A를 1개당 ₩1,350에 인도하며, ㈜대한은 판매수수료 ₩150을 가산하여 1개당 ₩1,500에 고객에게 판매한다.

㈜민국은 위 계약을 체결한 즉시 ㈜대한에게 제품 A 250개를 인도하였다. ㈜대한이 20×1년에 제품 A 240개를 판매하였을 경우 ㈜대한과 ㈜민국이 20×1년에 인식할 수익금액을 구하시오.

	㈜대한이 수익으로 인식할 금액	㈜민국이 수익으로 인식할 금액
①	₩306,000	₩330,000
②	₩306,000	₩60,000
③	₩360,000	₩330,000
④	₩360,000	₩60,000
⑤	₩420,000	₩60,000

[14 ~ 15]

A회사의 20×1년 말 반품가능조건 현금판매액은 ₩10,000이며, 매출원가율은 70%이다. 그리고 업계평균 반품률은 1%이며, 업계평균 반품률을 이용하여 반품으로 인한 환불액을 신뢰성 있게 추정가능하다. 가방이 반품될 경우 수선만하면 판매가치의 감소는 없다. 그리고 가방이 반품될 경우 수선에 총 ₩20이 지출될 것으로 추정된다.

14 동 거래로 A회사의 20×1년 당기손익에 미친 영향은 얼마인가?

① ₩10,000 ② ₩9,900 ③ ₩2,950
④ ₩(-)75 ⑤ ₩(-)60

15 20×2년에 실제로 반품된 금액이 ₩150이며, 수선으로 인해 총 ₩30이 지출되고 반환된 재고자산의 가치감소액이 ₩50이다. 반품으로 인해 A회사의 20×2년 당기손익에 미친 영향은 얼마인가?

① ₩10,000 ② ₩9,900 ③ ₩2,950
④ ₩(-)75 ⑤ ₩(-)60

[16 ~ 17]

아래의 각 상황은 독립적이다.

16 A사는 20×1년 1월 1일에 원가 ₩800,000의 재고자산을 ₩1,000,000에 판매하기로 고객과의 계약을 체결하였다. 계약에는 20×1년 3월 31일 이전에 그 자산을 ₩1,050,000에 다시 살 권리를 기업에 부여하는 콜옵션이 포함되어 있다. A사는 20×1년 3월 31일에 콜옵션을 행사하였다. 동 거래로 A사가 20×1년에 수익으로 인식할 금액은 얼마인가?

① ₩0 ② ₩1,000,000 ③ ₩1,050,000
④ ₩900,000 ⑤ ₩100,000

17 A사는 20×1년 1월 1일에 원가 ₩800,000의 재고자산을 ₩1,000,000에 판매하기로 고객과의 계약을 체결하였다. 계약에는 20×1년 3월 31일 이전에 그 자산을 ₩1,050,000에 다시 살 권리를 기업에 부여하는 콜옵션이 포함되어 있다. A사는 20×1년 3월 31일까지 콜옵션을 행사하지 않았다. 동 거래로 A사가 20×1년에 수익으로 인식할 금액은 얼마인가?

① ₩0 ② ₩1,000,000 ③ ₩1,050,000
④ ₩900,000 ⑤ ₩100,000

18 A사는 20×1년 1월 1일에 장부금액 ₩800,000의 유형자산을 ₩1,000,000에 판매하기로 고객과 계약을 체결하였다. 계약에서 고객의 요구에 따라 20×1년 3월 31일 이전에 기업이 자산을 ₩900,000에 다시 사야 하는 풋옵션이 포함되어 있다. 20×1년 3월 31일에 시장가치는 ₩750,000이 될 것으로 예상된다. A사는 재매입일의 재매입가격이 자산의 기대시장가치를 유의적으로 초과하기 때문에 고객이 풋옵션을 행사할 경제적 유인이 유의적이라고 결론을 지었다. 20×1년 3월 31일에 고객은 풋옵션을 행사하였다. 동 거래로 A사가 20×1년에 수익으로 인식할 금액은 얼마인가?

① ₩0 ② ₩1,000,000 ③ ₩1,050,000
④ ₩900,000 ⑤ ₩100,000

19 PK마트는 20×1년에 일정 기간 동안 상품을 구매한 회원에게 포인트를 부여하였다. 회원은 포인트를 이용하여 PK마트의 식료품을 추가 구매할 수 있으며, 포인트의 유효기간은 부여일 이후 3년이다. PK마트의 20×1년 매출은 총 ₩100,000,000이며, 부여한 총포인트는 100,000포인트이다.
고객에게 판매한 상품의 개별 판매가격은 ₩94,500,000이지만, 고객에게 부여한 100,000포인트의 객관적인 공정가치는 신뢰성 있게 추정할 수 있다(다만, 포인트를 사용하는 경우 1포인트의 개별 판매가격은 ₩105이다. 다음은 연도별 예상 포인트와 실제 청구된 포인트의 내역이다).

구분	20×1년	20×2년	20×3년
청구예상 포인트	80,000	90,000	85,000
실제청구된 포인트	24,000	57,000	4,000
실제회수된 누적보상포인트	24,000	81,000	85,000

PK마트가 20×1년에 수익으로 인식할 금액은 얼마인가?

① ₩10,000,000 ② ₩93,000,000 ③ ₩90,000,000
④ ₩96,000,000 ⑤ ₩91,000,000

[20 ~ 21]

A건설은 20×1년 1월 1일 서울시와 공원을 건설하는 도급계약(총도급금액 ₩18,000,000, 추정총계약원가 ₩14,000,000, 건설소요기간 3년)을 체결하였다. 동 도급계약과 관련하여 20×1년 말에 A건설이 추정한 총계약원가는 ₩15,000,000으로 증가하였으며, 20×2년 말에 계약원가를 검토한 결과 추가로 ₩1,000,000만큼 증가할 것으로 추정되었다. A건설은 동 도급계약의 결과를 신뢰성 있게 추정할 수 있으므로 진행기준으로 수익을 인식하고 있으며, 진행률은 누적계약발생원가를 추정총계약원가로 나눈 비율로 적용하고 있다.

구분	20×1년도	20×2년도	20×3년도
당기원가발생액	₩3,000,000	₩8,500,000	₩4,500,000
당기대금청구액	₩4,000,000	₩10,000,000	₩4,000,000
당기대금회수액	₩3,400,000	₩8,800,000	₩5,800,000

* 20×2년 말에 발생한 원가 ₩8,500,000에는 계약상 20×3년도 공사에 사용하기 위해 준비되었지만 아직 사용되지 않은 ₩400,000의 재료 원가와 하도급계약에 따라 수행될 공사에 대해 하도급자에게 선급한 금액 ₩300,000이 포함되어 있다(단, 재료는 동 계약을 위해 별도로 제작된 것이다).

20 동 공사와 관련하여 20×2년에 인식할 계약손익은 얼마인가?

① ₩1,000,000 ② ₩900,000 ③ ₩850,000
④ ₩800,000 ⑤ ₩700,000

21 동 공사와 관련하여 20×2년 말에 인식할 계약자산(부채)은 얼마인가?

① 계약자산 ₩1,400,000
② 계약부채 ₩1,400,000
③ 계약자산 ₩1,200,000
④ 계약부채 ₩1,200,000
⑤ 계약자산 ₩700,000

기출 유형 정리

01 다음은 기업회계기준서 제1115호 '고객과의 계약에서 생기는 수익'에서 고객과의 계약에 해당되는 기준들이다. 옳지 않은 것은?

① 계약 당사자들이 계약을 서면으로 승인하고 각자의 의무를 수행하기로 확약한다.
② 이전할 재화나 용역과 관련된 각 당사자의 권리를 식별할 수 있다.
③ 이전할 재화나 용역의 지급조건을 식별할 수 있다.
④ 계약에 상업적 실질이 있다.
⑤ 고객에게 이전할 재화나 용역에 대하여 받을 권리를 갖게 될 대가의 회수가능성이 높다.

02 기업회계기준서 제1115호 '고객과의 계약에서 생기는 수익'에 대한 다음 설명 중 옳지 않은 것은?
[공인회계사 2018년]

① 계약이란 둘 이상의 당사자 사이에 집행가능한 권리와 의무가 생기게 하는 합의이다.
② 하나의 계약은 고객에게 재화나 용역을 이전하는 여러 약속을 포함하며, 그 재화나 용역들이 구별된다면 약속은 수행의무이고 별도로 회계처리한다.
③ 거래가격은 고객이 지급하는 고정된 금액을 의미하며, 변동대가는 포함하지 않는다.
④ 거래가격은 일반적으로 계약에서 약속한 각 구별되는 재화나 용역의 상대적 개별 판매가격을 기준으로 배분한다.
⑤ 기업이 약속한 재화나 용역을 고객에게 이전하여 수행의무를 이행할 때(또는 기간에 걸쳐 이행하는 대로) 수익을 인식한다.

03 기업회계기준서 제1115호 '고객과의 계약에서 생기는 수익'에 대한 다음 설명 중 옳은 것은?

[공인회계사 2018년]

① 일반적으로 고객과의 계약에는 기업이 고객에게 이전하기로 약속하는 재화나 용역을 분명히 기재한다. 따라서 고객과의 계약에서 식별되는 수행의무는 계약에 분명히 기재한 재화나 용역에만 한정된다.

② 고객에게 재화나 용역을 이전하는 활동은 아니지만 계약을 이행하기 위해 수행해야 한다면, 그 활동은 수행의무에 포함된다.

③ 수행의무를 이행할 때(또는 이행하는 대로), 그 수행의무에 배분된 거래가격(변동대가 추정치 중 제약받는 금액을 포함)을 수익으로 인식한다.

④ 거래가격은 고객에게 약속한 재화나 용역을 이전하고 그 대가로 기업이 받을 권리를 갖게 될 것으로 예상하는 금액이며, 제3자를 대신해서 회수한 금액도 포함한다.

⑤ 거래가격의 후속변동은 계약 개시시점과 같은 기준으로 계약상 수행의무에 배분한다. 따라서 계약을 개시한 후의 개별 판매가격 변동을 반영하기 위해 거래가격을 다시 배분하지는 않는다.

04 다음은 ㈜대한의 20×1년과 20×2년의 수취채권, 계약자산, 계약부채에 대한 거래이다.

- ㈜대한은 고객에게 제품을 이전하기로 한 약속을 수행의무로 식별하고, 제품을 고객에게 이전할 때 각 수행의무에 대한 수익을 인식한다.
- ㈜대한은 20×2년 1월 31일에 ㈜민국에게 제품 A를 이전하는 취소 불가능 계약을 20×1년 10월 1일에 체결하였다. 계약에 따라 ㈜민국은 20×1년 11월 30일에 대가 ₩1,000 전액을 미리 지급하여야 하나 ₩300만 지급하였고, 20×2년 1월 15일에 잔액 ₩700을 지급하였다. ㈜대한은 20×2년 1월 31일에 제품 A를 ㈜민국에게 이전하였다.
- ㈜대한은 ㈜만세에게 제품 B와 제품 C를 이전하고 그 대가로 ₩1,000을 받기로 20×1년 10월 1일에 계약을 체결하였다. 계약에서는 제품 B를 먼저 인도하도록 요구하고, 제품 B의 인도대가는 제품 C의 인도를 조건으로 한다고 기재되어 있다. ㈜대한은 제품의 상대적 개별 판매가격에 기초하여 제품 B에 대한 수행의무에 ₩400을, 제품 C에 대한 수행의무에 ₩600을 배분한다. ㈜대한은 ㈜만세에게 20×1년 11월 30일에 제품 B를, 20×2년 1월 31일에 제품 C를 각각 이전하였다.

상기 거래에 대하여, 20×1년 12월 31일 현재 ㈜대한의 수취채권, 계약자산, 계약부채금액은 각각 얼마인가? (단, 기초잔액은 없는 것으로 가정한다) [공인회계사 2019년]

	수취채권	계약자산	계약부채
①	₩0	₩400	₩0
②	₩400	₩0	₩0
③	₩700	₩400	₩1,000
④	₩1,000	₩400	₩1,000
⑤	₩1,100	₩0	₩1,000

05 ㈜세무는 고객에게 제품을 이전하기로 한 약속을 수행의무로 식별하고, 제품을 고객에게 이전할 때 각각의 수행의무에 대한 수익을 인식하고 있다. ㈜세무는 ㈜한국에게 제품 A와 제품 B를 이전하기로 하는 계약을 20×1년 12월 1일에 체결하였고, 동 계약에 따라 받기로 한 대가는 총 ₩10,000이다. 동 계약에 따르면, 제품 A를 먼저 인도한 후 제품 B를 나중에 인도하기로 하였지만, 대가 ₩10,000은 모든 제품(제품 A와 제품 B)을 인도한 이후에만 받을 권리가 생긴다. ㈜세무는 20×1년 12월 15일에 제품 A를 인도하였고, 제품 B에 대한 인도는 20×2년 1월 10일에 이루어졌으며, 20×2년 1월 15일에 대가 ₩10,000을 수령하였다. ㈜세무는 제품 A를 개별적으로 판매할 경우 ₩8,000에 판매하고 있지만, 제품 B는 판매경험 및 유사제품에 대한 시장정보가 없어 개별 판매가격을 알지 못한다. 따라서 잔여접근법으로 거래가격을 배분하기로 한다. ㈜세무의 상기 거래에 관한 설명으로 옳지 않은 것은? (단, 제시된 거래의 효과만을 반영하기로 한다) [세무사 2022년]

① 20×1년 말 ㈜세무의 재무상태표에 표시할 수취채권의 금액은 영(0)이다.
② 20×1년 말 ㈜세무의 재무상태표에 표시할 계약자산의 금액은 ₩8,000이다.
③ ㈜세무가 20×1년도 포괄손익계산서에 수익으로 인식할 금액은 ₩8,000이다.
④ 20×1년 말 ㈜세무의 재무상태표에 표시할 계약부채는 없다.
⑤ ㈜세무의 20×2년 1월 10일 회계처리로 인하여 계약자산은 ₩2,000 증가한다.

06 다음 중 한국채택국제회계기준서 제1115호 '고객과의 계약에서 생기는 수익'에서 규정된 내용으로 옳은 것은?

① 계약의 각 당사자가 전혀 수행되지 않은 계약에 대해 상대방에게 보상하지 않고 종료할 수 있는 일방적이고 집행가능한 권리를 갖고 있어도 그 계약은 존재하는 것으로 본다.
② 고객과의 계약이 개시시점에 계약에 해당하는지에 대한 판단기준을 충족하는 경우에는, 사실과 상황에 유의적인 변동 징후가 없는 한 이러한 기준들을 재검토하지 않는다. 또한 고객과의 계약이 판단기준을 충족하지 못한다면, 나중에 충족되는지를 판단하기 위해 그 계약을 지속적으로 검토할 필요는 없다.
③ 구별되는 약속한 재화나 용역이 추가되어 계약의 범위가 확장되고 계약가격이 추가로 약속한 재화나 용역의 개별 판매가격에 특정 계약 상황을 반영하여 적절히 조정한 대가만큼 상승하는 경우 계약의 변경은 별도 계약으로 회계처리한다.
④ 계약변경이 별도 계약이 아니라면, 계약변경일에 아직 이전되지 않은 약속한 재화나 용역(나머지 약속한 재화나 용역)은 나머지 재화나 용역이 구별되는 경우 기존 계약의 일부인 것처럼 회계처리한다.
⑤ 계약변경이 별도 계약이 아니라면, 계약변경일에 아직 이전되지 않은 약속한 재화나 용역(나머지 약속한 재화나 용역)은 나머지 재화나 용역이 구별되지 않는 경우 기존 계약을 종료하고 새로운 계약을 체결한 것으로 회계처리한다.

07 다음 중 한국채택국제회계기준서 제1115호 '고객과의 계약에서 생기는 수익'에서 규정된 내용으로 옳지 않은 것은?

① 계약시점에 고객과의 계약에서 약속한 재화나 용역을 검토하여 고객에게 구별되는 재화나 용역(또는 재화나 용역의 묶음) 또는 실질적으로 서로 같고 고객에게 이전하는 방식도 같은 일련의 구별되는 재화나 용역을 이전하기로 한 각 약속을 하나의 수행의무로 식별한다.

② 계약을 이행하기 위해 해야 하지만 고객에게 재화나 용역을 이전하는 활동이 아니라면 그 활동은 수행의무에 포함되지 않는다.

③ 계약 개시시점에 고객에게 약속한 재화나 용역을 구별하여 이를 하나의 수행의무로 식별한다. 하나의 계약에 하나의 수행의무가 포함될 수 있지만, 하나의 계약에 여러 수행의무가 포함될 수도 있다.

④ 고객이 재화나 용역 그 자체에서 효익을 얻거나 고객이 쉽게 구할 수 있는 다른 자원과 함께하여 그 재화나 용역에서 효익을 얻을 수 있고, 고객에게 재화나 용역을 이전하기로 하는 약속을 계약 내의 다른 약속과 별도로 식별해 낼 수 있다면, 고객에게 약속한 재화나 용역은 구별되는 것이다. 또한 식별가능한 각 수행의무를 기간에 걸쳐 이행하는지 또는 한 시점에 이행하는지는 각 보고기간 말에 판단한다.

⑤ 고객과의 계약에서 식별되는 수행의무는 계약에 분명히 기재한 재화나 용역에만 한정되지 않을 수 있다. 고객에게 이전할 것이라는 정당한 기대를 하도록 한다면, 이러한 약속도 고객과의 계약에 포함될 수 있다.

08 다음 중 한국채택국제회계기준서 제1115호 '고객과의 계약에서 생기는 수익'에서 규정된 내용으로 옳은 것은?

① 법률에 따라 기업이 보증을 제공하여야 한다면 그 법률의 존재는 약속한 보증이 수행의무임을 나타낸다.

② 보증기간이 짧을수록, 약속한 보증이 수행의무일 가능성이 높다.

③ 제품이 합의된 규격에 부합한다는 확신을 주기 위해 기업이 정해진 업무를 수행할 필요가 있다면 그 업무는 수행의무를 생기게 하는 것으로 본다.

④ 고객이 보증의 구매 여부를 선택할 수 없고 제품이 합의된 규격에 부합한다는 확신에 더하여 추가 용역을 제공한다면 용역 유형의 보증으로 별도의 수행의무가 아닌 것으로 본다.

⑤ 고객이 보증의 구매 여부를 선택할 수 없고 제품이 합의된 규격에 부합한다는 확신에 더하여 추가 용역을 제공하지 않는다면 확신 유형의 보증으로 별도의 수행의무가 아닌 것으로 본다.

09 다음 중 한국채택국제회계기준서 제1115호 '고객과의 계약에서 생기는 수익'에서 규정된 내용으로 옳지 않은 것은?

① 거래가격은 고객에게 약속한 재화나 용역을 이전하고 그 대가로 기업이 받을 권리를 갖게 될 것으로 예상하는 금액이며, 제3자를 대신해서 회수한 금액은 제외한다.

② 변동대가와 관련된 불확실성이 나중에 해소될 때, 이미 인식한 누적 수익금액 중 유의적인 부분을 되돌리지 않을 가능성이 매우 높은 정도까지만 추정된 변동대가의 일부나 전부를 거래가격에 포함한다.

③ 각 보고기간 말의 상황과 보고기간의 상황변동을 충실하게 표현하기 위하여 보고기간 말마다 추정 거래가격을 새로 수정한다. 거래가격의 후속변동은 계약 개시시점과 같은 기준으로 계약상 수행의무에 배분한다.

④ 고객에게 받은 대가의 일부나 전부를 고객에게 환불할 것으로 예상하는 경우에는 환불부채를 인식한다. 환불부채는 기업이 받았거나 받을 대가 중에서 권리를 갖게 될 것으로 예상하지 않는 금액이므로 거래가격에서 차감한다. 환불부채는 보고기간 말마다 상황의 변동을 반영하여 새로 수정하지 않는다.

⑤ 변동대가의 추정치가 너무 불확실하고, 기업이 고객에게 재화나 용역을 이전하고 그 대가로 받을 권리를 갖게 될 금액을 충실하게 나타내지 못하는 경우에는 해당 변동대가의 추정치는 거래가격에 포함시킬 수 없다.

10 다음 중 한국채택국제회계기준서 제1115호 '고객과의 계약에서 생기는 수익'에서 규정된 내용으로 옳지 않은 것은?

① 거래가격을 산정할 때, 계약 당사자들 간에 명시적으로나 암묵적으로 합의한 지급시기 때문에 고객에게 재화나 용역을 이전하면서 유의적인 금융 효익이 고객이나 기업에 제공되는 경우에는 화폐의 시간가치가 미치는 영향을 반영하여 약속된 대가를 조정한다.

② 계약을 개시할 때 기업이 고객에게 약속한 재화나 용역을 이전하는 시점과 고객이 그에 대한 대가를 지급하는 시점 간의 기간이 1년 이내일 것이라고 예상한다면 유의적인 금융요소의 영향을 반영하여 약속한 대가를 조정하지 않는 실무적 간편법을 사용할 수 있다.

③ 기업이 고객에게 재화나 용역을 이전할 때 고객이 그 재화나 용역의 대가를 현금으로 결제한다면 지급할 가격으로 약속한 대가의 명목금액을 할인하는 이자율을 식별하여 그 할인율로 산정할 수 있다. 계약 개시 후에는 이자율이나 그 밖의 상황이 달라지면 그 할인율을 새로 수정한다.

④ 비현금대가의 공정가치를 합리적으로 추정할 수 없는 경우에는, 그 대가와 교환하여 고객에게 약속한 재화나 용역의 개별 판매가격을 참조하여 간접적으로 그 대가를 측정한다. 단, 상업적 실질이 없는 성격과 가치가 유사한 재화나 용역의 교환이나 스왑거래는 계약으로 식별할 수 없으므로, 수익이 발생하는 거래로 보지 않는다.

⑤ 고객에게 지급할 대가가 고객에게서 제공받을 재화나 용역에 대한 대가가 아닌 경우 거래가격인 수익에서 차감하여 회계처리한다.

11 다음 중 한국채택국제회계기준서 제1115호 '고객과의 계약에서 생기는 수익'에서 규정된 내용으로 옳지 않은 것은?

① 거래가격을 상대적 개별 판매가격에 기초하여 각 수행의무에 배분하기 위하여 계약 개시시점에 계약상 각 수행의무의 대상인 구별되는 재화나 용역의 개별 판매가격을 산정하고 이 개별 판매가격에 비례하여 거래가격을 배분한다. 개별 판매가격을 직접 관측할 수 없다면 개별 판매가격을 추정한다.

② 계약에서 약속한 재화나 용역의 개별 판매가격 합계가 계약에서 약속한 대가를 초과하면, 고객은 재화나 용역의 묶음을 구매하면서 할인받은 것이다. 이 경우 할인액이 계약상 일부 수행의무에 관련된 경우에는 할인액을 계약상 일부 수행의무에만 배분한다.

③ 계약에서 약속한 재화나 용역의 개별 판매가격 합계가 계약에서 약속한 대가를 초과하면, 고객은 재화나 용역의 묶음을 구매하면서 할인받은 것이다. 이 경우 할인액이 계약상 모든 수행의무에 관련된 경우에는 할인액을 계약상 모든 수행의무에 비례하여 배분한다.

④ 거래가격의 후속변동은 계약 개시시점과 같은 기준으로 계약상 수행의무에 배분한다. 따라서 계약을 개시한 후의 개별 판매가격 변동을 반영하기 위해 거래가격을 다시 배분하지는 않는다.

⑤ 기업은 계약상 모든 수행의무에 거래가격의 변동대가를 배분한다.

12 다음 중 한국채택국제회계기준서 제1115호 '고객과의 계약에서 생기는 수익'에서 규정된 내용으로 옳지 않은 것은?

① 고객과의 계약체결 증분원가가 회수될 것으로 예상된다면 이를 자산으로 인식한다.

② 계약체결 여부와 무관하게 드는 계약체결원가는 계약체결 여부와 관계없이 고객에게 그 원가를 명백히 청구할 수 있는 경우가 아니라면 발생시점에 비용으로 인식한다.

③ 고객과의 계약을 이행할 때 드는 원가가 다른 기업회계기준서의 적용범위에 포함되지 않는다면, 그 원가가 계약이나 구체적으로 식별할 수 있는 예상 계약에 직접 관련되고 원가가 미래의 수행의무를 이행할 때 사용할 기업의 자원을 창출하거나 가치를 높이며 원가는 회수될 것으로 예상되는 경우에만 자산으로 인식한다.

④ 계약체결 증분원가와 계약이행원가는 관련된 재화·용역을 고객에게 이전하는 것과 같은 체계적 기준으로 상각한다. 또한 재화나 용역을 이전하는 예상시기가 달라지더라도 상각방식은 수정하지 않는다.

⑤ 계약체결 증분원가를 자산으로 인식하더라도 상각기간이 1년 이하라면 그 계약체결 증분원가는 발생시점에 비용으로 인식하는 실무적 간편법을 쓸 수 있다.

13 다음 중 한국채택국제회계기준서 제1115호 '고객과의 계약에서 생기는 수익'에서 규정된 내용으로 옳지 않은 것은?

① 기업은 고객에게 약속한 재화나 용역에 대한 수행의무를 이행할 때 또는 기간에 걸쳐 이행하는 대로 수익을 인식한다. 수행의무는 기업이 고객에게 약속한 재화나 용역, 즉 자산을 이전함으로써 이행된다.

② 자산은 고객이 그 자산을 통제할 때 또는 기간에 걸쳐 통제하게 되는 대로 이전된다. 여기서 자산에 대한 통제란 자산을 사용하도록 지시하고 자산의 나머지 효익 대부분을 획득할 수 있는 능력을 말한다.

③ 수행의무가 기간에 걸쳐 이행되지 않는다면, 그 수행의무는 한 시점에 이행되는 것이다. 한 시점에 해당하는 수행의무는 고객이 약속된 자산을 통제하고 기업이 수행의무를 이행하는 시점에 수익을 인식한다.

④ 고객은 기업이 수행하는 대로 기업의 수행에서 제공하는 효익을 동시에 얻어 소비하고 기업은 수행하여 만들어지거나 가치가 높아지는 대로 고객이 통제하는 자산을 기업이 만들거나 그 자산 가치를 높이더라도, 기업은 재화나 용역에 대한 통제를 기간에 걸쳐 이전하지 못하므로 진행기준으로 수익을 인식하지 않는다.

⑤ 지급청구권 존재 여부, 집행가능성을 판단하기 위해서는 계약과 관련 법률(판례 포함)까지 참고하여 판단한다.

14 다음 중 한국채택국제회계기준서 제1115호 '고객과의 계약에서 생기는 수익'에서 규정된 내용으로 옳지 않은 것은?

① 기간에 걸쳐 이행하는 각 수행의무에는 하나의 진행률 측정방법을 적용하며 비슷한 상황에서의 비슷한 수행의무에는 그 방법을 일관되게 적용한다.

② 수행의무의 진행률을 합리적으로 측정할 수 있는 경우에만, 기간에 걸쳐 이행하는 수행의무에 대한 수익을 인식한다. 만일 수행의무의 진행률을 합리적으로 측정할 수 없는 경우에는 수행의무의 산출물을 합리적으로 측정할 수 있을 때까지 수익을 인식하지 않는다.

③ 기간에 걸쳐 이행하는 수행의무의 진행률은 보고기간 말마다 다시 측정한다. 진행률의 변동은 기업회계기준서 제1008호 '회계정책, 회계추정치 변경과 오류'에 따라 회계추정치의 변경으로 회계처리한다.

④ 진행률 측정방법을 적용할 때, 고객에게 통제를 이전하지 않은 재화나 용역은 진행률 측정에서 제외한다. 또한 고객에게 재화나 용역에 대한 통제를 이전하는 과정에서 기업의 수행 정도를 나타내지 못하는 발생원가가 기업이 수행의무를 이행할 때 그 진척도에 이바지하지 않는 경우와 발생원가가 기업이 수행의무를 이행할 때 그 진척도에 비례하지 않는 경우에는 투입물의 영향은 진행률 측정에서 제외한다.

⑤ 산출법은 계약에서 약속한 재화나 용역의 나머지 부분의 가치와 비교하여 지금까지 이전한 재화나 용역이 고객에게 주는 가치의 직접 측정에 기초하여 수익을 인식하는 방법이다.

15 다음 중 한국채택국제회계기준서 제1115호 '고객과의 계약에서 생기는 수익'에서 규정된 내용으로 옳지 않은 것은?

① 라이선스 접근권의 경우 라이선스를 부여하는 약속을 기간에 걸쳐 이행하는 수행의무로 회계처리하며, 라이선스 사용권의 경우 라이선스를 부여하는 약속을 한 시점에 이행하는 수행의무로 회계처리한다.

② 라이선스 접근권은 라이선스 기간 전체에 걸쳐 존재하는 기업의 지적재산에 접근할 권리를 말하며, 라이선스 사용권은 라이선스를 부여하는 시점에 존재하는 기업의 지적재산을 사용할 권리를 말한다.

③ 지적재산의 라이선스를 제공하는 대가로 약속된 판매기준 로열티나 사용기준 로열티에 대한 수익은 후속판매나 사용시점과 판매기준 또는 사용기준 로열티의 일부나 전부가 배분된 수행의무를 이행한 시점 중 빠른 날에 인식한다.

④ 기업이 고객과의 계약을 체결하여 고객이 약정기간 동안 기업의 상호를 사용하고 기업의 제품을 판매할 권리를 제공하는 프랜차이즈 라이선스를 부여하기로 하고, 라이선스에 추가하여 프랜차이즈 상점을 운영하기 위해 필요한 장비를 제공하기로 하였다. 이 경우 프랜차이즈 라이선스는 기간에 걸쳐 이행하는 수행의무이며, 장비를 제공하는 것은 한 시점에 이행하는 수행의무로 회계처리한다.

⑤ 프랜차이즈 라이선스의 부여가 판매기준 로열티의 형태로 회수되는 경우에는 프랜차이즈 라이선스를 이전한 후 기업은 고객이 판매하는 대로 수익을 인식해야 한다.

16 20×1년 10월 1일에 ㈜대한은 제품 120개를 고객에게 개당 ₩1,000에 판매하기로 약속하였다. 제품은 6개월에 걸쳐 고객에게 이전되며, 각 제품에 대한 통제는 한 시점에 이전된다. ㈜대한은 20×1년 10월 31일에 제품 50개에 대한 통제를 고객에게 이전한 후, 추가로 제품 30개를 개당 ₩800에 고객에게 납품하기로 계약을 변경하였다. 추가된 제품 30개는 구별되는 재화에 해당하며, 최초 계약에 포함되지 않았다. 20×1년 11월 1일부터 20×1년 12월 31일까지 기존 계약 수량 중 40개와 추가 계약 수량 중 20개에 대한 통제를 고객에게 이전하였다.
계약을 변경할 때, 추가 제품의 가격(₩800/개)이 (1) 계약변경시점의 개별 판매가격을 반영하여 책정된 경우와 (2) 계약변경시점의 개별 판매가격을 반영하지 않은 경우, ㈜대한이 20×1년도 포괄손익계산서에 인식할 수익은 각각 얼마인가? (단, 계약변경일에 아직 이전되지 않은 약속한 제품은 계약변경일 전에 이전한 제품과 구별된다) [공인회계사 2023년]

	(1)	(2)
①	₩16,000	₩18,800
②	₩90,000	₩87,600
③	₩90,000	₩106,400
④	₩106,000	₩87,600
⑤	₩106,000	₩106,400

17 다음은 ㈜대한이 20×1년 1월 1일 ㈜민국과 체결한 청소용역 계약의 내용이다.

- ㈜대한은 20×1년 1월 1일부터 20×2년 12월 31일까지 2년간 ㈜민국의 본사 건물을 일주일 단위로 청소하고, ㈜민국은 ㈜대한에게 연간 ₩600,000을 매 연도 말에 지급한다.
- 계약 개시시점에 그 용역의 개별 판매가격은 연간 ₩600,000이다. ㈜대한은 용역을 제공한 첫 연도인 20×1년에 ₩600,000을 수령하고 이를 수익으로 인식하였다.
- 20×1년 12월 31일에 ㈜대한과 ㈜민국은 계약을 변경하여 2차 연도의 용역대금을 ₩600,000에서 ₩540,000으로 감액하고 2년을 더 추가하여 계약을 연장하기로 합의하였다.
- 연장기간에 대한 총대가 ₩1,020,000은 20×3년 말과 20×4년 말에 각각 ₩510,000씩 지급하기로 하였다.
- 2차 연도 개시일에 용역의 개별 판매가격은 연간 ₩540,000이며, 20×2년부터 20×4년까지 3년간 계약에 대한 개별 판매가격의 적절한 추정치는 ₩1,620,000(연간 ₩540,000 × 3년)이다.

상기 거래에 대한 다음 설명 중 옳은 것은? (단, 유의적인 금융요소는 고려하지 않는다)

[공인회계사 2018년]

① 매주의 청소용역이 구별되므로, ㈜대한은 청소용역을 복수의 수행의무로 회계처리할 수 있다.
② 계약변경일에 ㈜대한이 제공할 나머지 용역은 구별되지 않는다.
③ 계약변경일에 ㈜대한이 나머지 대가로 지급받을 금액은 제공할 용역의 개별 판매가격을 반영하고 있다.
④ ㈜대한은 동 계약변경을 기존 계약의 일부인 것처럼 회계처리하여야 한다.
⑤ ㈜대한이 20×2년에 인식해야 할 수익은 ₩520,000이다.

18 ㈜대한은 20×1년 초에 건물관리 용역을 제공하는 계약을 고객과 체결하였다. 계약기간은 2년이며, 고객은 매년 말에 건물관리 용역의 개별 판매가격에 해당하는 ₩1,000,000을 후급하기로 하였다. 이후 20×2년 초에 고객은 계약기간을 4년 추가하는 대신 추가된 기간(20×3년부터 20×6년까지) 동안에는 ₩900,000을 지급할 것을 요구하였으며, ㈜대한은 추가된 기간에 대한 용역 대가가 개별 판매가격을 반영하지 않는 금액이지만 매년 초에 선급하는 조건으로 계약변경에 합의하였다. ㈜대한이 20×3년에 인식할 수익금액은 얼마인가? 단, 계약변경일 이후에 제공할 용역은 이미 제공한 용역과 구별된다고 간주하며, 현재가치 평가는 고려하지 않는다. [공인회계사 2024년]

① ₩900,000 ② ₩920,000 ③ ₩950,000
④ ₩1,150,000 ⑤ ₩1,900,000

19 M회사는 제품 A, B, C를 함께 판매하였다. 총 거래가격은 ₩100이다. 제품 A의 개별 판매가격은 ₩50으로 시장에서 거래되고 있는 반면, 제품 B와 제품 C는 개별 판매되지 않는다. 다만, 경쟁사는 제품 B와 매우 비슷한 제품을 ₩25에 판매하고 있다. 제품 C는 동일 · 유사 제품의 시장가격을 확인할 수 없으나, 제품 C의 생산원가는 ₩50이며, 이윤은 원가의 50%를 가산한다. 이 경우에 거래가격을 각 수행의무인 제품들에게 배분하였을 때 제품 C의 배분액은 얼마인가?

① ₩40 ② ₩50 ③ ₩65
④ ₩75 ⑤ ₩80

[20 ~ 21]

A회사는 D회사와 제품 위탁판매계약을 체결한 후 20×1년 초에 1대당 원가 ₩800의 제품 7,000개를 1대당 ₩1,000에 D회사에 인도하였다.

(1) D회사는 제품을 개당 ₩1,100에 판매하고 있으며, 판매가격에서 ₩100을 차감한 후 ₩1,000을 A회사에 지급한다.
(2) D회사는 A회사에게 매년 최소 5,000개의 제품 판매를 보장한다. 다만, D회사가 5,000개를 초과하여 판매한 경우에는 판매되지 않는 제품을 A회사에게 반납할 수 있으며, A회사는 이를 거절할 수 없다.

20 만약, D회사가 20×1년 7,000개 중 6,500개를 판매한 경우 A · D회사가 20×1년 인식할 수익금액은 각각 얼마인가?

	A회사가 20×1년에 인식할 수익	D회사가 20×1년에 인식할 수익
①	₩6,650,000	₩5,650,000
②	₩6,000,000	₩5,650,000
③	₩5,550,000	₩5,000,000
④	₩6,650,000	₩5,000,000
⑤	₩5,000,000	₩5,000,000

21 만약, D회사가 20×1년 7,000개 중 4,500개를 판매한 경우 A · D회사가 20×1년 인식할 수익금액은 각각 얼마인가?

	A회사가 20×1년에 인식할 수익	D회사가 20×1년에 인식할 수익
①	₩6,650,000	₩5,650,000
②	₩6,000,000	₩4,950,000
③	₩5,550,000	₩5,000,000
④	₩6,650,000	₩5,000,000
⑤	₩5,000,000	₩4,950,000

22 유통업을 영위하는 ㈜대한은 20×1년 1월 1일에 액면금액 ₩10,000인 상품권 50매를 액면금액으로 발행하였다. 20×1년 1월 1일 이전까지 ㈜대한이 상품권을 발행한 사실은 없으며, 이후 20×2년 1월 1일에 추가로 100매를 액면금액으로 발행하였다. ㈜대한은 상품권 액면금액의 60% 이상 사용하고 남은 금액은 현금으로 반환하며, 상품권의 만기는 발행일로부터 1년이다. 만기까지 사용되지 않은 상품권은 만기 이후 1년 이내에는 90%의 현금으로 상환해 줄 의무가 있으나, 1년이 경과하면 그 의무는 소멸한다. 20×1년도 발행 상품권 중 42매가 정상적으로 사용되었으며, 사용되지 않은 상품권 중 5매는 20×2년 중에 현금으로 상환되었고, 나머지 3매는 상환되지 않아 20×2년 12월 31일 현재 ㈜대한의 의무는 소멸하였다. 한편, 20×2년도 발행 상품권은 20×2년 중에 90매가 정상적으로 사용되었다. 상품권 사용 시 상품권 잔액을 현금으로 반환한 금액은 다음과 같다.

구분	금액
20×1년도 발행분	₩31,000
20×2년도 발행분	₩77,000

㈜대한의 상품권에 대한 회계처리와 관련하여 20×2년도 포괄손익계산서에 인식할 수익은 얼마인가? (단, ㈜대한은 고객의 미행사권리에 대한 대가를 다른 당사자에게 납부하도록 요구받지 않는다고 가정한다) [공인회계사 2023년]

① ₩823,000 ② ₩833,000 ③ ₩850,000
④ ₩858,000 ⑤ ₩860,000

23 ㈜세무는 제품 A를 ₩2,000에 판매하기로 계약을 체결하였으며, 이 계약의 일부로 앞으로 30일 이내에 ₩2,000 한도의 구매에 대해 30% 할인권을 고객에게 주었다. ㈜세무는 계절 판촉활동을 위해 앞으로 30일 동안 모든 판매에 대해 10% 할인을 제공할 계획인데, 10% 할인은 30% 할인권에 추가하여 사용할 수 없다. ㈜세무는 고객의 80%가 할인권을 사용하고 추가 제품을 평균 ₩1,500에 구매할 것이라고 추정하였을 때, 제품 판매 시 배분될 계약부채(할인권)는? (단, 제시된 거래의 효과만을 반영하기로 한다) [세무사 2024년]

① ₩214 ② ₩240 ③ ₩305
④ ₩400 ⑤ ₩500

24 ㈜세무는 20×1년 12월 31일 개당 원가 ₩150인 제품 100개를 개당 ₩200에 현금판매하였다. ㈜세무는 판매 후 30일 이내에 고객이 반품하면 전액 환불해주고 있다. 반품률은 5%로 추정되며, 반품제품 회수비용, 반품제품 가치하락 및 판매 당일 반품은 없다. 동 거래에 관한 설명으로 옳지 않은 것은? [세무사 2019년]

① 20×1년 인식할 매출액은 ₩19,000이다.
② 20×1년 인식할 이익은 ₩4,750이다.
③ '환불이 발생할 경우 고객으로부터 제품을 회수할 권리'를 20×1년 말 자산으로 인식하며, 그 금액은 ₩750이다.
④ 동 거래의 거래가격은 변동대가에 해당하기 때문에 받을 권리를 갖게 될 금액을 추정하여 수익으로 인식한다.
⑤ 20×1년 말 인식할 부채는 ₩250이다.

25 A사는 20×1년 1월 1일에 원가 ₩800,000의 재고자산을 ₩1,000,000에 판매하기로 고객과의 계약을 체결하였다. 계약에는 20×1년 4월 30일 이전에 그 자산을 ₩1,050,000에 다시 살 권리를 기업에 부여하는 콜옵션이 포함되어 있다. A사는 20×1년 4월 30일에 콜옵션을 행사하였다. 동 거래로 20×1년 A사가 인식할 수익은 얼마인가?

① ₩1,000,000 ② ₩1,050,000 ③ ₩0
④ ₩10,000 ⑤ ₩5,000

26 ㈜세무는 20×1년 1월 1일 ㈜한국에게 원가 ₩100,000의 제품을 ₩200,000에 현금판매하였다. 판매계약에는 20×1년 6월 30일 이전에 ㈜한국이 요구할 경우 ㈜세무가 판매한 제품을 ₩210,000에 재매입해야 하는 풋옵션이 포함된다. 풋옵션이 행사될 유인은 판매시점에 유의적일 것으로 판단하였으나 실제로 20×1년 6월 30일까지 풋옵션이 행사되지 않은 채 권리가 소멸하였다. 동 거래에 관한 설명으로 옳지 않은 것은? (단, 20×1년 1월 1일 기준으로 재매입일 예상 시장가치는 ₩210,000 미만이다) [세무사 2019년]

① 20×1년 1월 1일 ㈜한국은 제품의 취득을 인식하지 못한다.
② 20×1년 1월 1일 ㈜한국은 금융자산을 인식한다.
③ 20×1년 1월 1일 ㈜세무는 금융부채 ₩200,000을 인식한다.
④ 20×1년 6월 30일 ㈜세무는 이자비용 ₩10,000을 인식한다.
⑤ 20×1년 6월 30일 ㈜세무는 매출액 ₩200,000을 인식한다.

27 A사는 20×1년 1월 1일에 원가 ₩800,000의 재고자산을 ₩1,000,000에 판매하기로 고객과의 계약을 체결하였다. 계약에는 20×1년 4월 30일 이전에 그 자산을 ₩1,050,000에 다시 살 권리를 기업에 부여하는 콜옵션이 포함되어 있다. A사는 20×1년 4월 30일까지 콜옵션을 행사하지 않았다. 동 거래로 20×1년 A사가 인식할 수익은 얼마인가?

① ₩1,000,000　② ₩1,050,000　③ ₩0
④ ₩10,000　⑤ ₩5,000

28 12월 말 결산법인인 ㈜한영은 고객들이 제품을 구매할 때마다 ₩10당 고객충성포인트 1점을 보상하는 고객충성제도를 운영한다. 포인트는 기업의 제품을 구매할 때 1점당 ₩1의 할인과 교환할 수 있다.

(1) ㈜한영이 20×1년 중 판매한 제품의 거래가격은 ₩100,000이며, 이로 인해 고객에게 제공한 포인트는 10,000점이다. 고객이 구매한 제품의 개별 판매가격은 ₩100,000, 포인트가 교환될 가능성에 기초한 포인트당 개별 판매가격은 ₩0.95(총액 ₩9,500)이다.

(2) ㈜한영의 각 회계연도에 교환된 누적포인트와 교환예상 총포인트는 다음과 같다.

구분	20×1년	20×2년
교환된 누적포인트	4,500포인트	8,500포인트
교환예상 총포인트	9,500포인트	9,700포인트

㈜한영이 20×2년에 동 거래와 관련하여 수익으로 인식할 금액은 얼마인가?

① ₩6,493　② ₩5,493　③ ₩4,493
④ ₩3,493　⑤ ₩2,000

29 ㈜국세는 WINGS AIR에서 운영하는 고객충성제도에 참여하고 있다. ㈜국세는 자사제품을 구매하는 회원에게 판매가격 ₩1당 1마일리지를 제공한다. 고객충성제도회원은 마일리지를 사용하여 항공권을 구입할 수 있다. ㈜국세는 WINGS AIR에 1마일리지당 ₩0.012을 지급한다. 20×2년 ㈜국세가 원가가 ₩800,000인 제품을 ₩1,200,000에 판매하고, 마일리지를 부여하였다. ㈜국세는 1마일리지의 공정가치를 ₩0.02으로 추정한다. ㈜국세가 마일리지에 배분될 대가를 자기의 계산으로 회수하는 경우, 20×2년 제품 판매와 관련하여 인식할 마일리지와 관련된 수익(고객충성제도수익)과 비용(고객충성제도비용)은 각각 얼마인가? (단, 1마일리지에는 개별 판매가격이 반영되어 있다)

	고객충성제도수익	고객충성제도비용
①	₩7,200	₩12,000
②	₩14,400	₩24,000
③	₩24,000	₩12,000
④	₩24,000	₩14,400
⑤	₩28,000	₩48,000

30 커피프랜차이즈 사업을 운영하고 있는 ㈜명성은 20×1년 3월 1일 여의점과 프랜차이즈계약을 체결하였으며 관련 내용은 다음과 같다.

(1) ㈜명성은 여의점으로부터 라이선스 사용권에 대한 대가로 ₩200,000을 계약체결과 동시에 전액 지급받았다. 동 대가에는 원가를 회수하고 합리적인 이윤을 제공하는 데 불충분한 운영지원용역수수료와 제3자에게 판매하는 가격보다 저렴한 가격으로 설비를 제공하는 대가가 포함되어 있다.
(2) ㈜명성은 여의점에 20×1년 4월 1일부터 운영지원용역을 제공하고 있으며 이와 관련한 1년치 수수료 ₩60,000을 동 일자에 전액 지급받았다. 합리적인 이윤을 포함한 운영지원용역의 공정가치는 ₩72,000이다. ㈜명성은 20×2년 3월 31일까지만 여의점에 운영지원용역을 제공한다.
(3) ㈜명성은 적정이윤을 포함하여 ₩30,000에 판매하는 설비를 할인된 가격인 ₩15,000에 구입할 수 있도록 여의점과 계약하였으며, 여의점은 20×2년에 동 설비를 ₩15,000에 구입하였다.

상기의 프랜차이즈계약과 관련하여 ㈜명성이 20×1년도 포괄손익계산서상 수익으로 인식할 금액은 얼마인가?

① ₩227,000 ② ₩238,000 ③ ₩260,000
④ ₩272,000 ⑤ ₩290,000

31 20×1년 1월 1일에 ㈜대한은 특수프린터와 예비부품을 제작하여 판매하기로 ㈜민국과 다음과 같이 계약을 체결하였다.

- 특수프린터와 예비부품의 제작 소요기간은 2년이며, 특수프린터와 예비부품을 이전하는 약속은 서로 구별된다. 제작기간 중 제작을 완료한 부분에 대해 집행가능한 지급청구권이 ㈜대한에는 없다.
- 20×2년 12월 31일에 ㈜민국은 계약조건에 따라 특수프린터와 예비부품을 검사한 후, 특수프린터는 ㈜민국의 사업장으로 인수하고 예비부품은 ㈜대한의 창고에 보관하도록 요청하였다.
- ㈜민국은 예비부품에 대한 법적 권리가 있고 그 부품은 ㈜민국의 소유물로 식별될 수 있다.
- ㈜대한은 자기 창고의 별도 구역에 예비부품을 보관하고 그 부품은 ㈜민국의 요청에 따라 즉시 운송할 준비가 되어 있다.
- ㈜대한은 예비부품을 2년에서 4년까지 보유할 것으로 예상하고 있으며, ㈜대한은 예비부품을 직접 사용하거나 다른 고객에게 넘길 능력은 없다.
- ㈜민국은 특수프린터를 인수한 20×2년 12월 31일에 계약상 대금을 전부 지급하였다.

상기 미인도청구약정에 관한 다음 설명 중 옳지 않은 것은? [공인회계사 2018년]

① ㈜대한이 계약상 식별해야 하는 수행의무는 두 가지이다.
② 특수프린터에 대한 통제는 ㈜민국이 물리적으로 점유하는 때인 20×2년 12월 31일에 ㈜민국에게 이전된다.
③ ㈜대한은 예비부품에 대한 통제를 ㈜민국에게 이전한 20×2년 12월 31일에 예비부품 판매수익을 인식한다.
④ ㈜대한이 예비부품을 물리적으로 점유하고 있더라도 ㈜민국은 예비부품을 통제할 수 있다.
⑤ ㈜대한은 계약상 지급조건에 유의적인 금융요소가 포함되어 있는지를 고려해야 한다.

32 ㈜대한은 ㈜민국 소유의 토지에 건물을 건설하기로 ㈜민국과 계약을 체결하였다. 그 계약의 내용 및 추가 정보는 다음과 같다.

> • ㈜민국은 계약 개시일부터 30일 이내에 ㈜대한이 토지에 접근할 수 있게 한다.
> • 해당 토지에 ㈜대한의 접근이 지연된다면(불가항력적인 사유 포함), 지연의 직접적인 결과로 들인 실제원가에 상당하는 보상을 ㈜대한이 받을 권리가 있다.
> • 계약 개시 후에 생긴 그 지역의 폭풍 피해 때문에 ㈜대한은 계약 개시 후 120일이 지나도록 해당 토지에 접근하지 못하였다.
> • ㈜대한은 청구의 법적 기준을 검토하고, 관련 계약조건을 기초로 집행할 수 있는 권리가 있다고 판단하였다.
> • ㈜대한은 계약변경에 따라 ㈜민국에게 재화나 용역을 추가로 제공하지 않고 계약변경 후에도 나머지 재화와 용역 모두 구별되지 않으며 단일 수행의무를 구성한다고 판단하였다.
> • ㈜대한은 계약조건에 따라 지연의 결과로 들인 특정 직접원가를 제시할 수 있으며, 청구를 준비하고 있다.
> • ㈜민국은 ㈜대한의 청구에 처음에는 동의하지 않았다.

계약변경과 관련하여 상기 거래에 대한 다음 설명 중 옳지 않은 것은? [공인회계사 2019년]

① 계약변경은 서면이나 구두 합의, 또는 기업의 사업 관행에서 암묵적으로 승인될 수 있다.
② ㈜대한과 ㈜민국이 계약변경 범위에 다툼이 있더라도, 계약변경은 존재할 수 있다.
③ ㈜대한과 ㈜민국이 계약 범위의 변경을 승인하였지만 아직 이에 상응하는 가격변경을 결정하지 않았다면, 계약변경은 존재할 수 없다.
④ ㈜대한과 ㈜민국은 계약변경으로 신설되거나 변경되는 권리와 의무를 집행할 수 있는지를 판단할 때에는 계약조건과 그 밖의 증거를 포함하여 관련 사실 및 상황을 모두 고려한다.
⑤ ㈜대한은 계약변경에 대해 거래가격과 수행의무의 진행률을 새로 수정하여 그 계약변경이 기존 계약의 일부인 것처럼 회계처리한다.

33 수익의 인식에 관한 설명으로 옳지 않은 것은? [세무사 2020년]

① 거래가격은 고객에게 약속한 재화나 용역을 이전하고 그 대가로 기업이 받을 권리를 갖게 될 것으로 예상하는 금액이며, 제3자를 대신해서 회수한 금액(예 일부 판매세)은 제외한다.
② 약속한 재화나 용역이 구별되지 않는다면, 구별되는 재화나 용역의 묶음을 식별할 수 있을 때까지 그 재화나 용역을 약속한 다른 재화나 용역과 결합한다.
③ 변동대가(금액)는 기댓값 또는 가능성이 가장 높은 금액 중에서 고객이 받을 권리를 갖게 될 대가(금액)를 더 잘 예측할 것으로 예상하는 방법을 사용하여 추정한다.
④ 계약의 각 당사자가 전혀 수행되지 않은 계약에 대해 상대방(들)에게 보상하지 않고 종료할 수 있는 일방적이고 집행가능한 권리를 갖는다면, 그 계약은 존재하지 않는다고 본다.
⑤ 계약을 개시한 다음에는 계약 당사자들이 수행의무를 실질적으로 변경하는 계약변경을 승인하지 않는 한, 자산이 기업에 대체 용도가 있는지를 다시 판단하지 않는다.

34 ㈜대한은 고객과의 계약에 따라 구매금액 ₩10당 고객충성포인트 1점을 고객에게 보상하는 고객충성제도를 운영한다. 각 포인트는 고객이 ㈜대한의 제품을 미래에 구매할 때 ₩1의 할인과 교환될 수 있다. 20×1년 중 고객은 제품을 ₩200,000에 구매하고 미래 구매 시 교환할 수 있는 20,000포인트를 얻었다. 대가는 고정금액이고 구매한 제품의 개별 판매가격은 ₩200,000이다. 고객은 제품구매시점에 제품을 통제한다. ㈜대한은 18,000포인트가 교환될 것으로 예상하며, 동 예상은 20×1년 말까지 지속된다. ㈜대한은 포인트가 교환될 가능성에 기초하여 포인트당 개별 판매가격을 ₩0.9(합계 ₩18,000)로 추정한다. 20×1년 중에 교환된 포인트는 없다. 20×2년 중 10,000포인트가 교환되었고, 전체적으로 18,000포인트가 교환될 것이라고 20×2년 말까지 계속 예상하고 있다. ㈜대한은 고객에게 포인트를 제공하는 약속을 수행의무라고 판단한다. 상기 외 다른 거래가 없을 때, 20×1년과 20×2년에 ㈜대한이 인식할 수익은 각각 얼마인가? (단, 단수차이로 인해 오차가 있다면 가장 근사치를 선택한다)

[공인회계사 2020년]

	20×1년	20×2년
①	₩200,000	₩10,000
②	₩182,000	₩9,000
③	₩182,000	₩10,000
④	₩183,486	₩8,257
⑤	₩183,486	₩9,174

35 다음은 유통업을 영위하고 있는 ㈜대한의 20×1년 거래를 보여준다. ㈜대한이 20×1년에 인식할 수익은 얼마인가?

[공인회계사 2020년]

(1) ㈜대한은 20×1년 12월 1일에 고객 A와 재고자산 100개를 개당 ₩100에 판매하기로 계약을 체결하고 재고자산을 현금으로 판매하였다. 계약에 따르면, ㈜대한은 20×2년 2월 1일에 해당 재고자산을 개당 ₩120의 행사가격으로 재매입할 수 있는 콜옵션을 보유하고 있다.

(2) ㈜대한은 20×1년 12월 26일에 고객 B와 계약을 체결하고 재고자산 100개를 개당 ₩100에 현금으로 판매하였다. 고객 B는 계약 개시시점에 제품을 통제한다. 판매계약상 고객 B는 20일 이내에 사용하지 않은 제품을 반품할 수 있으며, 반품 시 전액을 환불받을 수 있다. 동 재고자산의 원가는 개당 ₩80이다. ㈜대한은 기댓값 방법을 사용하여 90개의 재고자산이 반품되지 않을 것이라고 추정하였다. 반품에 ㈜대한의 영향력이 미치지 못하지만, ㈜대한은 이 제품과 고객층의 반품 추정에는 경험이 상당히 있다고 판단한다. 그리고 불확실성은 단기간(20일 반품기간)에 해소될 것이며, 불확실성이 해소될 때 수익으로 인식한 금액 중 유의적인 부분은 되돌리지 않을 가능성이 매우 높다고 판단하였다(단, ㈜대한은 제품의 회수원가가 중요하지 않다고 추정하였으며, 반품된 제품은 다시 판매하여 이익을 남길 수 있다고 예상하였다. 20×1년 말까지 반품된 재고자산은 없다).

① ₩20,000　② ₩9,000　③ ₩10,000
④ ₩19,000　⑤ ₩0

36 기업회계기준서 제1115호 '고객과의 계약에서 생기는 수익'의 측정에 대한 다음 설명 중 옳은 것은?

[공인회계사 2020년]

① 거래가격의 후속변동은 계약 개시시점과 같은 기준으로 계약상 수행의무에 배분한다. 따라서 계약을 개시한 후의 개별 판매가격 변동을 반영하기 위해 거래가격을 다시 배분해야 한다. 이행된 수행의무에 배분되는 금액은 거래가격이 변동되는 기간에 수익으로 인식하거나 수익에서 차감한다.

② 계약을 개시할 때 기업이 고객에게 약속한 재화나 용역을 이전하는 시점과 고객이 그에 대한 대가를 지급하는 시점 간의 기간이 1년 이내일 것이라고 예상한다면 유의적인 금융요소의 영향을 반영하여 약속한 대가를 조정하지 않는 실무적 간편법을 쓸 수 있다.

③ 고객이 현금 외의 형태의 대가를 약속한 계약의 경우, 거래가격은 그 대가와 교환하여 고객에게 약속한 재화나 용역의 개별 판매가격으로 측정하는 것을 원칙으로 한다.

④ 변동대가는 가능한 대가의 범위 중 가능성이 가장 높은 금액으로 측정하며 기댓값 방식은 적용할 수 없다.

⑤ 기업이 고객에게 대가를 지급하는 경우, 고객에게 지급할 대가가 고객에게서 받은 구별되는 재화나 용역에 대한 지급이 아니라면 그 대가는 판매비로 회계처리한다.

37 ㈜세무는 고객이 구매한 금액 ₩2당 포인트 1점을 보상하는 고객충성제도를 운영하고 있으며, 각 포인트는 ㈜세무의 제품을 구매할 때 ₩1의 할인과 교환할 수 있다. ㈜세무가 고객에게 포인트를 제공하는 약속은 수행의무에 해당한다. 고객으로부터 수취한 대가는 고정금액이고, 고객이 구매한 제품의 개별 판매가격은 ₩1,000,000이다. 고객은 20×1년에 제품 ₩1,000,000을 구매하였으며, 미래에 제품 구매 시 사용할 수 있는 500,000포인트를 얻었다. ㈜세무는 20×1년도에 고객에게 부여한 포인트 중 50%가 교환될 것으로 예상하여 포인트당 개별 판매가격을 ₩0.5으로 추정하였다. 20×1년과 20×2년의 포인트에 대한 자료는 다음과 같다.

구분	20×1년	20×2년
교환된 포인트	180,000	252,000
전체적으로 교환이 예상되는 포인트	450,000	480,000

㈜세무가 20×2년 12월 31일 재무상태표에 보고해야 할 계약부채는 얼마인가? [세무사 2021년]

① ₩10,000 ② ₩20,000 ③ ₩30,000
④ ₩40,000 ⑤ ₩50,000

38 20×1년 9월 1일에 ㈜대한은 ㈜민국에게 1년간의 하자보증조건으로 중장비 1대를 ₩500,000에 현금판매하였다. 동 하자보증은 용역 유형의 보증에 해당한다. ㈜대한은 1년간의 하자보증을 제공하지 않는 조건으로도 중장비를 판매하고 있으며, 이 경우 중장비의 개별 판매가격은 보증조건 없이 1대당 ₩481,000이며, 1년간의 하자보증용역의 개별 판매가격은 ₩39,000이다. ㈜대한은 ㈜민국에게 판매한 중장비 1대에 대한 하자보증으로 20×1년에 ₩10,000의 원가를 투입하였으며, 20×2년 8월 말까지 추가로 ₩20,000을 투입하여 하자보증을 완료할 계획이다. 상기 하자보증조건부판매와 관련하여 ㈜대한이 20×1년에 인식할 총수익금액과 20×1년 말 재무상태표에 인식할 부채는 각각 얼마인가?

[공인회계사 2021년]

	총수익	부채
①	₩475,000	₩25,000
②	₩475,000	₩20,000
③	₩462,500	₩37,500
④	₩462,500	₩20,000
⑤	₩500,000	₩0

39 ㈜대한은 20×1년 12월 1일에 ㈜민국에게 원가 ₩500,000의 제품을 ₩1,000,000에 현금판매하였다. 판매계약에는 20×2년 3월 31일에 동 제품을 ₩1,100,000에 다시 살 수 있는 권리를 ㈜대한에게 부여하는 콜옵션이 포함되어 있다. ㈜대한은 20×2년 3월 31일에 계약에 포함된 콜옵션을 행사하지 않았으며, 이에 따라 해당 콜옵션은 동 일자에 소멸되었다. 상기 재매입약정거래가 ㈜대한의 20×2년 당기순이익에 미치는 영향은 얼마인가? (단, 현재가치평가는 고려하지 않으며, 계산과정에 오차가 있으면 가장 근사치를 선택한다)

[공인회계사 2021년]

① ₩100,000 감소 ② ₩75,000 감소 ③ ₩500,000 증가
④ ₩525,000 증가 ⑤ ₩600,000 증가

40 기업회계기준서 제1115호 '고객과의 계약에서 생기는 수익'에 대한 다음 설명 중 옳지 않은 것은?

[공인회계사 2021년]

① 유형자산의 처분은 계약상대방이 기업회계기준서 제1115호에서 정의하고 있는 고객에 해당되지 않기 때문에 유형자산 처분손익에 포함되는 대가(금액)를 산정함에 있어 처분유형에 관계없이 동 기준서의 거래가격 산정에 관한 요구사항을 적용할 수 없다.

② 기업이 수행하여 만든 자산이 기업 자체에는 대체 용도가 없고 지금까지 수행을 완료한 부분에 대해 집행가능한 지급청구권이 기업에 있다면, 기업은 재화나 용역에 대한 통제를 기간에 걸쳐 이전하므로, 기간에 걸쳐 수행의무를 이행하는 것이고 기간에 걸쳐 수익을 인식한다.

③ 고객이 약속한 대가 중 상당한 금액이 변동될 수 있으며 그 대가의 금액과 시기는 고객이나 기업이 실질적으로 통제할 수 없는 미래 사건의 발생 여부에 따라 달라진다면, 그 계약에는 유의적인 금융요소가 없을 것이다.

④ 고객이 현금 외의 형태로 대가를 약속한 계약의 경우에 거래가격을 산정하기 위하여 비현금대가(또는 비현금대가의 약속)를 공정가치로 측정한다.

⑤ 고객에게 지급할 대가가 고객에게서 받은 구별되는 재화나 용역의 공정가치를 초과한다면, 그 초과액을 거래가격에서 차감하여 회계처리한다.

41 기업회계기준서 제1115호 '고객과의 계약에서 생기는 수익'에 대한 다음 설명 중 옳지 않은 것은?

[공인회계사 2022년]

① 일반적으로 고객과의 계약에는 기업이 고객에게 이전하기로 약속하는 재화나 용역을 분명히 기재한다. 그러나 고객과의 계약에서 식별되는 수행의무는 계약에 분명히 기재한 재화나 용역에만 한정되지 않을 수 있다.

② 계약을 이행하기 위해 해야 하지만 고객에게 재화나 용역을 이전하는 활동이 아니라면 그 활동은 수행의무에 포함되지 않는다.

③ 고객이 약속한 대가(판매대가) 중 상당한 금액이 변동될 수 있으며 그 대가의 금액과 시기가 고객이나 기업이 실질적으로 통제할 수 없는 미래 사건의 발생 여부에 따라 달라진다면 판매대가에 유의적인 금융요소는 없는 것으로 본다.

④ 적절한 진행률 측정방법에는 산출법과 투입법이 포함된다. 진행률 측정방법을 적용할 때, 고객에게 통제를 이전하지 않은 재화나 용역은 진행률 측정에서 제외하는 반면, 수행의무를 이행할 때 고객에게 통제를 이전하는 재화나 용역은 모두 진행률 측정에 포함한다.

⑤ 수익은 한 시점에 이행하는 수행의무 또는 기간에 걸쳐 이행하는 수행의무로 구분한다. 이러한 구분을 위해 먼저 통제 이전 지표에 의해 한 시점에 이행하는 수행의무인지를 판단하고, 이에 해당하지 않는다면 그 수행의무는 기간에 걸쳐 이행되는 것으로 본다.

42 유통업을 영위하고 있는 ㈜대한은 20×1년 1월 1일 제품 A와 제품 B를 생산하는 ㈜민국과 각 제품에 대해 다음과 같은 조건의 판매 계약을 체결하였다.

〈제품 A〉

- ㈜대한은 제품 A에 대해 매년 최소 200개의 판매를 보장하며, 이에 대해서는 재판매 여부에 관계없이 ㈜민국에게 매입대금을 지급한다. 다만, ㈜대한이 200개를 초과하여 제품 A를 판매한 경우 ㈜대한은 판매되지 않은 제품 A를 모두 조건 없이 ㈜민국에게 반환할 수 있다.
- 고객에게 판매할 제품 A의 판매가격은 ㈜대한이 결정한다.
- ㈜민국은 ㈜대한에 제품 A를 1개당 ₩1,350에 인도하며, ㈜대한은 판매수수료 ₩150을 가산하여 1개당 ₩1,500에 고객에게 판매한다.

〈제품 B〉

- ㈜대한은 제품 B에 대해 연간 최소 판매 수량을 보장하지 않으며, 매년 말까지 판매하지 못한 제품 B를 모두 조건 없이 ㈜민국에게 반환할 수 있다.
- 고객에게 판매할 제품 B의 판매가격은 ㈜민국이 결정한다.
- ㈜대한은 인도받은 제품 B 중 제3자에게 판매한 부분에 대해서만 ㈜민국에게 관련 대금을 지급한다.
- ㈜민국은 고객에게 판매할 제품 B의 판매가격을 1개당 ₩1,000으로 결정하였으며, ㈜대한은 해당 판매가격에서 ₩50의 판매수수료를 차감한 금액을 ㈜민국에게 지급한다.

㈜민국은 위 계약을 체결한 즉시 ㈜대한에게 제품 A 250개와 제품 B 100개를 인도하였다. ㈜대한이 20×1년에 제품 A 150개와 제품 B 80개를 판매하였을 경우 동 거래로 인해 ㈜대한과 ㈜민국이 20×1년도에 인식할 수익은 각각 얼마인가? [공인회계사 2022년]

	㈜대한	㈜민국
①	₩26,500	₩278,500
②	₩26,500	₩305,000
③	₩229,000	₩305,000
④	₩229,000	₩350,000
⑤	₩305,000	₩278,500

43 ㈜대한은 상업용 로봇을 제작하여 고객에게 판매한다. 20×1년 9월 1일에 ㈜대한은 청소용역업체인 ㈜민국에게 청소로봇 1대를 ₩600,000에 판매하고, ㈜민국으로부터 2개월간 청소용역을 제공받는 계약을 체결하였다. ㈜대한은 ㈜민국의 청소용역에 대한 대가로 ₩50,000을 지급하기로 하였다. ㈜대한은 20×1년 10월 1일 청소로봇 1대를 ㈜민국에게 인도하고 현금 ₩600,000을 수취하였으며, ㈜민국으로부터 20×1년 10월 1일부터 2개월간 청소용역을 제공받고 현금 ₩50,000을 지급하였다. 다음의 독립적인 2가지 상황(상황 1, 상황 2)에서 상기 거래로 인해 ㈜대한이 20×1년도에 인식할 수익은 각각 얼마인가? [공인회계사 2022년]

(상황 1) ㈜민국이 ㈜대한에 제공한 청소용역의 공정가치가 ₩40,000인 경우
(상황 2) ㈜민국이 ㈜대한에 제공한 청소용역의 공정가치를 합리적으로 추정할 수 없는 경우

	(상황 1)	(상황 2)
①	₩590,000	₩550,000
②	₩590,000	₩600,000
③	₩560,000	₩550,000
④	₩560,000	₩600,000
⑤	₩600,000	₩600,000

44 프랜차이즈를 운영하는 ㈜세무가 20×1년 11월 초 고객과 체결한 계약과 관련된 정보가 다음과 같을 때, ㈜세무가 20×1년도에 인식할 수익은? (단, 라이선스를 부여하기로 하는 것과 설비를 이전하기로 하는 것은 구별되며, 변동대가와 고정대가는 모두 개별 판매금액을 반영한 것이다)

[세무사 2023년 수정]

- ㈜세무는 계약일로부터 5년 동안 고객이 ㈜세무의 상호를 사용하고 제품을 판매할 권리를 제공하는 프랜차이즈 라이선스를 부여하기로 약속하였다.
- ㈜세무는 라이선스를 부여하는 대가로 고객의 월 매출액 중 3%(변동대가)를 판매기준 로열티로 다음 달 15일에 수령하기로 하였다.
- ㈜세무는 설비가 인도되는 시점에 설비의 대가로 ₩1,500,000(고정대가)을 받기로 하였다.
- 계약과 동시에 설비를 고객에게 이전하였으며, 고객의 20×1년 11월과 12월의 매출액은 각각 ₩7,000,000과 ₩8,000,000이다.

① ₩210,000　② ₩450,000　③ ₩500,000
④ ₩1,710,000　⑤ ₩1,950,000

45 ㈜대한은 20×1년 1월 1일에 댐건설을 위하여 정부와 건설계약(공사기간 3년, 도급금액 ₩12,000,000)을 체결하고, 계약금 ₩600,000을 수취하였다. ㈜대한은 동 건설계약의 수익을 진행기준으로 인식하며, 발생한 누적계약원가를 기준으로 진행률을 계산한다. 동 건설계약과 관련된 연도별 자료가 다음과 같을 때 옳지 않은 것은? [세무사 2013년]

구분	20×1년	20×2년	20×3년
당기 실제 발생계약원가	₩4,000,000	₩2,600,000	₩4,400,000
연도 말 예상 추가계약원가	₩6,000,000	₩4,400,000	-
공사대금청구액(계약금 포함)	₩2,800,000	₩3,200,000	₩6,000,000
공사대금회수액(계약금 포함)	₩2,600,000	₩3,000,000	₩6,400,000

① 20×2년도 계약손실은 ₩200,000이다.
② 20×3년도 계약수익은 ₩4,800,000이다.
③ 20×1년 말 계약자산은 ₩2,000,000이다.
④ 20×2년 말 누적계약수익은 ₩7,200,000이다.
⑤ 20×1년 말 수취채권은 ₩800,000이다.

46 ㈜한국건설은 20×1년 초에 ㈜대한과 교량건설을 위한 건설계약을 발주금액 ₩10,000,000에 체결하였다. 총 공사기간은 계약일로부터 3년인데, 20×2년도에 공사내용의 일부 변경에 따른 계약원가 추가 발생으로 건설계약금액을 ₩2,000,000 증가시키는 것으로 합의하였다. 동 건설계약과 관련된 연도별 자료는 다음과 같다.

구분	20×1년	20×2년	20×3년
실제 계약원가발생액	₩2,400,000	₩4,950,000	₩3,150,000
연도 말 예상 추가계약원가	₩5,600,000	₩3,150,000	-
계약대금청구액	₩2,500,000	₩5,500,000	₩4,000,000
계약대금회수액	₩2,500,000	₩5,500,000	₩4,000,000

㈜한국건설이 진행률을 누적발생계약원가에 기초하여 계산한다고 할 때, 동 건설계약과 관련하여 ㈜한국건설이 20×2년 말 재무상태표상 인식할 계약자산(계약부채)금액은 얼마인가?

[공인회계사 2014년]

① 계약자산 ₩100,000 ② 계약자산 ₩400,000 ③ 계약자산 ₩500,000
④ 계약부채 ₩100,000 ⑤ 계약부채 ₩400,000

47 ㈜하늘은 20×1년 1월 1일 도청과 댐을 건설하는 도급계약(총도급금액 ₩10,000,000, 추정 계약원가 ₩9,000,000, 건설소요기간 3년)을 체결하였다. 동 도급계약상 도청은 건설시작 이전에 주요 설계구조를 지정할 수 있으며, 건설 진행 중에도 주요 구조변경을 지정할 수 있는 등 건설계약의 정의를 충족한다. 동 도급계약과 관련하여 20×1년 말에 ㈜하늘이 추정한 계약원가는 ₩9,200,000으로 증가하였으며, 20×2년 말에 계약원가를 검토한 결과 추가로 ₩300,000만큼 증가할 것으로 추정되었다. ㈜하늘은 동 도급계약의 결과를 신뢰성 있게 추정할 수 있으므로 진행기준으로 수익을 인식하고 있으며, 진행률은 누적계약발생원가를 추정총계약원가로 나눈 비율로 적용하고 있다. 동 도급계약만 존재한다고 가정할 경우 ㈜하늘의 20×2년 말 현재 재무상태표에 표시되는 계약자산(계약부채)의 잔액은 얼마인가? (단, 법인세효과는 고려하지 않는다) [공인회계사 2011년]

구분	20×1년도	20×2년도
당기원가발생액	₩2,760,000	₩5,030,000
당기대금청구액	₩2,800,000	₩5,300,000
당기대금회수액	₩2,400,000	₩4,800,000

* 20×2년 말에 발생한 원가에는 계약상 20×3년도 공사에 사용하기 위해 준비되었지만 아직 사용되지 않은 ₩380,000만큼의 방열자재가 포함되어 있다(단, 방열자재는 동 계약을 위해 별도로 제작한 것은 아니다).

① 계약자산 ₩100,000 ② 계약부채 ₩100,000 ③ 계약자산 ₩300,000
④ 계약부채 ₩300,000 ⑤ 계약자산 ₩500,000

48 ㈜한국건설은 20×1년 1월 1일 ㈜대한그룹의 전자관과 기계관 건설을 위하여 각 건물당 도급금액 ₩1,000,000씩의 건설계약을 체결하였다. 총 공사기간은 계약일로부터 2년이며, 동 건설계약과 관련된 연도별 자료는 다음과 같다.

구분	전자관		기계관	
	20×1년	20×2년	20×1년	20×2년
실제 계약원가발생액	₩300,000	₩600,000	₩330,000	₩870,000
연도 말 예상 추가원가	₩600,000	-	₩870,000	-
계약대금청구액	₩500,000	₩500,000	₩500,000	₩500,000
계약대금회수액	₩500,000	₩500,000	₩500,000	₩500,000

동 복수계약의 실질이 단일계약이라고 가정할 때, 동 계약과 관련하여 ㈜한국건설이 20×1년도 포괄손익계산서의 당기순이익에 미치는 영향은 얼마인가? (㈜한국건설은 진행률을 원가에 기초하여 계산한다. 단, 법인세효과는 고려하지 않는다) [공인회계사 2013년 수정]

① ₩21,667 증가 ② ₩176,667 감소 ③ ₩166,667 감소
④ ₩110,000 감소 ⑤ ₩100,000 감소

49 ㈜아주건설은 20×1년 초에 A회사와 건물을 건설하는 계약을 체결하였다. 총공사계약금액은 ₩2,000,000이며, 공사기간은 20×3년 말까지이다. 각 연도별 공사진행률과 각 연도 말에 추정한 총계약원가 등은 다음과 같다. 20×2년 중 발주자의 재정상태 악화로 20×2년 말 현재 공사는 중단된 상태이며, 20×2년 말까지 발주자에게 청구한 금액은 ₩1,200,000이지만 이 중 ₩700,000만 회수되었으며, 나머지는 불투명한 상태이다.

구분	20×1년	20×2년	20×3년
공사진행률	30%	60%	?
추정총계약원가	₩1,600,000	₩1,700,000	?
실제 발생계약원가	₩480,000	₩540,000	
진행청구액	₩560,000	₩640,000	
발주자로부터 회수한 금액	₩400,000	₩300,000	

㈜아주건설이 20×1년과 20×2년에 인식할 계약손익은 각각 얼마인가?

	20×1년도	20×2년도
①	계약이익 ₩120,000	계약손실 ₩440,000
②	계약이익 ₩120,000	계약이익 ₩160,000
③	계약이익 ₩400,000	계약손실 ₩440,000
④	계약이익 ₩400,000	계약이익 ₩160,000
⑤	계약이익 ₩560,000	계약손실 ₩440,000

50 20×5년에 설립한 ㈜세무는 ㈜한국과 건설기간 3년, 계약금액 ₩1,000,000인 건설계약을 체결하고 준공시점인 20×7년까지는 동 공사만 진행하였다. ㈜세무는 진행기준으로 수익을 인식하며, 진행률은 발생한 누적계약원가를 추정총계약원가로 나눈 비율로 측정한다. 건설계약과 관련된 자료가 다음과 같을 때, ㈜세무가 20×6년과 20×7년에 인식할 당기 계약이익은 각각 얼마인가? (단, 취득한 건설자재는 동 건설계약을 위해 별도로 제작된 경우에 해당하지 않는다) [세무사 2016년]

구분	20×5년	20×6년	20×7년
당기 건설자재 취득원가	₩90,000	₩100,000	₩50,000
기말 미사용 건설자재	₩10,000	₩40,000	₩40,000
당기 건설노무원가	₩120,000	₩140,000	₩250,000
당기 건설장비 감가상각비	₩10,000	₩12,000	₩18,000
추정총계약원가	₩700,000	₩720,000	-

	20×6년	20×7년
①	₩74,111	₩69,222
②	₩74,111	₩85,889
③	₩78,000	₩82,000
④	₩78,000	₩84,000
⑤	₩78,000	₩85,889

51 ㈜세무는 20×1년 초 ㈜한국과 건설계약(공사기간 3년, 계약금액 ₩600,000)을 체결하였다. ㈜세무의 건설용역에 대한 통제는 기간에 걸쳐 이전된다. ㈜세무는 발생원가에 기초한 투입법으로 진행률을 측정한다. 건설계약과 관련된 자료는 다음과 같다. ㈜세무의 20×2년도 공사이익은 얼마인가? [세무사 2021년]

- 20×1년 말 공사 완료 시까지의 추가 소요원가를 추정할 수 없어 합리적으로 진행률을 측정할 수 없었으나, 20×1년 말 현재 이미 발생한 원가 ₩120,000은 모두 회수할 수 있다고 판단하였다.
- 20×2년 말 공사 완료 시까지 추가 소요원가를 ₩200,000으로 추정하였다.
- 연도별 당기발생공사원가는 다음과 같다.

구분	20×1년	20×2년	20×3년
당기발생공사원가	₩120,000	₩180,000	₩200,000

① ₩0 ② ₩40,000 ③ ₩60,000
④ ₩120,000 ⑤ ₩180,000

관련 유형 연습

01 다음 중 한국채택국제회계기준서 제1115호 '고객과의 계약에서 생기는 수익'에 따라 고객과의 계약을 식별하기 위해 규정된 내용으로 옳지 않은 것은?

① 계약 당사자들이 계약을 승인하고 각자의 의무를 수행하기로 확약한다.
② 이전할 재화나 용역과 관련된 각 당사자의 권리를 식별할 수 있다.
③ 이전할 재화나 용역의 지급조건을 식별할 수 있다.
④ 계약에 상업적 실질이 있다.
⑤ 고객에게 이전할 재화나 용역에 대하여 받을 권리를 갖게 될 대가의 회수가능성이 매우 높다.

02 다음 중 한국채택국제회계기준서 제1115호 '고객과의 계약에서 생기는 수익'에서 규정된 내용으로 옳지 않은 것은?

① 계약은 둘 이상의 당사자 사이에 집행가능한 권리와 의무가 생기게 하는 합의이다. 계약상 권리와 의무의 집행가능성은 법률적인 문제이다. 계약은 서면으로, 구두로, 기업의 사업 관행에 따라 암묵적으로 체결할 수 있다.
② 계약의 각 당사자가 전혀 수행되지 않은 계약에 대해 상대방에게 보상하지 않고 종료할 수 있는 일방적이고 집행가능한 권리를 갖는다면, 그 계약은 존재하지 않는다고 본다.
③ 고객과의 계약이 계약 개시시점에 계약에 해당하는지에 대한 판단기준을 충족하는 경우에는 사실과 상황에 유의적인 변동 징후가 있어도 이러한 기준들을 재검토하지 않는다. 만일 고객과의 계약이 판단기준을 충족하지 못한다면, 나중에 충족되는지를 판단하기 위해 그 계약을 지속적으로 검토한다.
④ 고객에게서 받은 대가는 수익으로 인식하기 전까지 부채로 인식하며, 인식된 부채는 계약과 관련된 사실 및 상황에 따라, 재화나 용역을 미래에 이전하거나 받은 대가를 환불해야 하는 의무를 나타낸다. 이 모든 경우에 그 부채는 고객에게서 받은 대가로 측정한다.
⑤ 대가의 회수가능성이 높은지를 평가할 때에는 지급기일에 고객이 대가(금액)를 지급할 수 있는 능력과 지급할 의도만을 고려한다. 기업이 고객에게 가격할인(price concessions)을 제공함으로써 대가가 변동될 수 있다면, 기업이 받을 권리를 갖게 될 대가는 계약에 표시된 가격보다 적을 수 있다.

03 다음 중 한국채택국제회계기준서 제1115호 '고객과의 계약에서 생기는 수익'에서 규정된 내용으로 옳지 않은 것은?

① 법률에 따라 기업이 보증을 제공하여야 한다면 그 법률의 존재는 약속한 보증이 수행의무가 아님을 나타낸다. 또한 보증기간이 길수록, 약속한 보증이 수행의무일 가능성이 낮다.

② 용역제공자는 계약을 준비하기 위해 다양한 관리업무를 수행할 필요가 있을 수 있다. 관리업무를 수행하더라도, 그 업무를 수행함에 따라 고객에게 용역이 이전되지는 않는다. 그러므로 그 계약 준비 활동은 수행의무가 아니다.

③ 고객과의 계약에서 식별되는 수행의무는 계약에 분명히 기재한 재화나 용역에만 한정되지 않을 수 있다. 고객에게 이전할 것이라는 정당한 기대를 하도록 한다면, 이러한 약속도 고객과의 계약에 포함될 수 있다.

④ 확신 유형의 보증은 제품이 합의된 규격에 부합하므로 당사자들이 의도한 대로 작동할 것이라는 확신을 고객에게 주는 유형을 말한다.

⑤ 용역 유형의 보증은 제품이 합의된 규격에 부합한다는 확신에 더하여 고객에게 용역을 제공하는 유형을 말한다.

04 다음 중 한국채택국제회계기준서 제1115호 '고객과의 계약에서 생기는 수익'에서 규정된 내용으로 옳지 않은 것은?

① 거래가격은 고객에게 약속한 재화나 용역을 이전하고 그 대가로 기업이 받을 권리를 갖게 될 것으로 예상하는 금액이며, 제3자를 대신해서 회수한 금액은 제외한다.

② 변동대가와 관련된 불확실성이 나중에 해소될 때, 이미 인식한 누적 수익금액 중 유의적인 부분을 되돌리지 않을 가능성이 매우 높은 정도까지만 추정된 변동대가의 일부나 전부를 거래가격에 포함한다.

③ 각 보고기간 말의 상황과 보고기간의 상황변동을 충실하게 표현하기 위하여 보고기간 말마다 추정 거래가격을 새로 수정한다. 거래가격의 후속변동은 계약 개시시점과 같은 기준으로 계약상 수행의무에 배분한다.

④ 거래가격의 후속변동은 계약 개시시점과 같은 기준으로 계약상 수행의무에 배분하고 계약을 개시한 후의 개별 판매가격이 변동한 경우 이를 반영하기 위해 거래가격을 다시 배분한다. 이행된 수행의무에 배분되는 금액은 거래가격이 변동되는 기간에 수익으로 인식하거나 수익에서 차감한다.

⑤ 계약을 개시할 때 기업이 고객에게 약속한 재화나 용역을 이전하는 시점과 고객이 그에 대한 대가를 지급하는 시점 간의 기간이 1년 이내일 것이라고 예상한다면 유의적인 금융요소의 영향을 반영하여 약속한 대가를 조정하지 않는 실무적 간편법을 사용할 수 있다.

05 다음 중 한국채택국제회계기준서 제1115호 '고객과의 계약에서 생기는 수익'에서 규정된 내용으로 옳지 않은 것은?

① 비현금대가의 공정가치를 합리적으로 추정할 수 없는 경우에는, 그 대가와 교환하여 고객에게 약속한 재화나 용역의 개별 판매가격을 참조하여 간접적으로 그 대가를 측정한다(단, 상업적 실질이 없는 성격과 가치가 유사한 재화나 용역의 교환이나 스왑거래는 계약으로 식별할 수 없으므로, 수익이 발생하는 거래로 보지 않는다).
② 기업이 고객에게 재화나 용역을 이전할 때 고객이 그 재화나 용역의 대가를 현금으로 결제한다면 지급할 가격으로 약속한 대가의 명목금액을 할인하는 이자율을 식별하여 그 할인율로 산정할 수 있다. 계약 개시 후에는 이자율이나 그 밖의 상황이 달라지면 그 할인율을 새로 수정한다.
③ 고객에게 지급할 대가가 고객에게서 제공받을 재화나 용역에 대한 대가가 아닌 경우 거래가격인 수익에서 차감하여 회계처리한다.
④ 기업이 고객에게 지급할 대가가 고객이 기업에게 이전하는 재화나 용역의 대가인 경우, 그 대가가 재화나 용역의 공정가치를 초과하여 지급하였다면 초과액을 거래가격에서 차감한다.
⑤ 기업이 고객에게 지급할 대가가 고객이 기업에게 이전하는 재화나 용역의 대가인 경우, 그 재화나 용역의 공정가치 추정이 불가능하다면 지급한 대가 전액을 거래가격에서 차감한다.

06 20×1년 11월 1일에 A회사는 3개월에 걸쳐 제품 120개를 D회사에 개당 ₩1,000에 판매하는 계약을 체결하였다. 20×1년 11월 30일까지 A회사는 제품 120개 중 60개를 D회사에 인도하고, 현금 ₩60,000을 수령하였다. 20×1년 12월 1일에 남은 2개월 동안 40개를 개당 ₩800에 추가 판매하기로 계약을 변경하였다. 추가된 제품의 판매가격 ₩800은 개별 판매가격에 비해 현저히 저렴한 금액이며, 기존 계약과 다른 별개의 계약은 아니지만, 기존의 제품과는 구별된다(단, 개별 판매가격을 반영하지 않은 가격이다). 그러나 협상과정에서 D회사는 이미 인도받은 최초 제품 60개에 제품 특유의 사소한 결함이 있음을 알게 되었으며, 이에 대한 보상으로 고객에게 개당 ₩150의 일부 공제를 약속하였다. 따라서 추가된 제품의 판매가격인 ₩800 × 40개인 ₩32,000에서 개당 ₩150 × 60개인 ₩9,000을 공제하고 판매대금을 수령하기로 하였다. 20×1년 12월에 기존 제품 40개와 추가 제품 30개를 인도하고 현금 ₩40,000을 수령하였다. 나머지 제품은 모두 20×2년 1월 31일에 인도를 완료하였으며, 현금 ₩43,000을 수령하였다. A회사가 제품매출로 20×1년과 20×2년에 인식할 금액은 각각 얼마인가?

	20×1년 매출	20×2년 매출
①	₩115,400	₩27,600
②	₩60,000	₩30,000
③	₩124,400	₩27,600
④	₩115,400	₩30,000
⑤	₩124,400	₩27,000

07 20×1년도 수익인식과 관련된 다음의 사례 중 옳지 않은 것은?

① 보험대리업을 영위하고 있는 ㈜우리는 20×1년 10월 1일 ㈜나라보험의 보험상품 중 하나에 대하여 ㈜평창과 계약을 체결하였다. 보험기간은 20×1년 10월 1일부터 1년이며, ㈜우리가 보험계약기간에 추가로 용역을 제공할 가능성은 높다. ㈜우리는 20×1년 12월 1일 ㈜나라보험으로부터 동 보험계약에 대한 대리수수료 ₩1,000,000을 수령하고 전액 20×1년도 수익으로 인식하였다.

② ㈜한국은 20×1년 12월 1일에 설치에 대한 용역이 재화의 판매에 부수되지 않는 섬유기계장치를 판매하고, 별도의 설치수수료 ₩500,000을 수령하였다. ㈜한국은 일정상 20×1년 말까지 동 기계장치에 대한 설치를 시작하지 못하여, 수령한 설치수수료를 20×1년도 수익으로 인식하지 않았다.

③ 20×1년 11월 1일 ㈜대한피트니스에 연회원으로 50명이 가입하였다. 연회원가입비(환급되지 않음)는 1인당 ₩45,000이며, 연회원은 가입 후 1년 동안만 피트니스 이용료를 할인받을 수 있다. ㈜대한피트니스는 20×1년 11월 1일에 가입한 회원으로부터 수령한 연회원가입비 중 ₩375,000(= 50명 × ₩45,000 × 2/12)을 20×1년도 수익으로 인식하였다.

④ 광고제작사인 ㈜소백기획은 20×1년 9월 1일에 ㈜섬진으로부터 총금액 ₩6,000,000의 광고제작을 의뢰받고, 이를 6개월 안에 완성하기로 하였다. 20×1년 말 현재 광고제작이 50% 완성되어 ㈜소백기획은 ₩3,000,000을 20×1년도 수익으로 인식하였다.

⑤ ㈜팔공은 20×1년 12월 1일에 ₩5,000,000의 상품을 판매하였다. 판매계약에 명시된 이유를 들어 구매자는 구매취소를 할 수 있다. 20×1년 말 현재 반품가능성을 예측하기 힘들어 ㈜팔공은 20×1년도에 수익을 인식하지 않았다.

08 ㈜한국아이티는 고객사의 주문에 따라 소프트웨어를 개발하여 납품하는 것을 주된 영업으로 하며, 해당 고객의 요청이 있는 경우에 한하여 지원용역을 제공하고 있다. ㈜한국아이티는 20×1년 6월 30일에 ㈜갑을상사와 총계약금액이 ₩100,000인 소프트웨어 개발 및 인도 후 지원용역 계약을 체결하였다. 계약서에 따르면 ㈜한국아이티는 20×1년 7월 1일부터 20×2년 12월 31일까지 ㈜갑을상사의 주문에 따른 소프트웨어를 개발 및 인도하고 20×3년 1월 1일부터 6월 30일까지 6개월간 지원용역을 제공하여야 한다. 계약서상 개발 및 지원용역 계획은 다음과 같다.

구분	해당 기간에 투입할 용역량			합계
	20×1. 7. 1. ~ 20×1. 12. 31.	20×2. 1. 1. ~ 20×2. 12. 31.	20×3. 1. 1. ~ 20×3. 6. 30.	
소프트웨어 개발	4,200시간	5,400시간	-	9,600시간
지원용역	-	-	2,400시간	2,400시간

실제 소프트웨어의 개발 및 지원용역에 대한 용역 투입이 계약서와 동일하게 이루어진 경우, ㈜한국아이티가 20×1년에 인식할 수익은 얼마인가? (단, 수익을 진행기준에 따라 인식하는 경우 진행률은 총예상용역량 대비 현재까지 수행한 누적용역량의 비율로 측정하며 용역량의 측정은 투입시간을 이용한다. 또한 지원용역은 20×3년 6월 30일자로 종료되고 더 이상 연장되지 않는다고 가정한다. 단, 소프트웨어의 개발과 지원용역의 개별 판매계약은 각각 ₩90,000과 ₩10,000이다)

① ₩35,000 ② ₩39,375 ③ ₩43,750
④ ₩50,000 ⑤ ₩100,000

09 다음은 ㈜대한의 공사계약과 관련된 자료이다. 당해 공사는 20×1년 초에 시작되어 20×3년 말에 완성되었으며, 총계약금액은 ₩5,000,000이다. ㈜대한은 건설 용역에 대한 통제가 기간에 걸쳐 이전되는 것으로 판단하였으며, 진행률은 발생원가에 기초한 투입법으로 측정한다.

구분	20×1년	20×2년	20×3년
당기발생원가	₩1,000,000	₩2,000,000	₩1,500,000
완성 시까지 추가소요원가	₩3,000,000	₩1,000,000	-

㈜대한의 20×2년도 공사손익은 얼마인가? [공인회계사 2024년]

① ₩250,000 손실 ② ₩250,000 이익 ③ ₩500,000 이익
④ ₩1,750,000 이익 ⑤ ₩3,500,000 이익

10 ㈜갑은 장기건설계약에 대하여 진행기준을 적용하고 있다. 20×1년도에 계약금액 ₩20,000의 사무실용 빌딩건설계약을 하였다. 20×1년 말 현재 공사진행률은 20%, 인식한 이익의 누계액은 ₩1,000이고, 추정총계약원가는 ₩15,000이다. 또한, 20×2년 말 현재 공사진행률은 60%, 인식한 이익의 누계액은 ₩2,400이고, 추정총계약원가는 ₩16,000이다. 20×2년도에 발생한 계약원가는 얼마인가?

① ₩6,400 ② ₩6,600 ③ ₩7,000
④ ₩9,600 ⑤ ₩14,800

11 ㈜한영은 20×1년 1월 1일에 서울시로부터 계약금액 ₩5,000,000인 골프장 공사를 수주하였다. 20×3년 3월 1일에 완공되었으며 공사와 관련된 정보는 아래와 같다.

구분	20×1년	20×2년	20×3년
총추정계약원가	₩4,500,000	₩5,100,000	₩4,800,000
당기발생계약원가	₩900,000	₩3,180,000	₩720,000
계약대금청구액	₩900,000	₩3,000,000	₩1,100,000
계약대금회수액	₩800,000	₩2,900,000	₩1,300,000

진행률을 기준으로 수익을 인식할 때 20×2년과 20×3년 계약손익은 각각 얼마인가?

	20×2년	20×3년
①	₩180,000 계약손실	₩280,000 계약이익
②	₩180,000 계약손실	₩380,000 계약이익
③	₩200,000 계약손실	₩200,000 계약이익
④	₩200,000 계약손실	₩300,000 계약이익
⑤	₩200,000 계약손실	₩480,000 계약이익

12 ㈜대구건설은 20×1년 1월 1일에 교량건설을 위하여 ㈜경상과 총도급금액 ₩6,000,000에 계약을 체결하였다. 동 건설공사계약의 수익인식은 진행기준을 사용하며, 계약의 진행률은 누적발생계약원가를 기준으로 한다. 동 건설공사계약과 관련된 연도별 자료는 다음과 같다.

구분	20×1년	20×2년	20×3년
실제 계약원가발생액	₩2,000,000	₩1,300,000	₩2,200,000
예상 추가계약원가	₩3,000,000	₩2,200,000	-
계약대금청구액	₩1,400,000	₩1,600,000	₩3,000,000
계약대금회수액	₩1,000,000	₩1,800,000	₩3,200,000

이 건설공사계약과 관련하여, ㈜대구건설의 20×2년도 당기순이익에 미치는 영향은 얼마인가?

① ₩100,000 감소 ② ₩100,000 증가 ③ ₩200,000 증가
④ ₩300,000 감소 ⑤ ₩500,000 감소

13 건설회사인 ㈜보람은 20×1년 주상복합건물의 건설계약을 체결하였다. 동 건설공사는 아파트 건설공사와 상가 건설공사로 구분되며, 계약수익의 인식은 진행기준을 사용한다. 계약진행률은 누적계약원가 기준으로 한다. 20×2년도 말 추정총계약원가 및 계약진행률 등의 자료는 다음과 같다.

구분	아파트	상가	합계
건설계약금액	₩5,800,000	₩3,200,000	₩9,000,000
20×1년도 계약이익	₩200,000	₩150,000	₩350,000
추정총계약원가	₩6,000,000	₩2,000,000	₩8,000,000
20×2년 말 누적진행률	50%	90%	60%

계약손익의 계산은 아파트 공사와 상가 공사를 분할하거나 또는 병합하는 방식으로 구해질 수 있다. 각각의 경우 20×2년 계약손익은 얼마인가? (단, 법인세효과는 고려하지 않는다)

	계약분할	계약병합
①	계약이익 ₩400,000	계약이익 ₩530,000
②	계약이익 ₩530,000	계약이익 ₩250,000
③	계약이익 ₩730,000	계약이익 ₩250,000
④	계약이익 ₩630,000	계약이익 ₩250,000
⑤	계약이익 ₩1,080,000	계약이익 ₩530,000

실력 점검 퀴즈

01 ㈜포도는 20×1년 1월 1일 제품 500개(개당 판매가격 ₩100, 개당 원가 ₩50)를 현금판매하고, 고객이 사용하지 않은 제품을 30일 이내에 반품하면 전액 환불해준다. ㈜포도는 판매한 수량의 10%가 반품될 것으로 추정한다. 1월 15일 동 판매제품 중 30개가 반품되었으며, 반품된 제품은 전부 개당 ₩60에 즉시 현금판매되었다. 위 거래의 회계처리 결과에 관한 설명으로 옳은 것은? (단, 재고자산에 대하여 계속기록법을 사용하고, 반품회수원가는 무시한다)

① 매출총이익은 ₩22,800이다.
② 매출원가는 ₩25,000이다.
③ 환불부채 잔액은 ₩5,000이다.
④ 매출액은 ₩50,000이다.
⑤ 환불금액은 ₩2,500이다.

02 ㈜하늘은 20×1년 1월 1일 제품을 판매하기로 ㈜한국과 계약을 체결하였다. 동 제품에 대한 통제는 20×2년 말에 ㈜한국으로 이전된다. 계약에 의하면 ㈜한국은 ㉠ 계약을 체결할 때 ₩100,000을 지급하거나 ㉡ 제품을 통제하는 20×2년 말에 ₩125,440을 지급하는 방법 중 하나를 선택할 수 있다. 이 중 ㈜한국은 ㉠을 선택함으로써 계약체결일에 현금 ₩100,000을 ㈜하늘에게 지급하였다. ㈜하늘은 자산 이전시점과 고객의 지급시점 사이의 기간을 고려하여 유의적인 금융요소가 포함되어 있다고 판단하고 있으며, ㈜한국과 별도 금융거래를 한다면 사용하게 될 증분차입이자율 연 10%를 적절한 할인율로 판단한다. 동 거래와 관련하여 ㈜하늘이 20×1년 말 재무상태표에 계상할 계약부채의 장부금액(A)과 20×2년도 포괄손익계산서에 인식할 매출수익(B)은?

	(A)	(B)
①	₩100,000	₩100,000
②	₩110,000	₩121,000
③	₩110,000	₩125,440
④	₩112,000	₩121,000
⑤	₩112,000	₩125,440

03 고객과의 계약에서 생기는 수익에 관한 설명으로 옳지 않은 것은?

① 거래가격을 산정하기 위해서는 계약조건과 기업의 사업 관행을 참고하며, 거래가격에는 제삼자를 대신해서 회수한 금액은 제외한다.

② 고객과의 계약에서 약속한 대가는 고정금액, 변동금액 또는 둘 다를 포함할 수 있다.

③ 변동대가의 추정이 가능한 경우, 계약에서 가능한 결과치가 두 가지뿐일 경우에는 기댓값이 변동대가의 적절한 추정치가 될 수 있다.

④ 기업이 받을 권리를 갖게 될 변동대가(금액)에 미치는 불확실성의 영향을 추정할 때에는 그 계약 전체에 하나의 방법을 일관되게 적용한다.

⑤ 고객에게서 받은 대가의 일부나 전부를 고객에게 환불할 것으로 예상하는 경우에는 환불부채를 인식한다.

04 다음은 ㈜하늘의 수익 관련 자료이다.

- ㈜하늘은 20×1년 초 ㈜한국에게 원가 ₩50,000의 상품을 판매하고 대금은 매년 말 ₩40,000씩 총 3회에 걸쳐 현금을 수취하기로 하였다.
- ㈜하늘은 20×1년 12월 1일 ㈜대한에게 원가 ₩50,000의 상품을 ₩120,000에 현금 판매하였다. 판매계약에는 20×2년 1월 31일 이전에 ㈜대한이 요구할 경우 ㈜하늘이 판매한 제품을 ₩125,000에 재매입해야 하는 풋옵션이 포함된다. 20×1년 12월 1일에 ㈜하늘은 재매입일 기준 제품의 예상 시장가치는 ₩125,000 미만이며, 풋옵션이 행사될 유인은 유의적일 것으로 판단하였으나, 20×2년 1월 31일까지 풋옵션은 행사되지 않은 채 소멸하였다.

㈜하늘이 20×2년에 인식해야 할 총수익은? (단, 20×1년 초 ㈜한국의 신용특성을 반영한 이자율은 5%이고, 계산금액은 소수점 첫째 자리에서 반올림하며, 단수차이로 인한 오차가 있으면 가장 근사치를 선택한다)

기간	단일금액 ₩1의 현재가치 (할인율 = 5%)	정상연금 ₩1의 현재가치 (할인율 = 5%)
3	0.8638	2.7232

① ₩0　② ₩120,000　③ ₩125,000
④ ₩128,719　⑤ ₩130,718

05 ㈜하늘은 20×1년부터 제품판매 ₩5당 포인트 1점을 고객에게 제공하는 고객충성제도를 운영하고 제품판매 대가로 ₩10,000을 수취하였다. 포인트는 20×2년부터 ㈜하늘의 제품을 구매할 때 사용할 수 있으며 포인트 이행약속은 ㈜하늘의 중요한 수행의무이다. ㈜하늘은 포인트 1점당 ₩0.7으로 측정하고, 20×1년 부여된 포인트 중 75%가 사용될 것으로 예상하여 포인트의 개별 판매가격을 추정하였다. 포인트가 없을 때 20×1년 제품의 개별 판매가격은 ₩9,450이다. 상대적 개별 판매가격에 기초하여 ㈜하늘이 판매대가 ₩10,000을 수행의무에 배분하는 경우, 20×1년 말 재무상태표에 인식할 포인트 관련 이연수익(부채)은?

① ₩1,000 ② ₩1,050 ③ ₩1,450
④ ₩1,550 ⑤ ₩2,000

06 ㈜하늘은 20×1년 10월 1일에 고객과 원가 ₩900의 제품을 ₩1,200에 판매하는 계약을 체결하고 즉시 현금판매하였다. 계약에 따르면 ㈜하늘은 20×2년 3월 31일에 동 제품을 ₩1,300에 재매입할 수 있는 콜옵션을 보유하고 있다. 동 거래가 다음의 각 상황에서 ㈜하늘의 20×2년도 당기순이익에 미치는 영향은? (단, 각 상황(A, B)은 독립적이고, 화폐의 시간가치는 고려하지 않으며, 이자비용(수익)은 월할 계산한다)

> 상황 A: 20×2년 3월 31일에 ㈜하늘이 계약에 포함된 콜옵션을 행사한 경우
> 상황 B: 20×2년 3월 31일에 계약에 포함된 콜옵션이 행사되지 않은 채 소멸된 경우

	상황 A	상황 B
①	₩100 감소	₩100 증가
②	₩50 감소	₩100 증가
③	₩50 감소	₩350 증가
④	₩300 증가	₩350 증가
⑤	₩400 증가	₩400 증가

07 고객과의 계약에서 생기는 수익에 관한 설명으로 옳지 않은 것은?

① 고객과의 계약에서 약속한 대가에 변동금액이 포함된 경우 기업은 고객에게 약속한 재화나 용역을 이전하고 그 대가로 받을 권리를 갖게 될 금액을 추정한다.
② 고객이 재화나 용역의 대가를 선급하였고 그 재화나 용역의 이전시점이 고객의 재량에 따라 결정된다면, 기업은 거래가격을 산정할 때 화폐의 시간가치가 미치는 영향을 고려하여 약속된 대가(금액)를 조정해야 한다.
③ 적절한 진행률 측정방법에는 산출법과 투입법이 포함되며, 진행률 측정방법을 적용할 때 고객에게 통제를 이전하지 않은 재화나 용역은 진행률 측정에서 제외한다.
④ 고객과의 계약체결 증분원가가 회수될 것으로 예상된다면 이를 자산으로 인식한다.
⑤ 고객이 기업이 수행하는 대로 기업의 수행에서 제공하는 효익을 동시에 얻고 소비한다면, 기업은 재화나 용역에 대한 통제를 기간에 걸쳐 이전하는 것이므로 기간에 걸쳐 수익을 인식한다.

08 다음에 제시된 <자료>에 대한 아래 물음에 답하시오.

〈자료〉

(1) ㈜한국은 원가 ₩1,000,000의 안마기(제품)를 1대당 ₩2,000,000에 판매하며 1년간 무상으로 품질보증을 실시하기로 하였다. 이러한 보증은 제품이 합의된 규격에 부합한다는 확신을 고객에게 제공한다. 또한 ㈜한국은 고객들에게 2년간 총 8회 안마기 기능 업그레이드를 위한 방문서비스를 제공하기로 하였다. 방문서비스당 개별 판매가격은 ₩45,000이고 안마기 판매가격에 포함되어 있다.

(2) ㈜한국은 안마기 판매가격 ₩1,000당 10포인트를 적립하는 고객충성제도를 운영한다. 고객은 포인트를 사용하여 ㈜한국 제품의 구매대금을 결제할 수 있다. 포인트의 개별 판매가격은 포인트당 ₩10이고 포인트 중 70%가 사용될 것으로 예상한다. 즉, 교환될 가능성에 기초한 포인트당 개별 판매가격은 ₩7으로 추정한다. 안마기의 개별 판매가격은 한 대당 ₩2,000,000이다. ㈜한국은 안마기를 20×0년 10대, 20×1년 15대 판매하였으며, ㈜한국의 교환된 누적포인트와 교환예상 총포인트는 다음과 같다.

구분	20×0년	20×1년
교환된 누적포인트	70,000포인트	280,000포인트
교환예상 총포인트	140,000포인트	350,000포인트

(3) 20×0년과 20×1년 판매된 안마기에 대한 방문서비스는 다음과 같이 고객에게 제공되었다.

구분	20×0년	20×1년	20×2년	20×3년	합계
20×0년 판매분	28회	30회	22회	-	80회
20×1년 판매분	-	42회	50회	28회	120회

(4) 판매된 안마기와 관련하여 20×0년과 20×1년의 예상 품질보증비용(매출액의 5%)과 실제 발생한 품질보증비용은 다음과 같다.

구분		20×0년	20×1년
예상 품질보증비용		₩1,000,000	₩1,500,000
실제 보증비용 발생액	20×0년 판매분	₩550,000	₩300,000
	20×1년 판매분	-	₩750,000

㈜한국의 20×0년도와 20×1년도 포괄손익계산서와 20×0년 말과 20×1년 말 재무상태표에 인식될 다음의 금액들 중 옳지 않은 것을 고르시오.

구분	제품 매출	포인트 매출	방문서비스 수익	품질보증충당부채
20×0년	① ₩16,000,000	② ₩560,000		
20×1년		③ ₩1,680,000	④ ₩2,592,000	⑤ ₩700,000

2차 문제 Preview

01 다음 자료에 대한 물음에 답하시오.

㈜대한은 다음의 제품들을 생산하여 고객에게 판매한다. ㈜대한은 재고자산에 대해 계속기록법을 적용하여 회계처리하고 있으며, 20×1년 각 제품과 관련된 고객과의 거래는 다음과 같다.

(1) 제품 A

- ㈜대한은 20×1년 12월 31일에 제품 A를 1개월 이내에 반품을 허용하는 조건으로 ₩150,000(매출원가율 70%)에 판매하였다.
- ㈜대한은 과거 경험에 따라 이 중 5%가 반품될 것으로 예상하며, 이러한 변동대가의 추정치와 관련된 불확실성이 해소될 때(즉, 반품기한이 종료될 때) 이미 인식한 누적 수익금액 중 유의적인 부분을 되돌리지 않을 가능성이 높다고 판단하였다.
- 반품된 제품 A는 일부 수선만 하면 다시 판매하여 이익을 남길 수 있다. ㈜대한은 제품 A가 반품될 경우 회수 및 수선을 위해 총 ₩200이 지출될 것으로 예상하였다.
- 20×1년 12월 31일 매출 중 20×2년 1월 말까지 실제 반품된 제품 A의 판매가격 합계는 ₩8,000이며, 반품된 제품 A의 회수 및 수선을 위해 총 ₩250이 지출되었다.

(2) 제품 B

- ㈜대한은 20×1년 11월 1일 ㈜독도에 제품 B를 ₩50,000(원가 ₩48,000)에 현금판매하였다.
- 계약에 따르면 ㈜대한이 ㈜독도의 요구에 따라 20×2년 4월 30일에 제품 B를 ₩54,800에 다시 매입해야 하는 풋옵션이 포함되어 있다.
- 20×1년 11월 1일에 추정한 20×2년 4월 30일의 제품 B에 대한 예상시장가격은 ₩52,000이며, 이러한 추정에 변동은 없다.
- 20×2년 4월 30일 현재 제품 B의 실제시장가격은 예상과 달리 ₩60,000으로 형성되어 있으며, 따라서 해당 풋옵션은 만기에 행사되지 않고 소멸되었다.

(3) 제품 C

- ㈜대한은 통신장비인 제품 C의 판매와 통신서비스를 모두 제공하고 있다. ㈜대한은 통상적으로 제품 C를 한 대당 ₩300,000에 현금판매하고, 통신서비스는 월 ₩2,500씩 24개월에 총 ₩60,000의 약정으로 제공하고 있다.
- ㈜대한은 신규 고객 유치를 위한 특별행사로 20×1년 9월 1일부터 20×1년 12월 31일까지 제품 C와 통신서비스를 결합하여 이용하는 고객에게는 현금보조금 ₩43,200을 계약체결일에 지급하고 있다.
- 이 결합상품은 20×1년 10월 1일과 12월 1일에 각각 10명과 20명의 고객에게 1인당 1개씩 판매되었다.

물음 1 ㈜대한이 20×1년에 고객에게 판매한 제품 A와 제품 B에 관련된 회계처리가 ㈜대한의 20×1년과 20×2년 포괄손익계산서상 당기순이익에 미치는 영향을 각각 계산하시오(단, 당기순이익이 감소하는 경우에는 금액 앞에 (-)를 표시하시오).

제품	구분	금액
제품 A	20×1년 당기순이익에 미치는 영향	①
	20×2년 당기순이익에 미치는 영향	②
제품 B	20×1년 당기순이익에 미치는 영향	③
	20×2년 당기순이익에 미치는 영향	④

물음 2 ㈜대한이 20×1년에 특별행사로 판매한 제품 C와 통신서비스의 결합상품 판매로 인해 20×1년과 20×2년에 수익으로 인식할 금액을 각각 계산하시오.

20×1년 수익	①
20×2년 수익	②

02 다음 자료에 대한 물음에 답하시오.

(1) ㈜민국은 20×1년 3월 1일 구별되는 제품 A와 제품 B를 고객에게 이전하기로 계약하였다. 제품 A는 계약시점에, 제품 B는 20×1년 10월 1일에 각각 고객에게 이전하기로 하였다. 고객이 약속한 대가는 총 ₩15,000으로, 여기에는 고정대가 ₩12,000과 불확실성이 해소될 때 이미 인식한 누적수익금액 중 유의적인 부분을 되돌리지 않을 가능성이 매우 높다고 판단한 변동대가 ₩3,000이 포함되어 있다.

(2) ㈜민국은 20×1년 7월 1일에 아직 고객에게 인도하지 않은 제품 B에 추가하여 또 다른 제품 C를 20×1년 12월 1일에 이전하기로 계약의 범위를 변경하고, 계약가격 ₩4,000(고정대가)을 증액하였는데, 이 금액이 제품 C의 개별 판매가격을 나타내지는 않는다.

(3) ㈜민국은 20×1년 8월 1일에 권리를 갖게 될 것으로 예상한 변동대가의 추정치와 추정치의 제약을 재검토하여 변동대가를 ₩3,000에서 ₩4,200으로 수정하였다. ㈜민국은 이러한 변동대가 추정치 변경분을 거래가격에 포함할 수 있다고 결론지었다.

(4) ㈜민국은 20×1년 9월 1일에 이미 이전한 제품 A에 사소한 결함이 있다는 것을 알게 되어 고객과 합의하여 고정대가를 ₩1,000만큼 할인해주기로 하였다.

(5) 제품 A, 제품 B, 제품 C의 일자별 개별 판매가격은 다음과 같다.

구분	20×1. 3. 1.	20×1. 7. 1.	20×1. 8. 1.	20×1. 9. 1.
제품 A	₩8,000	₩8,000	₩9,000	₩8,500
제품 B	₩7,000	₩6,000	₩6,000	₩6,000
제품 C	₩5,000	₩6,000	₩5,000	₩5,500

㈜민국이 제품 A, B, C를 약속시점에 모두 고객에게 이전하였다고 할 때, 20×1년 ㈜민국이 각 제품과 관련하여 수익으로 인식할 금액을 계산하시오.

구분	제품 A	제품 B	제품 C
수익	①	②	③

1차 시험 출제현황

구분	CPA										CTA									
	15	16	17	18	19	20	21	22	23	24	15	16	17	18	19	20	21	22	23	24
리스회계 개념		1			1		1			1	1									1
리스제공자				1	0.5	1		1.5	1			1				1	1			
리스이용자	1				0.5		1	0.5	1	1		1			2		1	1	1	
리스의 기타사항						1														

제13장

리스

기초 유형 확인

[01 ~ 03]

A리스의 기계장치 1대를 아래와 같은 조건으로 B사에게 금융리스하였다.

(1) 리스기간: 20×1년 1월 1일부터 20×3년 12월 31일
(2) 고정리스료: 리스이용자는 리스기간 동안 매년 12월 31일에 ₩100,000씩 지급
(3) 잔존가치 보증: 리스종료 시 기계장치를 리스제공자에게 반환하되, 예상잔존가치 ₩30,000 중 ₩20,000을 리스이용자가 보증
(4) A리스의 리스개설직접원가: ₩10,000
(5) 내재이자율: 연 5%
(6) 3기간 이자율 5%의 현가계수: 0.86384, 3기간 이자율 5%의 연금현가계수: 2.72325
(7) 2기간 이자율 5%의 현가계수: 0.90703, 2기간 이자율 5%의 연금현가계수: 1.85941

01 동 리스거래가 20×1년 A리스의 당기손익에 미친 영향은 얼마인가?

① ₩3,810 ② ₩24,912 ③ ₩14,912
④ ₩5,842 ⑤ ₩(-)3,810

02 20×1년 말에 리스기간 종료시점의 잔존가치 추정이 ₩30,000에서 ₩15,000으로 변경된 경우에 동 리스거래가 20×1년 A리스의 당기손익에 미친 영향은 얼마인가?

① ₩3,810 ② ₩24,912 ③ ₩14,912
④ ₩5,842 ⑤ ₩(-)3,810

03 문제 **02**와 독립적으로 리스기간 동안 종료시점의 잔존가치 추정액의 변경은 없었으나 리스기간 종료시점에 기초자산의 실제 잔존가치가 ₩15,000이었다면 동 리스거래가 20×3년 A리스의 당기손익에 미친 영향은 얼마인가? (단, B사는 실제 잔존가치와 보증 잔존가치의 차이금액을 리스종료시점에 A리스에 현금으로 지급하였다)

① ₩3,810 ② ₩24,912 ③ ₩14,912
④ ₩5,842 ⑤ ₩(-)3,810

[04 ~ 06]

㈜대한은 20×0년 12월 31일에 항공기를 ₩5,198,927에 취득하였다. 리스제공자인 ㈜대한은 항공서비스를 제공하는 ㈜세무와 20×1년 1월 1일에 금융리스계약을 체결하였다. 구체적인 계약내용이 다음과 같을 때, 각 물음에 답하시오.

(1) 리스개시일은 20×1년 1월 1일이고, 만료일은 20×4년 12월 31일이다. 이 기간 동안은 리스계약의 해지가 불가능하다.

(2) 기초자산(항공기)의 공정가치는 ₩5,198,927이며, 경제적 내용연수는 6년이고 내용연수 종료 후 추정잔존가치는 없다. 해당 기초자산은 정액법으로 감가상각한다.

(3) 리스기간 종료시점의 해당 기초자산 잔존가치는 ₩500,000으로 추정되며, ㈜세무의 보증잔존가치는 ₩200,000이다. 추정잔존가치 중 ㈜세무가 보증한 잔존가치 지급예상액은 ₩200,000이다.

(4) 리스료는 리스기간 동안 매년 말 고정된 금액을 수수한다.

(5) 리스기간 종료시점에 소유권 이전약정이나 염가매수선택권은 없으며, 리스기간 종료 시 기초자산을 ㈜대한에 반환하여야 한다.

(6) ㈜대한이 리스계약과 관련하여 지출한 리스개설직접원가는 ₩300,000이며, ㈜세무가 리스계약과 관련하여 지출한 리스개설직접원가는 ₩200,000이다. 이들 리스개설직접원가는 모두 현금으로 지급하였다.

(7) ㈜대한의 내재이자율은 연 10%이며, ㈜세무의 증분차입이자율은 12%이다. ㈜세무는 ㈜대한의 내재이자율을 알고 있다.

(8) ㈜세무는 사용권자산에 대한 감가상각방법으로 정액법을 채택하고 있으며, 감가상각비는 지급할 것으로 예상되는 보증잔존가치를 차감하는 방법으로 회계처리한다.

(9) 현재가치 계산 시 아래의 현가계수를 이용하며, 금액을 소수점 첫째 자리에서 반올림하여 계산한다(예 ₩5,555.5 → ₩5,556).

구분	단일금액 ₩1의 현가계수		정상연금 ₩1의 현가계수	
	10%	12%	10%	12%
1기간	0.9091	0.8929	0.9091	0.8929
2기간	0.8264	0.7972	1.7355	1.6901
3기간	0.7513	0.7118	2.4868	2.4018
4기간	0.6830	0.6355	3.1699	3.0373

04 ㈜대한이 매년 받게 될 고정리스료는 얼마인가?

① ₩1,627,000　② ₩1,527,000　③ ₩1,509,073
④ ₩1,344,000　⑤ ₩1,250,678

05 ㈜대한이 동 리스거래로 인해 인식하게 될 미실현금융수익은 얼마인가?

① ₩1,627,000 ② ₩1,527,000 ③ ₩1,509,073
④ ₩1,344,000 ⑤ ₩1,250,678

06 동 리스거래와 관련하여 회계처리가 ㈜세무의 20×1년도 당기순이익에 미치는 영향은 얼마인가?

① ₩(-)1,852,910 ② ₩(-)1,854,135 ③ ₩(-)1,324,732
④ ₩(-)1,224,732 ⑤ ₩(-)1,032,578

[07 ~ 08]

A사는 20×1년 초에 기계장치를 아래와 같은 조건으로 리스계약을 체결하였다.

(1) 리스기간: 20×1년 1월 1일부터 20×3년 12월 31일까지
(2) 리스료: 연간 고정리스료 ₩200,000 매년 12월 31일 지급
(3) 할인율: 내재이자율 연 5%
(3년, 5% 현가계수: 0.86384, 3년, 5% 연금현가계수: 2.72325)
(2년, 5% 현가계수: 0.90703, 2년, 5% 연금현가계수: 1.85941)
(4) 기계장치의 내용연수는 5년(잔존가치 ₩0), 정액법으로 상각한다.
(5) 리스기간 종료 시 기계장치를 리스제공자에게 반환하며, 반환 시 실제 잔존가치가 ₩150,000에 미달할 경우 그 미달한 금액을 보증하기로 하였다.

07 동 리스계약이 20×1년 A사의 당기손익에 미치는 영향은 얼마인가? (단, 리스개시일 현재 잔존가치 보증으로 인하여 리스기간 종료 시 지급할 것으로 예상되는 금액은 없다고 추정하였다)

① ₩(-)208,783 ② ₩(-)181,550 ③ ₩(-)225,088
④ ₩(-)204,226 ⑤ ₩(-)194,783

08 20×2년 초에 A사는 잔존가치 보증에 따라 리스기간 종료 시 ₩50,000의 현금을 지급할 것으로 예상하였다. 이 경우 동 리스계약이 A사의 20×2년 당기손익에 미치는 영향은 얼마인가? (단, 20×2년 초에 동 리스계약에 대한 내재이자율은 7%이다)

① ₩(-)208,783 ② ₩(-)181,550 ③ ₩(-)225,088
④ ₩(-)204,226 ⑤ ₩(-)194,783

[09 ~ 10]

A사(판매자 - 리스이용자)는 20×1년 1월 1일 장부금액 ₩1,000,000인 건물을 B리스(구매자 - 리스제공자)에게 판매하고 18년간 매년 말 ₩120,000씩의 리스료를 지급하는 건물 사용권 계약을 체결하였다. 거래의 조건에 따르면, 건물 이전은 판매에 해당한다.

(1) 판매일 현재 건물의 공정가치는 ₩1,800,000이다. 리스의 내재이자율은 연 4.5%로 A사는 쉽게 산정할 수 있으며, 연간 리스료 ₩120,000과 연간 리스료의 내재이자율로 할인한 현재가치는 ₩1,459,200이다.
(2) A사는 리스기간 종료시점에 기초자산을 반환하기로 하였고 반환시점에 A사가 보증하기로 한 금액은 없다.
(3) B리스는 건물리스를 운용리스로 분류하며, 내용연수는 20년, 내용연수 종료시점에 잔존가치는 없다. B리스와 A사는 건물과 사용권자산을 정액법으로 감가상각한다.

09 동 건물을 ₩2,000,000에 판매한 경우, A사가 인식할 처분손익은 얼마인가?

① ₩151,467 ② ₩240,356 ③ ₩107,022
④ ₩96,035 ⑤ ₩87,467

10 동 건물을 ₩1,700,000에 판매한 경우, A사가 인식할 처분손익은 얼마인가?

① ₩151,467 ② ₩240,355 ③ ₩107,022
④ ₩96,035 ⑤ ₩87,467

기출 유형 정리

01 다음 중 리스기준서와 일치하지 않는 내용은 무엇인가?

① 계약에 리스요소와 비리스요소가 포함되어 있는 경우 리스이용자는 리스요소의 상대적 개별 가격과 비리스요소의 총 개별 가격에 기초하여 계약대가를 리스요소와 비리스요소로 배분한다.

② 계약의 다른 속성들을 고려할 때 기초자산의 소유에 따른 위험과 보상의 대부분을 이전하지 않는다는 점이 분명하다면 리스제공자는 그 리스를 운용리스로 분류한다.

③ 공급자가 보유하는 자산사용에 대한 방어권은 일반적으로 고객의 사용권 범위를 정하는 것이다. 따라서 이 경우에는 고객이 식별되는 자산에 대한 사용통제권을 가지지 못한 것으로 보며, 이러한 거래는 리스거래로 분류하지 않는다.

④ 자산이 특정되더라도, 공급자가 그 자산을 대체할 실질적 권리(대체권)를 사용기간 내내 가지면 고객은 식별되는 자산의 사용통제권을 가지지 못한 것으로 본다. 이러한 거래는 리스거래로 분류하지 않는다.

⑤ 리스제공자의 경우에는 위험과 보상의 이전 여부에 따라 금융리스와 운용리스로 분류하여 이를 각각 다르게 회계처리한다. 반면에 리스이용자의 경우 리스기간이 12개월을 초과하고 기초자산이 소액이 아닌 모든 리스에 대하여 기초자산의 사용권을 나타내는 사용권자산과 리스료지급의무를 나타내는 리스부채를 인식해야 한다.

02 리스제공자는 리스를 리스약정일에 분류하며 리스변경이 있는 경우에만 분류를 다시 판단할 수 있다. 리스자산의 소유에 따른 위험과 보상의 대부분을 이전하는 리스는 금융리스로 분류하며, 리스자산의 소유에 따른 위험과 보상의 대부분을 이전하지 않는 리스는 운용리스로 분류한다. 아래의 내용 중에서 일반적으로 금융리스로 분류하는 예가 아닌 것은 무엇인가?

① 리스이용자가 선택권을 행사할 수 있는 시점의 공정가치보다 충분하게 낮을 것으로 예상되는 가격으로 기초자산을 매수할 수 있는 선택권을 가지고 있으며, 그 선택권을 행사할 가능성이 높은 경우

② 리스약정일 현재 리스료를 내재이자율로 할인한 현재가치가 적어도 기초자산의 공정가치의 대부분에 상당하는 경우

③ 리스이용자만이 중요한 변경 없이 사용할 수 있는 특수한 성격의 기초자산인 경우

④ 리스이용자가 리스를 해지할 경우 해지로 인한 리스제공자의 손실을 리스이용자가 부담하는 경우

⑤ 리스이용자가 시장가격보다 현저하게 낮은 가격으로 리스를 갱신할 능력이 있는 경우

03 다음은 리스제공자의 금융리스 및 운용리스와 관련된 회계처리이다. 한국채택국제회계기준서 제1116호 '리스'의 규정과 다른 설명은 무엇인가?

① 리스제공자는 리스총투자를 계산할 때 사용한 추정 무보증잔존가치를 정기적으로 검토한다. 추정 무보증잔존가치가 줄어든 경우에 리스제공자는 리스기간에 걸쳐 수익배분액을 조정하고 발생된 감소액을 즉시 당기손실로 인식한다.

② 리스제공자는 리스개시일에 리스료와 무보증잔존가치의 현재가치 합계액과 동일한 금액인 리스순투자금액을 수취채권으로 표시한다. 이 경우 할인율은 내재이자율을 이용한다.

③ 제조자 또는 판매자인 리스제공자는 리스개시일에 기초자산의 공정가치와 리스제공자에게 귀속되는 리스료를 시장이자율로 할인한 현재가치 중 적은 금액으로 수익을 인식한다. 또한 기초자산의 원가에서 무보증잔존가치의 현재가치를 뺀 금액을 매출원가로 인식한다.

④ 제조자 또는 판매자인 리스제공자가 금융리스 체결과 관련하여 부담하는 원가는 리스개설직접원가의 정의에 포함된다. 또한 리스제공자는 운용리스 체결과정에서 부담하는 리스개설직접원가를 기초자산의 장부금액에 더하고 리스료수익과 같은 기준으로 기초자산의 내용연수에 걸쳐 비용으로 인식한다.

⑤ 리스제공자는 운용리스의 대상이 되는 기초자산이 손상되었는지를 판단하고, 식별되는 손상차손을 회계처리하기 위하여 기업회계기준서 제1036호 '자산손상'을 적용한다.

04 ㈜세무는 20×1년 1월 1일 ㈜대한리스로부터 기계장치(기초자산)를 리스하는 해지금지조건의 금융리스계약을 체결하였다. 계약상 리스개시일은 20×1년 1월 1일, 리스기간은 20×1년 1월 1일부터 20×3년 12월 31일, 내재이자율은 연 10%, 고정리스료는 매년 말 일정금액을 지급한다. ㈜대한리스의 동 기계장치 취득금액은 ₩2,000,000으로 리스개시일의 공정가치이다. 동 기계장치의 내용연수는 4년, 내용연수 종료시점의 잔존가치는 없고, 정액법으로 감가상각한다. ㈜세무는 리스기간 종료시점에 매수선택권을 ₩400,000에 행사할 것이 리스약정일 현재 상당히 확실하다. ㈜대한리스가 리스기간 동안 매년 말 수취하는 연간 고정리스료는? (단, 리스계약은 소액자산리스 및 단기리스가 아니라고 가정하며, 현재가치 계산 시 다음에 제시된 현가계수표를 이용한다) [세무사 2024년]

기간	단일금액 ₩1의 현재가치 (할인율 = 10%)	정상연금 ₩1의 현재가치 (할인율 = 10%)
3	0.7513	2.4869
4	0.6830	3.1699

① ₩544,749
② ₩630,935
③ ₩683,373
④ ₩804,214
⑤ ₩925,055

05 ㈜세무리스는 ㈜한국과 운용리스계약을 체결하고, 20×2년 10월 1일 생산설비(취득원가 ₩800,000, 내용연수 10년, 잔존가치 ₩0, 정액법 감가상각)를 취득과 동시에 인도하였다. 리스기간은 3년이고, 리스료는 매년 9월 30일에 수령한다. ㈜세무리스가 리스료를 다음과 같이 수령한다면, 동 거래가 20×2년 ㈜세무리스의 당기순이익에 미치는 영향은 얼마인가? (단, 리스와 관련된 효익의 기간적 형태를 더 잘 나타내는 다른 체계적인 인식기준은 없고, 리스료와 감가상각비는 월할 계산한다)
[세무사 2016년 수정]

일자	리스료
20×3년 9월 30일	₩100,000
20×4년 9월 30일	₩120,000
20×5년 9월 30일	₩140,000

① ₩5,000 증가
② ₩10,000 증가
③ ₩25,000 증가
④ ₩30,000 증가
⑤ ₩40,000 증가

[06 ~ 07]

20×1년 1월 1일에 A리스는 제조사로부터 공정가치 ₩580,000인 기계장치를 구입하여 B회사에게 금융리스 계약을 통하여 리스하였다.

(1) 리스약정일과 리스기간 개시일은 동일하며, 경제적 내용연수와 리스기간도 동일하다. 한편, 리스기간 개시일에 리스제공자가 리스개설직접원가로 ₩20,000을 지출하였다.
(2) 리스료는 20×1년 말에 ₩150,000을 수령 후 4년간 매년 말에 ₩150,000을 수취한다. 리스기간 종료 후 그 잔존가치는 ₩50,540이며, B회사가 이 중 ₩30,000을 보증한다.
(3) 동 금융리스에 적용되는 내재이자율은 연 10%이며, 현가계수는 다음과 같다.

구분	원금의 현가요소	연금의 현가요소
4기간 10%	0.6830	3.1699
5기간 10%	0.6209	3.7908

06 20×1년 말에 이 리스자산의 잔존가치가 ₩50,540에서 ₩15,000으로 감소하였다. 동 리스계약과 관련된 설명으로 옳지 않은 것은?

① 20×1년 A리스가 인식할 리스채권의 손상차손은 ₩14,029이다.
② 20×1년 A리스가 인식할 이자수익은 ₩60,000이다.
③ 20×2년 A리스가 인식할 이자수익은 ₩49,597이다.
④ 20×2년 말 A리스가 인식할 리스채권의 장부금액은 ₩411,000이다.
⑤ 20×5년 말에 리스자산을 회수하고 실제 잔존가치에 변동이 없었다면 20×5년 A리스가 인식할 이자수익은 ₩16,364이다.

07 문제 **06**과는 독립적으로, 리스기간 동안 리스자산의 잔존가치가 변동하지 않았으나 20×5년 말 리스 종료 시 A리스가 기초자산을 반환받을 때에 기초자산의 실제 잔존가치가 ₩20,000인 경우와 ₩35,000인 경우 동 리스거래로 A리스의 20×5년 당기손익에 미친 영향은 각각 얼마인가?

	실제 잔존가치가 ₩20,000인 경우	실제 잔존가치가 ₩35,000인 경우
①	₩(2,309)	₩2,691
②	₩(14,176)	₩(14,176)
③	₩26,364	₩10,824
④	₩(4,176)	₩10,824
⑤	₩(14,176)	₩(4,176)

08 에어컨제조사인 ㈜태풍은 20×1년 1월 1일 직접 제조한 추정내용연수가 5년인 에어컨을 ㈜여름에게 판매형리스방식으로 판매하는 계약을 체결하였다. 동 에어컨의 제조원가는 ₩9,000,000이고, 20×1년 1월 1일의 공정가치는 ₩12,500,000이다. 리스기간은 20×1년 1월 1일부터 20×4년 12월 31일까지이며, ㈜여름은 리스기간 종료 시 에어컨을 반환하기로 하였다. ㈜여름은 매년 말 리스료로 ₩3,500,000을 지급하며, 20×4년 12월 31일의 에어컨 예상잔존가치 ₩1,000,000 중 ₩600,000은 ㈜여름이 보증하기로 하였다. ㈜태풍은 20×1년 1월 1일 ㈜여름과의 리스계약을 체결하는 과정에서 ₩350,000의 직접비용이 발생하였다. ㈜태풍이 동 거래로 인하여 리스기간 개시일인 20×1년 1월 1일에 인식할 수익과 비용의 순액(수익에서 비용을 차감한 금액)은 얼마인가? (단, 20×1년 1월 1일 현재 시장이자율과 ㈜태풍이 제시한 이자율은 연 8%로 동일하다) [공인회계사 2013년]

기간	8% ₩1의 현가계수	8% ₩1의 연금현가계수
4	0.7350	3.3121

① ₩2,575,250 ② ₩2,638,250 ③ ₩2,977,350
④ ₩3,327,350 ⑤ ₩3,444,000

09

㈜대한은 기계장치를 제조 및 판매하는 기업이다. 20×1년 1월 1일 ㈜대한은 ㈜민국에게 원가(장부금액) ₩100,000의 재고자산(기초자산)을 아래와 같은 조건으로 판매하였는데, 이 거래는 금융리스에 해당한다.

- 리스개시일은 20×1년 1월 1일이며, 리스개시일 현재 재고자산(기초자산)의 공정가치는 ₩130,000이다.
- ㈜대한은 20×1년부터 20×3년까지 매년 12월 31일에 ㈜민국으로부터 ₩50,000의 고정리스료를 받는다.
- ㈜대한은 동 금융리스 계약의 체결과 관련하여 리스개시일에 ₩1,000의 수수료를 지출하였다.
- ㈜민국은 리스기간 종료일인 20×3년 12월 31일에 리스자산을 해당 시점의 공정가치보다 충분히 낮은 금액인 ₩8,000에 매수할 수 있는 선택권을 가지고 있으며, 20×1년 1월 1일 현재 ㈜민국이 이를 행사할 것이 상당히 확실하다고 판단된다.
- 20×1년 1월 1일에 ㈜대한의 증분차입이자율은 연 8%이며, 시장이자율은 연 12%이다.
- 적용할 현가계수는 아래의 표와 같다.

할인율 / 기간	단일금액 ₩1의 현재가치		정상연금 ₩1의 현재가치	
	8%	12%	8%	12%
1년	0.9259	0.8929	0.9259	0.8929
2년	0.8573	0.7972	1.7832	1.6901
3년	0.7938	0.7118	2.5770	2.4019

위 거래가 ㈜대한의 20×1년도 포괄손익계산서상 당기순이익에 미치는 영향은 얼마인가? (단, 단수차이로 인해 오차가 있다면 가장 근사치를 선택한다) [공인회계사 2022년]

① ₩24,789 증가 ② ₩25,789 증가 ③ ₩39,884 증가
④ ₩40,884 증가 ⑤ ₩42,000 증가

10

리스에 관한 설명으로 옳은 것은? [세무사 2020년]

① 제조자 또는 판매자인 리스제공자의 운용리스 체결은 운용리스 체결시점에 매출이익을 인식한다.
② 금융리스로 분류되는 경우 리스제공자는 자신의 리스총투자금액에 일정한 기간수익률을 반영하는 방식으로 리스기간에 걸쳐 금융수익을 인식한다.
③ 리스제공자는 운용리스 체결과정에서 부담하는 리스개설직접원가를 기초자산의 장부금액에 더하고 리스료수익과 같은 기준으로 리스기간에 걸쳐 비용으로 인식한다.
④ 기초자산의 소유에 따른 위험과 보상의 대부분을 이전하는 리스는 운용리스로 분류하고, 기초자산의 소유에 따른 위험과 보상의 대부분을 이전하지 않는 리스는 금융리스로 분류한다.
⑤ 제조자 또는 판매자인 리스제공자의 금융리스 체결은 금융리스 체결시점에 기초자산의 원가(원가와 장부금액이 다를 경우에는 장부금액)에서 보증잔존가치를 뺀 금액을 매출원가로 인식한다.

11 ㈜대한은 20×1년 1월 1일 ㈜민국리스와 다음과 같은 조건의 금융리스계약을 체결하였다.

- 리스개시일: 20×1년 1월 1일
- 리스기간: 20×1년 1월 1일부터 20×4년 12월 31일까지
- 리스자산의 리스개시일의 공정가치는 ₩1,000,000이고 내용연수는 5년이다. 리스자산의 내용연수 종료시점의 잔존가치는 없으며, 정액법으로 감가상각한다.
- ㈜대한은 리스기간 종료 시 ㈜민국리스에게 ₩100,000을 지급하고, 소유권을 이전받기로 하였다.
- ㈜민국리스는 상기 리스를 금융리스로 분류하고, ㈜대한은 리스개시일에 사용권자산과 리스부채로 인식한다.
- 리스의 내재이자율은 연 8%이며, 그 현가계수는 아래의 표와 같다.

할인율 / 기간	8%	
	단일금액 ₩1의 현재가치	정상연금 ₩1의 현재가치
4년	0.7350	3.3121
5년	0.6806	3.9927

㈜민국리스가 리스기간 동안 매년 말 수취하는 연간 고정리스료는 얼마인가? (단, 단수차이로 인해 오차가 있다면 가장 근사치를 선택한다) [공인회계사 2020년]

① ₩233,411 ② ₩244,132 ③ ₩254,768
④ ₩265,522 ⑤ ₩279,732

12 ㈜세무리스는 20×1년 1월 1일(리스개시일)에 ㈜한국에게 건설장비를 5년 동안 제공하고 고정리스료로 매년 말 ₩2,000,000씩 수취하는 금융리스계약을 체결하였다. 체결 당시 ㈜세무리스는 리스개설직접원가 ₩50,000을 지출하였으며, 건설장비의 공정가치는 ₩8,152,500이다. 리스개시일 당시 ㈜세무리스의 내재이자율은 10%이다. 리스기간 종료 시 ㈜한국은 건설장비를 반환하는 조건이며, 예상잔존가치 ₩1,000,000 중 ₩600,000을 보증한다. ㈜세무리스는 20×3년 1월 1일 무보증잔존가치의 추정을 ₩200,000으로 변경하였다. ㈜세무리스가 20×3년도에 인식해야 할 이자수익은 얼마인가? [세무사 2021년]

기간	단일금액 ₩1의 현재가치 (할인율 10%)	정상연금 ₩1의 현재가치 (할인율 10%)
3년	0.7513	2.4868
5년	0.6209	3.7908

① ₩542,438 ② ₩557,464 ③ ₩572,490
④ ₩578,260 ⑤ ₩582,642

13 금융업을 영위하는 ㈜대한리스는 20×1년 1월 1일에 ㈜민국과 다음과 같은 조건으로 리스계약을 체결하였다.

- ㈜대한리스는 ㈜민국이 지정하는 기계설비를 제조사인 ㈜만세로부터 신규 취득하여 20×1년 1월 1일부터 ㈜민국이 사용할 수 있는 장소로 배송한다.
- 리스기간: 20×1년 1월 1일 ~ 20×3년 12월 31일(리스기간 종료 후 반환조건)
- 잔존가치 보증: ㈜대한리스는 리스기간 종료 시 리스자산의 잔존가치를 ₩10,000,000으로 예상하며, ㈜민국은 ₩7,000,000을 보증하기로 약정하였다.
- 리스개설직접원가: ㈜대한리스와 ㈜민국이 각각 ₩300,000과 ₩200,000을 부담하였다.
- ㈜대한리스는 상기 리스를 금융리스로 분류하였고, 동 리스에 대한 내재이자율로 연 10%를 산정하였다.
- 연간 정기리스료: 매년 말 ₩3,000,000 지급
- 할인율이 10%인 경우 현가계수는 아래의 표와 같다.

기간	단일금액 ₩1의 현재가치	정상연금 ₩1의 현재가치
3년	0.7513	2.4868

㈜대한리스의 (1) 기계설비 취득원가(공정가치)와 (2) 리스기간 종료 시 회수된 기계설비의 실제 잔존가치가 ₩5,000,000인 경우의 손실금액은 각각 얼마인가? (단, 단수차이로 인해 오차가 있다면 가장 근사치를 선택한다) [공인회계사 2023년]

	(1) 취득원가	(2) 회수 시 손실금액
①	₩14,673,400	₩3,000,000
②	₩14,673,400	₩5,000,000
③	₩14,973,400	₩2,000,000
④	₩14,973,400	₩3,000,000
⑤	₩14,973,400	₩5,000,000

14 기업회계기준서 제1116호 '리스'에 대한 다음 설명 중 옳은 것은? [공인회계사 2019년]

① 리스기간이 12개월 이상이고 기초자산이 소액이 아닌 모든 리스에 대하여 리스이용자는 자산과 부채를 인식하여야 한다.

② 일부 예외적인 경우를 제외하고, 단기리스나 소액 기초자산 리스를 이용하는 리스이용자는 해당 리스에 관련되는 리스료를 리스기간에 걸쳐 정액 기준이나 다른 체계적인 기준에 따라 비용으로 인식할 수 있다.

③ 리스이용자의 규모, 특성, 상황이 서로 다르기 때문에, 기초자산이 소액인지는 상대적 기준에 따라 평가한다.

④ 단기리스에 대한 리스회계처리 선택은 리스별로 적용해야 한다.

⑤ 소액 기초자산 리스에 대한 리스회계처리 선택은 기초자산의 유형별로 적용해야 한다.

15 다음은 리스이용자의 회계처리와 관련된 내용이다. 한국채택국제회계기준서 제1116호 '리스'의 규정과 다른 설명은 무엇인가?

① 리스이용자는 리스개시일에 그날 현재 지급되지 않은 리스료의 현재가치로 리스부채를 측정한다. 리스의 내재이자율을 쉽게 산정할 수 있는 경우에는 그 이자율로 리스를 할인한다. 그 이자율을 쉽게 산정할 수 없는 경우에는 리스이용자의 증분차입이자율을 사용한다.

② 리스이용자는 리스개시일에 사용권자산을 원가로 측정한다. 원가는 리스부채의 최초 측정금액과 리스개시일이나 그 전에 지급한 리스료, 리스이용자가 부담하는 리스개설직접원가, 기초자산 자체를 복구할 때 리스이용자가 부담하는 원가추정치의 합계금액이다.

③ 리스개시일에 리스부채의 측정치에 포함되는 리스료는 리스기간에 걸쳐 리스이용자가 지급할 금액 중 그날 현재 지급되지 않은 금액을 말한다. 리스료에 포함되는 보증잔존가치는 리스제공자의 경우와 마찬가지로 잔존가치 중 리스이용자 등이 보증한 금액을 말한다.

④ 리스이용자는 리스개시일 후에 이자를 반영하여 리스부채의 장부금액을 증액하며, 지급한 리스료를 반영하여 장부금액을 감액한다.

⑤ 리스가 리스기간 종료시점에 리스이용자가 기초자산을 리스제공자에게 반환할 것으로 예상되는 경우에는 리스개시일부터 사용권자산의 내용연수 종료일과 리스기간 종료일 중 이른 날까지 사용권자산을 감가상각한다.

16 다음은 변동 리스료로 인한 리스부채의 재평가와 관련된 내용들이다. 한국채택국제회계기준 제1116호 '리스'의 규정과 일치하는 설명은 무엇인가?

① 리스이용자가 잔존가치 보증에 따라 지급할 것으로 예상되는 금액에 변동이 있는 경우에는 이를 반영하여 수정 리스료를 산정한 후 리스부채를 재측정한다. 이 경우 수정 할인율을 사용하여 리스부채를 재측정한다.

② 리스료를 산정할 때 사용한 지수나 요율(이율)의 변동으로 생기는 미래 리스료의 변동은 이를 반영하여 수정 리스료를 산정한 후 리스부채를 재측정한다. 이 경우 변경되지 않은 할인율을 사용하여 리스부채를 재측정한다.

③ 미래성과나 기초자산의 사용에 연동되어 리스료가 변동하는 경우에는 이를 반영하여 수정 리스료를 산정한 후 리스부채를 재측정한다. 이 경우 변경되지 않은 할인율을 사용하여 리스부채를 재측정한다.

④ 리스기간 연장선택권이나 종료선택권의 행사로 인해 리스기간에 변경이 있는 경우 리스이용자는 변경된 리스기간에 기초하여 변경되지 않은 할인율을 사용하여 리스부채를 재측정한다.

⑤ 기초자산을 매수하는 선택권 평가에 변동이 있는 경우에는 리스부채 측정치에 포함되지 않는다.

17 ㈜세무리스는 20×1년 1월 1일에 ㈜한국과 해지불능 금융리스계약을 체결하였다. 관련 자료는 다음과 같다.

> • 리스자산: 내용연수 5년, 잔존가치 ₩100,000, 정액법 감가상각
> • 리스기간: 리스기간 개시일(20×1년 1월 1일)부터 5년
> • 연간리스료: 매년 12월 31일 지급
> • 리스개설직접원가: ㈜세무리스와 ㈜한국 모두 없음
> • 내재이자율: 연 10%, ㈜한국은 ㈜세무리스의 내재이자율을 알고 있음
> • ㈜세무리스는 리스기간 개시일에 리스채권으로 ₩19,016,090(리스기간 개시일의 리스자산 공정가치와 동일)을 인식함
> • ㈜한국은 리스기간 개시일에 리스부채로 ₩18,991,254을 인식함
> • 특약사항: 리스기간 종료 시 자산반환조건이며, ㈜한국은 리스기간 종료 시 예상 잔존가치 중 60%를 보증하였으나 리스개시일 현재 잔존가치 보증으로 인하여 리스기간 종료시점에 ㈜한국이 지급할 것으로 예상되는 금액은 없다고 추정함

㈜한국이 동 리스와 관련하여 보증한 잔존가치는 얼마인가? (단, 기간 5년, 할인율 연 10%일 때, 단위금액 ₩1의 현재가치계수는 0.6209, 정상연금 ₩1의 현재가치계수는 3.7908이다. 단수차이로 인한 오차는 가장 근사치를 선택한다) [세무사 2016년 수정]

① ₩18,955　② ₩24,000　③ ₩60,000
④ ₩81,045　⑤ ₩100,000

18 A사는 20×1년 초에 다음과 같은 조건으로 리스계약을 체결하고 B사로부터 토지를 리스하였다.

(1) 리스기간: 20×1년 초부터 20×5년 12월 31일까지
(2) 리스료: 연간 고정리스료 ₩200,000을 매년 초에 지급
(3) 할인율: 내재이자율 연 6%
(4) 리스기간 종료 후 A사는 토지를 원상복구시켜야 할 의무를 부담함

또한, 동 리스계약과 관련된 추가 정보는 다음과 같다.

(1) A사는 리스개시일 전에 리스제공자로부터 ₩80,000의 리스인센티브를 수령하여 선수수익으로 인식하였다.
(2) 리스개시일에 A사가 부담한 리스개설직접원가 ₩20,000을 현금으로 지급하였다.
(3) 리스기간 종료 후 토지의 원상회복에 소요될 것으로 예상되는 원가는 ₩100,000이며, 이에 적용할 할인율은 6%이다.
(5년, 6% 현가계수: 0.74726, 5년, 6% 연금현가계수: 4.21236)
(4년, 6% 현가계수: 0.79209, 4년, 6% 연금현가계수: 3.46511)

리스개시일에 A사가 인식할 사용권자산의 최초 측정금액은 얼마인가?

① ₩1,038,298 ② ₩987,748 ③ ₩958,298
④ ₩907,748 ⑤ ₩913,022

19 A사는 20×1년 초에 다음과 같은 조건으로 리스계약을 체결하고 기계장치를 리스하였다.

> (1) 리스기간: 20×1년 1월 1일부터 20×5년 12월 31일까지
> (2) 리스료: 연간 고정리스료 ₩200,000으로 매년 1월 1일에 지급
> (3) 내재이자율 연 6%
> (5년, 6% 현가계수: 0.74726, 5년, 6% 연금현가계수: 4.21236)
> (4년, 6% 현가계수: 0.79209, 4년, 6% 연금현가계수: 3.46511)
> (3년, 6% 현가계수: 0.83962, 3년, 6% 연금현가계수: 2.67301)

또한 A사가 동 리스계약과 관련하여 경우 1)과 경우 2), 경우 3)으로 나누어 계약을 체결한다고 할 때 각 경우마다 리스개시일에 A사가 재무상태표에 인식할 리스부채는 얼마인가?

> 경우 1) A사는 리스종료일에 A사가 리스자산을 ₩100,000의 행사가격으로 매수할 수 있는 권리를 가지고 있으며 매수선택권을 행사할 가능성이 상당히 확실하다.
> 경우 2) 당초 계약에 아래와 같은 리스종료선택권이 포함되어 있으며, A사가 종료선택권을 행사할 것이 상당히 확실하다.
> • 종료선택권 행사시점: 20×4년 12월 31일
> • 종료선택권 행사 시 지급할 위약금: ₩80,000
> 경우 3) A사는 리스기간 종료 시 리스자산을 반환하되, 반환 시 실제 잔존가치 중 ₩150,000을 보증하였다(단, 리스개시일 현재 잔존가치 보증으로 인하여 리스기간 종료 시 지급할 것으로 예상되는 금액은 없다고 추정하였다).

	경우 1	경우 2	경우 3
①	₩693,022	₩693,022	₩693,022
②	₩767,748	₩693,022	₩693,022
③	₩767,748	₩597,969	₩693,022
④	₩767,748	₩597,969	₩805,111
⑤	₩693,022	₩597,969	₩805,111

20 A사는 20×1년 초에 아래와 같은 조건으로 리스계약을 체결하고 기계장치를 리스하였다.

> (1) 리스기간: 20×1년 1월 1일부터 20×5년 12월 31일까지
> (2) 리스료: 연간 고정리스료 ₩100,000으로 매년 말에 지급
> (3) 내재이자율: 연 5%
> (5년, 5% 현가계수: 0.78353, 5년, 5% 연금현가계수: 4.32948)
> (4) 기계장치의 내용연수는 7년(잔존가치 ₩0)이며, 리스기간 종료 시 A사는 ₩50,000에 기계장치를 매수할 수 있는 선택권이 있는데, A사가 선택권을 행사할 것이 상당히 확실함(정액법 사용)

A사가 20×5년 리스기간 종료 시 매수선택권을 행사하여 동 기계장치를 매수하였다. 동 리스계약이 A사의 20×5년 당기순이익에 미친 영향은 얼마인가?

① ₩(100,000) ② ₩(96,487) ③ ₩(85,589)
④ ₩(74,589) ⑤ ₩(67,446)

21 ㈜대한은 금융업을 영위하는 ㈜민국리스와 다음과 같은 조건으로 금융리스계약을 체결하였다.

> • 리스개시일: 20×1년 1월 1일
> • 리스기간: 20×1년 1월 1일 ~ 20×3년 12월 31일(3년)
> • 연간 정기리스료: 매년 말 ₩743,823 후급
> • 선급리스료: ㈜대한은 ㈜민국리스에게 리스개시일 이전에 ₩100,000의 리스료를 지급하였다.
> • 리스개설직접원가: ㈜대한은 ₩50,000의 리스개설직접원가를 부담하였으며, ㈜민국리스가 부담한 리스개설직접원가는 없다.
> • 소유권이전 약정: ㈜민국리스는 리스기간 종료시점에 ㈜대한에게 리스자산의 소유권을 ₩200,000에 이전한다.
> • 리스의 내재이자율은 연 10%이며, 그 현가계수는 아래의 표와 같다.

기간 \ 할인율	단일금액 ₩1의 현재가치	정상연금 ₩1의 현재가치
	10%	10%
3년	0.7513	2.4868

㈜대한이 20×1년 12월 31일 재무상태표에 보고해야 하는 리스부채 금액은 얼마인가? 단, 단수차이로 인해 오차가 있다면 가장 근사치를 선택한다. [공인회계사 2024년]

① ₩1,456,177 ② ₩1,511,177 ③ ₩1,566,177
④ ₩1,621,177 ⑤ ₩2,000,000

22 ㈜대한리스는 20×1년 1월 1일 ㈜민국과 다음과 같은 금융리스계약을 약정과 동시에 체결하였다.

- 리스개시일: 20×1년 1월 1일
- 리스기간: 20×1년 1월 1일 ~ 20×3년 12월 31일(3년)
- 연간 정기리스료: 매년 말 ₩500,000 후급
- 리스자산의 공정가치는 ₩1,288,530이고 내용연수는 4년이다. 내용연수 종료시점에 잔존가치는 없으며, ㈜민국은 정액법으로 감가상각한다.
- ㈜민국은 리스기간 종료시점에 ₩100,000에 리스자산을 매수할 수 있는 선택권을 가지고 있고, 그 선택권을 행사할 것이 리스약정일 현재 상당히 확실하다. 동 금액은 선택권을 행사할 수 있는 날(리스기간 종료시점)의 공정가치보다 충분히 낮을 것으로 예상되는 가격이다.
- ㈜대한리스와 ㈜민국이 부담한 리스개설직접원가는 각각 ₩30,000과 ₩20,000이다.
- ㈜대한리스는 상기 리스를 금융리스로 분류하고, ㈜민국은 리스개시일에 사용권자산과 리스부채를 인식한다.
- 리스의 내재이자율은 연 10%이며, 그 현가계수는 아래 표와 같다.

기간	단일금액 ₩1의 현재가치	정상연금 ₩1의 현재가치
3년	0.7513	2.4868
4년	0.6830	3.1698

상기 리스거래가 ㈜대한리스와 ㈜민국의 20×1년도 당기순이익에 미치는 영향은 얼마인가? (단, 단수차이로 인해 오차가 있다면 가장 근사치를 선택한다)

	㈜대한리스	㈜민국
①	₩131,853 증가	₩466,486 감소
②	₩131,853 증가	₩481,486 감소
③	₩131,853 증가	₩578,030 감소
④	₩134,853 증가	₩466,486 감소
⑤	₩134,853 증가	₩481,486 감소

23 ㈜세무는 20×1년 1월 1일에 ㈜한국리스로부터 기초자산 A와 기초자산 B를 리스하는 계약을 체결하였다. 리스개시일은 20×1년 1월 1일로 리스기간은 3년이며, 리스료는 매년 초 지급한다. 리스 내재이자율은 알 수 없으며 ㈜세무의 20×1년 초와 20×2년 초 증분차입이자율은 각각 8%와 10%이다. 리스계약은 다음의 변동리스료 조건을 포함한다.

(1) 변동리스료 조건

기초자산 A	• 리스개시일 1회차 리스료: ₩50,000 • 변동조건: 기초자산 사용으로 발생하는 직전 연도 수익의 1%를 매년 초 추가지급
기초자산 B	• 리스개시일 1회차 리스료: ₩30,000 • 변동조건: 직전 연도 1년간의 소비자물가지수 변동에 기초하여 2회차 리스료부터 매년 변동

(2) 시점별 소비자물가지수

구분	20×0년 12월 31일	20×1년 12월 31일
소비자물가지수	120	132

20×1년 기초자산 A의 사용으로 ₩200,000의 수익이 발생하였다. 리스료 변동으로 인한 20×1년 말 리스부채 증가금액은 얼마인가? [세무사 2019년]

기간	단일금액 ₩1의 현재가치(8%)	단일연금 ₩1의 현재가치(10%)
1년	0.9259	0.9091
2년	0.8573	0.8264
3년	0.7938	0.7513

① ₩5,527 ② ₩5,727 ③ ₩5,778
④ ₩7,727 ⑤ ₩7,778

24 20×0년 11월 1일 ㈜세무는 ㈜대한리스로부터 업무용 컴퓨터 서버(기초자산)를 리스하는 계약을 체결하였다. 리스기간은 20×1년 1월 1일부터 3년이며, 고정리스료는 리스개시일에 지급을 시작하여 매년 ₩500,000씩 총 3회 지급한다. 리스계약에 따라 ㈜세무는 연장선택권(리스기간을 1년 연장할 수 있으며 동시에 기초자산의 소유권도 리스이용자에게 귀속)을 20×3년 12월 31일에 행사할 수 있으며, 연장된 기간의 리스료 ₩300,000은 20×4년 1월 1일에 지급한다. 리스개시일 현재 ㈜세무가 연장선택권을 행사할 것은 상당히 확실하다. 20×1년 1월 1일 기초자산인 업무용 컴퓨터 서버(내용연수 5년, 잔존가치 ₩0, 정액법으로 감가상각)가 인도되어 사용 개시되었으며, ㈜세무는 리스개설과 관련된 법률비용 ₩30,000을 동 일자에 지출하였다. ㈜세무의 증분차입이자율은 10%이며, 리스 관련 내재이자율은 알 수 없다. 이 리스거래와 관련하여 ㈜세무가 20×1년에 인식할 이자비용과 사용권자산 상각비의 합계액은 얼마인가? [세무사 2019년]

기간	단일금액 ₩1의 현재가치(10%)	정상연금 ₩1의 현재가치(10%)
1년	0.9091	0.9091
2년	0.8264	1.7355
3년	0.7513	2.4869
4년	0.6830	3.1699

① ₩408,263
② ₩433,942
③ ₩437,942
④ ₩457,263
⑤ ₩481,047

25 ㈜대한은 다음과 같은 조건으로 회사에 필요한 기계장치의 리스계약을 체결하였다.

> (1) 리스기간은 20×1년 1월 1일부터 20×3년 12월 31일까지, 고정리스료 ₩1,000,000은 매년 12월 31일 지급하기로 하였다.
> (2) 계약체결 당시 증분차입이자율은 연 12%이며, 내재이자율은 알지 못한다. (3년 12% 현가계수: 0.71178, 3년 12% 연금현가계수: 2.40183, 2년 12% 현가계수: 0.79719, 2년 12% 연금현가계수: 1.69005, 1년 12% 현가계수: 0.89286, 1년 12% 연금현가계수: 0.89286)
> (3) 기계장치의 잔존가치는 없으며 정액법으로 상각한다.
> (4) 리스기간 종료 후 2년간의 연장선택권 행사가 가능하고 이 기간의 매년 말 고정리스료는 ₩800,000이다. 그러나 리스기간의 연장선택권을 행사할 것이 상당히 확실하지 않다고 보았다.
> (5) 리스기간인 20×3년 초에 연장선택권을 행사할 것이 상당히 확실하게 바뀌었다(단, 20×3년 초 현재 내재이자율은 쉽게 산정할 수 없으며, ㈜대한의 증분차입이자율은 10%이고, 3년 10% 현가계수: 0.75131, 2년 10% 현가계수: 0.82645이다).

동 거래에 대한 ㈜대한의 회계처리에 대한 설명으로 옳지 않은 것은?

① 리스개시일에 리스부채는 ₩2,401,830이다.
② 20×1년 동 리스계약과 관련된 이자비용은 ₩288,220이다.
③ 20×3년 초 리스부채는 ₩2,171,299이다.
④ 20×3년 감가상각비는 ₩800,610이다.
⑤ 20×3년 이자비용은 ₩217,130이다.

26 ㈜대한은 다음과 같은 조건으로 회사에 필요한 기계장치의 리스계약을 체결하였다.

(1) 리스기간은 20×1년 1월 1일부터 20×5년 12월 31일까지이고, 고정리스료 ₩1,000,000은 매년 12월 31일 지급하기로 하였다.
(2) 최초 2년간은 리스료 변동이 없으나, 그 이후 20×3년의 리스료는 매년 초 소비자물가지수를 반영하여 재산정하기로 하였다. 리스개시일의 소비자물가지수는 130이었으며, 그 후 리스 3차 연도 초에 140으로 물가지수의 변동이 있었다.
(3) 계약체결 당시 증분차입이자율은 연 10%이며, 내재이자율은 알지 못한다(5년 10% 연금현가계수: 3.79079, 3년 10% 현가계수: 0.75131, 연금현가계수: 2.48685, 3년 12% 현가계수: 0.71178, 연금현가계수: 2.40183, 2년 12% 현가계수: 0.79719, 연금현가계수: 1.69005).
(4) 기계장치의 잔존가치는 없으며 정액법으로 상각한다.
(5) 3차 연도 초의 증분차입이자율은 연 12%이며, 내재이자율은 알지 못한다.

동 리스거래와 관련하여 20×3년도 사용권자산의 감가상각비는 얼마인가?

① ₩1,000,000 ② ₩821,921 ③ ₩934,814
④ ₩875,690 ⑤ ₩779,550

27 기업회계기준서 제1116호 '리스'에 관한 다음 설명 중 옳지 않은 것은? [공인회계사 2021년]

① 리스개설직접원가는 리스를 체결하지 않았더라면 부담하지 않았을 리스 체결의 증분원가이다. 다만, 금융리스와 관련하여 제조자 또는 판매자인 리스제공자가 부담하는 원가는 제외한다.
② 포괄손익계산서에서 리스이용자는 리스부채에 대한 이자비용을 사용권자산의 감가상각비와 구분하여 표시한다.
③ 리스이용자는 리스부채의 원금에 해당하는 현금지급액은 현금흐름표에 재무활동으로 분류하고, 리스부채 측정치에 포함되지 않은 단기리스료, 소액자산 리스료, 변동리스료는 현금흐름표에 영업활동으로 분류한다.
④ 무보증잔존가치는 리스제공자가 실현할 수 있을지 확실하지 않거나 리스제공자의 특수관계자만이 보증한, 기초자산의 잔존가치 부분이다.
⑤ 리스이용자는 하나 이상의 기초자산 사용권이 추가되어 리스의 범위가 넓어진 경우 또는 개별가격에 적절히 상응하여 리스대가가 증액된 경우에 리스변경을 별도 리스로 회계처리한다.

28 리스이용자인 ㈜대한은 리스제공자인 ㈜민국리스와 리스개시일인 20×1년 1월 1일에 다음과 같은 조건의 리스계약을 체결하였다.

- 기초자산(생산공정에 사용할 기계장치)의 리스기간은 20×1년 1월 1일부터 20×3년 12월 31일까지이다.
- 기초자산의 내용연수는 4년으로 내용연수 종료시점의 잔존가치는 없으며, 정액법으로 감가상각한다.
- ㈜대한은 리스기간 동안 매년 말 ₩3,000,000의 고정리스료를 지급한다.
- 사용권자산은 원가모형을 적용하여 정액법으로 감가상각하고, 잔존가치는 없다.
- 20×1년 1월 1일에 동 리스의 내재이자율은 연 8%로 리스제공자와 리스이용자가 이를 쉽게 산정할 수 있다.
- ㈜대한은 리스기간 종료시점에 기초자산을 현금 ₩500,000에 매수할 수 있는 선택권을 가지고 있으나, 리스개시일 현재 동 매수선택권을 행사하지 않을 것이 상당히 확실하다고 판단하였다. 그러나 20×2년 말에 ㈜대한은 유의적인 상황변화로 인해 동 매수선택권을 행사할 것이 상당히 확실하다고 판단을 변경하였다.
- 20×2년 말 현재 ㈜대한은 남은 리스기간의 내재이자율을 쉽게 산정할 수 없으며, ㈜대한의 증분차입이자율은 연 10%이다.
- 적용할 현가계수는 아래의 표와 같다.

할인율 기간	단일금액 ₩1의 현재가치		정상연금 ₩1의 현재가치	
	8%	10%	8%	10%
1년	0.9259	0.9091	0.9259	0.9091
2년	0.8573	0.8264	1.7832	1.7355
3년	0.7938	0.7513	2.5770	2.4868

㈜대한이 20×3년에 인식할 사용권자산의 감가상각비는 얼마인가? (단, 단수차이로 인해 오차가 있다면 가장 근사치를 선택한다) [공인회계사 2021년]

① ₩993,804 ② ₩1,288,505 ③ ₩1,490,706
④ ₩2,577,003 ⑤ ₩2,981,412

29 ㈜대한리스는 ㈜민국과 리스개시일인 20×1년 1월 1일에 운용리스에 해당하는 리스계약(리스기간 3년)을 체결하였으며, 관련 정보는 다음과 같다.

- ㈜대한리스는 리스개시일인 20×1년 1월 1일에 기초자산인 기계장치를 ₩40,000,000(잔존가치 ₩0, 내용연수 10년)에 신규 취득하였다. ㈜대한리스는 동 기초자산에 대해 원가모형을 적용하며, 정액법으로 감가상각한다.
- 정액 기준 외 기초자산의 사용으로 생기는 효익의 감소형태를 보다 잘 나타내는 다른 체계적인 기준은 없다.
- ㈜대한리스는 리스기간 종료일인 20×3년 12월 31일에 기초자산을 반환받으며, 리스종료일에 리스이용자가 보증한 잔존가치는 없다.
- ㈜대한리스는 ㈜민국으로부터 각 회계연도 말에 다음과 같은 고정리스료를 받는다.

20×1년 말	20×2년 말	20×3년 말
₩6,000,000	₩8,000,000	₩10,000,000

- ㈜대한리스와 ㈜민국은 20×1년 1월 1일 운용리스 개설과 관련한 직접원가로 ₩600,000과 ₩300,000을 각각 지출하였다.
- ㈜민국은 사용권자산에 대해 원가모형을 적용하며, 정액법으로 감가상각한다.
- 동 거래는 운용리스거래이기 때문에 ㈜민국은 ㈜대한리스의 내재이자율을 쉽게 산정할 수 없으며, 리스개시일 현재 ㈜민국의 증분차입이자율은 연 8%이다.
- 적용할 현가계수는 아래의 표와 같다.

할인율 / 기간	8%	
	단일금액 ₩1의 현재가치	정상연금 ₩1의 현재가치
1년	0.9259	0.9259
2년	0.8573	1.7832
3년	0.7938	2.5770

동 운용리스거래가 리스제공자인 ㈜대한리스와 리스이용자인 ㈜민국의 20×1년도 포괄손익계산서상 당기순이익에 미치는 영향은 각각 얼마인가? (단, 감가상각비의 자본화는 고려하지 않으며, 단수차이로 인해 오차가 있다면 가장 근사치를 선택한다) [공인회계사 2022년]

	㈜대한리스	㈜민국
①	₩1,400,000 증가	₩8,412,077 감소
②	₩3,400,000 증가	₩8,412,077 감소
③	₩3,400,000 증가	₩8,512,077 감소
④	₩3,800,000 증가	₩8,412,077 감소
⑤	₩3,800,000 증가	₩8,512,077 감소

30 리스부채의 측정에 관한 설명으로 옳지 않은 것은? [세무사 2022년]

① 리스부채의 최초 측정 시 리스료의 현재가치는 리스이용자의 증분차입이자율을 사용하여 산정한다. 다만, 증분차입이자율을 쉽게 산정할 수 없는 경우에는 리스의 내재이자율로 리스료를 할인한다.

② 리스개시일에 리스부채의 측정치에 포함되는 리스료는 리스기간에 걸쳐 기초자산을 사용하는 권리에 대한 지급액 중 그날 현재 지급되지 않은 금액으로 구성된다.

③ 리스가 리스기간 종료시점 이전에 리스이용자에게 기초자산의 소유권을 이전하는 경우에, 리스이용자는 리스개시일부터 기초자산의 내용연수 종료시점까지 사용권자산을 감가상각한다.

④ 리스이용자는 리스개시일 후에 리스부채에 대한 이자를 반영하여 리스부채의 장부금액을 증액하고, 지급한 리스료를 반영하여 리스부채의 장부금액을 감액한다.

⑤ 리스개시일 후 리스료에 변동이 생기는 경우, 리스이용자는 사용권자산을 조정하여 리스부채의 재측정 금액을 인식하지만, 사용권자산의 장부금액이 영(0)으로 줄어들고 리스부채 측정치가 그보다 많이 줄어드는 경우에는 나머지 재측정 금액을 당기손익으로 인식한다.

31 ㈜대한은 ㈜민국과 다음과 같은 조건으로 사무실에 대한 리스계약을 체결하였다.

- 리스기간: 20×1년 1월 1일 ~ 20×3년 12월 31일(3년)
- 연장선택권: ㈜대한은 리스기간을 3년에서 5년으로 2년 연장할 수 있는 선택권이 있으나 리스개시일 현재 동 선택권을 행사할 의도는 전혀 없다.
- 리스료: ㈜대한은 리스기간 동안 매년 말에 ₩2,000,000의 고정리스료를 ㈜민국에게 지급하며, 연장선택권을 행사하면 20×4년 말과 20×5년 말에는 각각 ₩2,200,000을 지급하기로 약정하였다.
- 내재이자율: ㈜대한은 동 리스에 적용되는 ㈜민국의 내재이자율은 쉽게 산정할 수 없다.
- ㈜대한의 증분차입이자율: 연 8%(20×1. 1. 1.), 연 10%(20×3. 1. 1.)
- 리스개설직접원가: ㈜대한은 리스계약과 관련하여 ₩246,000을 수수료로 지급하였다.
- 리스계약 당시 ㈜민국이 소유하고 있는 사무실의 잔존내용연수는 20년이다.
- 적용할 현가계수는 아래의 표와 같다.

할인율 / 기간	단일금액 ₩1의 현재가치		정상연금 ₩1의 현재가치	
	8%	10%	8%	10%
1년	0.9259	0.9091	0.9259	0.9091
2년	0.8573	0.8264	1.7832	1.7355
3년	0.7938	0.7513	2.5770	2.4868

㈜대한은 모든 유형자산에 대해 원가모형을 적용하며, 감가상각은 잔존가치 없이 정액법을 사용한다. 20×3년 1월 1일에 영업환경의 변화 때문에 연장선택권을 행사할 것이 상당히 확실해졌다면 ㈜대한의 20×3년 말 재무상태표에 보고할 사용권자산의 장부금액은 얼마인가? (단, 단수차이로 인해 오차가 있다면 가장 근사치를 선택한다) [공인회계사 2023년]

① ₩3,436,893 ② ₩3,491,560 ③ ₩3,526,093
④ ₩3,621,613 ⑤ ₩3,760,080

32 다음은 전대리스 및 부동산리스와 관련된 내용이다. 한국채택국제회계기준서 제1116호 '리스'의 규정과 다른 설명은 무엇인가?

① 토지 및 건물의 리스에서 토지 요소의 금액이 그 리스에서 중요하지 않은 경우에 리스제공자는 리스 분류목적상 토지와 건물 전체를 하나의 단위로 하여 운용리스 아니면 금융리스로 분류할 수 있다.

② 토지와 건물을 함께 리스하는 경우, 일괄 리스료를 리스의 토지 요소와 건물 요소에 대한 임차권의 상대적 공정가치에 비례하여 토지 및 건물 요소에 리스료를 배분한다.

③ 토지와 건물을 함께 리스하는 경우, 일괄 리스료를 리스의 토지 요소와 건물 요소에 대한 임차권의 상대적 공정가치를 신뢰성 있게 배분할 수 없는 경우에는 두 요소가 모두 운용리스임이 분명하지 않다면 전체 리스를 금융리스로 분류한다.

④ 전대리스의 제공자는 상위리스에서 생기는 사용권자산이 아니라 리스대상인 기초자산에 따라 전대리스를 금융리스나 운용리스로 분류한다.

⑤ 상위리스가 사용권자산을 인식하지 않는 단기리스를 이용하는 경우에는 예외적으로 전대리스의 제공을 운용리스로 분류한다.

33 다음은 판매후리스의 회계처리와 관련된 내용이다. 한국채택국제회계기준서 제1116호 '리스'의 규정과 다른 설명은 무엇인가?

① 판매후리스에서 자산의 이전이 판매에 해당하는 경우 판매자인 리스이용자는 구매자인 리스제공자에게 이전한 권리 전체를 당기손익으로 인식한다.

② 판매후리스에서 자산의 이전이 판매에 해당하는 경우 판매자인 리스이용자는 계속 보유하는 사용권에 관련되는 자산의 종전 장부금액에 비례하여 판매후리스에서 생기는 사용권자산을 측정한다.

③ 자산 판매대가의 공정가치가 그 자산의 공정가치에 비하여 시장조건을 밑도는 부분은 리스료의 선급으로 회계처리한다.

④ 자산 판매대가의 공정가치가 그 자산의 공정가치에 비하여 시장조건을 웃도는 부분은 구매자인 리스제공자가 판매자인 리스이용자에게 제공한 추가금융으로 회계처리한다.

⑤ 판매자인 리스이용자가 행한 자산의 이전이 판매에 해당하지 않는 경우 리스이용자는 이전한 자산을 계속 인식하고, 이전금액과 같은 금액으로 금융부채를 인식한다.

34 다음은 리스가 리스약정일에 체결한 기존의 계약조건과 달라지는 계약변경의 회계처리와 관련된 내용이다. 한국채택국제회계기준서 제1116호 '리스'의 규정과 다른 설명은 무엇인가?

① 계약변경으로 리스의 범위가 확장되었고, 적절하게 리스대가가 조정된 경우에는 리스제공자와 리스이용자 모두 이를 별도 리스로 회계처리한다.

② 별도 리스로 회계처리하지 않는 경우에 리스제공자 입장에서의 계약변경으로, 금융리스에서 운용리스로 변경될 수 없다.

③ 별도 리스로 회계처리하지 않는 경우에 리스제공자 입장에서 계약변경 후에도 계속 금융리스로 분류되는 경우에는 계약상 현금흐름의 변경을 반영하여 리스채권을 재측정한다. 이 경우 리스채권은 기준서 제1109호 '금융상품'의 규정을 적용하여 측정한다.

④ 별도 리스로 회계처리하지 않는 경우에 리스이용자 입장에서 계약변경으로 리스의 범위가 축소될 수 있다. 이 경우 축소된 비율만큼 사용권자산과 리스부채의 장부금액을 감액하고 차이금액을 당기손익으로 인식한다.

⑤ 별도 리스로 회계처리하지 않는 리스변경에 대하여 리스이용자는 리스변경 유효일에 수정 할인율로 수정 리스료를 할인하여 리스부채를 다시 측정한다. 내재이자율을 쉽게 산정할 수 있는 경우에는 남은 리스기간의 내재이자율로 수정 할인율을 산정하나, 리스의 내재이자율을 쉽게 산정할 수 없는 경우에는 리스변경 유효일 현재 리스이용자의 증분차입이자율로 수정 할인율을 산정한다.

35 ㈜대한은 20×1년 1월 1일 장부금액 ₩500,000, 공정가치 ₩600,000의 기계장치를 ㈜민국리스에게 ₩650,000에 현금판매(기업회계기준서 제1115호상 '판매'조건 충족)하고 동 일자로 기계장치를 5년 동안 리스하였다. ㈜대한은 ㈜민국리스에게 리스료로 매년 말 ₩150,000씩 지급하기로 하였으며, 내재이자율은 연 8%이다. ㈜대한이 리스 회계처리와 관련하여 20×1년 1월 1일 인식할 이전된 권리에 대한 차익(기계장치처분이익)은 얼마인가? (단, 단수차이로 인해 오차가 있다면 가장 근사치를 선택한다)

[공인회계사 2020년]

기간 \ 할인율	8%	
	단일금액 ₩1의 현재가치	정상연금 ₩1의 현재가치
4년	0.7350	3.3121
5년	0.6806	3.9927

① ₩8,516　② ₩46,849　③ ₩100,183
④ ₩150,000　⑤ ₩201,095

36 ㈜세무의 리스거래 관련 자료는 다음과 같다. ㈜세무의 리스 회계처리가 20×2년도 당기순이익에 미치는 영향은? (단, 현재가치 계산 시 다음에 제시된 현가계수표를 이용한다) [세무사 2023년]

- 리스기간: 20×1. 1. 1. ~ 20×4. 12. 31.
- 고정리스료: 리스기간 매년 말 ₩100,000 지급
- 리스계약 체결시점의 내재이자율은 연 8%이며, 리스기간 종료 시 추정잔존가치는 ₩5,000이고, 보증잔존가치는 없다.
- 리스자산의 경제적 내용연수는 5년, 잔존가치 ₩0, 정액법으로 상각한다.
- 20×1년 말 현재 사용권자산과 리스부채는 각각 ₩248,408과 ₩257,707이다.
- 20×2년 1월 1일 ㈜세무는 잔여리스기간을 3년에서 2년으로 단축하는 리스계약 조건변경에 합의하였다. 변경된 계약은 별도 리스로 회계처리할 수 있는 요건을 충족하지 않는다. 리스계약 변경시점의 새로운 내재이자율은 연 10%이다.

기간	단일금액 ₩1의 현재가치		정상연금 ₩1의 현재가치	
	8%	10%	8%	10%
1	0.9259	0.9091	0.9259	0.9091
2	0.8573	0.8265	1.7833	1.7355
3	0.7938	0.7513	2.5771	2.4869
4	0.7350	0.6830	3.3121	3.1699

① ₩62,730 감소 ② ₩74,389 감소 ③ ₩97,770 감소
④ ₩101,194 감소 ⑤ ₩116,357 감소

관련 유형 연습

01 다음 중 리스기준서와 일치하지 않는 내용은 무엇인가?

① 계약조건이 변경된 경우에만 계약이 리스인지, 리스를 포함하는지를 다시 판단한다.
② 단기리스는 리스기간이 12개월 이내인 리스를 의미하며, 리스이용자가 특정 금액으로 매수할 수 있는 권리가 있는 매수선택권이 있는 리스는 적용이 불가하며 이는 단기리스가 아니다.
③ 새 것일 때 일반적으로 소액이 아닌 특성이 있는 자산이라면, 해당 기초자산 리스는 소액자산 리스에 해당하지 않는다.
④ 리스요소와 비리스요소의 상대적 개별 가격은 리스제공자나 이와 비슷한 공급자가 그 요소나 그와 비슷한 요소에 개별적으로 부과할 가격을 기초로 산정한다. 관측가능한 개별 가격을 쉽게 구할 수 없다면, 리스이용자는 관측가능한 정보를 최대한 활용하여 그 개별 가격을 추정한다.
⑤ 계약에서 대가와 교환하여, 식별되는 자산의 사용통제권을 일정 기간 이전하게 되더라도 그 계약은 리스이거나 리스를 포함하지 않는다.

02 ㈜한국리스는 ㈜경기와 통신설비에 대해서 운용리스계약을 체결하였다. 관련 자료는 다음과 같다.

(1) ㈜한국리스는 20×1년 1월 1일에 취득원가가 ₩3,000,000인 통신설비를 취득 즉시 ㈜경기에게 인도하고 리스개설직접원가로 ₩90,000을 지출하였다. 그리고 ㈜경기가 부담해야 할 리스개설직접원가는 ₩60,000이지만 이 중 ㈜한국리스가 계약에 따른 인센티브로 ₩30,000을 부담하였다.
(2) 리스기간은 3년이고, 리스료는 20×1년 말에 ₩600,000, 20×2년 말에 ₩800,000, 20×3년 말에 ₩1,000,000을 수취하기로 하였다.
(3) 통신설비의 내용연수는 5년이고, 잔존가치가 없으며, 정액법으로 감가상각한다.

상기 운용리스거래가 20×1년도 ㈜한국리스의 당기순손익에 미치는 영향은 얼마인가? (단, 양사의 결산일은 매년 12월 31일이며, 법인세효과는 무시한다)

① ₩160,000 이익 ② ₩172,000 이익 ③ ₩173,000 이익
④ ₩165,000 이익 ⑤ ₩40,000 이익

03 A리스회사는 B리스이용자와 20×1년 초에 기계장치에 대한 금융리스계약을 체결하였는데, 구체적인 계약내용은 다음과 같다. (단, A리스회사의 내재이자율은 연 16%이고, 감가상각방법은 양사 모두 정액법이며, 양사 모두 결산일은 매년 말이다)

> • 리스자산: 취득원가 ₩1,000,000, 내용연수 6년, 잔존가치 없음
> • 리스기간: 리스기간 개시일(20×1년 초)로부터 4년
> • 리스료: 매년 말 ₩317,900씩 4회 지급
> • 리스기간 종료 시 반환조건이며, 리스기간 종료 시 추정잔존가치는 ₩200,000이고 리스이용자는 이 중에 ₩50,000을 보증함

20×1년 12월 31일 A리스회사는 리스기간 종료 시 해당 리스자산의 잔존가치를 ₩120,000으로 추정하였을 때, 동 리스거래가 20×1년 A리스회사의 당기손익에 미치는 영향은 얼마인가?

① ₩104,500　② ₩106,747　③ ₩107,500
④ ₩108,747　⑤ ₩110,000

04 ㈜국세는 일반 판매회사로서 20×2년 1월 1일에 ㈜대한리스에 아래와 같은 조건으로 보유자산을 판매하였다.

> • ㈜국세는 20×2년부터 20×4년까지 매년 12월 31일에 ㈜대한리스로부터 리스료를 ₩10,000,000씩 3회 수령한다.
> • ㈜대한리스는 리스기간 종료일인 20×4년 12월 31일에 리스자산을 당시의 공정가치보다 충분히 낮은 금액인 ₩2,000,000에 매수할 수 있는 선택권을 가지고 있으며, 20×2년 1월 1일 현재 ㈜대한리스가 이를 행사할 것이 거의 확실시된다.
> • ㈜대한리스가 선택권을 행사하면 리스자산의 소유권은 ㈜국세에서 ㈜대한리스로 이전된다.
> • 20×2년 1월 1일 ㈜국세가 판매한 리스자산의 장부금액은 ₩20,000,000이며, 공정가치는 ₩27,000,000이다.
> • ㈜국세의 증분차입이자율은 연 5%이며, 시장이자율은 연 8%이다.

위 거래는 금융리스에 해당된다. 이 거래와 관련하여 ㈜국세가 20×2년 1월 1일에 인식할 매출액은 얼마인가? (단, 리스약정일과 리스기간 개시일은 동일한 것으로 가정한다. 또한, 현가계수는 아래의 표를 이용한다)

구분	단일금액 ₩1의 현재가치		정상연금 ₩1의 현재가치	
	5%	8%	5%	8%
3	0.86384	0.79383	2.72325	2.57710

① ₩20,000,000　② ₩27,358,660　③ ₩27,000,000
④ ₩30,000,000　⑤ ₩28,960,180

05 ㈜대한은 다음과 같은 조건으로 회사에 필요한 기계장치의 리스계약을 체결하였다.

> (1) 리스기간은 20×1년 1월 1일부터 20×3년 12월 31일까지, 고정리스료 ₩1,000,000은 매년 12월 31일 지급하기로 하였다.
> (2) 계약체결 당시 증분차입이자율은 연 12%이며, 내재이자율은 알지 못한다(3년 10% 현가계수: 0.75131, 연금현가계수: 2.48685, 3년 12% 현가계수: 0.71178, 연금현가계수: 2.40183, 2년 12% 현가계수: 0.79719, 연금현가계수: 1.69005).

㈜대한은 리스기간 종료 전에 현재의 리스를 해지할 가능성이 상당히 확실하다. 20×2년 12월 31일 해지를 통보하고 위약금 ₩700,000을 지급할 것으로 예상된다면 리스개시일에 재무상태표에 계상될 리스부채는 얼마인가?

① ₩2,248,083 ② ₩2,448,050 ③ ₩2,543,083
④ ₩2,690,050 ⑤ ₩2,890,520

06 ㈜대한은 다음과 같은 조건으로 회사에 필요한 기계장치의 리스계약을 체결하였다.

> (1) 리스기간은 20×1년 1월 1일부터 20×3년 12월 31일까지, 고정리스료 ₩1,000,000은 매년 12월 31일 지급하기로 하였다.
> (2) 리스기간 종료 후 ㈜대한은 리스자산에 대하여 ₩500,000의 복구비용을 추정할 수 있다. 복구비용에 적용되는 할인율은 연 12%이다.
> (3) 계약체결 당시 내재이자율은 연 12%이다(3년 10% 현가계수: 0.75131, 연금현가계수: 2.48685, 3년 12% 현가계수: 0.71178, 연금현가계수: 2.40183, 2년 12% 현가계수: 0.79719, 연금현가계수: 1.69005).
> (4) 기계장치의 경제적 내용연수는 4년, 잔존가치는 없으며 정액법으로 상각한다. 동 기계장치는 20×3년 12월 31일 리스기간 종료 후 반환하며 반환 시 보증한 금액은 없다.

동 리스계약이 20×1년 ㈜대한의 당기손익에 미치는 영향은 얼마인가?

① ₩(1,250,167) ② ₩(1,207,460) ③ ₩(1,106,540)
④ ₩(919,240) ⑤ ₩(890,240)

07 A사는 20×1년 1월 1일에 건물의 리스계약을 체결하였다.

(1) 리스기간: 20×1년 1월 1일부터 20×5년 12월 31일
(2) 리스료: 매년 12월 31일에 ₩100,000씩 지급함
(3) 연장선택권: 리스종료 후 2년간 리스기간 연장 가능, 연장기간 동안 리스료는 매년 12월 31일에 ₩90,000씩 지급함
(4) 리스개설직접원가: A사가 ₩10,000의 리스개설직접원가를 부담함
(5) 내재이자율: 연 4%(5기간, 4% 연금현가계수: 4.45182)
(6) 동 건물의 내용연수 종료시점의 잔존가치는 ₩0이며 정액법으로 상각함
(7) 리스개시일 현재 A사는 리스기간의 연장선택권을 행사할 것이 상당히 확실하지 않았으나, 20×4년 초에 A사는 리스기간의 연장선택권을 행사할 것이 상당히 확실함(단, 20×4년 초 현재 내재이자율은 쉽게 산정할 수 없으며, A사의 증분차입이자율은 연 5%임. 4기간, 5% 연금현가계수: 3.54595, 2기간, 5% 연금현가계수: 1.85941)

동 거래에 대한 A사의 회계처리에 대한 설명으로 옳지 않은 것은?

① 리스개시일의 리스부채는 ₩445,182이다.
② 20×1년 사용권자산의 감가상각비는 ₩91,036이다.
③ 20×4년 초 리스부채는 ₩337,730이다.
④ 20×4년 감가상각비는 ₩91,036이다.
⑤ 20×4년 초 사용권자산은 ₩149,121만큼 증가한다.

08 기업회계기준서 제1116호 '리스'에 대한 다음 설명 중 옳지 않은 것은? [공인회계사 2024년]

① 리스제공자는 각 리스를 운용리스 아니면 금융리스로 분류한다. 기초자산의 소유에 따른 위험과 보상의 대부분을 이전하는 리스는 금융리스로 분류하고, 기초자산의 소유에 따른 위험과 보상의 대부분을 이전하지 않는 리스는 운용리스로 분류한다.
② 계약 자체가 리스인지, 계약이 리스를 포함하는지는 리스개시일에 판단한다. 계약에서 대가와 교환하여, 식별되는 자산의 사용 통제권을 일정 기간 이전하게 한다면 그 계약은 리스이거나 리스를 포함한다.
③ 리스이용자는 리스부채의 원금에 해당하는 현금 지급액은 현금흐름표에 재무활동으로 분류하고, 리스부채 측정치에 포함되지 않은 단기리스료, 소액자산 리스료, 변동리스료는 현금흐름표에 영업활동으로 분류한다.
④ 리스이용자는 리스개시일에 사용권자산과 리스부채를 인식한다.
⑤ 리스이용자는 리스개시일에 사용권자산을 원가로 측정한다.

09 A사(판매자-리스이용자)는 20×1년 1월 1일 장부금액 ₩1,000,000인 건물을 B리스(구매자-리스제공자)에게 ₩2,000,000에 판매하고 18년간 매년 말 ₩120,000씩의 리스료를 지급하는 건물 사용권 계약을 체결하였다. 거래의 조건에 따르면, 건물 이전은 판매에 해당한다.

(1) 판매일 현재 건물의 공정가치는 ₩1,800,000이므로 초과 판매가격은 ₩200,000이다. 리스의 내재이자율은 연 4.5%로 A사는 쉽게 산정할 수 있으며, 연간리스료 ₩120,000과 연간리스료의 내재이자율로 할인한 현재가치 ₩1,459,200은 다음과 같이 구분된다.

구분	연간리스료	현재가치금액
리스계약	₩103,553	₩1,259,200
추가금융	₩16,447	₩200,000
합계	₩120,000	₩1,459,200

(2) B리스는 건물리스를 운용리스로 분류하며, 내용연수는 18년, 잔존가치는 없다. B리스와 A사는 건물과 사용권자산을 정액법으로 감가상각한다.

A사가 사용권자산으로 인식할 금액과 리스개시일에 인식할 차손익은 얼마인가?

① ₩240,356　② ₩340,356　③ ₩440,800
④ ₩540,800　⑤ ₩640,800

실력 점검 퀴즈

[01 ~ 02]

㈜민국은 20×1년 1월 2일 ㈜대한리스로부터 기계장치를 리스하는 계약을 체결하였다. 동 일자에 리스를 개시하였으며, 리스기간의 종료일은 20×5년 12월 31일이다. 리스개시일 현재 리스자산의 공정가치는 ₩1,261,000이며, 리스기간 종료 시 예상잔존가치는 ₩500,000이다. 리스기간 종료시점에 ㈜민국은 염가매수선택권을 예상잔존가치의 40%의 가격에 행사할 것이 리스약정일 현재 거의 확실하다. 고정리스료 ₩300,000은 매년 12월 31일에 5년간 지급된다. ㈜민국은 리스개설과 관련한 법률비용으로 ₩19,000을 지급하였다. 기계장치의 내용연수는 8년이고, 내용연수 종료시점의 잔존가치는 없으며, ㈜민국은 기계장치를 정액법으로 감가상각한다. 리스순투자와 리스총투자를 일치시키는 내재이자율은 연 10%이다. 법인세효과는 고려하지 않으며, 소수점 첫째 자리에서 반올림하여 계산한다.

기간	1	2	3	4	5	6
단일금액 ₩1의 현가계수	0.91	0.83	0.75	0.68	0.62	0.56
정상연금 ₩1의 현가계수	0.91	1.74	2.49	3.17	3.79	4.35

01 ㈜대한리스의 20×1년 말 재무상태표에 계상될 리스채권의 장부금액과 20×1년 포괄손익계산서에 계상될 이자수익을 구하시오.

	20×1년 말 리스채권	20×1년 이자수익
①	₩1,261,000	₩108,710
②	1,261,000	126,100
③	1,087,100	108,710
④	1,087,100	126,100
⑤	895,810	126,100

02 ㈜민국의 20×1년 말 재무상태표에 계상될 사용권자산의 장부금액과 동 거래가 20×1년 당기순이익에 미친 영향을 구하시오.

	20×1년 말 사용권자산	20×1년 당기순이익에 미친 영향
①	₩1,261,000	₩(−)108,710
②	1,261,000	(−)126,100
③	1,120,000	(−)126,100
④	1,087,100	(−)160,000
⑤	1,120,000	(−)286,100

[03 ~ 04]

A사는 20×1년 초에 기계장치를 아래와 같은 조건으로 리스계약을 체결하였다.

(1) 리스기간: 20×1년 1월 1일부터 20×3년 12월 31일까지
(2) 리스료: 연간 고정리스료 ₩200,000 매년 12월 31일 지급
(3) 할인율: 내재이자율 연5%
(3년, 5% 현가계수: 0.86384, 3년, 5% 연금현가계수: 2.72325)
(2년, 5% 현가계수: 0.90703, 2년, 5% 연금현가계수: 1.85941)
(4) 기계장치의 내용연수는 5년(잔존가치 ₩0), 정액법으로 상각한다.
(5) 리스기간 종료 시 기계장치를 리스제공자에게 반환하며, 반환 시 실제 잔존가치가 ₩150,000 에 미달할 경우 그 미달한 금액을 보증하기로 하였다.

03 동 리스계약이 20×1년 A사의 당기손익에 미치는 영향은 얼마인가? (단, 리스개시일 현재 잔존가치 보증으로 인하여 리스기간 종료 시 지급할 것으로 예상되는 금액은 없다고 추정하였다)

① ₩(-)208,783 ② ₩(-)181,550 ③ ₩(-)225,088
④ ₩(-)204,226 ⑤ ₩(-)194,783

04 20×2년 초에 A사는 잔존가치 보증에 따라 리스기간 종료 시 ₩50,000의 현금을 지급할 것으로 예상하였다. 이 경우 동 리스계약이 A사의 20×2년 당기손익에 미치는 영향을 구하시오. (단, 20×2년 초에 동 리스계약에 대한 내재이자율은 7%이다)

① ₩(-)208,783 ② ₩(-)181,550 ③ ₩(-)225,088
④ ₩(-)204,226 ⑤ ₩(-)194,783

05 ㈜하늘은 20×1년 1월 1일 ㈜한국리스로부터 기계장치(기초자산)를 리스하는 계약을 체결하였다. 계약상 리스기간은 20×1년 1월 1일부터 4년, 내재이자율은 연 10%, 고정리스료는 매년 말 일정 금액을 지급한다. ㈜한국리스의 기계장치 취득금액은 ₩1,000,000으로 리스개시일의 공정가치이다. ㈜하늘은 리스개설과 관련하여 법률비용 ₩75,000을 지급하였으며, 리스기간 종료시점에 ㈜하늘은 매수선택권을 ₩400,000에 행사할 것이 리스약정일 현재 상당히 확실하다. 리스거래와 관련하여 ㈜하늘이 매년 말 지급해야 할 고정리스료는? (단, 계산금액은 소수점 첫째 자리에서 반올림하고, 단수차이로 인한 오차가 있으면 가장 근사치를 선택한다)

기간	단일금액 ₩1의 현재가치 (할인율 = 10%)	정상연금 ₩1의 현재가치 (할인율 = 10%)
4	0.6830	3.1699
5	0.6209	3.7908

① ₩198,280 ② ₩200,000 ③ ₩208,437
④ ₩229,282 ⑤ ₩250,000

06 ㈜하늘은 20×1년 초 해지불능 리스계약을 체결하고 사용권자산(내용연수 5년, 잔존가치 ₩0, 정액법 상각)과 리스부채(리스기간 5년, 매년 말 정기리스료 ₩13,870, 리스기간 종료 후 소유권 무상이전 약정)를 각각 ₩50,000씩 인식하였다. 리스계약의 내재이자율은 연 12%이고 ㈜하늘은 리스회사의 내재이자율을 알고 있다. ㈜하늘은 사용권자산에 대해 재평가모형을 적용하고 있으며 20×1년 말 사용권자산의 공정가치는 ₩35,000이다. 동 리스계약이 ㈜하늘의 20×1년 당기순이익에 미치는 영향은? (단, 리스계약은 소액자산리스 및 단기리스가 아니라고 가정한다)

① ₩5,000 감소 ② ₩6,000 감소 ③ ₩15,000 감소
④ ₩16,000 감소 ⑤ ₩21,000 감소

2차 문제 Preview

01 ㈜민국은 20×1년 1월 1일 보유하던 건물을 ㈜대한에게 매각하고, 같은 날 동 건물을 리스하여 사용하는 계약을 체결하였다. 다음의 <자료>를 이용하여 물음에 답하시오.

〈자료〉

(1) ㈜민국이 보유하던 건물의 20×1년 1월 1일 매각 전 장부금액은 ₩3,000,000이며, 공정가치는 ₩5,000,000이다.

(2) 20×1년 1월 1일 동 건물의 잔존내용연수는 8년이고 잔존가치는 없다. ㈜민국과 ㈜대한은 감가상각방법으로 정액법을 사용한다.

(3) 리스개시일은 20×1년 1월 1일이며, 리스료는 리스기간 동안 매년 말 ₩853,617을 수수한다.

(4) 리스기간은 리스개시일로부터 5년이며, 리스 종료일에 소유권이 이전되거나 염가로 매수할 수 있는 매수선택권 및 리스기간 변경 선택권은 없다.

(5) ㈜대한은 해당 리스를 운용리스로 분류한다. 리스계약과 관련하여 지출한 리스개설직접원가는 없다.

(6) 리스의 내재이자율은 연 7%로, ㈜민국이 쉽게 산정할 수 있다.

(7) 현재가치 계산 시 아래의 현가계수를 이용하고, 답안 작성 시 원 이하는 반올림한다.

기간	7%	
	단일금액 ₩1의 현가계수	정상연금 ₩1의 현가계수
1	0.9346	0.9346
2	0.8734	1.8080
3	0.8163	2.6243
4	0.7629	3.3872
5	0.7130	4.1002

물음 1 ㈜민국이 보유하고 있던 건물을 공정가치인 ₩5,000,000에 매각하였다면, 리스이용자인 ㈜민국이 동 건물을 처분하였을 때 인식할 사용권자산과 유형자산처분이익을 구하시오. (단, 동 자산 이전은 판매의 요건을 충족하였다)

구분	금액
사용권자산	①
유형자산처분이익	②

물음 2 ㈜민국이 보유하고 있던 건물을 공정가치인 ₩5,000,000에 매각하였다면, 동 거래가 리스이용자인 ㈜민국의 20×1년 포괄손익계산서상 기재될 아래의 항목들을 구하시오. (단, 동 자산 이전은 판매의 요건을 충족하였다)

구분	금액
사용권자산 상각비	①
이자비용	②

물음 3 ㈜민국이 보유하고 있던 건물을 ₩4,500,000에 매각하였다면, 리스이용자인 ㈜민국이 동 건물을 처분하였을 때 인식할 사용권자산과 유형자산처분이익을 구하시오. (단, 동 자산 이전은 판매의 요건을 충족하였다)

구분	금액
사용권자산	①
유형자산처분이익	②

물음 4 ㈜민국이 보유하고 있던 건물을 공정가치인 ₩5,000,000에 매각하였다면, 동 리스거래가 리스제공자인 ㈜대한의 20×1년도 포괄손익계산서상 당기순이익에 미치는 영향을 구하시오. (단, 동 자산 이전은 판매의 요건을 충족하였다)

물음 5 ㈜민국이 보유하고 있던 건물을 ₩4,500,000에 매각하였다면, 동 리스거래가 리스제공자인 ㈜대한의 20×1년도 포괄손익계산서상 당기순이익에 미치는 영향을 구하시오. (단, 동 자산 이전은 판매의 요건을 충족하였다)

물음 6 ㈜민국은 보유하고 있던 건물을 공정가치인 ₩5,000,000에 매각하였다. 동 자산 이전이 판매의 요건을 충족하지 않는 경우, ㈜민국과 ㈜대한이 20×1년 초에 해야 할 회계처리를 보이시오.

구분	회계처리
㈜민국	①
㈜대한	②

02 다음의 자료를 이용하여 물음에 답하시오. [공인회계사 2차 2020년]

현재가치 계산 시 아래의 현가계수를 이용하고, 답안 작성 시 원 이하는 반올림한다.

기간	정상연금 ₩1의 현가계수	
	8%	10%
1	0.9259	0.9091
2	1.7833	1.7355
3	2.5771	2.4869
4	3.3121	3.1699
5	3.9927	3.7908
6	4.6229	4.3553

(1) 리스제공자인 ㈜민국리스는 리스이용자인 ㈜대한과 20×1년 1월 1일에 리스계약을 체결하였다. 리스개시일은 20×1년 1월 1일이다.
(2) 기초자산인 사무실 공간 10,000㎡의 리스기간은 리스개시일로부터 6년이다.
(3) 리스기간 종료시점까지 소유권이 이전되거나 염가로 매수할 수 있는 매수선택권은 없으며, 리스기간 종료시점의 해당 기초자산 잔존가치는 ₩0으로 추정된다.
(4) 기초자산의 내용연수는 7년이며, 내용연수 종료시점의 추정잔존가치는 ₩0으로 정액법으로 감가상각한다.
(5) ㈜대한은 리스기간 동안 매년 말 ₩2,000,000의 고정리스료를 지급한다.
(6) ㈜대한은 리스종료일에 기초자산을 리스제공자인 ㈜민국리스에게 반환하여야 한다.
(7) ㈜대한이 리스계약과 관련하여 지출한 리스개설직접원가는 없다.
(8) 20×1년 1월 1일에 동 리스의 내재이자율은 연 8%이고, 리스제공자와 리스이용자가 이를 쉽게 산정할 수 있다.
(9) 사용권자산은 정액법으로 감가상각한다.

20×3년 1월 1일 ㈜민국리스와 ㈜대한은 기존 리스를 수정하여 다음의 <추가 자료>와 같은 리스변경에 합의하였다.

〈추가 자료〉

20×3년 1월 1일 ㈜민국리스와 ㈜대한은 리스기간 종료시점까지 남은 4년 동안 사무실 공간 10,000㎡에서 3,000㎡를 추가하기로 합의하였다. ㈜대한은 사무실 공간 3,000㎡의 추가 사용 권리로 인해 20×3년 1월 1일부터 20×6년 12월 31일까지 매년 말 ₩400,000의 고정리스료를 추가로 지급하는데, 증액된 리스대가는 계약 상황을 반영하여 조정한 추가 사용권자산의 개별 가격에 상응하는 금액이다. 20×3년 1월 1일에 동 리스의 내재이자율을 쉽게 산정할 수 없으나 리스이용자의 증분차입이자율은 연 10%이다. 단, 모든 리스는 소액기초자산 리스에 해당하지 않는다.

리스와 관련한 모든 회계처리가 ㈜대한의 20×3년도 포괄손익계산서의 당기순이익에 미치는 영향과 20×3년 말 재무상태표에 표시되는 사용권자산 및 리스부채의 금액을 각각 계산하시오. 단, 당기순이익이 감소하는 경우에는 (-)를 숫자 앞에 표시하시오.

당기순이익에 미치는 영향	①
사용권자산	②
리스부채	③

03 ㈜세무는 20×1년 1월 1일에 ㈜민국리스로부터 기초자산 B(사무실)를 리스하는 계약을 체결하였다. 기초자산 B의 리스개시일은 20×1년 1월 1일이며 리스기간은 6년이고, 리스료는 매년 말에 지급한다. 기초자산 B는 리스기간 종료 시 리스제공자에게 반환하며, 모든 리스는 소액기초자산리스에 해당하지 않는다. 리스개시일 현재 기초자산 B의 내용연수는 10년(잔존가치 ₩0)이다. 리스의 내재이자율은 알 수 없으며, 20×1년 1월 1일 ㈜세무의 증분차입이자율은 연 5%이다. ㈜세무는 모든 사용권자산에 대해 원가모형을 적용하여 회계처리하고 있으며, 사용권자산은 잔존가치 없이 정액법을 이용하여 상각한다. 한편, 현재가치 계산이 필요한 경우 다음의 현가계수를 이용하고 금액은 소수점 첫째 자리에서 반올림한다.

기간	단일금액 ₩1의 현가계수		정상연금 ₩1의 현가계수	
	5%	10%	5%	10%
1	0.9524	0.9091	0.9524	0.9091
2	0.9070	0.8264	1.8594	1.7355
3	0.8638	0.7513	2.7232	2.4868
4	0.8227	0.6830	3.5460	3.1699
5	0.7835	0.6209	4.3295	3.7908
6	0.7462	0.5645	5.0757	4.3553

기초자산 B는 1,000㎡의 사무실 공간이며, 이에 대한 리스료로 ㈜세무는 연간 ₩200,000을 지급한다. 20×3년 1월 1일에 ㈜세무는 리스기간 중 남은 4년 동안 사무실의 공간을 1,000㎡에서 500㎡로 줄이기로 ㈜민국리스와 합의하였으며, 남은 4년 동안 리스료로 매년 말에 ₩120,000씩 지급하기로 하였다. 리스계약변경시점인 20×3년 1월 1일 ㈜세무의 증분차입이자율은 연 10%이다. 기초자산 B의 리스와 관련하여 20×3년 1월 1일 ㈜세무가 인식할 리스부채와 리스변경손익, 그리고 20×3년에 당기손익으로 인식할 리스부채의 이자비용과 사용권자산에 대한 감가상각비를 각각 계산하시오. (단, 기초자산 B의 리스와 관련하여 발생한 비용 중 자본화된 금액은 없다. 또, 리스변경손실이 발생한 경우에는 금액 앞에 '(−)'를 표시하며 계산된 금액이 없는 경우에는 '없음'으로 표시하시오)

[세무사 2차 2020년 수정]

구분	리스부채	리스변경손익
20×3년 1월 1일	①	②

구분	이자비용	감가상각비
20×3년 당기손익	③	④

해커스 IFRS 정윤돈 객관식 재무회계

회계사 · 세무사 · 경영지도사 단번에 합격!
해커스 경영아카데미 cpa.Hackers.com

/ 1차 시험 출제현황 /

구분	CPA										CTA									
	15	16	17	18	19	20	21	22	23	24	15	16	17	18	19	20	21	22	23	24
종업원급여 계산형		1	1	1	1		1	1	1		1		1			1	1	1	1	1
종업원급여 서술형				3		1			1	1	1									
주식결제형 주식기준보상거래	1		1	1			1		1	1	1	1			1			1		
현금결제형 주식기준보상거래					1												1			
주식기준보상거래 서술형		1				1		1		1									1	

제14장

종업원급여와 주식기준보상거래

기초 유형 확인

[01 ~ 02]

㈜대한은 종업원이 퇴직한 시점에 일시불급여를 지급하며, 종업원은 4차 연도 말에 퇴직할 것으로 예상한다. 일시불급여는 종업원의 퇴직 전 최종 임금의 2%에 근무연수를 곱하여 산정한다. 종업원의 연간 임금은 1차 연도에 ₩10,000,000이며 앞으로 매년 8%(복리)씩 상승한다. 연간 할인율은 12%이다. 보험수리적가정에 변화는 없으며, 종업원이 예상보다 일찍 또는 늦게 퇴직할 가능성을 반영하기 위해 필요한 추가 조정은 없다고 가정한다.

01 ㈜대한의 1차 연도에 인식할 당기근무원가는 얼마인가? (단, 계산 과정에서 금액은 소수점 아래 첫째 자리에서 반올림한다)

① ₩179,327　② ₩222,365　③ ₩209,806
④ ₩106,129　⑤ ₩69,557

02 ㈜대한의 2차 연도에 인식할 퇴직급여는 얼마인가? (단, 계산 과정에서 금액은 소수점 아래 첫째 자리에서 반올림한다)

① ₩179,327　② ₩222,365　③ ₩209,806
④ ₩106,129　⑤ ₩69,557

[03 ~ 04]

다음은 ㈜한국이 채택하고 있는 퇴직급여제도와 관련된 20×1년도 자료이다.

(1) 20×1년 초 확정급여채무의 현재가치와 사외적립자산의 공정가치는 각각 ₩4,500,000과 ₩4,200,000이다.
(2) 20×1년 말 확정급여채무의 현재가치와 사외적립자산의 공정가치는 각각 ₩5,000,000과 ₩3,800,000이다.
(3) 20×1년 말 일부 종업원의 퇴직으로 퇴직금 ₩1,000,000을 사외적립자산에서 지급하였으며, 20×1년 말에 추가로 적립한 기여금 납부액은 ₩200,000이다.
(4) 20×1년에 종업원이 근무용역을 제공함에 따라 증가하는 예상 미래퇴직급여지급액의 현재가치는 ₩500,000이다.
(5) 20×1년 말 확정급여제도의 일부 개정으로 종업원의 과거근무기간의 근무용역에 대한 확정급여채무의 현재가치가 ₩300,000 증가하였다.
(6) 20×1년 초와 20×1년 말 현재 우량회사채의 연 시장수익률은 각각 8%, 10%이며, 퇴직급여채무의 할인율로 사용한다.

03 ㈜한국의 확정급여제도로 인한 20×1년도 포괄손익계산서의 당기순이익과 기타포괄이익에 미치는 영향은 각각 얼마인가? (단, 법인세효과는 고려하지 않는다)

	당기순이익	기타포괄이익
①	₩(-)848,000	₩286,000
②	₩(-)824,000	₩(-)276,000
③	₩(-)848,000	₩(-)252,000
④	₩(-)848,000	₩(-)276,000
⑤	₩(-)824,000	₩(-)252,000

04 만약, 위 물음과 달리 20×1년 초에 확정급여제도의 일부 개정으로 종업원의 과거근무기간의 근무용역에 대한 확정급여채무의 현재가치가 ₩300,000 증가하였다면, ㈜한국의 확정급여제도로 인한 20×1년도 포괄손익계산서의 당기순이익과 기타포괄이익에 미치는 영향은 각각 얼마인가? (단, 법인세효과는 고려하지 않는다)

	당기순이익	기타포괄이익
①	₩(-)848,000	₩286,000
②	₩(-)824,000	₩(-)276,000
③	₩(-)848,000	₩(-)252,000
④	₩(-)848,000	₩(-)276,000
⑤	₩(-)824,000	₩(-)252,000

[05 ~ 06]

12월 말 결산법인인 A사는 확정급여제도를 시행하고 있으며 20×1년 1월 1일 현재의 재무상태표에 순확정급여부채 ₩20,000(확정급여채무 ₩500,000, 사외적립자산 ₩480,000)을 보고하였다. A사의 20×1년도 당기근무원가는 ₩25,000, 우량회사채의 수익률은 연 6%이며, 사외적립자산의 실제수익률은 연 4%이다. A사는 20×1년 7월 1일 퇴직한 종업원에게 ₩30,000의 퇴직금을 사외적립자산에서 지급하였다. 20×1년 12월 31일 사외적립자산으로 추가 적립한 금액은 ₩26,000이며, 20×1년 말 현재 확정급여채무의 현재가치는 ₩530,000이다.

05 동 거래가 A사의 20×1년도 당기순이익에 미친 영향은 얼마인가?

① ₩(−)12,200　② ₩(−)15,200　③ ₩(−)21,200
④ ₩(−)26,200　⑤ ₩(−)31,300

06 동 거래가 A사의 20×1년도 기타포괄손익에 미친 영향은 얼마인가?

① ₩(−)12,200　② ₩(−)15,200　③ ₩(−)21,200
④ ₩(−)26,200　⑤ ₩(−)31,300

[07 ~ 10]

12월 말 결산법인인 B사는 20×1년 초 현재 순확정급여자산 ₩60,000을 보고하였으며, 확정급여채무의 측정에 사용한 이자율은 10%이다. B사는 20×1년 초 퇴직급여제도를 개정하였으며, 이로 인하여 과거근무원가 ₩300,000이 발생하였고 20×1년 말 인식할 당기근무원가는 ₩200,000이다. 20×1년 말 종업원이 퇴직하여 지급한 퇴직금은 ₩400,000으로 동 금액은 전액 사외적립자산에서 지급되었으며, 동 일자에 사외적립자산으로 추가 출연한 금액은 ₩500,000이다. 20×1년 말 확정급여채무의 현재가치로 재측정한 금액은 ₩880,000으로 측정에 사용한 이자율은 12%, 보험수리적이익은 ₩20,000이 발생하였다. 20×1년 초 자산인식상한효과는 ₩40,000이다. 20×1년 사외적립자산에서 발생한 재측정이익은 ₩10,000이고 20×1년 말 현재 자산인식상한은 ₩80,000이다.

07 20×1년 초 기초확정급여채무는 얼마인가?

① ₩400,000 ② ₩500,000 ③ ₩600,000
④ ₩700,000 ⑤ ₩800,000

08 20×1년 초 기초사외적립자산은 얼마인가?

① ₩400,000 ② ₩500,000 ③ ₩600,000
④ ₩700,000 ⑤ ₩800,000

09 동 거래가 B사의 20×1년 당기순이익에 미친 영향은 얼마인가?

① ₩(-)324,000 ② ₩(-)444,000 ③ ₩(-)510,400
④ ₩(-)524,000 ⑤ ₩(-)544,000

10 동 거래가 B사의 20×1년 기타포괄손익에 미친 영향은 얼마인가?

① ₩(-)44,000 ② ₩(-)32,000 ③ ₩40,000
④ ₩32,000 ⑤ ₩44,000

[11 ~ 14]

㈜합격은 20×1년 초에 종업원 500명에게 각각 회사의 보통주를 주당 ₩600에 살 수 있는 주식선택권 100개씩을 부여하였다. 주식선택권 1개당 보통주 1주를 교부하며, 보통주 1주의 액면금액은 ₩500이다.

(1) 주식선택권은 근무기간이 5년을 경과하면 가득되는데, 주식선택권을 부여받은 종업원 500명은 근무기간이 2년 경과하여 잔여가득기간은 3년이다. 주식선택권의 행사기간은 20×4년 초부터 20×5년 말까지 2년간이다.
(2) 20×1년 초 부여일의 주식선택권 단위당 공정가치는 ₩150이다.
(3) 주식선택권이 가득되지 않은 종업원 500명의 연도별 퇴사예정인원에 대한 예측치와 실제치는 다음과 같다.

누적 퇴사인원수		
연도	직전연도 예측치	실제 퇴사인원수
20×1년	-	20명
20×2년	75명	45명
20×3년	60명	58명

11 ㈜합격이 20×2년에 인식할 주식보상비용(환입)은 얼마인가? (단, 20×2년 말 주식선택권의 공정가치는 ₩200이다)

① ₩1,125,000 ② ₩2,050,000 ③ ₩2,125,000
④ ₩2,275,000 ⑤ ₩4,400,000

12 20×4년 말에 가득된 주식선택권 30,000개가 행사되어 신주를 발행하여 교부하였다. 동 거래로 인한 ㈜합격의 주식발행초과금 증가액은 얼마인가?

① ₩6,500,000 ② ₩7,500,000 ③ ₩8,500,000
④ ₩9,500,000 ⑤ ₩10,000,000

13 20×4년 말에 가득된 주식선택권 30,000개가 행사되어 신주를 발행하여 교부하였다. 이때 ㈜합격은 가득된 주식선택권이 행사될 때 보유하고 있던 자기주식(취득원가 ₩30,000,000)을 교부하였다면 동 거래로 인식하게 될 자기주식처분이익(손실)은 얼마인가?

① ₩22,500,000 ② ₩(-)7,500,000 ③ ₩8,500,000
④ ₩(-)22,500,000 ⑤ ₩(-)10,000,000

14 만약, 주식선택권의 일부가 행사되어 주식발행초과금이 ₩3,750,000 증가하였다면 행사한 종업원은 몇 명인가?

① 150명 ② 200명 ③ 250명
④ 300명 ⑤ 350명

15 ㈜합격은 20×1년 초에 종업원 50명에게 각각 회사주식(액면금액: ₩500)을 매입할 수 있는 주식선택권(행사가격: ₩600, 권리행사만료일: 20×5년 말) 1,000개를 부여하고 3년의 용역제공조건을 부과하였다. 관련 자료는 다음과 같다.

(1) 부여일 현재 회사는 주식선택권의 공정가치를 신뢰성 있게 측정할 수 없다고 판단하였으며, 부여일 현재 회사의 주가는 ₩600이다.
(2) 20×1년 말 현재 이미 3명이 퇴사하였고, 회사는 20×2년과 20×3년에도 추가로 7명이 퇴사할 것으로 추정하였다. 따라서 부여한 주식선택권의 80%(40명분)가 가득될 것으로 추정된다.
(3) 20×2년에 실제로 2명이 퇴사하였고, 회사는 미래에 가득될 것으로 기대되는 주식선택권의 비율을 86%로 추정하였다. 그리고 20×3년에 실제로 2명이 퇴사하였고, 20×3년 말까지 총 43,000개의 주식선택권이 가득되었다.
(4) 20×1년부터 20×5년까지 회사의 주가와 행사된 주식선택권의 수량은 다음과 같다. 행사된 주식선택권은 모두 회계연도 말에 행사되었다.

구분	회계연도 말 주가	행사된 주식선택권 수량
20×1년	₩630	
20×2년	₩650	
20×3년	₩750	
20×4년	₩880	20,000개
20×5년	₩1,000	23,000개

㈜합격이 20×4년에 인식할 주식보상비용은 얼마인가?

① ₩1,033,333 ② ₩5,016,667 ③ ₩5,590,000
④ ₩6,100,000 ⑤ ₩6,222,000

[16 ~ 17]

다음은 A사의 주식기준보상거래와 관련된 자료들이다. 이들 자료를 기초로 물음에 답하시오.

(1) A사는 20×1년 1월 1일 종업원 100명에게 각각 주식선택권 100개를 부여하고 3년의 용역제공조건을 부여하였다.

(2) 주식선택권의 개당 행사가격은 ₩500이며, 부여일 현재 주식선택권의 공정가치는 개당 ₩300이다. A사가 발행하는 보통주식의 주당 액면금액은 ₩100이다.

(3) 각 회계연도에 주식선택권을 부여받은 종업원 중 퇴사한 인원과 가득일까지의 퇴사예정인원은 다음과 같다.

구분	당기실제퇴사인원	추가예상퇴사인원
20×1년	5명	15명
20×2년	10명	12명

16 A사는 20×2년 1월 1일 주가 하락으로 인하여 주식선택권의 행사가격을 개당 ₩400으로 인하하기로 종업원과 합의하였다. 합의일 현재 행사가격을 인하하기 전 주식선택권의 개당 공정가치는 ₩200, 인하한 후 주식선택권의 개당 공정가치는 ₩260이다. 주식기준보상거래가 A사의 20×2년도 당기순이익에 미친 영향은 얼마인가?

① ₩(-)1,090,000 ② ₩(-)2,365,000 ③ ₩(-)3,400,000
④ ₩(-)879,000 ⑤ ₩(-)660,000

17 위 문제와 독립적으로 A사는 가득기간 중인 20×3년 1월 1일 현재 근무 중인 종업원에게 보유한 주식선택권을 현금으로 중도청산하기로 하였다. 중도청산일 현재 주식선택권 1개당 현금지급액은 ₩400이며, 중도청산일 현재 주식선택권의 개당 공정가치는 ₩250이다. 주식선택권의 중도청산이 A사의 20×3년 당기순이익에 미친 영향은 얼마인가?

① ₩(-)1,090,000 ② ₩(-)2,365,000 ③ ₩(-)3,400,000
④ ₩(-)879,000 ⑤ ₩(-)660,000

18 ㈜대한은 20×1년 1월 1일 종업원 100명에게 각각 10개의 주식선택권을 부여하였다. 동 주식선택권은 종업원이 앞으로 3년 동안 회사에 근무해야 가득된다. 20×1년 1월 1일 현재 ㈜대한이 부여한 주식선택권의 단위당 공정가치는 ₩360이며, 각 연도 말 퇴직한 종업원 수는 다음과 같다.

구분	실제 퇴직자 수	추가 퇴직 예상자 수
20×1년 말	10명	20명
20×2년 말	15명	13명
20×3년 말	13명	-

주식선택권 부여일 이후 주가가 지속적으로 하락하여 ㈜대한의 20×2년 12월 31일 주식선택권의 단위당 공정가치는 ₩250이 되었다. 또한 20×2년 초 ㈜대한은 종업원에게 부여하였던 주식선택권의 수를 10개에서 9개로 변경하였다. 동 주식기준보상과 관련하여 ㈜대한이 20×2년도에 인식할 주식보상비용은 얼마인가?

① ₩32,400 ② ₩49,920 ③ ₩82,320
④ ₩84,000 ⑤ ₩92,000

[19 ~ 20]

12월 말 결산법인인 B사는 20×1년 1월 1일 종업원 100명에게 각각 권리행사일의 주가가 행사가격을 초과하는 경우 그 차액을 현금으로 지급하는 주가차액보상권 100개를 부여하고 3년의 용역제공조건을 부여하였다. 개당 행사가격은 ₩500이며, 20×4년 말에 30명의 종업원이 권리를 행사하였다.

<주가차액보상권의 개당 공정가치>

구분	20×1년 말	20×2년 말	20×3년 말	20×4년 말
주가	₩550	₩620	₩630	₩700
공정가치	₩90	₩120	₩160	₩250

<각 회계연도 말의 가득예정인원>

20×1년 말	20×2년 말	20×3년 말
90명	80명	85명

19 동 거래가 B사의 20×4년도 당기순이익에 미친 영향은 얼마인가?

① ₩(-)150,000 ② ₩(-)450,000 ③ ₩(-)615,000
④ ₩765,000 ⑤ ₩792,000

20 20×5년도에 권리를 행사한 종업원은 없으며, 주식보상비용으로 인식한 금액은 ₩165,000이라면 20×5년 말 주가차액보상권의 개당 공정가치는 얼마인가?

① ₩120 ② ₩180 ③ ₩240
④ ₩280 ⑤ ₩310

기출 유형 정리

01 ㈜경기는 종업원이 퇴사한 시점에 일시불 퇴직급여를 지급하며, 일시불 퇴직급여는 종업원의 퇴직 직전 연간 최종임금의 1%에 근무연수를 곱하여 산정된다. 종업원의 연간임금은 20×1년에 ₩1,000,000이며 향후 매년 7%(복리)씩 상승한다. ㈜경기가 추정한 종업원의 예상퇴사시점은 20×3년 말이고, 확정급여채무에 적용될 할인율은 10%로 변동이 없다. 이와 같은 상황에서 ㈜경기가 20×2년 포괄손익계산서에 당기손익으로 인식할 퇴직급여원가는 얼마인가? (단, 확정급여채무의 측정과정에서 발생하는 보험수리적손익은 없다고 가정한다) [공인회계사 2016년 수정]

① ₩10,408　② ₩11,354　③ ₩11,449
④ ₩12,395　⑤ ₩13,475

02 다음은 ㈜한국이 채택하고 있는 퇴직급여제도와 관련한 20×1년도 자료이다.

> 가. 20×1년 초 확정급여채무의 현재가치와 사외적립자산의 공정가치는 각각 ₩4,500,000과 ₩4,200,000이다.
> 나. 20×1년 말 확정급여채무의 현재가치와 사외적립자산의 공정가치는 각각 ₩5,000,000과 ₩3,800,000이다.
> 다. 20×1년 말 일부 종업원의 퇴직으로 퇴직금 ₩1,000,000을 사외적립자산에서 지급하였으며, 20×1년 말에 추가로 적립한 기여금 납부액은 ₩200,000이다.
> 라. 20×1년에 종업원이 근무용역을 제공함에 따라 증가하는 예상미래퇴직급여지급액의 현재가치는 ₩500,000이다.
> 마. 20×1년 말 확정급여제도의 일부 개정으로 종업원의 과거근무기간의 근무용역에 대한 확정급여채무의 현재가치가 ₩300,000 증가하였다.
> 바. 20×1년 초와 20×1년 말 현재 우량회사채의 연 시장수익률은 각각 8%, 10%이며, 퇴직급여채무의 할인율로 사용한다.

㈜한국의 확정급여제도로 인한 20×1년도 포괄손익계산서의 당기순이익과 기타포괄이익에 미치는 영향은 각각 얼마인가? (단, 법인세효과는 고려하지 않는다) [공인회계사 2014년]

	당기순이익에 미치는 영향	기타포괄이익에 미치는 영향
①	₩548,000 감소	₩52,000 감소
②	₩600,000 감소	₩300,000 감소
③	₩830,000 감소	₩270,000 감소
④	₩830,000 감소	₩276,000 증가
⑤	₩824,000 감소	₩276,000 감소

03 ㈜한라는 퇴직급여제도로 확정급여제도를 채택하고 있으며, 20×1년도 ㈜한라의 확정급여제도와 관련된 자료는 다음과 같다.

- 확정급여채무의 현재가치: ₩?(20×1년 초)
- 사외적립자산의 공정가치: ₩240,000(20×1년 초)
- 당기근무원가: ₩50,000
- 퇴직금지급액: ₩75,000
- 사외적립자산에 대한 기여금 납부액: ₩50,400
- 확정급여채무의 현재가치평가에 대한 할인율: 연 12%(20×1년 초)

20×1년에 발생한 확정급여채무의 재측정요소(손실)는 ₩5,000이고, 사외적립자산의 재측정요소(이익)는 ₩10,000이다. 20×1년 말 확정급여채무의 현재가치가 ₩254,400이라면, ㈜한라의 20×1년 초 확정급여채무의 현재가치는 얼마인가? (단, 퇴직금은 사외적립자산에서 지급하고, 모든 거래는 기말에 발생한다) [공인회계사 2011년]

① ₩234,400 ② ₩245,000 ③ ₩264,000
④ ₩276,000 ⑤ ₩290,000

04 ㈜신라는 퇴직급여제도로 확정급여제도(Defined Benefit Plan)를 채택하고 있다. 20×1년 초 순확정급여부채는 ₩2,000이다. 20×1년에 확정급여제도와 관련된 확정급여채무 및 사외적립자산에서 기타포괄손실(재측정요소)이 각각 발생하였으며, 그 결과 ㈜신라가 20×1년 포괄손익계산서에 인식한 퇴직급여 관련 기타포괄손실은 ₩1,040이다. ㈜신라가 20×1년 초 확정급여채무의 현재가치측정에 적용한 할인율은 얼마인가? (단, 자산인식상한은 고려하지 않는다) [공인회계사 2016년]

(1) 20×1년 확정급여채무의 당기근무원가는 ₩4,000이다.
(2) 20×1년 말 퇴직한 종업원에게 ₩3,000의 현금이 사외적립자산에서 지급되었다.
(3) 20×1년 말 사외적립자산에 추가로 ₩2,000을 적립하였다.
(4) 20×1년 말 재무상태표에 표시되는 순확정급여부채는 ₩5,180이다.

① 6% ② 7% ③ 8%
④ 9% ⑤ 10%

05 다음은 ㈜한국이 채택하고 있는 확정급여제도와 관련한 자료이다.

- 확정급여채무 계산 시 적용한 할인율은 연 5%이다.
- 20×1년 초 순확정급여부채는 ₩200,000이다.
- 20×1년 말 일부 종업원의 퇴직으로 퇴직금 ₩250,000을 사외적립자산에서 지급하였으며, 20×1년 말에 추가로 ₩500,000을 사외적립하였다.
- 20×1년의 당기근무원가는 ₩200,000이다.
- 20×1년 말 확정급여제도의 일부 개정으로 종업원의 과거근무기간 근무용역에 대한 확정급여채무의 현재가치가 ₩100,000 증가하였다.
- 20×1년 말 재무상태표에 표시된 순확정급여부채는 ₩100,000이다.

㈜한국의 확정급여제도 적용이 20×1년도 포괄손익계산서의 당기순이익과 기타포괄이익에 미치는 영향은 얼마인가? [공인회계사 2017년]

	당기순이익에 미치는 영향	기타포괄이익에 미치는 영향
①	₩210,000 감소	₩190,000 감소
②	₩210,000 감소	₩190,000 증가
③	₩310,000 감소	₩190,000 증가
④	₩310,000 감소	₩90,000 감소
⑤	₩310,000 감소	₩90,000 증가

06 종업원급여에 관한 설명으로 옳지 않은 것은? [세무사 2014년]

① 보험수리적손익은 확정급여제도의 정산으로 인한 확정급여채무의 현재가치 변동을 포함하지 아니한다.

② 자산의 원가에 포함하는 경우를 제외한 확정급여원가의 구성요소 중 순확정급여부채의 재측정요소는 기타포괄손익으로 인식한다.

③ 순확정급여부채(자산)의 순이자는 당기손익으로 인식한다.

④ 퇴직급여제도 중 확정급여제도하에서 보험수리적위험과 투자위험은 종업원이 실질적으로 부담한다.

⑤ 순확정급여부채(자산)의 재측정요소는 보험수리적손익, 순확정급여부채(자산)의 순이자에 포함된 금액을 제외한 사외적립자산의 수익, 순확정급여부채(자산)의 순이자에 포함된 금액을 제외한 자산인식상한효과의 변동으로 구성된다.

07 확정급여제도를 도입하고 있는 ㈜한국의 20×1년 퇴직급여와 관련된 정보는 다음과 같다.

- 20×1년 초 확정급여채무의 장부금액: ₩150,000
- 20×1년 초 사외적립자산의 공정가치: ₩120,000
- 당기근무원가: ₩50,000
- 20×1년 말 제도변경으로 인한 과거근무원가: ₩12,000
- 퇴직급여지급액(사외적립자산에서 연말 지급): ₩90,000
- 사외적립자산에 대한 기여금(연말 납부): ₩100,000
- 20×1년 말 보험수리적가정의 변동을 반영한 확정급여채무의 현재가치: ₩140,000
- 20×1년 말 사외적립자산의 공정가치: ₩146,000
- 20×1년 초 할인율: 연 6%

위 퇴직급여와 관련하여 인식할 기타포괄손익은 얼마인가? (단, 20×1년 말 순확정급여자산인식상한은 ₩5,000이다)

[세무사 2015년]

① ₩200 손실
② ₩1,000 이익
③ ₩1,200 손실
④ ₩2,200 이익
⑤ ₩3,200 손실

08 다음은 ㈜대한이 채택하고 있는 확정급여제도와 관련한 자료이다.

- 순확정급여부채(자산) 계산 시 적용한 할인율은 연 5%이다.
- 20×1년 초 사외적립자산의 공정가치는 ₩550,000이고, 확정급여채무의 현재가치는 ₩500,000이다.
- 20×1년도 당기근무원가는 ₩700,000이다.
- 20×1년 말에 퇴직종업원에게 ₩100,000의 현금이 사외적립자산에서 지급되었다.
- 20×1년 말에 사외적립자산에 ₩650,000을 현금으로 출연하였다.
- 20×1년 말 사외적립자산의 공정가치는 ₩1,350,000이다.
- 보험수리적가정의 변동을 반영한 20×1년 말 확정급여채무는 ₩1,200,000이다.
- 20×1년 초와 20×1년 말 순확정급여자산의 자산인식상한금액은 각각 ₩50,000과 ₩100,000이다.

㈜대한의 확정급여제도 적용이 20×1년도 포괄손익계산서의 당기순이익과 기타포괄이익에 미치는 영향은 얼마인가?

[공인회계사 2018년]

	당기순이익에 미치는 영향	기타포괄이익에 미치는 영향
①	₩702,500 감소	₩147,500 감소
②	₩702,500 감소	₩147,500 증가
③	₩702,500 감소	₩97,500 감소
④	₩697,500 감소	₩97,500 감소
⑤	₩697,500 감소	₩97,500 증가

09 ㈜세무는 확정급여제도를 채택하여 시행하고 있다. 20×1년 초 확정급여채무의 현재가치는 ₩900,000이고, 사외적립자산의 공정가치는 ₩720,000이다. 20×1년 동안 당기근무원가는 ₩120,000이다. 20×1년 9월 1일 퇴직한 종업원에게 ₩90,000의 퇴직급여가 사외적립자산에서 지급되었으며, 20×1년 10월 1일 사외적립자산에 대한 기여금 ₩60,000을 납부하였다. 20×1년 말 순확정급여부채는 얼마인가? (단, 우량회사채의 시장수익률은 연 10%이고, 이자원가 및 이자수익은 월할 계산한다)

[세무사 2020년]

① ₩240,000 ② ₩256,500 ③ ₩258,000
④ ₩316,500 ⑤ ₩318,000

10 기업회계기준서 제1019호 '종업원급여' 중 확정급여제도에 대한 다음 설명 중 옳지 않은 것은?

[공인회계사 2020년]

① 확정급여채무의 현재가치와 당기근무원가를 결정하기 위해서는 예측단위적립방식을 사용하며, 적용할 수 있다면 과거근무원가를 결정할 때에도 동일한 방식을 사용한다.
② 보험수리적손익은 보험수리적가정의 변동과 경험조정으로 인한 확정급여채무 현재가치의 증감에 따라 생긴다.
③ 과거근무원가는 제도의 개정이나 축소로 생기는 확정급여채무 현재가치의 변동이다.
④ 기타포괄손익에 인식되는 순확정급여부채(자산)의 재측정요소는 후속기간에 당기손익으로 재분류하지 아니하므로 기타포괄손익에 인식된 금액을 자본 내에서 대체할 수 없다.
⑤ 순확정급여부채(자산)의 재측정요소는 보험수리적손익, 순확정급여부채(자산)의 순이자에 포함된 금액을 제외한 사외적립자산의 수익, 순확정급여부채(자산)의 순이자에 포함된 금액을 제외한 자산인식상한효과의 변동으로 구성된다.

11 20×1년 1월 1일에 설립된 ㈜대한은 확정급여제도를 채택하고 있으며, 관련 자료는 다음과 같다. 순확정급여자산(부채) 계산 시 적용한 할인율은 연 8%로 매년 변동이 없다.

〈20×1년〉
• 20×1년 말 사외적립자산의 공정가치는 ₩1,100,000이다. • 20×1년 말 확정급여채무의 현재가치는 ₩1,000,000이다. • 20×1년 말 순확정급여자산의 자산인식상한금액은 ₩60,000이다.
〈20×2년〉
• 20×2년 당기근무원가는 ₩900,000이다. • 20×2년 말에 일부 종업원의 퇴직으로 ₩100,000을 사외적립자산에서 현금으로 지급하였다. • 20×2년 말에 ₩1,000,000을 현금으로 사외적립자산에 출연하였다. • 20×2년 말 사외적립자산의 공정가치는 ₩2,300,000이다. • 20×2년 말 확정급여채무의 현재가치는 ₩2,100,000이다.

㈜대한의 20×2년 말 재무상태표에 표시될 순확정급여자산이 ₩150,000인 경우, ㈜대한의 확정급여제도 적용이 20×2년 포괄손익계산서의 기타포괄이익(OCI)에 미치는 영향은 얼마인가?

[공인회계사 2021년]

① ₩12,800 감소　② ₩14,800 감소　③ ₩17,800 감소
④ ₩46,800 감소　⑤ ₩54,800 감소

12 20×1년 1월 1일에 설립된 ㈜대한은 확정급여제도를 채택하고 있으며, 관련 자료는 다음과 같다. 순확정급여자산(부채) 계산 시 적용한 할인율은 연 6%로 매년 변동이 없다.

〈20×1년〉

- 20×1년 말 확정급여채무 장부금액은 ₩500,000이다.
- 20×1년 말 사외적립자산에 ₩460,000을 현금으로 출연하였다.

〈20×2년〉

- 20×2년 말에 퇴직종업원에게 ₩40,000의 현금이 사외적립자산에서 지급되었다.
- 20×2년 말에 사외적립자산에 ₩380,000을 현금으로 출연하였다.
- 당기근무원가는 ₩650,000이다.
- 20×2년 말 현재 사외적립자산의 공정가치는 ₩850,000이다.
- 할인율을 제외한 보험수리적가정의 변동을 반영한 20×2년 말 확정급여채무는 ₩1,150,000이다.

㈜대한의 확정급여제도 적용이 20×2년도 총포괄이익에 미치는 영향은 얼마인가?

[공인회계사 2022년]

① ₩580,000 감소 ② ₩635,200 감소 ③ ₩640,000 감소
④ ₩685,000 감소 ⑤ ₩692,400 감소

13 ㈜세무는 확정급여제도를 채택하여 시행하고 있으며, 관련 자료는 다음과 같다. ㈜세무의 확정급여채무 및 사외적립자산과 관련된 회계처리가 20×1년도의 기타포괄이익에 미치는 영향은?

[세무사 2022년]

- 20×1년 초 확정급여채무와 사외적립자산의 잔액은 각각 ₩1,000,000과 ₩600,000이다.
- 확정급여채무의 현재가치 계산에 적용할 할인율은 연 10%이다.
- 20×1년도의 당기근무원가 발생액은 ₩240,000이고, 20×1년 말 퇴직한 종업원에게 ₩100,000을 사외적립자산에서 지급하였다.
- 20×1년 말 현금 ₩300,000을 사외적립자산에 출연하였다.
- 20×1년 말 현재 확정급여채무의 현재가치와 사외적립자산의 공정가치는 각각 ₩1,200,000과 ₩850,000이다.

① ₩30,000 감소 ② ₩10,000 감소 ③ ₩10,000 증가
④ ₩30,000 증가 ⑤ ₩40,000 증가

14 '종업원급여'에 대한 다음 설명 중 옳지 않은 것은? [공인회계사 2023년]

① 확정기여제도에서 가입자의 미래급여금액은 사용자나 가입자가 출연하는 기여금과 기금의 운영 효율성 및 투자수익에 따라 결정된다.

② 확정급여제도에서 자산의 원가에 포함하는 경우를 제외한 확정급여원가의 구성요소 중 순확정급여부채의 재측정요소는 기타포괄손익으로 인식한다.

③ 확정급여제도에서 확정급여채무와 사외적립자산에 대한 순확정급여부채(자산)의 순이자는 당기손익으로 인식하나, 자산인식상한효과에 대한 순확정급여부채(자산)의 순이자는 기타포괄손익으로 인식한다.

④ 확정급여제도에서 보험수리적손익은 보험수리적가정의 변동과 경험조정으로 인한 확정급여채무 현재가치의 증감에 따라 생긴다.

⑤ 퇴직급여가 아닌 기타장기종업원급여에서의 재측정요소는 기타포괄손익으로 인식하지 않고 당기손익으로 인식한다.

15 ㈜대한은 확정급여제도를 채택하고 있으며, 관련 자료는 다음과 같다.

- 20×1년 초 확정급여채무의 현재가치와 사외적립자산의 공정가치는 각각 ₩1,200,000과 ₩900,000이다.
- 20×1년 5월 1일에 퇴직종업원에게 ₩240,000의 현금이 사외적립자산에서 지급되었다.
- 20×1년 9월 1일에 사외적립자산에 ₩120,000을 현금으로 출연하였다.
- 20×1년도의 당기근무원가 발생액은 ₩300,000이다.
- 할인율을 제외한 보험수리적가정의 변동을 반영한 20×1년 말 확정급여채무의 현재가치는 ₩1,400,000이다.
- 20×1년 말 현재 사외적립자산의 공정가치는 ₩920,000이다.
- 순확정급여자산(부채) 계산 시 적용한 할인율은 연 10%로 매년 변동이 없다.
- 관련 이자비용 및 이자수익은 월할로 계산한다.

㈜대한의 확정급여제도 적용이 20×1년도 총포괄이익에 미치는 영향은 얼마인가?

[공인회계사 2023년]

① ₩300,000 감소 ② ₩280,000 감소 ③ ₩260,000 감소
④ ₩240,000 감소 ⑤ ₩220,000 감소

16 ㈜세무는 확정급여제도를 채택하여 시행하고 있으며, 관련 자료는 다음과 같다. ㈜세무가 20×2년도에 인식할 퇴직급여와 기타포괄손익은? [세무사 2023년]

- 20×1년 말 사외적립자산 잔액은 ₩300,000이며, 확정급여채무 잔액은 ₩305,000이다.
- 20×2년 초에 현금 ₩180,000을 사외적립자산에 출연하였다.
- 20×2년도의 당기근무원가는 ₩190,000이다.
- 20×2년 말에 사외적립자산 ₩150,000이 퇴직종업원에게 현금으로 지급되었다.
- 20×2년 말 현재 확정급여채무의 현재가치와 사외적립자산의 공정가치는 각각 ₩373,000과 ₩375,000이며, 자산인식상한은 ₩1,000이다.
- 순확정급여부채(자산) 계산 시 적용한 할인율은 연 10%로 변동이 없다.

	퇴직급여	기타포괄손익
①	₩172,500	손실 ₩500
②	₩172,500	손실 ₩1,500
③	₩172,500	이익 ₩1,500
④	₩190,500	손실 ₩16,500
⑤	₩190,500	이익 ₩16,500

17 기업회계기준서 제1019호 '종업원급여'에 대한 다음 설명 중 옳지 않은 것은? [공인회계사 2024년]

① 퇴직급여가 아닌 기타장기종업원급여에서의 재측정요소는 기타포괄손익으로 인식하지 않고 당기손익으로 인식한다.
② 확정급여제도에서 순확정급여부채(자산)의 순이자는 당기손익으로 인식한다.
③ 확정급여채무의 현재가치와 당기근무원가를 결정하기 위해서는 예측단위적립방식을 사용하며, 적용할 수 있다면 과거근무원가를 결정할 때에도 동일한 방식을 사용한다.
④ 확정급여제도에서 순확정급여부채(자산)의 재측정요소는 기타포괄손익으로 인식하며, 후속기간에 당기손익으로 재분류할 수 없다.
⑤ 확정급여제도에서 순확정급여부채(자산)를 재측정하는 경우가 아닌 일반적인 순확정급여부채(자산)의 순이자는 연차보고기간 말의 순확정급여부채(자산)와 할인율을 사용하여 결정한다.

18 ㈜대한은 20×1년 1월 1일 종업원 100명에게 각각 1,000개의 주식선택권을 부여하였다. 동 주식선택권은 종업원이 앞으로 3년 동안 회사에 근무해야 가득된다. 20×1년 1월 1일 현재 ㈜대한이 부여한 주식선택권의 단위당 공정가치는 ₩360이며, 각 연도 말 퇴직 종업원 수는 다음과 같다.

연도	실제 퇴직자 수	추가 퇴직 예상자 수
20×1년 말	10명	20명
20×2년 말	15명	13명
20×3년 말	8명	-

주식선택권 부여일 이후 주가가 지속적으로 하락하여 ㈜대한의 20×2년 12월 31일 주식선택권의 공정가치는 단위당 ₩250이 되었다. 동 주식기준보상과 관련하여 ㈜대한이 인식할 20×2년 포괄손익계산서상 주식보상비용은 얼마인가? (단, 계산방식에 따라 단수차이로 인해 오차가 있는 경우, 가장 근사치를 선택한다) [공인회계사 2014년]

① ₩1,933,333
② ₩5,166,667
③ ₩6,480,000
④ ₩6,672,000
⑤ ₩8,400,000

19 ㈜백두는 20×1년 1월 1일 판매부서 직원 20명에게 2년 용역제공조건의 주식선택권을 1인당 1,000개씩 부여하였다. 주식선택권의 행사가격은 단위당 ₩1,000이나, 만약 2년 동안 연평균 판매량이 15% 이상 증가하면 행사가격은 단위당 ₩800으로 인하된다. 부여일 현재 주식선택권의 단위당 공정가치는 행사가격이 단위당 ₩1,000일 경우에는 ₩500으로, 행사가격이 단위당 ₩800일 경우에는 ₩600으로 추정되었다. 20×1년의 판매량이 18% 증가하여 연평균 판매량 증가율은 달성가능할 것으로 예측되었다. 그러나 20×2년의 판매량 증가율이 6%에 그쳐 2년간 판매량은 연평균 12% 증가하였다. 한편 20×1년 초에 ㈜백두는 20×2년 말까지 총 5명이 퇴직할 것으로 예상하였고 이러한 예상에는 변동이 없으나, 실제로는 20×1년에 1명, 20×2년에 3명이 퇴직하여 총 4명이 퇴사하였다. 동 주식기준보상과 관련하여 ㈜백두가 20×2년도 포괄손익계산서상에 인식할 보상비용은 얼마인가? [공인회계사 2013년]

① ₩3,500,000
② ₩3,800,000
③ ₩4,000,000
④ ₩4,500,000
⑤ ₩5,100,000

20 ㈜한국은 20×1년 1월 1일 종업원 100명에게 각각 주식결제형 주식선택권 10개를 부여하였으며, 부여한 주식선택권의 단위당 공정가치는 ₩3,000이다. 이 권리들은 연평균 시장점유율에 따라 가득시점 및 가득 여부가 결정되며, 조건은 다음과 같다.

연평균 시장점유율	가득일
10% 이상	20×2년 말
7% 이상에서 10% 미만	20×3년 말
7% 미만	가득되지 않음

20×1년의 시장점유율은 11%이었으며, 20×2년에도 동일한 시장점유율을 유지할 것으로 예상하였다. 20×2년의 시장점유율은 8%이었으며, 20×3년에도 8%로 예상하였다. 20×1년 말 현재 6명이 퇴사하였으며, 20×3년 말까지 매년 6명씩 퇴사할 것으로 예측된다. 실제 퇴직자 수도 예측과 일치하였다. ㈜한국이 주식선택권과 관련하여 20×2년도 포괄손익계산서에 인식할 비용은 얼마인가?

[공인회계사 2017년]

① ₩320,000 ② ₩440,000 ③ ₩1,320,000
④ ₩1,440,000 ⑤ ₩1,640,000

21 ㈜한국은 20×1년 1월 1일 현재 근무하고 있는 임직원 10명에게 20×3년 12월 31일까지 의무적으로 근무하는 것을 조건으로 각각 주식선택권 10개씩을 부여하였다. 20×1년 1월 1일 현재 ㈜한국이 부여한 주식선택권의 단위당 공정가치는 ₩1,000이다. 부여된 주식선택권의 행사가격은 단위당 ₩15,000이고, 동 주식의 주당 액면금액은 ₩10,000이다. 각 연도 말 주식선택권의 단위당 공정가치는 다음과 같다.

20×1년 말	20×2년 말	20×3년 말
₩1,000	₩1,200	₩1,500

주식선택권 부여일 현재 임직원 중 10%가 3년 이내에 퇴사하여 주식선택권을 상실할 것으로 추정하였으나, 각 연도 말의 임직원 추정 퇴사비율 및 실제 퇴사비율은 다음과 같다.

20×1년 말	20×2년 말	20×3년 말
16%(추정)	16%(추정)	13%(실제)

가득기간 종료 후인 20×3년 말에 주식선택권 50개의 권리가 행사되어 ㈜한국은 보유하고 있던 자기주식(취득원가 ₩700,000)을 교부하였다. 주식선택권의 회계처리가 ㈜한국의 20×3년 당기순이익과 자본총계에 미치는 영향은 각각 얼마인가?

[공인회계사 2015년]

	당기순이익	자본총계
①	₩31,000 감소	₩750,000 증가
②	₩31,000 감소	₩781,000 증가
③	₩31,000 감소	₩850,000 증가
④	₩63,300 감소	₩750,000 증가
⑤	₩63,300 감소	₩813,300 증가

22 ㈜세무는 20×3년 1월 1일 종업원 40명에게 1인당 주식선택권 40개씩 부여하였다. 동 주식선택권은 종업원이 향후 3년 동안 ㈜세무에 근무해야 가득된다. 20×3년 1월 1일 현재 주식선택권의 단위당 공정가치는 ₩300으로 추정되었으며, 행사가격은 단위당 ₩600이다. 각 연도 말 주식선택권의 공정가치와 퇴직 종업원 수는 다음과 같다.

연도 말	주식선택권 단위당 공정가치	실제 퇴직자	추가 퇴직 예상자
20×3년	₩300	2명	6명
20×4년	₩400	4명	2명
20×5년	₩500	1명	-

20×6년 초에 가득된 주식선택권의 50%가 행사되어 ㈜세무가 주식(단위당 액면금액 ₩500)을 교부하였다면, 주식선택권 행사로 인해 증가되는 자본은 얼마인가? [세무사 2016년]

① ₩66,000 ② ₩198,000 ③ ₩264,000
④ ₩330,000 ⑤ ₩396,000

23 ㈜세무의 20×1년 중 주식기준보상 거래내용 및 주가자료는 다음과 같다.

- 주식기준보상 A
  20×1년 4월 1일 현재 근무하고 있는 종업원 100명에게 향후 12개월을 근무할 경우 1인당 주식 20주를 지급하기로 하였다. 20×1년 말 기준 예상 가득인원은 90명이다.
- 주식기준보상 B
  20×1년 8월 1일 ㈜대한으로부터 기계장치를 취득하고 주식 200주를 지급하였다. 기계장치의 공정가치는 신뢰성 있게 측정할 수 없다.
- 주식기준보상 C
  20×1년 11월 1일 ㈜민국이 2개월 이내에 원재료 1톤을 공급하면 주식 300주를 지급하기로 하였다. 동 계약에 따라 ㈜민국은 11월 1일에 공정가치 ₩80,000의 원재료 0.7톤을 공급하였으며, 12월 1일에 공정가치 ₩50,000의 원재료 0.3톤을 공급하여 주식 300주를 수취하였다.

일자	1주당 주가	일자	1주당 주가
4월 1일	₩300	12월 1일	₩420
8월 1일	₩320	12월 31일	₩450
11월 1일	₩400		

동 거래로 인한 ㈜세무의 20×1년 당기손익의 영향을 제외한 당기 자본 증가금액은 얼마인가?
[세무사 2019년]

① ₩589,000 ② ₩590,800 ③ ₩599,000
④ ₩791,500 ⑤ ₩801,500

24 기업회계기준서 제1102호 '주식기준보상'에 대한 설명이다. 다음 설명 중 옳지 않은 것은?

[공인회계사 2020년]

① 주식결제형 주식기준보상거래에서 가득된 지분상품이 추후 상실되거나 주식선택권이 행사되지 않은 경우에도 종업원에게서 제공받은 근무용역에 대해 인식한 금액을 환입하지 아니한다. 그러나 자본계정 간 대체 곧, 한 자본계정에서 다른 자본계정으로 대체하는 것을 금지하지 않는다.

② 주식결제형 주식기준보상거래에서 지분상품이 부여되자마자 가득된다면 거래상대방은 지분상품에 대한 무조건적 권리를 획득하려고 특정 기간에 용역을 제공할 의무가 없다. 이때 반증이 없는 한, 지분상품의 대가에 해당하는 용역을 거래상대방에게서 이미 제공받은 것으로 보아 기업은 제공받은 용역 전부를 부여일에 인식하고 그에 상응하여 자본의 증가를 인식한다.

③ 현금결제형 주식기준보상거래의 경우에 제공받는 재화나 용역과 그 대가로 부담하는 부채를 부채의 공정가치로 측정하며, 부채가 결제될 때까지 매 보고기간 말과 결제일에 부채의 공정가치를 재측정하지 않는다.

④ 기업이 거래상대방에게 주식기준보상거래를 현금이나 지분상품 발행으로 결제받을 수 있는 선택권을 부여한 경우에는 부채요소(거래상대방의 현금결제요구권)와 자본요소(거래상대방의 지분상품결제요구권)가 포함된 복합금융상품을 부여한 것으로 본다.

⑤ 기업이 현금결제방식이나 주식결제방식을 선택할 수 있는 주식기준보상거래에서 기업이 현금을 지급해야 하는 현재의무가 있으면 현금결제형 주식기준보상거래로 보아 회계처리한다.

25 기업회계기준서 제1102호 '주식기준보상'에 대한 다음 설명 중 옳지 않은 것은?

[공인회계사 2022년]

① 주식결제형 주식기준보상거래에서는, 제공받는 재화나 용역과 그에 상응하는 자본의 증가를 제공받는 재화나 용역의 공정가치로 직접 측정한다. 그러나 제공받는 재화나 용역의 공정가치를 신뢰성 있게 추정할 수 없다면, 제공받는 재화나 용역과 그에 상응하는 자본의 증가는 부여한 지분상품의 공정가치에 기초하여 간접 측정한다.

② 주식결제형 주식기준보상거래에서 부여한 지분상품의 공정가치에 기초하여 거래를 측정하는 때에는 시장가격을 구할 수 있다면, 지분상품의 부여조건을 고려한 공정가치와 가치평가기법을 사용하여 부여한 지분상품의 공정가치 중 한 가지를 선택하여 측정한다.

③ 현금결제형 주식기준보상거래에서 주가차액보상권을 부여함에 따라 인식하는 부채는 부여일과 부채가 결제될 때까지 매 보고기간 말과 결제일에 주가차액보상권의 공정가치로 측정한다.

④ 거래상대방이 결제방식을 선택할 수 있는 주식기준보상거래의 경우 종업원과의 주식기준보상거래를 포함하여 제공받는 재화나 용역의 공정가치를 직접 측정할 수 없는 거래에서는 현금이나 지분상품에 부여된 권리의 조건을 고려하여 측정기준일 현재 복합금융상품의 공정가치를 측정한다.

⑤ 기업이 현금이나 지분상품발행으로 결제할 수 있는 선택권을 갖는 조건이 있는 주식기준보상거래의 경우에는, 현금을 지급해야 하는 현재의무가 있는지를 결정하고 그에 따라 주식기준보상거래를 회계처리한다.

26 유통업을 영위하는 ㈜대한은 20×1년 1월 1일에 종업원 100명에게 각각 3년의 용역제공조건과 함께 주식선택권을 부여하고, 부여일 현재 주식선택권의 단위당 공정가치를 ₩300으로 추정하였다. 가득되는 주식선택권 수량은 연평균 매출액 증가율에 따라 결정되며, 그 조건은 다음과 같다.

연평균 매출액 증가율	1인당 가득되는 주식선택권 수량
10% 미만	0개(가득되지 않음)
10% 이상 15% 미만	150개
15% 이상	200개

20×1년의 매출액 증가율은 15%이었으며, 20×3년까지 동일한 증가율이 유지될 것으로 예상하였다. 20×2년의 매출액 증가율은 11%이었으며 20×3년에도 11%로 예상하였다. 그러나, 20×3년의 매출액 증가율은 1%에 불과하여 최종적으로 가득요건을 충족하지 못하였다. 주식기준보상약정을 체결한 종업원 모두가 20×3년 말까지 근무할 것으로 예측하였고, 이 예측은 실현되었다.
㈜대한의 주식기준보상거래에 대한 회계처리가 20×3년도 당기순이익에 미치는 영향은 얼마인가?

[공인회계사 2023년]

① ₩3,000,000 감소 ② ₩1,000,000 감소 ③ ₩0(영향 없음)
④ ₩1,000,000 증가 ⑤ ₩3,000,000 증가

27 ㈜현주는 20×1년 1월 1일 종업원 100명에게 각각 주식선택권 100개(행사가격: ₩1,000)를 부여하고, 3년의 용역제공조건을 부과하였다. 권리 부여일에 ㈜현주는 주식선택권의 단위당 공정가치를 ₩300으로 추정하였다. 그러나 주식선택권 부여일 이후 지속적으로 주가가 하락함에 따라 ㈜현주는 20×1년 12월 31일에 행사가격을 단위당 ₩700으로 변경하였다. 20×1년 12월 31일 현재 ㈜현주는 행사가격이 ₩1,000일 경우의 주식선택권의 공정가치는 ₩70이며 행사가격이 ₩700일 경우의 주식선택권의 공정가치는 ₩120인 것으로 추정하였다. 각 연도 말까지 실제로 퇴사한 누적 종업원 수와 가득기간 종료일까지 추가로 퇴사할 것으로 예상되는 종업원 수는 다음과 같다.

구분	누적 퇴사자 수	추가 예상 퇴사자 수
20×1년 말	2명	8명
20×2년 말	6명	6명
20×3년 말	10명	-

㈜현주가 20×2년에 인식해야 할 보상원가는 얼마인가?

① ₩1,080,000 ② ₩1,046,667 ③ ₩1,066,667
④ ₩1,082,000 ⑤ ₩1,085,000

28 ㈜대전은 20×1년 1월 1일에 종업원 6,000명에게 주식선택권을 100개씩 부여하였다. 동 주식선택권은 종업원이 앞으로 3년간 용역을 제공할 경우 가득된다. 20×1년 1월 1일 현재 ㈜대전이 부여한 주식선택권의 단위당 공정가치는 ₩10이며, 각 연도 말 주식선택권의 단위당 공정가치는 다음과 같다.

20×1년 12월 31일	20×2년 12월 31일	20×3년 12월 31일
₩12	₩16	₩23

㈜대전은 주식선택권을 부여받은 종업원 중 퇴사할 종업원은 없다고 추정하였다. 20×3년 1월 1일에 ㈜대전은 종업원과의 협의하에 주식선택권을 단위당 현금 ₩20에 중도청산하였다. 중도청산일까지 퇴사한 종업원은 없다. 20×3년 1월 1일에 ㈜대전의 주식선택권의 중도청산과 관련하여 발생한 당기순이익과 자본에 미치는 영향은 얼마인가? (단, 동 주식선택권의 20×2년 12월 31일과 20×3년 1월 1일의 공정가치는 같다고 가정한다) [공인회계사 2010년]

	당기순이익에 미치는 영향	자본에 미치는 영향
①	₩4,400,000 감소	₩4,400,000 감소
②	₩4,400,000 감소	₩12,000,000 감소
③	₩6,000,000 증가	₩12,000,000 감소
④	₩6,000,000 감소	₩12,000,000 감소
⑤	₩9,600,000 증가	₩9,600,000 감소

29 ㈜대한은 20×1년 1월 1일 종업원 100명에게 각각 10개의 주식선택권을 부여하였다. 동 주식선택권은 종업원이 앞으로 3년 동안 회사에 근무해야 가득된다. 20×1년 1월 1일 현재 ㈜대한이 부여한 주식선택권의 단위당 공정가치는 ₩360이며, 각 연도 말 퇴직 종업원 수는 다음과 같다.

구분	실제 퇴직자 수	추가 예상 퇴직자 수
20×1년 말	10명	20명
20×2년 말	15명	13명
20×3년 말	13명	-

주식선택권 부여일 이후 주가가 지속적으로 하락하여 ㈜대한의 20×2년 12월 31일 주식선택권의 단위당 공정가치는 ₩250이 되었다. 또한 20×2년 초 ㈜대한은 종업원에게 부여하였던 주식선택권의 수를 10개에서 9개로 변경하였다. 동 주식기준보상과 관련하여 ㈜대한이 20×2년도에 인식할 주식보상비용은 얼마인가? [공인회계사 2018년 수정]

① ₩32,400 ② ₩49,920 ③ ₩72,320
④ ₩82,320 ⑤ ₩100,000

30 ㈜세무는 20×1년 1월 1일 현재 근무 중인 임직원 300명에게 20×4년 12월 31일까지 의무적으로 근무할 것을 조건으로 임직원 1명당 주식선택권 10개씩을 부여하였다. 주식선택권 부여일 현재 동 주식선택권의 단위당 공정가치는 ₩200이다. 동 주식선택권은 20×5년 1월 1일부터 행사할 수 있다. 20×2년 1월 1일 ㈜세무는 주가가 크게 하락하여 주식선택권의 행사가격을 조정하였다. 이러한 조정으로 주식선택권의 단위당 공정가치는 ₩20 증가하였다. ㈜세무는 20×1년 말까지 상기 주식선택권을 부여받은 종업원 중 20%가 퇴사할 것으로 예상하여, 주식선택권의 가득률을 80%로 추정하였으나, 20×2년 말에는 향후 2년 내 퇴사율을 10%로 예상함에 따라 주식선택권의 가득률을 90%로 추정하였다. 부여한 주식선택권과 관련하여 ㈜세무가 20×2년에 인식할 주식보상비용은? [세무사 2022년]

① ₩120,000 ② ₩150,000 ③ ₩168,000
④ ₩240,000 ⑤ ₩270,000

31 ㈜대한은 20×1년 1월 1일 종업원 100명에게 각각 3년의 용역제공조건으로 1인당 주식결제형 주식선택권 100개를 부여하였다. ㈜대한은 20×3년 중에 종업원과 합의하여 주식선택권 전량을 현금 ₩700/개에 중도청산하였다. 시점별 주식선택권의 단위당 공정가치는 다음과 같다.

부여일	중도청산일
₩600	₩660

㈜대한의 주식기준보상거래가 20×3년도 당기순이익에 미치는 영향은 얼마인가? 단, 종업원의 중도퇴사는 고려하지 않는다.
[공인회계사 2024년]

① ₩400,000 감소 ② ₩1,000,000 감소 ③ ₩2,000,000 감소
④ ₩2,400,000 감소 ⑤ ₩3,000,000 감소

32 ㈜세무는 20×1년 초 종업원 100명에게 각각 주식선택권을 10개씩 부여하였다. 주식선택권은 3년간 종업원이 용역을 제공하는 조건으로 부여되었으며, 주식선택권의 만기는 6년이다. 주식의 주당 액면금액은 ₩40이고, 주식선택권의 행사가격은 ₩50, 부여일 현재 기업의 주가도 주당 ₩50이다. ㈜세무는 부여일 현재 종업원으로부터 제공받는 근로용역의 공정가치와 주식선택권의 공정가치를 신뢰성 있게 측정할 수 없다고 판단하여 내재가치법을 적용하기로 하였다. 행사된 주식선택권은 모두 회계연도 말에 행사되었으며, 주식선택권과 관련된 자료가 다음과 같을 때, ㈜세무가 (A) 20×3년도에 인식할 보상비용과 (B) 20×4년 말 재무상태표에 보고할 주식선택권은? [세무사 2024년]

- 20×1년 중 실제퇴사자는 5명이며, 20×1년 말 추정한 미래 예상퇴사자는 12명이다.
- 20×2년 중 실제퇴사자는 8명이며, 20×2년 말 추정한 미래 예상퇴사자는 7명이다.
- 20×3년 중 실제퇴사자는 15명이며, 주식선택권 최종 가득자는 72명이다.
- 매 연도 말 ㈜세무의 주가와 행사된 주식선택권의 수량은 다음과 같다.

연도	연도 말 주가	행사된 주식선택권 수량
20×1년	₩53	-
20×2년	55	-
20×3년	60	-
20×4년	70	400개
20×5년	65	100
20×6년	80	220

	(A)	(B)
①	₩3,000	₩6,400
②	₩4,533	₩6,400
③	₩4,533	₩7,200
④	₩7,200	₩10,400
⑤	₩7,200	₩14,400

33 ㈜대한은 주가가 행사가격(단위당 ₩1,000)을 초과할 경우 차액을 현금으로 지급하는 주가차액보상권을 20×2년 1월 1일 임직원 10명에게 각각 200개씩 부여하였다. 이 주가차액보상권은 20×2년 말에 모두 가득되었고, 20×4년 말에 실제로 1,000개의 주가차액보상권이 행사되었다. 매 회계연도 말 보통주와 현금결제형 주가차액보상권의 단위당 공정가치가 다음과 같은 경우, 주가차액보상권과 관련하여 20×4년도에 ㈜대한이 인식할 주식보상비용(또는 주식보상비용환입)과 현금지급액은 얼마인가? [세무사 2013년]

구분	20×2년 말	20×3년 말	20×4년 말
보통주의 공정가치	₩1,800	₩1,700	₩1,900
주가차액보상권의 공정가치	₩1,400	₩1,300	₩1,500

① 주식보상비용 ₩200,000 현금지급액 ₩900,000
② 주식보상비용환입 ₩200,000 현금지급액 ₩900,000
③ 주식보상비용 ₩200,000 현금지급액 ₩850,000
④ 주식보상비용환입 ₩200,000 현금지급액 ₩500,000
⑤ 주식보상비용 ₩200,000 현금지급액 ₩500,000

34 ㈜세무는 20×1년 1월 1일 종업원 100명에게 각각 현금결제형 주가차액보상권 10개씩 부여하였다. 주가차액보상권은 3년간 종업원이 용역을 제공하는 조건으로 부여되었으며, 주가차액보상권과 관련된 자료는 다음과 같다. ㈜세무가 20×3년도에 인식할 당기비용은 얼마인가? [세무사 2021년]

- 20×1년 실제 퇴사자는 10명이며, 미래 예상 퇴사자는 15명이다.
- 20×2년 실제 퇴사자는 12명이며, 미래 예상 퇴사자는 8명이다.
- 20×3년 실제 퇴사자는 5명이며, 주가차액보상권의 최종 가득자는 73명이다.
- 20×3년 말 주가차액보상권을 행사한 종업원 수는 28명이다.
- 매 연도 말 주가차액보상권에 대한 현금지급액과 공정가치는 다음과 같다.

연도	현금지급액	공정가치
20×1년	-	₩1,000
20×2년	-	₩1,260
20×3년	₩1,200	₩1,400

① ₩56,000 ② ₩378,000 ③ ₩434,000
④ ₩490,000 ⑤ ₩498,000

35 주식기준보상에 관한 설명으로 옳은 것은? [세무사 2023년]

① 현금결제형 주식기준보상거래의 경우에 제공받는 재화나 용역과 그 대가로 부담하는 부채를 부채의 공정가치로 측정하며, 부채가 결제될 때까지 매 보고기간 말과 결제일에 부채의 공정가치를 재측정하지 않는다.

② 주식결제형 주식기준보상거래로 가득된 지분상품이 추후 상실되거나 주식선택권이 행사되지 않은 경우에는 종업원에게서 제공받은 근무용역에 대해 인식한 금액을 환입하여 당기손익으로 인식한다.

③ 부여한 지분상품의 공정가치를 신뢰성 있게 추정할 수 없어 내재가치로 측정한 경우에는 부여일부터 가득일까지 내재가치 변동을 재측정하여 당기손익으로 인식하고, 가득일 이후의 내재가치 변동은 수정하지 않는다.

④ 시장조건이 있는 지분상품을 부여한 때에는 그 시장조건이 충족되는 시점에 거래상대방에게서 제공받는 재화나 용역을 인식한다.

⑤ 거래상대방이 결제방식을 선택할 수 있는 주식기준보상거래의 경우, 기업이 결제일에 현금을 지급하는 대신 지분상품을 발행하면 부채를 발행되는 지분상품의 대가로 보아 자본으로 직접 대체한다.

36 기업회계기준서 제1102호 '주식기준보상'에 대한 다음 설명 중 옳지 않은 것은? [공인회계사 2024년]

① 종업원 및 유사용역제공자와의 주식결제형 주식기준보상거래에서는 기업이 부여한 지분상품의 공정가치는 부여일 기준으로 측정한다.

② 현금결제형 주식기준보상거래의 경우에 제공받는 재화나 용역과 그 대가로 부담하는 부채를 부채의 공정가치로 측정한다. 또 부채가 결제될 때까지 매 보고기간 말과 결제일에 부채의 공정가치를 재측정하고, 공정가치의 변동액은 기타포괄손익으로 인식한다.

③ 주식결제형 주식기준보상거래에서 지분상품이 부여되자마자 가득된다면 거래상대방은 지분상품에 대한 무조건적 권리를 획득하려고 특정기간에 용역을 제공할 의무가 없다.

④ 거래상대방이 결제방식을 선택할 수 있는 주식기준보상거래의 경우 종업원과의 주식기준보상거래를 포함하여 제공받는 재화나 용역의 공정가치를 직접 측정할 수 없는 거래에서는 현금이나 지분상품에 부여된 권리의 조건을 고려하여 측정기준일 현재 복합금융상품의 공정가치를 측정한다.

⑤ 주식결제형 주식기준보상거래에서, 시장조건이 아닌 가득조건이 충족되지 못하여 부여한 지분상품이 가득되지 못한다면, 누적기준으로 볼 때 제공받은 재화나 용역에 대해 어떠한 금액도 인식하지 아니한다.

관련 유형 연습

01 ㈜서울은 100명의 종업원에게 1년에 5일의 근무일수에 해당하는 유급휴가를 제공하고 있으며, 미사용 유급휴가는 다음 1년 동안 이월하여 사용할 수 있다. 유급휴가는 당해 연도에 부여된 권리가 먼저 사용된 다음 직전 연도에서 이월된 권리가 사용되는 것으로 본다. 즉, 후입선출 원리를 적용한다. 20×1년 12월 30일 현재 미사용 유급휴가는 종업원당 평균 2일이고, 과거의 경험에 비추어 볼 때 20×2년도 중에 종업원 92명이 사용할 유급휴가일수는 5일 이하, 나머지 8명이 사용할 유급휴가일수는 평균 6.5일이 될 것으로 예상된다. 유급휴가의 예상원가는 1일당 ₩1,000이라고 할 경우, 20×1년 말에 ㈜서울의 당기손익에 미치는 영향은 얼마인가?

① ₩0 ② ₩(10,000) ③ ₩(11,000)
④ ₩(12,000) ⑤ ₩(13,000)

02 ㈜한국은 퇴직급여제도로 확정급여제도를 채택하고 있다. 다음은 확정급여제도와 관련된 ㈜한국의 20×1년도 자료이다.

- 당기근무원가: ₩45,000
- 퇴직금지급액: ₩40,000
- 사외적립자산에 대한 기여금: ₩50,000
- 확정급여채무의 현재가치: ₩230,000(20×1년 말)
- 사외적립자산의 공정가치: ₩205,000(20×1년 말)

㈜한국의 20×1년 초 확정급여채무의 현재가치는 ₩200,000이며, 사외적립자산의 공정가치는 ₩180,000이다. 또한 20×1년 초 확정급여부채에 적용할 할인율은 연 10%이다(단, 모든 거래는 기말에 발생하고, 퇴직금은 사외적립자산에서 지급한다고 가정한다). 확정급여제도와 관련된 위 거래로 인해 ㈜한국의 20×1년도 포괄손익계산서 당기손익에 미치는 영향과 기타포괄손익(재측정요소)에 미치는 영향은 얼마인가? (단, 법인세효과는 제외한다)

	당기순이익에 미치는 영향	기타포괄이익에 미치는 영향
①	₩45,000 감소	₩3,000 감소
②	₩47,000 감소	₩5,000 감소
③	₩47,000 감소	₩8,000 감소
④	₩65,000 감소	₩8,000 감소
⑤	₩65,000 감소	₩3,000 감소

03 ㈜한국은 퇴직급여제도로 확정급여제도를 채택하고 있다. 다음은 확정급여제도와 관련된 ㈜한국의 20×1년 자료이다. 퇴직금의 지급과 사외적립자산의 추가납입은 20×1년 말에 발생하였으며, 20×1년 초 현재 우량회사채의 시장이자율은 연 5%로 20×1년 중 변동이 없었다. 20×1년 말 ㈜한국의 재무상태표에 계상될 순확정급여채무는 얼마인가?

- 20×1년 초 확정급여채무 장부금액: ₩500,000
- 20×1년 초 사외적립자산 공정가치: ₩400,000
- 당기근무원가: ₩20,000
- 퇴직금지급액(사외적립자산에서 지급함): ₩30,000
- 사외적립자산 추가 납입액: ₩25,000
- 확정급여채무의 보험수리적손실: ₩8,000
- 사외적립자산의 실제 수익: ₩25,000

① ₩65,000 ② ₩73,000 ③ ₩95,000
④ ₩100,000 ⑤ ₩103,000

04 사외적립자산이 ₩15,000이며, 확정급여채무가 ₩17,000인 기업이 보험회사에 현금 ₩5,000을 지급하고, 확정급여제도에 관한 모든 권리와 의무를 이전한 경우 당기손익에 미치는 영향은 얼마인가?

① ₩2,000 감소 ② ₩3,000 감소 ③ ₩4,000 감소
④ ₩5,000 감소 ⑤ ₩6,000 감소

05 A회사는 20×1년 초에 회사의 주가를 향상시킬 목적으로 임원 10명에게 주식선택권을 각각 1,000개씩 부여하였으며, 이와 관련된 자료는 다음과 같다.

> (1) 부여한 주식선택권은 당해 임원이 근무하는 동안 주가가 현재의 ₩300에서 ₩500으로 상승할 때 가득되며 즉시 행사가능하다.
> (2) 부여일 현재 주식선택권의 단위당 공정가치는 ₩120으로 추정되었으며, 옵션가격결정모형을 적용한 결과 목표주가가 20×2년 말에 달성될 것으로 기대됨에 따라 기대가득기간을 2년으로 추정하였다.
> (3) A회사는 주식선택권을 부여받은 10명의 임원 중 2명이 부여일로부터 2년 이내에 퇴사할 것으로 추정하였으며, 20×1년 말까지 이러한 추정에는 변함이 없었다. 그러나 실제로는 20×1년에 1명, 20×2년에 2명이 퇴사하였다. 목표주가는 실제로 20×3년 말에 달성되었으며, 20×3년 말 목표주가가 달성되기 전에 1명의 임원이 추가로 퇴사하였다.

위 주식기준보상거래에 의할 경우, A회사가 20×2년도 포괄손익계산서상에 인식할 보상비용은 얼마인가?

① ₩280,000　② ₩320,000　③ ₩360,000
④ ₩420,000　⑤ ₩480,000

06 ㈜현주는 20×1년 초에 종업원 100명에게 회사주식(액면금액: ₩500)을 매입할 수 있는 주식선택권(행사가격: ₩600, 권리행사만료일: 20×5년 말)을 각각 100개씩 부여하고 3년의 용역제공조건을 부과하였다. 관련 자료는 다음과 같다.

(1) 부여일 현재 ㈜현주는 주식선택권의 공정가치를 신뢰성 있게 측정할 수 없다고 판단하였으며, 부여일 현재 ㈜현주의 주가는 ₩630이다.
(2) 20×1년 중에 3명이 퇴사하였으며, 20×1년 말 현재 잔여가득기간 동안 추가로 7명이 퇴사할 것으로 추정하였다.
(3) 20×2년에 실제로 3명이 퇴사하였고, 20×2년 말 현재 20×3년 중에 추가로 4명이 퇴사할 것으로 추정하였다.
(4) 20×3년에 실제로 2명이 퇴사하였으며, 20×3년 말에 총 92명(9,200개)이 주식선택권을 가득하였다.
(5) 각 연도 말 ㈜현주의 주식의 공정가치는 다음과 같다.

20×1년 말	20×2년 말	20×3년 말
₩650	₩700	₩750

위 주식기준보상거래에 의할 경우, ㈜현주가 20×3년에 인식할 보상비용은 얼마인가?

① ₩96,000 ② ₩160,000 ③ ₩320,000
④ ₩460,000 ⑤ ₩780,000

07 주식결제형 주식기준보상에 대한 다음의 설명 중 옳지 않은 것은?

① 종업원 및 유사용역제공자와의 주식기준보상거래에서는 기업이 거래상대방에게서 재화나 용역을 제공받는 날을 측정기준일로 한다.
② 제공받는 재화나 용역의 공정가치를 신뢰성 있게 추정할 수 있다면, 제공받는 재화나 용역과 그에 상응하는 자본의 증가를 제공받는 재화나 용역의 공정가치로 직접 측정한다.
③ 제공받는 재화나 용역의 공정가치를 신뢰성 있게 추정할 수 없다면, 제공받는 재화나 용역과 그에 상응하는 자본의 증가는 부여한 지분상품의 공정가치에 기초하여 간접 측정한다.
④ 가득된 지분상품이 추후 상실되거나 주식선택권이 행사되지 않은 경우에도 종업원에게서 제공받은 근무용역에 대해 인식한 금액을 환입하지 아니한다.
⑤ 시장조건이 있는 지분상품을 부여한 경우에는 그러한 시장조건이 달성되는지 여부와 관계없이 다른 모든 가득조건을 충족하는 거래상대방으로부터 제공받는 재화나 용역을 인식한다.

08 ㈜사월은 20×1년 초에 종업원 500명에게 각각 주식선택권 10개를 부여하였다. 각 주식선택권은 종업원이 앞으로 3년간 근무할 것을 조건으로 한다. ㈜사월은 주식선택권의 단위당 공정가치를 ₩150으로, 그리고 3년 이내에 100명(20%)의 종업원이 퇴사하여 주식선택권에 대한 권리를 상실하게 될 것으로 추정하였다.

> (1) 20×1년도 말 현재 3년 가득기간 중 퇴사할 것으로 추정되는 종업원 수는 총 110명이다.
> (2) 주가가 하락하였기 때문에 20×2년 초에 기업이 주식선택권의 행사가격을 조정하였고, 조정된 그 주식선택권이 20×3년 말에 가득된다. 20×2년 말 현재로 가득기간에 걸쳐 퇴사할 것으로 예상되는 종업원을 총 105명으로 추정하였다.
> (3) 계속해서 근무한 397명의 종업원이 20×3년 말에 주식선택권을 가득하게 되었다.

20×2년 초에 주가의 하락으로 ㈜사월은 행사가격을 낮추었다. 그 결과, 조정된 주식선택권의 공정가치는 ₩180으로 변경되었다. ㈜사월이 20×3년도에 인식할 보상원가는 얼마인가?

① ₩200,500　② ₩220,580　③ ₩240,550
④ ₩260,350　⑤ ₩279,250

09 ㈜합격은 20×1년 초에 임원 1명에게 주식선택권 1개를 부여하고 3년의 용역제공조건을 부과하였다. 부여일 현재 주식선택권의 단위당 공정가치는 ₩120으로 추정되었다.

> (1) 20×3년 말까지 임원은 퇴사하지 않을 것으로 추정하였고 실제 퇴사하지 않았다. ㈜합격은 20×2년 말에 부여한 주식선택권을 전액 현금으로 중도청산하였다.
> (2) 한편, 과거에 종업원에게 부여한 주식선택권과 관련된 주식선택권소멸이익 ₩30이 중도청산시점에 재무상태표의 자본에 계상되어 있다.

중도청산시점의 주식선택권의 단위당 공정가치는 ₩100이며, 현금청산가액은 ₩150이다. 20×2년에 발생한 비용은 얼마인가?

① ₩40　② ₩80　③ ₩120
④ ₩130　⑤ ₩150

10 ㈜현주는 20×1년 1월 1일에 종업원 500명에게 각각 100개씩 총 50,000개의 현금결제형 주가차액보상권을 부여하고 3년의 용역제공기간을 부과하였다. 관련 자료는 다음과 같다.

(1) 20×1년 중 30명의 종업원이 퇴사하여 3,000개의 주가차액보상권이 소멸하였으며, 회사는 향후 2년간 추가로 60명이 퇴사할 것으로 추정하였다. 20×2년에는 예상대로 30명이 퇴사하여 3,000개의 주가차액보상권이 소멸하였고 이에 따라 20×3년에도 30명이 퇴사할 것으로 추정하였다. 그러나 20×3년에는 실제로 20명만이 퇴사하여 2,000개의 주가차액보상권이 소멸하였다.

(2) 20×3년 말까지 계속하여 근무한 종업원은 부여받았던 주가차액보상권을 모두 가득하였다. 회사가 매 회계연도 말에 추정한 주가차액보상권의 공정가치와 각 권리행사시점의 내재가치(주가와 행사가격의 차액으로 현금지급액을 의미함)는 다음과 같다.

회계연도	공정가치	내재가치
20×1년	₩300	-
20×2년	₩360	-
20×3년	₩420	-
20×4년	₩270	₩300
20×5년	-	₩280

(3) 20×4년 말에 200명의 종업원이 주가차액보상권을 행사하였으며, 나머지 220명의 종업원은 20×5년 말에 전량 권리를 행사하였다.

주가차액보상권과 관련하여 20×4년에 ㈜현주가 인식할 주식보상비용은 얼마인가? (단, 환입은 (××)로 표시한다)

① ₩5,700,000 ② ₩6,300,000 ③ ₩(6,300,000)
④ ₩(5,700,000) ⑤ ₩(5,600,000)

실력 점검 퀴즈

01 확정급여제도를 도입하고 있는 ㈜한국의 20×1년 퇴직급여와 관련된 정보는 다음과 같다.

- 20×1년 초 순확정급여채무의 장부금액: ₩30,000
- 당기근무원가: ₩50,000
- 20×1년 초 제도변경으로 인한 과거근무원가: ₩12,000
- 퇴직급여지급액(사외적립자산에서 연말 지급): ₩90,000
- 당기 사외적립자산에 대한 기여금은 없음
- 퇴직급여 관련 기타포괄손실: ₩20,000
- 20×1년 말 보험수리적가정의 변동을 반영한 순확정급여채무의 현재가치: ₩117,040

위 퇴직급여와 관련하여 20×1년 초 확정급여채무의 현재가치 측정에 적용한 할인율은 얼마인가? (단, 자산인식상한효과는 고려하지 않았다)

① 12% ② 14% ③ 16%
④ 18% ⑤ 20%

02 A사(보고기간 말 12월 31일)는 20×1년 말에 확정급여제도를 도입하였다. 20×1년 말 현재 5% 할인율로 추정한 확정급여채무는 ₩100,000이며, ₩85,000의 현금을 사외적립자산에 출연하였다. 다음은 20×2년 중에 확정급여제도와 관련하여 발생한 거래이다.

(1) 당기근무원가: ₩25,000
(2) 퇴직금 지급(20×2년 9월 30일 지급): ₩10,000
(3) 20×2년 10월 31일 사외적립자산 출연: ₩20,000
(4) 20×2년 말 변동된 보험수리적가정을 반영한 확정급여채무 잔액: ₩125,000
(5) 20×2년 말 사외적립자산의 공정가치: ₩104,000

A사의 20×2년 말 재무상태표상 확정급여 관련 기타포괄손익누계액 금액을 구하시오.

① ₩(-)417 ② ₩417 ③ ₩884
④ ₩(-)884 ⑤ ₩1,205

03 퇴직급여제도에 관한 설명으로 옳지 않은 것은?

① 확정기여제도에서는 종업원이 보험수리적위험(급여가 예상에 미치지 못할 위험)과 투자위험(투자자산이 예상급여액을 지급하는 데 충분하지 못할 위험)을 실질적으로 부담한다.

② 확정기여제도에서는 기여금의 전부나 일부의 납입기일이 종업원이 관련 근무용역을 제공하는 연차보고기간 말 후 12개월이 되기 전에 모두 결제될 것으로 예상되지 않는 경우를 제외하고는 할인되지 않은 금액으로 채무를 측정한다.

③ 확정급여채무의 현재가치와 당기근무원가를 결정하기 위해서는 예측단위적립방식을 사용하며, 적용할 수 있다면 과거근무원가를 결정할 때에도 동일한 방식을 사용한다.

④ 확정급여제도에서 기업이 보험수리적위험(실제급여액이 예상급여액을 초과할 위험)과 투자위험을 실질적으로 부담하며, 보험수리적 실적이나 투자실적이 예상보다 저조하다면 기업의 의무가 늘어날 수 있다.

⑤ 퇴직급여채무를 할인하기 위해 사용하는 할인율은 보고기간 말 현재 그 통화로 표시된 국공채의 시장수익률을 참조하여 결정하고, 국공채의 시장수익률이 없는 경우에는 보고기간 말 현재 우량회사채의 시장수익률을 사용한다.

04 ㈜하늘은 확정급여제도를 채택하고 있으며, 20×1년 초 순확정급여부채는 ₩20,000이다. ㈜하늘의 20×1년도 확정급여제도와 관련된 자료는 다음과 같다.

- 순확정급여부채(자산) 계산 시 적용한 할인율은 연 6%이다.
- 20×1년도 당기근무원가는 ₩85,000이고, 20×1년 말 퇴직종업원에게 ₩38,000의 현금이 사외적립자산에서 지급되었다.
- 20×1년 말 사외적립자산에 ₩60,000을 현금으로 출연하였다.
- 20×1년에 발생한 확정급여채무의 재측정요소(손실)는 ₩5,000이고, 사외적립자산의 재측정요소(이익)는 ₩2,200이다.

㈜하늘이 20×1년 말 재무상태표에 순확정급여부채로 인식할 금액과 20×1년도 포괄손익계산서상 당기손익으로 인식할 퇴직급여 관련 비용은?

	순확정급여부채	퇴직급여 관련 비용
①	₩11,000	₩85,000
②	₩11,000	₩86,200
③	₩43,400	₩86,200
④	₩49,000	₩85,000
⑤	₩49,000	₩86,200

05 ㈜포도는 20×1년 초 최고경영자 갑에게 주식선택권(개당 ₩1,000에 ㈜포도의 보통주 1주를 취득할 수 있는 권리)을 부여하고, 2년의 용역제공조건과 동시에 제품의 판매증가율과 연관된 성과조건을 다음과 같이 부과하였다. 20×1년 초 현재 주식선택권의 개당 공정가치는 ₩600으로 추정되었다.

2년 평균 판매증가율	용역제공조건 경과 후 가득되는 주식선택권 수량
10% 미만	없음
10% 이상 ~ 20% 미만	100개
20% 이상	300개

20×1년 초 제품의 2년 평균 판매증가율은 12%로 추정되었으며, 실제로 20×1년 판매증가율은 12%이다. 따라서 ㈜포도는 갑이 주식선택권 100개를 가득할 것으로 예상하고 20×1년의 주식보상비용을 인식하였다. 하지만 20×2년 ㈜포도의 2년 평균판매증가율은 22%가 되어 20×2년 말 갑은 주식선택권 300개를 가득하였다. ㈜포도가 주식선택권과 관련하여 20×2년 포괄손익계산서에 인식할 주식보상비용은?

① ₩30,000 ② ₩60,000 ③ ₩90,000
④ ₩150,000 ⑤ ₩180,000

06 주식결제형 주식기준보상에 관한 설명으로 옳은 것은?

① 종업원에게서 제공받는 용역의 가치는 용역을 제공받는 날을 측정기준일로 한다.
② 주식선택권의 가치를 공정가치로 측정할 때 가득조건에 성과조건이 있다면 미래 가득기간에 걸쳐 보상비용을 인식하되, 성과조건이 시장조건이면 후속적으로 미래 기대가득기간을 수정할 수 있다.
③ 주식선택권의 가치를 공정가치로 측정할 때 가득된 지분상품이 추후 상실되거나 주식선택권이 행사되지 않은 경우 종업원에게서 제공받은 근무용역에 대해 인식한 금액을 환입한다.
④ 주식선택권의 가치를 공정가치로 측정할 때 부여한 지분상품의 조건이 종업원에게 유리하도록 변경되는 경우 조건이 변경되지 않은 것으로 본다.
⑤ 주식선택권의 가치를 내재가치로 측정하는 경우 가득일 이후에도 매 보고기간 말과 최종 결제일에 내재가치를 재측정하고 내재가치의 변동을 당기손익으로 인식한다.

07 ㈜하늘은 20×1년 초에 부여일로부터 3년의 지속적인 용역제공을 조건으로 직원 100명에게 주식선택권을 1인당 10개씩 부여하였다. 20×1년 초 주식선택권의 단위당 공정가치는 ₩150이며, 주식선택권은 20×4년 초부터 행사할 수 있다. ㈜하늘의 연도별 실제 퇴직자 수 및 추가 퇴직 예상자 수는 다음과 같다.

구분	실제 퇴직자 수	추가 퇴직 예상자 수
20×1년 말	5명	15명
20×2년 말	8명	17명

㈜하늘은 20×1년 말에 주식선택권의 행사가격을 높이는 조건변경을 하였으며, 이러한 조건변경으로 주식선택권의 단위당 공정가치가 ₩30 감소하였다. 20×2년도 인식할 보상비용은?

① ₩16,000 ② ₩30,000 ③ ₩40,000
④ ₩56,000 ⑤ ₩70,000

08 ㈜하늘은 20×1년 초 부여일로부터 3년의 용역제공을 조건으로 직원 50명에게 각각 주식선택권 10개를 부여하였다. 부여일 현재 주식선택권의 단위당 공정가치는 ₩1,000으로 추정되었으며, 매년 말 추정한 주식선택권의 공정가치는 다음과 같다.

20×1. 12. 31.	20×2. 12. 31.	20×3. 12. 31.	20×4. 12. 31.
₩1,000	₩1,100	₩1,200	₩1,300

주식선택권 1개당 1주의 주식을 부여받을 수 있으며 권리가득일로부터 3년간 행사가 가능하다. ㈜하늘은 20×1년 말과 20×2년 말에 가득기간 중 직원의 퇴사율을 각각 25%와 28%로 추정하였으며, 20×1년도와 20×2년도에 실제로 퇴사한 직원은 각각 10명과 2명이다. 20×3년 말 주식선택권을 가득한 직원은 총 35명이다. 20×4년 1월 1일 주식선택권을 가득한 종업원 중 60%가 본인의 주식선택권 전량을 행사하였을 경우 이로 인한 ㈜하늘의 자본 증가액은? (단, ㈜하늘 주식의 주당 액면금액은 ₩5,000이고 주식선택권의 개당 행사가격은 ₩6,000이다)

① ₩210,000 ② ₩420,000 ③ ₩1,050,000
④ ₩1,260,000 ⑤ ₩1,470,000

2차 문제 Preview

01 ※ 다음의 각 물음은 독립적이다.

20×1년 1월 1일에 설립된 ㈜대한은 20×1년 말에 확정급여제도를 도입하였으며, 이와 관련된 <자료>는 다음과 같다. 단, 20×1년도 확정급여채무 계산 시 적용한 할인율은 연 10%이며, 20×1년 이후 할인율의 변동은 없다.

〈자료〉

〈20×1년〉

(1) 20×1년 말 확정급여채무 장부금액은 ₩80,000이다.

(2) 20×1년 말에 사외적립자산에 ₩79,000을 현금으로 출연하였다.

〈20×2년〉

(1) 20×2년 6월 30일에 퇴직종업원에게 ₩1,000의 현금이 사외적립자산에서 지급되었다.

(2) 20×2년 11월 1일에 사외적립자산에 ₩81,000을 현금으로 출연하였다.

(3) 당기근무원가는 ₩75,000이다.

(4) 20×2년 말 현재 사외적립자산의 공정가치는 ₩171,700이며, 보험수리적가정의 변동을 반영한 확정급여채무는 ₩165,000이다.

(5) 자산인식상한은 ₩5,000이다.

〈20×3년〉

(1) 20×3년 말에 퇴직종업원에게 ₩2,000의 현금이 사외적립자산에서 지급되었다.

(2) 20×3년 말에 사외적립자산에 ₩80,000을 현금으로 출연하였다.

(3) 당기근무원가는 ₩110,000이다.

(4) 20×3년 말에 제도 정산이 이루어졌으며, 정산일에 결정되는 확정급여채무의 현재가치는 ₩80,000, 정산가격은 ₩85,000(이전되는 사외적립자산 ₩60,000, 정산 관련 기업 직접 지급액 ₩25,000)이다.

(5) 20×3년 말 제도 정산 직후 사외적립자산의 공정가치는 ₩220,000이며, 보험수리적가정의 변동을 반영한 확정급여채무는 ₩215,000이다.

(6) 자산인식상한은 ₩3,500이다.

물음 1 ㈜대한의 확정급여제도와 관련하여 20×2년 말 현재 재무상태표에 표시될 ① 순확정급여부채(자산)와 20×2년도 포괄손익계산서상 ② 기타포괄이익에 미치는 영향 및 ③ 당기순이익에 미치는 영향을 각각 계산하시오. 단, 순확정급여자산인 경우에는 괄호 안에 금액[예 (1,000)]을 표시하고, 기타포괄이익이나 당기순이익이 감소하는 경우에는 금액 앞에 (-)를 표시하시오.

순확정급여부채(자산)	①
기타포괄이익에 미치는 영향	②
당기순이익에 미치는 영향	③

물음 2 ㈜대한의 확정급여제도와 관련하여 20×3년 말 현재 재무상태표에 표시될 ① 순확정급여부채(자산), ② 기타포괄손익누계액 및 20×3년도 포괄손익계산서상 ③ 당기순이익에 미치는 영향을 계산하시오. 단, 기타포괄손익에 포함되는 재측정요소의 경우 재무상태표에 통합하여 표시하며, 순확정급여자산인 경우와 기타포괄손익누계액이 차변 잔액일 경우에는 괄호 안에 금액[예 (1,000)]을 표시하고, 당기순이익이 감소하는 경우에는 금액 앞에 (-)를 표시하시오.

순확정급여부채(자산)	①
기타포괄이익에 미치는 영향	②
당기순이익에 미치는 영향	③

02 다음은 A사의 주식기준보상거래와 관련된 공통 자료이다. 아래의 물음은 서로 독립적이다.

〈공통 자료〉

(1) A사는 20×1년 초에 종업원 50명에게 각각 10개의 주식선택권을 부여하였다. 종업원은 주식선택권의 가득을 위하여 3년 동안 근무해야 하며, 동 주식선택권의 단위당 행사가격은 ₩500이다.

(2) 20×1년 초 현재 A사가 부여한 주식선택권의 단위당 공정가치는 ₩180이며, 각 연도 말 퇴직 종업원 인원은 다음과 같다.

구분	실제 퇴직 인원	추가 퇴직 예상인원
20×1년 말	1명	2명
20×2년 말	2명	3명
20×3년 말	2명	-

물음 1 주식선택권 부여일 이후 주가가 지속적으로 상승하여 A사의 20×2년 초 주식선택권의 단위당 공정가치는 ₩300이 되었다. 이에 따라 20×2년 초에 A사는 종업원에게 부여하였던 주식선택권의 수량을 10개에서 8개로 변경하였다. A사가 인식할 아래의 금액들을 구하시오. (단, 환입의 경우 '(-)'표시하시오)

20×2년 주식보상비용	①
20×3년 주식보상비용	②

물음 2 주식선택권 부여일 이후 주가가 지속적으로 하락하여 A사의 20×2년 초 주식선택권의 단위당 공정가치는 ₩100이 되었다. 이에 따라 20×2년 초에 A사는 종업원에게 부여하였던 주식선택권의 수량을 10개에서 12개로 변경하였다. A사가 인식할 아래의 금액들을 구하시오. (단, 환입의 경우 '(-)'표시하시오)

20×2년 주식보상비용	①
20×3년 주식보상비용	②

물음 3 주식선택권 부여일 이후 주가가 지속적으로 하락하여 A사의 20×2년 초 주식선택권의 단위당 공정가치는 ₩100이 되었다. 이에 따라 20×2년 초에 A사는 주식선택권의 행사가격을 당초 ₩500에서 ₩300으로 조정하였으며, 행사가격 조정 후 주식선택권의 공정가치는 ₩180으로 측정되었다. A사가 인식할 아래의 금액들을 구하시오. (단, 환입의 경우 '(-)'표시하시오)

20×2년 주식보상비용	①
20×3년 주식보상비용	②

물음 4 주식선택권 부여일 이후 주가가 지속적으로 하락하여 A사의 20×2년 초 주식선택권의 단위당 공정가치는 ₩300이 되었다. 이에 따라 20×2년 초에 A사는 주식선택권의 행사가격을 당초 ₩500에서 ₩700으로 조정하였으며, 행사가격 조정 후 주식선택권의 공정가치는 ₩220으로 측정되었다. A사가 인식할 아래의 금액들을 구하시오. (단, 환입의 경우 '(-)'표시하시오)

20×2년 주식보상비용	①
20×3년 주식보상비용	②

03

B사는 20×1년 초에 최고경영자에게 3년간 근무하는 조건으로 주식선택권 120개를 부여하였다. 관련 공통 자료는 다음과 같다. 각 물음은 독립적이다.

〈공통 자료〉

(1) 20×1년 초 현재 B사의 주가는 ₩4,000이며, 최고경영자에게 부여한 주식선택권은 20×3년 말에 B사의 주가가 ₩7,000 이상으로 형성되는 경우에만 행사가능하다.

(2) 부여일 현재 B사는 부여한 주식선택권의 단위당 공정가치를 ₩2,000으로 측정하였다. 이 측정치는 이항모형으로 측정되었으며, 20×3년 말에 기업의 주가가 ₩7,000 이상이 될 가능성을 고려한 것이다.

(3) 최고경영자는 20×3년 말까지 근무할 것으로 예상된다.

(4) B사의 주가는 20×1년 말 ₩7,200, 20×2년 말 ₩7,500이다.

물음 1 20×3년 말 주가는 ₩5,000이다. B사가 인식할 아래의 금액을 구하시오. (단, 환입의 경우 '(-)'표시하시오)

20×3년 주식보상비용	①

물음 2 20×3년 초에 최고경영자는 퇴사하였다. B사가 인식할 아래의 금액을 구하시오. (단, 환입의 경우 '(-)'표시하시오.

20×3년 주식보상비용	①

해커스 IFRS 정윤돈 객관식 재무회계

1차 시험 출제현황

구분	CPA										CTA									
	15	16	17	18	19	20	21	22	23	24	15	16	17	18	19	20	21	22	23	24
법인세의 기간 간 배분			1	1					1	1				1	1	1		1		
법인세의 기간 내 배분	1						1												1	
법인세회계 서술형		1			1	1		1											1	1

제15장

법인세회계

기초 유형 확인

[01 ~ 05]

다음은 20×1년 1월 1일에 설립되어 영업을 시작한 ㈜세무의 20×1년도 법인세와 관련된 자료이다. 물음에 답하시오.

(1) ㈜세무의 법인세비용 세무조정을 제외한 20×1년도 세무조정사항은 다음과 같다.

<소득금액조정합계표>

익금산입 및 손금불산입			손금산입 및 익금불산입		
과목	금액	소득처분	과목	금액	소득처분
감가상각부인액	₩20,000	유보	미수수익	₩10,000	유보
제품보증충당부채	₩5,000	유보	FVOCI금융자산[1]	₩5,000	유보
접대비 한도초과액	₩10,000	기타사외유출			
FVOCI금융자산 평가이익	₩5,000	기타			
합계	₩40,000		합계	₩15,000	

[1] 채무상품

(2) 20×1년도 과세소득에 적용되는 법인세율은 20%이며, 차기 이후 관련 세율 변동은 없는 것으로 가정한다.

(3) 20×1년도 법인세비용차감전순이익(회계이익)은 ₩120,000이다.

(4) 세액공제 ₩8,000을 20×1년도 산출세액에서 공제하여 차기 이후로 이월되는 세액공제는 없으며, 최저한세와 농어촌특별세 및 법인지방소득세는 고려하지 않는다.

(5) 20×1년도 법인세부담액(당기법인세)은 ₩21,000이며, 20×1년 중 원천징수를 통하여 ₩10,000의 법인세를 납부하고 아래와 같이 회계처리하였다.

차) 당기법인세자산	10,000	대) 현금	10,000

(6) 당기법인세자산과 당기법인세부채는 상계조건을 모두 충족하며, 이연법인세자산과 이연법인세부채는 인식조건 및 상계조건을 모두 충족한다.

(7) 포괄손익계산서상 기타포괄손익항목은 관련 법인세효과를 차감한 순액으로 표시하며, 법인세효과를 반영하기 전 기타포괄이익은 ₩5,000이다.

01 ㈜세무가 20×1년 말 재무상태표에 인식할 이연법인세자산(부채)은 얼마인가?

① 이연법인세자산 ₩2,000 ② 이연법인세자산 ₩3,000 ③ 이연법인세자산 ₩5,000
④ 이연법인세부채 ₩3,000 ⑤ 이연법인세부채 ₩2,000

02 ㈜세무가 20×1년에 인식할 법인세비용은 얼마인가?

① ₩18,000 ② ₩19,000 ③ ₩15,500
④ ₩14,500 ⑤ ₩16,500

03 ㈜세무의 20×1년도 평균유효세율은 얼마인가?

① 12% ② 13% ③ 14%
④ 15% ⑤ 16%

04 위 문제와 독립적으로 20×2년부터 법인세율이 30%로 변경될 경우, ㈜세무가 20×1년에 인식할 법인세비용은 얼마인가?

① ₩18,000 ② ₩19,000 ③ ₩15,500
④ ₩14,500 ⑤ ₩16,500

05 위 문제와 독립적으로 20×2년부터 법인세율이 30%로 변경되고 소득금액조정합계표가 다음과 같이 변경되며 나머지 금액(납부세액 등)은 변동이 없다고 가정할 때, ㈜세무가 20×1년에 인식할 법인세비용은 얼마인가?

익금산입 및 손금불산입			손금산입 및 익금불산입		
과목	금액	소득처분	과목	금액	소득처분
감가상각부인액	₩20,000	유보	미수수익	₩10,000	유보
제품보증충당부채	₩5,000	유보			
접대비 한도초과액	₩10,000	기타사외유출			
자기주식처분이익	₩5,000	기타			
합계	₩40,000		합계	₩10,000	

① ₩18,000 ② ₩19,000 ③ ₩15,500
④ ₩14,500 ⑤ ₩16,500

[06 ~ 07]

12월 31일 결산법인인 ㈜현주의 20×4년도 법인세와 관련한 세무조정사항은 다음과 같다.

법인세비용차감전순이익	₩2,000,000
접대비 한도초과액	₩100,000
감가상각비 한도초과액	₩50,000
FVPL금융자산평가이익	₩20,000

한국채택국제회계기준상 감가상각비가 세법상 감가상각비 한도를 초과한 ₩50,000 중 ₩30,000은 20×5년에 소멸되고, ₩20,000은 20×6년에 소멸될 것이 예상된다. 또한 당기손익인식금융자산은 20×5년 중에 처분될 예정이다. ㈜현주의 연도별 과세소득에 적용될 법인세율은 20×4년 25%, 20×5년 28%이고, 20×6년도부터는 30%가 적용된다. 20×3년 12월 31일 현재 이연법인세자산(부채)잔액은 없었다.

06 20×4년도 ㈜현주의 법인세비용은 얼마인가? (단, 이연법인세자산의 실현가능성은 높고 이연법인세자산·부채는 상계요건을 충족하였다)

① ₩523,700 ② ₩532,500 ③ ₩544,500
④ ₩420,000 ⑤ ₩432,500

07 위 문제와 독립적으로 당기부터 세율은 20%로 변경이 없을 것으로 가정할 때, 20×4년도 ㈜현주의 법인세비용은 얼마인가? (단, 이연법인세자산의 실현가능성은 높고 이연법인세자산·부채는 상계요건을 충족하였다)

① ₩523,700 ② ₩532,500 ③ ₩544,500
④ ₩420,000 ⑤ ₩432,500

08 보고기간 말이 12월 31일인 ㈜국세의 20×1년 회계연도 법인세비용차감전순손실은 ₩4,000,000이다. 그리고 20×1년 회계연도에 유형자산의 감가상각과 관련하여 미래 과세소득에서 가산할 일시적 차이인 손금산입항목이 ₩4,000,000만큼 발생하여 세무당국에 ₩8,000,000의 결손금을 보고하였다. 20×0년 회계연도까지 발생된 일시적 차이는 없었으며 20×1년 회계연도에 발생된 손금산입항목은 20×2년 회계연도와 20×3년 회계연도에 각각 ₩2,000,000씩 소멸될 것으로 예상된다. 20×1년 회계연도의 법인세율은 24%이며 20×2년 회계연도부터는 20% 인하하기로 입법화되었다. ㈜국세의 경우 이월결손금을 통한 법인세혜택의 실현가능성이 확실한데 20×2년 회계연도에 ₩5,000,000, 20×3년 회계연도에 ₩3,000,000이 실현될 것이다. ㈜국세는 기업회계기준서에 의해 회계처리하였다(단, 이연법인세자산과 이연법인세부채는 상계하여 표시한다). 20×1년도 ㈜국세의 당기순손익은 얼마인가?

① ₩(−)3,000,000 ② ₩(−)3,200,000 ③ ₩(−)4,000,000
④ ₩(−)4,200,000 ⑤ ₩(−)4,500,000

기출 유형 정리

01 법인세 회계처리에 대한 다음 설명으로 옳지 않은 것은? [공인회계사 2016년]

① 이연법인세자산과 부채는 현재가치로 할인하지 아니한다.
② 모든 가산할 일시적 차이에 대하여 이연법인세부채를 인식하는 것을 원칙으로 한다.
③ 당기 및 과거기간에 대한 당기법인세 중 납부되지 않은 부분을 부채로 인식한다. 만일 과거기간에 이미 납부한 금액이 그 기간 동안 납부하여야 할 금액을 초과하였다면 그 초과금액은 자산으로 인식한다.
④ 이연법인세자산과 부채는 보고기간 말까지 제정되었거나 실질적으로 제정된 세율(및 세법)에 근거하여 당해 자산이 실현되거나 부채가 결제될 회계기간에 적용될 것으로 기대되는 세율을 사용하여 측정한다.
⑤ 이연법인세자산의 장부금액은 매 보고기간 말에 검토한다. 이연법인세자산의 일부 또는 전부에 대한 혜택이 사용되기에 충분한 과세소득이 발생할 가능성이 더 이상 높지 않다면, 이연법인세자산의 장부금액을 감액시킨다. 감액된 금액은 사용되기에 충분한 과세소득이 발생할 가능성이 높아지더라도 다시 환입하지 아니한다.

02 법인세에 관한 설명으로 옳지 않은 것은? [세무사 2010년]

① 이연법인세자산과 부채는 보고기간 말까지 제정되었거나 실질적으로 제정된 세율(세법)에 근거하여 당해 자산이 실현되거나 부채가 결제될 회계기간에 적용될 것으로 기대되는 세율을 사용하여 측정한다.
② 동일 회계기간 또는 다른 회계기간에 당기손익 이외로 인식되는 항목과 관련된 당기법인세와 이연법인세는 당기손익 이외의 항목으로 인식한다.
③ 종속기업 및 관계기업에 대한 투자자산과 관련된 모든 가산할 일시적 차이에 대하여 항상 이연법인세부채를 인식하는 것은 아니다.
④ 미사용 세무상결손금과 세액공제가 사용될 수 있는 미래 과세소득의 발생가능성이 높은 경우 그 범위 안에서 이월된 미사용 세무상결손금과 세액공제에 대하여 이연법인세자산을 인식한다.
⑤ 이연법인세자산과 부채는 현재가치로 할인한다.

03 기업회계기준서 제1012호 '법인세'에 대한 다음 설명 중 옳지 않은 것은? [공인회계사 2018년]

① 미사용 세무상결손금과 세액공제가 사용될 수 있는 미래 과세소득의 발생가능성이 높은 경우 그 범위 안에서 이월된 미사용 세무상결손금과 세액공제에 대하여 이연법인세자산을 인식한다.

② 부채의 세무기준액은 장부금액에서 미래 회계기간에 당해 부채와 관련하여 세무상 공제될 금액을 차감한 금액이다. 수익을 미리 받은 경우, 이로 인한 부채의 세무기준액은 당해 장부금액에서 미래 회계기간에 과세되지 않을 수익을 차감한 금액이다.

③ 이연법인세자산과 부채의 장부금액은 관련된 일시적 차이의 금액에 변동이 없는 경우에도 세율이나 세법의 변경, 예상되는 자산의 회수방식 변경, 이연법인세자산의 회수가능성 재검토로 인하여 변경될 수 있다.

④ 과세대상 수익의 수준에 따라 적용되는 세율이 다른 경우에는 일시적 차이가 소멸될 것으로 예상되는 기간의 과세소득(세무상결손금)에 적용될 것으로 기대되는 평균세율을 사용하여 이연법인세자산과 부채를 측정한다.

⑤ 당기에 취득하여 보유 중인 토지에 재평가모형을 적용하여 토지의 장부금액이 세무기준액보다 높은 경우에는 이연법인세부채를 인식하며, 이로 인한 이연법인세효과는 당기손익으로 인식한다.

04 법인세회계에 관한 설명으로 옳지 않은 것은? [세무사 2024년]

① 이연법인세자산은 차감할 일시적차이, 미사용 세무상결손금의 이월액, 미사용 세액공제 등의 이월액과 관련하여 미래 회계기간에 회수될 수 있는 법인세 금액이다.

② 매 보고기간 말에 인식되지 않은 이연법인세자산에 대하여 재검토하며, 미래 과세소득에 의해 이연법인세자산이 회수될 가능성이 높아진 범위까지 과거 인식되지 않은 이연법인세자산을 인식한다.

③ 당기법인세자산과 부채는 기업이 인식된 금액에 대한 법적으로 집행가능한 상계권리를 가지고 있는 경우 또는 순액으로 결제하거나, 자산을 실현하고 부채를 결제할 의도가 있는 경우에 상계한다.

④ 과세대상수익의 수준에 따라 적용되는 세율이 다른 경우에는 일시적차이가 소멸될 것으로 예상되는 기간의 과세소득(세무상결손금)에 적용될 것으로 기대되는 평균세율을 사용하여 이연법인세자산과 부채를 측정한다.

⑤ 사업결합에서 발생한 영업권을 최초로 인식하는 경우에는 이연법인세부채를 인식하지 않는다.

05 20×1년 초 설립된 ㈜세무의 법인세 관련 자료가 다음과 같을 때, 20×1년도 법인세비용은 얼마인가?

[세무사 2018년]

- 법인세비용차감전순이익: ₩1,000,000
- 세무조정사항
  - 정기예금 미수이자: ₩200,000
  - 접대비 한도초과액: ₩150,000
  - 벌금과 과태료: ₩70,000
  - 감가상각비 한도초과액: ₩50,000
- 법인세율은 20%로 유지됨
- 일시적 차이가 사용될 수 있는 미래 과세소득의 발생가능성은 높음

① ₩214,000 ② ₩244,000 ③ ₩258,000
④ ₩288,000 ⑤ ₩298,000

[06 ~ 07]

다음은 ㈜갑의 법인세 관련 자료이다. [공인회계사 2016년]

(1) 20×1년 법인세부담액은 ₩1,000이며, 20×1년 중 원천징수, 중간예납으로 ₩400의 법인세를 선납하고 다음과 같이 회계처리하였다.

차) 당기법인세자산	400	대) 현금	400

(2) 세무조정에 따른 유보 처분액(일시적 차이)의 증감내용을 나타내는 20×1년도 자본금과 적립금조정명세서(을)은 다음과 같다.

구분	기초잔액	당기 중 증감		기말잔액
		감소	증가	
매출채권손실충당금	₩460	₩50	₩70	₩480
미수이자	₩(100)	₩(80)	₩(50)	₩(70)
감가상각누계액	₩300	₩40	₩80	₩340
제품보증충당부채	₩340	₩230	₩40	₩150
연구인력개발준비금	₩(600)	-	-	₩(600)
계	₩400	₩240	₩140	₩300

(3) 20×0년 말과 20×1년 말의 차감할 일시적 차이가 사용될 수 있는 과세소득의 발생가능성은 높으며, 20×0년 말과 20×1년 말 미사용 세무상결손금과 세액공제는 없다.

(4) 20×0년 말과 20×1년 말의 일시적 차이가 소멸될 것으로 예상되는 기간의 과세소득에 적용될 것으로 예상되는 평균세율은 20%이다.

(5) ㈜갑은 20×2년 3월 30일에 20×1년분 법인세 차감납부할세액 ₩600을 관련 세법규정에 따라 신고납부하였으며, 법인세에 부가되는 세액은 없는 것으로 가정한다.

06 ㈜갑의 20×1년 말 재무상태표에 계상할 이연법인세자산, 부채(상계 후 금액)는 얼마인가?

① 이연법인세자산 ₩20 ② 이연법인세자산 ₩60 ③ 이연법인세부채 ₩20
④ 이연법인세부채 ₩40 ⑤ 이연법인세부채 ₩60

07 ㈜갑이 20×1년도 포괄손익계산서에 계상할 법인세비용은 얼마인가?

① ₩940 ② ₩980 ③ ₩1,000
④ ₩1,020 ⑤ ₩1,060

08 다음은 20×1년 초 설립한 ㈜한국의 20×1년도 법인세와 관련된 내용이다.

법인세비용차감전순이익	₩5,700,000
세무조정항목	
감가상각비 한도초과	₩300,000
연구및인력개발준비금	₩(600,000)
과세소득	₩5,400,000

- 연구및인력개발준비금은 20×2년부터 3년간 매년 ₩200,000씩 소멸하며, 감가상각비 한도초과는 20×4년에 소멸한다.
- 향후 과세소득(일시적 차이 조정 전)은 경기침체로 20×2년부터 20×4년까지 매년 ₩50,000으로 예상된다(단, 20×5년도부터 과세소득은 없을 것으로 예상된다).
- 연도별 법인세율은 20%로 일정하다.

㈜한국이 20×1년도 포괄손익계산서에 인식할 법인세비용은 얼마인가? [공인회계사 2017년]

① ₩1,080,000 ② ₩1,140,000 ③ ₩1,150,000
④ ₩1,180,000 ⑤ ₩1,200,000

09 다음은 ㈜대한의 법인세와 관련된 자료이다.

- 20×2년 세무조정내역

법인세비용차감전순이익	₩1,500,000
세무조정항목: 전기 감가상각비 한도초과	₩(90,000)
과세소득	₩1,410,000

- 세무조정항목은 모두 일시적 차이에 해당하고, 이연법인세자산의 실현가능성은 거의 확실하다.
- 20×1년 말 이연법인세자산과 이연법인세부채는 각각 ₩65,000과 ₩25,000이다.
- 20×2년 법인세율은 25%이고, 20×3년과 20×4년 이후의 세율은 각각 20%와 18%로 20×2년 말에 입법화되었다.
- 20×2년 말 현재 미소멸 일시적 차이의 소멸시기는 아래와 같다. 감가상각비 한도초과와 토지 건설자금이자는 전기로부터 이월된 금액이다.

일시적 차이	20×2년 말 잔액	소멸시기
감가상각비 한도초과	₩170,000	20×3년 ₩90,000 소멸 20×4년 ₩80,000 소멸
토지건설자금이자	₩(100,000)	20×4년 이후 전액 소멸

㈜대한의 20×2년도 포괄손익계산서에 인식할 법인세비용은 얼마인가? [공인회계사 2018년]

① ₩335,000 ② ₩338,100 ③ ₩352,500
④ ₩366,900 ⑤ ₩378,100

10 다음은 ㈜세무의 법인세 관련 자료이다.

- 20×1년도 각사업연도소득에 대한 법인세부담액은 ₩70,000이며, 20×1년 중 당기법인세 관련 원천징수·중간예납으로 ₩30,000을 현금으로 지급하고 당기법인세자산 차변에 기입하였다. 나머지 ₩40,000은 20×2년 3월 말에 관련 세법규정을 준수하여 납부한다.
- 세무조정에 따른 유보 처분액(일시적 차이)의 증감내용을 나타내는 20×1년도 자본금과 적립금조정명세서(을)은 다음과 같다.

구분	기초잔액	당기 중 증감		기말잔액
		감소	증가	
매출채권 손실충당금	₩90,000	₩18,000	₩13,000	₩85,000
정기예금 미수이자	△50,000		△10,000	△60,000
건물 감가상각누계액	₩120,000		₩30,000	₩150,000
당기손익-공정가치측정금융자산			△5,000	△5,000
합계	₩160,000	₩18,000	₩28,000	₩170,000

- 이연법인세자산의 실현가능성은 거의 확실하며, 20×0년 말과 20×1년 말 미사용 세무상 결손금과 세액공제는 없다.
- 연도별 법인세율은 20%로 일정하다.

20×1년도 포괄손익계산서에 표시할 법인세비용은 얼마인가? (단, 제시된 사항 외의 세무조정사항은 없으며, 자본금과 적립금조정명세서(을)에 나타나는 △는 (-)유보를 나타낸다) [세무사 2019년]

① ₩28,000　② ₩36,000　③ ₩38,000
④ ₩68,000　⑤ ₩102,000

11 다음은 ㈜대한의 법인세와 관련된 자료이다. 다음의 자료를 활용하여 물음에 답하시오.

• 〈추가 자료〉를 제외한 20×2년의 세무조정내역은 다음과 같다.

세무조정내역	금액
법인세비용차감전순이익	₩1,200,000
전기 감가상각비 한도초과	₩(50,000)
과세소득	₩1,150,000

〈추가 자료〉

• 20×1년 말의 이연법인세자산과 이연법인세부채는 각각 ₩31,200과 ₩0이며, 이연법인세자산의 실현가능성은 거의 확실하다.

• 20×2년 법인세율은 24%, 20×3년과 20×4년 이후의 세율은 각각 22%, 20%로 20×2년 말에 입법완료되었다.

• 20×2년도에 당기손익-공정가치측정(FVPL)금융자산평가손실은 ₩90,000을 인식하였으며, 동 금융자산은 20×3년에 전부 처분할 예정이다.

• 20×1년에 발생한 퇴직급여 한도초과액 ₩80,000은 20×2년부터 4년간 각각 ₩20,000씩 손금추인된다.

• 20×2년도 세법상 손금한도를 초과하여 지출한 접대비는 ₩30,000이다.

㈜대한의 20×2년도 포괄손익계산서에 인식할 법인세비용은 얼마인가? [공인회계사 2024년]

① ₩267,800 ② ₩282,200 ③ ₩299,000
④ ₩300,000 ⑤ ₩320,000

12 기업회계기준서 제1012호 '법인세'에 대한 다음 설명 중 옳지 않은 것은? [공인회계사 2020년]

① 이연법인세자산은 차감할 일시적 차이, 미사용 세무상결손금의 이월액, 미사용 세액공제 등의 이월액과 관련하여 미래 회계기간에 회수될 수 있는 법인세 금액이다.

② 자산의 세무기준액은 자산의 장부금액이 회수될 때 기업에 유입될 과세대상 경제적 효익에서 세무상 차감될 금액을 말하며, 부채의 세무기준액은 장부금액에서 미래 회계기간에 당해 부채와 관련하여 세무상 공제될 금액을 차감한 금액이다.

③ 당기 및 과거기간에 대한 당기법인세 중 납부되지 않은 부분을 부채로 인식한다. 만일 과거기간에 이미 납부한 금액이 그 기간 동안 납부하여야 할 금액을 초과하였다면 그 초과금액은 자산으로 인식한다.

④ 매 보고기간 말에 인식되지 않은 이연법인세자산에 대하여 재검토하며, 미래 과세소득에 의해 이연법인세자산이 회수될 가능성이 높아진 범위까지 과거 인식되지 않은 이연법인세자산을 인식한다.

⑤ 당기법인세자산과 부채는 기업이 인식된 금액에 대한 법적으로 집행가능한 상계권리를 가지고 있는 경우 또는 순액으로 결제하거나, 자산을 실현하고 부채를 결제할 의도가 있는 경우에 상계한다.

13 다음은 기업회계기준서 제1012호 '법인세'와 관련된 내용이다. 이에 대한 설명으로 옳은 것은? [공인회계사 2022년]

① 복합금융상품(예 전환사채)의 발행자가 해당 금융상품의 부채요소와 자본요소를 각각 부채와 자본으로 분류하였다면, 그러한 자본요소의 최초 인식 금액에 대한 법인세효과(이연법인세)는 자본요소의 장부금액에 직접 반영한다.

② 과세대상수익의 수준에 따라 적용되는 세율이 다른 경우에는 일시적 차이가 소멸될 것으로 예상되는 기간의 과세소득(세무상결손금)에 적용될 것으로 기대되는 한계세율을 사용하여 이연법인세자산과 부채를 측정한다.

③ 일시적 차이는 포괄손익계산서상 법인세비용차감전순이익과 과세당국이 제정한 법규에 따라 납부할 법인세를 산출하는 대상이 되는 이익 즉, 과세소득 간의 차이를 말한다.

④ 재평가모형을 적용하고 있는 유형자산과 관련된 재평가잉여금은 법인세효과를 차감한 후의 금액으로 기타포괄손익에 표시하고 법인세효과는 이연법인세자산으로 인식한다.

⑤ 이연법인세자산과 부채는 장기성 채권과 채무이기 때문에 각 일시적 차이의 소멸시점을 상세히 추정하여 신뢰성 있게 현재가치로 할인한다.

14 20×1년 초에 설립된 ㈜세무의 20×1년도 포괄손익계산서상 법인세비용차감전순이익은 ₩700,000이고, 법인세율은 20%이다. 당기법인세부담액을 계산하기 위한 세무조정사항 및 이연법인세자산(부채) 자료가 다음과 같을 때, 20×1년도 법인세비용은 얼마인가? [세무사 2020년]

- 20×1년도에 당기손익-공정가치측정금융자산평가손실로 ₩100,000을 인식하였으며, 동 금융자산은 20×2년에 처분한다.
- 20×1년 세법상 손금한도를 초과하여 지출한 접대비는 ₩100,000이다.
- 20×1년 정기예금(만기 20×2년)에서 발생한 이자 ₩20,000을 미수수익으로 인식하였다.
- 20×2년 법인세율은 연 18%로 예상된다.
- 일시적 차이가 사용될 수 있는 미래 과세소득의 발생가능성은 높다.

① ₩158,000 ② ₩161,600 ③ ₩176,000
④ ₩179,600 ⑤ ₩190,400

15 ㈜대한의 20×1년도와 20×2년도의 법인세비용차감전순이익은 각각 ₩815,000과 ₩600,000이다. ㈜대한의 20×1년과 20×2년의 법인세와 관련된 세무조정사항은 다음과 같다.

항목	20×1년도	20×2년도
감가상각비 한도초과액	₩6,000	-
당기손익-공정가치측정금융자산평가이익	2,000	-
제품보증충당부채	-	₩3,000
정기예금 미수이자	-	4,000

20×1년도 세무조정 항목 중 감가상각비 한도초과액 ₩6,000은 20×2년부터 매년 ₩2,000씩 소멸되며, 당기손익-공정가치측정금융자산(FVPL금융자산)은 20×2년 중에 처분될 예정이다.
20×2년도 세무조정 항목 중 제품보증충당부채 ₩3,000은 20×3년부터 매년 ₩1,000씩 소멸되며, 정기예금의 이자는 만기일인 20×3년 3월 말에 수취한다. ㈜대한의 20×1년도 법인세율은 30%이며, 미래의 과세소득에 적용될 법인세율은 다음과 같다.

구분	20×2년도	20×3년도 이후
적용세율	30%	25%

㈜대한의 20×2년도 법인세비용은 얼마인가? (단, 20×1년 1월 1일 현재 이연법인세자산(부채)의 잔액은 없으며, 일시적 차이에 사용될 수 있는 과세소득의 발생가능성은 높다) [공인회계사 2023년]

① ₩176,800 ② ₩177,750 ③ ₩178,400
④ ₩179,950 ⑤ ₩180,350

16 다음 자료는 ㈜한국의 20×2년도 법인세와 관련된 내용이다.

(1) 20×1년 말 현재 일시적 차이(미수이자): ₩(100,000)
(2) 20×2년도 법인세비용차감전순이익: ₩1,000,000
(3) 20×2년도 세무조정사항
　① 미수이자: ₩(20,000)
　② 접대비 한도초과: ₩15,000
　③ 자기주식처분이익: ₩100,000
(4) 연도별 법인세율은 20%로 일정하다.

㈜한국의 20×2년도 포괄손익계산서에 인식할 법인세비용은 얼마인가? (단, 일시적 차이에 사용될 수 있는 과세소득의 발생가능성은 높으며, 20×1년 말과 20×2년 말 각 연도의 미사용 세무상결손금과 세액공제는 없다) [공인회계사 2015년]

① ₩199,000　② ₩203,000　③ ₩219,000
④ ₩223,000　⑤ ₩243,000

17 아래 자료는 ㈜한국의 20×1년도 법인세와 관련된 거래내용이다.

- 20×1년 말 접대비 한도초과액은 ₩30,000이다.
- 20×1년 말 재고자산평가손실은 ₩10,000이다.
- 20×1년 말 FVOCI금융자산평가손실(지분상품) ₩250,000을 기타포괄손익으로 인식하였다.
- 동 FVOCI금융자산평가손실(지분상품)은 20×3년도에 소멸된다고 가정한다.
- 20×1년도 법인세비용차감전순이익은 ₩1,000,000이다.
- 20×1년까지 법인세율이 30%이었으나, 20×1년 말에 세법개정으로 인하여 20×2년 과세소득분부터 적용할 세율은 20%로 미래에도 동일한 세율이 유지된다.

㈜한국의 20×1년도 포괄손익계산서에 계산할 법인세비용은 얼마인가? (단, 일시적 차이에 사용될 수 있는 과세소득의 발생가능성은 높으며, 전기이월 일시적 차이는 없는 것으로 가정한다) [공인회계사 2014년]

① ₩260,000　② ₩310,000　③ ₩335,000
④ ₩360,000　⑤ ₩385,000

18 아래 자료는 ㈜한국의 20×1년도 법인세와 관련된 거래내용이다.

- 20×1년도 ㈜한국의 접대비 한도초과액은 ₩300,000이다.
- ㈜한국은 20×1년 6월 7일에 ₩35,000에 취득한 자기주식을 20×1년 9월 4일에 ₩60,000에 처분했다.
- ㈜한국이 20×1년 9월 7일 사옥을 건설하기 위하여 ₩70,000에 취득한 토지의 20×1년 12월 31일 현재 공정가치는 ₩80,000이다. ㈜한국은 유형자산에 대하여 재평가모형을 적용하고 있으나, 세법에서는 이를 인정하지 않는다.

㈜한국의 20×1년도 법인세비용차감전순이익은 ₩3,000,000이다. 당기 과세소득에 적용될 법인세율은 30%이고, 향후에도 세율이 일정하다면 ㈜한국이 20×1년도 포괄손익계산서에 인식할 법인세비용과 20×1년 말 재무상태표에 계상될 이연법인세자산·부채는 각각 얼마인가? (단, ㈜한국의 향후 과세소득은 20×1년과 동일한 수준이며, 전기이월 일시적 차이는 없다고 가정한다)

[공인회계사 2010년]

① 법인세비용 ₩900,000, 이연법인세자산 ₩3,000
② 법인세비용 ₩973,500, 이연법인세자산 ₩4,500
③ 법인세비용 ₩973,500, 이연법인세부채 ₩3,000
④ 법인세비용 ₩990,000, 이연법인세자산 ₩4,500
⑤ 법인세비용 ₩990,000, 이연법인세부채 ₩3,000

19 다음은 ㈜대한의 20×1년 법인세 관련 자료이다.

- 20×1년 법인세비용차감전순이익은 ₩500,000이다.
- 20×1년 말 접대비 한도초과액은 ₩20,000이며, 20×1년 말 재고자산평가손실의 세법상 부인액은 ₩5,000이다.
- 20×1년 5월 1일에 ₩30,000에 취득한 자기주식을 20×1년 10월 1일에 ₩40,000에 처분하였다.
- 20×1년 말 기타포괄손익-공정가치(FVOCI)로 측정하는 금융자산(지분상품) 평가손실 ₩20,000을 기타포괄손익으로 인식하였다.
- 20×1년 10월 1일 본사사옥을 건설하기 위하여 ₩100,000에 취득한 토지의 20×1년 말 현재 공정가치는 ₩120,000이다. ㈜대한은 유형자산에 대해 재평가모형을 적용하고 있으나, 세법에서는 이를 인정하지 않는다.
- 연도별 법인세율은 20%로 일정하다.
- 일시적 차이에 사용될 수 있는 과세소득의 발생가능성은 높으며, 전기이월 일시적 차이는 없다.

㈜대한이 20×1년 포괄손익계산서에 당기비용으로 인식할 법인세비용은 얼마인가?

[공인회계사 2021년]

① ₩96,000 ② ₩100,000 ③ ₩104,000
④ ₩106,000 ⑤ ₩108,000

20 ㈜세무의 20×2년도 법인세 관련 자료가 다음과 같을 때, 20×2년도 법인세비용은?

[세무사 2022년]

- 20×2년도 법인세비용차감전순이익 ₩500,000
- 세무조정사항
  - 전기 감가상각비 한도초과액 ₩(80,000)
  - 접대비 한도초과액 ₩130,000
- 감가상각비 한도초과액은 전기 이전 발생한 일시적 차이의 소멸분이고, 접대비 한도초과액은 일시적 차이가 아니다.
- 20×2년 말 미소멸 일시적 차이(전기 감가상각비 한도초과액)는 ₩160,000이고, 20×3년과 20×4년에 각각 ₩80,000씩 소멸될 것으로 예상된다.
- 20×1년 말 이연법인세자산은 ₩48,000이고, 이연법인세부채는 없다.
- 차감할 일시적 차이가 사용될 수 있는 과세소득의 발생가능성은 매우 높다.
- 적용될 법인세율은 매년 20%로 일정하고, 언급된 사항 이외의 세무조정 사항은 없다.

① ₩94,000　② ₩110,000　③ ₩126,000
④ ₩132,000　⑤ ₩148,000

21 ㈜세무의 20×1년도 법인세 관련 자료가 다음과 같을 때, 20×1년도 법인세비용은?

[세무사 2023년]

- 20×1년도 법인세비용차감전순이익은 ₩1,000,000이다.
- 20×1년 10월 말에 자기주식처분이익 ₩20,000이 발생하였다.
- 20×1년 말 재고자산평가손실의 세법상 부인액은 ₩30,000, 접대비 한도초과액은 ₩50,000이다.
- 20×1년 초에 ₩3,000,000에 취득한 토지의 20×1년 말 현재 공정가치는 ₩3,100,000이다. ㈜세무는 토지에 대해 재평가모형을 적용하고 있으나, 세법에서는 이를 인정하지 않는다.
- 차감할 일시적 차이가 사용될 수 있는 과세소득의 발생가능성은 매우 높다.
- 법인세율은 20%로 매년 일정하며, 전기이월 일시적 차이는 없다고 가정한다.

① ₩190,000　② ₩194,000　③ ₩210,000
④ ₩220,000　⑤ ₩234,000

관련 유형 연습

01 보고기간 말이 12월 31일인 ㈜대한은 20×1년 1월 1일에 설립된 회사이다. 20×1년도 법인세비용차감전순이익은 ₩2,000,000이며 법인세율은 25%이다. ㈜대한의 20×1년도 당기법인세를 계산하기 위한 세무조정사항은 다음과 같다.

- 확정급여채무 한도초과액은 ₩100,000이고, 동 초과액은 20×2년 및 20×3년에 각각 ₩50,000씩 손금으로 추인된다.
- 세법상 손금한도를 초과하여 지출한 접대비는 ₩50,000이다.
- 만기일이 20×2년도 3월 31일인 정기예금의 20×1년도 미수이자수익은 ₩40,000이다.
- 비과세이자소득 ₩30,000을 수령하고 당기수익으로 보고하였다.

20×2년도와 20×3년도의 세무조정 전 과세소득은 각각 ₩2,500,000과 ₩3,000,000으로 예상되며 법인세율은 25%로 변동이 없다. 20×1년도의 당기법인세부채, 평균유효세율 그리고 20×1년도 말의 이연법인세자산(부채)은 얼마인가? (단, 이연법인세자산과 이연법인세부채는 상계하여 표시한다)

	당기법인세부채	평균유효세율	이연법인세자산(부채)
①	₩520,000	25.25%	₩15,000(자산)
②	₩520,000	26.00%	₩15,000(자산)
③	₩535,000	25.25%	₩15,000(부채)
④	₩535,000	26.00%	₩15,000(부채)
⑤	₩540,000	24.75%	₩20,000(자산)

02 ㈜한영의 20×6년 말 법인세와 관련된 자료는 다음과 같으며 차감할 일시적 차이의 실현가능성은 높다.

- 「조세특례제한법」상 준비금전입액: ₩40,000
- 감가상각비 한도초과액: ₩30,000
- FVPL금융자산평가이익: ₩10,000
- 법인세율(차기 이후에도 세율은 변동하지 않는다): 20%

㈜한영의 20×6년 말 이연법인세자산과 이연법인세부채금액은 얼마인가? (단, 이연법인세자산과 이연법인세부채는 상계하지 않으며, 법인세율은 변하지 않는다고 가정한다)

	이연법인세자산	이연법인세부채
①	₩4,000	₩6,000
②	₩6,000	₩10,000
③	₩8,000	₩12,000
④	₩10,000	₩6,000
⑤	₩10,000	₩10,000

03 다음은 ㈜도도의 법인세 관련 자료이다. 20×1년의 법인세비용 및 20×1년 말의 이연법인세자산 · 부채는 얼마인가? (단, 이연법인세자산 · 부채는 상계요건을 충족하였다)

(1) 20×1년 과세소득: ₩2,000,000
(2) 20×0년 말 현재 이연법인세자산 기말잔액은 ₩90,000이다. 이는 20×0년에 발생한 세무조정으로 인한 것으로 동 일시적 차이는 20×1년부터 3년간 매기 ₩100,000씩 해당 연도 과세소득에 반영된다.
(3) 20×1년 중 발생한 유보액: ₩1,550,000
(4) 20×1년 중 발생한 △유보액: ₩900,000
(5) 법인세율은 ₩1,000,000 이하의 소득에 대하여는 20%이며, 이를 초과하는 소득에 대하여는 30%이다.
(6) 20×2년의 예상과세소득에 적용되는 한계세율은 30%이며, 평균세율은 25%이다.

	20×1년 법인세비용	20×1년 말 이연법인세자산·부채
①	₩377,500	₩212,500 자산
②	₩377,500	₩255,000 자산
③	₩590,000	₩112,500 자산
④	₩590,000	₩112,500 부채
⑤	₩702,500	₩212,500 부채

04 ㈜한영은 20×1년에 영업을 시작하였다. 다음은 ㈜한영의 20×1년 법인세 계산현황이다.

- 법인세비용차감전순손실: ₩(150,000)
- FVPL금융자산평가손실: ₩50,000
- 미수이자: ₩(60,000)
- 과세소득: ₩(160,000)

㈜한영은 20×2년 이후 상기 결손금으로 인한 법인세효과의 실현가능성은 거의 확실하며, 결손금 중 ₩100,000은 20×2년에 소멸하고 나머지 ₩60,000은 20×3년 이후 소멸할 것으로 예상된다. 또한 FVPL금융자산평가손실은 20×2년에 전부 소멸하고, 미수이자 ₩60,000 중 ₩20,000은 20×2년에 소멸하고, ₩40,000은 20×3년 이후에 소멸할 것으로 예상된다. 20×2년의 세율이 30%(20×3년의 세율은 25%이며 그 이후의 세율 변동은 알 수 없음)라면 한국채택국제회계기준에 의한 20×1년 말 재무상태표상 이연법인세자산(부채)의 잔액은 얼마인가? (단, 이연법인세자산과 이연법인세부채는 상계하여 표시한다)

① 이연법인세자산 ₩12,000 ② 이연법인세자산 ₩44,000 ③ 이연법인세자산 ₩45,000
④ 이연법인세부채 ₩44,000 ⑤ 이연법인세부채 ₩45,000

05 다음은 A사의 20×1년도의 세무조정과 관련된 자료들이다.

(1) 20×0년 말 현재 일시적 차이 잔액은 ₩60,000으로 20×1년도에 ₩20,000, 20×2년도에 ₩40,000이 각각 과세소득에서 조정된다. 이와 관련하여 20×0년 말 현재 이연법인세자산으로 인식한 금액은 ₩18,000이다.
(2) 20×1년도에 발생한 손금불산입항목 중 일시적 차이는 감가상각비 한도초과액 ₩160,000으로, 20×2년과 20×3년에 각각 ₩80,000씩 손금산입된다.
(3) 20×1년도의 법인세비용차감전순이익은 ₩300,000, 과세소득은 ₩560,000으로 일시적 차이를 제외한 모든 차이는 영구적 차이에 해당한다. 20×2년과 20×3년도의 예상 과세소득은 각각 ₩100,000으로 예상된다.
(4) 각 회계연도의 법인세율은 다음과 같다.

20×1년	20×2년	20×3년
30%	28%	25%

이들 자료를 바탕으로 A사의 20×1년도 법인세비용과 20×1년 말 이연법인세자산(부채)의 잔액은 얼마인가? (단, 이연법인세자산과 이연법인세부채는 상계하여 표시한다)

① 법인세비용 ₩186,000, 이연법인세자산 ₩18,000
② 법인세비용 ₩168,000, 이연법인세부채 ₩30,000
③ 법인세비용 ₩148,000, 이연법인세자산 ₩18,000
④ 법인세비용 ₩138,000, 이연법인세자산 ₩48,000
⑤ 법인세비용 ₩138,000, 이연법인세부채 ₩48,000

06 다음은 한국채택국제회계기준 제1012호 '법인세'와 관련된 내용들이다. 각 문항별로 기준서의 내용과 일치 여부를 가리시오.

1. 이연법인세는 가산할(차감할) 일시적 차이와 관련하여 미래 회계기간에 납부(회수)할 법인세액을 말한다.
2. 일시적 차이는 법인세비용 차감 전 회계기간의 손익(회계이익)과 과세당국이 제정한 법규에 따라 납부할 법인세를 산출하는 대상이 되는 이익(과세소득)의 차이를 말한다.
3. 당기 및 과거기간에 대한 당기법인세 중 납부되지 않은 부분을 당기법인세부채로 인식한다.
4. 모든 가산할 일시적 차이에 대하여 이연법인세부채를 인식하는 것을 원칙으로 한다.
5. 모든 차감할 일시적 차이에 대하여 이연법인세자산을 인식하는 것을 원칙으로 한다.
6. 영업권의 회계상 장부금액과 세무기준액과의 차이에서 발생하는 가산할 일시적 차이에 대해서는 이연법인세부채를 인식하지 않는다.
7. 공정가치로 평가된 자산의 장부가액이 세무가액보다 크다면 그 차이가 차감할 일시적 차이이며 이에 대하여 이연법인세자산을 인식해야 한다.
8. 차감할 일시적 차이를 활용할 수 있을 만큼 미래기간의 과세소득이 충분하지 못한 경우에는 차감할 일시적 차이의 법인세효과 중 실현가능성이 불확실한 부분은 손상시켜 이연법인세자산에 차감하는 형식으로 표시한다.
9. 실현가능성이 불확실하여 인식하지 아니한 이연법인세자산은 향후 실현가능성이 확실해지는 경우에도 재인식할 수 없다.
10. 이연법인세자산과 부채는 보고기간 말까지 제정되었거나 실질적으로 제정된 세율에 근거하여 당해 자산이 실현되거나 부채가 결제될 회계기간에 적용될 것으로 기대되는 세율을 사용하여 측정한다.
11. 과세대상 수익의 수준에 따라 적용되는 세율이 다른 경우에는 일시적 차이가 소멸될 것으로 예상되는 기간의 과세소득에 적용될 것으로 기대되는 한계세율을 사용하여 이연법인세자산과 부채를 측정한다.
12. 당기법인세자산과 당기법인세부채는 동일한 과세당국과 관련된 경우에는 각각 상계하여 표시할 수 있으며, 이는 이연법인세자산과 이연법인세부채도 동일하다.
13. 재무상태표상 자산항목 또는 부채항목과 관련되지 않은 이연법인세자산과 이연법인세부채는 세무상결손금 등의 예상소멸시기에 따라 유동항목과 기타비유동항목으로 분류한다.
14. 한국채택국제회계기준서 제1001호 '재무제표 표시'에 따라 별개의 손익계산서에 당기순손익의 구성요소를 표시하는 경우에는 정상활동 손익과 관련된 법인세비용은 그 별개의 손익보고서와 포괄손익계산서에 모두 표시한다.
15. 소급 적용되는 회계정책의 변경이나 오류의 수정으로 인한 기초이익잉여금 잔액의 조정에서 발생하는 법인세효과는 당해 이익잉여금에서 직접 가감한다.
16. 중단영업에서 발생하는 손익에 대한 법인세효과는 중단영업손익으로 인식하며, 당해 중단영업손익에서 직접 가감할 수도 있다.
17. 동일 회계기간 또는 다른 회계기간에 자본에 직접 인식된 항목과 관련된 당기법인세와 이연법인세금액은 자본에 직접 인식한다.

07 다음은 ㈜태양의 20×2년도 법인세비용 계산에 필요한 자료이다.

> • 20×1년 말 현재 미소멸 일시적 차이
>   - 「조세특례제한법」상 준비금: ₩(3,000,000)
>
> • 20×2년도 법인세비용차감전순이익: ₩5,000,000
>
> • 20×2년도 세무조정사항
>   - 「조세특례제한법」상 준비금환입: ₩1,000,000
>   - 자기주식처분이익: ₩300,000
>   - 접대비 한도초과: ₩100,000
>
> (1) 자기주식처분이익은 회계장부에 기타자본구성요소로 처리하였다.
>
> (2) 20×1년 말 현재 「조세특례제한법」상 준비금에 대한 일시적 차이는 20×2년부터 매년 1/3씩 소멸될 예정이다.
>
> (3) 20×1년 말 법인세부담액 계산 시 적용한 세율은 30%이며, 20×2년도에도 동일한 30%를 적용한다. 다만, 20×2년 말 세법개정으로 인하여 20×3년부터 적용할 세율은 25%로 인하되었다.

㈜태양의 20×2년도 포괄손익계산서에 계상될 법인세비용을 계산하면 얼마인가?

① ₩1,430,000 ② ₩1,520,000 ③ ₩2,420,000
④ ₩1,580,500 ⑤ ₩2,330,000

실력 점검 퀴즈

01 동방(주)의 20×1년과 20×2년의 세무조정과 관련된 자료는 다음과 같으며, 이외의 세무조정사항은 없다.

> (1) 20×1년에 익금불산입되었던 할부판매수익 ₩60,000은 20×2년부터 3년간 ₩20,000씩 익금산입될 예정이다.
> (2) 20×2년에 손금불산입될 항목은 접대비 한도초과액 ₩40,000과 당기손익인식금융자산평가손실 ₩80,000이다. 당기손익인식금융자산은 20×3년에 처분될 예정이며, 세법상 당기손익인식금융자산의 평가방법은 원가법이다.
> (3) 20×2년 세전이익은 ₩300,000이며, 향후 3년간 세전이익은 ₩300,000으로 예상된다.
> (4) 20×2년에 세법이 개정되어 20×4년부터 법인세율이 30%에서 25%로 변경된다.
> (5) 이연법인세자산과 부채는 상계한다.

20×2년의 법인세비용과 기말 재무상태표상 이연법인세자산은 얼마인가?

	법인세비용	이연법인세자산
①	₩78,000	₩7,000
②	78,000	13,000
③	78,000	18,000
④	101,000	13,000
⑤	112,000	18,000

02 ㈜태양의 20×7년 법인세비용차감전이익은 ₩200,000이고, 법인세율은 20%이다. 20×7년의 세무조정사항은 다음과 같으며, 차감할 일시적 차이의 실현가능성은 높다고 가정한다.

- 감가상각비 한도초과액 ₩50,000
- FVPL금융자산평가이익 ₩20,000
- 손실충당금 한도초과액 ₩10,000
- 「조세특례제한법」상 준비금 ₩60,000
- 일반기부금 한도초과액 ₩30,000

위의 자료를 이용하여 20×7년 법인세부담액과 재무상태표에 계상되는 이연법인세자산(부채)을 계산하면 각각 얼마인가? 단, 20×7년 초에 이연법인세자산(부채)의 잔액은 없었다.

① 법인세부담액 ₩42,000, 이연법인세자산 ₩4,000
② 법인세부담액 ₩42,000, 이연법인세부채 ₩4,000
③ 법인세부담액 ₩36,000, 이연법인세자산 ₩2,000
④ 법인세부담액 ₩36,000, 이연법인세부채 ₩4,000
⑤ 법인세부담액 ₩42,000, 이연법인세자산 ₩2,000

03 법인세에 관한 설명으로 옳지 않은 것은? [세무사 2010년]

① 이연법인세자산과 부채는 보고기간 말에 제정되었거나 실질적으로 제정된 세율(및 세법)에 근거하여 당해 자산이 실현되거나 부채가 결제될 회계기간에 적용될 것으로 기대되는 세율을 사용하여 측정한다.
② 동일 회계기간 또는 다른 회계기간에 당기손익 이외로 인식되는 항목과 관련된 당기법인세와 이연법인세는 당기손익 이외의 항목으로 인식한다.
③ 종속기업 및 관계기업에 대한 투자자산과 관련된 모든 가산할 일시적 차이에 대하여 항상 이연법인세부채를 인식하는 것은 아니다.
④ 미사용 세무상결손금과 세액공제가 사용될 수 있는 미래 과세소득의 발생가능성이 높은 경우 그 범위 안에서 이월된 미사용 세무상결손금과 세액공제에 대하여 이연법인세자산을 인식한다.
⑤ 이연법인세자산과 부채는 현재가치로 할인한다.

04 ㈜자주는 20×1년도에 ₩500,000을 지급하고 취득한 자기주식을 동 연도에 ₩700,000에 처분하였다. ㈜자주의 20×1년도 법인세비용차감전이익은 ₩1,000,000이며 자기주식처분이익 이외에 당해 연도까지 회계이익과 과세소득의 차이는 없으며 세율은 18%로 당분간 변동될 가능성이 없다. ㈜자주의 20×1년도 회계처리와 관련하여 옳지 않게 서술된 것은? (참고로 세법상 자기주식처분이익은 과세소득에 포함시키고 있다)

① 재무상태표에 보고되는 자기주식처분이익(기타자본요소)은 ₩164,000이다.

② 20×1년도 법인세부담액은 ₩216,000이다.

③ 20×1년도 손익계산서에 보고되는 법인세비용은 ₩180,000이다.

④ 자기주식거래로 인하여 발생되는 이연법인세자산은 ₩36,000이다.

⑤ 위와 같은 자기주식처분이익은 법인세비용을 계산할 때 고려되어야 한다.

05 ㈜대박은 20×1년 1월 1일 다음과 같은 조건의 전환사채를 발행하였다.

- 액면금액 및 발행금액: ₩50,000,000
- (전환권이 없는 동일 조건) 일반사채의 유효이자율: 연 9%
- 액면이자율: 연 7%
- 이자지급방법: 매년 말 현금지급
- 만기(상환기일): 20×3. 12. 31.(상환기일에 액면금액 일시상환)
- 전환청구기간: 사채발행일 이후 1개월 경과일로부터 상환기일 30일 전까지
- 전환조건: 사채발행금액 ₩1,000,000당 주식 100주로 전환가능

전환사채와 관련하여 세법에서는 자본요소에 해당하는 부분을 인정하지 않으며, 당기 과세소득에 적용될 법인세율은 40%로 향후에도 세율의 변동은 없을 것으로 예상된다. 동 전환사채의 세무조정으로 인해 발생하는 이연법인세자산 · 부채와 관련된 법인세비용(이자비용 중 현금으로 지급되는 부분으로 인해 발생하는 법인세효과는 제외)이 ㈜대박의 20×1년도 포괄손익계산서상 당기순이익에 미치는 영향은 얼마인가? (단, 당기 및 차기 이후 차감할 일시적차이에 사용될 수 있는 과세소득의 발생가능성은 높으며, 전기이월 일시적차이는 없는 것으로 가정한다. 현가계수는 아래 표를 이용하라. 또한 소수점 첫째 자리에서 반올림하며, 단수차이로 인해 약간의 오차가 있으면 가장 근사치를 선택한다)

<현가계수표>

기간 \ 할인율	기간 말 단일금액 ₩1의 현재가치		정상연금 ₩1의 현재가치	
	7%	9%	7%	9%
3	0.8163	0.7722	2.6243	2.5313

① 영향 없음
② ₩308,904 증가
③ ₩308,904 감소
④ ₩703,276 증가
⑤ ₩703,276 감소

[06 ~ 07]

㈜세무의 법인세에 대한 세무조정 관련 자료는 다음과 같다. 다음 자료를 이용하여 각 물음에 답하시오.

(1) ㈜세무의 20×1년도 법인세비용차감전순이익은 ₩500,000이며, 20×1년도에 발생한 세무조정사항은 다음과 같다.

구분	금액	비고
재고자산평가손실	₩20,000	재고자산평가손실에서 발생한 일시적차이는 20×2년도에 모두 소멸된다.
제품보증충당부채	15,000	제품보증충당부채는 20×2년부터 매년 1/3씩 소멸된다.
정기예금 미수이자	20,000	정기예금의 이자는 만기에 수취하고, 정기예금의 만기는 20×2년 3월 말이다.
국세과오납 환급금이자	5,000	
벌금 및 과태료	10,000	

(2) ㈜세무의 20×2년도 법인세비용차감전순이익은 ₩700,000이며, 20×2년도에 추가로 발생한 세무조정사항은 다음과 같다.

구분	금액	비고
당기손익-공정가치 측정 금융자산평가이익 (지분상품)	₩12,000	당기손익-공정가치 측정 금융자산은 20×3년도 중에 처분될 예정이다.
감가상각비 한도초과액	40,000	감가상각비 한도초과는 20×3년부터 매년 1/4씩 소멸된다.
자기주식처분이익	8,000	20×2년도에 취득한 자기주식 처분 시 자기주식처분이익(자본잉여금)으로 처리하였다.
접대비 한도초과액	30,000	

(3) 20×1년도와 20×2년도에 당기법인세 계산 시 적용될 세율은 20%이며 20×1년 말 세법개정으로 미래 적용세율이 다음과 같이 변동하였고, 이후 적용세율의 변동은 없다.

연도	20×3년도	20×4년도 이후
적용세율	25%	30%

(4) 20×1년 초 전기에서 이월된 일시적차이는 없고, 20×1년 말과 20×2년 말 각 연도의 미사용 세무상결손금과 세액공제는 없다.

(5) 일시적차이가 사용될 수 있는 미래 과세소득의 발생가능성이 높으며, 이연법인세자산과 이연법인세부채는 상계하지 않는다.

06 ㈜세무가 20×1년 말에 인식할 ① 이연법인세자산 ② 이연법인세부채를 구하시오.

	이연법인세자산	이연법인세부채
①	₩7,750	₩4,000
②	7,750	0
③	0	4,000
④	3,750	0
⑤	4,000	7,750

07 ㈜세무의 20×2년도 법인세비용을 구하시오.

① ₩147,200 ② ₩145,000 ③ ₩144,700
④ ₩145,200 ⑤ ₩143,100

01 다음은 20×1년 초에 설립된 A사의 20×1년 법인세와 관련된 자료이다.

〈자료〉

(1) A사의 20×1년 법인세비용차감전순이익은 ₩950,000이다.

(2) 20×1년 세무조정내역은 다음과 같다.

익금산입 및 손금불산입			손금산입 및 익금불산입		
과목	금액	소득처분	과목	금액	소득처분
제품보증충당부채	₩200,000	유보	조특법상 준비금	₩120,000	유보
손실충당금	200,000	유보	미수수익	80,000	유보
재고자산평가손실	100,000	유보			
접대비 한도초과	70,000	사외유출			
합계	₩570,000		합계	₩200,000	

(3) A사의 당기에 발생한 일시적 차이의 소멸시기는 다음과 같다.

구분	20×2년 소멸	20×3년 소멸	20×4년 소멸
제품보증충당부채	₩(-)100,000	₩(-)100,000	-
손실충당금	(-)200,000	-	-
재고자산평가손실	(-)100,000	-	-
조특법상 준비금	-	60,000	₩60,000
미수수익	80,000	-	-

(4) 향후 이연법인세자산의 실현가능성은 높다.

(5) 20×1년 과세소득에 적용될 법인세율은 30%이지만 당기에 세법이 개정되어 20×2년에는 25%, 20×3년 이후에는 20%가 적용될 예정이다.

(6) 이연법인세자산과 이연법인세부채는 상계요건을 충족하지 않는다.

물음 1 A사의 20×1년 재무제표에 표시될 다음의 금액들을 구하시오.

구분	금액
당기법인세부채	①
이연법인세자산	②
이연법인세부채	③
법인세비용	④

물음 2 A사의 20×2년 법인세비용차감전순이익은 ₩500,000이다. 20×1년 말의 일시적차이는 예상과 동일하게 소멸되었으며, 20×2년에 FVOCI금융자산평가이익 ₩150,000(20×4년 처분 예정)과 건물 감가상각 한도초과액 ₩300,000(20×3년 소멸 예정)이 발생하였다. A사의 20×2년 재무제표에 표시될 다음의 금액들을 구하시오.

구분	금액
당기법인세부채	①
이연법인세자산	②
이연법인세부채	③
재무상태표상 FVOCI금융자산평가이익	④
법인세비용	⑤

cpa.Hackers.com

1차 시험 출제현황

구분	CPA										CTA									
	15	16	17	18	19	20	21	22	23	24	15	16	17	18	19	20	21	22	23	24
회계추정치의 변경			1																	
회계정책의 변경		1										1								1
오류수정	2					1	1	1		1	1		1	1	1			1	1	
회계변경과 오류수정 서술형				1																

제16장

회계변경과 오류수정

기초 유형 확인

01 자동차 부품을 제조 · 납품하는 A사가 20×1년 초에 부품의 자동제조설비를 ₩30,000,000에 취득하였고 원가모형을 적용한다. 동 설비자산의 내용연수는 8년, 잔존가치는 ₩1,000,000으로 추정하였으며 이중체감법으로 감가상각한다. A사는 20×3년 초에 설비자산에 대해서 ₩5,000,000의 수선비를 지출하였는데 이로 인하여 내용연수가 4년 더 연장될 것으로 추정하였으며, 회사는 20×3년부터 감가상각방법을 정액법으로 변경하기로 하였는데, 이는 기업환경의 변화로 인해 정액법이 동 설비자산의 미래경제적효익의 기대소비형태를 보다 잘 반영한다고 판단되었기 때문이다. 20×3년도 설비자산의 감가상각비는 얼마인가?

① ₩1,000,000 ② ₩1,457,500 ③ ₩1,987,500
④ ₩2,087,500 ⑤ ₩2,135,000

02 A사는 재고자산 원가흐름의 가정을 선입선출법에서 이동평균법으로 변경하였다. 각 방법에 따른 매출원가는 다음과 같으며, 주어진 내용을 제외한 회계연도의 매출원가는 두 방법이 일치하였다.

구분	선입선출법	이동평균법
20×1년 매출원가	₩34,000	₩38,000
20×2년 매출원가	₩45,000	₩47,000
20×3년 매출원가	₩63,000	₩74,000

A사는 20×3년도의 재무제표에 매출원가와 재고자산을 선입선출법으로 보고하였다. 20×3년 말 재고자산이 ₩26,000인 경우, 20×3년 말 재무상태표에 보고할 재고자산금액은 얼마인가?

① ₩7,000 ② ₩8,000 ③ ₩9,000
④ ₩10,000 ⑤ ₩11,000

[03 ~ 04]

B사는 20×6년부터 구입 및 판매를 시작한 D제품에 대하여 재고자산의 원가흐름가정으로 선입선출법을 사용하여 왔으나 20×8년에 총평균법으로 변경하였다. 이 변경은 정당한 변경이다. 이와 관련된 자료는 다음과 같다.

구분	20×6년	20×7년	20×8년
매출원가(선입선출법)	₩1,200,000	₩1,800,000	₩1,900,000
기말재고(선입선출법)	₩400,000	₩800,000	₩750,000
기말재고(총평균법)	₩300,000	₩650,000	₩500,000

B사는 20×8년에도 계속 선입선출법을 사용하여 회계처리하였다.

03 동 거래를 20×8년 말에 수정분개하였을 때, 수정분개로 인한 20×8년의 당기손익에 미친 영향은 얼마인가?

① ₩(−)250,000 ② ₩(−)100,000 ③ ₩150,000
④ ₩(−)150,000 ⑤ ₩(−)50,000

04 동 거래를 20×8년 말에 수정분개하였을 때, 수정분개로 인한 20×8년 초의 이익잉여금에 미친 영향은 얼마인가?

① ₩(−)250,000 ② ₩(−)100,000 ③ ₩150,000
④ ₩(−)150,000 ⑤ ₩(−)50,000

[05 ~ 06]

A사는 B사를 인수하기 위하여 동 회사로부터 다음과 같은 연도 말 재무상태표와 지난 3년 동안의 이익(납세후)에 관한 간단한 정보 <자료 1>을 검토하였다. 또한 세부자료 검토 결과 지난 3년 동안 계속 여러 가지 회계처리상 오류를 범한 것을 확인하였다.

〈자료 1〉

제1차 연도(20×1년), 제2차 연도(20×2년), 제3차 연도(20×3년)의 수정 전 당기순이익은 각각 ₩16,000, ₩9,200과 ₩6,300이었다.

〈자료 2〉

(1) 재고자산오류

20×1년	₩9,700 과대	20×2년	₩7,500 과대	20×3년	₩5,900 과소

(2) 유동자산으로 처리해야 할 선급비용을 당기비용으로 처리

20×1년	₩1,950	20×2년	₩2,100	20×3년	₩2,300

(3) 판매수수료 미지급분 기록 누락

20×1년	₩2,400	20×2년	₩2,200	20×3년	₩1,900

(4) 20×1년 1월 1일에 ₩23,000을 지급하고 트럭 1대를 구입한 적이 있으며 구입한 해에 모두 비용처리하였다. 내용연수는 5년, 잔존가치는 ₩3,000으로 추정되며 정액법으로 감가상각해야 한다.

20×0년 12월 31일의 이익잉여금이 ₩60,000이었고, 위의 오류들은 중요한 오류이기 때문에 오류수정을 소급법으로 회계처리한다고 가정한다.

05 위의 오류를 반영한 20×3년의 정확한 당기순이익은 얼마인가?

① ₩16,200 ② ₩17,200 ③ ₩18,200
④ ₩19,300 ⑤ ₩20,000

06 위의 오류를 반영한 20×3년 말의 정확한 이익잉여금은 얼마인가?

① ₩101,200 ② ₩103,800 ③ ₩104,500
④ ₩106,500 ⑤ ₩108,800

기출 유형 정리

01 회계정책, 회계추정치 변경과 오류에 대한 다음 설명 중 옳지 않은 것은? [공인회계사 2018년]

① 전기오류의 수정은 오류가 발견된 기간의 당기손익으로 보고한다.

② 전기오류는 특정 기간에 미치는 오류의 영향이나 오류의 누적효과를 실무적으로 결정할 수 없는 경우를 제외하고는 소급재작성에 의하여 수정한다.

③ 회계정책의 변경과 회계추정치의 변경을 구분하는 것이 어려운 경우에는 회계추정치의 변경으로 본다.

④ 당기 기초시점에 과거기간 전체에 대한 새로운 회계정책 적용의 누적효과를 실무적으로 결정할 수 없는 경우, 실무적으로 적용할 수 있는 가장 이른 날부터 새로운 회계정책을 전진적용하여 비교정보를 재작성한다.

⑤ 과거에 발생하였지만 중요하지 않았던 거래, 기타 사건 또는 상황에 대하여 새로운 회계정책을 적용하는 경우는 회계정책의 변경에 해당하지 않는다.

02 회계변경의 유형(또는 오류수정)과 전기재무제표의 재작성 여부에 대한 다음의 문항 중 옳은 것은? (단, 각 항목은 전기 및 당기의 재무제표에 중요한 영향을 준다고 가정한다)

항목	회계변경의 유형 또는 오류수정	전기재무제표 재작성 여부
① 재고자산 단위원가 계산방법을 후입선출법에서 선입선출법으로 변경함	회계추정치의 변경	재작성 안 함
② 패소의 가능성이 높았고 손해배상금액의 합리적 추정이 가능하였던 소송사건을 우발부채로 주석공시하였다가 충당부채로 변경함	회계추정치의 변경	재작성 안 함
③ 미래경제적효익의 변화를 인식하여 새로운 회계처리방법을 채택하였으나 회계정책의 변경인지 추정치의 변경인지 분명하지 않음	회계추정치의 변경	재작성함
④ 장기건설계약의 회계처리방법을 완성기준에서 진행기준으로 변경함	오류수정	재작성 안 함
⑤ 유형자산의 감가상각방법을 정률법에서 이중체감법으로 변경함	회계추정치의 변경	재작성 안 함

03 ㈜국세는 20×2년 1월 1일 기계장치를 ₩4,500,000에 구입하였으며, 설치 및 시험가동으로 ₩500,000을 지출하였다. 이로 인해 기계장치는 20×2년 4월 1일부터 사용가능하게 되었다. 동 기계장치의 내용연수는 5년, 잔존가치는 ₩500,000으로 추정되며, 이중체감법(상각률은 정액법의 2배)으로 감가상각을 한다. ㈜국세는 매년 말 잔존가치를 재검토하고 있는데, 20×4년 말 현재 동 기계장치를 거래하는 시장이 활성화됨으로써 잔존가치가 ₩2,500,000으로 증가할 것으로 추정하였다. ㈜국세가 20×4년도에 인식하여야 할 감가상각비는 얼마인가? (단, ㈜국세는 동 기계장치에 대하여 원가모형을 적용하고, 감가상각은 월할 계산하며, 손상차손 및 손상차손환입은 고려하지 않는다)

[세무사 2012년]

① ₩0 ② ₩420,000 ③ ₩580,000
④ ₩840,000 ⑤ ₩1,160,000

04 ㈜국세는 20×1년 1월 1일에 본사 사옥을 ₩1,000,000에 취득(내용연수 5년, 잔존가치 ₩100,000)하고 연수합계법으로 감가상각한다. ㈜국세는 20×2년 초에 본사사옥의 증축을 위해 ₩200,000을 지출하였으며 이로 인해 잔존가치는 ₩20,000 증가하였고, 내용연수는 2년 더 연장되었다. ㈜국세가 20×2년 초에 감가상각방법을 이중체감법(상각률은 정액법 상각률의 2배)으로 변경하였다면, 20×2년도에 인식해야 할 감가상각비는 얼마인가? (단, ㈜국세는 본사사옥에 대하여 원가모형을 적용한다)

[세무사 2014년]

① ₩145,000 ② ₩420,000 ③ ₩300,000
④ ₩840,000 ⑤ ₩1,160,000

05 ㈜한국은 20×1년 1월 1일에 영업용 건물(취득원가 ₩100,000, 잔존가치 ₩0, 내용연수 10년, 정액법 감가상각)을 취득하여 원가모형을 적용하고 있다. 20×3년 1월 1일에 ₩30,000의 수선비가 지출되었고, 이로 인하여 내용연수가 2년 연장될 것으로 추정하였다. 수선비는 자산화하기로 하였으며, ㈜한국은 감가상각방법을 20×3년 초부터 연수합계법으로 변경하기로 하였다. 영업용 건물의 회계처리가 ㈜한국의 20×3년도 당기순이익에 미치는 영향은 얼마인가? (단, 단수차이로 인해 오차가 있다면 가장 근사치를 선택한다)

[공인회계사 2017년]

① ₩11,000 감소 ② ₩14,545 감소 ③ ₩16,666 감소
④ ₩20,000 감소 ⑤ ₩21,818 감소

06 ㈜국세는 설립일 이후 재고자산 단위원가 결정방법으로 가중평균법을 사용하여 왔다. 그러나 실제 재고자산의 흐름을 살펴보았을 때 선입선출법이 보다 신뢰성 있고 더 목적적합한 정보를 제공하는 것으로 판단되어 20×2년 초에 단위원가 결정방법을 선입선출법으로 변경하였다. 각 방법하에서의 20×1년 초와 20×1년 말의 재고자산금액은 다음과 같으며 가중평균법으로 인식한 20×1년도의 포괄손익계산서상 매출원가는 ₩400,000이다.

구분	20×1년 초	20×1년 말
가중평균법	₩20,000	₩35,000
선입선출법	₩25,000	₩38,000

㈜국세가 20×2년도에 선입선출법을 소급적용하는 경우, 20×2년도 포괄손익계산서에 비교정보로 공시되는 20×1년도 매출원가는 얼마인가? [세무사 2010년]

① ₩401,000 ② ₩402,000 ③ ₩403,000
④ ₩404,000 ⑤ ₩405,000

07 ㈜대경은 20×4년도에 재고자산평가방법을 선입선출법에서 평균법으로 변경하였다. 그 결과 20×4년도의 기초재고자산과 기말재고자산이 각각 ₩22,000과 ₩18,000만큼 감소하였다. 이러한 회계정책 변경은 한국채택국제회계기준에 의할 때 인정된다. 만일 회계정책 변경을 하지 않았다면 ㈜대경의 20×4년 당기순이익은 ₩160,000이고, 20×4년 12월 31일 현재 이익잉여금은 ₩540,000이 된다. 회계정책 변경 후 ㈜대경의 20×4년 당기순이익과 20×4년 12월 31일 현재 이익잉여금을 계산하면 각각 얼마인가? (단, 법인세효과는 고려하지 않는다) [공인회계사 2014년]

	당기순이익	이익잉여금
①	₩120,000	₩522,000
②	₩156,000	₩558,000
③	₩156,000	₩602,000
④	₩164,000	₩522,000
⑤	₩200,000	₩602,000

08 ㈜대한은 20×1년 1월 1일에 임대목적으로 건물을 ₩5,000,000에 취득하고, 내용연수는 10년, 잔존가치는 ₩1,000,000으로 추정하였다. ㈜대한은 동 건물에 대해 원가모형을 적용하며, 정액법으로 감가상각하기로 하였다. 그러나 20×2년부터 ㈜대한은 동 건물에 대하여 원가모형 대신 공정가치모형을 적용하기로 하였으며, 이 회계변경은 정당한 변경에 해당한다. ㈜대한은 동 건물 이외의 투자부동산은 보유하고 있지 않으며, 동 건물의 공정가치는 다음과 같다.

구분	20×1년 말	20×2년 말
건물의 공정가치	₩4,500,000	₩4,800,000

㈜대한의 20×1년 말 보고된 이익잉여금은 ₩300,000이었고, 투자부동산 회계처리를 반영하기 전 20×2년도 당기순이익은 ₩700,000일 때, ㈜대한의 20×2년 말 이익잉여금은 얼마인가? 단, 이익잉여금 처분은 없다고 가정한다. [공인회계사 2024년]

① ₩900,000 ② ₩1,000,000 ③ ₩1,200,000
④ ₩1,300,000 ⑤ ₩1,400,000

09 ㈜대한은 20×1년 초 건물을 ₩1,000,000에 취득하여 투자부동산으로 분류하고 원가모형을 적용하여 정액법으로 감가상각(내용연수 10년, 잔존가치 ₩0)하였다. 그러나 20×2년에 ㈜대한은 공정가치모형이 보다 더 신뢰성 있고 목적적합한 정보를 제공하는 것으로 판단하여, 동 건물에 대하여 공정가치모형을 적용하기로 하였다. 동 건물 이외의 투자부동산은 없으며, 원가모형 적용 시 20×1년 말 이익잉여금은 ₩300,000이었다. 건물의 공정가치가 다음과 같은 경우, 동 건물의 회계처리와 관련된 설명 중 옳지 않은 것은? (단, 이익잉여금 처분은 없다고 가정한다) [공인회계사 2019년]

구분	20×1년 말	20×2년 말
건물의 공정가치	₩950,000	₩880,000

① 20×2년 말 재무상태표에 표시되는 투자부동산 금액은 ₩880,000이다.
② 20×2년도 포괄손익계산서에 표시되는 투자부동산평가손실 금액은 ₩70,000이다.
③ 20×2년 재무제표에 비교표시되는 20×1년 말 재무상태표상 투자부동산 금액은 ₩950,000이다.
④ 20×2년 재무제표에 비교표시되는 20×1년도 포괄손익계산서상 감가상각비 금액은 ₩100,000이다.
⑤ 20×2년 재무제표에 비교표시되는 20×1년 말 재무상태표상 이익잉여금 금액은 ₩350,000이다.

10 한국채택국제회계기준에서 인정하는 회계정책의 변경에 해당하는 것은 모두 고른 것은?
[세무사 2024년]

ㄱ. 과거에 발생한 거래와 실질이 다른 거래, 기타 사건 또는 상황에 대하여 다른 회계정책을 적용하는 경우
ㄴ. 한국채택국제회계기준의 요구에 따라 회계정책을 변경하는 경우
ㄷ. 회계정책의 변경을 반영한 재무제표가 거래, 기타 사건 또는 상황이 재무상태, 재무성과 또는 현금흐름에 미치는 영향에 대하여 신뢰성 있고 더 목적적합한 정보를 제공하는 경우
ㄹ. 과거에 발생하지 않았거나 발생하였어도 중요하지 않았던 거래, 기타 사건 또는 상황에 대하여 새로운 회계정책을 적용하는 경우
ㅁ. 한국채택국제회계기준에서 인정되지 않는 회계정책을 적용하다가 이를 한국채택국제회계기준에서 허용하는 방법으로 변경하는 경우

① ㄱ, ㄴ ② ㄱ, ㅁ ③ ㄴ, ㄷ
④ ㄷ, ㄹ ⑤ ㄹ, ㅁ

11 ㈜동천의 20×2년도 결산과정(장부마감 전)에서 다음과 같은 사항이 발견되었다.

(가) 20×1년의 기말재고자산은 ₩40,000만큼 과소계상되었고, 20×2년의 기말재고자산은 ₩32,000만큼 과대계상되었다.
(나) 20×1년 1월 1일에 기계장치(취득원가 ₩1,000,000, 내용연수 5년, 잔존가치 없음, 감가상각방법은 정액법)를 취득하였으나, 취득원가 전액을 20×1년도 비용으로 처리하였다.
(다) 20×3년 1월 5일에 물류창고에서 화재가 발생하였으며 화재손실은 ₩85,000으로 추정된다. 화재손실 중 ₩65,000은 화재보험금으로 충당될 예정이다.
(라) 20×2년 12월 10일에 당해 연도 연말상여금 지급을 결정하였고, 20×3년 1월 15일에 당해 상여금 지급금액을 ₩25,000으로 확정하였다.

위의 항목들을 재무제표에 반영할 경우, 20×2년 말 미처분이익잉여금에 미치는 영향은 얼마인가? (단, 법인세효과는 무시한다)
[공인회계사 2009년]

① ₩447,000 감소 ② ₩507,000 증가 ③ ₩543,000 증가
④ ₩607,000 감소 ⑤ ₩632,000 증가

12 20×1년 1월 1일에 설립된 ㈜국세의 회계담당자로 새롭게 입사한 김수정 씨는 20×4년 초에 당사의 과거자료를 살펴보던 중 다음과 같은 오류가 수정되지 않았음을 확인하였다.

> • ㈜국세의 판매직원급여는 매월 ₩1,000,000으로 설립 후 변동이 없다. ㈜국세는 회사 설립 후 지금까지, 근로 제공한 달의 급여를 다음 달 매 10일에 현금 ₩1,000,000을 지급하면서 전액 비용으로 인식하였다.
> • ㈜국세는 20×2년 1월 1일에 사채(액면금액 ₩2,000,000, 3년 만기)를 ₩1,903,926에 발행하였다. 동 사채의 액면이자율은 10%(매년 말 이자지급), 유효이자율은 12%이다. ㈜국세는 사채발행 시 적절하게 회계처리하였으나, 20×2년과 20×3년의 이자비용은 현금지급이자에 대해서만 회계처리하였다.
> • ㈜국세는 20×3년 1월 1일 취득원가 ₩10,000,000에 영업용 차량운반구(내용연수 10년, 잔존가치 ₩0, 정액법 상각)를 구입하여 취득 및 감가상각 회계처리를 적절히 하였다. 그러나 동 영업용 차량운반구 취득 시 취득자금 중 ₩1,000,000을 상환의무 없이 정부에서 보조받았으나 ㈜국세는 정부보조금에 대한 모든 회계처리를 누락하였다.

위 오류의 수정이 ㈜국세의 20×3년도 포괄손익계산서상 당기순이익에 미치는 영향은 얼마인가? (단, 위 오류는 모두 중요한 오류라고 가정하고, 20×3년도 장부는 마감되지 않았다고 가정한다. 계산금액은 소수점 첫째 자리에서 반올림하며, 이 경우 단수차이로 인해 약간의 오차가 있으면 가장 근사치를 선택한다) [세무사 2011년]

① 증가 ₩68,112 ② 증가 ₩876,434 ③ 감소 ₩60,367
④ 감소 ₩931,892 ⑤ 감소 ₩960,367

13 ㈜국세는 20×2년도 재무제표를 감사받던 중 몇 가지 오류사항을 지적받았다. 다음 오류사항들을 20×2년도 재무제표에 수정 반영할 경우, 전기이월이익잉여금과 당기순이익에 미치는 영향은 얼마인가? (단, 오류사항은 모두 중요한 오류로 간주한다. 건물에 대해서는 원가모형을 적용하며, 감가상각은 월할 계산한다. 또한 20×2년도 장부는 마감되지 않았다고 가정한다) [세무사 2012년]

- 20×1년 1월 1일에 본사 건물을 ₩1,000,000(잔존가치 ₩0, 정액법 상각)에 취득하였는데 감가상각에 대한 회계처리를 한 번도 하지 않았다. 20×2년 말 현재 동 건물의 잔존내용연수는 8년이다.
- 20×1년 7월 1일에 동 건물의 미래 효익을 증가시키는 냉난방설비를 부착하기 위한 지출 ₩190,000이 발생하였는데, 이를 수선비로 처리하였다.
- 20×1년 4월 1일에 가입한 정기예금의 이자수령 약정일은 매년 3월 31일이다. ㈜국세는 20×1년 말과 20×2년 말에 정기예금에 대한 미수이자 ₩50,000을 계상하지 않고, 실제 이자를 받은 이자수령일에 수익으로 인식하는 회계처리를 하였다.

	전기이월이익잉여금	당기순이익
①	₩130,000 증가	₩120,000 증가
②	₩130,000 증가	₩120,000 감소
③	₩140,000 증가	₩120,000 감소
④	₩140,000 감소	₩120,000 증가
⑤	₩140,000 감소	₩145,000 감소

14 20×1년 초 ㈜대한은 신제품을 출시하면서 판매일로부터 2년 이내에 제조상 결함으로 인하여 발생하는 제품하자에 대해 무상으로 수리하거나 교체해주는 제품보증제도를 도입하였다. 다음은 20×1년과 20×2년의 매출액 및 실제 제품보증비 지출에 대한 자료이다.

구분	20×1년	20×2년
매출액	₩2,000,000	₩2,500,000
제품보증비 지출액	₩8,000	₩17,000

20×1년 말 ㈜대한은 매출액의 3%를 제품보증비 발생액에 대한 추정치로 결정하고 제품보증충당부채를 설정하였다. 그러나 20×2년 중에 ㈜대한은 전년도 제품보증충당부채 설정 당시 이용가능한 정보를 충분히 고려하지 못하였음을 발견하고 추정치를 매출액의 2%로 수정하였다. 동 오류는 중요한 오류에 해당한다. ㈜대한이 20×2년에 제품보증에 대한 회계처리를 적절히 수행한 경우, 동 회계처리가 20×2년 말 재무상태표상 이익잉여금에 미치는 영향과 제품보증충당부채 잔액은 각각 얼마인가?

[공인회계사 2015년]

	이익잉여금에 미치는 영향	제품보증충당부채 잔액
①	₩30,000 감소	₩50,000
②	₩50,000 감소	₩50,000
③	₩30,000 감소	₩65,000
④	₩50,000 감소	₩65,000
⑤	₩50,000 감소	₩85,000

15 ㈜대한의 회계담당자는 20×2년도 장부를 마감하기 전에 다음과 같은 오류사항을 발견하였으며, 모두 중요한 오류에 해당한다.

(1) ㈜대한은 20×1년 초에 사무실을 임차하고 2년분 임차료 ₩360,000을 미리 지급하면서 선급임차료로 기록하였다. 이와 관련하여 ㈜대한은 20×2년 말에 다음과 같이 수정분개하였다.

차) 임차료	360,000	대) 선급임차료	360,000

(2) ㈜대한은 실지재고조사법을 적용하면서 선적지인도조건으로 매입하여 매기 말 현재 운송 중인 상품을 기말재고자산에서 누락하였다. 이로 인해 20×0년 말의 재고자산이 ₩150,000 과소계상되었으며, 20×1년 말의 재고자산도 ₩200,000 과소계상되었다. 과소계상된 재고자산은 모두 그 다음 연도에 판매되었다.

(3) 20×1년 초 ㈜대한은 정액법으로 감가상각하고 있던 기계장치에 대해 ₩100,000의 지출을 하였다. 동 지출은 기계장치의 장부금액에 포함하여 인식하여야 하는데, ㈜대한은 이를 전액 수선비로 회계처리하였다. 20×2년 말 현재 동 기계장치의 잔존내용연수는 3년이다.

위 오류사항에 대한 수정효과가 ㈜대한의 20×2년 전기이월이익잉여금과 당기순이익에 미치는 영향은 얼마인가? (단, 법인세효과는 고려하지 않는다) [공인회계사 2015년]

	전기이월이익잉여금	당기순이익
①	₩80,000 증가	₩40,000 감소
②	₩100,000 증가	₩40,000 감소
③	₩80,000 증가	₩220,000 감소
④	₩100,000 증가	₩220,000 감소
⑤	영향 없음	영향 없음

16 ㈜세무는 선입선출법(실지재고조사법)으로 재고자산을 평가하고 있다. 20×1년 12월 20일 외상으로 구입한 재고자산이 선적지인도조건으로 기말 현재 운송 중에 있으나 이에 대한 회계처리가 누락되었고, 동 재고자산은 기말재고실사에도 포함되지 않았다. 이러한 오류를 수정하지 않았을 경우, 재무비율에 미치는 영향으로 옳은 것은? (단, 오류수정 전 재무비율 산정 시 분모·분자 값은 모두 양(+)의 값을 갖는다) [세무사 2018년]

① 20×1년도 매출원가율은 오류가 발생하지 않았을 경우에 비하여 높다.
② 20×1년도 총자산회전율은 오류가 발생하지 않았을 경우에 비하여 낮다.
③ 20×1년도 말 현재 당좌비율은 오류가 발생하지 않았을 경우에 비하여 낮다.
④ 20×1년도 말 현재 부채비율은 오류가 발생하지 않았을 경우에 비하여 낮다.
⑤ 20×1년도 총자산이익률은 오류가 발생하지 않았을 경우에 비하여 낮다.

17 ㈜세무는 20×1년 10월 1일 3년치 영업용 건물 관련 화재보험료 ₩1,200,000을 선급하고 전액 20×1년 비용으로 인식하였다. 동 오류는 20×2년 말 장부마감 전에 발견되어 수정되었다. ㈜세무의 오류수정 회계처리가 20×2년 재무제표에 미친 영향으로 옳은 것은? (단, 보험료는 매 기간 균등하게 발생하고, 모든 오류는 중요한 것으로 간주한다) [세무사 2019년]

① 전기이월이익잉여금이 ₩1,100,000 증가한다.
② 당기비용이 ₩700,000 발생한다.
③ 기말이익잉여금이 ₩400,000 증가한다.
④ 기말자산항목이 ₩400,000 증가한다.
⑤ 기말순자산이 ₩300,000 증가한다.

18 20×2년 말 ㈜대한의 외부감사인은 수리비의 회계처리 오류를 발견하였다. 동 오류의 금액은 중요하다. 20×1년 1월 1일 본사 건물 수리비 ₩500,000이 발생하였고, ㈜대한은 이를 건물의 장부금액에 가산하였으나 동 수리비는 발생연도의 비용으로 회계처리하는 것이 타당하다. 20×1년 1월 1일 현재 건물의 잔존내용연수는 10년, 잔존가치는 ₩0이며, 정액법으로 감가상각한다. ㈜대한의 오류수정 전 부분재무상태표는 다음과 같다.

구분	20×0년 말	20×1년 말	20×2년 말
건물	₩5,000,000	₩5,500,000	₩5,500,000
감가상각누계액	₩(2,500,000)	₩(2,800,000)	₩(3,100,000)
장부금액	₩2,500,000	₩2,700,000	₩2,400,000

상기 오류수정으로 인해 ㈜대한의 20×2년 말 순자산 장부금액은 얼마나 변동되는가?

[공인회계사 2020년]

① ₩400,000 감소 ② ₩450,000 감소 ③ ₩500,000 감소
④ ₩420,000 감소 ⑤ ₩50,000 증가

19 ㈜대한은 20×3년 말 장부 마감 전에 과거 3년간의 회계장부를 검토한 결과 다음과 같은 오류사항을 발견하였으며, 이는 모두 중요한 오류에 해당한다.

- 기말재고자산은 20×1년에 ₩20,000 과소계상, 20×2년에 ₩30,000 과대계상, 20×3년에 ₩35,000 과대계상되었다.
- 20×2년에 보험료로 비용처리한 금액 중 ₩15,000은 20×3년 보험료의 선납분이다.
- 20×1년 초 ㈜대한은 잔존가치 없이 정액법으로 감가상각하고 있던 기계장치에 대해 ₩50,000의 지출을 하였다. 동 지출은 기계장치의 장부금액에 포함하여 인식 및 감가상각하여야 하나, ㈜대한은 이를 지출시점에 즉시 비용(수선비)으로 처리하였다. 20×3년 말 현재 동 기계장치의 잔존내용연수는 2년이며, ㈜대한은 모든 유형자산에 대하여 원가모형을 적용하고 있다.

위 오류사항에 대한 수정효과가 ㈜대한의 20×3년 전기이월이익잉여금과 당기순이익에 미치는 영향은 각각 얼마인가? [공인회계사 2021년]

	전기이월이익잉여금	당기순이익
①	₩15,000 감소	₩15,000 감소
②	₩15,000 증가	₩15,000 감소
③	₩15,000 감소	₩30,000 감소
④	₩15,000 증가	₩30,000 감소
⑤	₩0	₩0

20 ㈜대한의 회계감사인은 20×2년도 재무제표에 대한 감사과정에서 20×1년 말 재고자산 금액이 ₩10,000만큼 과대계상되어 있음을 발견하였으며, 이는 중요한 오류에 해당한다. 동 재고자산의 과대계상 오류가 수정되지 않은 ㈜대한의 20×1년과 20×2년의 손익은 다음과 같다.

구분	20×1년	20×2년
수익	₩150,000	₩170,000
비용	90,000	40,000
당기순이익	₩60,000	₩130,000

한편, 20×2년 말 재고자산 금액은 정확하게 계상되어 있으며, ㈜대한의 20×1년 초 이익잉여금은 ₩150,000이다. 상기 재고자산 오류를 수정하여 비교재무제표를 작성할 경우, ㈜대한의 20×1년 말과 20×2년 말의 이익잉여금은 각각 얼마인가? [공인회계사 2022년]

	20×1년 말	20×2년 말
①	₩200,000	₩330,000
②	₩200,000	₩340,000
③	₩210,000	₩330,000
④	₩210,000	₩340,000
⑤	₩220,000	₩340,000

21 ㈜세무는 20×1년 초에 사채(상각후원가로 측정하는 금융부채)를 발행하였다. 20×1년 말 장부마감 과정에서 동 사채의 회계처리와 관련한 다음과 같은 중요한 오류를 발견하였다.

- 사채의 발행일에 사채발행비 ₩9,500이 발생하였으나 이를 사채의 발행금액에서 차감하지 않고, 전액 20×1년도의 당기비용으로 처리하였다.
- 20×1년 초 사채의 발행금액(사채발행비 차감 전)은 ₩274,000이고, ㈜세무는 동 발행금액에 유효이자율 연 10%를 적용하여 20×1년도 이자비용을 인식하였다.
- 상기 사채발행비를 사채발행금액에서 차감할 경우 사채발행시점의 유효이자율은 연 12%로 증가한다.

㈜세무의 오류수정 전 20×1년도의 당기순이익이 ₩100,000인 경우, 오류를 수정한 후의 20×1년도 당기순이익은? [세무사 2022년]

① ₩90,500 ② ₩95,660 ③ ₩104,340
④ ₩105,160 ⑤ ₩109,500

22 ㈜세무는 20×2년도 장부마감 전에 다음과 같은 중요한 오류를 발견하였다. ㈜세무의 20×2년도 오류수정 전 당기순이익이 ₩500,000일 때, 오류수정 후 당기순이익은? [세무사 2023년]

- 20×1년 기말재고자산을 ₩10,000 과대평가하였으며, 20×2년 기말재고자산을 ₩5,000 과소평가하였다.
- 20×1년 미지급이자를 ₩7,000 과소계상하였으며, 20×2년 미지급이자를 ₩3,000 과소계상하였다.
- 20×2년 초에 취득한 투자주식(지분율 30%)에 대하여 지분법으로 처리해야 하는데 원가법으로 잘못 회계처리하였다. 20×2년 중에 ₩6,000의 중간배당금을 현금으로 수령하였으며, 피투자회사의 20×2년도 당기순이익은 ₩400,000이다.

① ₩595,000 ② ₩601,000 ③ ₩603,000
④ ₩633,000 ⑤ ₩639,000

23 ㈜대한의 회계담당자는 20×2년도 장부를 마감하기 전에 다음과 같은 오류사항을 발견하였으며, 이는 모두 중요한 오류에 해당한다.

> • ㈜대한은 실지재고조사법을 적용하면서 선적지인도조건으로 매입한 상품에 대해 매입을 인식하였지만, 매기 말 현재 운송 중인 상품을 기말재고자산에서 누락하였다. 이로 인해 20×0년 말의 재고자산이 ₩100,000 과소계상되었으며, 20×1년 말의 재고자산도 ₩150,000 과소계상되었다. 과소계상된 재고자산은 그 다음 연도에 모두 판매되었고, 관련 매출은 모두 기록되었다.
> • 20×1년 초 ㈜대한은 정액법으로 감가상각하고 있는 기계장치 A에 대해서 ₩60,000의 지출을 하였다. 동 지출은 기계장치 A의 장부금액에 포함하여 인식 및 감가상각하여야 하나, ㈜대한은 이를 지출시점에 즉시 비용(수선비)으로 처리하였다. 20×2년 말 현재 동 기계장치 A의 잔존내용연수는 2년이고 잔존가치는 없다. ㈜대한은 모든 유형자산에 대하여 원가모형을 적용하고 있다.
> • ㈜대한은 20×1년 1월 1일에 액면금액이 ₩100,000이고 표시이자율이 연 6%인 3년 만기의 사채를 ₩94,842에 발행하였다. 해당 사채의 이자지급일은 매년 말이고, 유효이자율법으로 사채할인발행차금을 상각하며, 사채발행시점의 유효이자율은 연 8%이다. ㈜대한은 20×1년도, 20×2년도의 포괄손익계산서에 위 사채와 관련된 이자비용을 각각 ₩6,000씩 인식하였다.

위 오류사항에 대한 수정효과가 ㈜대한의 (가) 20×2년 전기이월이익잉여금과 (나) 20×2년도 당기순이익에 미치는 영향은 각각 얼마인가? [공인회계사 2024년]

	(가) 전기이월이익잉여금	(나) 당기순이익
①	₩98,627 증가	₩115,000 감소
②	₩161,627 증가	₩115,000 감소
③	₩161,627 증가	₩166,714 감소
④	₩193,413 증가	₩166,714 감소
⑤	₩193,413 증가	₩175,857 감소

관련 유형 연습

01 ㈜현주는 20×1년 1월 1일에 기계장치 1대를 ₩10,000,000에 구입하였으며, 취득 당시에 기계장치의 설치 및 시운전비용으로 ₩200,000을 지출하였다. 이 기계의 내용연수는 5년, 잔존가치는 ₩1,000,000으로 추정되었으며 정액법에 의하여 감가상각하고 있었다. ㈜현주는 20×4년 초에 동 기계장치의 성능을 현저히 개선하여 사용할 수 있도록 ₩3,000,000을 지출하여 대수선을 하였으며, 동 수선으로 기계장치의 내용연수가 3년 더 연장되었고, 잔존가치는 없는 것으로 추정되었다. 또한 대수선의 성격에 비추어 볼 때 연수합계법을 적용하는 것이 타당한 것으로 파악되었다. 회계변경으로 인하여 20×4년의 기초이익잉여금에 미치는 영향과 20×4년에 인식할 감가상각비는 각각 얼마인가? (단, 법인세효과는 무시한다)

	기초이익잉여금의 영향	감가상각비
①	₩0	₩1,560,000
②	₩1,800,000	₩2,533,333
③	₩0	₩2,533,333
④	₩2,640,000	₩2,560,000
⑤	₩0	₩2,560,000

02 '회계정책, 회계추정치 변경과 오류'에 관한 설명으로 옳지 않은 것은?

① 한국채택국제회계기준에서 특정 범주별로 서로 다른 회계정책을 적용하도록 규정하거나 허용하는 경우를 제외하고는 유사한 거래, 기타 사건 및 상황에는 동일한 회계정책을 선택하여 일관성 있게 적용한다.

② 종전에는 발생하지 않았거나 발생하더라도 금액이 중요하지 않았기 때문에 품질보증비용을 지출연도의 비용으로 처리하다가, 취급하는 품목에 변화가 생겨 품질보증비용의 금액이 커지고 중요하게 되었기 때문에 충당부채를 인식하는 회계처리를 적용하기로 한 경우, 이는 회계정책의 변경에 해당하지 아니한다.

③ 택배회사가 직원 출퇴근용 버스를 새로 구입하여 운영하기로 한 경우, 이 버스에 적용될 감가상각방법을 택배회사가 이미 보유하고 있는 배달용 트럭에 대한 감가상각방법과 달리 적용하는 경우는 이를 회계정책의 변경으로 보지 않는다.

④ 회계정책의 변경을 반영한 재무제표가 거래, 기타 사건 또는 상황이 재무상태, 재무성과 또는 현금흐름에 미치는 영향에 대하여 신뢰성 있고 더 목적적합한 정보를 제공하는 경우에는 회계정책을 변경할 수 없다.

⑤ 중요한 전기오류는 특정 기간에 미치는 오류의 영향이나 오류의 누적효과를 실무적으로 결정할 수 없는 경우를 제외하고는 소급재작성에 의하여 수정한다.

03 20×1년 초에 설립된 ㈜백제는 설립일 이후 재고자산 단위원가 결정방법으로 선입선출법을 사용하여 왔다. 그러나 영업환경의 변화로 가중평균법이 보다 더 신뢰성 있고 목적적합한 정보를 제공하는 것으로 판단되어 20×3년 초에 재고자산 단위원가 결정방법을 가중평균법으로 변경하였으며, 이와 관련된 자료는 다음과 같다. 선입선출법을 적용한 20×2년도의 포괄손익계산서상 매출원가는 ₩8,000,000이다. ㈜백제가 20×3년도에 가중평균법을 소급적용하는 경우, 20×3년도 포괄손익계산서에 비교정보로 공시되는 20×2년도 매출원가는 ₩8,200,000이다. ㈜백제가 선입선출법으로 인식한 20×2년 초 재고자산은 얼마인가?

구분	20×2년 초 재고자산	20×2년 말 재고자산
선입선출법	?	₩4,000,000
가중평균법	₩3,600,000	₩4,300,000

① ₩3,100,000　② ₩3,400,000　③ ₩3,500,000
④ ₩3,700,000　⑤ ₩4,100,000

04 ㈜세무는 20×1년 설립 이후 재고자산 단위원가 결정방법으로 가중평균법을 사용하여 왔다. 그러나 선입선출법이 보다 목적적합하고 신뢰성 있는 정보를 제공할 수 있다고 판단하여, 20×4년 초에 단위원가 결정방법을 선입선출법으로 변경하였다. ㈜세무가 재고자산 단위원가 결정방법을 선입선출법으로 변경하는 경우, 다음 자료를 이용하여 20×4년도 재무제표에 비교정보로 공시될 20×3년 매출원가와 20×3년 기말이익잉여금은 얼마인가?

구분	20×1년	20×2년	20×3년
가중평균법 적용 기말재고자산	₩10,000	₩11,000	₩12,000
선입선출법 적용 기말재고자산	₩12,000	₩14,000	₩16,000
회계정책 변경 전 매출원가	₩50,000	₩60,000	₩70,000
회계정책 변경 전 기말이익잉여금	₩100,000	₩300,000	₩600,000

	매출원가	기말이익잉여금
①	₩61,000	₩607,000
②	₩61,000	₩604,000
③	₩69,000	₩599,000
④	₩69,000	₩604,000
⑤	₩71,000	₩599,000

05 ㈜서울은 20×1년 1월 1일에 영업을 개시하였으며, 20×2년 말에 다음과 같은 회계처리 오류를 발견하였다. 20×2년 말 현재 장부는 마감되지 않았으며, 이들 이외의 오류는 없다.

(1) 20×1년 10월 초에 창고를 임차하고 1년분 임차료 ₩60,000을 지급하면서 전액 비용으로 처리하였다.
(2) 20×1년과 20×2년 말에 선수금 ₩20,000과 ₩30,000을 수취하여 매출로 계상하였으며, 실제 상품의 인도는 다음 연도 초에 이루어졌다. 기말재고자산은 실지재고조사법에 의하여 평가한다.
(3) 20×2년에 수탁자에게 발송한 적송품에 대하여 전액 수익으로 인식하였다. 적송품의 판매가는 ₩120,000이며, 이는 원가에 20%의 이익을 가산한 금액으로서 20×2년 말 현재 40%는 미판매된 상태이다.

㈜서울은 오류를 수정하기 전 20×2년의 법인세비용차감전순이익으로 ₩400,000을 보고하였다. ㈜서울이 위의 오류를 수정하는 경우 20×2년의 법인세비용차감전순이익은 얼마인가?

① ₩297,000 ② ₩327,000 ③ ₩337,000
④ ₩345,000 ⑤ ₩417,000

[06 ~ 07]

다음은 유통업을 영위하고 있는 ㈜갑의 회계감사인이 20×1년도 재무제표에 대한 감사과정에서 발견한 사항이다. ㈜갑의 회계변경은 타당한 것으로 간주하고, 회계정책의 적용효과가 중요하며, 오류가 발견된 경우 중요한 오류로 본다. 차입원가를 자본화할 적격자산은 없고, 법인세효과는 고려하지 않는다. 또한 계산결과 단수차이로 인해 답안과 오차가 있는 경우 근사치를 선택한다.

- ㈜갑은 20×0년 1월 1일에 액면금액이 ₩10,000이고, 이자율이 연 10%인 3년 만기의 사채를 ₩9,520에 발행하였다. 이자지급일은 매년 말이고, 유효이자율법으로 사채할인발행차금을 상각하며, 사채발행시점의 유효이자율은 연 12%이다. ㈜갑은 20×0년도와 20×1년도의 포괄손익계산서에 위 사채와 관련된 이자비용을 각각 ₩1,000씩 인식하였다.
- ㈜갑은 20×1년 초에 재고자산 단위원가 결정방법을 선입선출법에서 가중평균법으로 변경하였다. ㈜갑은 기초와 기말재고자산금액으로 각각 ₩1,500과 ₩1,100을 적용하여 20×1년의 매출원가를 계상하였다. 선입선출법과 가중평균법에 의한 재고자산금액은 다음과 같다.

구분	20×0년 초	20×0년 말	20×1년 말
선입선출법	₩1,000	₩1,500	₩1,400
가중평균법	₩900	₩1,700	₩1,100

06 위의 사항이 재무제표에 적정하게 반영될 경우 비교표시되는 20×0년 말 ㈜갑의 재무상태표에 계상될 이익잉여금에 미치는 영향은 얼마인가?

① ₩342 감소 ② ₩101 감소 ③ ₩42 감소
④ ₩58 증가 ⑤ ₩200 증가

07 위의 사항이 재무제표에 적정하게 반영될 경우 ㈜갑의 20×1년도 포괄손익계산서의 당기순이익은 얼마나 감소하는가?

① ₩101 ② ₩159 ③ ₩359
④ ₩401 ⑤ ₩459

실력 점검 퀴즈

01 ㈜서울은 20×1년과 20×2년에 당기순이익으로 각각 ₩1,000,000과 ₩2,000,000을 보고하였다. 그러나 20×1년과 20×2년의 당기순이익에 다음과 같은 중요한 오류가 포함되어 있었다. 이러한 오류가 20×1년과 20×2년의 당기순이익에 미친 영향으로 가장 옳은 것은?

구분	20×1년	20×2년
감가상각비	₩100,000 과대계상	₩200,000 과대계상
기말 선급보험료	₩30,000 과소계상	₩20,000 과소계상
기말 미지급임차료	₩10,000 과대계상	₩40,000 과대계상
기말 재고자산	₩70,000 과소계상	₩50,000 과소계상

	20×1년	20×2년
①	₩210,000 과대계상	₩200,000 과대계상
②	₩210,000 과대계상	₩200,000 과소계상
③	₩210,000 과소계상	₩200,000 과대계상
④	₩210,000 과소계상	₩200,000 과소계상
⑤	₩220,000 과소계상	₩210,000 과대계상

02 제조업을 영위하는 ㈜한국의 20×1년 말 재무상태표에는 매출채권에 대한 손실충당금(대손충당금)의 기초 잔액은 ₩20,000이며, 이익잉여금의 기초 잔액은 ₩30,000이었다. 20×1년 중 발생한 다음 사항을 반영하기 전의 당기순이익은 ₩150,000이다.

- 당기 중 거래처에 대한 매출채권 ₩70,000이 회수불능으로 확정되었다.
- 20×1년 말 매출채권 총액에 대한 기대신용손실액은 ₩250,000이다.
- 7월 1일 임대 목적으로 ₩200,000의 건물을 취득하였다. 내용연수는 20년이고 잔존가치는 없다. ㈜한국은 투자부동산에 대해서 공정가치모형을 적용한다. 결산일인 20×1년 말 건물의 공정가치는 ₩250,000이다.

㈜한국의 20×1년 당기순이익과 20×1년 말의 이익잉여금은?

	당기순이익	이익잉여금
①	₩80,000	₩70,000
②	₩90,000	₩70,000
③	₩80,000	₩110,000
④	₩90,000	₩110,000
⑤	₩100,000	₩110,000

03 A회사는 20×1년에 영업을 시작하였다. 다음은 A회사의 최근 2개년 자료이다.

	20×1년	20×2년
총평균법하의 순이익	₩180,000	₩120,000
선입선출법하의 기말재고액	210,000	350,000
총평균법하의 기말재고액	160,000	310,000

A회사가 20×1년부터 선입선출법을 적용하였을 경우의 20×1년과 20×2년의 당기순이익은? 단, 세금효과는 무시한다.

	20×1년	20×2년
①	₩230,000	₩110,000
②	230,000	130,000
③	230,000	80,000
④	130,000	110,000
⑤	130,000	130,000

04 상장기업으로 12월 말 결산법인인 A사는 20×1년도 회계변경 및 오류수정과 관련하여 아래와 같은 사항들을 발견하였다. ₩2,000,000을 투입하여 해양구조물을 완공한 후 20×0년 1월 1일부터 사용하기 시작하였다. 내용연수 경과 후에 동 해양구조물에 대하여 원상복구의무가 있음에도 불구하고 회사는 복구충당부채와 관련된 모든 회계처리를 누락하였다. 해양구조물의 내용연수는 5년이고 잔존가치는 없으며 감가상각방법은 정액법이다. 내용연수 종료 후 원상복구에 소요될 비용은 ₩400,000으로 추정되며, 적절한 할인율은 연 10%이다(단, 10%, 5년 현가계수 0.62092). 동 거래에 대한 오류수정 회계처리 시 20×1년 기초이익잉여금에 미친 영향과 20×1년 당기순이익에 미친 영향을 구하시오.

	기초이익잉여금에 미치는 영향	당기순이익에 미치는 영향
①	₩(−)74,511	₩(−)76,994
②	₩(−)74,511	₩(−)49,674
③	₩(−)42,511	₩(−)27,320
④	₩(−)42,511	₩(−)76,994
⑤	₩(−)40,000	₩(−)49,674

2차 문제 Preview

01 ㈜세무는 20×3년 장부 마감 전에 다음과 같은 오류를 발견하였다. 각각의 오류는 중요하며 법인세에 대한 영향을 고려하지 않는다. 각각의 오류를 수정하였을 때 20×3년 기초이익잉여금과 당기순이익의 변동금액(① ~ ⑥)은 얼마인가? (단, 감소의 경우에는 금액 앞에 (-)로 표시하고, 영향이 없는 경우에는 '0'으로 표시하시오)

- 오류 1: 20×1년 착공하여 20×3년 초에 완성한 건물(내용연수 20년, 잔존가치 ₩0, 정액법 상각)과 관련하여 자본화할 차입원가 ₩120,000을 발생기간의 이자비용(20×1년분 ₩80,000, 20×2년분 ₩40,000)으로 처리하였으며, 취득시점에서 납부한 취득세와 등록세 ₩50,000을 일반관리비로 처리하였다.
- 오류 2: 20×1년 말, 20×2년 말, 20×3년 말 재고자산을 각각 ₩4,000 과소, ₩5,000 과대, ₩6,000 과소계상하였다.
- 오류 3: 20×2년 7월 1일 신규 가입한 화재보험료 ₩36,000(월 ₩3,000)과 20×3년 7월 1일 갱신 보험료 ₩48,000(월 ₩4,000)을 매년 선납하면서 전액 보험료 비용으로 처리하였다.

구분	20×3년	
	기초이익잉여금	당기순이익
오류 1	①	②
오류 2	③	④
오류 3	⑤	⑥

02 12월 결산법인인 ㈜하늘의 20×1년도 관련 자료는 다음과 같다. 아래의 물음에 답하시오(단, 모든 오류는 중요한 오류에 해당하고 모든 회계 변경은 정당한 변경이다).

〈자료 1〉

㈜하늘은 20×1년 초에 다음과 같은 조건의 신주인수권부사채를 액면금액으로 발행하였다.

(1) 액면금액: ₩2,000,000
(2) 표시이자율: 연 4% 매년 말 지급
(3) 만기상환: 20×3년 12월 31일(신주인수권이 행사되지 않으면 액면금액의 110% 상환)
(4) 행사조건: 사채액면금액 ₩20,000당 액면금액 ₩5,000의 보통주 행사
(5) 일반사채의 시장이자율: 연 10%(3년 연금현가계수: 2.48685, 3년 현가계수: 0.75131)

㈜하늘은 신주인수권부사채 발행 시 수령한 현금만큼 신주인수권부사채를 인식하고 신주인수권대가와 상환할증금을 인식하지 않았다. 또한 지급한 액면이자에 한하여 이자비용으로 인식하였다.

〈자료 2〉

㈜하늘은 20×0년 초 건물을 취득하였는데, 취득에 따른 대가로 20×0년 말부터 3회에 걸쳐 매년 말 ₩10,000,000씩 지불하기로 하였다. ㈜하늘은 해당 거래에서 유의적인 금융요소를 반영하였어야 하나 명목금액인 ₩30,000,000을 취득원가로 계상하였다. 현재가치 계산 시 적용할 적절한 할인율은 10%(3년 연금현가계수: 2.48685, 3년 현가계수: 0.75131)이고, 건물은 잔존가치가 없고 20년간 정액법으로 감가상각하며 회사는 이에 따라 감가상각을 수행하였다.

〈자료 3〉

㈜하늘은 20×0년 보유하고 있던 토지를 다른 회사가 보유하고 있는 토지와 교환하였다. 해당 토지의 장부금액은 ₩4,000,000이고 공정가치는 ₩4,600,000이다. 다른 회사가 보유하고 있는 토지는 공정가치가 ₩4,200,000이다. 이러한 교환거래는 상업적 실질이 있으나, ㈜하늘은 상업적 실질이 결여되어 있는 것으로 회계처리하였다.

〈자료 4〉

㈜하늘의 판매직원 급여는 매월 ₩1,000,000으로 설립 후 변동이 없다. ㈜하늘은 회사 설립 후 지금까지 근로 제공한 달의 급여를 다음 달 10일에 현금 ₩1,000,000을 지급하면서 비용으로 전액 인식하였다.

〈자료 5〉

㈜하늘은 20×0년 1월 1일 취득원가 ₩10,000,000에 차량운반구(내용연수 10년, 잔존가치 ₩0, 정액법 상각)를 구입하여 취득 및 감가상각 회계처리를 적절히 하였다. 그러나 동 차량운반구 취득 시 취득자금 중 상환의무가 없는 정부보조금 ₩1,000,000을 수령하였으나, 보조금수령시점에 전액 보조금수익으로 처리하였다.

해당 오류수정이나 회계변경에 대한 회계처리가 ㈜하늘의 재무제표에 미치는 아래의 영향을 구하시오(단, 해당 사항 없으면 '없음'으로 표시하고 음수의 경우 (-)로 표시한다).

구분	20×1년의 전기이월이익잉여금에 미치는 영향	20×1년의 당기순이익에 미치는 영향
<자료 1>	①	②
<자료 2>	③	④
<자료 3>	⑤	⑥
<자료 4>	⑦	⑧
<자료 5>	⑨	⑩

03 ㈜세무는 20×1년 초에 건물을 ₩500,000에 취득하고 유형자산으로 분류하였다. ㈜세무는 동 건물에 대하여 내용연수는 10년, 잔존가치는 ₩0으로 추정하였으며, 정액법으로 감가상각하고 원가모형을 적용하여 회계처리하고 있다. 20×1년 말과 20×2년 말의 공정가치는 각각 ₩540,000과 ₩480,000이다. 다음 각 독립적 상황에 대하여 물음에 답하시오(단, ㈜세무의 유형자산은 동 건물이 유일하며, 각 상황별 회계변경은 정당하고 법인세효과는 무시한다).

물음 1 ㈜세무는 20×2년부터 동 건물에 대하여 한국채택국제회계기준서 제1016호 '유형자산'에 따라 자산을 재평가하는 회계정책을 최초로 적용하기로 하였다. 이 경우에 20×2년 말 작성하는 비교재무제표에 표시되는 다음 ①과 ②의 금액은 얼마인가? (단, 재평가자산의 총장부금액과 감가상각누계액은 장부금액의 변동에 비례하여 수정한다)

과목	20×2년	20×1년
유형자산	?	①
감가상각누계액	②	?

물음 2 ㈜세무는 20×2년 초에 동 건물의 미래경제적효익의 기대소비형태를 반영하여 감가상각방법을 연수합계법으로 변경하고, 잔존내용연수를 8년으로 새롭게 추정하였다. 20×2년 말 작성하는 비교재무제표에 표시될 다음 ①과 ②의 금액은 얼마인가?

과목	20×2년	20×1년
유형자산(순액)	①	?
감가상각비	?	②

해커스 IFRS 정윤돈 객관식 재무회계

1차 시험 출제현황

구분	CPA										CTA									
	15	16	17	18	19	20	21	22	23	24	15	16	17	18	19	20	21	22	23	24
기본주당이익	1	1						1				1	1				1	1		1
희석주당이익				1		1	1		1	1	1			1	1	1			1	
주당이익 서술형			1		1					1										

제17장

주당이익

기초 유형 확인

[01 ~ 02]

다음은 A사의 20×1년 기본주당이익 계산에 필요한 자료이다. A사의 회계기간은 1월 1일부터 12월 31일까지이며, 20×1년 당기순이익과 기초유통보통주식수는 각각 ₩1,000,000과 5,000주(액면 ₩500)이다. 다음의 각 물음은 독립적이다.

01 아래의 자료를 고려하였을 때, A사의 20×1년 기본주당이익을 산정하기 위한 보통주당기순이익은 얼마인가?

> (1) 누적적 상환우선주(액면 ₩500, 1,000주): 20×1년의 배당률은 5%이며, 부채로 분류되었다.
> (2) 비누적적 비상환우선주(액면 ₩500, 2,000주): 20×1년의 배당률은 10%이며, 20×1년 초에 발행주식수는 1,000주였으나 20×1년 10월 1일에 1,000주를 추가로 발행하였다. 유상신주의 배당기산일은 납입한 때이다(20×2년 초에 배당결의가 있었음).
> (3) 누적적 비상환우선주(액면 ₩500, 2,000주): 배당률은 8%이며, 전기 이전의 기간에 누적된 배당금은 없으나 20×1년의 배당금은 지급하지 않기로 하였다. 그리고 당기에 총발행주식 3,000주 중 1,000주를 매입하였으며 우선주의 장부금액을 초과하여 지불한 매입대가는 ₩10,000이었다.

① ₩810,000　② ₩857,000　③ ₩912,000
④ ₩982,000　⑤ ₩999,000

02 아래의 자료를 고려하였을 때, A사의 20×1년 기본주당이익을 산정하기 위한 보통주당기순이익은 얼마인가?

> (1) 누적적 할증배당우선주(액면 ₩500, 1,000주): 20×0년 할인발행한 것으로 20×3년부터 배당(배당률 10%)하며, 20×1년에 유효이자율법으로 상각한 우선주할인발행차금은 ₩18,000이다.
> (2) 누적적 전환우선주(액면 ₩500, 2,000주): 배당률은 4%이며 전기 이전의 기간에 누적된 배당금 ₩70,000을 당기에 지급하였다. 그리고 당기에 총발행주식 5,000주 중 3,000주가 보통주로 전환되었으며, 전환 시 1주당 공정가치가 ₩300인 100주의 보통주를 추가로 지급하였다.

① ₩847,500　② ₩857,000　③ ₩912,000
④ ₩982,000　⑤ ₩999,000

[03 ~ 04]

㈜세무의 20×1년 1월 1일 현재 자본금은 보통주자본금 ₩5,000,000과 우선주자본금(비참가적, 누적적 10%) ₩500,000으로 구성되어 있다. 유상신주의 배당기산일은 납입한 때이며, 무상신주의 배당기산일은 원구주에 따른다. 보통주와 우선주의 주당 액면금액은 각각 ₩500으로 동일하다. 또한 ㈜세무의 20×1년 1월 1일 현재 보통주의 유통주식수는 9,000주이며, 법인세율은 20%이다. ㈜세무는 자기주식에 대해서 증자 및 배당을 실시하지 않는다. ㈜세무는 20×1년도에 대한 배당을 보통주 및 우선주에 각각 10% 실시하였다.

(1) 20×1년 4월 1일	보통주에 대해 25%의 유상증자를 실시하여 2,250주를 발행하였다. 주당발행가액은 ₩1,000이었으며, 유상증자 직전 일의 주당 공정가치는 ₩2,250이었다.
(2) 20×1년 7월 1일	유통 중인 우선주 500주를 ₩350,000에 공개매수하였다. 20×1년 초 우선주의 장부금액은 액면금액과 동일하였다.
(3) 20×1년 10월 1일	자기주식 중 보통주 200주는 주당 ₩1,800에 처분하였다.
(4) 20×1년 12월 31일	당기순이익(계속영업이익)으로 ₩3,000,000을 보고하였다.

유상증자 관련 조정비율계산에서는 소수점 이하 넷째 자리에서 반올림하고, 이를 제외한 나머지 계산에서는 소수점 이하 첫째 자리에서 반올림하시오. 또한 주식 수의 가중평균은 월수로 계산하여 구하시오.

03 ㈜세무의 20×1년도 기본주당이익을 계산하기 위한 가중평균유통보통주식수는 얼마인가?

① 10,100주 ② 10,789주 ③ 11,019주
④ 11,500주 ⑤ 12,100주

04 ㈜세무의 20×1년도 기본주당이익을 계산하기 위한 보통주에 귀속되는 당기순손익은 얼마인가?

① ₩2,975,000 ② ₩2,910,000 ③ ₩2,875,000
④ ₩2,782,000 ⑤ ₩1,999,000

05 20×2년 중 아래의 거래가 발생하였을 경우 ㈜세무의 20×2년도 희석주당이익 계산을 위한 희석성 잠재적보통주의 가중평균유통보통주식수는 얼마인가? (단, 잠재적보통주는 희석효과가 있는 것으로 가정한다)

20×2년 10월 1일	3년 전에 부여한 3년 근무조건의 보통주 주식선택권(stock option)이 가득되었고 부여한 주식선택권 1,000주 중에서 500주가 행사되었다. 행사가격은 주당 ₩800이고, 주식보상비용으로 당기포괄손익계산서에 비용으로 인식된 금액은 ₩90,250이다. 또한 20×2년도 보통주의 주당 평균시장가격은 ₩2,000이다.

① 600주 ② 550주 ③ 512주
④ 486주 ⑤ 420주

[06 ~ 08]

다음은 12월 31일을 보고기간 말로 하는 A회사에서 20×1년에 발생한 사건이다. A회사 보통주식의 액면금액은 ₩1,000이며, 우선주식의 액면금액은 ₩500이다. A회사의 당기순이익은 ₩50,000,000이고 법인세율은 25%로 가정한다. A회사는 기말에 미전환된 우선주에 대해서만 배당금을 지급(상법의 관련규정은 무시한다)하고 있지만, 당기에는 20×2년의 대규모 설비투자를 계획하고 있어 20×1년의 결산주주총회에서 배당을 지급하지 않기로 결의할 계획이며, 이는 우선주주도 동의할 것으로 기대하고 있다. 각 물음 계산 시 소수점 아래 첫째 자리에서 반올림하고, 가중평균유통보통주식수의 계산과정에서 가중치는 월단위로 계산한다.

06 20×1년 초 보통주식수는 100,000주이며, 우선주식수는 10,000주이다. 우선주는 누적적, 비참가적 우선주이며, 배당률은 7%이다. 또한 전환우선주에 해당하며, 우선주 2주당 보통주 1주로 전환가능하다. 20×1년 10월 1일에 전환우선주 40%가 보통주로 전환되었다. 동 거래로 인한 A회사의 20×1년도 희석주당이익을 계산하기 위한 희석효과는 얼마인가?

① ₩47　② ₩120　③ ₩240
④ ₩437　⑤ ₩500

07 20×1년 4월 1일에 A회사는 액면금액 ₩5,000,000의 전환사채를 액면발행하였다. 전환사채는 액면금액 ₩5,000당 보통주 1주로 전환가능하다. 20×1년 7월 1일 전환권 행사로 전환사채의 60%가 보통주로 전환되었으며, 당기 포괄손익계산서에 인식된 전환사채 관련 이자비용은 ₩300,000이다. 동 거래로 인한 A회사의 20×1년도 희석주당이익을 계산하기 위한 희석효과는 얼마인가?

① ₩47　② ₩120　③ ₩240
④ ₩437　⑤ ₩500

08 20×0년 4월 1일에 A회사는 상환할증금을 지급하는 조건으로 행사가격이 ₩450인 신주인수권부사채를 발행하였다. 20×1년 4월 1일에 신주인수권의 50%가 행사되어 보통주 2,000주를 교부하였다. 20×1년도 A회사의 보통주 주당 평균시장가격은 ₩600이다. A회사가 신주인수권부사채에 대해 20×1년에 인식한 이자비용은 모두 ₩2,000,000이며, 이 중 사채상환할증금과 관련된 이자비용은 ₩100,000이다. 동 거래로 인한 A회사의 20×1년도 희석주당이익을 계산하기 위한 희석효과는 얼마인가?

① ₩47　② ₩120　③ ₩240
④ ₩437　⑤ ₩500

기출 유형 정리

01 20×1년 1월 1일 현재 ㈜국세의 유통 중인 보통주 발행주식은 10,000주(주당 액면금액 ₩10,000)이고, 우선주 발행주식은 5,000주(주당 액면금액 ₩10,000)이다. 우선주는 누적적, 비참가적 우선주이며 연 배당률은 액면금액의 5%이다. ㈜국세는 20×1년 7월 1일에 자기주식(보통주) 1,000주를 구입하였다. 또한 ㈜국세는 20×2년 2월 말에 현금배당으로 보통주에 대해서는 액면금액의 2%를, 우선주에 대해서는 1주당 ₩1,000을 지급하기로 결의하였다. 배당결의된 우선주배당금에는 20×0년분에 대하여 지급하지 못한 부분(1주당 ₩500에 해당)이 포함되어 있다. ㈜국세의 20×1년도 보통주 기본주당순이익이 ₩400이라면 당기순이익은 얼마인가? (단, 유통보통주식수의 가중평균은 월수를 기준으로 계산한다)

[세무사 2010년]

① ₩2,000,000
② ₩4,200,000
③ ₩4,400,000
④ ₩6,300,000
⑤ ₩6,500,000

02 기본주당이익을 계산할 때 보통주에 귀속되는 당기순손익 계산에 대하여 옳지 않은 설명은?

[공인회계사 2017년]

① 누적적 우선주는 배당결의가 있는 경우에만 당해 회계기간과 관련된 세후 배당금을 보통주에 귀속되는 당기순손익에서 차감한다.
② 할증배당우선주의 할인발행차금은 유효이자율법으로 상각하여 이익잉여금에 가산하고, 주당이익을 계산할 때 우선주배당금으로 처리한다.
③ 비누적적 우선주는 당해 회계기간과 관련하여 배당결의된 세후 배당금을 보통주에 귀속되는 당기순손익에서 차감한다.
④ 기업이 공개매수 방식으로 우선주를 재매입할 때 우선주 주주에게 지급한 대가의 공정가치가 우선주 장부금액을 초과하는 부분은 보통주에 귀속되는 당기순손익을 계산할 때 차감한다.
⑤ 부채로 분류되는 상환우선주에 대한 배당금은 보통주에 귀속되는 당기순손익을 계산할 때 조정하지 않는다.

03 기업회계기준서 제1033호 '주당이익'에 대한 다음 설명 중 옳지 않은 것은? [공인회계사 2019년]

① 기본주당이익 정보의 목적은 회계기간의 경영성과에 대한 지배기업의 보통주 1주당 지분의 측정치를 제공하는 것이다.

② 기업이 공개매수 방식으로 우선주를 재매입할 때 우선주의 장부금액이 우선주의 매입을 위하여 지급하는 대가의 공정가치를 초과하는 경우 그 차액을 지배기업의 보통주에 귀속되는 당기순손익을 계산할 때 차감한다.

③ 가중평균유통보통주식수를 산정하기 위한 보통주유통일수 계산의 기산일은 통상 주식발행의 대가를 받을 권리가 발생하는 시점이다. 채무상품의 전환으로 인하여 보통주를 발행하는 경우 최종이자발생일의 다음 날이 보통주유통일수를 계산하는 기산일이다.

④ 조건부로 재매입할 수 있는 보통주를 발행한 경우 이에 대한 재매입가능성이 없어질 때까지는 보통주로 간주하지 아니하고, 기본주당이익을 계산하기 위한 보통주식수에 포함하지 아니한다.

⑤ 잠재적보통주는 보통주로 전환된다고 가정할 경우 주당계속영업이익을 감소시키거나 주당계속영업손실을 증가시킬 수 있는 경우에만 희석성 잠재적보통주로 취급한다.

04 ㈜대한의 20×1년 1월 1일 유통보통주식수는 24,000주이며, 20×1년도 중 보통주식수의 변동내역은 다음과 같았다.

일자	보통주식수 변동내역
3월 1일	유상증자를 통해 12,000주 발행
5월 1일	자기주식 6,000주 취득
9월 1일	자기주식 3,000주 재발행
10월 1일	자기주식 1,000주 재발행

한편, 20×1년 3월 1일 유상증자 시 주당 발행가격은 ₩1,000으로서 권리락 직전 일의 종가인 주당 ₩1,500보다 현저히 낮았다. ㈜대한의 20×1년도 기본주당순이익 계산을 위한 가중평균유통보통주식수는 얼마인가? (단, 가중평균유통보통주식수는 월할 계산한다) [세무사 2013년]

① 31,250주 ② 31,750주 ③ 32,250주
④ 32,750주 ⑤ 33,250주

05 20×5년 1월 1일 현재 ㈜한국이 기발행한 보통주 500,000주(1주당 액면금액 ₩5,000)와 배당률 연 10%의 비누적적 전환우선주 150,000주(1주당 액면금액 ₩10,000)가 유통 중에 있다. 전환우선주는 20×3년 3월 1일에 발행되었으며, 1주당 보통주 1주로 전환이 가능하다. 20×5년도에 발생한 보통주식의 변동상황을 요약하면 다음과 같다.

구분	내용	변동주식수	유통주식수
1월 1일	기초유통보통주식수	-	500,000주
4월 1일	전환우선주 전환	100,000주	600,000주
9월 1일	1 대 2로 주식분할	600,000주	1,200,000주
10월 1일	자기주식 취득	(200,000주)	1,000,000주

20×5년도 당기순이익은 ₩710,000,000이며, 회사는 현금배당을 결의하였다. ㈜한국의 20×5년도 기본주당순이익은 얼마인가? (단, 기중에 전환된 전환우선주에 대해서는 우선주배당금을 지급하지 않으며, 가중평균유통보통주식수 계산 시 월할 계산한다. 단수차이로 인해 오차가 있는 경우 가장 근사치를 선택한다)

[공인회계사 2015년]

① ₩500 ② ₩555 ③ ₩591
④ ₩600 ⑤ ₩645

06 20×1년 1월 1일 현재 ㈜대한의 보통주 발행주식수는 7,000주(1주당 액면금액 ₩500)이며, 이 중 600주는 자기주식이고, 전환우선주(누적적) 발행주식수는 900주(1주당 액면금액 ₩200, 연 배당률 20%, 3주당 보통주 1주로 전환가능)이다.

- 3월 1일 유상증자를 실시하여 보통주 2,000주가 증가하였다. 유상증자 시 1주당 발행금액은 ₩2,000이고 유상증자 직전 1주당 공정가치는 ₩2,500이다.
- 7월 1일 전년도에 발행한 전환사채(액면금액 ₩500,000, 액면금액 ₩500당 1주의 보통주로 전환) 중 25%가 보통주로 전환되었다.
- 10월 1일 전환우선주 600주가 보통주로 전환되었다.

㈜대한이 20×1년 당기순이익으로 ₩2,334,600을 보고한 경우 20×1년도 기본주당이익은 얼마인가? (단, 기중에 전환된 전환우선주에 대해서는 우선주배당금을 지급하지 않는다. 가중평균유통보통주식수는 월할 계산하되, 잠재적보통주(전환사채, 전환우선주)에 대해서는 실제 전환일을 기준으로 한다)

[공인회계사 2022년]

① ₩220 ② ₩240 ③ ₩260
④ ₩280 ⑤ ₩300

07 ㈜세무의 20×1년도 주당이익 계산과 관련된 자료는 다음과 같다. ㈜세무의 20×1년도 기본주당순이익은? [세무사 2022년]

- ㈜세무의 20×1년 초 유통보통주식수는 800주이며, 우선주는 모두 비참가적, 비누적적 우선주이다.
- ㈜세무는 20×1년 4월 1일 유상증자를 실시하여 보통주 300주를 추가발행하였다. 동 유상증자 시 발행금액은 1주당 ₩1,000이었으나, 유상증자 전일의 보통주 종가는 1주당 ₩1,500이었다.
- ㈜세무는 20×1년 10월 1일 보통주(자기주식) 60주를 취득하여 20×1년 말까지 보유하고 있다.
- 20×1년도 우선주에 대하여 지급하기로 결의된 배당금은 ₩50,000이다.
- ㈜세무의 20×1년도 당기순이익은 ₩575,300이다.
- 가중평균유통보통주식수는 월할 계산하고, 유상증자의 경우 발행금액 전액이 발행일에 납입완료되었다.

① ₩495 ② ₩498 ③ ₩500
④ ₩505 ⑤ ₩510

08 ㈜세무의 20×1년도 당기순이익은 ₩10,000,000이며, 주당이익과 관련된 자료는 다음과 같다.

- 20×1년 초 유통보통주식수는 10,000주(주당 액면금액 ₩5,000)이고, 유통우선주식수는 5,000주(주당 액면금액 ₩5,000)이다.
- 상기 우선주는 전환우선주로서 누적적이며 배당률은 10%이다.
- 3월 1일 주주총회에서 보통주 8,000주의 주식배당을 의결하고 즉시 발행하였다.
- 4월 1일에 유상증자를 실시하여 보통주 4,000주가 증가하였다. 동 유상증자에 대한 주당 발행금액은 ₩5,000이며, 유상증자 직전 공정가치는 주당 ₩10,000이다. 발행금액 전액이 발행일에 납입완료되었다.
- 9월 1일에 자기주식 4,350주를 취득하여 20×1년 말까지 보유하고 있다.
- 12월 31일 상기 전환우선주 전액이 주식으로 전환청구되어 보통주 5,000주를 발행하였다.
- 기중에 전환된 전환우선주에 대해서는 전환일까지의 기간에 대해 우선주 배당금을 지급한다.

㈜세무의 20×1년도 기본주당이익은? (단, 가중평균유통보통주식수는 월할 계산한다) [세무사 2024년]

① ₩375 ② ₩384 ③ ₩405
④ ₩500 ⑤ ₩512

09 ㈜대경의 20×2년 1월 1일 현재 보통주자본금은 ₩50,000,000(주당 액면금액은 ₩5,000)이고 자기주식과 우선주자본금은 없다. ㈜대경의 20×2년 당기 희석주당이익 계산을 위한 자료는 다음과 같다.

> • 기초 미행사 신주인수권: 1,000개(신주인수권 1개당 보통주 1주 인수)
> • 신주인수권 행사가격: 주당 ₩6,000
> • 기중 보통주 평균시가: 주당 ₩10,000

20×2년 10월 1일에 신주인수권 800개가 행사되었다. 가중평균주식수를 월할 계산했을 때 20×2년 당기 희석주당이익이 ₩620이라고 하면, 20×2년 ㈜대경의 당기순이익은 얼마인가? (단, 법인세효과는 고려하지 않는다)

[공인회계사 2014년]

① ₩6,398,400 ② ₩6,423,200 ③ ₩6,522,400
④ ₩6,572,000 ⑤ ₩6,671,200

10 보고기간 말이 12월 31일인 ㈜희석의 20×1년 계속영업이익 및 자본금 변동내역은 다음과 같다.

> (1) 계속영업이익: ₩12,000,000
> (2) 기초자본금 내역
> • 보통주자본금(주당 액면금액 ₩5,000): 10,000주
> • 우선주자본금(주당 액면금액 ₩5,000, 연 배당률 10%): 2,000주
> (단, 누적적 이익배당우선주다)
> (3) 당기자본금 변동내역
> 7월 1일에 전기 발행한 신주인수권부사채 중 60%의 신주인수권 행사로 보통주 600주(주당 행사가격 ₩5,000)를 교부하였으며, 손익계산서에 상환할증금 관련 이자비용이 ₩20,000 계상되어 있다. 당기 중 보통주 평균시장가격은 주당 ₩10,000이다.
> (4) 법인세율: 30%

㈜희석의 20×1년 희석주당계속영업이익은 얼마인가? (단, 소수점 첫째 자리에서 반올림한다)

[세무사 2016년]

① ₩994 ② ₩1,002 ③ ₩1,022
④ ₩1,034 ⑤ ₩1,052

11 ㈜한국의 20×1년 1월 1일 현재 보통주자본금은 ₩5,000,000(주당 액면금액 ₩5,000)이고, 자기주식과 우선주자본금은 없다. 20×1년도 주당이익을 계산하기 위한 자료는 다음과 같다.

- ㈜한국은 20×1년도 당기순이익으로 ₩7,200,000을 보고하였다.
- ㈜한국은 20×1년 4월 1일 20% 무상증자를 실시하였다.
- ㈜한국은 20×0년 1월 1일에 액면금액이 ₩10,000(만기 3년, 이자 연말 후급, 행사가액 주당 ₩2,000)인 상환할증조건이 없는 신주인수권부사채를 100매 액면발행하였다. 20×1년 말 현재까지 신주인수권의 행사는 없었으나, 만기 전까지 언제든지 사채 1매당 보통주 1주를 행사가액에 매입할 수 있는 신주인수권을 행사할 수 있다.

㈜한국의 20×1년도 희석주당이익이 ₩5,760이라면, ㈜한국 보통주 1주의 20×1년도 평균시가는 얼마인가? (단, ㈜한국이 동 신주인수권부사채와 관련하여 20×1년도 포괄손익계산서에 인식한 이자비용은 ₩180,000이고, 법인세율은 20%로 가정한다. 또한 가중평균주식수는 월할 계산한다)

[공인회계사 2013년]

① ₩2,000 ② ₩4,000 ③ ₩6,000
④ ₩8,000 ⑤ ₩10,000

12 다음은 ㈜대한의 20×1년도 주당이익과 관련된 자료이다.

- 20×1년 중 보통주 변동내용은 다음과 같다. 7월 1일 유상증자는 주주우선배정 신주발행에 해당하며, 유상증자 전일의 보통주 공정가치는 주당 ₩800이고, 유상증자시점의 발행가액은 주당 ₩500이다.

일자	변동내용	유통주식수
20×1. 1. 1.	전기 이월	1,000주
20×1. 7. 1.	유상증자 400주	1,400주

- 20×1년 초 신주인수권 800개를 부여하였는데, 동 신주인수권 1개로 보통주 1주를 인수할 수 있다. 신주인수권의 개당 행사가격은 ₩600이고, 20×1년 중 ㈜대한이 발행한 보통주식의 평균주가는 주당 ₩750이다.
- 20×1년도 당기순이익으로 ₩919,800을 보고하였다.

㈜대한의 20×1년도 희석주당순이익은 얼마인가? (단, 가중평균유통주식수는 월할 계산한다)

[공인회계사 2018년]

① ₩600 ② ₩648 ③ ₩657
④ ₩669 ⑤ ₩730

13 다음은 ㈜세무의 20×1년도 주당이익과 관련된 자료이다.

- 20×1년 중 보통주 변동내용은 다음과 같다.

일자	변동내용
1월 1일	기초유통보통주식수(액면금액 ₩5,000)는 1,000주이다.
4월 1일	자기주식 200주를 1주당 ₩8,500에 취득하였다.
7월 1일	자기주식 100주를 1주당 ₩10,000에 재발행하였다.
10월 1일	자기주식 100주를 소각하였다.

- 20×1년 초 신주인수권 600개를 부여하였는데, 동 신주인수권 1개로 보통주 1주를 인수할 수 있다. 신주인수권의 개당 행사가격은 ₩8,000이고, 20×1년도 보통주 가격현황은 다음과 같다.

1월 1일 종가	1월 1일 ~ 12월 31일 평균주가	12월 31일 종가
₩7,000	₩10,000	₩12,000

20×1년도 희석주당순이익이 ₩840일 때, 기본주당순이익은 얼마인가? (단, 가중평균주식수는 월할 계산한다) [세무사 2019년]

① ₩840 ② ₩941 ③ ₩952
④ ₩966 ⑤ ₩1,027

14 ㈜세무의 20×1년 초 유통보통주식수는 8,000주(1주당 액면금액 ₩100)이다. 20×1년도 희석주당이익 계산을 위한 자료는 다음과 같다.

- 4월 1일 유상증자로 보통주 3,000주 발행(신주발행금액은 주당 ₩400으로 유상증자일 직전 종가 ₩600보다 현저히 낮았음)
- 9월 1일 자기주식 300주 취득
- 10월 1일 옵션 600개 발행(옵션 1개당 1주의 보통주 발행, 행사가격은 1주당 ₩300, 보통주 1주의 평균주가는 ₩500)
- 12월 31일 전년도 발행 전환사채(액면금액 ₩500,000, 액면금액 ₩10,000당 1주의 보통주로 전환가능)는 전환되지 않았음

20×1년도 희석주당이익 계산을 위해 가중평균한 유통보통주식수와 잠재적보통주식수의 합계는 얼마인가? (단, 주식수는 월수 계산하고, 소수점 이하 첫째 자리에서 반올림한다) [세무사 2020년]

① 10,150주 ② 10,260주 ③ 10,310주
④ 10,460주 ⑤ 10,850주

15 20×1년 초 현재 ㈜대한이 기발행한 보통주 10,000주(주당 액면금액 ₩100)가 유통 중에 있으며, 자기주식과 우선주는 없다. 20×1년 중에 발생한 거래는 다음과 같다.

- 20×1년 1월 1일에 발행된 상환할증금 미지급조건의 신주인수권부사채의 액면금액은 ₩1,000,000이고, 행사비율은 사채액면금액의 100%로 사채액면 ₩500당 보통주 1주(주당 액면금액 ₩100)를 인수할 수 있다. 20×1년도 포괄손익계산서의 신주인수권부사채 관련 이자비용은 ₩45,000이며, 법인세율은 20%이다. 한편 20×1년 ㈜대한의 보통주 평균시장가격은 주당 ₩800이며, 20×1년 중에 행사된 신주인수권은 없다.
- 20×1년 3월 1일에 보통주 3,000주의 유상증자(기존의 모든 주주에게 부여되는 주주우선배정 신주발행)를 실시하였는데, 유상증자 직전의 보통주 공정가치는 주당 ₩3,000이고, 유상증자시점의 발행가액은 주당 ₩2,500이다.
- 20×1년 7월 1일에 취득한 자기주식 500주 중 300주를 3개월이 경과한 10월 1일에 시장에서 처분하였다.

㈜대한이 20×1년도 당기순이익으로 ₩4,000,000을 보고한 경우, 20×1년도 희석주당이익은 얼마인가? (단, 가중평균유통보통주식수는 월할로 계산하며, 단수차이로 인해 오차가 있다면 가장 근사치를 선택한다) [공인회계사 2020년]

① ₩298 ② ₩304 ③ ₩315
④ ₩323 ⑤ ₩330

16 20×1년 1월 1일 현재 ㈜대한의 유통보통주식수는 200,000주(1주당 액면금액 ₩1,000)이며, 자기주식과 우선주는 없다. ㈜대한은 20×1년 1월 1일에 주식매입권 30,000개(20×3년 말까지 행사가능)를 발행하였으며, 주식매입권 1개가 행사되면 보통주 1주가 발행된다. 주식매입권의 행사가격은 1개당 ₩20,000이며, 20×1년 보통주의 평균시장가격은 1주당 ₩25,000이다. 20×1년 10월 1일에 동 주식매입권 20,000개가 행사되었다. ㈜대한이 20×1년 당기순이익으로 ₩205,000,000을 보고한 경우 20×1년 희석주당이익은 얼마인가? (단, 가중평균유통보통주식수는 월할로 계산하며, 단수차이로 인해 오차가 있다면 가장 근사치를 선택한다) [공인회계사 2021년]

① ₩960 ② ₩972 ③ ₩976
④ ₩982 ⑤ ₩987

17 ㈜대한의 20×1년도 당기순이익은 ₩15,260,000이며, 주당이익과 관련된 자료는 다음과 같다.

- 20×1년 1월 1일 현재 유통보통주식수는 30,000주(주당 액면금액 ₩1,500)이며, 유통우선주식수는 20,000주(주당 액면금액 ₩5,000, 배당률 5%)이다. 우선주는 누적적 우선주이며, 전년도에 지급하지 못한 우선주배당금을 함께 지급하기로 결의하였다.
- 20×1년 7월 1일에 보통주 2,000주를 공정가치로 유상증자하였으며, 9월 1일에 3,200주를 무상증자하였다.
- 20×1년 10월 1일에 전년도에 발행한 전환사채 액면금액 ₩1,000,000 중 20%가 보통주로 전환되었으며, 전환가격은 ₩500이다. 20×1년도 포괄손익계산서에 계상된 전환사채의 이자비용은 ₩171,000이며, 세율은 20%이다.

㈜대한의 20×1년도 희석주당이익은 얼마인가? (단, 가중평균유통주식수는 월할로 계산하며, 단수차이로 인해 오차가 있다면 가장 근사치를 선택한다) [공인회계사 2023년]

① ₩149 ② ₩166 ③ ₩193
④ ₩288 ⑤ ₩296

18 ㈜세무의 20×1년도 주당이익과 관련된 자료는 다음과 같다. ㈜세무의 20×1년도 희석주당이익은? [세무사 2023년]

- 20×1년 초 유통보통주식수는 10,000주이고, 유통우선주식수는 5,000주이다.
- 우선주(누적적 비참가적, 주당 액면금액 ₩1,000, 배당률 연 10%)는 전환우선주로 우선주 5주당 보통주 1주로 전환이 가능하다.
- 20×1년도 당기순이익은 ₩993,600이다.
- 4월 1일 신주인수권 10,000개(신주인수권 1개당 보통주 1주 인수, 행사가격 개당 ₩3,000)를 발행하였다.
- 7월 1일 우선주 2,000주가 보통주로 전환되었다.
- 보통주식의 4월 1일 종가는 주당 ₩4,000, 12월 31일 종가는 주당 ₩6,000이고, 당기 평균주가는 주당 ₩5,000이다.
- 기중에 전환된 전환우선주에 대해서 우선주배당금을 지급하지 않으며, 가중평균주식수는 월할 계산한다.

① ₩50 ② ₩53 ③ ₩57
④ ₩68 ⑤ ₩71

19 기업회계기준서 제1033호 '주당이익'에 대한 다음 설명 중 옳지 않은 것은? [공인회계사 2024년]

① 희석주당이익 계산 시 희석성 잠재적보통주는 회계기간의 기초에 전환된 것으로 보되 당기에 발행된 것은 그 발행일에 전환된 것으로 본다.

② 당기 회계기간과 관련한 누적적 우선주에 대한 세후배당금은 배당결의 여부와 관계없이 보통주에 귀속되는 당기순손익에서 차감한다.

③ 희석주당이익을 계산할 때 희석효과가 있는 옵션이나 주식매입권은 행사된 것으로 가정한다. 이 경우 권리행사에서 예상되는 현금유입액은 보통주를 보고기간 말의 시장가격으로 발행하여 유입된 것으로 가정한다.

④ 유통되는 보통주식수나 잠재적보통주식수가 자본금전입, 무상증자, 주식분할로 증가하였거나 주식병합으로 감소하였다면, 비교표시하는 모든 기본주당이익과 희석주당이익을 소급하여 수정한다.

⑤ 행사가격이 주식의 공정가치보다 작은 기존주주에 대한 주주우선배정 신주발행은 무상증자 요소를 수반한다.

20 20×1년 1월 1일 현재 ㈜대한의 유통보통주식수는 100,000주이며, 20×0년 4분기에 실시했던 사업결합과 관련하여 다음 조건에 따라 보통주를 추가로 발행하기로 합의하였다.

• 20×1년 중에 새로 개점하는 영업점 1개당 보통주 5,000주를 개점일에 발행

㈜대한은 20×1년 5월 1일과 9월 1일에 각각 1개의 영업점을 실제로 개점하였다. ㈜대한의 보통주에 귀속되는 당기순이익이 ₩42,000,000일 때, ㈜대한의 20×1년도 희석주당이익은 얼마인가? 단, 가중평균유통주식수는 월할로 계산하며, 단수차이로 인해 오차가 있다면 가장 근사치를 선택한다.

[공인회계사 2024년]

① ₩382 ② ₩386 ③ ₩390
④ ₩396 ⑤ ₩400

관련 유형 연습

01 ㈜세무의 20×6년 당기순이익은 ₩2,450,000이며, 기초유통보통주식수는 1,800주이다. 20×6년 9월 1일 주주우선배정 방식으로 보통주 300주를 유상증자하였다. 이때 발행금액은 주당 ₩40,000이며, 유상증자 직전 종가는 주당 ₩60,000이다. ㈜세무의 20×6년 기본주당순이익은 얼마인가? (단, 가중평균유통보통주식수는 월할 계산한다)

① ₩1,167　② ₩1,255　③ ₩1,250
④ ₩1,289　⑤ ₩1,321

02 20×1년 초 현재 ㈜한국이 기발행한 보통주 100,000주(주당 액면금액 ₩5,000)가 유통 중에 있으며, 우선주는 없다. 20×1년 중에 발생한 거래는 다음과 같다.

구분	내용	변동주식수
1월 1일	기초유통보통주식수	100,000주
4월 1일	무상증자	20,000주
7월 1일	유상증자	15,000주
10월 1일	자기주식 취득	(1,500)주

20×1년 7월 1일 주당 ₩5,000에 유상증자가 이루어졌으며, 증자 직전 주당 공정가치는 ₩15,000이다. 20×1년 당기순이익이 ₩500,000,000일 때, 기본주당순이익은 얼마인가? (단, 가중평균유통보통주식수 계산 시 월할 계산하며, 단수차이로 인해 오차가 있는 경우 가장 근사치를 선택한다)

① ₩3,578　② ₩3,790　③ ₩3,899
④ ₩3,937　⑤ ₩4,092

03 ㈜문경의 20×1년도 주당이익 산출과 관련된 자료는 다음과 같다.

(1) 20×1년 1월 1일 현재 유통보통주식수는 15,000주(주당 액면금액 ₩1,000)이며, 우선주는 없다.
(2) 20×1년 7월 1일에 자기주식 1,800주를 취득하여 20×1년 12월 31일 현재 보유하고 있다.
(3) 20×1년 1월 1일에 전환사채(액면금액 ₩500,000, 3년 후 일시상환)를 액면발행하였다. 동 사채의 액면이자율은 연 8%(매년 말 이자지급)이며, 전환사채발행 시 동일조건을 가진 일반사채의 유효이자율은 연 10%이다. 동 전환사채는 만기까지 언제든지 사채액면 ₩1,000당 보통주 1주로 전환가능하다. 20×1년 12월 31일까지 동 전환사채에 대하여 전환청구는 없었다.
(4) 가중평균주식수는 월할로 계산한다.

20×1년도 ㈜문경의 기본주당순이익이 ₩328이라면 희석주당순이익은 얼마인가? (단, 법인세율은 20%로 가정한다. 또한 계산금액은 소수점 첫째 자리에서 반올림하며, 단수차이로 인해 약간의 오차가 있으면 가장 근사치를 선택한다. 이자율 10% 3년 연금현가계수: 2.4868, 현가계수: 0.7513)

① ₩313 ② ₩316 ③ ₩319
④ ₩322 ⑤ ₩325

04 ㈜한국의 20×1년 기초유통보통주식수는 1,000주이며, 보통주 계속영업이익은 ₩840,000이다. 20×1년 변동내역은 다음과 같다. ㈜한국의 20×1년 희석주당계속영업이익은 얼마인가? (단, 가중평균주식수는 월할 계산한다)

(1) 4월 1일: 유상증자를 실시하여 보통주 200주를 발행하였으며, 주당 발행금액은 시장가치와 동일하다.
(2) 10월 1일: 신주인수권부사채의 신주인수권이 모두 행사되어 보통주 120주를 발행 교부하였다. 신주인수권부사채는 당기 4월 1일 액면상환조건으로 발행되었으며, 행사가격은 주당 ₩6,000이다.
(3) 보통주 평균시장가격: 주당 ₩9,000

① ₩662 ② ₩672 ③ ₩690
④ ₩700 ⑤ ₩712

실력 점검 퀴즈

01 결산일이 12월 말인 ㈜한국상사의 20×2년도 자본금 변동사항과 당기순이익은 다음과 같다. 이 자료를 이용하여 기본주당순이익을 계산하면 얼마인가?

(1) 자본금 변동사항(액면가액 ₩1,000)

	보통주자본금		우선주자본금	
기초	5,000주	₩5,000,000	2,000주	₩2,000,000
6. 1. 무상증자 20%	1,000주	₩1,000,000	400주	₩400,000
11. 1. 자기주식 취득	(600)주	₩(400,000)	-	-
기말	5,400주	₩5,600,000	2,400주	₩2,400,000

(2) 당기순이익: ₩16,465,000
(3) 20×2년도의 우선주배당은 현금배당으로 10%이다. 동 우선주는 누적적 비참가적 우선주이며, 연체된 전기 우선주배당액은 ₩200,000이다.
(4) 무상신주의 배당기산일은 원구주에 따르며, 유통보통주식수는 월할로 계산한다.

① ₩3,840 ② ₩3,160 ③ ₩2,750
④ ₩2,260 ⑤ ₩1,970

02 ㈜포도의 20×1년 보통주당기순이익과 기본주당순이익은 각각 ₩6,000,000과 ₩300이며, 중단영업손익은 없다. 희석주당순이익 계산을 위해 필요한 자료는 다음과 같다.

(1) 전환사채(전기발행) 중 30%가 12월 31일에 보통주 300주로 전환되었다. 당기 포괄손익계산서에 계상된 전환사채 이자비용은 ₩320,000이다.
(2) 신주인수권부사채의 잠재적보통주식수는 1,000주이고 당기 포괄손익계산서에 계상된 신주인수권부사채 이자비용은 ₩200,000(상환할증금 관련 이자비용 ₩24,000 포함)이다.
(3) 주식선택권의 잠재적보통주식수는 800주이고 주식선택권으로 인한 비용계상액은 ₩500,000이다.

㈜포도의 20×1년 희석주당순이익은 얼마인가? 단, 세율은 30%이다.

① ₩282.9 ② ₩283.7 ③ ₩287.3
④ ₩288.4 ⑤ ₩289.1

03 20×4년 회계연도 ㈜한국(결산일 12월 31일)의 전환사채와 기본주당순이익 관련 자료는 다음과 같다. ㈜한국의 20×4년도 보통주 평균주가는 주당 ₩4,000이다.

(1) 전환사채

액면금액: ₩20,000,000

발행: 20×4년 1월 1일 액면발행

만기상환: 20×6년 12월 31일 액면금액의 105%로 상환

이자: 연 4%로 매년 12월 31일 지급

일반사채 시장수익률: 연 6%

전환가격: 사채액면 ₩10,000당 보통주 1주로 전환

[현가계수]

	4%		6%	
	현가계수	연금현가계수	현가계수	연금현가계수
1	0.962	0.962	0.943	0.943
2	0.924	1.886	0.890	1.833
3	0.889	2.775	0.840	2.673

(2) ㈜한국은 20×4년도 기본주당순이익을 다음과 같이 계산하였다.

기본주당순이익 = 당기순이익/가중평균유통보통주식수

= ₩6,000,000/10,000주

= ₩600

㈜한국의 20×4년도 희석주당순이익은 얼마인가? 단, 희석주당순이익은 소수점 이하에서 반올림하며, 세율은 30%이다.

① ₩600 ② ₩580 ③ ₩569

④ ₩530 ⑤ ₩510

04 12월 말 결산법인인 ㈜국세의 20×7년 초 유통보통주식수는 200,000주이고 유통되고 있는 전환금융상품 및 우선주는 없다. ㈜국세는 최근의 사업과 관련하여 다음의 조건에 따라 보통주를 추가로 발행하기로 합의하였다.

> (1) 영업점조건: 20×7년에 새로 개점되는 영업점 1개당 보통주 5,000주 발행
> (2) 이익조건: 20×7년의 당기순이익이 ₩2,500,000을 초과하는 경우 매초과액 ₩1,000에 대하여 보통주 100주 발행
> (3) ㈜국세는 20×7년 6월 1일에 1개의 새로운 영업점을 개점하였으며, 회사의 분기별 누적세후순이익은 다음과 같다.
> • 20×7년 3월 31일: ₩1,400,000
> • 20×7년 6월 30일: ₩2,900,000

20×7년도 제2분기(4월 1일 ~ 6월 30일)의 기본주당순이익과 희석주당순이익은 각각 얼마인가? 단, 주당순이익 계산 시 소수점 셋째 자리에서 반올림하고, 가중평균유통보통주식수 계산은 월수로 한다.

	기본주당순이익	희석주당순이익
①	₩7.44	₩6.12
②	₩7.32	₩6.82
③	₩7.44	₩6.82
④	₩7.32	₩6.12
⑤	₩6.82	₩6.32

05 다음은 ㈜하나(결산일 12월 31일)의 20×1년 1월 1일 현재 재무상태표상 자본의 세부내역과 추가정보, 그리고 20×1년도 자본거래내역이다.

〈자본의 세부내역〉

납입자본:	보통주자본금(액면금액: ₩1,000)	₩33,000,000	
	우선주자본금(액면금액: ₩1,000)	10,000,000	
	주식발행초과금	20,000,000	
	감자차익	500,000	
	자기주식처분이익	420,000	
	자기주식(보통주)	(-)3,000,000	₩60,920,000
이익잉여금			5,800,000
기타자본요소:	일반적립금(법정적립금)	5,000,000	5,000,000
자본총계			₩71,720,000

〈추가 자료〉

(1) 우선주의 배당률은 5%이며, 우선주는 누적적, 비참가적 우선주로만 구성되어 있다.

(2) ㈜하나의 20×1년 보통주의 평균시가는 ₩2,000이고 기말종가는 ₩2,300이다. 그리고 당기순이익은 ₩7,259,000이며 법인세율은 20%이다.

(3) ㈜하나는 20×1년 1월 1일 현재 보유하고 있던 자기주식(주당 취득원가 ₩1,000)을 20×1년 3월 1일에 주당 ₩2,000을 받고 모두 처분하였다.

(4) ㈜하나는 20×1년 7월 1일 보통주에 대해 주당 ₩1,100에 20%의 주주우선배정 유상증자를 실시(증자기준일 5월 1일)하였으며, 유상증자 전일의 주당 공정가치는 ₩2,420이었다.

(5) ㈜하나는 20×1년 1월 1일에 다음과 같은 조건의 신주인수권부사채를 상환할증금을 지급하지 않는 조건으로 ₩940,000에 발행하였다.

- 액면금액: ₩1,000,000
- 표시이자율: 연 4%
- 이자지급시기: 매년 12월 31일
- 20×1년 1월 1일의 일반사채 시장수익률: 연 10%
- 원금의 상환: 20×3년 12월 31일 일시상환
- 신주인수권의 내용: 발행일 후 1개월부터 상환기일 30일 이전까지 신주인수권을 행사할 수 있으며, 사채액면금액 ₩1,000당 행사가액 ₩1,000으로 보통주 1주를 교부
- 사채액면금액 중 ₩600,000에 해당하는 신주인수권이 20×1년 10월 1일에 행사되었다. 이자율이 연 10%일 때 3년 후 ₩1의 현가계수와 3년간 정상연금 ₩1의 현가계수는 각각 0.75131과 2.48685이다.

㈜하나의 20×1년도 희석주당순이익을 계산하시오. 단, 가중평균유통보통주식수와 희석성 잠재적보통주식수는 월할 계산하시오.

① ₩184 ② ₩178 ③ ₩170
④ ₩165 ⑤ ₩150

2차 문제 Preview

01 ㈜대한의 다음 <자료>를 이용하여 물음에 답하시오.

〈자료〉

(1) 20×1년 1월 1일 ㈜대한의 유통주식수는 다음과 같다.
- 유통보통주식수: 5,000주(액면가 ₩1,000)
- 유통우선주식수: 1,000주(액면가 ₩1,000)

(2) 20×1년 4월 1일 보통주에 대해 10%의 주식배당을 실시하였다.

(3) 우선주는 누적적, 비참가적 전환우선주로 배당률은 연 7%이다. ㈜대한은 기말에 미전환된 우선주에 대해서만 우선주배당금을 지급한다. 우선주 전환 시 1주당 보통주 1.2주로 전환가능하며, 20×1년 5월 1일 우선주 300주가 보통주로 전환되었다.

(4) 20×1년 7월 1일 자기주식 500주를 취득하고 이 중 100주를 소각하였다.

(5) 20×1년 초 대표이사에게 3년 근무조건으로 주식선택권 3,000개를 부여하였다. 주식선택권 1개로 보통주 1주의 취득(행사가격 ₩340)이 가능하며, 20×1년 초 기준으로 잔여가득기간에 인식할 총보상원가는 1개당 ₩140이다. 당기 중 주식보상비용으로 인식한 금액은 ₩140,000이다.

(6) ㈜대한의 20×1년도 당기순이익은 ₩500,000이며, 법인세율은 20%이다. 20×1년 보통주 1주당 평균주가는 ₩900이다.

(7) ㈜대한은 가중평균유통보통주식수 산정 시 월할 계산한다.

물음 1 ㈜대한의 20×1년도 기본주당이익을 계산하기 위한 ① 보통주 귀속당기순이익과 ② 가중평균유통보통주식수를 계산하시오.

보통주 귀속당기순이익	①
가중평균유통보통주식수	②

물음 2 다음은 ㈜대한의 20×1년도 희석주당이익을 계산하기 위한 전환우선주 및 주식선택권의 희석효과를 분석하는 표이다. 당기순이익 조정금액(분자요소)과 조정주식수(분모요소)를 각각 계산하시오.

구분	당기순이익 조정금액	조정주식수
전환우선주	①	②
주식선택권	③	④

물음 3 ㈜대한의 희석주당이익은 얼마인지 계산하시오(단, 희석주당이익 계산 시 소수점 아래 둘째 자리에서 반올림하여 계산하시오).

희석주당이익	①

해커스 IFRS 정윤돈 객관식 재무회계

1차 시험 출제현황

구분	CPA										CTA									
	15	16	17	18	19	20	21	22	23	24	15	16	17	18	19	20	21	22	23	24
영업활동으로 인한 현금흐름(직접법)				1			1	1		1		1				1				
영업활동으로 인한 현금흐름(간접법)	1				1	1			1		1			1	1			1	1	
투자활동으로 인한 현금흐름			0.5	1									1							1
재무활동으로 인한 현금흐름			0.5																	
현금흐름표 서술형																	1			

제18장

현금흐름표

기초 유형 확인

[01 ~ 04]

A사의 20×1년 말과 20×2년 말의 수정 후 시산표의 내역 및 그 밖의 자료는 다음과 같다.

(1) 시산표

과목	20×2년	20×1년	과목	20×2년	20×1년
현금	₩2,450	₩1,700	매입채무	₩7,000	₩9,000
매출채권	₩14,000	₩11,100	미지급이자	₩1,800	₩1,000
재고자산	₩9,000	₩6,000	감가상각누계액	₩3,500	₩2,700
유형자산	₩9,000	₩5,000	사채	₩4,000	₩4,000
이연법인세자산	₩400	₩800	손실충당금	₩2,500	₩2,300
사채할인발행차금	₩900	₩1,200	당기법인세부채	₩800	₩700
매출원가	₩36,000	₩33,000	자본금	₩5,000	₩5,000
판매비	₩6,000	₩4,000	자본잉여금	₩3,000	₩3,000
관리비	₩4,700	₩2,900	매출액	₩58,250	₩51,000
감가상각비	₩800	₩800	이자수익	₩1,100	₩900
손상차손	₩400	₩300			
이자비용	₩1,300	₩1,400			
법인세비용	₩2,000	₩1,600			

* 단, 매출채권 중 당기에 회수불가능한 것으로 판명된 금액 ₩200이 있다.

(2) 20×2년 취득한 유형자산에 대한 자본화 차입원가는 ₩100이다.

01 20×2년 고객으로부터 유입된 현금은 얼마인가?

① ₩41,200 ② ₩(−)1,500 ③ ₩(−)300
④ ₩(−)41,000 ⑤ ₩55,150

02 20×2년 공급자에게 지급하는 현금은 얼마인가?

① ₩41,200 ② ₩(−)1,500 ③ ₩(−)300
④ ₩(−)41,000 ⑤ ₩55,150

03 20×2년 이자지급으로 인한 현금유출액은 얼마인가?

① ₩41,200　② ₩(-)1,500　③ ₩(-)300
④ ₩(-)41,000　⑤ ₩55,150

04 20×2년 법인세의 납부로 인한 현금유출액은 얼마인가?

① ₩41,200　② ₩(-)1,500　③ ₩(-)300
④ ₩(-)41,000　⑤ ₩55,150

05 다음은 A사의 20×1년도 비교재무제표 중 기계장치와 관련된 부분들만 발췌한 것으로, A사는 기계장치를 원가모형으로 측정한다. A사가 당기에 처분한 기계장치의 처분금액은 ₩75,000으로 처분금액 중 ₩12,000은 20×2년도에 받기로 하였다. A사의 20×1년도에 기계장치의 취득으로 유출된 현금은 얼마인가?

계정과목	20×1년	20×0년
기계장치	₩300,000	₩150,000
감가상각누계액	₩(-)52,000	₩(-)45,000
감가상각비	₩45,000	
유형자산처분이익	₩15,000	

① ₩80,000　② ₩248,000　③ ₩95,000
④ ₩215,000　⑤ ₩132,900

06 다음은 B사의 20×1년도 비교재무제표 중 건물과 관련된 부분들만 발췌한 것으로 건물은 재평가모형을 적용한다. B사는 20×1년 중 재평가잉여금 ₩10,000을 이익잉여금으로 대체하였으며, 당기의 건물 취득액은 ₩300,000이다. B사가 20×1년도에 건물의 처분으로 수령한 현금은 얼마인가?

계정과목	20×1년	20×0년
건물	₩700,000	₩600,000
감가상각누계액	₩190,000	₩250,000
재평가잉여금	₩30,000	₩80,000
감가상각비	₩40,000	-
유형자산처분이익	₩20,000	-

① ₩80,000　② ₩248,000　③ ₩95,000
④ ₩215,000　⑤ ₩132,900

07 다음은 C사의 20×1년도 비교재무제표 중 사채와 관련된 부분들만 발췌한 것이다. C사가 당기에 발행한 사채의 발행금액은 ₩182,000(액면금액 ₩200,000)이며, 이자비용으로 처리된 사채할인발행차금 상각액은 ₩4,000이다. C사가 20×1년도에 사채상환으로 지급한 현금은 얼마인가?

계정과목	20×1년	20×0년
사채	₩300,000	₩200,000
사채할인발행차금	₩(-)26,000	₩(-)15,000
이자비용	₩80,000	-
사채상환이익	₩2,000	-

① ₩80,000 ② ₩248,000 ③ ₩95,000
④ ₩215,000 ⑤ ₩132,900

08 D사의 20×1년 이자비용과 관련한 자료는 다음과 같다. D사의 이자지급으로 인한 현금유출액은 얼마인가?

(1) 기초 및 기말재무상태표에서 추출한 자료

구분	기초	기말
선급이자	₩20,000	₩40,000
미지급이자	₩40,000	₩45,000

(2) 포괄손익계산서상의 이자비용은 ₩200,000으로 사채할인발행차금상각액 ₩30,000이 포함되어 있으며, 당기에 자본화한 차입원가는 ₩30,000이다.

① ₩80,000 ② ₩248,000 ③ ₩95,000
④ ₩215,000 ⑤ ₩132,900

[09 ~ 11]

다음은 20×2년 A사의 부분재무제표이다.

(1) 부분재무상태표

구분	20×1년 말	20×2년 말
매출채권	₩2,500	₩2,800
손실충당금	₩(-)50	₩(-)65
재고자산	₩3,600	₩3,500
유형자산	₩9,200	?
감가상각누계액	₩(-)2,100	₩(-)2,300
선급판매비용	₩900	₩870
매입채무	₩1,200	₩1,350
미지급판매비용	₩740	₩620
당기법인세부채	₩300	₩320
외화장기차입금	?	₩4,850
확정급여채무	₩1,450	₩1,640

(2) 부분포괄손익계산서

구분	금액
감가상각비	₩800
퇴직급여	₩300
손상차손	₩20
유형자산처분손실	₩250
외화환산손실(외화차입금에서 발생)	₩200

(3) 부분현금흐름표(직접법)

구분	금액
고객으로부터의 유입액	₩45,695
공급자에 대한 유출액	₩(-)39,000
판매비 유출액	₩(-)1,900
법인세비용 유출액	₩(-)790
퇴직금 유출액	₩(-)110
유형자산처분으로 인한 유입액	₩1,750
유형자산취득으로 인한 유출액	₩(-)1,800
외화장기차입금의 차입으로 인한 유입액	₩2,100
외화장기차입금의 상환으로 인한 유출액	₩(-)4,250

09 20×2년도 포괄손익계산서의 매출액은 얼마인가?

① ₩39,250 ② ₩42,000 ③ ₩46,000
④ ₩2,560 ⑤ ₩3,370

10 20×2년도 포괄손익계산서의 매출원가는 얼마인가?

① ₩39,250 ② ₩42,000 ③ ₩46,000
④ ₩2,560 ⑤ ₩3,370

11 20×2년도 현금흐름표의 영업활동으로 인한 순현금흐름은 ₩3,895이다. 20×2년도 법인세비용차감전 순이익은 얼마인가? (단, 법인세의 납부를 영업활동으로 분류한다)

① ₩39,250 ② ₩42,000 ③ ₩46,000
④ ₩2,560 ⑤ ₩3,370

기출 유형 정리

01 현금흐름표에 관한 설명으로 옳지 않은 것은? [세무사 2012년]

① 이자와 차입금을 함께 상환하는 경우, 이자지급은 영업활동으로 분류될 수 있고 원금상환은 재무활동으로 분류된다.

② 회전율이 높고 금액이 크며 만기가 짧은 항목과 관련된 재무활동에서 발생하는 현금흐름은 순증감액으로 보고할 수 있다.

③ 타인에게 임대할 목적으로 보유하다가 후속적으로 판매할 목적으로 보유하는 자산을 제조하거나 취득하기 위한 현금지급액은 영업활동현금흐름이다.

④ 지분상품은 현금성자산에서 제외하므로 상환일이 정해져 있고 취득일부터 상환일까지의 기간이 3개월 이내인 우선주의 경우에도 현금성자산에서 제외한다.

⑤ 간접법보다 직접법을 적용하는 것이 미래현금흐름을 추정하는 데 보다 유용한 정보를 제공하므로 영업활동현금흐름을 보고하는 경우에는 직접법을 사용할 것을 권장한다.

02 현금흐름표에 관한 설명으로 옳지 않은 것은? [세무사 2021년]

① 영업활동현금흐름은 일반적으로 당기순손익의 결정에 영향을 미치는 거래나 그 밖의 사건의 결과로 발생한다.

② 법인세로 인한 현금흐름은 별도로 공시하며, 재무활동과 투자활동에 명백히 관련되지 않는 한 영업활동현금흐름으로 분류한다.

③ 현금및현금성자산의 사용을 수반하지 않는 투자활동과 재무활동 거래는 현금흐름표에서 제외한다.

④ 이자와 배당금의 수취 및 지급에 따른 현금흐름은 각각 별도로 공시한다. 각 현금흐름은 매 기간 일관성 있게 영업활동, 투자활동 또는 재무활동으로 분류한다.

⑤ 단기매매목적으로 보유하는 유가증권의 취득과 판매에 따른 현금흐름은 투자활동으로 분류한다.

03 ㈜국세의 재무상태표상 재고자산과 매입채무의 금액은 다음과 같다.

구분	20×1년 초	20×1년 말
재고자산	₩600,000	₩750,000
매입채무	₩550,000	₩660,000

한편, 20×1년도 포괄손익계산서상 매입채무와 관련된 외환차익은 ₩80,000, 외화환산이익은 ₩200,000으로 계상되었다. ㈜국세의 20×1년도 현금흐름표상 공급자에 대한 유출(재고자산 매입)이 ₩610,000이라면 20×1년도 포괄손익계산서상 매출원가는 얼마인가? [세무사 2011년]

① ₩750,000 ② ₩800,000 ③ ₩850,000
④ ₩900,000 ⑤ ₩950,000

04 ㈜갑의 20×1년 현금매출 및 신용매출은 각각 ₩160,000과 ₩1,200,000이고, 20×1년 기초와 기말의 매출채권 잔액은 각각 ₩180,000과 ₩212,000이다. ㈜갑의 20×1년 영업비용은 ₩240,000이다. 20×1년 선급비용 기말잔액은 기초보다 ₩16,000이 증가하였고, 20×1년 미지급비용 기말잔액은 기초보다 ₩24,000이 감소하였다. 20×1년에 고객으로부터 유입된 현금흐름과 영업비용으로 유출된 현금흐름은 얼마인가? [공인회계사 2012년]

	고객으로부터 유입된 현금흐름	영업비용으로 유출된 현금흐름
①	₩1,328,000	₩232,000
②	₩1,328,000	₩280,000
③	₩1,360,000	₩232,000
④	₩1,360,000	₩280,000
⑤	₩1,332,000	₩202,000

05 ㈜바다의 재무담당자는 20×1년도 영업활동 유형별로 현금의 흐름내역을 살펴보고자 한다. 다음에 제시된 ㈜바다의 20×1년도 재무제표의 일부 자료에 근거하여 20×1년도 직접법에 의한 영업활동현금흐름상 공급자에 대한 현금유출액과 종업원에 대한 현금유출액을 구하면 얼마인가? (단, 주식보상비용은 당기 중 부여한 주식결제형 주식기준보상거래에 따른 용역의 대가로 모두 급여에 포함되어 있으며, 외화환산이익은 모두 외화매입채무의 기말환산과 관련하여 발생하였다) [공인회계사 2011년]

I. 포괄손익계산서		II. 간접법에 의한 영업활동현금흐름	
계정과목	금액	당기순이익	₩600,000
매출액	₩6,000,000	주식보상비용	₩140,000
매출원가	₩(3,200,000)	이자비용	₩450,000
급여	₩(1,200,000)	감가상각비	₩890,000
감가상각비	₩(890,000)	유형자산처분이익	₩(570,000)
손상차손	₩(120,000)	법인세비용	₩180,000
유형자산처분이익	₩570,000	매출채권(순액)의 증가	₩(890,000)
외화환산이익	₩320,000	선급금의 증가	₩(120,000)
이자비용	₩(450,000)	선급급여의 감소	₩210,000
재고자산감모손실	₩(250,000)	재고자산의 감소	₩390,000
법인세비용	₩(180,000)	매입채무의 증가	₩430,000
당기순이익	₩600,000	미지급급여의 감소	₩(170,000)
		영업에서 창출된 현금	₩1,540,000
		이자지급	₩(420,000)
		법인세납부	₩(80,000)
		영업활동순현금흐름	₩1,040,000

	공급자에 대한 현금유출액	종업원에 대한 현금유출액
①	₩2,180,000	₩1,160,000
②	₩2,430,000	₩1,020,000
③	₩2,430,000	₩1,160,000
④	₩2,500,000	₩1,020,000
⑤	₩2,500,000	₩1,160,000

06 ㈜세무는 재고자산의 매입과 매출을 모두 외상으로 처리한 후, 나중에 현금으로 결제하고 있다. 다음은 이와 관련된 거래내역 일부를 20×0년과 20×1년도 재무상태표와 포괄손익계산서로부터 추출한 것이다. 20×1년 12월 31일 (A)에 표시될 현금은 얼마인가? (단, 현금의 변동은 제시된 영업활동에서만 영향을 받는다고 가정한다) [세무사 2020년]

재무상태표 계정과목	20×1. 12. 31.	20×0. 12. 31.
현금	(A)	₩300,000
매출채권	₩110,000	₩100,000
매출채권손실충당금	₩10,000	₩9,000
재고자산	₩100,000	₩80,000
매입채무	₩80,000	₩60,000

포괄손익계산서 계정과목	20×1년도	20×0년도
매출	₩1,800,000	₩1,500,000
매출원가	₩1,500,000	₩1,200,000
매출채권 손상차손	₩7,000	₩6,000

① ₩584,000 ② ₩590,000 ③ ₩594,000
④ ₩604,000 ⑤ ₩610,000

07 다음은 ㈜대한의 재무상태표에 표시된 두 종류의 상각후원가(AC)로 측정하는 금융부채(A사채, B사채)와 관련된 계정의 장부금액이다. 상기 금융부채 외에 ㈜대한이 보유한 이자발생 부채는 없으며, ㈜대한은 20×1년 포괄손익계산서상 당기손익으로 이자비용 ₩48,191을 인식하였다. 이자지급을 영업활동으로 분류할 경우, ㈜대한이 20×1년 현금흐름표의 영업활동현금흐름에 표시할 이자지급액은 얼마인가? (단, 당기 중 사채의 추가발행 · 상환 · 출자전환 및 차입금의 신규차입은 없었으며, 차입원가의 자본화는 고려하지 않는다) [공인회계사 2021년]

구분	20×1년 1월 1일	20×1년 12월 31일
미지급이자	₩10,000	₩15,000
A사채(순액)	₩94,996	₩97,345
B사채(순액)	₩110,692	₩107,334

① ₩42,182 ② ₩43,192 ③ ₩44,200
④ ₩45,843 ⑤ ₩49,200

08 다음의 자료를 이용하여 ㈜대한의 20×1년도 매출액과 매출원가를 구하면 각각 얼마인가?

[공인회계사 2022년]

- ㈜대한의 20×1년도 현금흐름표상 '고객으로부터 유입된 현금'과 '공급자에 대한 현금유출'은 각각 ₩730,000과 ₩580,000이다.
- ㈜대한의 재무상태표에 표시된 매출채권, 매출채권 관련 손실충당금, 재고자산, 매입채무의 금액은 각각 다음과 같다.

구분	20×1년 초	20×1년 말
매출채권	₩150,000	₩115,000
(손실충당금)	(40,000)	(30,000)
재고자산	200,000	230,000
매입채무	90,000	110,000

- 20×1년도 포괄손익계산서에 매출채권 관련 외환차익과 매입채무 관련 외환차익이 각각 ₩200,000과 ₩300,000으로 계상되어 있다.
- 20×1년도 포괄손익계산서에 매출채권에 대한 손상차손 ₩20,000과 기타비용(영업외비용)으로 표시된 재고자산감모손실 ₩15,000이 각각 계상되어 있다.

	매출액	매출원가
①	₩525,000	₩855,000
②	₩525,000	₩645,000
③	₩545,000	₩855,000
④	₩545,000	₩645,000
⑤	₩725,000	₩555,000

09 다음은 유통업을 영위하는 ㈜대한의 현금흐름표 관련 자료이다.

• 20×1년 재무상태표 관련 자료

계정과목	기초	기말
재고자산	₩300,000	₩170,000
재고자산평가충당금	-	3,000
매입채무	280,000	400,000

• ㈜대한의 재고자산은 전부 상품이며, 재고자산평가충당금은 전액 재고자산평가손실로 인한 것이다. ㈜대한은 당기 발생한 재고자산평가손실 ₩3,000을 기타비용(영업외비용)으로 처리하였다.
• ㈜대한의 당기 상품매입액 중 ₩25,000은 현금매입액이며, 나머지는 외상매입액이다.
• 20×1년도에 매입채무와 관련하여 발생한 외화환산이익은 ₩11,000이다.

㈜대한의 20×1년도 현금흐름표상 공급자에 대한 현금유출(상품매입)이 ₩660,000이라면, 20×1년도 포괄손익계산서상 매출원가는 얼마인가? [공인회계사 2024년]

① ₩885,000　② ₩896,000　③ ₩910,000
④ ₩921,000　⑤ ₩924,000

10 다음 자료를 이용할 경우 20×1년도 현금흐름표에 계상될 영업활동순현금흐름은 얼마인가? [세무사 2012년]

• 당기순이익: ₩250,000
• 감가상각비: ₩40,000
• 사채상환이익: ₩35,000
• FVOCI금융자산처분손실: ₩20,000
• 법인세지급: ₩80,000
• 유상증자: ₩110,000
• 자산 및 부채 계정잔액의 일부

구분	20×1년 1월 1일	20×1년 12월 31일
매출채권(순액)	₩50,000	₩70,000
단기대여금	₩110,000	₩130,000
유형자산(순액)	₩135,000	₩95,000
매입채무	₩40,000	₩30,000
미지급비용	₩30,000	₩45,000

① ₩260,000 유입　② ₩265,000 유입　③ ₩270,000 유입
④ ₩275,000 유입　⑤ ₩290,000 유입

11 다음 자료는 ㈜코리아의 20×0년 말과 20×1년 말 재무상태표와 20×1년 포괄손익계산서 및 현금흐름표에서 발췌한 회계자료의 일부이다. ㈜코리아는 이자의 지급을 영업활동으로 분류하고 있다. 다음의 자료만을 이용할 때 20×1년도 '법인세비용차감전순이익' 및 '영업에서 창출된 현금'을 계산하면 각각 얼마인가? [공인회계사 2015년]

(1) 감가상각비	₩40,000
(2) 유형자산처분손실	₩20,000
(3) 이자비용	₩25,000
(4) 법인세비용	₩30,000
(5) 미지급법인세의 감소액	₩5,000
(6) 이연법인세부채의 증가액	₩10,000
(7) 이자지급액	₩25,000
(8) 매출채권의 증가액	₩15,000
(9) 손실충당금의 증가액	₩5,000
(10) 재고자산의 감소액	₩4,000
(11) 매입채무의 감소액	₩6,000
(12) 영업활동순현금흐름	₩200,000

	법인세비용차감전순이익	영업에서 창출된 현금
①	₩177,000	₩250,000
②	₩172,000	₩245,000
③	₩225,000	₩192,000
④	₩167,000	₩240,000
⑤	₩172,000	₩220,000

12 ㈜한국은 당기 중에 장부금액 ₩40,000인 기계장치를 ₩52,000에 처분하였으며 당기 중 취득한 기계장치는 없다. 법인세차감전순이익은 ₩30,000이며, 액면발행된 사채의 이자비용이 ₩2,000이다. 영업에서 창출된 현금흐름은 얼마인가? [세무사 2015년]

계정과목	기초	기말
매출채권(총액)	₩120,000	₩90,000
매출채권손실충당금	₩4,000	₩5,000
재고자산	₩250,000	₩220,000
기계장치(총액)	₩400,000	₩300,000
감가상각누계액	₩230,000	₩190,000
매입채무	₩245,000	₩280,000

① ₩116,000 ② ₩126,000 ③ ₩136,000
④ ₩146,000 ⑤ ₩156,000

13 ㈜세무의 20×2년도 현금흐름표의 영업활동현금흐름에 표시될 항목과 금액이 다음과 같을 때, 영업활동순현금흐름은 얼마인가?

당기순이익	₩200,000	매출채권 감소	₩15,000
이자수익	₩20,000	매입채무 감소	₩12,000
이자비용	₩35,000	미지급급여 증가	₩6,000
법인세비용	₩40,000	이자지급	₩26,000
감가상각비	₩50,000	이자수취	₩18,000
기계장치처분이익	₩8,000	법인세납부	₩42,000
재고자산 증가	₩25,000		

① ₩223,000 ② ₩231,000 ③ ₩239,000
④ ₩281,000 ⑤ ₩311,000

14 다음은 ㈜세무의 20×1년도 간접법에 의한 현금흐름표를 작성하기 위한 자료의 일부이다.

(1) 20×1년도 포괄손익계산서 자료
- 당기순이익: ₩500,000
- 법인세비용: ₩60,000
- 매출채권손상차손: ₩9,000
- 감가상각비: ₩40,000
- 상각후원가측정금융자산처분손실: ₩3,500
- 사채상환이익: ₩5,000
- 유형자산처분손실: ₩50,000

(2) 20×1년 말 재무상태표 자료

구분	20×1년 1월 1일	20×1년 12월 31일
매출채권(순액)	₩120,000	₩90,000
재고자산(순액)	₩80,000	₩97,000
매입채무	₩65,000	₩78,000
유형자산(순액)	₩3,000,000	₩2,760,000
당기법인세부채	₩40,000	₩38,000
이연법인세부채	₩55,000	₩70,000

20×1년도 현금흐름표상 영업활동순현금흐름은 얼마인가? (단, 법인세납부는 영업활동으로 분류한다)

[세무사 2019년]

① ₩627,500 ② ₩640,500 ③ ₩649,500
④ ₩687,500 ⑤ ₩877,000

15 다음은 유통업을 영위하는 ㈜대한의 20×1년 현금흐름표를 작성하기 위한 자료이다. ㈜대한은 간접법으로 현금흐름표를 작성하며, 이자지급 및 법인세납부는 영업활동현금흐름으로 분류한다. ㈜대한이 20×1년 현금흐름표에 보고할 영업활동순현금흐름은 얼마인가? [공인회계사 2020년]

- 법인세비용차감전순이익: ₩534,000
- 건물 감가상각비: ₩62,000
- 이자비용: ₩54,000(유효이자율법에 의한 사채할인발행차금상각액 ₩10,000 포함)
- 법인세비용: ₩106,800
- 매출채권 감소: ₩102,000
- 재고자산 증가: ₩68,000
- 매입채무 증가: ₩57,000
- 미지급이자 감소: ₩12,000
- 당기법인세부채 증가: ₩22,000

① ₩556,200 ② ₩590,200 ③ ₩546,200
④ ₩600,200 ⑤ ₩610,200

16 ㈜세무의 20×1년도 현금흐름표를 작성하기 위한 자료는 다음과 같다. ㈜세무가 20×1년도 현금흐름표에 보고할 영업활동순현금유입액은? [세무사 2022년]

- 법인세비용차감전순이익: ₩1,000,000
- 법인세비용: ₩120,000(20×1년 중 법인세납부액과 동일)
- 이자비용: ₩30,000(모두 사채의 이자비용이며, 사채할인발행차금상각액을 포함함)
- 자산과 부채의 증감

계정과목	기초금액	기말금액
매출채권	₩200,000	₩210,000
재고자산	280,000	315,000
건물	1,200,000	1,150,000
건물 감가상각누계액	(380,000)	(370,000)
사채	300,000	300,000
사채할인발행차금	(15,000)	(10,000)

- 20×1년 중 건물 관련 거래가 ㈜세무의 순현금흐름을 ₩30,000 증가시켰다.
- 20×1년 중 사채 관련 거래가 ㈜세무의 순현금흐름을 ₩25,000 감소시켰으며, 20×1년 중 사채의 발행 및 상환은 없었다.
- ㈜세무는 간접법을 사용하여 영업활동현금흐름을 산출하며, 이자지급 및 법인세납부는 영업활동으로 구분한다.

① ₩850,000 ② ₩880,000 ③ ₩890,000
④ ₩930,000 ⑤ ₩970,000

17 다음은 ㈜대한의 20×1년도 현금흐름표를 작성하기 위한 자료이다.

• 20×1년도 포괄손익계산서 관련 자료

법인세비용차감전순이익	₩2,150,000
법인세비용	?
이자비용	30,000
감가상각비	77,000

• 20×1년 말 재무상태표 관련 자료

계정과목	기말잔액	기초잔액	증감
매출채권	₩186,000	₩224,000	₩38,000 감소
재고자산	130,000	115,000	15,000 증가
매입채무	144,000	152,000	8,000 감소
미지급이자	9,500	12,000	2,500 감소
당기법인세부채	31,000	28,000	3,000 증가
이연법인세부채	2,600	4,000	1,400 감소

㈜대한은 간접법으로 현금흐름표를 작성하며, 이자지급과 법인세납부는 영업활동현금흐름으로 분류한다. ㈜대한이 20×1년도 현금흐름표에 보고한 영업활동순현금유입액이 ₩1,884,900일 경우, 20×1년도 당기순이익은 얼마인가? [공인회계사 2023년]

① ₩1,713,600 ② ₩1,754,200 ③ ₩1,791,300
④ ₩1,793,800 ⑤ ₩1,844,100

18 ㈜세무의 20×1년도 현금흐름표상 영업활동순현금유입액은 ₩100,000이다. 다음 자료를 이용하여 계산한 ㈜세무의 20×1년도 당기순이익은? [세무사 2023년]

- 법인세비용 ₩50,000
- 대손상각비 ₩20,000
- 감가상각비 ₩25,000
- 사채이자비용 ₩40,000(사채할인발행차금상각액 ₩10,000 포함)
- 토지처분이익 ₩30,000
- 미지급이자 감소액 ₩10,000
- 매출채권(순액) 증가액 ₩15,000
- 법인세부채 증가액 ₩5,000
- ㈜세무는 간접법을 사용하여 영업활동현금흐름을 산출하며, 이자지급 및 법인세납부는 영업활동으로 구분한다.

① ₩105,000 ② ₩115,000 ③ ₩125,000
④ ₩135,000 ⑤ ₩145,000

19 ㈜한국은 20×1년도 현금흐름표를 작성 중이다. 기계장치 관련 내역은 다음과 같으며, 당기 중 취득 및 처분 거래는 모두 현금으로 이루어졌다.

계정과목	기초금액	기말금액
기계장치	₩300,000	₩320,000
감가상각누계액	₩55,000	₩60,000

㈜한국은 당기 중 기계장치를 ₩100,000에 취득하였으며, 포괄손익계산서에는 기계장치처분이익 ₩5,000과 감가상각비(기계장치) ₩35,000이 보고되었다. ㈜한국의 기계장치 관련 거래가 20×1년도의 투자활동현금흐름에 미치는 영향은 얼마인가? [공인회계사 2017년]

① 현금유출 ₩45,000 ② 현금유출 ₩15,000 ③ 현금유출 ₩10,000
④ 현금유입 ₩5,000 ⑤ 현금유입 ₩30,000

20 다음은 ㈜여름의 기계장치와 관련하여 20×1년도 중 발생한 일부 거래내역과 20×1년도 부분재무제표의 자료이다. ㈜여름의 유형자산은 모두 기계장치이다. 다음의 자료만을 이용하여 계산한 20×1년도 기계장치의 처분으로 인한 현금유입액은 얼마인가? [공인회계사 2011년]

1. 부분재무상태표

계정과목	기초잔액	기말잔액	증감
기계장치	₩8,700,000	₩8,670,000	₩(30,000)
감가상각누계액	₩(3,700,000)	₩(2,500,000)	₩(1,200,000)

2. 부분포괄손익계산서

계정과목	금액
유형자산 감가상각비	₩(850,000)
유형자산처분이익	₩570,000

(1) 20×1년 7월 1일 ㈜여름은 공정개선을 위해 보유 중인 기계장치 일부를 ㈜겨울의 기계장치와 교환하였다. 교환시점에 ㈜여름이 보유한 기계장치의 취득금액은 ₩3,300,000(감가상각누계액 ₩1,100,000)이고 공정가치는 ₩2,300,000이었으며, ㈜겨울이 보유한 기계장치의 취득금액은 ₩4,000,000(감가상각누계액 ₩2,500,000)이고 공정가치는 ₩2,000,000이었다. 동 거래는 상업적 실질이 있는 교환으로 공정가치 보상을 위한 현금수수는 없으며, ㈜여름이 보유한 기계장치의 공정가치가 더 명백하였다.

(2) 20×1년 10월 1일 취득원가 ₩4,000,000인 기계장치를 취득하였으며, 당기 중 기계장치의 추가 취득거래는 발생하지 않았다. 또한 (1)의 교환거래를 제외한 기계장치 관련 거래는 모두 현금으로 이루어졌으며, ㈜여름은 기계장치에 대해 원가모형을 적용하였다.

① ₩2,080,000 ② ₩2,550,000 ③ ₩2,650,000
④ ₩3,300,000 ⑤ ₩3,400,000

21 20×0년 초에 설립된 ㈜대한의 20×0년 12월 31일 현재 토지의 장부금액은 ₩5,400,000이다. 이는 재평가로 인하여 증가된 ₩1,100,000이 포함된 금액이다. 또한, ㈜대한은 20×0년 3월 1일에 취득한 기계장치(내용연수 5년, 잔존가치 ₩400,000, 정액법 상각)를 20×0년 5월 31일 ₩5,300,000에 전부 처분하고 유형자산처분손실 ₩1,845,000을 인식하였다. ㈜대한은 감가상각에 대해 월할 계산하고 있으며, 자산의 취득 및 처분과 관련된 모든 거래는 현금으로 이루어지고 있다. ㈜대한의 20×0년도 현금흐름표에 계상될 투자활동순현금흐름은 얼마인가? (단, 토지는 20×0년 초에 취득하였으며, 재평가모형을 적용한다) [세무사 2012년]

① ₩4,300,000 유출 ② ₩5,500,000 유입 ③ ₩6,500,000 유출
④ ₩7,500,000 유입 ⑤ ₩11,800,000 유출

[22 ~ 23]

다음은 유통업을 영위하는 ㈜대한의 20×1년도 현금흐름표를 작성하기 위한 자료이다.

[공인회계사 2018년]

(1) 20×1년도 포괄손익계산서 관련 자료
- 매출: ₩435,000
- 매출원가: ₩337,000
- 급여: ₩8,000
- 매출채권 손상차손: ₩1,500
- 차량운반구 감가상각비: ₩16,000
- 재고자산평가손실(기타비용): ₩5,000
- 매출채권 외화환산이익: ₩1,000
- 유형자산처분손실: ₩2,000

(2) 20×1년도 재무상태표 관련 자료(단위: ₩)

계정과목	기초	기말
매출채권	92,400	135,500
매출채권손실충당금	4,400	5,500
재고자산	120,000	85,000
재고자산평가충당금	-	5,000
매입채무	70,000	40,000
차량운반구	400,000	371,000
차량운반구 감가상각누계액	100,000	77,000

(3) 20×1년 중 취득가액이 ₩40,000(감가상각누계액 ₩20,000)인 차량운반구를 처분하여 처분손실 ₩2,000이 발생하였다. 또한 차량운반구를 ₩50,000에 신규 취득하였으며 이는 당기 중 유일한 취득거래이다. 당기 중 차량운반구의 증감은 전부 취득과 처분으로 발생한 것이다.

(4) 매출액 중 ₩25,000은 현금매출이며 나머지는 신용매출이다.

(5) 별도의 언급이 없는 한, 당기 중 거래는 현금으로 이루어졌다.

22 ㈜대한이 20×1년 현금흐름표에 보고할 영업으로부터 창출된 현금은 얼마인가?

① ₩27,500　② ₩51,500　③ ₩52,500
④ ₩60,500　⑤ ₩384,500

23 ㈜대한의 차량운반구 관련 거래가 20×1년도 투자활동현금흐름에 미치는 영향은 얼마인가?

① 현금유출 ₩12,000　② 현금유출 ₩32,000　③ 현금유출 ₩50,000
④ 현금유입 ₩30,000　⑤ 현금유입 ₩38,000

24 ㈜한영의 재무활동과 관련한 자료는 다음과 같다고 할 경우, 회사의 20×1년 재무활동현금흐름은 얼마인가? [공인회계사 2007년 수정]

(1) 사채의 당기 변동내역은 다음과 같다.

계정과목	20×1년 초	20×1년 말
사채	₩400,000	₩680,000
사채할인발행차금	₩(15,000)	₩(10,000)

(2) 20×1년 발생한 사채이자 ₩45,000에는 사채이자 현금지급액 ₩40,000과 사채할인발행차금상각액 ₩5,000이 포함되어 있다. 당기의 외화환산이익 ₩20,000은 모두 외화사채에서 발생한 것이다.

① ₩300,000 유입　② ₩300,000 유출　③ ₩295,000 유입
④ ₩295,000 유출　⑤ ₩280,000 유입

25 ㈜한영의 재무활동과 관련하여 20×1년 중 보통주식 10,000주(액면가 ₩5)를 ₩200,000에 발행하였다. 또한 이익준비금 ₩100,000의 자본전입을 통해 무상주 20,000주를 발행하였다. 당기 중 ₩30,000의 현금배당금을 지급하였으며, 20×2년 2월 26일 주주총회에서 ₩50,000의 현금배당을 선언할 예정이다. 회사의 20×1년 재무활동현금흐름은 얼마인가? [공인회계사 2007년 수정]

① ₩200,000 유입　② ₩200,000 유출　③ ₩170,000 유입
④ ₩170,000 유출　⑤ ₩230,000 유입

26 ㈜세무의 현금흐름표 작성을 위한 20×1년 자료가 다음과 같을 때, ㈜세무의 20×1년도 투자활동순현금흐름과 재무활동순현금흐름은 얼마인가? (단, ㈜세무는 이자의 지급, 이자 및 배당금의 수입은 영업활동으로, 배당금의 지급은 재무활동으로 분류하고 있다) [세무사 2017년]

- 유상증자로 ₩250,000, 장기차입금으로 ₩300,000을 조달하였다.
- 20×1년 초 매출채권 잔액은 ₩300,000이었고, 여기에 손실충당금 잔액이 ₩20,000으로 설정되어 있다. 20×1년 말 매출채권 잔액은 ₩500,000이며, 손상추정을 통하여 기말손실충당금 잔액이 ₩50,000으로 증가하였다.
- 20×0년 경영성과에 대해 20×1년 3월 주주총회 결의를 통해 주주들에게 배당금으로 ₩200,000을 지급하였다.
- 기초와 기말의 법인세부채는 각각 ₩300,000과 ₩400,000이었다.
- 당기에 유형자산을 총원가 ₩1,500,000에 취득하였으며, 이 중에서 ₩900,000은 금융리스로 취득하였다. 나머지 ₩600,000은 현금으로 지급하였다. 금융리스부채의 상환은 20×2년 초부터 이루어진다.
- 취득원가가 ₩800,000이고 감가상각누계액이 ₩500,000인 공장 설비를 현금매각하고, 유형자산처분이익 ₩100,000을 인식하였다.

	투자활동순현금흐름	재무활동순현금흐름
①	₩200,000 유출	₩350,000 유입
②	₩200,000 유출	₩550,000 유입
③	₩400,000 유입	₩200,000 유출
④	₩600,000 유출	₩350,000 유입
⑤	₩600,000 유출	₩550,000 유입

관련 유형 연습

01 현금흐름표는 회계기간 동안 발생한 현금흐름을 영업활동, 투자활동 및 재무활동으로 분류하여 보고한다. 다음 중 현금흐름의 분류가 다른 것은?

① 리스이용자의 리스부채상환에 따른 현금유출
② 판매목적으로 보유하는 재고자산을 제조하거나 취득하기 위한 현금유출
③ 보험회사의 경우 보험금과 관련된 현금유출
④ 기업이 보유한 특허권을 일정 기간에 사용하도록 하고 받은 수수료 관련 현금유입
⑤ 단기매매목적으로 보유하는 계약에서 발생한 현금유입

02 다음은 ㈜대한의 20×1년도 이자지급과 관련된 자료이다. ㈜대한의 20×1년도 이자지급으로 인한 현금유출액은 얼마인가?

(1) 포괄손익계산서에 인식된 이자비용 ₩20,000에는 사채할인발행차금상각액 ₩2,000이 포함되어 있다.
(2) 재무상태표에 인식된 이자 관련 계정과목의 기초 및 기말잔액은 다음과 같다.

계정과목	기초잔액	기말잔액
미지급이자	₩2,300	₩3,300
선급이자	₩1,000	₩1,300

① ₩16,300 ② ₩17,300 ③ ₩18,700
④ ₩21,300 ⑤ ₩22,700

03 다음은 ㈜대한의 20×1년도 재무제표의 일부 자료이다. 직접법을 사용하여 20×1년도 현금흐름표의 영업활동현금흐름을 구할 때, 고객으로부터 유입된 현금흐름과 공급자에 대해 유출된 현금흐름으로 옳은 것은? (단, ㈜대한은 재고자산평가손실과 환율변동이익을 매출원가에 반영하지 않음)

(1) 재무상태표의 일부

계정과목	기초잔액	기말잔액
매출채권(총액)	₩200,000	₩140,000
손실충당금	₩10,000	₩14,000
재고자산	₩60,000	₩50,000
매입채무	₩50,000	₩100,000
선수금	₩10,000	₩8,000

(2) 손익계산서의 일부

계정과목	금액
매출액	₩1,500,000
매출원가	₩1,000,000
손상차손	₩7,000
재고자산평가손실	₩50,000
환율변동이익(매입채무 관련)	₩20,000

	고객으로부터 유입된 현금흐름	공급자에 대해 유출된 현금흐름
①	₩1,555,000	₩970,000
②	₩1,555,000	₩995,000
③	₩1,560,000	₩950,000
④	₩1,560,000	₩970,000
⑤	₩1,560,000	₩995,000

04 ㈜세무의 20×1년도 재무제표의 상품매매와 관련된 자료이다. 20×1년도 ㈜세무의 상품매입과 관련된 현금유출액은 얼마인가?

• 기초매출채권	₩40,000	• 기말매출채권	₩50,000
• 기초상품재고액	₩30,000	• 기말상품재고액	₩28,000
• 기초매입채무	₩19,000	• 기말매입채무	₩20,000
• 기초선수금	₩20,000	• 기말선수금	₩15,000
• 기초선급금	₩10,000	• 기말선급금	₩5,000
• 매출액	₩400,000	• 매출원가	₩240,000
• 환율변동이익*	₩4,000		

* 환율변동이익은 매입채무에 포함된 외화외상매입금에서만 발생함

① ₩222,000 ② ₩228,000 ③ ₩236,000
④ ₩240,000 ⑤ ₩248,000

05 20×1년도 ㈜한국의 다음 자료를 이용하여 계산된 20×1년도 당기순이익은 얼마인가?

• 현금흐름표상 영업활동순현금흐름은 ₩182,000이다.
• 포괄손익계산서상 사채상환손실, 이자비용 및 감가상각비는 각각 ₩15,000, ₩10,000 및 ₩5,000이다.
• 법인세비용은 ₩8,000이다.
• 매출채권은 ₩20,000 증가하였다.
• 재고자산은 ₩10,000 감소하였다.
• 매입채무는 ₩15,000 증가하였다.
• 법인세지급액과 이자지급액은 법인세비용·이자비용과 일치한다.

① ₩148,000 ② ₩157,000 ③ ₩163,000
④ ₩173,000 ⑤ ₩178,000

06 ㈜한국의 20×1년도 현금흐름표상 영업에서 창출된 현금(영업으로부터 창출된 현금)이 ₩100,000이고 영업활동순현금흐름은 ₩89,000이다. 다음에 제시된 자료를 이용하여 ㈜한국의 20×1년도 포괄손익계산서상 법인세비용차감전순이익을 구하면 얼마인가? (단, 이자지급 및 법인세납부는 영업활동으로 분류한다)

[20×1년도 ㈜한국의 재무자료]

- 이자비용: ₩2,000
- 유형자산처분손실: ₩3,000
- 법인세비용: ₩7,000
- 재고자산(순액) 증가: ₩3,000
- 매입채무 증가: ₩3,000
- 감가상각비: ₩1,000
- 사채상환이익: ₩2,000
- 미지급이자 증가: ₩1,000
- 매출채권(순액) 증가: ₩2,000
- 미지급법인세 감소: ₩3,000

① ₩91,000 ② ₩98,000 ③ ₩101,000
④ ₩103,000 ⑤ ₩105,000

07 다음은 제조기업인 ㈜대한의 20×1년도 간접법에 의한 현금흐름표를 작성하기 위한 자료이다.

구분	금액	구분	금액
법인세비용차감전순이익	₩500,000	손상차손	₩10,000
재고자산평가손실	₩10,000	건물 감가상각비	₩40,000
이자비용	₩50,000	법인세비용	₩140,000
FVPL금융자산처분이익	₩15,000	매출채권(순액)	₩100,000 증가
매입채무	₩50,000 감소	재고자산(순액)	₩20,000 증가
FVPL금융자산	₩50,000 감소	미지급이자	₩70,000 증가

이자지급 및 법인세납부를 영업활동으로 분류한다고 할 때, 20×1년 ㈜대한이 현금흐름표에 보고할 영업에서 창출된 현금은 얼마인가?

① ₩420,000 ② ₩456,000 ③ ₩470,000
④ ₩495,000 ⑤ ₩535,000

08 다음은 ㈜갑의 20×1년도 간접법에 의한 현금흐름표를 작성하기 위한 자료이다.

(1) 20×1년도 포괄손익계산서 자료

구분	금액	구분	금액
당기순이익	₩500	법인세비용	₩100
재고자산평가손실	₩10	손상차손(매출채권에서 발생)	₩90
외화환산이익(매출채권에서 발생)	₩40	외화환산손실(매입채무에서 발생)	₩50
FVPL금융자산처분이익	₩80	FVPL금융자산평가손실	₩60

(2) 20×1년 말 재무상태표 자료
20×1년 기초금액 대비 기말금액의 증감은 다음과 같다.

자산		부채와 자본	
계정과목	증가(감소)	계정과목	증가(감소)
현금및현금성자산	₩30	단기차입금	₩(70)
FVPL금융자산	₩120	매입채무	₩(330)
매출채권(순액)	₩650	미지급법인세	₩(20)
재고자산(순액)	₩(480)	이연법인세부채	₩30
유형자산(순액)	₩(230)	자본	₩480

(3) 20×1년도 유형자산 취득금액은 ₩70이고 처분은 없으며, 20×1년 감가상각비는 ₩300 이다.

(4) 이자와 배당금의 수취, 이자지급 및 법인세납부 또는 환급은 영업활동으로 분류하고, 배당금의 지급은 재무활동으로 분류한다.

㈜갑의 20×1년도 현금흐름표상 영업활동순현금흐름은 얼마인가?

① ₩190　② ₩200　③ ₩210
④ ₩310　⑤ ₩1,410

09 다음은 ㈜영웅의 20×1년도 비교재무상태표의 일부이다. 회사는 20×1년도 중 취득원가는 ₩200,000이고, 취득원가의 30%를 상각한 유형자산을 ₩150,000의 현금을 받고 매각 처분하였다.

계정과목	20×1년 초	20×1년 말
유형자산	₩600,000	₩640,000
감가상각누계액	₩110,000	₩120,000

20×1년도 ㈜영웅의 기계장치의 취득으로 인한 현금유출액은 얼마인가?

① ₩(100,000) ② ₩(120,000) ③ ₩(220,000)
④ ₩(240,000) ⑤ ₩(140,000)

10 ㈜세무의 기계장치와 관련된 내역은 다음과 같다. 기계장치는 원가모형을 적용한다.

계정과목	기초금액	기말금액
기계장치	₩400,000	₩410,000
감가상각누계액	55,000	65,000

한편, 당기 중에 기계장치를 ₩100,000에 취득하였으며, 포괄손익계산서에는 기계장치처분이익 ₩10,000과 감가상각비(기계장치) ₩40,000이 보고되었다. 당기 중 취득 및 처분거래는 모두 현금거래이다. ㈜세무의 당기 중 기계장치 관련 거래가 현금흐름표상 투자활동 현금흐름에 미치는 순효과는?

[세무사 2024년]

① 현금유출 ₩30,000 ② 현금유출 ₩60,000 ③ 현금유출 ₩70,000
④ 현금유입 ₩30,000 ⑤ 현금유입 ₩70,000

11 다음은 ㈜수제의 20×1년도 비교재무상태표의 일부이다. 당기 사채로 인한 현금유입액은 ₩200,000이다. ㈜수제의 20×1년도 사채로 인한 현금유출액은 얼마인가?

구분	계정과목	20×1년 초	20×1년 말
손익계산서	이자비용 (사채할인발행차금상각액) 사채상환손실 환율변동손실(사채 관련)		₩60,000 ₩3,000 ₩5,000 ₩2,000
재무상태표	사채 사채할인발행차금	₩200,000 ₩30,000	₩400,000 ₩50,000

① ₩20,000 ② ₩27,000 ③ ₩27,500
④ ₩30,000 ⑤ ₩37,500

실력 점검 퀴즈

01 12월 말 결산법인인 A사는 20×1년도에 매출채권과 매입채무가 각각 ₩800,000과 ₩600,000 증가하였고 손실충당금이 ₩40,000 증가하였다. 또한 당기 초의 선수금은 ₩200,000이었으나 당기 말 선수금의 잔액은 ₩150,000이다. 당기 중 손상차손이 ₩100,000, 총매출액은 ₩6,200,000이었으나 매출에누리와 환입 및 매출할인이 각각 ₩30,000과 ₩10,000이 발생하였다. A사가 20×1년 현금흐름표에 표시할 고객으로부터 수취한 현금은 얼마인가?

① ₩6,050,000　② ₩5,350,000　③ ₩5,300,000
④ ₩5,290,000　⑤ ₩5,250,000

02 A사의 20×1년 토지와 단기차입금 자료가 다음과 같다. 단, 모든 거래는 현금거래이다.

구분	기초	기말
토지	₩150,000	₩120,000
단기차입금	₩100,000	₩180,000

〈추가 자료〉
(1) 토지는 취득원가로 기록하며, 20×1년에 손상차손은 없었다.
(2) 20×1년 중에 토지(장부금액 ₩50,000)를 ₩75,000에 매각하였다.
(3) 20×1년 중에 단기차입금 ₩100,000을 차입하였다.

20×1년 A사의 토지의 취득으로 인한 현금유출액과 단기차입금의 상환으로 인한 현금유출액을 각각 구하시오.

	토지의 취득으로 인한 현금유출액	단기차입금의 상환으로 인한 현금유출액
①	₩20,000	₩20,000
②	20,000	100,000
③	45,000	80,000
④	45,000	20,000
⑤	45,000	100,000

03 다음은 A사의 사채 및 사채할인발행차금에 관한 자료이다.

(1) 재무상태표의 일부

구분	기초	기말
사채	₩500,000	₩400,000
사채할인발행차금	₩(50,000)	₩(25,000)

(2) A사의 포괄손익계산서상 이자비용은 ₩100,000이며, 당기에 액면금액 ₩200,000(장부금액 ₩180,000)의 사채를 ₩200,000에 상환하였다.
(3) 사채할인발행차금의 상각으로 인한 이자비용은 ₩20,000이다.

A사의 당기 사채의 발행으로 인하여 유입된 현금을 구하시오.

① ₩110,000 ② ₩105,000 ③ ₩85,000
④ ₩65,000 ⑤ ₩60,000

04 다음은 A사의 이익잉여금의 기초잔액, 기말잔액 및 당기 변동과 관련된 자료이다.

(1) 재무상태표의 일부

구분	기초	기말
이익잉여금	₩100,000	₩119,000

(2) A사의 포괄손익계산서상 당기순이익은 ₩28,000이다.
(3) 이익잉여금의 변동은 당기순이익과 현금배당의 선언에 의해서만 영향을 받았다.
(4) 배당금지급은 재무활동으로 분류한다고 가정한다.

A사의 당기 배당금지급에 따른 현금유출액을 구하시오.

① ₩19,000 ② ₩9,000 ③ ₩8,000
④ ₩6,000 ⑤ ₩5,000

05 다음은 A사의 20×1년도 재무제표의 일부이다. 직접법을 사용하여 20×1년도 현금흐름표의 영업활동 현금흐름을 구할 때, 이자수취로 인한 현금유입액은 얼마인가?

(1) 재무상태표의 일부

구분	기초	기말
미수이자	₩100,000	₩150,000

(2) 포괄손익계산서의 일부

구분	금액
이자수익	₩200,000

(3) 포괄손익계산서의 이자수익에는 상각후원가측정금융자산의 할인액 상각과 관련된 이자수익이 ₩20,000 포함되어 있다.

① ₩200,000　② ₩170,000　③ ₩150,000
④ ₩130,000　⑤ ₩110,000

2차 문제 Preview

01 ㈜대한은 현금흐름표를 직접법으로 작성하고 있다.

(1) 다음은 ㈜대한의 20×1년과 20×2년 재무제표 일부이다.

계정	20×2년 말	20×1년 말
매출채권	₩12,000	₩11,500
손실충당금(매출채권)	(1,050)	(950)
선급이자비용	1,250	870
재고자산	28,000	26,000
평가충당금(재고자산)	(1,900)	(2,300)
매입채무	25,000	17,000
미지급이자비용	2,330	3,150
미지급법인세	9,600	7,500
이연법인세부채	1,200	1,130

계정	20×2년도	20×1년도
매출액	₩98,000	₩95,000
매출원가	49,000	48,300
이자비용	4,800	4,670
법인세비용	8,750	6,800

(2) 20×2년 중 매출채권과 상계된 손실충당금은 ₩800이다.

(3) 20×2년 중 매입채무와 관련하여 외환차익 ₩200과 외화환산이익 ₩400이 발생하였다.

(4) 20×2년 법인세비용에는 유형자산처분이익으로 인해 추가 납부한 법인세 ₩280이 포함되어 있다.

위 자료를 이용하여 ㈜대한의 20×2년도 영업활동현금흐름에 포함될 다음 금액을 계산하시오.

고객으로부터 유입된 현금	①
공급자에게 지급한 현금	②
법인세로 납부한 현금	③
이자로 지급한 현금	④

02 다음은 ㈜대한의 20×2년도 현금흐름표 작성을 위한 자료이다.

(1) 다음은 ㈜대한의 20×1년과 20×2년 재무제표 일부이다.

계정	20×2년 말	20×1년 말
유형자산(취득원가)	₩270,000	₩245,000
감가상각누계액	(178,000)	(167,000)
미지급금	30,000	11,500
사채	270,000	200,000
사채할인발행차금	(35,000)	(35,000)
자본금	115,000	100,000
자본잉여금	52,000	40,000
자기주식	(8,500)	(10,000)
이익잉여금	75,000	90,000

계정	20×2년도	20×1년도
감가상각비(유형자산)	₩32,000	₩31,500
유형자산처분이익	13,000	4,500
사채할인발행차금상각	4,000	4,100
사채상환이익	1,000	800
당기순이익	38,000	16,000

(2) 20×2년 취득한 유형자산 구입금액 중 ₩15,000은 미지급금에 포함되어 있으며, ㈜대한은 해당 유형자산을 취득하면서 복구충당부채 ₩3,000에 대한 회계처리를 누락하였다.

(3) 유형자산의 처분과 사채의 발행 및 상환은 현금거래로 이루어졌으며, 현금 지급된 사채이자는 없는 것으로 가정한다.

(4) 20×1년에 액면발행한 상환주식(㈜대한이 상환권 보유) ₩30,000을 20×2년 중 이사회 결의를 통해 발행금액으로 상환을 완료하였다. 상환과 관련하여 주주총회를 개최하지 않았으며, 「상법」규정에 따라 회계처리하였다.

(5) 20×2년 중 장부금액 ₩5,000의 자기주식을 처분하였다.

(6) 20×2년 3월 개최된 정기주주총회에서 주식배당 ₩15,000과 현금배당이 의결되었으며, 현금배당에 따른 이익준비금은 적립되지 않았다.

위 자료를 이용하여 ㈜대한의 20×2년도 현금흐름표에 포함될 다음 금액을 계산하시오.

유형자산 관련 순현금유출액	①
사채 관련 순현금유입액	②
배당으로 지급된 현금	③
자본 관련 현금유출액	④

03 다음은 유통업을 영위하고 있는 ㈜세무의 20×2년도 비교재무상태표와 포괄손익계산서이다. 이들 자료와 추가 정보를 이용하여 각 물음에 답하시오. [세무사 2차 2019년]

<비교재무상태표>

계정과목	20×2. 12. 31.	20×1. 12. 31.	계정과목	20×2. 12. 31.	20×1. 12. 31.
현금및현금성자산	₩74,000	₩36,000	매입채무	₩70,000	₩44,000
매출채권	₩53,000	₩38,000	미지급이자	₩18,000	₩16,000
손실충당금	₩(-)3,000	₩(-)2,000	미지급법인세	₩2,000	₩4,000
재고자산	₩162,000	₩110,000	사채	₩200,000	₩0
금융자산(FVPL)	₩25,000	₩116,000	사채할인발행차금	₩(-)8,000	₩0
차량운반구	₩740,000	₩430,000	자본금	₩470,000	₩408,000
감가상각누계액	₩(-)60,000	₩(-)100,000	자본잉여금	₩100,000	₩100,000
			이익잉여금	₩139,000	₩56,000
자산총계	₩991,000	₩628,000	부채와 자본총계	₩991,000	₩628,000

<포괄손익계산서>

계정과목	금액
매출액	₩420,000
매출원가	₩(-)180,000
판매비와 관리비	₩(-)92,000
영업이익	₩148,000
유형자산처분이익	₩4,000
금융자산(FVPL)평가이익	₩5,000
금융자산(FVPL)처분손실	₩(-)2,000
이자비용	₩(-)8,000
법인세비용차감전순이익	₩147,000
법인세비용	₩(-)24,000
당기순이익	₩123,000
기타포괄손익	₩0
총포괄이익	₩123,000

〈추가 정보〉

(1) 금융자산(FVPL)은 단기매매목적으로 취득 또는 처분한 자산으로 당기손익-공정가치 측정 모형을 적용해오고 있다.
(2) 20×2년 중에 취득원가가 ₩100,000이고, 80% 감가상각된 차량운반구를 ₩24,000에 매각하였다.
(3) 20×2년 중에 액면금액이 ₩100,000인 사채 2좌를 1좌당 ₩95,000에 할인발행하였다.
(4) 20×2년도 자본금의 변동은 유상증자(액면발행)에 따른 것이다.
(5) 포괄손익계산서의 판매비와 관리비 ₩92,000에는 매출채권손상차손 ₩2,000이 포함되어 있으며, 나머지는 급여와 감가상각비로 구성되어 있다.
(6) 포괄손익계산서의 이자비용 ₩8,000에는 사채할인발행차금상각액 ₩2,000이 포함되어 있다.
(7) 이자 및 배당금지급을 영업활동현금흐름으로 분류하고 있다.

물음 1 ㈜세무가 20×2년도 현금흐름표상 영업활동현금흐름을 간접법으로 작성한다고 가정하고, 다음 ① ~ ⑤에 알맞은 금액을 계산하시오(단, 현금유출은 (-)로 표시하고 현금유출입이 없는 경우에는 '0'으로 표시하시오).

영업활동현금흐름		
법인세비용차감전순이익	₩?	
가감		
감가상각비	①	
매출채권의 증가(순액)	②	
재고자산의 증가	₩?	
금융자산(FVPL)의 감소	₩?	
매입채무의 증가	₩?	
유형자산처분이익	₩?	
이자비용	③	
영업으로부터 창출된 현금	④	
이자지급	₩?	
법인세의 납부	₩?	
배당금지급	₩?	
영업활동순현금흐름		⑤

물음 2 ㈜세무가 20×2년도 현금흐름표상 영업활동현금흐름을 직접법으로 작성한다고 가정하고, 다음 ① ~ ⑥에 알맞은 금액을 계산하시오(단, 현금유출은 (-)로 표시하고 현금유출입이 없는 경우에는 '0'으로 표시하시오).

영업활동현금흐름		
고객으로부터의 유입된 현금	①	
금융자산(FVPL)으로부터의 유입된 현금	②	
공급자와 종업원에 대한 현금유출	③	
영업으로부터 창출된 현금	₩?	
이자지급	④	
법인세의 납부	⑤	
배당금지급	⑥	
영업활동순현금흐름		₩?

해커스 IFRS 정윤돈 객관식 재무회계

PART 2

고급회계

해커스 IFRS 정윤돈 객관식 재무회계

1차 시험 출제현황

구분	CPA										CTA									
	15	16	17	18	19	20	21	22	23	24	15	16	17	18	19	20	21	22	23	24
사업결합	1	2	1	2	2	2	2	2	2	2			1			1	1			1

제19장

사업결합

기출 유형 정리

01 기업회계기준서 제1103호 '사업결합'에 대한 다음 설명 중 옳지 않은 것은? [공인회계사 2022년]

① 취득자는 식별할 수 있는 취득자산과 인수부채를 취득일의 공정가치로 측정한다. 다만 일부 제한적인 예외항목은 취득일의 공정가치가 아닌 금액으로 측정한다.

② 취득자는 사업결합으로 취득자산과 인수부채에서 생기는 이연법인세자산이나 부채를 기업회계기준서 제1012호 '법인세'에 따라 인식하고 측정한다.

③ 시장참여자가 공정가치를 측정할 때 계약의 잠재적 갱신을 고려하는지와 무관하게, 취득자는 무형자산으로 인식하는 '다시 취득한 권리'의 가치를 관련 계약의 남은 계약기간에 기초하여 측정한다.

④ 조건부대가를 자본으로 분류한 경우, 조건부대가의 공정가치 변동이 측정기간의 조정사항에 해당하지 않는다면 재측정하지 않는다.

⑤ 사업결합에서 인식한 우발부채는 이후 소멸하는 시점까지 기업회계기준서 제1037호 '충당부채, 우발부채, 우발자산'에 따라 후속측정하여야 한다.

02 ㈜대한은 20×1년 초 두 개의 현금창출단위(A사업부, B사업부)를 보유하고 있는 ㈜민국을 흡수합병(사업결합)하였으며, 이전대가로 지급한 ₩30,000은 각 현금창출단위에 다음과 같이 배분되었다.

구분	이전대가	식별가능한 순자산의 공정가치
A사업부	₩22,000	₩19,000
B사업부	8,000	6,000
합계	₩30,000	₩25,000

20×1년 말 현재 강력한 경쟁기업의 등장으로 인해 A사업부의 매출이 상당히 위축될 것으로 예상되자, ㈜대한은 A사업부(현금창출단위)의 회수가능액을 ₩13,500으로 추정하였다. 손상차손을 인식하기 전 A사업부에 속하는 모든 자산의 20×1년 말 장부금액과 추가 정보는 다음과 같다.

구분	손상 전 장부금액	추가 정보
토지	₩5,000	순공정가치는 ₩5,500임
건물	8,000	순공정가치는 ₩6,800이며, 사용가치는 ₩7,200임
기계장치	2,000	회수가능액을 측정할 수 없음
영업권	?	

손상차손을 인식한 후, ㈜대한의 20×1년 말 재무상태표에 보고되는 A사업부의 기계장치 장부금액은 얼마인가? (단, ㈜대한은 유형자산에 대해 원가모형을 적용하고 있다) [공인회계사 2022년]

① ₩1,700 ② ₩1,300 ③ ₩1,200
④ ₩800 ⑤ ₩500

03 다음은 ㈜대한과 ㈜민국에 대한 자료이다.

- ㈜대한은 20×1년 1월 1일을 취득일로 하여 ㈜민국을 흡수합병하였다. 두 기업은 동일 지배하에 있는 기업이 아니다. 합병대가로 ㈜대한은 ㈜민국의 기존주주에게 ₩800,000의 현금과 함께 ㈜민국의 보통주(1주당 액면가 ₩1,000) 3주당 ㈜대한의 보통주(1주당 액면가 ₩3,000, 1주당 공정가치 ₩10,000) 1주를 교부하였다.
- 취득일 현재 ㈜민국의 요약재무상태표는 다음과 같다.

요약재무상태표

20×1년 1월 1일 현재

	장부금액	공정가치
유동자산	₩600,000	₩800,000
유형자산(순액)	1,500,000	2,300,000
무형자산(순액)	500,000	700,000
자산	₩2,600,000	
부채	₩600,000	₩600,000
보통주자본금	900,000	
이익잉여금	1,100,000	
부채와 자본	₩2,600,000	

- ㈜대한은 합병 시 취득한 ㈜민국의 유형자산 중 일부를 기업회계기준서 제1105호 '매각예정비유동자산과 중단영업'에 따라 매각예정자산으로 분류하였다. 20×1년 1월 1일 현재 해당 자산의 장부금액은 ₩200,000이고 공정가치는 ₩300,000이며, 이 금액은 취득일 현재 ㈜민국의 요약재무상태표에 반영되어 있다. 매각예정자산으로 분류된 동 유형자산의 순공정가치는 ₩250,000이다.

㈜대한이 합병일(20×1년 1월 1일)에 수행한 사업결합 관련 회계처리를 통해 인식한 영업권은 얼마인가?

[공인회계사 2024년]

① ₩350,000 ② ₩400,000 ③ ₩600,000
④ ₩650,000 ⑤ ₩700,000

[04 ~ 05]

다음 <자료>를 이용하여 **04**와 **05**에 답하시오. [공인회계사 2023년]

〈자료〉

- ㈜대한은 20×1년 중에 ㈜민국의 의결권 있는 보통주 150주(지분율 15%)를 ₩150,000에 취득하고, 이를 기타포괄손익-공정가치측정금융자산(FVOCI금융자산)으로 분류하였다.
- ㈜대한은 20×2년 초에 추가로 ㈜민국의 나머지 의결권 있는 보통주 850주(지분율 85%)를 취득하여 합병하였다. 이 주식의 취득을 위해 ㈜대한은 ₩200,000의 현금과 함께 보통주 500주(액면총액 ₩500,000, 공정가치 ₩800,000)를 발행하여 ㈜민국의 주주들에게 지급하였다. 합병일 현재 ㈜민국의 의결권 있는 보통주 공정가치는 주당 ₩1,200, 액면가는 주당 ₩1,000이다. ㈜대한은 신주발행과 관련하여 ₩10,000의 신주발행비용을 지출하였다.
- 취득일 현재 ㈜민국의 요약재무상태표는 다음과 같다.

요약재무상태표

20×2년 1월 1일 현재

	장부금액	공정가치
유동자산	₩150,000	₩200,000
유형자산(순액)	1,050,000	1,280,000
자산	₩1,200,000	
부채	₩600,000	₩600,000
자본금	200,000	
이익잉여금	400,000	
부채와 자본	₩1,200,000	

- ㈜대한은 합병과 관련하여 만세회계법인에게 ㈜민국의 재무상태 실사용역을 의뢰하였고, ₩30,000의 용역수수료를 지급하였다. 그리고 ㈜대한은 합병업무 전담팀을 구성하였는데, 이 팀 유지원가로 ₩20,000을 지출하였다.
- 합병일 현재 ㈜민국의 종업원들은 회사 경영권의 변동에도 불구하고 대부분 이직하지 않았다. 이 때문에 ㈜대한은 합병일 이후 즉시 ㈜민국이 영위하던 사업을 계속 진행할 수 있었으며, ㈜대한의 경영진은 이러한 ㈜민국의 종업원들의 가치를 ₩80,000으로 추정하였다.
- 합병일 현재 ㈜민국의 상표명 'K-World'는 상표권 등록이 되어 있지 않아 법적으로 보호받을 수 없는 것으로 밝혀졌다. 그러나 ㈜민국이 해당 상표를 오랫동안 사용해왔다는 것을 업계 및 고객들이 인지하고 있어, 합병 이후 ㈜대한이 이 상표를 제3자에게 매각하거나 라이선스 계약을 체결할 수 있을 것으로 확인되었다. ㈜대한은 이 상표권의 가치를 ₩30,000으로 추정하였다.

04 ㈜대한이 합병일(20×2년 1월 1일)에 수행한 사업결합 관련 회계처리를 통해 인식한 영업권은 얼마인가?

① ₩240,000 ② ₩270,000 ③ ₩290,000
④ ₩300,000 ⑤ ₩330,000

05 다음은 ㈜대한과 ㈜민국에 대한 <추가 자료>이다.

〈추가 자료〉

- 합병일 현재 ㈜대한은 ㈜민국이 제기한 손해배상청구소송에 피소된 상태이다. 합병일 현재 ㈜대한과 ㈜민국 간에 계류 중인 소송사건의 배상금의 공정가치는 ₩20,000으로 추정되고, 합병에 의해 이 소송관계는 정산되었다. ㈜대한은 이와 관련하여 충당부채를 설정하지 않았다.

위 <자료>와 <추가 자료>가 ㈜대한의 20×2년도 당기순이익에 미치는 영향은 얼마인가?

① ₩0(영향 없음) ② ₩20,000 감소 ③ ₩30,000 감소
④ ₩50,000 감소 ⑤ ₩70,000 감소

[06 ~ 07]

다음 <자료>를 이용하여 **06**과 **07**에 답하시오. [공인회계사 2021년]

〈자료〉

- 자동차제조사인 ㈜대한과 배터리제조사인 ㈜민국은 동일 지배하에 있는 기업이 아니다.
- ㈜대한은 향후 전기자동차 시장에서의 경쟁력 확보를 위해 20×1년 7월 1일을 취득일로 하여 ㈜민국을 흡수합병했으며, 합병대가로 ㈜민국의 기존 주주에게 ㈜민국의 보통주(1주당 액면가 ₩100) 2주당 ㈜대한의 보통주(1주당 액면가 ₩200, 1주당 공정가치 ₩1,400) 1주를 교부하였다.
- 취득일 현재 ㈜민국의 요약재무상태표는 다음과 같다.

요약재무상태표

20×1년 7월 1일 현재

	장부금액	공정가치
현금	₩50,000	₩50,000
재고자산	140,000	200,000
유형자산(순액)	740,000	800,000
무형자산(순액)	270,000	290,000
자산	₩1,200,000	
매입채무	₩80,000	₩80,000
차입금	450,000	450,000
자본금	160,000	
주식발행초과금	320,000	
이익잉여금	190,000	
부채와 자본	₩1,200,000	

- ㈜대한은 ㈜민국의 유형자산에 대해 독립적인 가치평가를 진행하려 하였으나, 20×1년 재무제표 발행이 승인되기 전까지 불가피한 사유로 인해 완료하지 못하였다. 이에 ㈜대한은 ㈜민국의 유형자산을 잠정적 공정가치인 ₩800,000으로 인식하였다. ㈜대한은 취득일 현재 동 유형자산(원가모형 적용)의 잔존내용연수를 5년으로 추정하였으며, 잔존가치 없이 정액법으로 감가상각(월할 상각)하기로 하였다.
- ㈜대한은 합병 후 배터리사업 부문의 영업성과가 약정된 목표치를 초과할 경우 ㈜민국의 기존 주주에게 현금 ₩100,000의 추가 보상을 실시할 예정이며, 취득일 현재 이러한 조건부대가에 대한 합리적 추정치는 ₩60,000이다.
- 취득일 현재 ㈜민국은 배터리 급속 충전 기술에 대한 연구·개발 프로젝트를 진행 중이다. ㈜민국은 합병 전까지 동 프로젝트와 관련하여 총 ₩60,000을 지출하였으나, 아직연구단계임에 따라 무형자산으로 인식하지 않았다. ㈜대한은 합병 과정에서 동 급속 충전 기술 프로젝트가 자산의 정의를 충족하고 있으며 개별적인 식별이 가능하다고 판단하였다. ㈜대한이 평가한 동 프로젝트의 공정가치는 ₩90,000이다.

06 ㈜대한이 취득일(20×1년 7월 1일)에 수행한 사업결합 관련 회계처리를 통해 최초 인식한 영업권은 얼마인가?

① ₩240,000 ② ₩260,000 ③ ₩280,000
④ ₩300,000 ⑤ ₩320,000

07 다음의 <추가 자료> 고려 시, 20×2년 12월 31일에 ㈜대한의 흡수합병과 관련하여 재무상태표에 계상될 영업권과 유형자산의 장부금액(순액)은 각각 얼마인가?

〈추가 자료〉

- 합병 후 ㈜민국의 배터리 제품에 대한 화재 위험성 문제가 제기되어 20×1년 12월 31일 현재 추가 현금보상을 위한 영업성과 목표치가 달성되지 못했다. 그 결과 ㈜민국의 기존 주주에 대한 ㈜대한의 추가 현금보상 지급의무가 소멸되었다. 이는 취득일 이후 발생한 사실과 상황으로 인한 조건부대가의 변동에 해당한다.
- ㈜대한이 ㈜민국으로부터 취득한 유형자산에 대한 독립적인 가치평가는 20×2년 4월 1일(즉, 20×1년 재무제표 발행승인 후)에 완료되었으며, 동 가치평가에 의한 취득일 당시 ㈜민국의 유형자산 공정가치는 ₩900,000이다. 잔존내용연수, 잔존가치, 감가상각방법 등 기타사항은 동일하다.
- 자산과 관련한 손상징후는 없다.

	영업권	유형자산(순액)
①	₩120,000	₩640,000
②	₩280,000	₩630,000
③	₩180,000	₩640,000
④	₩280,000	₩540,000
⑤	₩180,000	₩630,000

[08 ~ 09]

다음 자료를 이용하여 **08**과 **09**에 답하시오. [공인회계사 2020년]

㈜대한은 20×1년 7월 1일을 취득일로 하여 ㈜민국을 흡수합병하고, ㈜민국의 기존 주주들에게 현금 ₩350,000을 이전대가로 지급하였다. ㈜대한과 ㈜민국은 동일 지배하에 있는 기업이 아니다. 합병 직전 양사의 장부금액으로 작성된 요약재무상태표는 다음과 같다.

요약재무상태표

20×1. 7. 1. 현재 (단위: ₩)

계정과목	㈜대한	㈜민국
현금	200,000	100,000
재고자산	360,000	200,000
사용권자산(순액)	-	90,000
건물(순액)	200,000	50,000
토지	450,000	160,000
무형자산(순액)	90,000	50,000
	1,300,000	650,000
유동부채	250,000	90,000
리스부채	-	100,000
기타비유동부채	300,000	200,000
자본금	350,000	150,000
자본잉여금	100,000	50,000
이익잉여금	300,000	60,000
	1,300,000	650,000

〈추가 자료〉

다음에서 설명하는 사항을 제외하고 장부금액과 공정가치는 일치한다.

- ㈜대한은 ㈜민국이 보유하고 있는 건물에 대해 독립적인 평가를 하지 못하여 취득일에 잠정적인 공정가치로 ₩60,000을 인식하였다. ㈜대한은 20×1년 12월 31일에 종료하는 회계연도의 재무제표 발행을 승인할 때까지 건물에 대한 가치평가를 완료하지 못했다. 하지만 20×2년 5월 초 잠정금액으로 인식했던 건물에 대한 취득일의 공정가치가 ₩70,000이라는 독립된 가치평가 결과를 받았다. 취득일 현재 양사가 보유하고 있는 모든 건물은 잔존내용연수 4년, 잔존가치 ₩0, 정액법으로 감가상각한다.
- ㈜민국은 기계장치를 기초자산으로 하는 리스계약의 리스이용자로 취득일 현재 잔여리스료의 현재가치로 측정된 리스부채는 ₩110,000이다. 리스의 조건은 시장조건에 비하여 유리하며, 유리한 금액은 취득일 현재 ₩10,000으로 추정된다. 동 리스는 취득일 현재 단기리스나 소액기초자산 리스에 해당하지 않는다.
- ㈜민국은 취득일 현재 새로운 고객과 향후 5년간 제품을 공급하는 계약을 협상하고 있다. 동 계약의 체결가능성은 매우 높으며 공정가치는 ₩20,000으로 추정된다.

- ㈜민국의 무형자산 금액 ₩50,000 중 ₩30,000은 ㈜대한의 상표권을 3년 동안 사용할 수 있는 권리이다. 잔여계약기간(2년)에 기초하여 측정한 동 상표권의 취득일 현재 공정가치는 ₩40,000이다. 동 상표권을 제외하고 양사가 보유하고 있는 다른 무형자산의 잔존내용연수는 취득일 현재 모두 5년이며, 모든 무형자산(영업권 제외)은 잔존가치 없이 정액법으로 상각한다.
- ㈜민국은 취득일 현재 손해배상소송사건에 계류 중에 있으며 패소할 가능성이 높지 않아 이를 우발부채로 주석공시하였다. 동 소송사건에 따른 손해배상금액의 취득일 현재 신뢰성 있는 공정가치는 ₩10,000으로 추정된다.

08 ㈜대한이 취득일(20×1년 7월 1일)에 수행한 사업결합 관련 회계처리를 통해 최초 인식한 영업권은 얼마인가?

① ₩40,000 ② ₩50,000 ③ ₩60,000
④ ₩70,000 ⑤ ₩90,000

09 위에서 제시한 자료를 제외하고 추가사항이 없을 때 20×2년 6월 30일 ㈜대한의 재무상태표에 계상될 건물(순액)과 영업권을 제외한 무형자산(순액)의 금액은 각각 얼마인가? (단, ㈜대한은 건물과 무형자산에 대하여 원가모형을 적용하고 있으며, 감가상각비와 무형자산 상각비는 월할 계산한다)

	건물(순액)	영업권을 제외한 무형자산(순액)
①	₩187,500	₩108,000
②	₩195,000	₩108,000
③	₩195,000	₩116,000
④	₩202,500	₩108,000
⑤	₩202,500	₩116,000

10 기업회계기준서 제1103호 '사업결합'에 대한 다음 설명 중 옳지 않은 것은? [공인회계사 2019년]

① 사업이라 함은 투입물, 산출물 및 산출물을 창출할 수 있는 과정으로 구성되며 이 세 가지 요소 모두 사업의 정의를 충족하기 위한 통합된 집합에 반드시 필요하다.

② 공동약정 자체의 재무제표에서 공동약정의 구성에 대한 회계처리에는 기업회계기준서 제1103호 '사업결합'을 적용하지 않는다.

③ 동일 지배하에 있는 기업이나 사업 간의 결합에는 기업회계기준서 제1103호 '사업결합'을 적용하지 않는다.

④ 일반적으로 지배력을 획득한 날이라 함은 취득자가 법적으로 대가를 이전하여, 피취득자의 자산을 취득하고 부채를 인수한 날인 종료일이다.

⑤ 취득자가 피취득자에게 대가를 이전하지 않더라도 사업결합이 이루어질 수 있다.

11 ㈜대한은 20×1년 7월 1일 ㈜민국의 A부문을 ₩450,000에 인수하였다. 다음은 20×1년 7월 1일 현재 ㈜민국의 A부문 현황이다. A부문에 귀속되는 부채는 없다.

A부문

㈜민국 20×1년 7월 1일 현재 (단위: ₩)

계정과목	장부금액	공정가치
토지	200,000	220,000
건물	150,000	200,000
기계장치	50,000	80,000
	400,000	

공정가치는 실제보다 과대평가되지 않았다. 20×1년 7월 1일 현재 건물과 기계장치의 잔존내용연수는 각각 10년과 5년이며 모두 잔존가치 없이 정액법으로 감가상각한다. 20×1년 말까지 ㈜대한은 동 자산들을 보유하고 있으며 손상징후는 없다. 취득일 현재 ㈜민국의 A부문에 표시된 자산 외에 추가적으로 식별가능한 자산은 없으며 20×1년 말까지 다른 거래는 없다.

㈜민국의 A부문이 (가) 별도의 사업을 구성하고 ㈜대한이 지배력을 획득하여 사업결합 회계처리를 하는 상황과 (나) 별도의 사업을 구성하지 못하여 ㈜대한이 자산 집단을 구성하는 각 자산의 취득원가를 결정하기 위한 회계처리를 하는 상황으로 나눈다. 각 상황이 20×1년 7월 1일부터 20×1년 12월 31일까지 ㈜대한의 당기순이익에 미치는 영향은 각각 얼마인가? [공인회계사 2019년]

	(가)	(나)
①	₩32,000 증가	₩16,200 감소
②	₩32,000 감소	₩16,200 감소
③	₩18,000 감소	₩32,400 감소
④	₩18,000 증가	₩32,400 증가
⑤	₩18,000 감소	₩32,400 증가

12 ㈜대한은 20×1년 10월 1일에 ㈜민국의 모든 자산과 부채를 ₩450,000에 취득·인수하는 사업결합을 하였다. 20×1년 10월 1일 현재 ㈜민국의 요약재무상태표는 다음과 같다.

요약재무상태표

㈜민국 20×1. 10. 1. 현재 (단위: ₩)

계정과목	장부금액	공정가치	계정과목	장부금액	공정가치
자산	500,000	600,000	부채	100,000	100,000
			자본금	100,000	
			자본잉여금	200,000	
			이익잉여금	100,000	
	500,000			500,000	

㈜대한은 20×2년 말에 시장점유율이 15%를 초과하면 ㈜민국의 기존 주주들에게 추가로 ₩100,000을 지급하기로 하였다. 20×1년 10월 1일 현재 이러한 조건부대가의 공정가치는 ₩60,000으로 추정되었다. 그러나 ㈜대한은 20×1년 12월 31일에 동 조건부대가의 추정된 공정가치를 ₩80,000으로 변경하였다. 이러한 공정가치 변동은 20×1년 10월 1일에 존재한 사실과 상황에 대하여 추가로 입수한 정보에 기초한 것이다. 20×2년 말 ㈜대한의 시장점유율이 18%가 되어 ㈜민국의 기존 주주들에게 ₩100,000을 지급하였다.
㈜대한의 20×1년 말 재무상태표에 계상되는 영업권과 20×2년도에 조건부대가 지급으로 ㈜대한이 인식할 당기손익은? [공인회계사 2017년]

	영업권	당기손익
①	₩10,000	₩20,000 손실
②	₩10,000	₩40,000 손실
③	₩30,000	₩20,000 손실
④	₩30,000	₩40,000 손실
⑤	₩50,000	₩0

13 기업회계기준서 제1103호 '사업결합'에 대한 다음 설명 중 옳지 않은 것은? [공인회계사 2024년]

① 취득자와 피취득자가 지분만을 교환하여 사업결합을 하는 경우에 취득일에 피취득자 지분의 공정가치가 취득자 지분의 공정가치보다 더 신뢰성 있게 측정되는 경우, 취득자는 이전한 지분의 취득일 공정가치 대신에 피취득자 지분의 취득일 공정가치를 사용하여 영업권의 금액을 산정한다.

② 계약적, 법적 기준을 충족하는 무형자산은 피취득자에게서 또는 그 밖의 권리와 의무에서 이전하거나 분리할 수 없더라도 식별할 수 있다.

③ 역취득에 따라 작성한 연결재무제표는 회계상 피취득자의 이름으로 발행하지만 회계상 취득자의 재무제표가 지속되는 것으로 주석에 기재하되, 회계상 피취득자의 법적 자본을 반영하기 위하여 회계상 취득자의 법적 자본을 소급하여 수정한다.

④ 취득일에 공정가치와 장부금액이 다른 취득자의 자산과 부채를 이전대가에 포함하였으나 이전한 자산이나 부채가 사업결합을 한 후에도 결합기업에 여전히 남아 있고 취득자가 그 자산이나 부채를 계속 통제하는 경우, 취득자는 그 자산과 부채를 취득일 직전의 장부금액으로 측정하고 사업결합 전이나 후에도 여전히 통제하고 있는 자산과 부채에 대한 차손익을 당기손익으로 인식하지 않는다.

⑤ 과거사건에서 생긴 현재의무이고 그 공정가치를 신뢰성 있게 측정할 수 있으나, 해당 의무를 이행하기 위하여 경제적 효익이 있는 자원이 유출될 가능성이 높지 않다면 취득자는 취득일에 사업결합으로 인수한 우발부채를 인식할 수 없다.

관련 유형 연습

01 사업결합의 회계처리에 대한 다음 설명 중 옳은 것은? [공인회계사 2018년]

① 사업을 구성하지 않는 자산이나 자산 집단을 취득한 경우에도 그 취득거래에서 취득자를 식별할 수 있다면 사업결합으로 회계처리한다.

② 취득일은 피취득자에 대한 지배력을 획득한 날이므로 취득자가 법적으로 대가를 이전하여, 피취득자의 자산을 취득하고 부채를 인수한 날인 종료일보다 이른 날 또는 늦은 날이 될 수 없다.

③ 피취득자의 영업활동 종료, 피취득자의 고용관계 종료, 피취득자의 종업원 재배치와 같은 계획의 실행에 따라 미래에 생길 것으로 예상하지만 의무가 아닌 원가도 취득일의 부채로 인식한다.

④ 취득법에 따른 인식요건을 충족하려면, 식별할 수 있는 취득자산과 인수부채는 취득자와 피취득자 사이에서 별도거래의 결과로 교환한 항목의 일부이어야 한다.

⑤ 시장참여자가 공정가치를 측정할 때 계약의 잠재적 갱신을 고려하는지와 무관하게, 취득자는 무형자산으로 인식하는, 다시 취득한 권리의 가치를 관련 계약의 남는 계약기간에 기초하여 측정한다.

02 ㈜대한은 20×1년 10월 1일에 ㈜민국의 모든 자산과 부채를 취득·인수하고, 그 대가로 현금 ₩1,000,000을 지급하는 사업결합을 하였다. 관련 자료는 다음과 같다.

- 취득일 현재 ㈜민국의 재무상태표상 자산과 부채의 장부금액은 각각 ₩1,300,000과 ₩600,000이다.
- 취득일 현재 ㈜민국의 재무상태표상 자산의 장부금액에는 건물 ₩350,000과 영업권 ₩100,000이 포함되어 있다.
- 취득일 현재 ㈜민국은 기계장치를 운용리스로 이용하고 있다. 동 운용리스의 조건은 시장조건보다 유리하며, 유리한 리스조건의 공정가치는 ₩30,000이다.
- 취득일 현재 ㈜민국은 건물을 운용리스로 제공하고 있다. 동 운용리스의 조건은 시장조건보다 불리하며, 불리한 리스조건의 공정가치는 ₩50,000이다.
- 취득일 현재 ㈜민국의 식별가능한 자산·부채 중 건물을 제외한 나머지는 장부금액과 공정가치가 동일하다.

㈜대한이 취득일에 인식한 영업권이 ₩180,000이라면, 취득일 현재 건물의 공정가치는 얼마인가? [공인회계사 2018년]

① ₩440,000 ② ₩490,000 ③ ₩520,000
④ ₩540,000 ⑤ ₩570,000

03 ㈜한강은 20×3년 초 ㈜동해를 흡수합병하였다. 합병 당시 합병회사의 발행주식은 2,000주이고 피합병회사의 발행주식은 1,200주이며, 피합병회사 주식 1.5주당 합병회사 주식 1주를 교부하였다. 합병 당시 합병회사 주식의 공정가치는 주당 ₩300이다. 또한 합병과 직접 관련된 비용 ₩50,000을 현금으로 지급하였다. 합병회사와 피합병회사의 재무상태가 아래와 같을 때, 이 흡수합병에서 인식할 영업권은 얼마인가?

	㈜한강	㈜동해	
	장부금액	장부금액	공정가치
당좌자산	₩50,000	₩36,000	₩32,000
재고자산	₩46,000	₩24,000	₩22,000
토지	₩190,000	₩40,000	₩96,000
건물(순액)	₩100,000	₩100,000	₩118,000
자산총계	₩386,000	₩200,000	₩268,000
유동부채	₩40,000	₩26,000	₩26,000
비유동부채	₩70,000	₩24,000	₩20,000
납입자본	₩200,000	₩120,000	
이익잉여금	₩44,000	₩22,000	
기타자본요소	₩32,000	₩8,000	
부채와 자본총계	₩386,000	₩200,000	₩46,000

① ₩18,000 ② ₩30,000 ③ ₩35,000
④ ₩40,000 ⑤ ₩50,000

04 20×3년 초 ㈜대한은 ㈜세종의 보통주식 100%를 취득하여 흡수합병하면서 합병대가로 ₩200,000을 지급하였으며, 합병 관련 자문수수료로 ₩20,000이 지출되었다. 합병 시 ㈜세종의 재무상태표는 다음과 같다.

재무상태표			
㈜세종	20×3년 1월 1일 현재		
매출채권	₩46,000	매입채무	₩92,000
상품	₩50,000	납입자본	₩60,000
토지	₩78,000	이익잉여금	₩22,000
자산총계	₩174,000	부채와 자본총계	₩174,000

20×3년 초 ㈜대한이 ㈜세종의 자산 · 부채에 대하여 공정가치로 평가한 결과, 매출채권과 매입채무는 장부금액과 동일하고, 상품은 장부금액 대비 20% 더 높고, 토지는 장부금액 대비 40% 더 높았다. ㈜대한이 흡수합병과 관련하여 인식할 영업권은 얼마인가?

① ₩76,800 ② ₩86,800 ③ ₩96,800
④ ₩118,000 ⑤ ₩138,000

05 ㈜대한은 20×1년 10월 1일에 ㈜민국의 모든 자산과 부채를 취득 · 인수하고, 그 대가로 현금 ₩1,000,000을 지급하는 사업결합을 하였다. 관련 자료는 다음과 같다.

- 취득일 현재 ㈜민국의 재무상태표상 자산과 부채의 장부금액은 각각 ₩1,300,000과 ₩600,000이다.
- 취득일 현재 ㈜민국의 재무상태표상 자산의 장부금액에는 건물 ₩350,000과 영업권 ₩100,000이 포함되어 있다.
- 취득일 현재 ㈜민국은 인식하지 않았지만 식별가능하고 공정가치를 신뢰성 있게 측정할 수 있는 별도의 무형자산 ₩30,000이 존재한다.
- 취득일 현재 ㈜민국의 식별가능한 자산 · 부채 중 건물을 제외한 나머지는 장부금액과 공정가치가 동일하다.

㈜대한이 취득일에 인식한 영업권이 ₩180,000이라면, 취득일 현재 건물의 공정가치는 얼마인가?
[공인회계사 2018년 수정]

① ₩440,000 ② ₩490,000 ③ ₩520,000
④ ₩540,000 ⑤ ₩570,000

06 ㈜세무는 20×1년 7월 1일 ㈜대한을 현금 ₩1,200,000에 흡수합병하였다. ㈜대한이 보유하고 있는 건물(장부금액 ₩430,000, 공정가치 ₩410,000, 순공정가치 ₩400,000)은 취득일에 매각예정비유동자산으로 분류되었다. 취득일 현재 건물을 제외한 ㈜대한의 자산, 부채 장부금액과 공정가치는 다음과 같다.

계정과목	장부금액	공정가치
현금	₩100,000	₩100,000
매출채권	₩100,000	₩100,000
제품	₩200,000	₩240,000
투자부동산	₩320,000	₩250,000
토지	₩200,000	₩300,000
매입채무	₩50,000	₩50,000
사채	₩170,000	₩170,000

20×1년 7월 1일 합병 시 ㈜세무가 인식할 영업권은 얼마인가? [세무사 2020년]

① ₩0 ② ₩20,000 ③ ₩30,000
④ ₩70,000 ⑤ ₩100,000

07 20×1년 초 ㈜세무는 ㈜대한의 주주들에게 현금 ₩700,000을 지급하고 ㈜대한을 흡수합병하였다. 합병 당시 ㈜대한의 자산과 부채의 장부금액과 공정가치는 다음과 같다.

구분	장부금액	공정가치
자산	₩3,000,000	₩3,200,000
부채	₩2,700,000	₩2,800,000

한편, 합병일 현재 ㈜세무는 ㈜대한이 자산으로 인식하지 않았으나, 자산의 정의를 충족하고 식별가능한 진행 중인 연구 · 개발프로젝트를 확인하였다. 또한, 해당 프로젝트의 공정가치를 ₩50,000으로 신뢰성 있게 측정하였다. 20×1년 초 ㈜세무가 합병 시 인식할 영업권은 얼마인가? [세무사 2021년]

① ₩250,000 ② ₩300,000 ③ ₩350,000
④ ₩400,000 ⑤ ₩450,000

08 ㈜하늘은 20×1년 초 ㈜미래를 합병하였다. 합병시점의 ㈜미래의 자산과 부채의 공정가치와 장부가액은 아래와 같다.

구분	장부금액	공정가치	구분	장부금액	공정가치
현금	₩5,000	₩5,000	차입금	₩13,000	₩14,000
재고자산	₩3,000	₩4,000	자본금	₩5,000	
리스자산	₩2,000	₩3,000	이익잉여금	₩2,000	
유형자산	₩10,000	₩12,000			
합계	₩20,000	₩24,000	합계	₩20,000	₩14,000

재무상태표에 인식된 항목 이외에 다음과 같은 항목들이 존재한다.

(1) ㈜미래는 고객정보를 가지고 있으며, 해당 고객정보의 공정가치는 ₩1,500으로 추정된다.
(2) ㈜미래는 20×0년 프로젝트에 대한 연구비 ₩400을 당기비용으로 처리하였다. 20×1년 초 현재 해당 프로젝트는 자산의 인식기준을 충족하여 공정가치는 ₩1,000으로 추정된다.
(3) ㈜미래는 통신사업 진출을 추진 중이며 현재 교섭 중인 계약이 존재한다. 해당 항목의 공정가치는 ₩1,300으로 추정된다.
(4) ㈜미래는 현재 소송에 계류 중이며 패소할 확률이 높지 않다고 판단하여 충당부채를 인식하지 않았다. 해당 항목은 신뢰성 있게 측정할 수 있으며, 그 금액은 ₩450이다. 또한 소송에 패소하였을 경우 보험회사가 일부 금액을 보상해 주기로 하였으며 해당 항목의 공정가치는 ₩300이다.

㈜미래의 식별가능한 순자산의 공정가치는 얼마인가?

① ₩10,000 ② ₩11,500 ③ ₩12,350
④ ₩13,550 ⑤ ₩14,000

cpa.Hackers.com

/ 1차 시험 출제현황 /

구분	CPA										CTA									
	15	16	17	18	19	20	21	22	23	24	15	16	17	18	19	20	21	22	23	24
연결재무제표	3	4	4	4	5	4	3	4	3	2				2				1	1	

제20장

연결재무제표

기출 유형 정리

[01 ~ 02]

다음 자료를 이용하여 **01**과 **02**에 답하시오. [공인회계사 2022년]

제조업을 영위하는 ㈜대한은 20×1년 초에 ㈜민국의 보통주 60%를 ₩140,000에 취득하여 지배력을 획득하였다. 취득일 현재 ㈜민국의 순자산 장부금액은 ₩150,000(자본금 ₩100,000, 이익잉여금 ₩50,000)이다.

〈추가 자료〉

- 취득일 현재 ㈜민국의 식별가능한 자산과 부채 중 장부금액과 공정가치가 다른 내역은 다음과 같다.

구분	장부금액	공정가치	추가 정보
재고자산 (상품)	₩50,000	₩60,000	20×1년 중에 모두 외부판매됨
기계장치	120,000	160,000	취득일 현재 잔존내용연수는 8년이고, 잔존가치 없이 정액법으로 상각함

- 20×1년 중에 ㈜대한은 장부금액 ₩20,000의 재고자산(제품)을 ㈜민국에게 ₩30,000에 판매하였다. ㈜민국은 이 재고자산의 50%를 20×1년에, 나머지 50%를 20×2년에 외부로 판매하였다.
- 20×2년 1월 1일에 ㈜민국은 ㈜대한으로부터 ₩100,000을 차입하였다. 동 차입금의 만기는 20×2년 12월 31일이며, 이자율은 연 10%이다.
- ㈜대한과 ㈜민국이 별도(개별)재무제표에서 보고한 20×1년과 20×2년의 당기순이익은 다음과 같다.

구분	20×1년	20×2년
㈜대한	₩80,000	₩100,000
㈜민국	30,000	50,000

- ㈜대한은 별도재무제표에서 ㈜민국에 대한 투자주식을 원가법으로 회계처리한다. 연결재무제표 작성 시 유형자산에 대해서는 원가모형을 적용하고, 비지배지분은 종속기업의 식별가능한 순자산 공정가치에 비례하여 결정한다.

01 ㈜대한의 20×1년 말 연결재무상태표에 표시되는 비지배지분은 얼마인가?

① ₩80,000 ② ₩82,000 ③ ₩84,000
④ ₩86,000 ⑤ ₩92,000

02 ㈜대한의 20×2년도 연결포괄손익계산서에 표시되는 지배기업소유주귀속당기순이익은 얼마인가?

① ₩132,000 ② ₩130,000 ③ ₩128,000
④ ₩127,000 ⑤ ₩123,000

03 ㈜대한은 20×1년 초에 ㈜민국의 보통주 80주(80%)를 ₩240,000에 취득하여 지배력을 획득하였다. 취득일 현재 ㈜민국의 순자산은 자본금 ₩150,000과 이익잉여금 ₩100,000이며, 식별가능한 자산과 부채의 장부금액과 공정가치는 일치하였다. 취득일 이후 20×2년까지 ㈜대한과 ㈜민국이 별도(개별) 재무제표에 보고한 순자산변동(당기순이익)은 다음과 같으며, 이들 기업 간에 발생한 내부거래는 없다.

구분	20×1년	20×2년
㈜대한	₩80,000	₩120,000
㈜민국	20,000	30,000

20×3년 1월 1일에 ㈜대한은 보유 중이던 ㈜민국의 보통주 50주(50%)를 ₩200,000에 처분하여 ㈜민국에 대한 지배력을 상실하였다. 남아있는 ㈜민국의 보통주 30주(30%)의 공정가치는 ₩120,000이며, ㈜대한은 이를 관계기업투자주식으로 분류하였다. ㈜민국에 대한 지배력 상실시점의 회계처리가 ㈜대한의 20×3년도 연결당기순이익에 미치는 영향은 얼마인가? (단, 20×3년 말 현재 ㈜대한은 다른 종속기업을 지배하고 있어 연결재무제표를 작성한다) [공인회계사 2022년]

① ₩10,000 감소 ② ₩10,000 증가 ③ ₩40,000 증가
④ ₩50,000 증가 ⑤ ₩80,000 증가

04 20×1년 1월 1일에 ㈜대한은 ㈜민국의 지분 60%를 ₩35,000에 취득하여 ㈜민국의 지배기업이 되었다. ㈜대한의 ㈜민국에 대한 지배력 획득일 현재 ㈜민국의 자본총계는 ₩40,000(자본금 ₩5,000, 자본잉여금 ₩10,000, 이익잉여금 ₩25,000)이며, 장부금액과 공정가치가 차이를 보이는 계정과목은 다음과 같다.

계정과목	장부금액	공정가치	비고
토지	₩17,000	₩22,000	20×2년 중 매각완료
차량운반구 (순액)	8,000	11,000	잔존내용연수 3년 잔존가치 ₩0 정액법으로 감가상각

㈜민국이 보고한 당기순이익이 20×1년 ₩17,500, 20×2년 ₩24,000일 때 ㈜대한의 20×2년 연결포괄손익계산서상 비지배주주귀속당기순이익과 20×2년 12월 31일 연결재무상태표상 비지배지분은 얼마인가? (단, 비지배지분은 ㈜민국의 식별가능한 순자산 공정가치에 비례하여 결정하고, 상기 기간 중 ㈜민국의 기타포괄손익은 발생하지 않은 것으로 가정한다) [공인회계사 2021년]

	비지배주주귀속당기순이익	비지배지분
①	₩7,200	₩33,000
②	₩7,200	₩32,600
③	₩7,600	₩33,000
④	₩7,600	₩32,600
⑤	₩8,000	₩33,000

05 기업회계기준서 제1110호 '연결재무제표'에 관한 다음 설명 중 옳은 것은? [공인회계사 2021년]

① 투자자가 피투자자 의결권의 과반수를 보유하는 경우 예외 없이 피투자자를 지배하는 것으로 본다.

② 지배기업과 종속기업의 보고기간 종료일이 다른 경우 실무적으로 적용할 수 없지 않다면 종속기업은 연결재무제표 작성을 위해 지배기업의 보고기간 종료일을 기준으로 재무제표를 추가로 작성해야 한다.

③ 투자자가 시세차익, 투자이익이나 둘 다를 위해서만 자금을 투자하는 기업회계기준서 제1110호 상의 투자기업으로 분류되더라도 지배력을 가지는 종속회사에 대해서는 연결재무제표를 작성해야 한다.

④ 투자자는 권리 보유자의 이익을 보호하기 위해 설계된 방어권으로도 피투자자에 대한 힘을 가질 수 있다.

⑤ 연결재무제표에 추가로 작성하는 별도재무제표에서 종속기업과 관계기업에 대한 투자지분은 지분법으로 표시할 수 없다.

[06 ~ 07]

다음 <자료>를 이용하여 **06**과 **07**에 답하시오. [공인회계사 2021년]

〈자료〉

- ㈜대한은 20×1년 1월 1일에 ㈜민국의 의결권 있는 주식 60%를 ₩300,000에 취득하여 지배력을 획득하였다. 지배력 획득시점의 ㈜민국의 순자산 장부금액은 공정가치와 동일하다.
- 다음은 20×1년부터 20×2년까지 ㈜대한과 ㈜민국의 요약재무정보이다.

요약포괄손익계산서

계정과목	20×1년		20×2년	
	㈜대한	㈜민국	㈜대한	㈜민국
매출	₩850,000	₩500,000	₩800,000	₩550,000
(매출원가)	(700,000)	(380,000)	(670,000)	(420,000)
기타수익	210,000	170,000	190,000	150,000
(기타비용)	(270,000)	(230,000)	(200,000)	(210,000)
당기순이익	₩90,000	₩60,000	₩120,000	₩70,000

요약재무상태표

계정과목	20×1년		20×2년	
	㈜대한	㈜민국	㈜대한	㈜민국
현금 등	₩450,000	₩270,000	₩620,000	₩300,000
재고자산	280,000	150,000	250,000	200,000
종속기업투자	300,000	-	300,000	-
유형자산	670,000	530,000	630,000	400,000
자산	₩1,700,000	₩950,000	₩1,800,000	₩900,000
부채	₩710,000	₩490,000	₩690,000	₩370,000
자본금	700,000	250,000	700,000	250,000
이익잉여금	290,000	210,000	410,000	280,000
부채와 자본	₩1,700,000	₩950,000	₩1,800,000	₩900,000

- ㈜대한과 ㈜민국 간의 20×1년과 20×2년 내부거래는 다음과 같다.

연도	내부거래 내용
20×1년	㈜대한은 보유 중인 재고자산을 ₩100,000(매출원가 ₩80,000)에 ㈜민국에게 판매하였다. ㈜민국은 ㈜대한으로부터 매입한 재고자산 중 20×1년 말 현재 40%를 보유하고 있으며, 20×2년 동안 연결실체 외부로 모두 판매하였다.
20×2년	㈜민국은 보유 중인 토지 ₩95,000을 ㈜대한에게 ₩110,000에 매각하였으며, ㈜대한은 20×2년 말 현재 동 토지를 보유 중이다.

- ㈜대한의 별도재무제표에 ㈜민국의 주식은 원가법으로 표시되어 있다.
- 자산의 손상징후는 없으며, 연결재무제표 작성 시 비지배지분은 종속기업의 식별가능한 순자산 공정가치에 비례하여 결정한다.

06 20×1년 12월 31일 현재 ㈜대한의 연결재무상태표에 표시되는 영업권을 포함한 자산총액은 얼마인가?

① ₩2,402,000 ② ₩2,500,000 ③ ₩2,502,000
④ ₩2,702,000 ⑤ ₩2,850,000

07 20×2년 ㈜대한의 연결포괄손익계산서에 표시되는 연결당기순이익은 얼마인가?

① ₩208,000 ② ₩197,000 ③ ₩183,000
④ ₩182,000 ⑤ ₩177,000

[08 ~ 09]

다음 자료를 이용하여 **08**과 **09**에 답하시오. [공인회계사 2020년]

- 제조업을 영위하는 ㈜지배는 20×1년 초 ㈜종속의 의결권 있는 보통주 80%를 취득하여 지배력을 획득하였다.
- 지배력 획득일 현재 ㈜종속의 순자산의 장부금액은 ₩400,000이고, 공정가치는 ₩450,000이며, 장부금액과 공정가치가 다른 자산은 토지로 차이내역은 다음과 같다.

	장부금액	공정가치
토지	₩100,000	₩150,000

㈜종속은 위 토지 전부를 20×1년 중에 외부로 매각하고, ₩70,000의 처분이익을 인식하였다.

- 20×1년 중에 ㈜지배는 ㈜종속에게 원가 ₩60,000인 상품을 ₩72,000에 판매하였다. ㈜종속은 ㈜지배로부터 매입한 상품의 80%를 20×1년에, 20%를 20×2년에 외부로 판매하였다.
- ㈜지배와 ㈜종속이 별도(개별)재무제표에서 보고한 20×1년과 20×2년의 당기순이익은 다음과 같다.

구분	20×1년	20×2년
㈜지배	₩300,000	₩400,000
㈜종속	80,000	100,000

- ㈜종속은 20×2년 3월에 ₩10,000의 현금배당을 결의하고 지급하였다.
- ㈜종속은 20×2년 10월 1일에 장부금액 ₩20,000(취득원가 ₩50,000, 감가상각누계액 ₩30,000, 잔존내용연수 4년, 잔존가치 ₩0, 정액법 상각)인 기계를 ㈜지배에 ₩40,000에 매각하였으며, 20×2년 말 현재 해당 기계는 ㈜지배가 보유하고 있다.
- ㈜지배는 별도재무제표상 ㈜종속 주식을 원가법으로 회계처리하고 있다. ㈜지배와 ㈜종속은 유형자산에 대해 원가모형을 적용하고, 비지배지분은 종속기업의 식별가능한 순자산공정가치에 비례하여 결정한다.

08 ㈜지배의 20×1년도 연결포괄손익계산서에 표시되는 지배기업소유주귀속당기순이익과 비지배지분귀속당기순이익은 각각 얼마인가? (단, 영업권 손상은 고려하지 않는다)

	지배기업소유주귀속 당기순이익	비지배지분귀속 당기순이익
①	₩321,600	₩5,520
②	₩321,600	₩6,000
③	₩322,080	₩5,520
④	₩327,600	₩5,520
⑤	₩327,600	₩6,000

09 ㈜지배의 20×2년도 연결포괄손익계산서에 표시되는 비지배지분귀속당기순이익은 얼마인가?

① ₩13,210　② ₩14,650　③ ₩14,810
④ ₩16,250　⑤ ₩17,000

10 ㈜지배는 20×1년 초 ㈜종속의 의결권 있는 보통주 800주(총 발행주식의 80%)를 취득하여 지배력을 획득하였다. 지배력 획득일 현재 ㈜종속의 순자산 장부금액은 ₩250,000이며, 순자산 공정가치와 장부금액은 동일하다. ㈜종속의 20×1년과 20×2년의 당기순이익은 각각 ₩100,000과 ₩150,000이다. ㈜종속은 20×2년 1월 1일에 200주를 유상증자(주당 발행가액 ₩1,000, 주당 액면가액 ₩500)하였으며, 이 중 100주를 ㈜지배가 인수하였다. ㈜지배는 별도재무제표상 ㈜종속 주식을 원가법으로 회계처리하고 있으며, 비지배지분은 종속기업의 식별가능한 순자산공정가치에 비례하여 결정한다. 20×2년 말 ㈜지배의 연결재무상태표에 표시되는 비지배지분은 얼마인가? [공인회계사 2020년]

① ₩100,000　② ₩112,500　③ ₩125,000
④ ₩140,000　⑤ ₩175,000

11 ㈜대한은 20×1년 1월 1일 ㈜민국의 의결권 있는 보통주 70%를 ₩210,000에 취득하여 지배력을 획득하였다. 주식취득일 현재 ㈜민국의 자산과 부채는 아래의 자산을 제외하고는 장부금액과 공정가치가 일치하였다.

구분	재고자산	건물(순액)
공정가치	₩20,000	₩60,000
장부금액	10,000	40,000

20×1년 초 ㈜민국의 납입자본은 ₩150,000이고, 이익잉여금은 ₩50,000이었다. ㈜민국의 20×1년 초 재고자산은 20×1년 중에 모두 판매되었다. 또한 ㈜민국이 보유하고 있는 건물의 주식취득일 현재 잔존내용연수는 5년이며, 잔존가치 없이 정액법으로 감가상각한다. 20×1년 ㈜민국의 당기순이익은 ₩40,000이다. ㈜대한의 20×1년 말 연결재무상태표상 비지배지분은 얼마인가? (단, 비지배지분은 주식취득일의 공정가치로 측정하며, 주식취득일 현재 비지배지분의 공정가치는 ₩70,000이었다. 더불어 영업권 손상은 고려하지 않는다) [공인회계사 2020년]

① ₩67,800　② ₩72,000　③ ₩77,800
④ ₩82,000　⑤ ₩97,800

[12 ~ 13]

다음 자료를 이용하여 **12**와 **13**에 답하시오. [공인회계사 2019년]

㈜대한은 20×1년 초에 ㈜민국의 보통주 80%를 ₩1,200,000에 취득하여 지배력을 획득하였다. 지배력 획득시점의 ㈜민국의 순자산 장부금액은 공정가치와 동일하다. 다음은 지배력 획득일 현재 ㈜민국의 자본 내역이다.

㈜민국	20×1년 1월 1일
보통주자본금(주당 액면금액 ₩100)	₩500,000
자본잉여금	200,000
이익잉여금	800,000
	₩1,500,000

〈추가 자료〉

- 20×1년과 20×2년 ㈜대한과 ㈜민국 간의 재고자산 내부거래는 다음과 같다. 매입회사 장부상 남아있는 각 연도 말 재고자산은 다음 회계연도에 모두 외부에 판매되었다.

연도	판매회사 → 매입회사	판매회사 매출액	판매회사 매출원가	매입회사 장부상 기말재고
20×1	㈜대한 → ㈜민국	₩80,000	₩64,000	₩40,000
20×1	㈜민국 → ㈜대한	₩50,000	₩40,000	₩15,000
20×2	㈜대한 → ㈜민국	₩100,000	₩70,000	₩40,000
20×2	㈜민국 → ㈜대한	₩80,000	₩60,000	₩20,000

- ㈜대한은 20×1년 4월 1일에 보유 토지 ₩90,000을 ㈜민국에게 ₩110,000에 매각하였다. ㈜대한과 ㈜민국은 20×2년 12월 말부터 보유 토지에 대해 재평가모형을 적용하기로 함에 따라 ㈜민국은 ㈜대한으로부터 매입한 토지를 ₩120,000으로 재평가하였다.
- ㈜대한의 20×1년과 20×2년 당기순이익은 각각 ₩300,000과 ₩200,000이며, ㈜민국의 20×1년과 20×2년 당기순이익은 각각 ₩80,000과 ₩100,000이다.
- ㈜대한의 별도재무제표상 ㈜민국의 주식은 원가법으로 표시되어 있다. 연결재무제표 작성 시 비지배지분은 종속기업의 식별가능한 순자산 공정가치에 비례하여 결정한다.

12 20×1년 말 ㈜대한의 연결재무상태표에 표시되는 비지배지분은 얼마인가?

① ₩300,000 ② ₩313,800 ③ ₩315,400
④ ₩316,000 ⑤ ₩319,800

13 ㈜대한의 20×2년도 연결포괄손익계산서에 표시되는 지배기업소유주귀속당기순이익과 비지배지분귀속당기순이익은 각각 얼마인가?

	지배기업소유주귀속 당기순이익	비지배지분귀속 당기순이익
①	₩264,400	₩18,400
②	₩264,400	₩19,000
③	₩264,400	₩19,600
④	₩274,400	₩19,600
⑤	₩274,400	₩21,600

14 ㈜대한은 20×1년 1월 1일 ㈜민국의 보통주 80%를 ₩450,000에 취득하여 지배력을 획득하였으며, 동 일자에 ㈜민국은 ㈜만세의 주식 60%를 ₩200,000에 취득하여 지배력을 획득하였다. 지배력 획득시점에 ㈜민국과 ㈜만세의 순자산 공정가치와 장부금액은 동일하다. 다음은 지배력 획득시점 이후 20×1년 말까지 회사별 순자산 변동내역이다.

구분	㈜대한	㈜민국	㈜만세
20×1. 1. 1.	₩800,000	₩420,000	₩300,000
별도(개별)재무제표상 당기순이익	100,000	80,000	50,000
20×1. 12. 31.	₩900,000	₩500,000	₩350,000

20×1년 7월 1일 ㈜대한은 ㈜민국에게 장부금액 ₩150,000인 기계장치를 ₩170,000에 매각하였다. 매각시점에 기계장치의 잔존내용연수는 5년, 정액법으로 상각하며 잔존가치는 없다. 20×1년 중 ㈜민국이 ㈜만세에게 판매한 재고자산 매출액은 ₩100,000(매출총이익률은 30%)이다. 20×1년 말 현재 ㈜만세는 ㈜민국으로부터 매입한 재고자산 중 40%를 보유하고 있다.
㈜대한과 ㈜민국은 종속회사 투자주식을 별도재무제표상 원가법으로 표시하고 있다. ㈜대한의 20×1년도 연결포괄손익계산서에 표시되는 비지배지분귀속당기순이익은 얼마인가? (단, 연결재무제표 작성 시 비지배지분은 종속기업의 식별가능한 순자산 공정가치에 비례하여 결정한다)

[공인회계사 2019년]

① ₩19,600　② ₩20,000　③ ₩38,600
④ ₩39,600　⑤ ₩49,600

15 ㈜대한(기능통화와 표시통화는 원화(₩))은 20×1년 1월 1일에 일본소재 기업인 ㈜동경(기능통화는 엔화(¥))의 보통주 80%를 ¥80,000에 취득하여 지배력을 획득하였다. 지배력 획득일 현재 ㈜동경의 순자산 장부금액과 공정가치는 ¥90,000으로 동일하다. ㈜동경의 20×1년도 당기순이익은 ¥10,000이며 수익과 비용은 연중 균등하게 발생하였다. 20×1년 말 ㈜동경의 재무제표를 표시통화인 원화로 환산하는 과정에서 대변에 발생한 외환차이는 ₩19,000이다. ㈜동경은 종속회사가 없으며, 20×1년의 환율정보는 다음과 같다.

(환율: ₩/¥)

20×1년 1월 1일	20×1년 12월 31일	20×1년 평균
10.0	10.2	10.1

㈜대한은 ㈜동경 이외의 종속회사는 없으며 지배력 획득일 이후 ㈜대한과 ㈜동경 간의 내부거래는 없다. 기능통화와 표시통화는 초인플레이션 경제의 통화가 아니며, 위 기간에 환율의 유의한 변동은 없었다. 20×1년 말 ㈜대한의 연결재무상태표상 영업권 금액과 비지배지분 금액은 각각 얼마인가? (단, 연결재무제표 작성 시 비지배지분은 종속기업의 식별가능한 순자산 공정가치에 비례하여 결정한다)

[공인회계사 2019년]

	영업권	비지배지분
①	₩80,000	₩190,000
②	₩80,800	₩204,000
③	₩81,600	₩204,000
④	₩81,600	₩206,000
⑤	₩82,000	₩206,000

16 ㈜대한은 20×1년 1월 1일 ㈜민국의 의결권 있는 보통주식 70주(지분율 70%)를 ₩210,000에 취득하여 지배력을 획득하였다. 취득일 현재 ㈜민국의 자본은 자본금 ₩200,000과 이익잉여금 ₩100,000이며, 자산과 부채의 장부금액과 공정가치는 일치하였다. ㈜대한은 ㈜민국의 주식을 원가법으로 회계처리하며, 연결재무제표 작성 시 비지배지분은 ㈜민국의 식별가능한 순자산 공정가치에 비례하여 결정한다. 20×2년 1월 1일 ㈜대한은 ㈜민국의 보통주식 10주(지분율 10%)를 ₩40,000에 추가로 취득하였다. 20×1년과 20×2년에 ㈜민국이 보고한 당기순이익은 각각 ₩20,000과 ₩40,000이며, 동 기간에 이익처분은 없었다. ㈜대한이 작성하는 20×2년 말 연결재무상태표상 비지배지분은?

[공인회계사 2017년]

① ₩64,000　② ₩66,000　③ ₩68,000
④ ₩70,000　⑤ ₩72,000

17 ㈜대한은 20×1년 초에 보유하던 토지(장부금액 ₩20,000, 공정가치 ₩30,000)를 ㈜민국에 출자하고, 현금 ₩10,000과 ㈜민국의 보통주 30%를 수취하여 유의적인 영향력을 행사하게 되었다. 출자 당시 ㈜민국의 순자산 장부금액은 ₩50,000이며 이는 공정가치와 일치하였다. 20×1년 말 현재 해당 토지는 ㈜민국이 소유하고 있으며, ㈜민국은 20×1년도 당기순이익으로 ₩10,000을 보고하였다. ㈜민국에 대한 현물출자와 지분법 회계처리가 ㈜대한의 20×1년도 당기순이익에 미치는 영향은 얼마인가? (단, 현물출자는 상업적 실질이 결여되어 있지 않다) [공인회계사 2023년]

① ₩6,000 증가 ② ₩8,000 증가 ③ ₩9,000 증가
④ ₩11,000 증가 ⑤ ₩13,000 증가

18 ㈜대한은 20×1년 초에 ㈜민국의 보통주 60%를 취득하여 지배력을 획득하였다. 지배력 획득일 현재 ㈜민국의 순자산 장부금액과 공정가치는 일치하였다. 20×2년 초에 ㈜대한은 사용 중이던 기계장치(취득원가 ₩50,000, 감가상각누계액 ₩30,000, 잔존내용연수 5년, 잔존가치 ₩0, 정액법 상각, 원가모형 적용)를 ㈜민국에 ₩40,000에 매각하였다. 20×3년 말 현재 해당 기계장치는 ㈜민국이 사용하고 있다. ㈜대한과 ㈜민국이 별도(개별)재무제표에서 보고한 20×3년도 당기순이익은 다음과 같다.

구분	㈜대한	㈜민국
당기순이익	₩20,000	₩10,000

㈜대한의 20×3년도 연결포괄손익계산서에 표시되는 지배기업소유주귀속당기순이익은 얼마인가? [공인회계사 2023년]

① ₩22,000 ② ₩23,600 ③ ₩26,000
④ ₩28,400 ⑤ ₩30,000

[19 ~ 20]

다음 <자료>를 이용하여 **19**와 **20**에 답하시오. [공인회계사 2023년]

〈자료〉

- ㈜대한은 20×1년 초에 ㈜민국의 보통주 75%를 ₩150,000에 취득하여 지배력을 획득하였다. 지배력 획득일 현재 ㈜민국의 순자산 장부금액은 ₩150,000(자본금 ₩100,000, 이익잉여금 ₩50,000)이다.
- 지배력 획득일 현재 ㈜민국의 식별가능한 자산과 부채 중 장부금액과 공정가치가 다른 내역은 다음과 같다.

구분	장부금액	공정가치	추가 정보
토지	₩50,000	₩80,000	원가모형 적용

- 20×1년 중에 ㈜민국은 원가 ₩10,000의 재고자산(제품)을 ㈜대한에게 ₩20,000에 판매하였다. ㈜대한은 이 재고자산의 50%를 20×1년 중에 외부로 판매하고, 나머지 50%는 20×1년 말 현재 재고자산으로 보유하고 있다.
- ㈜민국이 보고한 20×1년도 당기순이익은 ₩30,000이다.
- ㈜대한은 별도재무제표에서 ㈜민국에 대한 투자주식을 원가법으로 회계처리하고 있으며, 연결재무제표 작성 시 비지배지분은 종속기업의 식별가능한 순자산공정가치에 비례하여 결정한다.
- ㈜대한과 ㈜민국에 적용되는 법인세율은 모두 20%이며, 이는 당분간 유지될 전망이다.

19 법인세효과를 고려하는 경우, ㈜대한이 지배력 획득일에 인식할 영업권은 얼마인가?

① ₩10,500 ② ₩15,000 ③ ₩19,500
④ ₩32,000 ⑤ ₩43,500

20 법인세효과를 고려하는 경우, ㈜대한의 20×1년 말 연결포괄손익계산서에 표시되는 비지배지분귀속당기순이익은 얼마인가? (단, 영업권 손상 여부는 고려하지 않는다)

① ₩6,000 ② ₩6,500 ③ ₩7,000
④ ₩8,000 ⑤ ₩8,500

21 기업회계기준서 제1110호 '연결재무제표'에 대한 다음 설명 중 옳은 것은? [공인회계사 2024년]

① 투자자가 피투자자에 대한 힘이 있거나 피투자자에 관여함에 따라 변동이익에 노출되거나 피투자자에 대한 자신의 힘을 사용하는 능력이 있을 때 피투자자를 지배한다.

② 지배기업과 종속기업의 재무제표는 보고기간 종료일이 같아야 하는 것이 원칙이며, 어떠한 경우라도 종속기업의 재무제표일과 연결재무제표일의 차이는 6개월을 초과해서는 안 된다.

③ 보고기업은 총포괄손익을 지배기업의 소유주와 비지배지분에 귀속시킨다. 다만, 비지배지분이 부(-)의 잔액이 되는 경우는 총포괄손익을 모두 지배기업의 소유주에게 귀속시킨다.

④ 연결재무제표를 작성할 때 당기순손익을 지배기업지분과 비지배지분에 배분하는 비율은 현재의 소유지분뿐만 아니라 잠재적 의결권의 행사가능성을 반영하여 결정한다.

⑤ 지배기업이 종속기업에 대한 지배력을 상실한 경우에는 그 종속기업과 관련하여 기타포괄손익으로 인식한 모든 금액을 지배기업이 관련 자산이나 부채를 직접 처분한 경우의 회계처리와 같은 기준으로 회계처리한다.

관련 유형 연습

01 연결재무제표 작성에 관한 다음 설명 중 옳지 않은 것은? [공인회계사 2018년]

① 종속기업이 채택한 회계정책이 연결재무제표에서 채택한 회계정책과 다른 경우에는 연결실체의 회계정책과 일치하도록 종속기업의 재무제표를 적절히 수정하여 연결재무제표를 작성한다.

② 보고기업은 당기순손익과 기타포괄손익의 각 구성요소를 지배기업의 소유주와 비지배지분에 귀속시킨다. 다만 비지배지분이 부(-)의 잔액이 되는 경우에는 총포괄손익을 모두 지배기업의 소유주에게 귀속시킨다.

③ 종속기업의 취득에서 발생하는 영업권에 대해서는 이연법인세부채를 인식하지 않는다.

④ 연결현금흐름표 작성 시 종속기업에 대한 지배력의 획득 및 상실에 따른 총현금흐름은 별도로 표시하고 투자활동으로 분류한다.

⑤ 지배력을 상실하지 않는 범위 내에서 종속기업에 대한 지분을 추가로 취득하거나 처분하는 현금흐름은 연결현금흐름표에서 재무활동으로 분류한다.

02 연결재무제표의 작성에 관하여 옳지 않은 설명은? [공인회계사 2017년]

① 지배기업은 종속기업에 대해 지배력을 획득하는 시점부터 지배력을 상실하기 전까지 종속기업의 수익과 비용을 연결재무제표에 포함한다.

② 지배기업은 비슷한 상황에서 발생한 거래와 그 밖의 사건에 동일한 회계정책을 적용하여 연결재무제표를 작성한다.

③ 종속기업에 대한 지배력을 상실하지 않는 범위에서 지배기업이 종속기업 지분을 추가로 취득하거나 처분하는 거래는 자본거래로 회계처리한다.

④ 종속기업이 누적적 우선주(자본)를 발행하고 이를 비지배지분이 소유하고 있는 경우, 지배기업은 종속기업의 배당결의 여부와 관계없이 해당 주식의 배당금을 조정한 후 종속기업 당기순손익에 대한 자신의 지분을 산정한다.

⑤ 지배기업이 종속기업에 대한 지배력을 상실하게 되면 그 종속기업과 관련하여 기타포괄손익으로 인식한 모든 금액을 당기손익으로 재분류한다.

03 투자자의 피투자자에 대한 지배력을 설명한 것으로 옳지 않은 것은? [세무사 2024년]

① 투자자는 피투자자에 관여함에 따라 변동이익에 노출되거나 변동이익에 대한 권리가 있고, 피투자자에 대한 자신의 힘으로 변동이익에 영향을 미치는 능력이 있을 때 피투자자를 지배한다.

② 둘 이상의 투자자가 관련 활동을 지시하기 위해 함께 행동해야 하는 경우 어떠한 투자자도 다른 투자자의 협력 없이 관련 활동을 지시할 수 없으므로 어느 누구도 개별적으로 피투자자를 지배하지 못한다.

③ 투자자가 피투자자의 이익에 유의적으로 영향을 미치는 활동 등 관련 활동을 지시하는 현재의 능력을 갖게 하는 현존 권리를 보유하고 있을 때, 투자자는 피투자자에 대한 힘이 있다.

④ 투자자는 피투자자에 대한 힘이 있거나 투자자의 이익금액에 영향을 미치기 위하여 피투자자에 대한 자신의 힘을 사용하는 능력이 있을 때 피투자자를 지배한다.

⑤ 둘 이상의 투자자 각각이 다른 관련 활동을 지시하는 일방적인 능력을 갖게 하는 현존 권리를 보유하는 경우, 피투자자의 이익에 가장 유의적으로 영향을 미치는 활동을 지시하는 현재의 능력이 있는 투자자는 피투자자에 대한 힘이 있다.

[04 ~ 05]

다음의 자료를 이용하여 **04**와 **05**에 답하시오. [공인회계사 2017년]

제조업을 영위하는 ㈜대한은 20×1년 1월 1일 ㈜민국의 의결권 있는 보통주식 60%를 ₩120,000에 취득하여 지배력을 획득하였다. 취득일 현재 ㈜민국의 요약재무상태표는 다음과 같다.

요약재무상태표

㈜민국 20×1. 1. 1. 현재 (단위: ₩)

계정과목	장부금액	공정가치	계정과목	장부금액	공정가치
현금	30,000	30,000	부채	110,000	110,000
재고자산	40,000	50,000	자본금	100,000	
유형자산	120,000	150,000	이익잉여금	40,000	
기타자산	60,000	60,000			
	250,000			250,000	

〈추가 자료〉

- ㈜민국의 재고자산은 20×1년 중에 모두 외부판매되었다.
- ㈜민국의 유형자산은 본사건물이며, 취득일 현재 잔존내용연수는 5년이고 잔존가치 없이 정액법으로 감가상각한다.
- 20×1년 중 ㈜대한은 토지(장부금액 ₩30,000)를 ㈜민국에게 ₩25,000에 매각하였다. ㈜민국은 해당 토지를 20×1년 말 현재 보유하고 있다.
- ㈜대한과 ㈜민국의 20×1년 당기순이익은 각각 ₩50,000과 ₩30,000이다.
- ㈜대한은 ㈜민국의 주식을 원가법으로 회계처리하며, 연결재무제표 작성 시 비지배지분은 종속기업의 식별가능한 순자산 공정가치에 비례하여 결정한다.
- 취득일 현재 ㈜민국의 요약재무상태표에 표시된 자산과 부채 외에 추가적으로 식별가능한 자산과 부채는 없으며, 영업권 손상은 고려하지 않는다.

04 ㈜대한의 20×1년 말 연결재무제표에 계상되는 영업권은?

① ₩0 ② ₩12,000 ③ ₩24,000
④ ₩36,000 ⑤ ₩48,000

05 ㈜대한의 20×1년도 연결재무제표에 표시되는 지배기업소유주귀속당기순이익과 비지배지분귀속당기순이익은?

	지배기업소유주귀속 당기순이익	비지배지분귀속 당기순이익
①	₩55,400	₩3,600
②	₩53,400	₩5,600
③	₩63,400	₩5,600
④	₩53,400	₩7,600
⑤	₩61,400	₩7,600

06 20×1년 1월 1일 A사는 장부상 순자산가액이 ₩460,000인 B사의 보통주 70%를 현금 ₩440,000에 취득하였다. 취득일 현재 B사의 자산 및 부채에 관한 장부금액과 공정가치는 건물을 제외하고 모두 일치하였다. 건물의 장부금액과 공정가치는 각각 ₩70,000과 ₩150,000이고 잔여내용연수는 10년, 잔존가치는 없고 정액법으로 상각한다. B사는 20×1년도 당기순이익으로 ₩120,000을 보고하였으며, 이를 제외하면 20×1년 자본의 변동은 없다. 20×1년 말 연결재무제표에 기록될 비지배지분은 얼마인가? (단, 비지배지분은 종속기업의 식별가능한 순자산의 공정가치에 비례하여 측정한다)

① ₩33,600 ② ₩138,000 ③ ₩162,000
④ ₩171,600 ⑤ ₩195,600

07 ㈜국세는 20×1년 1월 1일 ㈜대한의 발행주식 중 70%를 ₩20,000,000에 취득하여 지배력을 획득하였다. 취득 당시 ㈜대한의 자본은 자본금 ₩20,000,000과 이익잉여금 ₩5,000,000으로 구성되어 있으며, ㈜대한의 순자산 공정가치와 장부금액의 차이는 ₩500,000이다. 건물(잔존내용연수 5년, 정액법 상각)의 공정가치 ₩2,500,000과 장부금액 ₩2,000,000의 차이이다. 한편, ㈜국세는 20×1년 7월 2일 ㈜대한에 원가 ₩1,000,000인 제품을 ₩1,200,000에 매출하였으며, ㈜대한은 20×1년 말 현재 동 제품을 판매하지 못하고 보유하고 있다. ㈜대한이 20×1년 포괄손익계산서의 당기순이익으로 ₩7,000,000을 보고하였다면, ㈜국세가 20×1년 말 연결재무상태표에 인식할 비지배지분은 얼마인가? (단, 비지배지분은 종속기업 순자산의 공정가치에 비례하여 인식한다)

① ₩9,660,000 ② ₩9,720,000 ③ ₩9,750,000
④ ₩9,780,000 ⑤ ₩9,840,000

08 ㈜세무는 20×1년 1월 1일 ㈜한국의 의결권주식 70%를 취득하여 지배력을 획득하였다. 다음 자료에 근거할 때, 20×1년도 연결포괄손익계산서의 지배기업소유주 당기순이익은 얼마인가?

[세무사 2018년]

[20×1년 1월 1일 연결분개]

차) 자본금	200,000	대) 투자주식	240,000
이익잉여금	30,000	비지배지분	90,000
재고자산	10,000		
유형자산	60,000		
영업권	30,000		

* 위 분개에서 재고자산은 당기에 모두 처분되었으며, 유형자산은 5년간 정액법으로 상각한다. 20×1년도 ㈜세무와 ㈜한국의 당기순이익은 각각 ₩50,000과 ₩30,000이다. 20×1년도 중 ㈜세무와 ㈜한국 간의 내부거래는 없다.

① ₩49,000 ② ₩55,600 ③ ₩62,600
④ ₩64,000 ⑤ ₩71,000

09 20×1년 1월 1일 ㈜하늘은 ㈜미래의 보통주 80%를 지배력행사목적으로 ₩2,000,000에 취득하였다. 20×1년 초 ㈜미래의 순자산 장부금액은 ₩1,800,000이다. 20×1년 12월 31일 ㈜하늘과 ㈜미래의 재무상태표는 다음과 같다.

	㈜하늘	㈜미래		㈜하늘	㈜미래
현금	₩300,000	₩400,000	매입채무	₩1,000,000	₩200,000
재고자산	₩1,000,000	₩500,000	차입금	₩2,500,000	₩800,000
토지	₩2,000,000	₩700,000	자본금	₩1,500,000	₩1,000,000
건물	₩1,500,000	₩1,500,000	이익잉여금	₩1,800,000	₩1,100,000
종속기업투자주식	₩2,000,000				

지배력 획득일 시점 ㈜미래의 자산 중 장부가치와 공정가치가 다른 내역은 다음과 같다(단, 재고는 20×1년 전량 판매되었으며, 건물은 보유 중이다. 건물의 20×1년 초 기준 잔존내용연수는 10년이며, 잔존가치 없이 정액법으로 감가상각한다).

구분	장부가치	공정가치
재고자산	₩100,000	₩200,000
건물	₩500,000	₩800,000

20×1년 ㈜하늘과 ㈜미래의 포괄손익계산서는 다음과 같다.

	㈜하늘	㈜미래
매출	₩1,000,000	₩700,000
매출원가	₩(400,000)	₩(340,000)
매출총이익	₩600,000	₩360,000
감가상각비	₩(100,000)	₩(60,000)
당기순이익	₩500,000	₩300,000

㈜미래는 ㈜하늘에게 장부금액 ₩50,000의 재고자산을 ₩100,000에 판매하였으며, 기말 현재 ㈜하늘은 해당 재고자산의 60%를 외부에 판매하였다. ㈜하늘의 20×1년 지배기업소유주귀속순이익과 20×1년 말 비지배지분은 얼마인가?

	지배기업소유주귀속순이익	비지배지분
①	₩620,000	₩470,000
②	₩500,000	₩470,000
③	₩120,000	₩450,000
④	₩500,000	₩420,000
⑤	₩620,000	₩400,000

10 ㈜세무는 20×1년 초 순자산 장부금액이 ₩1,000,000인 ㈜한국의 의결권 있는 보통주 80%를 ₩900,000에 취득하여 지배력을 획득하였다. 취득일 현재 ㈜한국의 자산과 부채의 장부금액과 공정가치는 건물을 제외하고 모두 일치하였다. 건물의 장부금액과 공정가치는 각각 ₩500,000과 ₩600,000이고, 정액법(잔존내용연수 10년, 잔존가치 ₩0)으로 상각한다. ㈜한국은 원가에 25%의 이익을 가산하여 ㈜세무에 상품을 판매하고 있으며, 20×1년 ㈜세무가 ㈜한국으로부터 매입한 상품 중 ₩50,000이 기말상품재고액으로 계상되어 있다. 20×1년도 ㈜세무의 별도재무제표에 보고된 당기순이익은 ₩250,000이고, ㈜한국의 당기순이익이 ₩120,000이라고 할 때, ㈜세무의 20×1년도 연결포괄손익계산서상 지배기업소유주귀속당기순이익은? (단, ㈜세무는 별도재무제표상 ㈜한국의 주식을 원가법으로 회계처리하고 있으며, 비지배지분은 종속기업의 식별가능한 순자산 공정가치에 비례하여 결정한다)

[세무사 2023년]

① ₩328,000　② ₩330,000　③ ₩338,000
④ ₩346,000　⑤ ₩350,000

해커스 IFRS 정윤돈 객관식 재무회계

회계사·세무사·경영지도사 단번에 합격!
해커스 경영아카데미 cpa.Hackers.com

1차 시험 출제현황

구분	CPA										CTA									
	15	16	17	18	19	20	21	22	23	24	15	16	17	18	19	20	21	22	23	24
관계기업 투자 및 공동약정	1	1	1	1	2	2	3	1	2	2		1	1							

제21장

관계기업 투자 및 공동약정

기출 유형 정리

01 ㈜대한은 20×1년 초 ㈜민국의 의결권 있는 주식 20%를 ₩60,000에 취득하여 유의적인 영향력을 행사할 수 있게 되었다. ㈜민국에 대한 추가 정보는 다음과 같다.

> • 20×1년 1월 1일 현재 ㈜민국의 순자산 장부금액은 ₩200,000이며, 자산과 부채는 장부금액과 공정가치가 모두 일치한다.
> • ㈜대한은 20×1년 중 ㈜민국에게 원가 ₩20,000인 제품을 ₩25,000에 판매하였다. ㈜민국은 20×1년 말 현재 ㈜대한으로부터 취득한 제품 ₩25,000 중 ₩10,000을 기말재고로 보유하고 있다.
> • ㈜민국의 20×1년 당기순이익은 ₩28,000이며, 기타포괄이익은 ₩5,000이다.

㈜민국에 대한 지분법적용투자주식과 관련하여 ㈜대한이 20×1년도 포괄손익계산서상 당기손익에 반영할 지분법이익은 얼마인가? [공인회계사 2022년]

① ₩5,200 ② ₩5,700 ③ ₩6,200
④ ₩6,700 ⑤ ₩7,200

02 기업회계기준서 제1028호 '관계기업과 공동기업에 대한 투자'에 관한 다음 설명 중 옳지 않은 것은? [공인회계사 2021년]

① A기업이 보유하고 있는 B기업의 지분이 10%에 불과하더라도 A기업의 종속회사인 C기업이 B기업 지분 15%를 보유하고 있는 경우, 명백한 반증이 제시되지 않는 한 A기업이 B기업에 대해 유의한 영향력을 행사할 수 있는 것으로 본다.
② 관계기업 투자가 공동기업 투자로 되거나 공동기업 투자가 관계기업 투자로 되는 경우, 기업은 보유 지분을 투자 성격 변경시점의 공정가치로 재측정한다.
③ 기업이 유의적인 영향력을 보유하는지를 평가할 때에는 다른 기업이 보유한 잠재적 의결권을 포함하여 현재 행사할 수 있거나 전환할 수 있는 잠재적 의결권의 존재와 영향을 고려한다.
④ 손상차손 판단 시 관계기업이나 공동기업에 대한 투자의 회수가능액은 각 관계기업이나 공동기업별로 평가하여야 한다. 다만, 관계기업이나 공동기업이 창출하는 현금유입이 그 기업의 다른 자산에서 창출되는 현금흐름과 거의 독립적으로 구별되지 않는 경우에는 그러하지 아니한다.
⑤ 관계기업이나 공동기업에 대한 지분 일부를 처분하여 잔여 보유 지분이 금융자산이 되는 경우, 기업은 해당 잔여 보유 지분을 공정가치로 재측정한다.

03 20×1년 1월 1일에 ㈜대한은 ㈜민국의 의결권 있는 주식 20%를 ₩600,000에 취득하여 유의적인 영향력을 가지게 되었다. 20×1년 1월 1일 현재 ㈜민국의 순자산 장부금액은 ₩2,000,000이다.

- ㈜대한의 주식 취득일 현재 ㈜민국의 자산 및 부채 가운데 장부금액과 공정가치가 일치하지 않는 계정과목은 다음과 같다.

계정과목	장부금액	공정가치
토지	₩350,000	₩400,000
재고자산	180,000	230,000

- ㈜민국은 20×1년 7월 1일에 토지 전부를 ₩420,000에 매각하였으며, 이외에 20×1년 동안 토지의 추가 취득이나 처분은 없었다.
- ㈜민국의 20×1년 1월 1일 재고자산 중 20×1년 12월 31일 현재 보유하고 있는 재고자산의 장부금액은 ₩36,000이다.
- ㈜민국은 20×1년 8월 31일에 이사회 결의로 ₩100,000의 현금배당(중간배당)을 선언·지급하였으며, ㈜민국의 20×1년 당기순이익은 ₩300,000이다.

㈜대한의 20×1년 12월 31일 현재 재무상태표에 표시되는 ㈜민국에 대한 지분법적용투자주식의 장부금액은 얼마인가? (단, 상기 기간 중 ㈜민국의 기타포괄손익은 발생하지 않은 것으로 가정한다)

[공인회계사 2021년]

① ₩622,000 ② ₩642,000 ③ ₩646,000
④ ₩650,000 ⑤ ₩666,000

04 관계기업과 공동기업에 대한 투자 및 지분법 회계처리에 대한 다음 설명 중 옳은 것은?

[공인회계사 2020년]

① 관계기업의 결손이 누적되면 관계기업에 대한 투자지분이 부(−)의 잔액이 되는 경우가 발생할 수 있다.
② 피투자자의 순자산변동 중 투자자의 몫은 전액 투자자의 당기순손익으로 인식한다.
③ 관계기업의 정의를 충족하지 못하게 되어 지분법 사용을 중단하는 경우로서 종전 관계기업에 대한 잔여 보유 지분이 금융자산이면 기업은 잔여 보유 지분을 공정가치로 측정하고, '잔여 보유 지분의 공정가치와 관계기업에 대한 지분의 일부 처분으로 발생한 대가의 공정가치'와 '지분법을 중단한 시점의 투자자산의 장부금액'의 차이를 기타포괄손익으로 인식한다.
④ 하향거래가 매각대상 또는 출자대상 자산의 순실현가능가치의 감소나 그 자산에 대한 손상차손의 증거를 제공하는 경우 투자자는 그러한 손실 중 자신의 몫을 인식한다.
⑤ 관계기업이 해외사업장과 관련된 누적 외환차이가 있고 기업이 지분법의 사용을 중단하는 경우, 기업은 해외사업장과 관련하여 이전에 기타포괄손익으로 인식했던 손익을 당기손익으로 재분류한다.

05 20×1년 1월 1일 ㈜대한은 ㈜민국의 의결권 있는 보통주 30주(총 발행주식의 30%)를 ₩400,000에 취득하여 유의적인 영향력을 행사하게 되었다. 취득일 현재 ㈜민국의 순자산 장부금액은 ₩1,300,000이며, ㈜민국의 자산·부채 중에서 장부금액과 공정가치가 일치하지 않는 항목은 다음과 같다. ㈜대한이 20×1년 지분법이익으로 인식할 금액은 얼마인가? [공인회계사 2020년]

- 주식취득일 현재 공정가치와 장부금액이 다른 자산은 다음과 같다.

구분	재고자산	건물(순액)
공정가치	₩150,000	₩300,000
장부금액	100,000	200,000

- 재고자산은 20×1년 중에 전액 외부로 판매되었다.
- 20×1년 초 건물의 잔존내용연수는 5년, 잔존가치 ₩0, 정액법으로 감가상각한다.
- ㈜민국은 20×1년 5월 말에 총 ₩20,000의 현금배당을 실시하였으며, 20×1년 당기순이익으로 ₩150,000을 보고하였다.

① ₩59,000 ② ₩53,000 ③ ₩45,000
④ ₩30,000 ⑤ ₩24,000

06 기업회계기준서 제1027호 '별도재무제표'에 대한 다음 설명 중 옳지 않은 것은? [공인회계사 2019년]

① 별도재무제표를 작성할 때, 종속기업, 공동기업, 관계기업에 대한 투자자산은 원가법, 기업회계기준서 제1109호 '금융상품'에 따른 방법, 제1028호 '관계기업과 공동기업에 대한 투자'에서 규정하고 있는 지분법 중 하나를 선택하여 회계처리한다.
② 종속기업, 공동기업, 관계기업으로부터 받는 배당금은 기업이 배당을 받을 권리가 확정되는 시점에 투자자산의 장부금액에서 차감하므로 당기손익으로 반영되는 경우는 없다.
③ 종속기업, 관계기업, 공동기업 참여자로서 투자지분을 소유하지 않은 기업의 재무제표는 별도재무제표가 아니다.
④ 기업회계기준서 제1109호 '금융상품'에 따라 회계처리하는 투자의 측정은 매각예정이나 분배예정으로 분류되는 경우라 하더라도 기업회계기준서 제1105호 '매각예정비유동자산과 중단영업'을 적용하지 않는다.
⑤ 기업회계기준서 제1110호 '연결재무제표'에 따라 연결이 면제되는 경우, 그 기업의 유일한 재무제표로서 별도재무제표만을 재무제표로 작성할 수 있다.

[07 ~ 08]

다음 자료를 이용하여 **07**과 **08**에 답하시오. [공인회계사 2019년]

㈜대한은 20×1년 초에 ㈜민국의 보통주 30%를 ₩350,000에 취득하여 유의적인 영향력을 행사하고 있으며 지분법을 적용하여 회계처리한다. 20×1년 초 현재 ㈜민국의 순자산 장부금액과 공정가치는 동일하게 ₩1,200,000이다.

〈추가 자료〉

- 다음은 ㈜대한과 ㈜민국 간의 20×1년 재고자산 내부거래 내역이다.

판매회사 → 매입회사	판매회사 매출액	판매회사 매출원가	매입회사 장부상 기말재고
㈜대한 → ㈜민국	₩25,000	₩20,000	₩17,500

- 20×2년 3월 31일 ㈜민국은 주주에게 현금배당금 ₩10,000을 지급하였다.
- 20×2년 중 ㈜민국은 20×1년 ㈜대한으로부터 매입한 재고자산을 외부에 모두 판매하였다.
- 다음은 ㈜민국의 20×1년도 및 20×2년도 포괄손익계산서 내용의 일부이다.

구분	20×1년	20×2년	매입회사 장부상 기말재고
당기순이익	₩100,000	₩(-)100,000	₩17,500
기타포괄이익	₩50,000	₩110,000	

07 20×1년 말 현재 ㈜대한의 재무상태표에 표시되는 ㈜민국에 대한 지분법적용투자주식 기말 장부금액은 얼마인가?

① ₩403,950 ② ₩400,000 ③ ₩395,000
④ ₩393,950 ⑤ ₩350,000

08 지분법 적용이 ㈜대한의 20×2년도 당기순이익에 미치는 영향은 얼마인가?

① ₩18,950 감소 ② ₩28,950 감소 ③ ₩33,950 증가
④ ₩38,950 증가 ⑤ ₩38,950 감소

09 관계기업과 공동기업에 대한 투자 및 지분법 회계처리에 대한 다음 설명 중 옳지 않은 것은?

[공인회계사 2023년]

① 지분법은 투자자산을 최초에 원가로 인식하고, 취득시점 이후 발생한 피투자자의 순자산 변동액 중 투자자의 몫을 해당 투자자산에 가감하여 보고하는 회계처리방법이다.

② 투자자와 관계기업 사이의 상향거래가 구입된 자산의 순실현가능가치의 감소나 그 자산에 대한 손상차손의 증거를 제공하는 경우, 투자자는 그러한 손실 중 자신의 몫을 인식한다.

③ 유의적인 영향력을 상실하지 않는 범위 내에서 관계기업에 대한 보유지분의 변동은 자본거래로 회계처리한다.

④ 관계기업에 대한 순투자 장부금액의 일부를 구성하는 영업권은 분리하여 인식하지 않으므로 별도의 손상검사를 하지 않는다.

⑤ 관계기업이 자본으로 분류되는 누적적 우선주를 발행하였고 이를 제3자가 소유하고 있는 경우, 투자자는 배당결의 여부에 관계없이 이러한 주식의 배당금에 대하여 조정한 후 당기순손익에 대한 자신의 몫을 산정한다.

10 ㈜대한은 20×1년 초에 ㈜민국의 의결권 있는 보통주 25%를 ₩50,000에 취득하고 유의적인 영향력을 행사할 수 있게 되었다.

• 취득일 현재 ㈜민국의 순자산 장부금액은 ₩150,000이며, 장부금액과 공정가치가 다른 자산·부채 내역은 다음과 같다.

계정과목	장부금액	공정가치
건물	₩100,000	₩140,000

• 위 건물은 20×1년 초 현재 잔존내용연수 20년에 잔존가치 없이 정액법으로 상각한다.
• ㈜민국은 20×1년 8월에 총 ₩10,000의 현금배당(중간배당)을 결의하고 지급하였다.
• ㈜민국은 20×1년도에 당기순이익 ₩20,000과 기타포괄손실 ₩8,000을 보고하였다.

㈜대한이 ㈜민국의 보통주를 지분법에 따라 회계처리하는 경우, 20×1년 말 재무상태표에 계상되는 관계기업투자주식의 장부금액은 얼마인가?

[공인회계사 2024년]

① ₩50,000 ② ₩50,500 ③ ₩51,000
④ ₩52,000 ⑤ ₩52,500

11 기업회계기준서 제1111호 '공동약정'에 대한 다음 설명 중 옳지 않은 것은? [공인회계사 2024년]

① 공동약정은 둘 이상의 당사자들이 공동지배력을 보유하는 약정이다.

② 공동지배력은 약정의 지배력에 대한 합의된 공유인데, 관련 활동에 대한 결정에 지배력을 공유하는 당사자들 전체의 동의가 요구될 때에만 존재한다.

③ 약정의 모든 당사자들이 약정의 공동지배력을 보유하지 않는다면 그 약정은 공동약정이 될 수 없다.

④ 공동약정은 약정의 당사자들의 권리와 의무에 따라 공동영업이거나 공동기업으로 분류한다.

⑤ 공동기업은 약정의 공동지배력을 보유하는 당사자들이 약정의 순자산에 대한 권리를 보유하는 공동약정이다.

관련 유형 연습

01 ㈜대한은 20×1년 1월 1일에 ㈜민국의 발행주식 총수의 40%에 해당하는 100주를 총 ₩5,000에 취득하여, 유의적인 영향력을 행사하게 되어 지분법을 적용하기로 하였다. 취득일 현재 ㈜민국의 장부상 순자산가액은 ₩10,000이었고, ㈜민국의 장부상 순자산가액과 공정가치가 일치하지 않는 이유는 재고자산과 건물의 공정가치가 장부금액보다 각각 ₩2,000과 ₩400이 많았기 때문이다. 그런데 재고자산은 모두 20×1년 중에 외부에 판매되었으며, 20×1년 1월 1일 기준 건물의 잔존내용연수는 4년이고 잔존가치는 ₩0이며, 정액법으로 상각한다. ㈜민국은 20×1년 당기순이익 ₩30,000과 기타포괄이익 ₩10,000을 보고하였으며, 주식 50주(주당 액면 ₩50)를 교부하는 주식배당과 ₩5,000의 현금배당을 결의하고 즉시 지급하였다. ㈜대한이 20×1년도 재무제표에 보고해야 할 관계기업투자주식과 지분법손익은 얼마인가?

① 관계기업투자주식 ₩17,160, 지분법이익 ₩11,160
② 관계기업투자주식 ₩17,160, 지분법이익 ₩15,160
③ 관계기업투자주식 ₩18,160, 지분법이익 ₩11,160
④ 관계기업투자주식 ₩18,160, 지분법이익 ₩15,160
⑤ 관계기업투자주식 ₩20,160, 지분법이익 ₩15,160

02 ㈜국세는 20×3년 초에 ㈜대한의 주식 20%를 ₩50,000에 취득하면서 유의적인 영향력을 행사할 수 있게 되었다. 추가 자료는 다음과 같다.

- 20×3년 중에 ㈜대한은 토지를 ₩20,000에 취득하고 재평가모형을 적용하였다.
- ㈜대한은 20×3년 말 당기순이익 ₩10,000과 토지의 재평가에 따른 재평가이익 ₩5,000을 기타포괄이익으로 보고하였다.
- 20×3년 중에 ㈜대한은 중간배당으로 현금 ₩3,000을 지급하였다.

㈜국세의 20×3년 말 재무상태표에 인식될 관계기업투자주식은 얼마인가?

① ₩51,400 ② ₩52,400 ③ ₩53,600
④ ₩55,000 ⑤ ₩62,000

03 ㈜세무는 20×1년 초에 ㈜한국의 주식 25%를 ₩1,000,000에 취득하면서 유의적인 영향력을 행사할 수 있게 되었다. 취득일 현재 ㈜한국의 순자산 장부금액은 ₩4,000,000이며, 자산 및 부채의 장부금액은 공정가치와 동일하다. ㈜한국은 20×1년 총포괄이익 ₩900,000(기타포괄이익 ₩100,000 포함)을 보고하였다. ㈜세무가 20×1년 중에 ㈜한국으로부터 중간배당금 ₩60,000을 수취하였다면, ㈜세무가 20×1년도 당기손익으로 인식할 지분법이익은 얼마인가?

① ₩60,000　② ₩165,000　③ ₩200,000
④ ₩230,000　⑤ ₩260,000

04 20×1년 1월 1일 ㈜하늘은 ㈜미래의 보통주 20%를 영향력 행사를 목적으로 ₩300,000에 취득하였다. 20×1년 1월 1일 현재 ㈜미래의 순자산 장부금액은 ₩1,000,000이다.

(1) 주식 취득일 현재 ㈜미래의 순자산 중 장부금액과 공정가치가 다른 항목은 다음과 같다.

구분	장부가액	공정가치	비고
건물	₩1,000,000	₩1,400,000	잔존내용연수 10년, 정액법, 잔존가치 ₩0
재고	₩200,000	₩250,000	20×1년 중 판매

(2) 매년 순자산 변동액은 다음과 같다.

구분	당기순이익	현금배당
20×1년	₩500,000	₩100,000
20×2년	₩300,000	₩80,000

㈜하늘의 20×2년 지분법이익과 20×2년 말 관계기업투자주식 장부금액은 얼마인가?

	지분법이익	관계기업투자주식
①	₩82,000	₩362,000
②	₩52,000	₩398,000
③	₩80,000	₩362,000
④	₩62,000	₩397,000
⑤	₩62,000	₩387,000

해커스 IFRS 정윤돈 객관식 재무회계

1차 시험 출제현황

구분	CPA										CTA									
	15	16	17	18	19	20	21	22	23	24	15	16	17	18	19	20	21	22	23	24
환율변동효과	2	2	2	3	1	1	2	2	1	2			1							

제22장

환율변동효과

기출 유형 정리

01 ㈜대한은 20×1년 초 설립된 해운기업이다. 우리나라에 본사를 두고 있는 ㈜대한의 표시통화는 원화(₩)이나, 해상운송을 주된 영업활동으로 하고 있어 기능통화는 미국달러화($)이다. 기능통화로 표시된 ㈜대한의 20×1년 및 20×2년 요약재무정보(시산표)와 관련 정보는 다음과 같다.

• ㈜대한의 20×1년 및 20×2년 요약재무정보(시산표)

계정과목	20×1년		20×2년	
	차변	대변	차변	대변
자산	$3,000		$4,000	
부채		$1,500		$2,300
자본금		1,000		1,000
이익잉여금		-		500
수익		2,500		3,000
비용	2,000		2,800	
합계	$5,000	$5,000	$6,800	$6,800

• 20×1년 및 20×2년 환율(₩/$) 변동정보

구분	기초	연평균	기말
20×1년	1,000	1,100	1,200
20×2년	1,200	1,150	1,100

• 기능통화와 표시통화는 모두 초인플레이션 경제의 통화가 아니며, 설립 이후 환율에 유의적인 변동은 없었다.
• 수익과 비용은 해당 회계기간의 연평균환율을 사용하여 환산한다.

㈜대한의 20×1년도 및 20×2년도 원화(₩) 표시 포괄손익계산서상 총포괄이익은 각각 얼마인가?
[공인회계사 2022년]

	20×1년	20×2년
①	₩600,000	₩120,000
②	₩600,000	₩320,000
③	₩800,000	₩70,000
④	₩800,000	₩120,000
⑤	₩800,000	₩320,000

02 유럽에서의 사업 확장을 계획 중인 ㈜대한(기능통화 및 표시통화는 원화(₩)임)은 20×1년 10월 1일 독일 소재 공장용 토지를 €1,500에 취득하였다. 그러나 탄소 과다배출가능성 등 환경 이슈로 독일 주무관청으로부터 영업허가를 얻지 못함에 따라 20×2년 6월 30일 해당 토지를 €1,700에 처분하였다. 이와 관련한 추가 정보는 다음과 같다.

- 환율(₩/€) 변동정보

일자	20×1. 10. 1.	20×1. 12. 31.	20×2. 6. 30.
환율	1,600	1,500	1,550

- 20×1년 12월 31일 현재 ㈜대한이 취득한 토지의 공정가치는 €1,900이다.

상기 토지에 대해 (1) 원가모형과 (2) 재평가모형을 적용하는 경우, ㈜대한이 20×2년 6월 30일 토지 처분 시 인식할 유형자산처분손익은 각각 얼마인가? [공인회계사 2022년]

	(1) 원가모형	(2) 재평가모형
①	처분이익 ₩165,000	처분손실 ₩185,000
②	처분이익 ₩235,000	처분손실 ₩215,000
③	처분이익 ₩235,000	처분손실 ₩185,000
④	처분이익 ₩385,000	처분손실 ₩215,000
⑤	처분이익 ₩385,000	처분손실 ₩185,000

03 ㈜대한(기능통화는 원화(₩)임)의 다음 외화거래 사항들로 인한 손익효과를 반영하기 전 20×1년 당기순이익은 ₩20,400이다.

- ㈜대한은 20×1년 11월 1일에 재고자산 ¥500을 현금 매입하였으며 기말 현재 순실현가능가치는 ¥450이다. ㈜대한은 계속기록법과 실지재고조사법을 병행·적용하며 장부상 수량은 실제수량과 같았다.
- ㈜대한은 20×1년 1월 1일에 일본 소재 토지를 장기 시세차익을 얻을 목적으로 ¥2,000에 현금 취득하였으며 이를 투자부동산으로 분류하였다.
- 동 토지(투자부동산)에 대해 공정가치모형을 적용하며 20×1년 12월 31일 현재 공정가치는 ¥2,200이다.
- 20×1년 각 일자별 환율정보는 다음과 같다.

구분	20×1. 1. 1.	20×1. 11. 1.	20×1. 12. 31.	20×1년 평균
₩/¥	10.0	10.3	10.4	10.2

- 기능통화와 표시통화는 모두 초인플레이션 경제의 통화가 아니다.
- 거래일을 알 수 없는 수익과 비용은 해당 회계기간의 평균환율을 사용하여 환산하며, 설립 이후 기간에 환율의 유의한 변동은 없었다.

위 외화거래들을 반영한 후 ㈜대한의 20×1년 포괄손익계산서상 당기순이익은 얼마인가?

[공인회계사 2021년]

① ₩23,750 ② ₩23,000 ③ ₩22,810
④ ₩21,970 ⑤ ₩21,930

04 다음 중 기업회계기준서 제1021호 '환율변동효과'에서 사용하는 용어의 정의로 옳지 않은 것은?

[공인회계사 2021년]

① 환율은 두 통화 사이의 교환비율이다.
② 외화는 회사 본사 소재지 국가 외에서 통용되는 통화이다.
③ 마감환율은 보고기간 말의 현물환율이다.
④ 표시통화는 재무제표를 표시할 때 사용하는 통화이다.
⑤ 현물환율은 즉시 인도가 이루어지는 거래에서 사용하는 환율이다.

05 ㈜한국은 20×1년 초 미국에 지분 100%를 소유한 해외현지법인 ㈜ABC를 설립하였다. 종속기업인 ㈜ABC의 기능통화는 미국달러화($)이며 지배기업인 ㈜한국의 표시통화는 원화(₩)이다. ㈜ABC의 20×2년 말 요약재무상태표와 환율변동정보 등은 다음과 같다.

요약재무상태표

㈜ABC　　　20×2. 12. 31. 현재　　　(단위: $)

자산	3,000	부채	1,500
		자본금	1,000
		이익잉여금	500
	3,000		3,000

- 자본금은 설립 당시의 보통주 발행금액이며, 이후 변동은 없다.
- 20×2년의 당기순이익은 $300이며, 수익과 비용은 연중 균등하게 발생하였다. 그 외 기타 자본변동은 없다.
- 20×1년부터 20×2년 말까지의 환율변동정보는 다음과 같다.

	기초(₩/$)	평균(₩/$)	기말(₩/$)
20×1년	800	?	850
20×2년	850	900	1,000

- 기능통화와 표시통화는 모두 초인플레이션 경제의 통화가 아니다. 수익과 비용은 해당 회계기간의 평균환율을 사용하여 환산하며, 설립 이후 기간에 환율의 유의한 변동은 없었다.

20×2년 말 ㈜ABC의 재무제표를 표시통화인 원화로 환산하는 과정에서 대변에 발생한 외환차이가 ₩100,000일 때, 20×1년 말 ㈜ABC의 원화환산 재무제표의 이익잉여금은 얼마인가?

[공인회계사 2020년]

① ₩30,000　② ₩100,000　③ ₩130,000
④ ₩300,000　⑤ ₩330,000

06 기능통화가 원화인 ㈜한국이 20×1년 12월 31일 현재 보유하고 있는 외화표시 자산·부채 내역과 추가정보는 다음과 같다.

계정과목	외화표시금액	최초인식금액
FVPL금융자산	$30	₩28,500
매출채권	$200	₩197,000
재고자산	$300	₩312,500
선수금	$20	₩19,000

- 20×1년 말 현재 마감환율은 ₩1,000/$이다. 위 자산·부채는 모두 20×1년 중에 최초인식되었으며, 위험회피회계가 적용되지 않는다.
- 단기매매증권은 지분증권으로 $25에 취득하였으며, 20×1년 말 공정가치는 $30이다.
- 20×1년 말 현재 재고자산의 순실현가능가치는 $310이다.

위 외화표시 자산·부채에 대한 기말평가와 기능통화로의 환산이 ㈜한국의 20×1년도 당기순이익에 미치는 영향(순액)은? [공인회계사 2017년]

① ₩500 증가 ② ₩1,000 증가 ③ ₩2,000 증가
④ ₩3,500 증가 ⑤ ₩4,500 증가

07 기업회계기준서 제1021호 '환율변동효과'에 대한 다음 설명 중 옳지 않은 것은?
[공인회계사 2024년]

① 해외사업장을 처분하는 경우 기타포괄손익과 별도의 자본항목으로 인식한 해외사업장 관련 외환차이의 누계액은 당기손익으로 재분류하지 않는다.
② 기능통화가 변경되는 경우 변경된 날의 환율을 사용하여 모든 항목을 새로운 기능통화로 환산한다. 비화폐성 항목의 경우에는 새로운 기능통화로 환산한 금액이 역사적 원가가 된다.
③ 보고기업과 해외사업장의 경영성과와 재무상태를 연결하는 경우, 내부거래에서 생긴 화폐성 자산(또는 화폐성 부채)과 관련된 환율변동효과는 연결재무제표에서 당기손익으로 인식한다. 다만, 보고기업의 해외사업장에 대한 순투자의 일부인 화폐성 항목에서 생기는 외환차이는 해외사업장이 처분될 때까지 연결재무제표에서 기타포괄손익으로 인식한다.
④ 해외사업장을 포함한 종속기업을 일부 처분 시 기타포괄손익에 인식된 외환차이의 누계액 중 비례적 지분을 그 해외사업장의 비지배지분으로 재귀속시킨다.
⑤ 비화폐성 항목에서 생긴 손익을 기타포괄손익으로 인식하는 경우에 그 손익에 포함된 환율변동효과도 기타포괄손익으로 인식한다. 그러나 비화폐성 항목에서 생긴 손익을 당기손익으로 인식하는 경우에는 그 손익에 포함된 환율변동효과도 당기손익으로 인식한다.

08 기업회계기준서 제1021호 '환율변동효과'에 대한 다음 설명 중 옳지 않은 것은?

[공인회계사 2023년]

① 해외사업장의 취득으로 생기는 영업권과 자산·부채의 장부금액에 대한 공정가치 조정액은 해외사업장의 자산·부채로 본다. 따라서 이러한 영업권과 자산·부채의 장부금액에 대한 공정가치 조정액은 해외사업장의 기능통화로 표시하고 마감환율로 환산한다.

② 기능통화가 초인플레이션 경제의 통화인 경우 모든 금액(즉, 자산, 부채, 자본항목, 수익과 비용. 비교표시되는 금액 포함)을 최근 재무상태표 일자의 마감환율로 환산한다. 다만, 금액을 초인플레이션이 아닌 경제의 통화로 환산하는 경우에 비교표시되는 금액은 전기에 보고한 재무제표의 금액(즉, 전기 이후의 물가수준변동효과나 환율변동효과를 반영하지 않은 금액)으로 한다.

③ 보고기업의 해외사업장에 대한 순투자의 일부인 화폐성항목에서 생기는 외환차이는 보고기업의 별도재무제표나 해외사업장의 개별재무제표 및 보고기업과 해외사업장을 포함하는 재무제표에서 외환차이가 처음 발생되는 시점부터 당기손익으로 인식한다.

④ 기능통화가 변경되는 경우에는 새로운 기능통화에 의한 환산절차를 변경한 날부터 전진적용한다.

⑤ 재무제표를 작성하는 해외사업장이 없는 기업이나 기업회계기준서 제1027호 '별도재무제표'에 따라 별도재무제표를 작성하는 기업은 재무제표를 어떤 통화로도 표시할 수 있다.

관련 유형 연습

01 외화거래와 해외사업장의 운영을 재무제표에 반영하는 방법과 기능통화 재무제표를 표시통화로 환산하는 방법에 관한 다음 설명 중 옳지 않은 것은? (단, 기능통화는 초인플레이션 경제의 통화가 아닌 것으로 가정한다)

① 기능통화를 표시통화로 환산함에 있어 재무상태표의 자산과 부채는 해당 보고기간 말의 마감환율을 적용한다.

② 기능통화를 표시통화로 환산함에 있어 포괄손익계산서의 수익과 비용은 해당 거래일의 환율을 적용한다.

③ 공정가치로 측정하는 비화폐성 외화항목은 공정가치가 측정된 날의 환율로 환산하며, 이 과정에서 발생하는 외환차이는 당기손익으로 인식한다.

④ 보고기업의 해외사업장에 대한 순투자의 일부인 화폐성항목에서 생기는 외환차이는 보고기업의 별도재무제표나 해외사업장의 개별재무제표에서 당기손익으로 인식한다.

⑤ 해외사업장을 처분하는 경우에 기타포괄손익으로 인식한 해외사업장 관련 외환차이의 누계액은 해외사업장의 처분손익을 인식하는 시점에 자본에서 당기손익으로 재분류한다.

02 20×1년 초에 설립된 ㈜한국의 기능통화는 미국달러화($)이며 표시통화는 원화(₩)이다. ㈜한국의 기능통화로 작성된 20×2년 말 요약재무상태표와 환율변동정보 등은 다음과 같다.

요약재무상태표

㈜한국 20×2. 12. 31. 현재 (단위: $)

자산	2,400	부채	950
		자본금	1,000
		이익잉여금	450
	2,400		2,400

- 자본금은 설립 당시의 보통주 발행금액이며 이후 변동은 없다.
- 20×1년과 20×2년의 당기순이익은 각각 $150와 $300이며, 수익과 비용은 연중 균등하게 발생하였다.
- 20×1년부터 20×2년 말까지의 환율변동정보는 다음과 같다.

	기초(₩/$)	평균(₩/$)	기말(₩/$)
20×1년	900	940	960
20×2년	960	980	1,000

- 기능통화와 표시통화는 모두 초인플레이션 경제의 통화가 아니며, 위 기간에 환율의 유의한 변동은 없었다.

㈜한국의 표시통화로 환산된 20×2년 말 재무상태표상 환산차이(기타포괄손익누계액)는?

[공인회계사 2017년]

① ₩0 ② ₩72,500 ③ ₩90,000
④ ₩115,000 ⑤ ₩122,500

해커스 IFRS 정윤돈 객관식 재무회계 제22장 환율변동효과

03 ㈜세무는 원화를 기능통화로 사용하는 해외사업장으로 20×1년 초 달러 표시 재고자산을 $100에 매입하여 20×1년 말까지 보유하고 있다. 동 재고자산의 순실현가능가치와 거래일 및 20×1년 말의 환율이 다음과 같을 때, 20×1년 말 현재 재고자산의 장부금액 및 재고자산평가손실은 얼마인가? [세무사 2017년]

구분	외화금액	환율
취득원가	$100	거래일 환율(₩1,000/$)
순실현가능가치	$96	20×1년 말 마감환율(₩1,050/$)

	장부금액	재고자산평가손실
①	₩96,000	₩4,000
②	₩100,000	₩0
③	₩100,000	₩4,000
④	₩100,000	₩4,200
⑤	₩100,800	₩0

[04 ~ 07]

㈜갑의 기능통화는 원화이며, 달러화 대비 원화의 환율이 다음과 같을 때 아래 각각의 독립적 물음에 답하시오.

일자	20×1. 10. 1.	20×1. 12. 31.	20×2. 3. 1.
환율	₩1,000	₩1,040	₩1,020

04 ㈜갑은 20×1년 10월 1일 미국으로부터 재고자산 $1,000을 매입하여 20×1년 12월 31일 현재 보유하고 있다. ㈜갑은 재고자산을 취득원가와 순실현가능가치 중 낮은 가격으로 측정한다. 20×1년 12월 31일 현재 외화표시 재고자산의 순실현가능가치가 $980일 경우에 ㈜갑이 기능통화 재무제표에 표시할 재고자산의 장부금액은 얼마인가?

① ₩1,000,000 ② ₩1,019,200 ③ ₩1,200,000
④ ₩1,040,000 ⑤ ₩999,600

05 ㈜갑은 20×1년 10월 1일 미국에 소재하는 사업목적의 토지를 $12,000에 취득하였고, 20×1년 12월 31일 현재 토지의 공정가치는 $13,000이다. ㈜갑이 20×2년 3월 1일에 토지의 1/4을 $5,000에 매각하였을 때, 원가모형에 의한 유형자산처분손익은 얼마인가?

① ₩1,200,000 ② ₩2,019,200 ③ ₩2,100,000
④ ₩2,040,000 ⑤ ₩1,999,600

06 ㈜갑은 매년 재평가를 실시한다고 가정하고, 재평가모형에 의한 ㈜갑의 유형자산처분손익은 얼마인가?

① ₩1,200,000 ② ₩1,019,200 ③ ₩1,600,000
④ ₩1,720,000 ⑤ ₩1,999,600

07 ㈜갑은 20×1년 10월 1일 미국회사가 발행한 지분상품을 $5,000에 취득하였고, 20×1년 12월 31일 현재 지분상품의 공정가치는 $6,000이다. ㈜갑은 20×2년 3월 1일에 지분상품 전부를 $7,000에 처분하였다. ㈜갑이 지분상품을 FVPL금융자산으로 분류하는 경우, 20×2년 3월 1일에 ㈜갑이 인식할 금융자산처분손익은 얼마인가?

① ₩200,000 ② ₩900,000 ③ ₩1,000,000
④ ₩1,020,000 ⑤ ₩1,240,000

해커스 IFRS 정윤돈 객관식 재무회계

/ 1차 시험 출제현황 /

구분	CPA										CTA									
	15	16	17	18	19	20	21	22	23	24	15	16	17	18	19	20	21	22	23	24
파생상품 및 위험회피회계	2	2	2		1	2	1	2	1	1								1		

제23장

파생상품 및 위험회피회계

기출 유형 정리

01 기업회계기준서 제1109호 '금융상품'에 따른 위험회피회계에 대한 다음 설명 중 옳지 않은 것은?
[공인회계사 2022년]

① 위험회피회계의 목적상, 보고실체의 외부 당사자와 체결한 계약만을 위험회피수단으로 지정할 수 있다.

② 일부 발행한 옵션을 제외하고, 당기손익-공정가치 측정 파생상품은 위험회피수단으로 지정할 수 있다.

③ 인식된 자산이나 부채, 인식되지 않은 확정계약, 예상거래나 해외사업장순투자는 위험회피대상항목이 될 수 있다. 다만, 위험회피대상항목이 예상거래인 경우 그 거래는 발생가능성이 매우 커야 한다.

④ 공정가치위험회피회계의 위험회피대상항목이 자산을 취득하거나 부채를 인수하는 확정계약인 경우에는 확정계약을 이행한 결과로 인식하는 자산이나 부채의 최초 장부금액이 재무상태표에 인식된 위험회피대상항목의 공정가치 누적변동분을 포함하도록 조정한다.

⑤ 위험회피수단을 제공하는 거래상대방이 계약을 미이행할 가능성이 높더라도(즉, 신용위험이 지배적이더라도) 위험회피대상항목과 위험회피수단 사이에 경제적 관계가 있는 경우에는 위험회피회계를 적용할 수 있다.

02 ㈜대한은 20×1년 1월 1일 ₩500,000(3년 만기, 고정이자율 연 5%)을 차입하였다. 고정이자율 연 5%는 20×1년 1월 1일 한국은행 기준금리(연 3%)에 ㈜대한의 신용스프레드(연 2%)가 가산되어 결정된 것이다. 한편, ㈜대한은 금리변동으로 인한 차입금의 공정가치 변동위험을 회피하고자 다음과 같은 이자율스왑계약을 체결하고 위험회피관계를 지정하였다(이러한 차입금과 이자율스왑계약 간의 위험회피관계는 위험회피회계의 적용 요건을 충족한다).

- 이자율스왑계약 체결일: 20×1년 1월 1일
- 이자율스왑계약 만기일: 20×3년 12월 31일
- 이자율스왑계약 금액: ₩500,000
- 이자율스왑계약 내용: 매년 말 연 3%의 고정이자를 수취하고, 매년 초(또는 전년도 말)에 결정되는 한국은행 기준금리에 따라 변동이자를 지급

차입금에 대한 이자지급과 이자율스왑계약의 결제는 매년 말에 이루어지며, 이자율스왑계약의 공정가치는 무이표채권할인법으로 산정된다. 전년도 말과 당년도 초의 한국은행 기준금리는 동일하며, 연도별로 다음과 같이 변동하였다.

20×1. 1. 1.	20×1. 12. 31.	20×2. 12. 31.
연 3%	연 2%	연 1%

㈜대한이 상기 거래와 관련하여 20×1년도에 인식할 차입금평가손익과 이자율스왑계약평가손익은 각각 얼마인가? (단, 단수차이로 인해 오차가 있다면 가장 근사치를 선택한다) [공인회계사 2022년]

	차입금	이자율스왑계약
①	평가이익 ₩9,708	평가손실 ₩9,708
②	평가손실 ₩9,708	평가이익 ₩9,708
③	₩0	₩0
④	평가이익 ₩9,430	평가손실 ₩9,430
⑤	평가손실 ₩9,430	평가이익 ₩9,430

03 ㈜대한은 20×1년 9월 1일에 옥수수 100단위를 ₩550,000에 취득하였다. 20×1년 10월 1일에 ㈜대한은 옥수수 시가 하락을 우려하여 만기가 20×2년 3월 1일인 선도가격(₩520,000)에 옥수수 100단위를 판매하는 선도계약을 체결하여 위험회피관계를 지정하였으며, 이는 위험회피회계 적용요건을 충족한다. 일자별 옥수수 현물가격 및 선도가격은 다음과 같다.

일자	옥수수 100단위 현물가격	옥수수 100단위 선도가격
20×1. 10. 1.	₩550,000	₩520,000(만기 5개월)
20×1. 12. 31.	510,000	480,000(만기 2개월)
20×2. 3. 1.	470,000	

자산에 대한 손상징후에 따른 시가 하락은 고려하지 않는다. 파생상품평가손익 계산 시 화폐의 시간가치는 고려하지 않는다. 20×2년 3월 1일에 수행하는 회계처리가 포괄손익계산서상 당기순이익에 미치는 순효과는 얼마인가? [공인회계사 2021년]

① ₩50,000 이익 ② ₩45,000 손실 ③ ₩30,000 이익
④ ₩30,000 손실 ⑤ ₩10,000 이익

04 파생상품 및 위험회피회계에 대한 다음 설명 중 옳은 것은? [공인회계사 2020년]

① 현금흐름위험회피에서 위험회피수단의 손익은 기타포괄손익으로 인식한다.
② 기업은 위험회피관계의 지정을 철회함으로써 자발적으로 위험회피회계를 중단할 수 있는 자유로운 선택권을 이유에 상관없이 가진다.
③ 확정계약의 외화위험회피에 공정가치위험회피회계 또는 현금흐름위험회피회계를 적용할 수 있다.
④ 해외사업장순투자의 위험회피는 공정가치위험회피와 유사하게 회계처리한다.
⑤ 고정금리부 대여금에 대하여 고정금리를 지급하고 변동금리를 수취하는 이자율스왑으로 위험회피하면 이는 현금흐름위험회피 유형에 해당한다.

05 ㈜대한은 제조공정에서 사용하는 금(원재료)을 시장에서 매입하고 있는데, 향후 예상매출을 고려할 때 금 10온스를 20×2년 3월 말에 매입할 것이 거의 확실하다. 한편 ㈜대한은 20×2년 3월 말에 매입할 금의 시장가격 변동에 따른 미래현금흐름변동위험을 회피하기 위해 20×1년 10월 1일에 다음과 같은 금선도계약을 체결하고, 이에 대해 위험회피회계를 적용(적용요건은 충족됨을 가정)하였다.

- 계약기간: 6개월(20×1. 10. 1. ~ 20×2. 3. 31.)
- 계약조건: 결제일에 금 10온스의 선도계약금액과 결제일 시장가격의 차액을 현금으로 수수함(금선도계약가격: ₩200,000/온스)
- 금의 현물가격, 선도가격에 대한 자료는 다음과 같다.

일자	현물가격(₩/온스)	선도가격(₩/온스)
20×1년 10월 1일	190,000	200,000(만기 6개월)
20×1년 12월 31일	195,000	210,000(만기 3개월)
20×2년 3월 31일	220,000	

- 현재시점의 현물가격은 미래시점의 기대현물가격과 동일하며, 현재가치평가는 고려하지 않는다.

㈜대한은 예상과 같이 20×2년 3월 말에 금(원재료)을 시장에서 매입하여 보유하고 있다. 금선도계약 만기일에 ㈜대한이 당기손익으로 인식할 파생상품평가손익은 얼마인가? [공인회계사 2020년]

① ₩50,000 손실　② ₩100,000 손실　③ ₩0
④ ₩50,000 이익　⑤ ₩100,000 이익

06 기업회계기준서 제1109호 '금융상품'에 대한 다음 설명 중 옳지 않은 것은? [공인회계사 2019년]

① 인식된 자산이나 부채, 인식되지 않은 확정계약, 예상거래나 해외사업장순투자는 위험회피대상항목이 될 수 있다. 이 중 위험회피대상항목이 예상거래(또는 예상거래의 구성요소)인 경우 그 거래는 발생가능성이 매우 커야 한다.
② 사업결합에서 사업을 취득하기로 하는 확정계약은 외화위험을 제외하고는 위험회피대상항목이 될 수 없다. 그러나 지분법적용투자주식과 연결대상 종속기업에 대한 투자주식은 공정가치위험회피의 위험회피대상항목이 될 수 있다.
③ 해외사업장순투자의 위험회피에 대한 회계처리 시, 위험회피수단의 손익 중 위험회피에 효과적인 것으로 결정된 부분은 기타포괄손익으로 인식하고 비효과적인 부분은 당기손익으로 인식한다.
④ 현금흐름위험회피가 위험회피회계의 적용조건을 충족한다면 위험회피대상항목과 관련된 별도의 자본요소(현금흐름위험회피적립금)는 (가) 위험회피 개시 이후 위험회피수단의 손익누계액과 (나) 위험회피 개시 이후 위험회피대상항목의 공정가치(현재가치) 변동 누계액 중 적은 금액(절대금액 기준)으로 조정한다.
⑤ 외화위험회피의 경우 비파생금융자산이나 비파생금융부채의 외화위험 부분은 위험회피수단으로 지정할 수 있다. 다만, 공정가치의 변동을 기타포괄손익으로 표시하기로 선택한 지분상품의 투자는 제외한다.

07 기업회계기준서 제1109호 '금융상품'에 대한 다음 설명 중 옳지 않은 것은? [공인회계사 2023년]

① 외화위험회피의 경우 비파생금융자산이나 비파생금융부채의 외화위험 부분은 위험회피수단으로 지정할 수 있다. 다만, 공정가치의 변동을 기타포괄손익으로 표시하기로 선택한 지분상품의 투자는 제외한다.

② 연결실체 내의 화폐성항목이 기업회계기준서 제1021호 '환율변동효과'에 따라 연결재무제표에서 모두 제거되지 않는 외환손익에 노출되어 있다면, 그러한 항목의 외화위험은 연결재무제표에서 위험회피대상항목으로 지정할 수 있다.

③ 위험회피관계가 위험회피비율과 관련된 위험회피 효과성의 요구사항을 더는 충족하지 못하지만 지정된 위험회피관계에 대한 위험관리의 목적이 동일하게 유지되고 있다면, 위험회피관계가 다시 적용조건을 충족할 수 있도록 위험회피관계의 위험회피비율을 조정해야 한다.

④ 단일 항목의 구성요소나 항목 집합의 구성요소는 위험회피대상항목이 될 수 있다.

⑤ 사업결합에서 사업을 취득하기로 하는 확정계약은 위험회피대상항목이 될 수 있다. 다만, 외화위험에 대하여는 위험회피대상항목으로 지정할 수 없다.

08 ㈜대한은 전기차용 배터리를 생산 및 판매하는 회사이다. ㈜대한은 20×2년 3월 말에 100개의 배터리를 국내 전기차 제조사들에게 판매할 가능성이 매우 높은 것으로 예측하였다. ㈜대한은 배터리의 판매가격 하락을 우려하여 20×1년 12월 1일에 선도계약을 체결하고, 이를 위험회피수단으로 지정하였다. 관련 정보는 다음과 같다.

- 선도거래 계약기간: 20×1년 12월 1일 ~ 20×2년 3월 31일(만기 4개월)
- 선도거래 계약내용: 결제일에 100개의 배터리에 대해 선도거래 계약금액(개당 ₩12,000)과 시장가격의 차액이 현금으로 결제된다.
- 현물가격 및 선도가격 정보:

일자	현물가격(개당)	선도가격(개당)
20×1. 12. 1.	₩13,000	₩12,000(만기 4개월)
20×1. 12. 31.	12,500	11,300(만기 3개월)
20×2. 3. 31.	10,500	

- 배터리의 개당 제조원가는 ₩10,000이고, 판매와 관련하여 다른 비용은 발생하지 않는다.

예측과 같이, ㈜대한은 20×2년 3월 말에 배터리를 판매하였다. ㈜대한이 위 거래에 대해 현금흐름위험회피회계를 적용하는 경우 ㈜대한의 20×2년도 당기순이익에 미치는 영향은 얼마인가? (단, 파생상품평가손익 계산 시 화폐의 시간가치는 고려하지 않으며, 배터리 판매가 당기순이익에 미치는 영향은 포함한다) [공인회계사 2023년]

① ₩0(영향 없음) ② ₩130,000 증가 ③ ₩150,000 증가
④ ₩180,000 증가 ⑤ ₩200,000 증가

관련 유형 연습

01 위험회피회계에 관하여 옳지 않은 설명은? [공인회계사 2017년]

① 위험회피의 개시시점에 위험회피관계, 위험관리목적 및 위험관리전략을 공식적으로 지정하고 문서화하였다면 사후적인 위험회피결과와 관계없이 위험회피회계를 적용할 수 있다.

② 위험회피관계의 유형은 공정가치위험회피, 현금흐름위험회피, 해외사업장순투자의 위험회피로 구분한다.

③ 공정가치위험회피회계를 적용하는 경우 회피대상위험으로 인한 위험회피대상항목의 손익은 당기손익으로 인식한다.

④ 현금흐름위험회피회계를 적용하는 경우 위험회피수단의 손익 중 위험회피에 효과적인 부분은 기타포괄손익으로 인식한다.

⑤ 해외사업장순투자의 위험회피회계를 적용하는 경우 위험회피수단의 손익 중 위험회피에 비효과적인 부분은 당기손익으로 인식한다.

02 ㈜한국은 20×2년 2월 28일에 $500의 상품수출을 계획하고 있으며 판매대금은 미국달러화($)로 수취할 것이 예상된다. ㈜한국은 동 수출과 관련된 환율변동위험에 대비하기 위해 20×1년 11월 1일에 다음과 같은 통화선도계약을 체결하였다.

- 계약기간: 20×1년 11월 1일 ~ 20×2년 2월 28일(만기 4개월)
- 계약내용: 계약만기일에 $500를 ₩1,050/$(선도환율)에 매도하기로 함
- 환율정보:

일자	현물환율(₩/$)	통화선도환율(₩/$)
20×1. 11. 1.	1,060	1,050(만기 4개월)
20×1. 12. 31.	1,040	1,020(만기 2개월)
20×2. 2. 28.	1,000	

㈜한국이 위 통화선도계약을 (가) 위험회피수단으로 지정한 경우, 또는 (나) 위험회피수단으로 지정하지 않은 경우에 수행하여야 할 각각의 회계처리에 관하여 옳은 설명은? (단, 파생상품에 대한 현재가치평가는 고려하지 않는다) [공인회계사 2017년]

① (가)의 경우 ㈜한국은 통화선도거래에 대해 공정가치위험회피회계를 적용해야 한다.

② (나)의 경우 ㈜한국은 통화선도 계약체결일에 현물환율과 선도환율의 차이인 ₩5,000을 통화선도(부채)로 인식한다.

③ (가)의 경우 ㈜한국이 20×1년도에 당기손익으로 인식하는 파생상품평가손익은 ₩10,000 이익이다.

④ (나)의 경우 ㈜한국이 20×1년도에 당기손익으로 인식하는 파생상품평가손익은 ₩15,000 손실이다.

⑤ ㈜한국이 20×1년 말 재무상태표에 계상하는 통화선도(자산) 금액은 (가)의 경우와 (나)의 경우가 동일하다.

해커스 IFRS 정윤돈 객관식 재무회계

개정 7판 1쇄 발행 2024년 8월 30일

지은이 정윤돈
펴낸곳 해커스패스
펴낸이 해커스 경영아카데미 출판팀

주소 서울특별시 강남구 강남대로 428 해커스 경영아카데미
고객센터 02-537-5000
교재 관련 문의 publishing@hackers.com
학원 강의 및 동영상강의 cpa.Hackers.com

ISBN 본책: 979-11-7244-313-9 (14320)
세트: 979-11-7244-312-2 (14320)
Serial Number 07-01-01